DU MÊME AUTEUR

Aux Éditions Gallimard

LA PHYSIQUE DES CATASTROPHES, Du monde entier, 2007 (Folio n° 4835)

Du monde entier

MARISHA PESSL

INTÉRIEUR NUIT

roman

Traduit de l'anglais (États-Unis)
par Clément Baude

GALLIMARD

Titre original :
NIGHT FILM

À la mémoire de ma grand-mère,

Ruth Hunt Readinger

(1910-2011)

L'effroi est une chose aussi essentielle à notre vie que l'amour. Il plonge au plus profond de notre être et nous révèle ce que nous sommes. Allons-nous reculer et nous cacher les yeux ? Ou aurons-nous la force de marcher jusqu'au précipice et de regarder en bas ? Voulons-nous savoir ce qui s'y cache ou, au contraire, vivre dans l'illusion sans lumière où ce monde commercial veut tant nous enfermer, comme des chenilles aveugles dans un éternel cocon ? Allons-nous nous recroqueviller, les yeux clos, et mourir ? Ou nous frayer un chemin vers la sortie pour nous envoler ?

STANISLAS CORDOVA
Rolling Stone, 29 décembre 1977

PROLOGUE

New York, 2 h 32 du matin.

Que cela nous plaise ou non, nous avons tous une histoire avec Cordova.

C'est peut-être une voisine de palier qui a trouvé un de ses films dans un vieux carton au fond de sa cave et, depuis, n'est plus jamais entrée seule dans une pièce obscure. Ou un petit ami qui s'est vanté d'avoir récupéré sur Internet une copie pirate de *La nuit tous les oiseaux sont noirs* et, après l'avoir regardée, a refusé d'en parler, comme s'il avait miraculeusement survécu à une épreuve atroce.

Quoi que vous pensiez de Cordova, que vous soyez obsédé par son œuvre ou que vous y soyez indifférent, il provoque toujours une réaction. Il est une fissure, un trou noir, un danger indéterminé, une irruption permanente de l'inconnu dans notre monde surexposé. Il est caché, il rôde, invisible, dans les recoins les plus sombres. Il gît au fond de la rivière, sous le viaduc du chemin de fer, avec tous les indices manquants et les réponses qui ne verront jamais la lumière du jour.

C'est un mythe, un monstre, un mortel.

Et pourtant, je ne peux m'empêcher de penser que, quand vous avez vraiment besoin de lui, Cordova a cette manière de foncer droit sur vous, tel un invité mystérieux que vous remarquez à l'autre bout de la pièce lors d'une soirée pleine de monde. En un clin d'œil, il se retrouve *juste à côté* de vous, près du bol de

13

punch, vous regarde fixement lorsque vous vous retournez, et vous demande l'heure négligemment.

Mon histoire avec Cordova commença pour la deuxième fois par une soirée pluvieuse d'octobre, à l'époque où, comme beaucoup d'autres, je courais en rond et me dépêchais d'aller nulle part. Je faisais mon jogging autour du Reservoir de Central Park passé 2 heures du matin – une dangereuse habitude que j'avais prise cette année-là, trop énervé pour dormir, frappé d'une inertie inexplicable, une vague impression que mes plus belles années étaient derrière moi et que ce sens des possibles que, jeune homme, j'avais possédé de manière innée, n'existait plus.

Il faisait froid et j'étais trempé. La piste de gravier était trouée de flaques. La surface noire du Reservoir était enveloppée d'une brume qui noyait les roseaux sur les berges et effaçait les alentours du parc comme s'ils n'étaient qu'une pauvre feuille de papier aux bords déchirés. Des immenses gratte-ciel de la 5e Avenue, je ne voyais que quelques lumières dorées percer l'obscurité et se refléter au bord de l'eau, pareilles à des pièces de monnaie qu'on y aurait jetées. Chaque fois que je dépassais un des réverbères, mon ombre grossissait devant moi, diminuait rapidement, puis disparaissait – comme si elle n'avait pas le cran de rester.

Alors que je contournais le bâtiment des vannes côté sud, au début de mon sixième tour, je jetai un coup d'œil par-dessus mon épaule et vis quelqu'un derrière moi.

Une femme se tenait devant un réverbère, le visage plongé dans l'ombre. Son manteau rouge attirait la lumière derrière elle et formait une tache rouge vif dans la nuit.

Une jeune femme ici ? Seule ? Était-elle folle ?

Je me retournai, un peu agacé par tant de naïveté, ou d'imprudence. Les femmes de Manhattan avaient beau être magnifiques, elles oubliaient souvent qu'elles n'étaient pas immortelles. Elles pouvaient se jeter dans un vendredi soir festif comme une poignée de confettis, sans penser aux *interstices* où elles risquaient de se retrouver coincées le samedi matin.

La piste s'allongeait vers le nord. La pluie piquait mon visage, les branches des arbres étaient basses et formaient un tunnel au-dessus de ma tête. Les mollets éclaboussés par la boue, je dépassai une série de bancs alignés, puis le pont incurvé.

La femme mystérieuse semblait avoir disparu.

Soudain – au loin, un éclair *rouge*. Il disparut aussitôt. Quelques secondes plus tard, je distinguai une fine silhouette sombre qui marchait lentement le long de la grille métallique. Elle portait des bottes noires et ses cheveux foncés tombaient à mi-hauteur de son dos. J'accélérai ma foulée, bien décidé à la doubler au moment où elle serait à côté d'un réverbère, afin que je puisse la voir d'un peu plus près et m'assurer qu'elle allait bien.

Cependant, à mesure que je m'approchais d'elle, j'avais le sentiment très net qu'elle *n'allait pas* bien.

C'était le bruit de ses pas, trop lourds pour une personne aussi mince, et sa manière de marcher, tellement raide, comme si elle m'attendait. Tout à coup j'eus l'impression que, si je la dépassais, elle se retournerait et je verrais son visage non pas jeune, comme je l'avais imaginé, mais *vieux*. La face ravagée d'une vieille femme me fixerait de ses yeux caves, avec une bouche semblable à l'entaille d'une hache sur un tronc d'arbre.

Je n'étais plus qu'à quelques mètres d'elle.

Elle allait tendre les mains, saisir mon bras, et sa poigne serait aussi forte que celle d'un homme, *glaciale*.

J'arrivai à sa hauteur, mais sa tête était baissée, dissimulée par ses cheveux. Lorsque je me retournai, elle avait déjà dépassé le halo de lumière et n'était guère plus qu'une forme sans visage découpée dans la nuit, les épaules dessinées de rouge.

Je repartis et pris un raccourci ; le chemin sinuait parmi les épais fourrés, je sentais les branches fouetter mes bras. *Quand je la recroiserai, je m'arrêterai et lui dirai quelque chose – de rentrer chez elle.*

Mais je fis un tour supplémentaire et il n'y avait plus trace d'elle. J'inspectai la butte qui descendait vers les pistes cavalières.

Rien.

Quelques minutes plus tard, je me rapprochai du bâtiment des vannes côté nord – une construction de pierre plongée dans le noir, hors d'atteinte des réverbères. Je ne voyais pas grand-chose, hormis une volée de marches étroites qui montaient vers une double porte rouillée, fermée et enchaînée, à côté d'un panneau indiquant : « ACCÈS INTERDIT. PROPRIÉTÉ DE LA VILLE DE NEW YORK ».

De plus près, en levant les yeux, je m'aperçus avec angoisse qu'elle était *là*, debout sur le perron, et qu'elle regardait vers moi. *Ou regardait-elle à travers moi ?*

Le temps que je réalise, je courais déjà, tête baissée. Néanmoins, ce que j'avais entrevu pendant cette fraction de seconde s'était imprimé sur ma rétine, comme une photo au flash : des cheveux emmêlés, le manteau rouge sang devenu marron dans la nuit, un visage tellement dissimulé par l'obscurité qu'on pouvait penser qu'il n'existait même pas.

De toute évidence, je n'aurais pas dû boire ce quatrième whisky. Fut un temps, pas *si* lointain, où il m'en fallait un peu plus pour m'impressionner. « Scott McGrath, le journaliste qui irait en enfer uniquement pour interviewer Lucifer », avait un jour écrit un blogueur. Je l'avais pris comme un compliment. Les taulards qui se tatouaient la figure avec du cirage à chaussure et de la pisse, les adolescents de Vigário Geral armés jusqu'aux dents et défoncés à la *pedra*, les caïds de Medellín qui passaient leurs vacances une fois par an à la prison de Rikers Island – rien de tout ça ne m'effrayait. Ça faisait partie du décor.

Et voilà qu'une femme dans le noir me troublait.

Elle devait être ivre. Ou elle avait pris trop de Xanax. Ou alors il s'agissait d'un pari adolescent débile – une petite peste de l'Upper East Side l'avait embarquée dans cette galère. Ou encore c'était un traquenard, et son traîne-lattes de petit copain attendait quelque part pour me sauter à la gorge.

Si c'était *ça*, ils allaient être déçus. Je n'avais aucun objet de valeur sur moi, à l'exception de mes clés, d'un cran d'arrêt et de ma carte de métro, créditée d'environ huit dollars.

Certes, peut-être que je traversais *une mauvaise passe, une période de disette* – appelez ça comme vous voudrez. Je ne m'étais pas défendu depuis… Eh bien, *concrètement*, depuis la fin des années quatre-vingt-dix. Mais on n'oublie jamais comment se battre pour sa survie. Et il n'est jamais trop tard pour s'en souvenir, à moins d'être mort.

La nuit devint d'un calme irréel, *immobile*. Cette brume – elle avait quitté l'eau pour les arbres, envahissant la piste comme une maladie, le résidu d'une substance dans l'air, quelque chose de toxique.

Une minute plus tard, j'arrivai non loin du bâtiment des vannes côté nord. En passant devant, je m'attendais à la trouver sur le perron.

Or il était désert. Aucune trace de la femme, nulle part.

Pourtant, plus je courais sur la piste qui se déroulait comme un passage souterrain vers une nouvelle dimension obscure, plus cette rencontre me laissait un goût d'inachevé, une chanson interrompue sur une note pleine d'espoir, un projecteur qui cafouillait quelques secondes avant la grande course-poursuite, l'écran devenant tout blanc. Je n'arrivais pas à me départir de l'impression tenace qu'elle était *là*, cachée quelque part, en train de m'observer.

J'aurais juré avoir senti une bouffée de parfum mêlée aux odeurs humides de la boue et de la pluie. Je scrutai la butte plongée dans le noir, m'attendant à voir d'un instant à l'autre le rouge vif de son manteau. Peut-être serait-elle assise sur un banc, ou debout sur le pont. *Était-elle venue ici pour se faire du mal ?* Et si elle escaladait la grille et me regardait avec un visage vidé de tout espoir, avant de sauter et de s'écraser sur la chaussée comme un sac de pierres ?

Peut-être avais-je bu un cinquième whisky sans m'en rendre compte. *Ou bien cette foutue ville avait fini par me taper sur le système.* Sous une pluie de plus en plus battante, je redescendis les marches, empruntai East Drive, retrouvai la 5ᵉ Avenue et tournai au coin de la 86ᵉ Rue Est. Je courus sur trois blocs, le long des restaurants fermés et des halls d'immeuble éclairés où les portiers s'ennuyaient en regardant dehors.

Devant l'entrée du métro, côté Lexington Avenue, j'entendis le grondement d'un train à l'approche. Je dévalai l'escalier et introduisis ma carte de métro dans le tourniquet. Il y avait quelques personnes sur le quai – deux adolescents, une vieille dame avec un sac Bloomingdale's.

Le train entra bruyamment dans la station et fit crisser ses freins. Je montai dans une voiture vide.

« Ligne 4, express pour Brooklyn. Prochain arrêt : 59ᵉ Rue. »

Tout en m'égouttant, j'avisai les banquettes désertes et une affiche pour un film de science-fiction. Elle était couverte de graffitis. Dessus, quelqu'un avait éborgné l'homme qui sprintait à coups de feutre noir.

Les portes se refermèrent lourdement. Dans un couinement de freins, le train redémarra.

Et soudain je vis, descendant lentement les marches à l'autre bout, une paire de bottes noires brillantes et du *rouge*, un manteau rouge. À mesure qu'elle descendait, avec sa chevelure noire mouillée, comme de l'encre coulant sur ses épaules, je me rendis compte que c'était elle, la fille du Reservoir, le fantôme – *ou Dieu seul sait ce qu'elle était*. Mais avant que je puisse comprendre l'incompréhensible, avant que mon cerveau puisse me hurler qu'elle venait pour moi, le train s'engouffra dans le tunnel et les vitres devinrent toutes noires. Il ne me restait plus que mon reflet à contempler.

INTÉRIEUR NUIT

ACCUEIL | ÉDITION DU JOUR | VIDÉOS | ARTICLES LES PLUS LUS   Connexion | S'inscrire | Aide

The New York Times Région de New York

Chercher sur tout NYTimes.com

[   ] Go

MONDE | USA | NEW YORK | ÉCONOMIE | TECHNOLOGIES | SCIENCES | SANTÉ | SPORTS | IDÉES | ARTS | STYLE

Ashley Cordova retrouvée morte à 24 ans

Ashley Cordova retrouvée morte à 24 ans   Photo K&M Recording

14 octobre 2011. Par Charles Dunbar

Le corps découvert jeudi soir dans un entrepôt vide de Chinatown a été identifié par le médecin légiste de New York comme étant celui d'Ashley Cordova, fille de Stanislas Cordova, le réalisateur américain primé aux Oscars. Elle avait vingt-quatre ans.

La cause du décès n'a pas encore été établie mais, à en croire Hector J. Marcos, porte-parole du bureau du médecin légiste de New York, la police s'intéresse à des témoignages selon lesquels Mlle Cordova, qui avait semble-t-il connu des épisodes dépressifs, se serait suicidée en sautant dans la cage d'un ascenseur hors-service.

Ashley Cordova était une pianiste concertiste, ancien enfant prodige. Après avoir donné son premier concert au Carnegie Hall à l'âge de douze ans (le *Concerto pour piano en sol majeur* de Ravel avec l'Orchestre philharmonique de Moscou), elle avait renoncé à la musique à quatorze ans, refusant récitals, tournées et apparitions publiques.

Elle avait grandi au Peak, l'immense propriété de son père dans les Adirondacks qui a servi de décor à nombre de ses films, notamment *Les poucettes*, thriller psychologique sorti en 1979. Ashley Cordova était sortie diplômée de l'université Amherst en 2009. Contrairement à son demi-frère Theo Cordova, qui a souvent joué dans les films de son père, Ashley n'y a fait qu'une seule apparition, incarnant la plus jeune des enfants de la famille Stevens dans *Respirer avec les rois* (1996), adapté d'un roman d'August Hauer.

La famille Cordova n'a pu être contactée.

◀ ▶ ⊙ http://www.vulture.com/2011/10/la-fille-de-cordova-retrouvee-morte.html

La fille de Cordova retrouvée morte

Ashley Cordova, la fille du cinéaste culte Stanislas Cordova, âgée de vingt-quatre ans, a été retrouvée morte dans le centre de New York, vraisemblablement après un suicide. Cet épisode est un nouveau chapitre sombre dans la vie d'un homme qui a habilement construit puis démenti sa propre légende noire. Cela soulève aussi une question évidente : s'agit-il d'une coïncidence malheureuse, ou la dynastie Cordova est-elle maudite ? Nous continuerons de couvrir cette histoire au fur et à mesure des nouveaux développements. [*The New York Times*]

PLUS : FILMS, STANISLAS CORDOVA, ASHLEY CORDOVA, CULTE

---

809 Commentaires COMMENTER PLUS RÉCENT PLUS ANCIEN SÉLECTION PLUS COMMENTÉ ☑ Flaguer

---

ANONYME ⚠

C'est très triste…

Vendredi 14 oct. 2011 @ 23 h 23

---

ilmefautuncafé ⚠

RIP Ashley C.

Vendredi 14 oct. 2011 @ 23 h 26

Cathie ⚠

Ce type est un sociopathe. Les gens comme lui ne devraient pas faire des films.

Vendredi 14 oct. 2011 @ 23 h 31

Bill est un grand farfadet ⚠

MAIS OUI Cathie ! Pourvu que rien de sombre, de monstrueux et de dérangeant ne t'oblige à remettre en cause ta vision du monde commerciale et financée par les grandes entreprises.

Vendredi 14 oct. 2011 @ 23 h 33

Fan de Cordova ⚠

« Ce qui est maintenant prouvé ne fut jadis qu'imaginé. » William Blake

Vendredi 14 oct. 2011 @ 23 h 36

Abonné Absent ⚠

Je ne suis pas surpris. Seul un fou complet a pu faire ce truc de dingue qu'est *Isolat 3*.

Vendredi 14 oct. 2011 @ 23 h 41

> **Jess** ⚠
>
> Où est-ce que tu l'as vu ?   Vendredi 14 oct. 2011 @ 11 h 43

> **Abonné Absent** ⚠
>
> Tunnel de la liberté 4 h du matin   Vendredi 14 oct. 2011 @ 23 h 48

TIME **Photos**

CULTURE

La dernière énigme

14 octobre 2011 | Commenter

1 *de* 18

Stanislas Cordova, New York, décembre 1977. Cette photo est la dernière à avoir été prise du légendaire cinéaste.

Ashley Cordova, vingt-quatre ans, fille du réalisateur Stanislas Cordova, a été retrouvée morte hier soir dans un entrepôt désaffecté du Lower Manhattan.

Dans ce monde moderne où tout n'est que tweets, surinformation et visibilité totale, Cordova fait figure d'exception. Il refuse d'apparaître en public et de donner des interviews depuis son apparition en couverture de *Rolling Stone* de 1977, et ceux qui ont travaillé à ses côtés respectent un strict silence. Les quinze longs-métrages qui constituent son œuvre – autant de voyages effrayants dans les mondes souterrains du mal – font encore l'objet d'un culte et sont réputés parmi les films les plus terrifiants jamais réalisés. Tout aussi mystérieux, l'homme lui-même, dont la vie privée et la carrière ont toujours suscité la polémique.

TIME propose aujourd'hui un bref regard en photos sur Cordova, ce personnage insondable qui – bien qu'il se mure dans le silence et reste invisible – déchaîne encore des tempêtes.

 J'aime 38   Tweet 90 🔴 +1 3   Partager

◀ ▶ 🔒 http://world.time.com/2011/10/14/la-derniere-enigme/

La dernière énigme

14 octobre 2011 | Commenter

  2 *de* 18 ➡

Les débuts

Si l'on ne sait pas grand-chose sur son enfance, il est avéré que Cordova, fils unique, a été élevé dans le South Bronx par une mère seule. Lorsque l'exhumation de photos personnelles du célèbre réalisateur reclus est devenue le passe-temps favori de ses admirateurs, une institutrice retraitée de l'école James Colgate a affirmé que Cordova figurait sur celle-ci (*au fond à gauche*). Une recherche dans les archives de l'école a démontré, en effet, qu'un garçon nommé Stan Cordova était inscrit dans sa classe en 1948. Il y avait reçu des notes médiocres à cause de son « comportement asocial ».

La dernière énigme

14 octobre 2011 | Commenter

Le patron

Une ancienne serveuse du Cafe Wha ?, nommée Jessica Ramirez, prétend avoir été la petite amie de Cordova entre 1960 et 1962. Selon elle, Stanislas avait quitté le lycée et était devenu un petit délinquant. Après avoir volé une Ford Thunderbird, il aurait gagné sa vie en travaillant comme chauffeur de taxi de nuit pour les prostituées des quartiers glauques du New York des années soixante, tout en passant ses journées à écrire le scénario de ce qui deviendrait son premier film, l'effrayant *Silhouettes baignées de lumière* (1964). « Il avait des yeux surnaturels, dit Ramirez. Des yeux qui vous tombaient dessus comme s'ils venaient de l'espace, et qui vous retournaient. » C'est la seule photo qu'elle possède d'elle (*à gauche*) aux côtés de Cordova (*au milieu*).

http://world.time.com/2011/10/14/la-dernière-enigme/

La dernière énigme

14 octobre 2011 | Commenter

Le génie sombre

Warner Bros a publié cette photo publicitaire montrant Cordova sur le tournage de
son deuxième opus, *L'héritage* (1966). Dans ce film qui raconte l'histoire troublante
d'un garçon de dix ans qui décide de tuer le shérif du comté, personnage malfaisant,
on découvre les thèmes que Cordova explorera tout au long de son œuvre : le monde
souterrain terrifiant qui se cache derrière le beau et le normal ; la nature fragmentée
de l'identité humaine, avec ses peurs refoulées, ses arrière-pensées violentes et
ses désirs sexuels immoraux ; et le *film de nuit* lui-même, expérience fascinante et
émotionnellement éreintante. Lorsque Cordova a décidé de ne plus apparaître en
public, certains ont mis en doute le fait que ce soit lui qui figure sur cette photo.

 J'aime 67   Tweet 12   +1 30   Partager

La dernière énigme

14 octobre 2011 | Commenter

La femme de confiance

À partir de son deuxième film, la collaboratrice la plus fidèle de Cordova a été une certaine Inez Gallo. Gallo était, dit-on, une femme au foyer mexicaine (*photo de mariage ci-dessus*) lorsque, en août 1965, elle a rencontré Cordova sur la ligne Q du métro, direction Brooklyn. Quelques jours plus tard, elle a abandonné sa famille en pleine nuit. Au cours des trente années suivantes, elle a figuré simplement comme « assistante de M. Cordova » au générique de quinze de ses films. Son unique apparition publique a eu lieu lors de la cérémonie de remise des Oscars en 1980, lorsqu'elle est venue chercher l'Oscar du meilleur réalisateur attribué à Cordova pour *Les poucettes* (1979). Portant des rangers aux pieds, elle a prononcé un discours d'une phrase, exhortant les gens à sortir « de [leurs] chambres fermées, réelles ou imaginaires ». Cette apparition a fait naître des bruits selon lesquels Inez Gallo serait le véritable génie derrière l'œuvre de Cordova. La vidéo a été vue par plus de trois millions de personnes sur YouTube.

La dernière énigme

6 *de* 18

14 octobre 2011 | Commenter

L'héritière

En juin 1975, Cordova a épousé Genevra Castagnello, une mannequin italienne héritière d'une grande fortune de la banque. Un an plus tard, le couple achetait le Peak, une somptueuse propriété dans les Adirondacks, ancienne maison de vacances des Rockefeller. Peu de temps après avoir donné naissance à un fils, Theodore, Genevra a été retrouvée morte dans un lac de la propriété, suite à une noyade accidentelle. Ce drame est considéré comme l'une des causes de l'isolement croissant de Cordova et de la présence du mal comme élément central de son travail.

La dernière énigme

14 octobre 2011 | Commenter

Le Peak

Depuis 1976, Cordova vit et tourne tous ses films dans cette propriété de cent vingt hectares située au nord de l'État de New York, dans les régions reculées du nord de Lows Lake.
Le caractère isolé du lieu – le village le plus proche est Crowthorpe Falls, 829 habitants – et le fait, avéré, que la propriété soit protégée par une clôture haute de six mètres ont suscité de nombreuses rumeurs et spéculations quant à l'existence qu'y mène Cordova.

La dernière énigme

14 octobre 2011 | Commenter

La muse

L'actrice Marlowe Hughes, d'une beauté légendaire, est devenue la deuxième femme de Cordova pendant le tournage de *L'enfant de l'amour* (1985), bien que le mariage ait été annulé seulement trois mois plus tard. Hughes refuse de s'exprimer en public sur l'homme ou sur leur couple. Sa prestation éprouvante dans le rôle de l'épouse d'un homme politique traquant son maître-chanteur – lequel menace de dévoiler son passé d'enfant prostituée – lui a valu des critiques élogieuses, les meilleures de toute sa carrière. Le film, classé X, a été le dernier des films de Cordova à bénéficier d'une distribution dans les salles classiques.

La dernière énigme

14 octobre 2011 | Commenter

AT NIGHT ALL BIRDS ARE BLACK

CORDOVA CORRUPTS TAKE ACTION NOW!

Fiasco ou habile publicité ?

Le dixième film de Cordova, *La nuit tous les oiseaux sont noirs* (1987) – l'histoire d'une adolescente qui se livre à des choses terrifiantes pour pouvoir retrouver son père disparu –, a été interdit aux moins de dix-huit ans par la Motion Picture Association of America et a provoqué l'indignation des ligues de vertu catholiques (*voir ci-dessus*). Après qu'une jeune femme a fait une crise de nerfs dans la salle lors d'une pré-projection, Warner Bros a refusé de distribuer le film. Quelques mois plus tard, le bruit a couru que des projections clandestines avaient lieu, en toute illégalité, dans le vaste réseau de tunnels creusés sous Paris, la Ville-Lumière.

http://world.time.com/2011/10/14/la-derniere-enigme/

La dernière énigme

14 octobre 2011 | Commenter

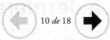

Entrailles urbaines

Ces séances secrètes – connues sous le nom de *projections non censurées* – ont commencé dans les catacombes de Paris, un dédale de passages souterrains construit au XIIe siècle et dont les murs, heureux hasard, sont constitués d'ossements humains. Très vite, ces séances clandestines se sont répandues dans toute l'Europe, en Amérique, au Japon. C'est à cette époque que Cordova s'est vu attribuer l'image d'un sorcier subversif, issu d'un univers sombre et terrifiant, libéré de l'emprise commerciale de la société.

 J'aime 21   Tweet 14   +1 3   Partager

La dernière énigme

14 octobre 2011 | Commenter

Symbole de souveraineté

Dans sa célèbre interview à *Rolling Stone*, en 1977 – sa dernière apparition –, Cordova expliquait que sa séquence préférée, parmi tous ses films, était un gros plan sur l'œil de l'assassin dans *Silhouettes baignées de lumière*. Il l'a décrit en des termes obscurs : « souverain, implacable, parfait ». Il a reconnu qu'il s'agissait en réalité de *son œil* et, en étudiant de près l'image, on voit, sur l'iris, le reflet d'une femme en train de crier. Lorsque Cordova a disparu de la scène publique, ses admirateurs – qui se nomment eux-mêmes les cordovistes – ont fait de ces trois mots un slogan et, d'une version stylisée de ce plan, le symbole des projections clandestines de ses films.

http://world.time.com/2011/10/14/la-derniere-enigme/

La dernière énigme

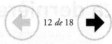

12 *de* 18

14 octobre 2011 | Commenter

Last Exit to Cordova
Dans une station du métro berlinois, le 1ᵉʳ octobre 1989, à 2 h 14 du matin, une jeune femme étudie des consignes cryptées, en vue de se rendre à une projection de *La douleur* (1988).

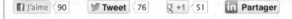

J'aime 90   Tweet 76   +1 51   Partager

La dernière énigme

14 octobre 2011 | Commenter

 13 *de* 18

Prélude à l'enfer

Ceux qui assistent aux projections non censurées évoquent rarement ce qui s'y passe. D'après certains, les séances – qui se déroulent dans l'obscurité complète de bâtiments désaffectés ou de tunnels interdits d'accès, sous la ville – sont tellement horribles que certains spectateurs s'évanouissent. Pour d'autres, ces séances se transforment en raves orgiaques qui durent plusieurs jours. Ci-dessus, un artiste de rue anonyme, à Detroit, danse en attendant la projection d'*Attendez-moi ici* (1993), le premier vrai film d'horreur de Cordova, dans lequel une petite ville de Caroline du Sud est terrorisée par une série de meurtres non élucidés. Cet artiste a dit plus tard que voir ce film, c'était « abandonner son ancienne personnalité, traverser l'enfer et renaître ».

 J'aime 88   Tweet 32   +1 8   Partager

http://world.time.com/2011/10/14/la-derniere-enigme/

La dernière énigme

14 octobre 2011 | Commenter

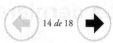14 *de* 18

L'imitateur

En février 2000, le corps mutilé d'Amy Andrews, huit ans, a été retrouvé dans une usine à papier désaffectée de Kalamazoo, Michigan. Les policiers ont découvert que ses blessures étaient similaires à celles reçues par la petite Alice Reinhart dans *Attendez-moi ici* (1993). Lorsque le suspect, Hugh Thistleton, vingt-deux ans, a été appréhendé, des DVD piratés des *films interdits* de Cordova – ses cinq derniers – ont été retrouvés chez lui, ce qui a incité la famille Andrews à fonder La Lumière d'Amy, une association dont le but est de racheter et de détruire les copies pirates des œuvres de Cordova vendues anonymement sur Internet.

◀ ▶ 🔖 http://world.time.com/2011/10/14/la-dernière-enigme/

La dernière énigme

14 octobre 2011 | Commenter

La diffamation

Le 12 mai 2006, le journaliste maintes fois primé Scott McGrath a affirmé, lors de
l'émission *Nightline*, que Cordova était le sujet de sa prochaine enquête. Pour lui, le
réalisateur est un « prédateur – de la même veine que [Charles] Manson, Jim Jones et
le colonel Kurtz », référence à l'exterminateur barbare d'*Apocalypse Now*. McGrath a
ajouté : « Quelqu'un doit stopper [Cordova] à tout prix. » Deux jours après la diffusion
de l'émission, les avocats de Cordova (*ci-dessus*) ont décidé de poursuivre McGrath
devant les tribunaux pour calomnie en réclamant un million de dollars de dommages
et intérêts. Bien que le litige ait été réglé à l'amiable, on a appris plus tard que la
« source » du journaliste – un prétendu ancien chauffeur de Cordova – n'était qu'une
pure invention, et McGrath a été renvoyé du magazine *Insider*.

 J'aime   75   Tweet ‹ 54   ⪡ +1 ‹ 2   Partager

La dernière énigme

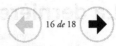

16 *de* 18

14 octobre 2011 | Commenter

Le bel enfant

En 1986, Cordova épousait sa troisième femme, Astrid Goncourt, une costumière française. Ils ont eu une fille, Ashley, qui à l'âge de huit ans est apparue dans le dernier film connu de son père, *Respirer avec les rois* (1996). Plus tard, elle est devenue célèbre comme pianiste prodige sous le nom d'Ashley DeRouin et a joué pour la première fois au Carnegie Hall à l'âge de douze ans. Elle a été retrouvée morte dans un entrepôt désaffecté de Chinatown le 13 octobre 2011. Elle avait vingt-quatre ans.

 J'aime ‹ 50   Tweet ‹ 49   +1 ‹ 7   Partager

La dernière énigme

14 octobre 2011 | Commenter

L'attente

Depuis 1977, Cordova n'a pas fait la moindre apparition publique. En 2003, certaines personnes ont affirmé qu'il travaillait à un nouveau film, intitulé provisoirement *Matilde*, bien que rien ne prouve que le tournage ait même commencé. Pour supplier le réalisateur de tourner à nouveau, les cordovistes ont adopté le symbole de l'oiseau rouge, qui apparaît furtivement dans chacun de ses quinze films : symbole d'une beauté austère, du besoin humain de liberté, et, face à l'inimaginable horreur, de la possibilité d'une transcendance.

J'aime ‹ 78   Tweet 21   +1 ‹ 12   Partager

La dernière énigme

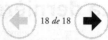

14 octobre 2011 | Commenter

Ultime murmure

Les rumeurs concernant Cordova sont disséquées et analysées sur un site Internet invisible de fans, nommé les Blackboards. Si des bruits persistent selon lesquels le cinéaste serait devenu fou, aurait été défiguré par une maladie ou serait même mort, un petit indice sur ses faits et gestes est apparu le 2 juin 2008, lorsqu'un employé anonyme de Christie's International, à Londres, a transmis à la presse un acte de vente dressé lors d'enchères d'art contemporain. Le document révélait que l'*Autoportrait* de Francis Bacon (1971) avait été vendu pour une somme non précisée, mais comportant huit chiffres, à un certain S. Cordova.

1

L'énorme lustre déversait une lumière dorée sur les invités tandis que j'observais la fête dans le miroir en bronze au-dessus de la cheminée. Je fus étonné de repérer quelqu'un que je reconnus à peine : moi-même. Chemise bleue, veste en tweed, troisième ou quatrième verre – je n'arrivais plus à les compter –, adossé contre le mur comme si c'était moi qui le soutenais. On aurait dit que je n'étais pas à un cocktail, mais dans un aéroport, à attendre que ma vie décolle.

Retardée indéfiniment.

Chaque fois que j'allais à ces soirées de charité, scènes perdues de ma vie d'homme marié, je me demandais pourquoi je continuais d'y aller.

Peut-être aimais-je me retrouver devant un peloton d'exécution.

« Scott McGrath ! Ça fait plaisir de te voir ! »

J'aimerais pouvoir en dire autant, pensai-je.

« Tu travailles sur un truc sympa en ce moment ? »

Mes abdos.

« Tu donnes toujours tes cours de journalisme à la New School ? »

Ils m'ont suggéré de prendre une année sabbatique. En d'autres termes ? Compression de personnel.

« Je ne savais pas que tu étais encore à New York. »

Celle-là, je n'ai jamais su comment y répondre. Ils croyaient donc que j'avais été exilé à Sainte-Hélène ?

J'étais là grâce à une amie de mon ex-femme Cynthia, une certaine Birdie. Je trouvais à la fois amusant et flatteur que, longtemps après que ma femme eut divorcé de moi pour voguer sur des eaux plus bleues, un banc serré d'amies à elle tourne autour de moi comme si j'étais une épave intéressante, en quête d'un vestige à sauver et à rapporter chez elles. Birdie était blonde, la quarantaine, et ne m'avait pas lâché pendant près de deux heures. De temps à autre, sa main serrait mon bras – pour me faire comprendre que son mari, un type qui travaillait pour un *hedge fund*, était en déplacement et que ses trois gamins étaient emprisonnés avec une nounou. Il avait fallu que la maîtresse de maison la hèle et lui présente sa cuisine fraîchement rénovée pour que Birdie se détache enfin de moi.

« Tu ne bouges pas », m'avait-elle dit.

C'était *précisément* ce que j'avais fait. *L'épave voulait rester sous l'eau.*

Je finis mon whisky et m'apprêtais à retourner au bar lorsque je sentis vibrer mon BlackBerry.

Je m'éclipsai par la porte derrière moi et me retrouvai sur le palier du premier étage. C'était un SMS de mon vieil avocat, Stu Laughton. Cela faisait au moins six mois qu'on ne s'était pas parlé.

La fille de Cordova retrouvée morte.
Appelle-moi.

Je quittai la messagerie, googlisai « Cordova » et fis défiler les résultats.

C'était vrai. Et il y avait *mon* foutu nom qui revenait dans pas mal d'articles.

« Le journaliste déchu Scott McGrath... »

J'allais devenir une cible, un homme assailli de questions, aussitôt que la nouvelle ferait le tour de la fête.

Tout à coup, je fus sobre. Je me faufilai parmi les convives jusqu'en bas de l'escalier de marbre. Personne ne prononça le moindre mot tandis que j'attrapais mon manteau, passais devant le buste en bronze de la maîtresse de maison (qui la faisait ressembler, par un usage éhonté de la licence artistique, à Elizabeth Taylor), sortais par la porte d'entrée et descendais les marches du perron pour me retrouver sur la 94ᵉ Rue Est. Je me dirigeai vers la 5ᵉ Avenue en humant l'air mouillé de cette soirée d'octobre. Je hélai un taxi pour rentrer chez moi et montai à bord.

« Croisement de la 4ᵉ Rue Ouest et de Perry Street. »

Je baissai la vitre et sentis mon ventre se nouer à mesure que la réalité de l'événement s'imposait à moi : *la fille de Cordova retrouvée morte.* Quelle était la phrase que j'avais lâchée, brute de décoffrage, sur une chaîne de la télévision nationale ?

« *Cordova est un prédateur de la même veine que Manson, Jim Jones et le colonel Kurtz. J'ai une source interne qui a travaillé pour cette famille pendant des années. Il faut que quelqu'un stoppe ce type à tout prix.* »

Ce petit chef-d'œuvre m'avait peut-être coûté ma carrière et ma réputation – et la bagatelle de deux cent cinquante mille dollars –, il n'en était pas moins vrai. *Certes, j'aurais sans doute dû me taire après Charles Manson.*

Je ne pouvais m'empêcher de trouver risible mon impression d'être un fugitif – plus exactement : un extrémiste recherché par toutes les polices du monde. Néanmoins, je devais bien reconnaître qu'il y avait quelque chose d'électrisant à revoir ce nom de Cordova et que peut-être, *peut-être*, j'allais devoir de nouveau prendre mes jambes à mon cou.

2

Vingt minutes plus tard, je retrouvais mon appartement du 30, Perry Street.

« Je vous avais dit que je devais être partie avant *21 heures*, dit une voix derrière moi au moment où je refermais la porte. Il est 1 heure passée. Qu'est-ce que c'est que cette *blague* ? »

Elle s'appelait Jeannie, mais aucun homme sain d'esprit n'aurait pu rêver d'elle[1].

Deux week-ends par mois, quand j'avais la garde de Samantha, ma fille de cinq ans, mon ex-femme, dans le cadre d'une promotion « deux pour le prix d'une » sur une période de dix-huit ans, décrétait que je devais aussi obligatoirement garder Jeannie. Cette diplômée de Yale, âgée de vingt et un ans, étudiait les sciences de l'éducation à Columbia et, de toute évidence, savourait son statut de garde du corps attitré, d'escorte personnelle et d'*armée privée* de Sam chaque fois que celle-ci était placée sous ma tutelle néfaste. Dans cette équation, j'incarnais le pays du Tiers-Monde, instable, avec son gouvernement corrompu, ses infrastructures lacunaires, ses rebelles remuants et son économie en chute libre.

« Je suis désolé, dis-je en jetant ma veste sur la chaise. Je n'ai pas vu le temps passer. Où est Sam ?

— Elle dort.

— Vous avez trouvé le pyjama nuages ?

— Non. J'étais censée être à mon groupe d'étude il y a déjà *quatre heures.*

— Je vous paierai double. Comme ça, vous pourrez engager un professeur particulier. »

Je sortis mon portefeuille et tendis à Jeannie environ cinq cents dollars, qu'elle glissa, ravie, dans son sac à dos. Puis je la contournai tranquillement pour aller au fond du couloir.

« Ah, au fait, monsieur McGrath ? Cynthia voulait savoir si vous pourriez échanger vos week-ends de garde la semaine prochaine. »

Je m'arrêtai devant la porte fermée, tout au fond, et me retournai.

« Pourquoi ?

— Bruce et elle vont à Santa Barbara.

— Non.

— Non ?

— J'ai des choses prévues. On s'en tient au programme fixé. »

---

1. Référence à la série américaine de la fin des années soixante *I Dream of Jeannie*, littéralement « Je rêve de Jeannie », connue en français sous le nom de *Jinny de mes rêves. (Toutes les notes sont du traducteur.)*

— Mais ils ont déjà tout arrangé.

— Ils peuvent tout déranger. »

Jeannie ouvrit la bouche pour protester, puis la referma aussitôt – pressentant, à raison, que marcher sur le territoire séparant deux êtres *jadis* faits l'un pour l'autre mais *ne l'étant plus* revenait peu ou prou à se promener dans les zones tribales du Pakistan.

« Elle vous rappellera pour en discuter, dit-elle calmement.

— Bonne nuit, Jeannie. »

Avec un soupir sceptique, elle s'en alla. J'entrai dans mon bureau, allumai la lampe et, d'un coup de coude, refermai la porte derrière moi.

Santa Barbara, mon cul.

3

Mon bureau était une petite pièce désordonnée, aux murs verts, remplie de meubles de classement, de photos, de revues et de piles de livres.

Il y avait sur ma table de travail une photo encadrée de Samantha, prise le jour de sa naissance ; son visage fripé ressemblait à celui d'un elfe. Accrochée au mur, une affiche de film montrant un Alain Delon élégant mais manifestement épuisé dans *Le samouraï*. C'était un cadeau de mon ancien rédacteur en chef à *Insider*. Il m'avait dit que je lui faisais penser au héros du film – un tueur à gages français, solitaire et existentialiste –, ce qui n'était pas un compliment. À l'autre bout de la pièce, relique de mes années passées dans la fraternité Phi-Psi, à l'université du Michigan, un canapé de cuir marron croulant (sur lequel j'avais perdu mon pucelage et tapé à la machine mes meilleurs articles). Au-dessus, sur le mur, les couvertures encadrées de mes livres – *Au royaume de MasterCard*, *À la poursuite du capitaine Crochet : la piraterie dans les eaux internationales*, *Les mains sales, ou les vilains secrets de l'industrie pétrolière*, *Carnavals de cocaïne*. Elles étaient jaunies, et les illustrations des jaquettes faisaient *très* fin des années quatre-vingt-dix. Il y avait aussi quelques exemplaires de mes articles les plus connus parus dans *Esquire, Time* et *Insider* – « En quête de l'Eldorado », « L'enfer de la neige noire », « Survivre dans une prison sibérienne ». Face à la porte, deux immenses fenêtres donnaient sur Perry Street et un peuplier en piteux état, même s'il faisait trop sombre à ce moment-là pour les voir.

Je m'approchai de la bibliothèque installée dans le coin, juste à côté d'une photo de moi à Manaus, le bras autour du cou d'un *hecatao*, un commerçant du fleuve, énervant de *bonheur* et de *bronzage – instantané d'une vie antérieure –*, et me servis un whisky.

J'avais acheté six caisses de ce Macallan Cask Strength en 2007, lors de mes trois semaines de voyage en voiture à travers l'Écosse. J'avais entrepris cette expédition sur les conseils inspirés de mon psy, le Dr Weaver, après que Cynthia m'eut informé qu'elle et ma fille de neuf mois me quittaient pour Bruce – un investisseur en capital-risque avec qui elle me trompait.

Tout cela se passait quelques mois après le procès pour diffamation que m'avait intenté Cordova. On pourrait penser que Cynthia, par charité d'âme, aurait distillé les mauvaises nouvelles à petites doses, m'aurait d'abord dit que je voyageais trop, *puis* qu'elle m'avait été infidèle, *ensuite* qu'elle était folle amoureuse, enfin qu'elle et son amant divorçaient de leurs époux et épouse respectifs pour se mettre ensemble. Loin de là : tout arriva le même jour – comme une paisible petite ville côtière *déjà* frappée par la famine qui subit un glissement de terrain, un raz-de-marée, la chute d'une météorite, et, pour couronner le tout, une petite invasion d'extraterrestres.

D'un autre côté, c'était peut-être mieux comme ça : dès le début de l'enchaînement des catastrophes, il ne restait plus rien à détruire.

Par ce voyage en Écosse, j'avais voulu repartir de zéro, tourner la page, renouer avec mes racines, et donc avec *moi-même*, en allant voir l'endroit où quatre générations de McGrath avaient vu le jour et prospéré : une toute petite ville nommée Fogwatt, dans la région du Moray. Rien qu'en voyant *le nom*, j'aurais dû savoir que ça n'allait pas être Brigadoon. Le conseil du Dr Weaver se révéla finalement, pour moi, l'équivalent de la découverte que mes ancêtres venaient du pavillon des fous criminels à l'hôpital Bellevue. Fogwatt se résumait à quelques maisons blanches péniblement accrochées à une colline grise comme trois chicots dans une vieille bouche. Des femmes erraient dans les rues avec le visage dur de ceux qui ont survécu à la peste. De gros bonshommes rougeauds et taciturnes prenaient d'assaut tous les bars. Je crus que les choses s'arrangeraient un peu le jour où je me retrouvai au lit avec une jolie serveuse nommée Maisie – jusqu'à ce que l'idée me vienne qu'elle pouvait fort bien être ma cousine éloignée. Au moment où vous pensez avoir touché le fond, vous vous apercevez qu'il y a encore une trappe sous vos pieds.

Je vidai mon whisky – je me sentis tout de suite un peu plus *vivant* –, m'en versai un autre et m'approchai du placard derrière mon bureau.

Cela faisait au moins un an que je ne m'y étais pas aventuré.

La porte était bloquée. Je dus la forcer en dégageant à coups de pied une vieille paire de tennis et les plans de la maison de plage à Amagansett que j'avais pensé acheter à Cynthia, en une ultime tentative pour « arranger la situation ». *Le sparadrap conjugal à un million de dollars – jamais une bonne idée.* Je réussis enfin à dégager ce qui gênait l'ouverture de la porte : une photo encadrée de Cynthia et moi, prise pendant que nous visitions le Brésil sur une Ducati, à la recherche de mines d'or clandestines, tellement amoureux qu'il était impossible d'envisager qu'un jour ce ne serait plus le cas. *Dieu qu'elle était belle.* Je balançai la photo, repoussai plusieurs piles de *National Geographic* et mis la main sur ce que je cherchais – un carton.

Je le sortis du placard, le hissai sur mon bureau, me rassis et le regardai fixement.

Le scotch à l'aide duquel je l'avais fermé ne collait plus.

Cordova.

Ma décision d'en faire un sujet d'enquête, cinq ans auparavant, avait été fortuite. Je rentrais tout juste de six semaines épuisantes dans les bidonvilles de Freetown, en Sierra Leone. Vers 3 heures du matin, parfaitement réveillé, en plein décalage horaire, je me retrouvai à cliquer sur un article concernant La Lumière d'Amy, l'association qui avait pour mission de repérer sur Internet les *films interdits* de Cordova, de les acheter et de les détruire, fondée par une mère dont la fille avait été sauvagement assassinée par un imitateur. En effet, comme dans *Attendez-moi ici*, Hugh Thistleton avait enlevé sa fille, Amy, à un coin de rue où elle attendait le retour de son frère d'une supérette, l'avait emmenée à l'intérieur d'une usine désaffectée et l'avait jetée dans les rouages des machines.

« Une association bien décidée à empêcher Cordova de contaminer nos jeunes », déclarait le site. Je trouvais le combat bouleversant par son impossibilité même – débarrasser Internet de Cordova revenait à vouloir débarrasser l'Amazonie de ses insectes. Néanmoins, il ne me plaisait pas. Aux yeux du journaliste que j'étais, la liberté de parole et d'expression était fondamentale – des principes tellement gravés dans le marbre américain que céder ne fût-ce que d'un pouce signifierait la ruine de notre pays. J'étais aussi farouchement hostile à la censure – on ne pouvait pas plus reprocher à Cordova la mort horrible d'Amy Andrews qu'au secteur de la viande bovine le nombre de crises cardiaques mortelles chez les Américains. Certaines personnes aimeraient croire, pour se rassurer, que l'apparition du mal en ce monde a une origine claire et précise, mais la vérité n'a jamais été aussi simple.

Jusque-là, je n'avais jamais réfléchi à Cordova, sinon que j'avais aimé (et été terrifié par) quelques-uns de ses premiers films. M'interroger sur les motivations d'un cinéaste reclus n'était pas mon objectif professionnel, ni ma spécialité. Je m'intéressais aux problèmes qui comportaient des enjeux, où il était question de la vie et de la mort. Quand j'étais à l'affût d'un nouveau sujet, mon cœur me portait vers les causes les plus désespérées parmi les plus désespérées.

Et pourtant, ce soir-là, à un *certain* moment, mon cœur me porta vers lui.

Peut-être était-ce parce que Sam venait de naître et que, soudain confronté à la paternité, j'étais plus sensible à l'idée de protéger ce magnifique être innocent – de protéger n'importe quel enfant – contre les horreurs dérangeantes que représentait Cordova. Quoi qu'il en soit, plus je parcourais les centaines de blogs, de sites de fans et de forums anonymes consacrés à Cordova – beaucoup des messages étaient rédigés par des gamins de neuf ou dix ans –, plus j'avais l'impression tenace que *quelque chose* ne tournait pas rond chez cet homme.

Avec le recul, cette expérience me rappelait celle d'un reporter sud-africain dont j'avais croisé la route au Hilton de Nairobi en 2003, alors que j'étais là-bas pour un article sur le trafic d'ivoire. Lui était en partance pour un village reculé, dans le sud-ouest, non loin de la frontière tanzanienne, où une tribu taita s'éteignait peu à peu et était considérée comme *walaani* – maudite – parce que aucun enfant né là-bas ne survivait plus de onze jours. Nous nous étions rencontrés au bar de l'hôtel. Après nous être plaints d'avoir été l'un et l'autre braqués en voiture (ce qui confirmait le surnom de la ville, *Nairobbery*), l'homme me raconta qu'il envisageait de rater son bus le lendemain matin et d'abandonner son article, à cause de ce qui était arrivé à trois journalistes qui s'étaient rendus dans ce village avant lui. L'un, apparemment, était devenu fou, errait dans les rues et racontait n'importe quoi. L'autre avait démissionné et s'était pendu une semaine plus tard dans une chambre d'hôtel à Mombasa. Le troisième avait disparu dans la nature, abandonnant sa famille et son poste au *Corriere della Sera*.

« Elle est infectée, marmonna le reporter. Cette histoire. Ça existe, tu sais. »

Je gloussai. Je mis ce genre de grandes phrases sur le compte du Chivas Regal que nous avions sifflé toute la nuit. Mais il continua sur sa lancée.

« C'est un *lintwurm*. » Il plissa ses yeux rougis et sonda mon visage pour voir si je comprenais. « Un ver solitaire qui a mangé sa propre queue. Ça ne sert à rien d'aller le chercher. Parce qu'il est sans fin. Tout ce qu'il fera, c'est s'enrouler autour de ton cœur et le vider de son sang en le serrant. » Il brandit un poing fermé. « *Dit suig jou droog*. Il y a certaines histoires, tu ferais mieux de les fuir en courant tant que tu as encore des jambes. »

Je n'ai jamais *su* s'il s'était rendu dans ce village.

La fille de Cordova retrouvée morte. La phrase me ramena au moment présent. J'ouvris le carton, empoignai une liasse de papiers et commençai à lire.

D'abord : une liste dactylographiée de tous les acteurs qui avaient travaillé pour Cordova. Puis une liste des lieux de tournage de son tout premier film, *Silhouettes baignées de lumière*. La critique de *Distorsion* par Pauline Kael, intitulée « L'innocence expliquée ». Une photo de film montrant Marlowe Hughes au lit, dans le dernier plan de *L'enfant de l'amour*. Une photo, que j'avais prise au vol, de la clôture entourant la propriété de Cordova, le Peak. Le programme du cours sur Cordova que Wolfgang Beckman avait donné quelques années plus tôt à la Columbia Film School et qu'il avait été obligé d'interrompre au bout de trois séances, suite aux plaintes de certains parents (« Cordova, le physicien des catastrophes : sombrement vivant et totalement pétrifiant », l'avait-il malicieusement intitulé). *Le gardien des ténèbres*, un DVD du documentaire sur Cordova produit par PBS en 2003. Enfin, la transcription d'un coup de téléphone anonyme.

John. L'interlocuteur mystérieux qui avait provoqué ma perte.

Je sortis les trois pages de la pile.

Chaque fois que je les parcourais, rédigées quelques minutes après que j'eus raccroché le combiné, j'avais beau chercher, je ne retrouvais jamais le moment, dans la conversation, où j'avais perdu la tête. *Qu'est-ce* qui m'avait poussé, à peine vingt-quatre heures plus tard, à faire fi de vingt ans d'expérience et *sombrer corps et âme* au cours d'une émission de télévision ?

Transcription de la Conversation Téléphonique entre Interlocuteur Anonyme « John » et S. McGrath, 11 mai 2006. 23 h 06-23 h 11.

SM :   Allô ?
Interl. :   Vous êtes bien Scott McGrath, le journaliste ?
SM :   Oui. Qui est à l'appareil ?

Pas de réponse immédiate. La voix est âgée, [65 ou 70 ans.]

Interl. :   Il paraît que vous enquêtez sur Cordova.
SM :   Comment le savez-vous ?
Interl. :   La rumeur.
SM :   Vous êtes un ami à lui ?

Pas de réponse. Il paraît nerveux.

Interl. :   Je ne veux pas que mon appel soit enregistré.
SM :   Il ne l'est pas. Comment vous appelez-vous ?
Interl. :   John.

*Pas son vrai nom. Je suis tenté d'allumer mon enregistreur téléphonique
— précaution nécessaire —, mais brancher le câble du TP-7 produit un déclic
sur la ligne. Je ne veux pas lui faire peur.*

SM :   Quel est votre lien avec Cordova ?
Interl. :   Je l'emmenais en voiture. ⟶
SM :   Vous étiez son chauffeur ?
Interl. :   On pourrait dire ça.
SM :   Où ?
Interl. :   Dans le nord.

*Le nord de l'État de New York. « John » respire bizarrement — il hésite à
parler.*

SM :   Vous êtes là ?
Interl. :   Pardon. Je ne sais plus trop quoi en penser, maintenant.
SM :   Prenez votre temps. Comment en êtes-vous venu à travailler
                pour lui ?
Interl. :   Je n'aime pas toutes ces questions.
SM :   C'est vous qui m'avez appelé, John. Est-ce que ce serait
                plus simple si on se rencontrait ?
Interl. :   Non.

Silence de trente secondes.

Interl. :   La plupart du temps, je conduisais la femme, la Mexicaine
                qui travaille pour lui, en ville. Mais un soir il m'a
                appelé et m'a demandé si je pouvais l'emmener, lui.
SM :   Vous habitez près de sa propriété de Crowthorpe Falls ?
Interl. :   Je ne veux pas répondre.

Je griffonne quelques notes.

Interl. :   Il voulait que je passe le prendre en pleine nuit. À
3 heures du matin. Il m'a demandé de monter lentement
vers la maison, phares éteints. J'avais l'impression
qu'il ne voulait réveiller personne. Quand je suis
arrivé, il m'attendait sur les marches.

SM :   Il était seul ?

Interl. :   Oui. Il est monté dans la voiture. À l'arrière.

Un silence.

SM :   Où l'avez-vous emmené ?

Interl. :   Dans une école primaire.

SM :   Une école primaire ?

Interl. :   Oui.

SM :   Laquelle ?

Interl. :   Pas de détails.

SM :   OK. Je vous écoute.

Interl. :   Il m'a demandé d'entrer dans le parking, de couper le moteur
et d'attendre. Je l'ai regardé traverser la pelouse jusqu'à
l'aire de jeux des enfants. Au départ il était très calme.
Et puis il a tourné autour des balançoires. Il en a poussé
une en l'air, vide. Ensuite, il est passé au tapecul, en
appuyant dessus pour le faire balancer de haut en bas.
Après, il est allé sur le tas de sable et s'est assis.

SM :   Il s'est assis sur le tas de sable.

Interl. :   Je ne voyais pas bien ce qu'il fabriquait. Mais ce
n'était pas normal, vous comprenez ?

SM :   Qu'est-ce qu'il faisait ?

Interl. :   D'abord, j'ai eu peur qu'il fasse quelque chose de
sexuel. Mais on aurait vraiment dit qu'il creusait.

SM :   Qu'il creusait ?

Interl. :   Ça y ressemblait. Quand il est revenu à la voiture, il
cachait quelque chose sous son manteau.

SM :   Quoi donc ?

Interl. :   Je n'ai pas pu voir. Je l'ai simplement reconduit à la maison.

SM :   Il a dit quelque chose ?

Interl. :   Non. Mais quelques semaines plus tard il m'a rappelé pour
me demander la même chose.

SM :   Que vous l'emmeniez à l'école primaire ?

Interl. :   Une autre. Cette fois, il s'est dirigé vers le terrain de
sport. Il a remonté les tribunes, à la recherche de quelque
chose. Quand il est revenu, il avait encore quelque chose
sous son manteau. Quand je l'ai ramené chez lui, j'ai pu
voir ce que c'était au moment où il est descendu de la
voiture.

SM :   Qu'est-ce que c'était ?

Un long silence.

Interl. :	Une <u>tenue de sport</u> d'enfant. Un petit tee-shirt jaune. Un short bleu. Ça m'a écœuré. Je lui ai demandé ce qu'il comptait faire avec ça. Il s'est contenté de me jeter un regard dur derrière ses lunettes. Il est sorti de la voiture. Le lendemain, j'ai été informé par la Mexicaine. On n'avait plus besoin de mes services. Mais je sais qu'il a engagé quelqu'un d'autre pour l'emmener en voiture la nuit. Un jeune type. Il l'a payé très cher pour faire ça. Pendant des années.
SM :	Pourquoi ?
Interl. :	Il y a quelque chose qu'il fait aux enfants.
SM :	Quoi ?

Un silence.

SM :	Comment ça ? Il leur fait du mal ?

Pas de réponse.

SM :	Qui d'autre est au courant ?

Pas de réponse. Je suis en train de le perdre.

SM :	Vous avez d'autres choses à me dire ? John ?

Pas de réponse.

SM :	Vous n'avez aucune crainte à avoir.

La ligne est coupée.

4

Il y a quelque chose qu'il fait aux enfants.

Je me rappelais encore la voix épouvantée du vieil homme au téléphone.

Je n'ai plus grand souvenir de mon interview lors de l'émission *Nightline* – hormis que c'est moi qui ai le plus parlé. J'avais été invité pour aborder la question des réformes pénitentiaires. Au grand bonheur du présentateur, je m'éloignai *beaucoup* du sujet pour évoquer Cordova. Une fois l'interview dans la boîte, ignorant tout du merdier qui allait suivre, j'étais très content de moi, le genre de satisfaction qu'un homme éprouve quand il a enfin dit les choses telles qu'elles sont.

Puis les coups de fil arrivèrent : d'abord mon agent me demandant ce que j'avais fumé, puis mon avocat m'expliquant qu'il venait d'avoir les patrons d'ABC au téléphone.

« Tu a mis un contrat sur la tête de Stanislas Cordova.

— Quoi ? Je ne…

— Ils viennent de me faxer la transcription de l'interview. Je suis en train de voir que tu as interrompu Martin Bashir pour déclarer que Cordova devrait être "stoppé à tout prix".

— C'était de *l'ironie*.

— Il n'y a jamais d'ironie à la télé, Scott. »

Inutile de dire que je n'entendis plus jamais parler de *John*. Il avait disparu.

Les avocats de Cordova prétendaient que j'avais non seulement mis en danger sa vie et celle de sa famille, mais que j'avais inventé ce coup de fil anonyme – que je m'étais rendu dans une cabine à cent mètres de chez moi et que je m'étais *moi-même* appelé afin de créer une source de toutes pièces.

Ces allégations absurdes me firent rire. Puis je dus reconnaître mon erreur en me rendant compte que je ne pouvais pas prouver le contraire. Même mon avocat avait du mal à me dire s'il me croyait ou non. Il laissait entendre que John existait, mais qu'il avait été effrayé par mon *comportement grossier*.

Je n'avais d'autre choix que de régler l'affaire à l'amiable et de concéder que j'étais coupable non pas de *malveillance*, mais de *mépris flagrant de la vérité*. Je versai à Cordova deux cent cinquante mille dollars de dommages et intérêts, soit une bonne partie de ce que j'avais gagné avec mes livres et mes articles, qui m'avaient permis de bâtir une carrière sur la notion d'intégrité sans concession, désormais en lambeaux. Je fus viré d'*Insider* et mon éditorial pour *Time* fut suspendu. Il avait été question, avec CNN, de présenter une émission d'investigation hebdomadaire. Je pouvais faire une croix dessus.

« McGrath ressemble à un grand sportif adulé qui s'est fait surprendre la main dans le sac de substances dopantes, déclara Wolf Blitzer. Nous allons devoir remettre en cause tous ses écrits, tous ses propos. »

« Tu devrais envisager de donner des cours ou de devenir coach personnel, m'informa mon agent. Pour l'instant, dans le milieu, tu es infréquentable. »

Et l'instant dura longtemps. « Journaliste déchu » devint indissociable de mon nom, au même titre qu'« ancien escroc ». J'étais un « symptôme de l'état lamentable du journalisme américain ». Un montage vidéo apparut sur YouTube, dans lequel je répétais trente-neuf fois (avec ma voix passée à l'Auto-Tune) « stoppé à tout prix ».

J'abandonnai mon enquête. Le soir où je pris cette décision et où je rangeai mes notes dans des cartons, j'étais empêtré dans la poursuite en diffamation. Cynthia et Sam avaient déménagé, laissant derrière elles un silence tellement absolu que j'avais l'impression d'avoir été opéré contre mon gré. J'avais beau être en vie, je ne pouvais m'empêcher de penser que quelque chose s'était définitivement *éteint* en moi. Quelque chose que je ne pouvais pas atteindre, comme un nerf vital tordu, un organe accidentellement retourné. Je ne ressentais que de la colère contre Cordova – soigneusement planqué derrière ses avocats –, colère d'autant plus destructrice qu'elle était en réalité dirigée contre *moi-même*, mon arrogance et ma bêtise.

Car je savais que ma chute n'était pas due au hasard. Cordova, faisant montre d'une perspicacité et d'une intelligence que je n'avais pas anticipées, m'avait roulé dans la farine. J'étais défait, sonné, le combat était terminé et le vainqueur déclaré avant même que j'aie fini de poser le pied sur le ring.

J'avais été piégé en beauté. John avait été l'appât. Voyant que je m'approchais de lui, Cordova avait dressé un traquenard par l'intermédiaire de cet interlocuteur anonyme, conscient, avec une clairvoyance quasi surhumaine, que les sous-entendus obsédants de John – *il y a quelque chose qu'il fait aux enfants* – toucheraient une corde sensible chez moi. Puis il m'avait regardé creuser ma propre tombe.

D'un autre côté, si Cordova avait été inquiété par mon enquête au point de vouloir se débarrasser de moi, que cachait-il vraiment – quelque chose d'encore plus explosif ?

J'avais donc décidé de laisser tomber, de tout lâcher, de tâcher de retrouver un semblant de *vie*.

Mais voilà que ça me reprenait. Je vidai mon verre de whisky, attrapai une autre liasse de documents et, au bout de quelques minutes, trouvai ce que je cherchais.

C'était une fine enveloppe en kraft. Dessus, le mot *Ashley* avait été griffonné.

Je dégrafai l'enveloppe et sortis son contenu : une feuille de papier et un CD.

À quatorze ans, elle enregistrait son premier et unique disque en solo, *Ashley DeRouin interprète « Gaspard de la nuit », de Maurice Ravel*, qui lui a valu les louanges de la critique pour son interprétation inventive et émouvante de cette œuvre considérée comme l'une des pièces pour piano les plus difficiles jamais composées.

Même si elle a abandonné sa carrière professionnelle, le piano est toujours un plaisir auquel elle s'adonne chaque jour. « C'est merveilleux de se perdre dans un morceau de musique. D'oublier son nom pendant quelque temps. »

Gaspard de la nuit reste l'une de ses œuvres préférées, non seulement pour sa difficulté technique – ornements, cadences, traits chromatiques frénétiques que le pianiste exécute d'une seule main –, mais aussi pour la source d'inspiration de Ravel : trois poèmes d'Aloysius Bertrand, l'un sur une ondine séduisant un homme afin qu'il vienne vivre à ses côtés dans l'eau, un autre sur un cadavre de pendu, et le dernier sur un diable qui danse dans la nuit, semant la terreur chez les humains.

« C'est merveilleux de se perdre dans un morceau de musique. D'oublier son nom pendant quelque temps. »

Ashley Cordova, promo 2009, s'exerce au centre de musique Arms.

PREMIÈRE CLASSE *(suite)*

projets pour rentrer au Danemark, après avoir décroché un double diplôme en biochimie et en informatique.

Ashley Cordova, promo 2009, est une autre étudiante de première année douée, originaire du nord de l'État de New York. Bien que son père se trouve être le légendaire cinéaste Stanislas Cordova – dont elle parle très peu : « Nous sommes une famille très discrète », dit-elle –, voilà une jeune femme qui s'accomplit sans l'aide de personne.

Sous son nom d'artiste, Ashley DeRouin – qui lui vient de sa mère française –, elle a décroché à onze ans le premier prix au concours international Tchaïkovski, à Moscou, en jouant son *Trio pour piano en la mineur*, l'emportant sur des musiciens formés à la Juilliard School et plus âgés qu'elle de six ans.

Elle a effectué plusieurs tournées internationales – y compris un récital au Carnegie Hall.

« C'est un privilège de jouer ces œuvres, dit-elle. Ravel était très modeste. Il ne s'est jamais considéré comme un compositeur – il essayait, et un morceau était terminé lorsqu'il ne pouvait plus essayer. Quand vous jouez les sonates, vous êtes transportée dans un monde d'une grande cruauté, et pourtant il y a aussi un désir d'amour, de la tristesse, la peur non de la mort, mais d'une vie gâchée. Tout ça se retrouve dans sa musique. »

Malgré ses talents de virtuose, Ashley veut explorer d'autres domaines que le piano lors de son séjour à Amherst, décrocher par exemple un diplôme d'ethnologie ou d'histoire. Et ensuite ? « Peut-être vivre à l'étranger. Voyager. Trouver l'endroit où la Terre s'arrête. Il y a une vie pour moi après la musique. »

C'est la fille d'un grand maître qui le dit.

Lucy Polk, promo 2009, est une autre jeune femme qui ne perd pas de temps pour obtenir ce qu'elle veut. Quand elle avait seulement quatre ans, elle a commencé à vendre de la limonade et, à douze ans, a créé sa propre marque de limonade en *(suite p. 44)*.

5

À l'époque, absorbé par Cordova, je m'étais à peine intéressé à cet article sur les meilleurs étudiants de première année. Je n'avais même pas fait l'effort d'écouter le CD.

Je déchirai l'emballage en cellophane, introduisis le disque dans le lecteur et appuyai sur *play*.

Il y eut un long silence, puis : le piano.

Les premières mesures étaient aiguës, insistantes, tellement rapides et assurées qu'il paraissait inconcevable que la personne qui les jouait ne fût âgée que de quatorze ans. Les notes ondulèrent, s'adoucirent un instant, avant de se transformer en une furieuse explosion, comme une mitraillette crachant des sons en l'air.

Pendant que j'écoutais, les minutes passèrent. Tout à coup, j'entendis des bruits de pas légers sur le parquet, dans le couloir. *C'était Sam.* Depuis quelque temps, elle se réveillait en pleine nuit. La poignée fut actionnée et ma fille apparut sur le seuil de la porte, à moitié endormie, vêtue d'une chemise de nuit rose.

« Salut, ma chérie. »

Elle se contenta d'avancer vers moi en se frottant les yeux. Elle avait hérité de la beauté de Cynthia, y compris les sublimes bouclettes blondes empruntées à un des anges de la chapelle Sixtine.

« Qu'est-ce que tu fais ? demanda-t-elle d'une voix basse et sérieuse.

— Des recherches. »

Elle posa ses coudes sur mon bureau et, avec son pied, donna d'étranges coups en arrière. Elle en était à cette période où, sans arrêt, elle se courbait, nouait ses bras, *se tortillait*, comme si elle jouait à une partie de Twister. Ses yeux tombèrent sur l'article d'Amherst.

« C'est qui, *ça* ?

— Ashley.

— Qui est Ashley ?

— Quelqu'un qui a des problèmes. »

Elle me jeta un regard inquiet. « Elle a fait quelque chose de mal ?

— Pas ce genre de problèmes, ma chérie. Plutôt le genre mystérieux.

— Quel mystère ?

— Je ne sais pas encore. »

C'était notre manière de fonctionner. Sam envoyait des questions en l'air et je me précipitais pour y répondre. Malheureusement, à cause des horaires de garde stricts imposés par Cynthia et des innombrables séances de jeux et cours de danse de Sam, je ne la voyais pas beaucoup. La dernière fois remontait à plus de trois semaines, une sortie au zoo du Bronx, au cours de laquelle il était apparu clairement qu'elle faisait mille fois plus confiance à tous les gorilles de la forêt congolaise – y compris le dos argenté de deux cents kilos – qu'à moi. Elle avait ses raisons.

« Allez. » Je me levai. « Je vais te remettre au lit. »

Je tendis la main, mais Sam se contenta de froncer les sourcils avec un regard *dubitatif*. Elle semblait déjà savoir ce que j'avais mis quarante-trois ans à comprendre : même si les adultes étaient *grands*, ce qu'ils savaient, y compris d'eux-mêmes, était *petit*. À trois ans, elle avait découvert le pot aux roses. Et telle une prisonnière innocente qui avait eu le malheur de se trouver au mauvais endroit au mauvais moment, Sam était résignée à purger patiemment sa peine (l'enfance) avec ses geôliers ineptes (Cynthia et moi) en attendant sa libération conditionnelle.

« Et si on allait en haut pour trouver ton *pyjama nuages* ? »

Elle hocha la tête, ravie, et me laissa l'accompagner au fond du couloir, puis en haut, où elle resta patiemment assise sur son lit pendant que je fouillais dans son armoire. Ce *pyjama nuages* – en pilou bleu, couvert de cumulus – était ma seule réussite. Je l'avais acheté dans une boutique branchée pour enfants de SoHo. C'était le préféré de Sam, et il lui arrivait de pleurer si elle ne pouvait pas dormir avec, obligeant Cynthia & Co à acheter un *deuxième* et même un *troisième* exemplaire du chef-d'œuvre pour être tranquilles de ce côté-là. J'y voyais une modeste mais belle victoire personnelle.

J'inspectai le moindre centimètre carré de l'armoire et finis par repérer le pyjama sur une étagère du fond. Je le sortis solennellement – Sam aimait bien quand j'imitais les films muets, style Rudolph Valentino. Je le lui fis enfiler et la bordai dans son lit.

« Plus serré », ordonna-t-elle.

Je la bordai un peu plus.

« Tu veux que je laisse la lumière ? »

Elle fit signe que non. C'était le seul enfant au monde qui n'avait pas peur dans le noir.

« Bonne nuit, chérie.

— Bonne nuit, Scott. »

Elle m'avait toujours appelé *Scott*, jamais Papa. J'ignorais quand cela avait commencé ; chercher l'origine du phénomène revenait à vouloir résoudre l'énigme de la poule et de l'œuf.

« Je t'aime plus que... Plus que *quoi*, déjà ? lui dis-je.

— Le soleil et la lune. »

Elle ferma les yeux et sombra dans le sommeil instantanément, miraculeusement.

Je redescendis. Le CD n'était pas terminé. La musique était erratique, échevelée. Je m'assis à mon bureau et relus l'article d'Amherst.

« Oublier son nom quelque temps », avait dit Ashley.

Elle parlait forcément de Cordova.

« Il y a quelque chose qu'il fait aux enfants. » Qu'avait-il donc fait à sa propre fille ? Comment en avait-elle été réduite à mourir à vingt-quatre ans, apparemment suicidée ?

Je le sentais revenir en moi – ce courant sombre qui me poussait vers Cordova. Si j'oubliais ma colère à son encontre, toujours présente, j'avais une occasion de me racheter. Si je le traquais de nouveau et prouvais qu'il était bel et bien un prédateur, ce qu'au fond de moi je pensais, je pouvais regagner tout ce que j'avais perdu. Peut-être pas Cynthia – il ne fallait pas rêver non plus –, mais ma carrière, ma réputation, ma vie.

Et contrairement à ce qui s'était passé cinq ans plus tôt, j'avais une piste : *Ashley*.

S'apercevoir que cette inconnue, cette magicienne des notes, n'était plus de ce monde avait quelque chose de violent. Elle était perdue, désormais, *réduite au silence* – énième branche morte sur l'arbre difforme de Cordova.

Elle pouvait être son axe fragile.

Il s'agissait d'une attaque décrite par Sun Tzu dans son *Art de la guerre*. Votre ennemi s'attendait à une approche directe. Il s'y préparait et la repoussait férocement, provoquant chez vous des pertes lourdes, l'épuisement de ressources essentielles et, pour finir, votre défaite. Il existait cependant parfois un autre accès, *l'axe fragile*. L'adversaire n'envisageait jamais une arrivée par ce chemin-là car il était labyrinthique et semé d'embûches ; il n'en soupçonnait souvent même pas l'existence. En revanche, si votre armée parvenait à l'emprunter, cet axe vous menait non seulement derrière les lignes de l'ennemi, mais jusque dans le saint des saints, le cœur de son cœur.

« Un ver solitaire qui a mangé sa propre queue, m'avait prévenu le vieux journaliste. Ça ne sert à rien d'aller le chercher... Tout ce qu'il fera, c'est s'enrouler autour de ton cœur et le vider de son sang en le serrant. »

Non, je n'ai jamais su ce qu'il était devenu – mais je connaissais la réponse. Malgré ses ronchonneries, le lendemain, aussi sûr que

61

le soleil se lève chaque matin, il était sorti de son lit, avait fait ses affaires et pris un bus jusqu'à ce satané village.

Il aurait été incapable de rester loin de l'action.

Moi aussi.

6

Environ une semaine plus tard, à 3 heures du matin, je montai à bord d'un bus de la ligne M102, direction Harlem – le véhicule n° 5378, comme me l'avait demandé Sharon Falcone –, et choisis un siège isolé au fond.

S'il existait à New York un endroit où les conversations murmurées et les regards méfiants n'intéressaient personne, c'était bien *ce bus-là* à 3 heures du matin. Quels qu'en soient les passagers, ils avaient toutes les chances d'être épuisés, défoncés, ou impliqués eux-mêmes dans des activités louches – vous pouviez donc être sûr qu'ils souhaitaient rester aussi incognito que vous. Je n'avais jamais compris comment Sharon se débrouillait, mais j'avais la certitude que c'était le même conducteur que la dernière fois que nous avions fait cela, quelque neuf ans auparavant.

J'avais rencontré l'inspecteur Sharon Falcone en 1989. À l'époque, je débutais au *New York Post* et elle, jeune policière, nous aidait dans l'affaire du joggeur de Central Park. Plus de vingt ans après, je ne savais d'elle que deux ou trois choses, mais deux ou trois choses amplement suffisantes, comme une pincée de *cajun powder* dans vos plats. Elle avait quarante-six ans et vivait seule dans le Queens avec un berger allemand nommé Harley. Cela faisait dix ans qu'elle travaillait pour la brigade criminelle de Manhattan Nord, une unité spécialisée qui aidait les autres commissariats à enquêter sur les homicides commis au nord de la 59ᵉ Rue, et elle consacrait à ses morts un dévouement qui semblait vieux jeu tant il était généreux et inlassable.

Le bus prit à l'ouest la 116ᵉ Rue Est et passa devant des projets immobiliers abandonnés, des terrains vagues, des églises délabrées – « SALUT ET DÉLIVRANCE », indiquait un panneau – et des hommes qui traînaient aux coins des rues.

« Il doit y avoir un problème, me dis-je. La dernière fois, Sharon était déjà montée à bord du bus. » Je vérifiai mon portable : aucun appel manqué, aucun SMS. La discussion que nous avions eue la veille n'avait pas été prometteuse, et Sharon ne m'avait pas vraiment garanti son aide.

« Demain soir. Même endroit, même heure », avait-elle dit, lapidaire, avant de raccrocher.

Le bus empruntait à présent Malcolm X Boulevard et je commençais à penser qu'elle m'avait planté lorsque nous nous arrêtâmes brusquement devant une maison en ruine. Une silhouette solitaire attendait sur le trottoir. Les portes s'ouvrirent et, quelques secondes plus tard, l'inspecteur Sharon Falcone fonçait vers moi – comme si elle savait depuis le début où j'étais assis.

Elle n'avait pas changé : toujours le mètre soixante, l'air revêche, les lèvres fines, l'absence de sourire, le petit nez qui se retroussait comme un copeau de bois. Elle n'était pas *moche*. Mais elle était *bizarre*. Sharon aurait pu être une nonne du quinzième siècle au teint pâle, dans la galerie des peintres flamands du Metropolitan Museum. Sauf que l'artiste n'aurait pas *tout à fait* maîtrisé les proportions humaines, de sorte qu'il lui aurait donné un cou allongé, des épaules bancales et des mains trop petites.

Elle s'assit à côté de moi, observa les autres passagers et laissa tomber un sac à dos noir devant ses pieds.

« De tous les bus M102 qui existent dans toutes les villes de toute la planète, il a fallu que vous preniez le même que le mien », dis-je.

Elle ne sourit pas. « Je n'ai pas beaucoup de temps. » Elle baissa la fermeture éclair du sac, en tira une enveloppe blanche 20 × 25 et me la donna. J'en sortis une grosse liasse de papiers ; la première page était la photocopie d'un dossier.

Affaire n° 21-24-7232.

« Comment avance l'enquête ? demandai-je en remettant les papiers dans l'enveloppe et en rangeant celle-ci dans ma poche.

— C'est le commissariat n° 5 qui s'en occupe. Ils reçoivent une centaine de coups de fil par jour. Des renseignements anonymes, mais qui ne valent pas un clou. La semaine dernière, Ashley a été vue dans un McDonald's à Chicago. Trois jours avant, dans une boîte de nuit à Miami. Et ils ont déjà deux aveux pour son assassinat.

— C'était un assassinat ?

— Non. Elle s'est jetée dans le vide.

— Sûre et certaine ? »

Elle fit signe que oui. « Aucune trace de lutte. Les ongles propres. Elle a enlevé ses chaussures et ses chaussettes, les a posées juste au bord. Ce genre de préparation méticuleuse, ça ressemble beaucoup à un suicide. Il n'y a pas encore eu d'autopsie. Je ne suis pas persuadée qu'il y en aura une.

— Pourquoi pas ?

— L'avocat de la famille bloque tout. Motifs religieux. Pour les juifs, c'est un sacrilège de profaner le corps. »

Elle fronça les sourcils. « J'ai remarqué qu'il manquait quelques photos dans le dossier. Celles de la poitrine et du dos. Elles doivent être dans un dossier séparé pour éviter qu'un connard les refile en douce à la presse de caniveau.

— Et la cause du décès ?

— Classique, pour un saut dans le vide. Hémorragie massive. Nuque brisée, cœur explosé, plusieurs côtes cassées et fracture du crâne. Elle est restée là plusieurs jours avant qu'on la retrouve. Le mois dernier, elle avait été admise dans une clinique privée très chic, quelque part dans le nord, qui a diffusé un avis de disparition la concernant dix jours avant sa mort. »

Je la regardai, surpris. « Pourquoi ? Elle s'est enfuie ?

— Une infirmière a confirmé qu'Ashley était bien dans sa chambre, toutes lumières éteintes, à 23 heures. Le lendemain matin *à 8 heures*, elle avait disparu. Bizarrement, elle n'apparaissait que sur *une seule* caméra de sécurité – ce qui est dément quand on sait que cet endroit est aussi bien équipé que le Pentagone. On ne voit pas son visage sur les images. Elle n'est qu'une silhouette en pyjama qui court sur la pelouse. Et il y avait un homme avec elle.

— Qui était-ce ?

— On ne sait pas.

— Qu'est-ce qu'elle faisait dans cette clinique ? Des histoires de drogue ?

— À mon avis, ils n'ont jamais su *quel* était son foutu problème.

Vous trouverez quelques extraits de son évaluation médicale là-dedans.

— Quand est-ce que la clinique a signalé sa disparition ?

— Le 30 septembre. C'est dans le document.

— Et quand s'est-elle jetée dans le vide ?

— Le 10 octobre, en pleine nuit. À 2 ou 3 heures du matin.

— Où est-elle allée pendant ces dix ou onze jours ?

— Mystère et boule de gomme.

— Des mouvements sur sa carte de crédit ? »

Sharon fit signe que non. « Son portable était éteint, aussi. Elle a dû faire exprès de ne pas l'allumer. Comme si elle ne voulait pas qu'on la retrouve. On n'a qu'un seul témoignage visuel confirmé pendant ces dix jours. Quand on a découvert son corps, elle portait simplement un jean et un tee-shirt. On a retrouvé un ticket en plastique dans sa poche, avec un arbre derrière. C'est celui du Four Seasons. Vous voyez, le petit boui-boui sur Park Avenue ? »

Je hochai la tête. C'était un des restaurants les plus chers de la ville, même s'il ressemblait surtout à une réserve naturelle d'animaux rares. On payait une fortune (quarante-cinq dollars les *crab cakes*) pour observer – mais sans jamais les *déranger* – les puissants de New York en train de se nourrir et de se battre entre eux, affichant tous les traits caractéristiques de leur espèce : expressions sévères, crânes dégarnis, costumes gris métallisé.

« Une fille qui travaillait au vestiaire l'a reconnue, continua Sharon. Ashley est arrivée aux alentours de 22 heures mais elle est repartie au bout de quelques minutes, *sans son manteau*, et n'est jamais revenue. Quatre heures après, elle sautait dans le vide.

— Elle avait sans doute rendez-vous là-bas.

— On ne sait pas.

— Mais quelqu'un va se pencher sur la question.

— Non. *Il ne s'agit pas* d'un crime, me dit Sharon avec un regard tranchant. Pour arriver à cette cage d'ascenseur, elle a dû entrer dans un bâtiment désaffecté, les *Jardins Suspendus*, qui est un repaire de squatters bien connu. Et là, sur le toit, elle s'est glissée à travers une verrière large d'environ trente centimètres. Des gens suffisamment minces pour passer par une ouverture aussi étroite, surtout en retenant quelqu'un contre son gré, ce n'est pas une chose fréquente. Les collègues ont passé les lieux au peigne fin. Il n'y avait pas d'autres traces que les siennes. »

Sharon continuait de me regarder – le mot juste serait peut-être *inspecter*, car ses yeux marron se promenaient lentement sur mon visage, sans doute selon le même schéma méthodique qu'elle appliquait lors d'une battue à grande échelle.

« C'est là que je vous demande *pourquoi* vous avez besoin de ces renseignements, dit-elle.

— Oh, une histoire qui traîne. Aucune inquiétude à avoir. »

Elle plissa les yeux. « Vous connaissez la phrase de Confucius ?

— Rappelez-moi ?

— "Celui qui recherche la vengeance devrait creuser deux tombes."

— J'ai toujours trouvé la sagesse chinoise un peu surfaite. »

Je sortis une enveloppe et la lui tendis. Elle contenait trois mille dollars en liquide. Sharon la fourra dans son sac et remonta la fermeture éclair.

« Comment va votre berger allemand ? demandai-je.

— Il est mort il y a trois mois.

— Je suis navré. »

Tout en avisant un homme âgé qui venait de monter, elle balaya sur son front quelques mèches en pointe.

« Même les meilleures choses ont une fin, dit-elle. On est bons ? »

Je hochai la tête. Elle fit passer la lanière de son sac par-dessus son épaule et s'apprêtait à se lever lorsque je repensai soudain à quelque chose. Je lui attrapai le poignet.

« Il y avait une lettre d'adieu ?

— Ils n'en ont pas trouvé.

— Qui est allé reconnaître Ashley à la morgue ?

— Un avocat. La famille n'a pas fait la moindre déclaration. J'ai entendu dire qu'ils étaient à l'étranger. *En voyage.* »

Avec un regard chargé de regret mais peu surpris, elle se leva et marcha vers l'avant du bus. Le conducteur s'arrêta immédiatement. Quelques secondes plus tard, elle était sur le trottoir ; elle ne marchait pas, elle *progressait* péniblement, les épaules voûtées, les yeux au sol. Lorsque le bus redémarra en éructant, Sharon devint une simple silhouette sombre longeant les boutiques fermées et les fenêtres grillagées. Elle tourna rapidement à un coin de rue – et disparut.

BH
Briarwood Hall

ÉVALUATION NOUVEAU PATIENT

Nom	Ashley Brett Cordova		Date de naissance	30/12/86
Adresse	1014, Route 112			
Ville	Crowthorpe Falls	État	New York	Code postal	12847
Médecin traitant	La patiente dit n'avoir pas de médecin de famille.		Tél.	Indisponible
Médecin à Briarwood	Annika Angley M.D.			
Date d'évaluation	5/9/11	Dates de contrôle	31/8, 1/9, 2/9, 3/9	

Description du motif de la consultation

La patiente montre une humeur morose et ne répond pas aux questions. La patiente peut se montrer agressive et semble avoir des idées paranoïdes – notamment à l'égard des inconnus. La patiente est connue pour avoir des accès violents quand elle est seule et/ou dans le noir (noté la première fois le 31/8). La patiente ne montre aucun intérêt pour autrui ou pour la socialisation et ne paraît pas motivée par les gestes de la vie quotidienne. Par opposition, le comportement de la patiente a changé lorsqu'elle a été autorisée à jouer du piano pendant l'heure de récréation. Elle en a joué pendant deux heures sans interruption – tendances maniaques exclues.

Une nouvelle évaluation est conseillée, ainsi que 3 heures de traitement quotidien – à la fois en groupe et en individuel.

Description du problème	Antécédents familiaux en maladie mentale
La patiente dit n'avoir jamais connu de traitement	Aucun connu

Contexte social (y compris consommation de drogues ou autres), notamment relations et situation professionnelle

Ancienne musicienne prodige. Travail actuel et relations inconnus.

Médications actuelles	Spécificités médicales / Recherches / Allergies
Aucune	Aucune

Examen mental *(préciser si besoin)*

Apparence	Échevelée, pâle, peut-être anémique	Humeur	Colérique, paranoïde, agressive
Réflexion	Claire	Émotions	Atténuées, neutres
Perception	Bonne	Sommeil	Bon, mais exige d'avoir toutes les lumières de la pièce allumées
Anhédonie	Non	Appétit	Médiocre
Attention / Concentration	Bonne	Motivation/Énergie	Médiocre
Mémoire	Bonne	Jugement/Perspicacité	Peut se montrer paranoïde
Sens de l'orientation	Bon	Élocution	Claire

Évaluation des risques (en cas de réponse affirmative aux trois dernières questions, contacter l'équipe CODE ARGENTÉ, CST, au 9211 3911)

Pensées suicidaires	Oui ☑ Non ☐	Intentions suicidaires	Oui ☑ Non ☐
Projet en cours	Oui ☐ Non ☑	Danger pour autrui	Oui ☑ Non ☐

Diagnostic provisoire CIM – 10

Préconisations :

F1 Troubles liés à la consommation d'alcool ou de drogue	☐	Groupe dépression	☑
? Troubles psychotiques	☑	Groupe panique et isolement	☐
	☑	Groupe comorbidité	☐
	☐	Thérapie individuelle	☑
	☐		

RAPPORT INITIAL

SYNTHÈSE

Heure et date du rapport	HEURE	DATE
	14 h 02	14/10/2011

AFFAIRE N°	INSPECTEUR EN CHARGE DE L'AFFAIRE	TYPE DE DÉLIT/INCIDENT
21-24-7232	Insp. Mike Wu Commissariat n° 5, police de New York	Enquête après décès

AFFAIRE/INCIDENT LIÉ(E)	Avis de disparition, NY 12-388 Dép. police Shandaken, comté d'Ulster
AUTRES PERSONNES PRÉSENTES	Sgt Frank Bryant ; Agent Joseph Anderson ; Phil LaRock, photographe du bureau du médecin légiste ; Dr Sanja Inratis, médecin légiste adjoint ; Richard Davis, technicien de scène de crime ; Dr Lisa Bennett, médecin légiste adjoint
LIEU DE L'INCIDENT	9, Mott Street

NOM DE LA PERSONNE DÉCÉDÉE _____

TÉMOINS

NOM	RACE	SEXE
Pas de témoins connus.		

INCIDENT

PREMIERS RENSEIGNEMENTS

Le 13 octobre 2011, à environ 15 h 22, Anthony Pellman, maître d'œuvre, s'est présenté au 9, Mott Street, afin d'inspecter le bâtiment. La rénovation en avait été interrompue une semaine plus tôt suite à un litige contractuel et Pellman venait évaluer la situation avant la reprise du chantier programmée le 14 octobre. En entrant, Pellman a senti une odeur nauséabonde. Après quelques recherches, il a repéré le corps de la victime, apparemment de sexe féminin, dans la cage d'un monte-charge désaffecté. Il a aussitôt contacté les autorités.

La victime a été découverte par le premier policier arrivé sur place, l'agent Joseph Anderson. Elle était habillée, de constitution mince, les cheveux foncés, couchée sur le côté, dans une orientation approx. sud-est/nord-est. Apparemment, des plaies qui ont saigné beaucoup. Traumatisme crânien sévère sur le côté gauche. Dislocation possible de la mâchoire et de l'épaule gauches. Taches de sang sous la tête et la nuque, indiquant une hémorragie abondante. La flaque de sang est sèche, de couleur rouge à marron, mesure environ cinquante-six centimètres sur quarante-cinq. La victime semble avoir chuté de haut et perdu son sang à l'endroit où elle a été découverte. Le corps montre une lividité sur la partie gauche de la face. Semble être morte au moins quarante-huit heures avant la découverte. Premiers signes de décomposition sur le visage. Mains ouvertes, pas de blessures défensives apparentes.

La victime portait un jean bleu foncé et un tee-shirt noir avec un ange devant. Pieds nus, tatouage au-dessus du pied droit. Pas de bijoux. Aucune arme retrouvée.

Une paire de chaussures noires et une paire de chaussettes noires, appartenant sans doute à la victime, ont été retrouvées au dernier étage du 9, Mott Street, sept étages au-dessus du corps. Aucun indice apparent de crime. En l'absence de monte-charge ou d'escalier praticables, la victime a dû atteindre la cage d'ascenseur en entrant dans le bâtiment par la verrière, elle-même atteinte par le toit du 203, Worth Street — les Jardins Suspendus, un squat connu et un repaire de fumeurs de crack.

PQ 228 c. v1

AVIS DE DISPARITION/
PERSONNE NON IDENTIFIÉE

PO 336-151 (Rev. 2-94)-ht

ATTESTATION AU DOS À REMPLIR

À DÉTACHER

TYPE	JURIDICTION / INSTITUTION
☒ DISPARITION ☐ PERS. NON IDENTIFIÉE	Shandaken

Heure et date du rapport	HEURE	DATE
	22 h 04	30/09/2011

AFFAIRE N°	AGENT DE FACTION	TÉLÉPHONE
12-388	HELMS	845-555-9022

NOM DE FAMILLE	PRÉNOM	AUTRES NOMS	
CORDOVA	ASHLEY	BRETT	

ÂGE	Heure et date de la disparition	HEURE	DATE
24		8 h 12	30/09/2011

SEXE	RACE	TAILLE	POIDS	YEUX	CHEVEUX	GROUPE SANGUIN
F	BL.	1,74	53	GRIS	BRUN FCÉ LONGS	INCONNU

VUE LA DERNIÈRE FOIS		DESTINATION PROBABLE
29/09/2011, 23 h 10	CHAMBRE MH-314, HÔPITAL DE BRIARWOOD	INCONNUE

PRÉSENCE D'UN VÉHICULE	n° SS 238-38-2219	n° PP 70-294-791
☐ OUI ☐ NON *SI OUI :*	NON ÉTABLI	

N° IMMATRICULATION	MODÈLE/COULEUR	ANNÉE

TYPE D'EMPREINTE DIGITALE *(si connu)*

MARQUES/CICATRICES/TATOUAGES Tatouage de couleur sur pied droit et cheville montrant créature cheval/chèvre, seulement tête et pattes avant. Reste manquant. Trace brûlure sur main gauche.

INTERVENTIONS DENTAIRES VISIBLES Aucune

LUNETTES/LENTILLES	TYPE DE MONTURE	ORDONNANCE
☐ OUI ☒ NON *SI OUI :*		

DESCRIPTION DE LA TENUE La personne a été vue la dernière fois portant pyjama de coton blanc.

TOUR DE TAILLE 50   POINTURE 38/39   BIJOUX Aucun

ÉVÉNEMENTS SUSPECTS/ACTES ILLICITES Inconnu

RENSEIGNEMENTS SUPPLÉMENTAIRES La personne a été filmée par caméra de surveillance quittant l'établissement avec homme blanc non identifié.

UNE FOIS LE DOCUMENT REMPLI, VEUILLEZ LE RENVOYER À : **DÉPARTEMENT DE POLICE DE SHANDAKEN** — COMTÉ D'ULSTER 64 NEW YORK 42 SHANDAKE, NY 12480
À L'ATTENTION DU SERVICE DES DISPARITIONS

7

« *Qui* yiêt vou ? »

La voix de la femme – avec un accent russe à couper au couteau – grésilla dans l'interphone.

« Scott McGrath », répétai-je en me penchant vers la minuscule caméra noire au-dessus des sonnettes. « Je suis un ami de Wolfgang. Il m'attend. »

C'était un mensonge. Ce matin-là, après avoir lu le dossier de la police de New York concernant Ashley Cordova, j'avais passé trois heures à essayer de mettre la main sur Wolfgang Beckman : spécialiste du cinéma, professeur, cordoviste de la première heure et auteur de six livres sur le septième art, notamment *Le masque américain*, ouvrage de référence sur les films d'horreur.

J'avais essayé de joindre son bureau au Dodge Hall de Columbia et j'avais obtenu son emploi du temps, pour finalement apprendre qu'il ne donnait qu'un cours ce semestre, « L'horreur dans le cinéma américain », le mardi à 19 heures. J'avais appelé son bureau personnel, puis son portable, mais les deux m'avaient renvoyé vers une messagerie. Vu notre dernière rencontre, plus d'un an auparavant – lorsqu'il m'avait non seulement dit son espoir de me voir pourrir en enfer, mais asséné, encouragé par la vodka, deux énormes coups de poing –, je savais qu'il rappellerait le pape avant de me rappeler moi. (Il y avait deux choses dans la vie que Beckman haïssait plus que tout : être assis dans les trois premiers rangs d'une salle de cinéma, et l'Église.) Mon dernier recours consistait donc à débarquer ici, un immeuble fatigué au croisement de Riverside Drive et de la 83e Rue Ouest, où j'avais passé maintes soirées à l'écouter pérorer dans sa taupinière d'appartement, entouré de son escouade de chats et d'une foule d'étudiants qui buvaient ses paroles comme des chatons lapant de la crème.

À ma grande surprise, j'entendis un raclement et une sonnerie puissante. Je pouvais entrer.

Lorsque je toquai à la porte sur laquelle figurait, en lettres patinées, le numéro 506, une petite femme m'ouvrit. Elle avait des cheveux noirs courts posés sur son crâne comme un capuchon sur un stylo. C'était la dernière gouvernante en date de Beckman. Depuis que sa chère épouse Véra était morte d'un cancer, plusieurs années auparavant, Beckman, absolument incapable de s'occuper de lui-même, employait une série de minuscules femmes russes pour s'en charger.

Elles étaient invariablement petites, sévères et entre deux âges, avec des yeux bleus, des mains gercées, des cheveux teints couleur bonbon artificiel et des personnalités intraitables de bolcheviks. Deux ans plus tôt, c'était Mila, amatrice de jeans délavés et de tee-shirts à strass, qui parlait sans arrêt de son fils resté en Biélorussie. (Et quand elle ne parlait pas de Sergio, l'essentiel de son propos pouvait se résumer en un seul mot : *nyet*.)

La nouvelle avait un nez aquilin, portait des gants de vaisselle roses et un long tablier noir en caoutchouc, de ceux que les soudeurs enfilent pour forger l'acier. Visiblement, elle le mettait pour passer la serpillière dans la cuisine de Beckman.

« Il a rondez-vous avyec vous ? » Elle me jaugea de la tête aux pieds. « Il est chez *dentyiste*.

— Il m'a demandé de venir et de l'attendre. »

Elle plissa les yeux, sceptique, mais ouvrit la porte.

« Vous voulez *thé* ? demanda-t-elle.

— Merci. »

Avec un ultime regard désapprobateur, elle disparut dans la cuisine. Je suivis le couloir jusqu'au salon.

L'endroit n'avait pas changé, toujours sombre et triste, sentant la chaussette sale, le moisi et le *chat*. Le papier peint fleurdelisé défraîchi, le plafond affaissé comme le ventre d'un canapé – chez Beckman, on avait toujours l'impression que de l'eau allait remonter à travers le parquet. Jamais je n'avais pénétré dans un appartement autant *récuré* (la gouvernante de Beckman était toujours armée d'une serpillière et d'un seau, de bidons de détergent, de lingettes) et qui malgré tout ressemblait à un marécage du fin fond des Everglades.

Je m'avançai jusqu'à la cheminée, au-dessus de laquelle étaient encadrées des photos. Elles non plus n'avaient pas changé. Il y en avait une de Véra, en couleur, le jour de leur mariage, irradiant de bonheur. À côté d'elle, une photo dédicacée de Marlowe Hughes, beauté légendaire, deuxième femme de Cordova et vedette de *L'enfant de l'amour*. Tout près, une photo du fils de Beckman, Marvin, le jour où il avait reçu son diplôme de droit ; il paraissait extraordinairement normal. À côté de lui : une photo tirée des *Poucettes*, le film de Cordova, au moment où Emily Jackson observe la mystérieuse mallette de son mari ; enfin un portrait de Beckman, à l'indienne, trônant tel un bouddha ravi sur les marches de la Low Library de Columbia au milieu de cinquante étudiants béats d'admiration.

Suspendue à droite de la cheminée, il y avait l'affiche encadrée, fripée et craquelée, du gros plan de l'œil si cher aux cordovistes. Depuis que je connaissais Beckman, je l'avais toujours vue là. Il l'avait arrachée à la station de métro Pigalle, en 1987, après avoir assisté à une séance non censurée du film de Cordova *La nuit tous les oiseaux sont noirs*, dans les catacombes parisiennes, un des tout premiers événements de ce genre. Griffonné en bas, à la main, figurait le lieu de rendez-vous fixé : *Souverain Implacable Parfait N 48° 48' 21.8594" E 2° 18' 33.3888" 1111870300*.

À ma droite, à quelques dizaines de centimètres, dans le coin, un bureau en bois sur lequel ronronnait le vieil ordinateur Apple de Beckman. Il était donc *allumé*.

« *Votre thé.* »

La gouvernante avait surgi derrière moi. Elle fit glisser le plateau sur la table basse, me fusilla du regard en écartant une boîte chinoise noire ainsi que des piles de journaux, puis regagna lentement la cuisine.

J'attendis qu'elle reprenne son nettoyage, puis appuyai sur le clavier. Je n'étais pas *fier* de moi, à fouiner ainsi dans l'ordinateur d'un homme innocent. Mais aux grands maux les grands remèdes.

Je cliquai sur Firefox, puis sur l'historique.

Chirurgie de la bouche complications – recherche Google
Arrachage de dents ce qui peut dégénérer – recherche Google
Effets secondaires potentiels de la Novocaïne – recherche Google
The New Republic
The New York Post
Âmes sœurs russes.ru

Guide de conversation russe
Ashley Cordova – recherche Google
Ashley Cordova, vingt-quatre ans, retrouvée morte – nytimes.com

L'entrée suivante indiquait simplement : *blackboards.onion.*
Je cliquai sur le lien. Le site mit un moment à se charger. La page d'accueil montrait une forêt plongée dans le brouillard ; je reconnus le premier plan d'*Attendez-moi ici*, le film de Cordova. L'URL était interminable, et pourtant, enfouis parmi la chaîne des symboles et des signes de ponctuation, figuraient ces trois mots-clés : *souverain implacable parfait.*

C'étaient les Blackboards, le site des fans de Cordova sur le web invisible. L'entrée en était sévèrement gardée, uniquement accessible aux cordovistes autorisés. Le site possédait une adresse secrète sur Tor, l'Internet anonyme – si bien qu'il n'apparaissait jamais sur Google et ne pouvait pas être détecté par les navigateurs standards. Des années plus tôt, lors de notre première rencontre, j'avais essayé de soudoyer Beckman pour qu'il me donne cette URL – en vain. Il m'avait dit que c'était le « dernier recoin caché », un trou noir où les fans pouvaient non seulement discuter de tout ce qui touchait à Cordova, mais exprimer leurs envies et leurs rêves les plus sombres sans craindre d'être jugés.

J'entendis des clés qui s'entrechoquaient. La porte d'entrée s'ouvrit d'un coup. Une serpillière tomba bruyamment par terre. *Mme Tolstoï devait être en train de prévenir Beckman qu'il avait un invité.*

Je sortis mon BlackBerry, pris une photo de l'URL, refermai la fenêtre du navigateur et reculai jusqu'à la cheminée. Au même moment, j'entendis des pas rapides sur le parquet.

« *Enculé* », tonna une voix derrière moi.

Beckman apparut dans l'encadrement de la porte. Avec son trench-coat bien serré par une ceinture, il ressemblait à une pomme de terre dans du papier d'emballage.

« Fous le camp.

— Attends...

— La dernière fois qu'on s'est parlé, je t'ai *clairement* fait comprendre que pour moi tu étais mort. *Olga !* Appelez la police et dites qu'un dangereux intrus se trouve chez nous.

— Je voudrais recoller les morceaux.

— On ne peut pas *recoller* une amitié qui a été *anéantie*.

— C'est ridicule. »

Il me fusilla du regard. « La trahison n'est jamais ridicule. C'est à cause de ça que les empires s'effondrent. » Il retira son trench-coat, le balança sur la chaise – en un geste théâtral qui me fit penser à un matador espagnol jetant sa cape rouge – et s'avança vers moi. Heureusement, il ne vit pas son ordinateur, dont l'écran était encore allumé.

Livide comme il était, Beckman ne pouvait pas être physique-ment intimidant. Il portait un pantalon de costume gris trop court et des lunettes rondes en or derrière lesquelles ses petits yeux gentils clignaient comme ceux d'un écureuil. Il avait aussi une implantation de cheveux très zélée, qui avait désespérément *envie* de commencer cinq centimètres au-dessus de ses sourcils. Sa joue droite était méchamment gonflée ; on aurait dit qu'elle était bour-rée de coton.

« Je veux te parler d'Ashley », dis-je.

Le nom le fit sursauter comme s'il avait reçu une décharge élec-trique. Il marmonna quelque chose dans sa barbe, puis se dirigea vers un fauteuil, où il s'assit en émettant un léger sifflement de coussin péteur. Il ôta ses chaussures et cala ses pieds – il arborait des chaussettes écossaises jaune vif – sur le divan face à lui.

« *Ash Cordova* », dit-il en caressant le côté de son visage engourdi et shooté à la Novocaïne. Il se retourna et aboya par-dessus son épaule : « *Olga !* »

Elle parut devant la porte, au téléphone, apparemment avec la police.

« Nom d'une pipe, Olga, *qu'est-ce que* vous… Raccrochez. Mon Dieu. Je vous présente mon grand ami Scott McGrath. Vous pou-vez lui offrir autre chose que du *thé* ? Le thé ne lui fait aucun *effet*. » Il me regarda. « Tu bois toujours comme un trou en plein jour ?

— Bien sûr.

— Je suis content d'apprendre que tu as gardé le meilleur de toi-même. Apportez-nous la vodka de qualité supérieure, voulez-vous ? »

74

Olga disparut. Je m'assis sur le canapé. Beckman n'avait toujours pas remarqué son écran d'ordinateur allumé, distrait qu'il était par les trois chats qui venaient de sortir de leur cachette. Il y en avait huit dans l'appartement, issus d'une race orientale très exotique, avec les yeux bleus, la tête noire, le poil semblable à de la moquette épaisse et des personnalités agaçantes à la Greta Garbo, ne daignant se montrer en public *qu'en présence* de Beckman.

Il se baissa pour en caresser un qui se frottait contre le divan.

« Lequel est-ce, celui-là ? » demandai-je, feignant de m'y intéresser, car il y avait un rapport direct entre la bonne humeur de Beckman et l'intérêt que vous portiez à ses chats.

« McGrath, tu l'as déjà rencontré un nombre *incalculable* de fois. Lui, c'est Pontiac Borgne. À ne *pas* confondre avec Voyeur ou Boris le Fils du Cambrioleur. » Il haussa un sourcil. « Tu sais, je viens d'avoir un nouveau chaton. J'ai trouvé un autre modèle. C'est même assez gênant que je sois passé à côté jusqu'à présent.

— *Neuf chats ?* Tu peux aller en prison pour ça, tu sais. »

Il remonta ses lunettes sur son nez. « Je l'ai appelé Murad. Comme les cigarettes.

— Connais pas.

— Murad est une ancienne marque turque, célèbre dans les années dix et vingt. *Murad* signifie "désir" en arabe. La *seule* marque qui apparaisse dans les films de Cordova, c'est *Murad*. Il n'y a pas une Marlboro, pas une Camel, pas une Virginia Slim. Ça va même plus loin. *Si*, dans un film de Cordova, il y a un *zoom* sur la cigarette Murad, c'est que la *prochaine* personne que l'on voit à l'écran a été irrémédiablement *ciblée*. En d'autres termes, les dieux ont tracé un énorme X sur ses omoplates et lui ont accroché un panneau invisible où il est écrit : "NIQUÉ". À partir de là, sa vie ne sera plus jamais la même. »

Murad. Tous les chats de Beckman tiraient leur nom d'un détail très spécifique des films de Cordova, une marque de fabrique, une signature silencieuse. Ça allait de rôles de figuration qui duraient une fraction de seconde (telles les apparitions de Hitchcock) à certains petits objets qui annonçaient un désastre imminent (un peu de la même manière que l'apparition d'une orange, dans la série des *Parrain*, signifiait la mort). La plupart, loin d'être évidents, étaient extrêmement obscurs, comme Pontiac Borgne et Boris le Fils du Cambrioleur.

Je m'avançai pour boire mon thé, non sans jeter un nouveau coup d'œil vers l'écran de l'ordinateur, *encore allumé*. Beckman retroussa ses manches et fronça les sourcils ; il semblait sur le point de suivre mon regard.

« Qu'est-ce que tu as entendu à propos d'Ashley ? » demandai-je.

Son visage se rembrunit. « Tragique. » Il inspira longuement et s'enfonça dans son fauteuil. « Tu te souviens que Véra et moi l'avions vue en concert, il y a des années de ça. Au Weill Recital Hall. C'était incroyable. Le concert devait débuter à 20 heures. Tout le monde attend. 20 heures, 20 h 10, 20 h 20. Un homme barbu finit par arriver sur scène et annonce d'une voix fébrile : "Le concert va bientôt commencer. Je vous demande un peu de patience." Les minutes passent. 20 h 30, *20 h 40...* Elle va venir, *oui ou non ?* Les gens commencent à s'énerver. "Au prix où on a payé les *billets* ?" Naturellement, *moi* je regarde pour voir si son père est là. Une silhouette solitaire au fond, un treillis, des cheveux gris, l'air omniscient et ses éternelles lunettes de soleil qui transforment ses yeux en *pièces de monnaie* toutes noires. »

Beckman, les yeux écarquillés, se tourna vers le couloir vide comme s'il espérait y voir Cordova. Il revint vers moi avec un soupir.

« *Il n'était pas venu.* Soudain, une gamine portant des collants noirs et une robe de taffetas rouge vif déboule des coulisses. On pensait qu'elle allait dire quelque chose. "Le concert est annulé." Au lieu de ça, elle fonce vers le Steinway et s'assoit sans s'intéresser une seule seconde à nous. Elle fait glisser ses mains le long du clavier, comme un grand cuisinier époussetant une planche à découper. Et là, elle commence, sans même exiger que le public se taise. C'était Ravel. Les *Jeux d'eau*. »

Olga était maintenant devant la table basse, occupée à verser de la vodka glacée d'une bouteille noire marquée de lettres russes grossièrement dessinées. Beckman et moi trinquâmes. J'avais rarement goûté meilleure vodka : fraîche et légère, elle vous dansait dans la gorge.

« Les notes n'étaient pas jouées, continua-t-il. Elles *coulaient*

76

d'une *urne* grecque. Les gens passaient de l'indignation à l'état de choc, puis à la vénération éblouie. Aucun d'entre nous ne pensait qu'une simple *enfant* puisse jouer comme ça. Les profondeurs noires jusqu'où cette fille devait descendre... *seule.*

— Pour la police, c'est un suicide. »

Beckman eut l'air songeur. « C'est possible. Il y avait quelque chose dans son jeu... Une conscience des ténèbres dans leur forme la plus extrême. » Il fronça les sourcils. « Mais c'est classique, non ? Ce qu'on retrouve souvent dans la vie intime des êtres brillants, c'est une dévastation de type post-nucléaire. Des mariages massacrés. Des femmes laissées pour mortes. Des enfants qui grandissent comme des prisonniers de guerre difformes. Et tous ces gens-là errent avec un trou à la place du cœur, en train de se demander où est leur place, pour quel camp ils combattent. L'opulence absolue, comme celle qu'a obtenue Cordova en se mariant, ne fait qu'accentuer l'ampleur et l'étendue du désastre. C'est peut-être ce qui s'est passé pour Ash.

— *Ash* ?

— C'est comme ça qu'elle était surnommée dans le monde de la musique. Ash DeRouin. *L'âge de ruine.* Elle avait treize ans. Mais elle jouait comme quelqu'un qui aurait connu six vies antérieures. Six naissances. Six morts. Et toute cette tristesse, cet amour et ce désir, touchés du doigt puis perdus. » Il plissa le front ; ses gros sourcils se touchèrent. « *Un tel* niveau de talent et d'émotion. À quoi s'ajoute le fait qu'elle était sans aucun doute le plus bel enfant que j'aie jamais vu. Quand on a quitté la salle de concert, Véra, séchant ses larmes, m'a dit qu'elle ne pouvait pas être humaine. Elle le pensait vraiment.

— Est-ce que tu sais des choses sur son enfance ? demandai-je en me resservant de la vodka. Comment était Ashley, petite fille ? Tu te souviens de ce fameux coup de fil anonyme. »

Il me scruta d'un air sceptique. « Tu veux parler de ton mystérieux interlocuteur, *John* ? »

Je confirmai d'un hochement de tête.

« Tu sais bien que je n'y ai jamais cru. Tu as été victime d'une farce. Quelqu'un t'a mené en bateau. Qu'est-ce que Cordova irait faire avec des vêtements d'enfants ? D'un *autre* côté... Une fille

77

qui aurait grandi au milieu des marguerites, des poneys shetlands et avec des parents aimants prénommés Joanie et Phil n'aurait jamais pu jouer de la musique de cette manière. *Il y a* un nuage sombre qui plane au-dessus de cette famille, je te le concède. Mais qui cache quoi ? Et de quelle épaisseur ? Est-ce un simple brouillard, un ouragan de catégorie cinq, ou encore un trou noir dont aucune lumière n'est jamais sortie ? Je l'ignore.

— Est-ce que tu savais qu'Ashley avait eu des problèmes psychologiques ? Fin août, elle a été admise dans une clinique, un établissement dans le nord qui s'appelle Briarwood. »

Il parut étonné. « Non. »

« Elle s'en est échappée avec un homme non identifié et elle est morte dans cet entrepôt dix jours plus tard. Tu as eu vent de rumeurs sur les Blackboards ?

— Grands dieux, McGrath ! Les *Blackboards* ? »

Avec un petit gloussement, il vida sa vodka et reposa bruyamment le verre sur la table. « Ça fait des années que je ne vais plus sur ce site. J'ai passé l'âge de ce genre de comédie. »

Ces objections bidon – je n'en attendais pas moins de la part de Beckman. Faire sortir la vérité de cet homme, c'était toujours exécuter une danse de la pluie autour d'un feu de camp ; cela exigeait du doigté et trois ou quatre bouteilles de cette *vodka*, plus puissante que l'opium et originaire, à n'en pas douter, de quelque baignoire sibérienne.

« À ton avis, où est Cordova aujourd'hui ? »

Il haussa un sourcil. « Ne me dis pas que tu as repris ton petit bateau à moteur pour remonter l'Amazone en solitaire. Est-ce pour te venger, cette fois ? Parce qu'il a ruiné ta carrière ? Ou une simple curiosité insatiable ?

— Un peu des deux. Je veux savoir la vérité.

— Ah, la *vérité*. »

Il baissa les yeux vers la boîte hexagonale noire qui trônait sur la table basse. Il allait dire quelque chose, puis se retourna et regarda directement son ordinateur. L'écran était toujours allumé, et un de ces foutus chats – Pontiac Borgne ou Dieu sait quel était son nom – se frottait contre les pieds de son bureau.

Beckman se redressa brusquement, inquiet. « *Olga !* aboya-t-il.

Apportez-nous une assiette de ces sardines espagnoles, voulez-vous ? Boris fait de l'hypoglycémie. » Il revint vers moi. Ses yeux clignaient rapidement derrière ses lunettes. « Tu sais, j'ai entendu quelque chose récemment qui pourrait t'intéresser. *Peg Martin.*

— Peg Martin ?

— Elle a un petit rôle dans les vingt premières minutes d'*Isolat 3*. Elle joue une des concierges du cabinet d'avocats à Manhattan. La fille dégingandée qui a un bras dans le plâtre. Des cheveux roux frisés. Un nez plat. Elle disparaît dans l'escalier et ne revient jamais. Eh bien, au milieu des années quatre-vingt-dix, elle a donné une interview au magazine *Sneak*, où elle parlait de Cordova. »

Je m'en souvenais. Cinq ans plus tôt, j'avais retrouvé l'article au cours de mes recherches.

« Cette année, il se trouve qu'une de mes étudiantes a un chien, un terrier. Elle l'emmène à un cours de dressage collectif qui a lieu tous les dimanches soir à 18 heures au Washington Square Park. Elle m'a dit que, vers la fin du cours, une rousse toute sèche entre dans l'allée des chiens avec un vieux labrador noir. Ils s'assoient sur un banc, l'un contre l'autre, et regardent les autres se battre, batifoler, jouer et s'amuser. » Beckman, assis au bord de son fauteuil, jouait le rôle de Peg Martin. « Elle ne parle à… personne. Elle ne regarde… *personne*. Idem pour son chien. Très bien. Figure-toi que mon étudiante m'a expliqué que *cette* femme était Peg Martin.

— Et donc ?

— Et donc va faire un tour là-bas. Parle-lui. Elle sait peut-être certaines choses sur la famille. Comme elle a été junkie pendant quinze ans, elle sera peut-être moins regardante que les autres sur le besoin de garder le silence. »

Il plissa son front. « À ta place, j'irais aussi jeter un coup d'œil sur l'article de *Rolling Stone* paru en 1977. C'est la dernière interview que Cordova ait donnée avant de disparaître de la circulation. Il paraît qu'il y a un élément crucial dedans. J'ai cherché, je n'ai rien trouvé. Peut-être que toi, tu y arriveras.

— Et Cordova ? Où est-il ? »

Beckman vida son verre. « En train de se planquer, sans doute.

J'imagine qu'il doit avoir le cœur brisé. Ça paraît bizarre, vu les horreurs qu'il y a dans ses films. Mais j'ai toujours pensé que les ténèbres étaient là pour révéler la lumière. Il voyait les souffrances psychologiques des gens et espérait que ses films pourraient être un refuge. Ses personnages sont ravagés, démoralisés. Ils traversent des enfers et en ressortent comme des colombes carbonisées. Le fait qu'aujourd'hui les gens n'apprennent plus, qu'ils soient faibles, mesquins, tellement indifférents face à ce don qu'est la vie, comme s'il ne s'agissait que d'une publicité pour Pepsi – je ne peux pas lui en vouloir de se cacher. Tu as *vu* le monde récemment, McGrath ? La cruauté, l'absence d'empathie ? Quand tu es un artiste, tu ne peux pas t'empêcher de te demander à quoi bon tout ça. On vit plus longtemps, on va sur les réseaux sociaux, seuls avec nos *écrans*, mais nos sentiments perdent en profondeur. Bientôt ce ne sera plus qu'une flaque, puis un dé à coudre d'eau, enfin une *micro-goutte*. Il paraît qu'au cours des vingt prochaines années on sera reliés à des puces informatiques pour combattre le vieillissement et devenir immortels. Qui a envie de vivre éternellement comme une *machine* ? Pas étonnant que Cordova se planque. » Tout à coup, Beckman se tut. Sur son fauteuil, il avait l'air plutôt abattu.

L'ordinateur venait enfin de s'éteindre. Je regardai ma montre. 18 heures passées. Je devais y aller.

« Merci pour la vodka, dis-je. Je veux aussi m'excuser solennellement. »

Beckman ne répondit pas, perdu dans ses idées sombres. Mais au bout d'un moment son regard vif se posa de nouveau sur la boîte chinoise noire. Il tendit la main et testa la résistance du couvercle avec son index – bien entendu, le couvercle ne céda pas.

« Je suis étonné que tu n'aies pas essayé de l'ouvrir pendant mon absence, marmonna-t-il.

— Il m'arrive d'avoir *quelques* scrupules. »

Il haussa un sourcil perplexe.

Pour lui faire plaisir, je soulevai la boîte – elle avait la forme d'un hexagone et était assez lourde. Je la secouai et reconnus aussitôt les fameux *bruits sourds* des objets qui s'entrechoquaient à l'intérieur. J'ignorais de quoi il s'agissait – *personne ne le savait*, sauf l'inconnu qui les avait enfermés là.

Cette boîte scellée, Beckman l'avait achetée auprès d'un trafiquant d'objets de collection. C'était un accessoire prétendument volé sur le tournage d'un film de Cordova, *Attendez-moi ici*. Dans le film, elle appartient au tueur en série, Boyd Reinhart. Bien que l'on ne découvre jamais ce qu'elle contient, elle est censée renfermer l'objet qui l'a poussé à tuer, quelque chose qui l'a mentalement détruit quand il était petit garçon. Cependant, d'après le trafiquant, à cause d'un problème dans les documents de provenance, il se pouvait que cette boîte n'ait pas du tout été volée sur le tournage du film, mais bien dans les dossiers du FBI concernant Hugh Thistleton, l'assassin qui avait imité Boyd Reinhart en tous points, de sa manière de tuer jusqu'à ses tenues flamboyantes.

Beckman adorait montrer cette boîte aux visiteurs, qui se la passaient de main en main. « Voilà, leur disait-il sur un ton plein de révérence. Cette boîte représente le seuil mystérieux qui sépare le réel de la fiction. Appartient-elle à Reinhart ? À Thistleton ? Ou à *vous* ? Car chacun de nous possède sa propre boîte, une chambre noire où se loge la chose qui nous a transpercé le cœur. Elle contient ce pour quoi on agit, ce que l'on *désire*, ce pour quoi on *blesse* tout ce qui nous entoure. Et même si elle était ouverte, *rien* ne serait libéré pour autant. Car l'impénétrable prison à la serrure impossible, c'est votre propre tête. »

La dernière fois que j'étais venu ici, alors que Beckman avait disparu dans la cuisine pour rapporter une autre bouteille de vodka, j'avais eu la brillante idée – assez ivre et incité par une de ses jolies étudiantes – de forcer l'ouverture avec un couteau de poche, histoire de découvrir une bonne fois pour toutes ce qu'il y avait à l'intérieur.

La serrure en laiton terni n'avait pas bougé d'un millimètre.

Beckman m'avait pris la main dans le sac. Il m'avait jeté dehors en hurlant : « *Traître !* » et « *Philistin !* ». Ses derniers mots pour moi, avant de me claquer la porte au nez, avaient été : « Tu n'as même pas vu par où elle s'ouvrait. »

Olga apporta deux plateaux couverts de sardines – de quoi

nourrir l'ensemble des loutres de SeaWorld. Elle les posa sur la moquette fatiguée. Les chats vinrent les renifler.

« Le problème avec *toi*, McGrath, dit Beckman en vidant la bouteille dans nos verres, c'est que tu n'as aucun respect pour l'opaque. Pour l'inexpliqué, l'obscur. L'insaisissable. Vous autres, les journalistes, vous fracassez les mystères de la vie sans vous rendre compte de ce que vous retournez si violemment, sans savoir que vous creusez pour trouver quelque chose de très puissant qui... » Il se rassit et croisa mon regard « ... ne *veut pas* être trouvé. Et qui ne le sera pas. »

Il parlait de Cordova.

« En tout cas, ajouta-t-il à voix basse, l'ombre sinistre d'un homme n'est pas l'homme. »

J'acquiesçai et levai mon verre. « À l'opaque. »

Nous trinquâmes. Je me levai, m'inclinai bien bas devant Beckman – il avait un petit faible pour les manières royales – et passai devant lui. Il ne dit rien, affalé sur son fauteuil, emporté par l'avalanche de ses pensées.

Dans l'ascenseur qui me ramenait en bas, non seulement je me sentis coupable de ce que j'avais fait en consultant son ordinateur comme un goujat, mais je regrettai le tour qu'avait pris notre discussion. À cause de la vodka, je m'étais montré un peu *trop* bavard. Désormais, pour Beckman, il ne faisait aucun doute que j'étais de nouveau sur la trace de Cordova. Et je ne savais pas du tout ce qu'il en ferait.

Je jetai un coup d'œil sur la photo que j'avais prise de son écran. Je n'en revenais pas de ma chance. L'image était floue, mais j'arrivais quand même à déchiffrer l'URL à rallonge. Depuis des années que je connaissais Beckman, je n'avais jamais réussi à lui arracher renseignement plus utile.

Je refermai la photo et notai rapidement quelque chose sur mon agenda.

Peg Martin. Washington Square Park. Dimanche à 18 h.

8

La fille du vestiaire du Four Seasons était en train de manger des *jelly beans* colorés par poignées entières, tout en lisant un mince livre de poche jaune.

J'avais lu, dans les dépositions du dossier de police d'Ashley, que l'employée du vestiaire s'appelait Nora Halliday et qu'elle avait dix-neuf ans.

Dès que des clients se présentaient – des touristes du Midwest, des types de la finance, un couple tellement vieux qu'on aurait cru qu'il marchait en faisant du *tai-chi* –, elle ôtait ses lunettes à monture noire, cachait son livre et prenait les manteaux après avoir lancé un joyeux : « *Bonne soirée !* » À peine les clients entrés dans le restaurant, elle remettait ses lunettes, ressortait son livre et reprenait sa lecture, accoudée au guichet.

Je l'observais depuis l'autre côté du lobby, assis sur un siège près de l'escalier. J'avais estimé plus judicieux d'attendre *ici*, car la vodka express de Beckman m'avait rendu un peu plus ivre que je ne le croyais. À un moment, elle jeta un regard intrigué dans ma direction. Pensant vraisemblablement que j'attendais quelqu'un, elle sourit et se replongea dans sa lecture.

D'après le rapport de la police, elle ne travaillait ici que depuis quelques semaines. Elle mesurait environ un mètre soixante-dix et était maigre comme un clou, avec des cheveux blond pâle coiffés en un chignon banane – les boucles autour de son visage ressemblaient à de la luzerne. Elle portait une jupe et un chemisier marron trop grands pour elle – l'uniforme du restaurant –, et des épaulettes aussi visibles que déséquilibrées l'une par rapport à l'autre.

Je finis par me lever et m'approcher d'elle. Elle referma son livre et le posa sur le comptoir. J'eus *quand même* le temps de voir le titre.

Hedda Gabler, d'Henrik Ibsen.

Une tragédie centrée sur le personnage féminin souvent considéré comme le plus névrosé de toute la littérature occidentale.

J'avais du pain sur la planche.

« Bonsoir, monsieur », dit-elle avec entrain. Elle enleva ses lunettes, dévoilant de grands yeux bleus et des traits fins qui auraient fait d'elle une fille en vogue quatre siècles plus tôt. L'époque étant aux moues boudeuses et aux sprays bronzants, elle était *jolie*, de toute évidence, mais à l'ancienne – une sorte de Twiggy des années deux mille. Elle avait un rouge à lèvres rose criard qui donnait l'impression d'avoir été étalé soit sous un mauvais éclairage, soit à plus de soixante centimètres du miroir.

Malgré tout, elle avait l'air *sympathique*. Et plutôt loquace.

Elle attrapa un des cintres argentés et tendit la main pour prendre mon manteau.

« Je ne veux pas le laisser, dis-je. Vous devez être Nora Halliday ?

— C'est bien moi.

— Enchanté. Scott McGrath. »

Je sortis de mon portefeuille une carte de visite et la lui donnai.

« J'aurais aimé discuter un peu avec vous. Quand vous le voudrez.

— Discuter de quoi ? fit-elle en déchiffrant ma carte de visite.

— D'Ashley Cordova. J'ai cru comprendre que vous êtes la dernière personne à l'avoir vue vivante. »

Elle me regarda. « Vous êtes flic ?

— Non. Je suis journaliste d'investigation.

— Quel genre d'*investigation* ?

— Des scandales étouffés, les cartels internationaux de la drogue. J'essaie d'obtenir des renseignements sur Ashley. Je serais intéressé par votre point de vue. Est-ce qu'elle vous a dit quelque chose ? »

Se mordillant la lèvre, elle posa ma carte de visite sur le comptoir et fit délicatement tomber dans sa main des *jelly beans* d'un sachet qui devait bien en contenir quatre kilos. Elle les fourra dans sa bouche et mâchonna, les lèvres scellées.

« Tout ce que vous me direz peut être en *off* », ajoutai-je.

Elle couvrit sa bouche avec sa main.

« Vous avez bu ? dit-elle.

— Non. »

Elle n'avait pas l'air convaincue. Elle déglutit bruyamment.

« Vous dînez chez nous ce soir, monsieur ?

— Non.

— Vous avez un rendez-vous au bar ?

— Probablement pas.

— Dans ce cas, je vous demanderai de partir. »

Je la regardai fixement. Cette fille *ne pouvait pas* être originaire de New York. Sur son front était marqué : *Je viens d'avoir mon diplôme en art dramatique à l'université de l'Ohio.* Quelque chose me disait qu'elle avait sans doute incarné une des Pink Ladies dans une mise en scène affligeante de *Grease* et que, quand on lui demandait ce qu'elle faisait, elle répondait : « Je suis actrice », avec cette même voix voilée que j'avais entendu certains membres des Alcooliques anonymes prendre en déclarant : « Je suis alcoolique. » Des filles comme elle, il en arrivait ici par trains entiers ; elles espéraient se faire repérer et rencontrer le grand manitou, mais terminaient le plus souvent dans des bars de Murray Hill, avec des robes noires de chez Banana Republic et des pansements sur les ampoules de leurs talons. Elles voyaient rapidement leurs rêves de gloire se transformer en cauchemar. Vivre dans cette ville exigeait une dose de masochisme, une certaine souplesse morale, une peau d'alligator et la même capacité à rebondir qu'un diablotin dans sa boîte – autant de choses qu'aucune de ces *petites* jeunettes faussement sûres d'elles ne pouvait ne serait-ce que *commencer* à comprendre. D'ici cinq ans, celle-là retournerait chez ses parents en courant, aurait un petit ami prénommé Wayne et enseignerait l'expression corporelle dans son ancien lycée.

« Si vous traînez encore ici, j'appelle mon supérieur. Carl sera ravi de répondre à toutes vos demandes et récriminations. »

J'inspirai longuement. « Mademoiselle Halliday », dis-je en faisant un petit pas vers elle, ce qui me permit de constater que son rouge à lèvres rose avait fait une embardée vers le haut. « Une jeune femme a été retrouvée morte. *Vous* êtes la dernière personne à l'avoir vue en vie. La famille Cordova le sait. *Beaucoup* de gens le savent. La police de New York ne dissimule pas votre nom. Certaines personnes se demandent ce que vous avez bien pu lui faire ou lui dire pour qu'elle meure quatre heures plus tard. Je ne tire aucune conclusion hâtive. Je veux juste entendre votre version. »

Sans me quitter du regard, elle décrocha le téléphone fixé au mur derrière elle et composa un numéro à trois chiffres.

« Nora à l'appareil. Tu peux descendre ? Il y a un homme ici, et il a... » Elle me dévisagea. « Environ cinquante-cinq ans. »

Ce n'était *pas* la réaction que j'avais espérée. Je quittai le vestibule sans attendre. Dehors, sous l'auvent, je me retournai. Notre future Meryl Streep avait remis ses lunettes et, penchée au-dessus de la porte de sa cabine, m'observait.

Un homme en costume bleu arriva soudain d'en haut – *Carl à la rescousse*, sans doute. Je fis donc demi-tour et repartis vers Park Avenue.

Ça s'était mal passé. J'avais perdu la main.

Je consultai ma montre. Il était plus de 20 heures, il faisait froid, le ciel nocturne était zébré de nuages qui blanchissaient et se dissolvaient comme de la buée sur une vitre.

J'étais peut-être *en petite forme*, mais je n'allais pas rentrer chez moi.

Pas tout de suite.

9

Un quart d'heure plus tard, je me trouvais dans un taxi qui traversait Chinatown, ses restaurants et ses pauvres immeubles sans ascenseur, ses enseignes sales, MASSAGE DU TALON et LA PHARMACIE DU PEUPLE, ses auvents où se mêlaient le chinois et l'anglais. Des hommes en veste sombre marchaient d'un pas pressé devant des devantures aux couleurs assassines – pourpre sirop-contre-la-toux, vert absinthe, jaune jaunisse, le tout se fondant dans les rues tortueuses. Le quartier semblait à la fois florissant et désert, comme s'il venait d'être mis en quarantaine.

Nous passâmes devant une église en brique. L'Église de la Transfiguration, d'après le panneau.

« Ici », dis-je au chauffeur un peu plus loin.

Je réglai ma course et descendis, les yeux levés vers une vieille structure délabrée de six étages, avec une peinture blanche décollée, un échafaudage de chantier et toutes les fenêtres bouchées. C'était l'entrepôt où Ashley Cordova avait été retrouvée morte. Devant l'entrée, des fleurs et des messages.

Il y avait là des bouquets de roses et d'œillets, des lis et des cierges, des images de la Vierge. « Repose en paix, Ashley. » « Dieu te bénisse. » « Ta musique survivra toujours. » « Maintenant tu es dans un monde meilleur. » Il était toujours étonnant de voir l'ardeur avec laquelle le grand public pleurait la mort d'une belle inconnue – surtout issue d'une famille célèbre. Dans ce récipient vide, les gens pouvaient déverser les malheurs et les regrets de leur propre existence, s'en débarrasser, se sentir chanceux et légers pendant quelques jours, et se dire, rassurés : « Au moins, ce n'était pas moi. »

J'écartai délicatement quelques bouquets pour avoir accès à la porte en acier. Elle était fermée par deux cadenas. Il y avait des panneaux « DANGER » et « ATTENTION ». Le cordon de sécurité installé par la police était intact.

Derrière moi, une berline marron au silencieux bruyant passa lentement ; la silhouette indistincte du conducteur était baissée. Je fis un pas en arrière et me cachai dans la pénombre de l'échafaudage, le temps que la voiture arrive au bout de Mott Street, tourne à gauche, et que le silence revienne.

J'avais néanmoins l'impression, reconnaissable entre toutes, que quelqu'un d'autre était là – ou venait juste de partir.

Je remontai la fermeture de mon blouson. Après un bref coup d'œil sur le trottoir – désert, à l'exception d'un enfant asiatique entrant dans un magasin nommé Le Bazar de Chinatown –, je fis demi-tour et remontai Mott Street jusqu'à son croisement avec Worth Street. Au coin, je tournai à droite et passai devant un auvent rouge où l'on pouvait lire DENTISTE ESTHÉTIQUE, avec un grillage abîmé qui barrait l'accès d'un terrain vague. En arrivant devant l'immeuble suivant, lugubre, et celui d'après, le 197, Worth Street, je compris que j'étais allé trop loin.

Je rebroussai chemin et remarquai que, à côté du cabinet dentaire, un trou avait été découpé dans le grillage. Je m'en approchai et m'accroupis. Un petit chiffon noir avait été noué à cet emplacement – à l'évidence pour signaler une entrée. Je distinguai un étroit et sinueux chemin qui allait au fond du terrain vague, vers un bâtiment désaffecté.

Ce devait être ça. Les *Jardins Suspendus*, m'avait dit Falcone – « un squat connu et un repaire de fumeurs de crack », d'après le rapport figurant dans le dossier d'Ashley. La police avait conclu qu'Ashley était entrée au 9, Mott Street par *ici*, un immeuble sis au 203, Worth Street, qu'elle avait monté les marches jusqu'au toit et pénétré dans l'entrepôt contigu de Mott Street par une verrière. Les policiers n'avaient retrouvé ni témoins, ni affaires personnelles d'Ashley, mais ça ne voulait rien dire. Les inspecteurs faisaient montre d'une paresse notoire lorsqu'ils concluaient aussi rapidement à un suicide – négligeant bien souvent des détails essentiels qui pouvaient orienter vers un *tout autre* scénario.

C'était la raison de *ma* présence ici.

Je me faufilai à travers l'ouverture et suivis le chemin, baigné par l'odeur infecte des ordures et des animaux invisibles qui détalaient – sans doute la mascotte de New York : *le rat de la taille d'un chat*. À mesure que mes yeux s'adaptaient à l'obscurité, je découvris la façade croulante du bâtiment en brique et, à gauche, une porte. Je dus marcher sur un vieux vélo et des bouteilles en plastique avant de l'atteindre.

Elle ouvrait sur un vaste entrepôt. Une faible lumière venant d'on ne sait où éclairait des murs couverts de graffitis indéchiffrables. L'endroit était putride et rempli de *saloperies*, de journaux et de cannettes, de plaques de plâtre et d'isolant, de sweat-shirts et de cartons, de casseroles et de poêles. De toute évidence, des squatters habitaient là – même s'ils semblaient avoir déménagé, sans doute à cause de la présence policière de ces derniers jours. J'entrai et laissai la lourde porte se refermer derrière moi en crissant.

Maintenant que s'étaient dissipés les effets de la vodka mortelle de Beckman, je m'aperçus de l'imprudence qu'il y avait à venir ici sans avoir emporté au moins le cran d'arrêt qui m'accompagnait dans mes joggings à Central Park. Je n'avais même pas pensé à prendre une lampe torche. Après une longue inspiration – n'écoutant pas la petite voix intérieure qui me serinait : « On n'avait pas dit que tu étais en petite forme ? » –, je me dirigeai vers le fond, en quête d'un escalier.

Il était complètement rouillé. J'empoignai la rambarde pour voir si elle était bien fixée au mur ; les boulons, à ma grande surprise, étaient très solides.

Je commençai à monter les marches. L'écho métallique de mes pas résonnait désagréablement. De temps à autre, je m'arrêtais pour regarder autour de moi, m'assurer que j'étais seul et prendre quelques photos avec mon BlackBerry. À mesure que j'avançais, le vieux bâtiment semblait grogner et tousser, furieux que j'escalade sa colonne vertébrale usée. *C'était par là qu'Ashley était montée.* Si elle avait eu l'intention de se suicider – conclusion que je ne prenais pas pour parole d'évangile, quoi qu'en pensât Falcone –, *pourquoi était-elle venue ici, dans ce lieu abandonné ?*

Le cinquième étage dépassé, je montai les dernières marches, les plus raides, pour atteindre les combles, un espace confiné avec, étalé par terre, un futon couvert de taches. À l'intersection entre le plafond et le mur, une trappe carrée. Je donnai un coup d'épaule dedans ; elle céda avec un soupir et je me hissai à l'extérieur.

C'était un toit désert. Un canapé éventré traînait à l'autre bout, dans un coin. Dessinant l'horizon, le tapis de pointes formé par les gratte-ciel du bas de Manhattan : les logements bon marché en forme de souches d'arbres, les gros rochers qu'étaient les bâtiments municipaux, les châteaux d'eau qui poussaient comme des bourgeons de chardon noirs – tout ce petit monde se battait pour avoir un bout du ciel nocturne.

L'arrière du 9, Mott Street et l'entrepôt n'étaient séparés que par un espace de trente centimètres, mais qui descendait jusqu'à la rue. Je montai sur le muret qui délimitait le toit et, après avoir fait l'erreur de *regarder en bas* – si je tombais, je mourrais fiché comme du persil humain entre deux dents en brique –, sautai sur le toit contigu.

Je contournai un énorme château d'eau et découvris enfin la verrière, une pyramide rectangulaire d'où le verre avait quasiment disparu. Je m'en approchai et, me couchant, jetai un coup d'œil à travers un des châssis brisés.

Au-dessous de moi, à trois mètres cinquante environ, il y avait un sol sombre. Plus loin sur la gauche, je pus voir la cage vide d'un monte-charge qui descendait de sept étages. Tout en bas, le sol en ciment était bien éclairé. C'était comme regarder au fond de la gorge, un couloir entre deux dimensions. La chute devait être d'une trentaine de mètres. Même à cette hauteur, je distinguai quelques taches rougeâtres. *Le sang d'Ashley.*

Elle était prétendument entrée par cette verrière, avait enlevé ses chaussures et ses chaussettes, puis s'était approchée du rebord de la cage d'ascenseur. Ç'avait dû aller tellement vite, le vent dans ses oreilles, ses cheveux foncés qui protestaient sur son visage – et puis plus rien.

Falcone avait raison. Les châssis métalliques de la verrière étaient tellement étroits qu'il aurait été difficile d'y faire passer Ashley contre son gré. Difficile, mais pas *impossible.*

Je me redressai et inspectai le sol. Pas de traces, pas de mégots, aucun détritus. J'étais sur le point de repartir vers les *Jardins Suspendus* lorsque, soudain, quelque chose remua tout en bas, au fond de la cage d'ascenseur.

Une ombre venait de passer.

J'attendis. Les yeux rivés sur le carré vide et éclairé, je me demandai si je n'avais pas rêvé.

Une fois de plus, une silhouette s'approcha lentement.

Un homme se tenait debout au bord de la cage d'ascenseur, son ombre projetée devant lui. Il resta là une minute, immobile, puis franchit le pas.

Je vis des cheveux blonds filasse, un pardessus gris. *C'était forcément un inspecteur de police revenu sur les lieux.* Il s'accroupit pour examiner de près les traces de sang sur le ciment. Puis, à ma grande surprise, il *s'assit* dans un coin, les coudes sur les genoux.

Il ne bougea pas pendant un long moment.

En me penchant un peu pour mieux voir, je fis tomber un tesson de verre, qui éclata sur le palier juste au-dessous.

Surpris, l'homme leva les yeux, puis disparut aussitôt.

Je me relevai et courus jusqu'à l'autre extrémité du toit.

Ce ne pouvait pas être un inspecteur de police. Aucun de ceux que je connaissais – à l'exception de Sharon Falcone – ne se déplaçait *aussi vite.*

10

Je retournai en courant au 9, Mott Street. Je m'attendais à trouver l'entrée ouverte.

Le cordon de police était intact, la porte toujours cadenassée.

Comment était-il entré ? *Et qui était-ce ? Un cordoviste ? Un de ces crétins fascinés par les scènes de crime ?* J'inspectai les fenêtres – elles étaient toutes bien fermées. Il n'y avait qu'une seule possibilité : une allée étroite obstruée par des montagnes de déchets. J'en poussai une partie sur le côté, en me bouchant le nez, et réussis à passer de l'autre côté. Dans le mille : tout au fond, il y avait une fenêtre ouverte qui projetait de la lumière sur le mur d'en face.

L'inconnu s'était servi d'un pied-de-biche – il traînait par terre – pour forcer les vieilles planches, laissant juste assez d'espace pour se faufiler.

Je passai ma tête à l'intérieur.

C'était un chantier très bien éclairé, avec des ampoules de néon blanches qui pendaient à un plafond inachevé, des fûts en plastique et des bâches entassées près de la porte d'entrée. Des centaines de poteaux de cloison étaient alignés sur toute la longueur. Vers le fond, du côté droit, un cordon de police jaune barrait l'entrée de l'ascenseur.

Il n'y avait aucun signe de l'individu.

« Y a quelqu'un ? » criai-je.

Silence. Aucun autre bruit que le bourdonnement d'insecte des ampoules. Après avoir ramassé le pied-de-biche – *au cas où* –, je me hissai à l'intérieur et retombai sur un tas de sacs de ciment.

L'espace était entièrement ouvert. Le long du mur du fond, ce n'étaient que poutres métalliques empilées et fûts de mélange. Une bâche en plastique recouvrait *quelque chose.*

Je m'approchai prudemment et la soulevai d'un côté.

Il s'agissait d'une brouette.

« *Y a quelqu'un ?* » répétai-je en regardant autour de moi.

Pas de réponse, pas de mouvement.

Le type avait dû prendre peur.

Je marchai vers le cordon de police et m'apprêtais à passer par-dessous lorsqu'une main saisit mon épaule et un objet dur me heurta la tempe. J'eus le temps de me retourner mais fus aussitôt poussé à terre. Je lâchai le pied-de-biche.

Même si je voyais trente-six chandelles, je réussis à distinguer un homme au-dessus de moi. Il enfonça son pied dans mon torse.

« Qui t'es, connard ? » hurla-t-il. La voix était jeune, brouillée par la colère. Il se pencha de nouveau sur moi et tendit la main comme pour me prendre à la gorge. Mais, après m'être arraché à sa poigne, je parvins à le déséquilibrer, à ramasser le pied-de-biche et à le frapper à l'épaule.

Mohamed Ali n'aurait sans doute pas été fier de moi, mais c'était efficace. Le type essaya d'attraper un poteau en métal pour se maintenir, manqua son coup et vacilla en arrière.

Je me traînai jusqu'à lui. Je fus étonné de voir qu'il était trop bourré pour tenir debout. Il puait la clope et l'alcool, et ce n'était qu'un *petit merdeux* – vingt-cinq ans environ, les cheveux en bataille, des Converse blanches sales, un tee-shirt vert délavé où il était écrit « HAS-BEEN ». Il avait les yeux humides et injectés de sang, visiblement incapables de se concentrer sur moi.

« À mon tour, dis-je. Qui t'es, *toi*, connard ? »

Il ferma les yeux et sembla perdre conscience.

Mon premier instinct fut de l'étrangler. En touchant l'endroit où il m'avait frappé à la tête, je sentis du sang. Ce n'était pas un flic ; ne restait donc plus que paumé ou cordoviste. *Ou alors il connaissait Ashley.*

Je lui retirai son manteau de tweed gris et fouillai ses poches : un paquet de Marlboro avec trois cigarettes, un briquet, un jeu de clés. Je remis tout à sa place. Dans l'autre poche, je découvris un iPhone à l'écran fissuré, bloqué par un code, dont le fond d'écran montrait une blonde à moitié nue.

La poche intérieure était vide. Pourtant, je sentais qu'il y avait *autre chose* et m'aperçus que, sous la doublure, une autre poche avait été cousue.

Je plongeai une main dedans et en sortis deux petits sachets en plastique. Ils contenaient des gélules, les unes jaunes, les autres vertes, comportant des lettres et des chiffres – OC 40 et 80. De l'*OxyContin*.

J'avais donc affaire à un *dealer* – et assez amateur, puisqu'il dormait pendant une fouille au corps. Je remis les gélules dans sa poche et me relevai.

« Tu m'entends, Scarface ? »

Il ne répondit pas.

« Mains en l'air ! FBI ! » hurlai-je.

Rien.

Aussi délicatement que possible – je me demande d'ailleurs *pourquoi* je m'embêtais : même pendant l'Apocalypse, il aurait fait la sieste –, je sortis son portefeuille de sa poche arrière de pantalon. Pas de permis de conduire, pas de carte de crédit, uniquement du *liquide* – sept cent quarante dollars, en billets de vingt principalement.

Je rangeai l'argent et le portefeuille dans sa poche, mais glissai son iPhone dans la mienne. Je le contournai pour aller inspecter l'ascenseur.

Il n'y avait rien, hormis les taches de sang séché et quelques tiges qui poussaient dans les crevasses du béton.

Je pris quelques photos et retournai vers le jeune homme pour vérifier sa respiration. Il paraissait seulement *ivre* – et rien d'autre. Je le tournai sur le côté afin qu'il ne s'étouffe pas dans son vomi, regagnai la fenêtre, l'escaladai, retrouvai l'allée, puis Mott Street.

Je partais du principe que je n'apprendrais rien de plus sur lui avant le lendemain, quand il se rendrait compte que son téléphone avait disparu. Cependant, dans le taxi qui me ramenait chez moi, et même quelques heures plus tard, après que j'eus pris une douche et avalé deux comprimés d'analgésique (étant donné la douleur violente due à la vodka de Beckman et au coup que j'avais reçu sur la tête, j'aurais mieux fait de prendre de l'OxyContin), le portable de mon jeune dealer fut bombardé de textos.

T'es où ?

C'était Chloe. Elle revint à la charge six minutes plus tard.

2 h que je t'attds kestufou ?

Puis il y eut Reinking (je ne pus m'empêcher de me *la* figurer : nordique, des pics à glace en guise de jambes) :

John parti viens mtnt

Deux minutes plus tard :

J'ai envie de toi

Douze minutes plus tard :

J'ai trop envie de toi. T'es en bas ?

Puis elle sembla envoyer un *sexto*, une image coquine, que je ne pus ouvrir. Elle était suivie de :

Ho ? Rien ? ? Va te f. ftre.

Ensuite, un texto d'Arden :

T'es sorti ? Viens chez Jimmy.

Au milieu de tout ça, une fille extrêmement têtue du nom de Jessica appela onze fois. Je ne décrochai pas.
Puis de nouveau Arden :

Hopper putain t'es où ?

C'était donc son nom. *Hopper.*

Un petit dealer, avec son manteau élimé, blotti dans un coin de ce monte-charge – quelle que fût son identité, il avait forcément quelque chose à m'apprendre sur Ashley.

11

« Allô ? » dis-je. J'entendais, en bruit de fond, des assiettes s'entrechoquer.

« Bonjour. Vous avez trouvé mon téléphone.

— En effet. »

Je pris une gorgée de mon café.

« *Super.* Où ça ?

— Dans un taxi. J'habite le West Village. Vous voulez passer le récupérer ? »

Vingt minutes plus tard, mon interphone sonna. J'écartai les rideaux du salon. La fenêtre donnait sur le perron. Il était là... *Hopper* : il portait le même manteau que la veille, le même vieux jean, les mêmes Converse. Les épaules voûtées pour se protéger du froid, il fumait une cigarette.

Lorsque je lui ouvris la porte, je me rendis compte, à la lumière du jour, et malgré les cheveux gras, les yeux creusés par l'alcool et *les femmes* – et Dieu sait quoi d'autre –, qu'il avait belle allure. Je ne savais pas comment ça avait pu m'échapper ; c'était aussi frappant qu'un silo argenté transperçant un horizon de champs de blé. Il mesurait environ un mètre quatre-vingts, soit un peu moins que moi, il était mince, avec une barbe galeuse et la belle gueule brute d'un acteur des années cinquante, ceux qui pleurent quand ils ont trop bu et qui meurent jeunes.

« Bonjour. » Il sourit. « Je suis là pour mon téléphone. »

Il n'avait de toute évidence *aucun* souvenir de la veille ; il me regardait comme pour la première fois.

« Exact. » Je m'écartai pour le laisser entrer. Après m'avoir jaugé et avoir constaté, apparemment, que je n'allais pas l'agresser, il fourra les mains dans ses poches et entra. Une fois la porte refermée, je me dirigeai vers le salon et lui indiquai son portable, posé sur la table basse.

« Merci, vieux.

— Pas de quoi. Bon, maintenant tu vas me dire ce que tu foutais dans cet entrepôt. »

Il fut surpris.

« À Chinatown. Tu t'appelles Hopper, c'est bien ça ? »

Il ouvrit la bouche pour répondre, puis s'immobilisa en avisant la porte derrière moi.

« Je suis journaliste. J'enquête sur la mort d'Ashley. » Je montrai ma bibliothèque. « Certaines de mes anciennes recherches sont là. Si tu veux jeter un coup d'œil. »

Avec un regard méfiant, il s'avança vers la bibliothèque pour en sortir *Carnavals de cocaïne*. « "Un reportage haletant, lut-il, sur les milliards de dollars de la drogue et les millions de vies abîmées qu'elle happe dans ses rouages mortels. Un coup de maître." » Il me regarda. « Ç'a l'air *grandiose*. »

Il dit cela sur un ton sarcastique.

« Je fais ce que je peux.

— Et maintenant tu vas écrire sur Ashley.

— Tout dépend de ce que je trouve. Qu'est-ce que tu sais ?

— *Rien*.

— Quel est ton lien avec elle ?

— Aucun.

— Dans ce cas, pourquoi es-tu allé dans l'entrepôt où elle est morte ? »

Au lieu de répondre, il rangea le livre. Après avoir passé en revue quelques autres titres, il se retourna et remit ses mains dans ses poches.

« Tu travailles pour qui ?

— Pour moi-même. Tout ce que tu me dis peut être en *off*.

— Comme la confidentialité avocat-client.

— Exactement. »

Cela lui arracha un petit sourire en coin, mais il changea soudain d'expression et me regarda fixement. Je connaissais bien cette tête-là : il crevait d'envie de parler, mais essayait de voir s'il pouvait me faire confiance.

« Tu as un peu de temps ? » dit-il calmement en se frottant le nez.

12

Je suivis Hopper en haut de l'escalier d'un immeuble minable de Ludlow Street, puis à l'intérieur de son appartement, le 3B. Après avoir posé son manteau gris sur une chaise de plage, il disparut dans une chambre au fond – qui semblait totalement vide, à l'exception d'un matelas par terre –, me laissant seul près de l'entrée.

L'appartement était petit. Il y régnait l'odeur rance et écœurante d'un hôtel borgne.

Contre le mur du fond, le canapé vert informe était recouvert d'une vieille couette bleue, sur laquelle quelqu'un avait récemment écrasé – ou peut-être même *s'était* écrasé. Sur la table basse, une assiette vomissait des mégots ; à côté, des feuilles à rouler, un paquet de tabac Golden Virginia, un paquet ouvert de Chips Ahoy ! et un numéro déchiré d'*Interview* avec une starlette émaciée en couverture. Le tee-shirt vert « HAS-BEEN » qu'il portait la veille traînait par terre près d'un sweat-shirt blanc et d'autres vêtements. (Comme pour *fuir* à tout prix ce tas douteux, une paire de bas noirs s'accrochait désespérément au dossier de l'autre chaise de plage.) Une fille avait embrassé un des murs avec du rouge à lèvres noir. Une guitare sèche tenait debout dans un coin, à côté d'un vieux sac de randonnée dont le nylon rouge élimé était couvert d'inscriptions.

Je m'avançai pour lire : « En cas de perte, renvoyez ce sac et son contenu à Hopper C. Cole, 90, Todd Street, Mission, Dakota du Sud, 57555. »

Hopper Cole. Dakota du Sud. Il était sacrément loin de chez lui.

Griffonné au-dessus, à côté du numéro de téléphone d'une certaine Jade – l'indicatif était le 310 – et d'un œil égyptien dessiné à la main, ces mots : « *But now I smell the rain, and with it pain,*

and it's heading my way. Sometimes I grow so tired. But I know
I've got one thing I got to do. Ramble on. »

Ainsi donc, notre ami était fan de Led Zeppelin.

Hopper sortit de la chambre avec une enveloppe en kraft. L'air méfiant, il me la tendit.

Elle était adressée à : HOPPER COLE, 165 LUDLOW STREET, 3B – le tout écrit en majuscules, au marqueur indélébile. L'enveloppe avait été timbrée et envoyée à New York, NY, le 10 octobre de cette année. Soit le dernier jour où Ashley Cordova avait été aperçue vivante par la jeune employée du vestiaire du Four Seasons. L'adresse d'expéditeur n'indiquait aucun nom, simplement « 9, Mott Street » – l'adresse de l'entrepôt où le corps d'Ashley avait été retrouvé.

Surpris, je regardai Hopper. Mais il se contentait de me scruter, comme s'il s'agissait d'une sorte de test.

Je sortis le contenu de l'enveloppe. Il s'agissait d'un vieux singe en peluche avec des poils marron emmêlés, des coutures qui sortaient des yeux, une bouche en feutre rouge à moitié détruite, une nuque ramollie, sans doute sous l'effet de la main enfantine qui l'avait mille fois agrippée. Pour finir, il était entièrement souillé de boue rouge séchée.

« Qu'est-ce que c'est ?

— Tu n'as encore jamais vu cette peluche ? demanda-t-il.

— *Non.* À qui appartient-elle ?

— Aucune idée. »

Il s'éloigna, souleva la couverture bleue et s'assit sur le canapé.

« Qui l'a envoyée ?

— *Elle.*

— Ashley. »

Il confirma d'un signe de tête puis se pencha en avant, se saisit du paquet de feuilles à rouler sur la table et en sortit une.

« Pourquoi ? demandai-je.

— Une sorte de blague de mauvais goût.

— Vous étiez *amis*, donc.

— Pas tout à fait, dit-il en tendant le bras pour attraper son manteau gris et chercher son paquet de Marlboro dans les poches.

Ce n'était pas une amie. Plutôt une *connaissance*. Mais même ça, c'est trop dire.

— Où l'as-tu rencontrée ? »

Il se rassit et tapota sa cigarette. « Dans un camp.

— Un camp ?

— Oui.

— Et quel *camp* ?

— Six Silver Lakes, dans l'Utah. Un camp de redressement en pleine nature. »

Il me jeta un coup d'œil. Chassant ses cheveux devant ses yeux, il commença à disséquer la cigarette et arracher le filtre. « Tu connais *forcément* cette institution de tout premier plan.

— Non.

— Tu rates quelque chose. Si tu as des gamins, je te la recommande chaudement. Surtout si tu veux qu'ils deviennent des malades mentaux quand ils seront grands. »

Je ne fis même pas l'effort de dissimuler ma surprise. « Tu as rencontré Ashley là-bas ? »

Il acquiesça.

« Quand ça ?

— J'avais dix-sept ans, et elle, disons, *seize*. À l'été 2003. »

Hopper avait donc vingt-cinq ans.

« C'est une vaste arnaque pour les parents de jeunes difficiles, reprit-il en saupoudrant une pincée de tabac Golden Virginia sur le papier à rouler. Ces gens-là prétendent aider l'adolescent qui a des problèmes en lui faisant admirer les étoiles et chanter *Kumbaya*. En fait, c'est une bande de barbus fous qui s'occupent des gamins les plus tarés que j'aie jamais vus dans ma vie – des boulimiques, des nymphos, des suicidaires qui essaient de se tailler les poignets avec la cuiller en plastique du déjeuner. Tu n'imagines même pas les saloperies qu'il y avait là-bas. » Il secoua la tête. « La plupart des jeunes étaient tellement maltraités psychologiquement par leurs parents que ce n'était pas deux semaines *en pleine nature* qu'il leur fallait, mais une réincarnation complète. *Mourir* et revenir sous forme de sauterelle ou de *mauvaise herbe*. *Ça* aurait été mille fois mieux que la souffrance qu'ils enduraient, celle d'être vivants. »

Il dit cela avec une telle animosité, une telle colère, que j'en déduisis qu'il ne parlait pas du tout des autres jeunes, mais de lui-même. Je contournai le sweat-shirt blanc par terre pour m'asseoir sur une des chaises de plage – celle avec la paire de bas qui remontait sur le dossier.

« Je *ne sais pas* où ils avaient trouvé leurs moniteurs », continua Hopper. Il enfonça le filtre à l'extrémité de la cigarette et se baissa pour lécher le papier. « À la prison de Rikers Island, sans doute. Il y avait parmi les jeunes un petit gros, un Asiatique. Orlando, il s'appelait. Ils l'ont *torturé*. C'était une sorte de baptiste *born-again*, donc il parlait tout le temps de Jésus. Ils l'ont fait marcher sans manger. Le pauvre, il n'avait jamais passé dix minutes de sa vie sans un Twinkie. Il n'y arrivait pas, il avait des *insolations*. Et ils continuaient *quand même* de lui dire de puiser dans ses forces intérieures, de demander l'aide de Dieu. Mais Dieu était occupé. Il n'avait rien en magasin pour lui. Tout ça, c'était du *Sa Majesté des mouches* sous stéroïdes. J'en fais encore des cauchemars.

— Qu'est-ce que tu faisais là-bas ? »

Il se carra dans le canapé, l'air amusé. Il porta la cigarette roulée au coin de sa bouche et l'alluma. Il tira une bouffée, grimaça, recracha un long nuage de fumée.

« Mon oncle, dit-il en étirant les jambes. Je venais de voyager avec ma mère en Amérique du Sud, parce qu'elle était dans une secte missionnaire à la con. Je me suis barré en courant. Mon oncle vit au Nouveau-Mexique. Il a engagé un bonhomme pour me retrouver. Je squattais chez un ami, à Atlanta. Et un matin, pendant que je mangeais mes Cheerios, j'ai vu un *fourgon* marron qui arrivait. Si la Grande Faucheuse avait des roues, elle ressemblerait à *ce truc-là*. Pas de vitres, sauf deux sur la portière arrière, derrière laquelle il était évident qu'un enfant innocent venait d'être kidnappé et peut-être décapité. En deux temps trois mouvements, je me suis retrouvé à l'arrière avec un infirmier. » Il secoua la tête. « Putain, si *ce* type était infirmier professionnel, alors moi je suis membre du Congrès. »

Il s'interrompit pour tirer sur sa cigarette.

« Ils m'ont emmené au camp de base, à Springdale. Dans le parc national de Zion. On s'entraîne là-bas pendant deux semaines avec les autres jeunes complètement tarés ; on fabrique des attrape-rêves comme les Indiens, on apprend à nettoyer les toilettes avec sa propre salive – des choses *vraiment vitales*, quoi. Puis le groupe part pour un trek de dix semaines en pleine nature, avec campements autour de six différents lacs. À chaque lac, on est censé devenir plus proche de Dieu et de l'estime de soi. Sauf qu'en réalité on devient de plus en plus un psychopathe à cause de toutes les saloperies effarantes qu'on vient de vivre.

— Et Ashley faisait partie de ces jeunes. »

Il acquiesça.

« Pourquoi avait-elle été envoyée là-bas ?

— Pas *la moindre* idée. Le grand mystère. Elle a débarqué le jour du départ pour le trek de dix semaines. La veille au soir, des moniteurs nous avaient annoncé qu'il y aurait une arrivée de dernière minute. Tout le monde faisait la gueule parce que ça voulait dire que cette personne avait réussi à échapper à l'entraînement de base, à côté duquel *Full Metal Jacket* ressemblait à *Rue Sésame*. »

Il s'interrompit. Puis, me scrutant, il eut un petit sourire. « Par contre, quand on l'a vue, ç'a été le coup de grâce.

— Pourquoi ? »

Il regarda la table. « Elle était *sublime*. »

Il pensa ajouter quelque chose, mais préféra se pencher et faire tomber la cendre de sa cigarette.

« Qui l'a amenée ? »

Il leva les yeux vers moi. « Je ne sais pas. Le lendemain matin au petit déjeuner, elle était là. Assise toute seule dans un coin, devant une des tables de pique-nique, en train de manger un morceau de pain de maïs. Elle avait toutes ses affaires et était prête à décoller, son bandana rouge dans les cheveux. Nous, on était totalement désorganisés. On courait dans tous les sens comme des poulets débiles pour se préparer. Finalement, on est partis.

— Et tu t'es présenté à elle », proposai-je.

Il fit signe que non et tapota sa cigarette sur une assiette. « Non. Elle restait seule. Visiblement, tout le monde savait qui était son père et qu'elle avait joué la petite fille dans *Respirer avec les rois*, si bien qu'elle était toujours entourée de gens. Mais elle les envoyait balader et répondait uniquement par oui ou par non. » Il haussa les épaules. « Elle ne faisait *pas la gueule*. Simplement, elle n'avait pas envie de se faire des amis. Assez vite il y a eu de la jalousie, surtout de la part des filles, à cause des faveurs qu'elle obtenait des moniteurs. Chaque soir, autour du feu de camp, on devait se lancer dans des grandes tirades sur toutes les conneries qu'on avait faites avant de se retrouver là. Cambriolage. Tentative de suicide. Drogue. Certains gamins avaient un casier plus long que *Guerre et Paix*. Ash, elle, n'était jamais obligée de dire un mot. Ils passaient son tour, sans explication. Le seul indice, c'était la bande velpeau qu'elle avait autour de la main depuis le début. Au bout de deux semaines de trek, elle l'a enlevée et il y avait une vilaine trace de brûlure. Elle n'a jamais raconté comment c'était arrivé. »

J'étais surpris. Cette *même* trace de brûlure, ainsi que son tatouage au pied, étaient cités dans l'avis de disparition comme étant ses seules marques distinctives.

« Au bout de deux jours, on a fait un pari, poursuivit Hopper. Le premier d'entre nous qui arriverait à avoir une conversation de plus d'un quart d'heure avec Ashley recevrait deux cachets d'ecstasy qu'un des gars de L. A., Joshua, avait apporté en douce, cachés dans le bout creux du lacet de sa chaussure de randonnée. » Il bascula la tête en arrière et recracha la fumée vers le plafond. « J'ai décidé d'attendre, de me préparer et de laisser les autres se viander tout seuls. Ce qu'ils ont fait. Ashley les a tous dégagés. L'un après l'autre.

— Jusqu'à toi. »

On imaginait facilement le tableau : deux enfants magnifiques se rencontrant au milieu du monde sauvage de l'adolescence, deux orchidées fleurissant dans le désert.

« Tout le *contraire*, en fait, répondit-il. Elle m'a dégagé *aussi*. »

Je le regardai dans les yeux. « Tu rigoles ?

— Environ une semaine après l'échec lamentable des autres, je suis passé à l'attaque. Ashley marchait toujours derrière ; j'ai fait la même chose. Je lui ai demandé d'où elle venait. New York, elle a répondu. Après ça, il n'y a eu que des phrases d'un mot et un petit hochement de tête. J'avais foiré. »

Il écrasa sa cigarette sur la table basse, la jeta sur les autres mégots et se cala au fond du canapé.

102

« Ashley n'a pas échangé un seul mot pendant *dix semaines* ? demandai-je.

— *Si*. Mais rien de plus que le minimum syndical. À un moment ou à un autre, on craquait, on avait tous notre quart d'heure *Les évadés* et on se mettait à hurler à la lune. La marche, et les moniteurs, cette bande d'enfoirés voyeurs, tout ça faisait remonter la merde du passé. On craquait tous. En partie pour de vrai, en partie pour qu'ils nous foutent la paix. On a tous décroché notre nomination aux Oscars, à déblatérer sur nos parents et comme quoi tout ce qu'on voulait, c'était être *aimés*. Tous, sauf Ashley. Elle n'a jamais pleuré, ne s'est jamais plainte. Pas *une fois*.

— A-t-elle parlé de sa famille ?

— Non.

— Et de son père ?

— Rien. Elle était comme le Sphinx. C'est d'ailleurs comme ça qu'on la surnommait.

— Et c'est *tout* ? »

Il fit non de la tête et s'éclaircit la gorge. « Au bout de trois semaines de trek, Orlando, le petit gros d'origine asiatique, était dans un *sale état*. Il était tellement cramé par le soleil qu'il avait des cloques sur tout le visage, ce à quoi les moniteurs ont réagi en lui donnant un flacon de lotion de calamine. Il avait la figure couverte de croûtes roses, il pleurait sans arrêt, il ressemblait à un lépreux. Alors un soir, Joshua lui a filé un de ses cachetons, comme un *cadeau*, disons, pour le soulager un peu. Il avait déjà dû l'avaler quand on s'est mis en route le lendemain matin, car tout à coup, à 9 heures du matin, Orlando a complètement *débloqué*. Il prenait les gens dans ses bras, il leur disait qu'ils étaient magnifiques. Il avait les pupilles dilatées et il faisait glisser ses pieds comme Travolta dans un concours de danse. À un moment, on l'a perdu. On a dû rebrousser chemin et on l'a retrouvé en train de courir autour d'un champ en souriant au ciel. Plume-de-Faucon, le moniteur en chef, est devenu fou de rage.

— *Plume-de-Faucon* ? »

Hopper eut un sourire narquois. « Les moniteurs insistaient pour qu'on se donne des noms de tribus indiennes, même si la plupart d'entre nous étions blancs, gros et à peu près aussi *reliés à la terre nourricière* qu'un Big Mac. Plume-de-Faucon, qui faisait partie de ces connards de chrétiens au cul serré, a réussi à traîner Orlando dans un coin pour lui demander ce qu'il avait pris et où il avait trouvé la drogue. Orlando était tellement déchiré qu'il a rigolé et répondu : "C'est juste un peu d'aspirine." Il répétait ça sans arrêt : "C'est juste de l'aspirine." »

Je ne pus m'empêcher de rire. Hopper sourit à son tour, mais son visage se rembrunit très vite.

« Ce soir-là, on chiait tous dans notre froc, reprit-il en écartant ses cheveux de ses yeux. On n'osait même pas imaginer ce que Plume-de-Faucon allait mettre à Orlando, ou nous mettre, pour savoir qui avait apporté les cachets en douce. Le soir, Plume-de-Faucon nous annonce que, si personne ne se dévoue pour dénoncer le coupable, il fera de notre vie un cauchemar. Tout le monde avait peur. Personne ne disait rien. Mais je savais que Joshua allait finir tôt ou tard par se faire balancer. Et là, tout à coup, on entend une voix grave dire : *"C'est moi."* Tout le monde s'est retourné. Personne n'en croyait ses yeux. »

Hopper se tut. Il n'en revenait toujours pas.

« C'était Ashley », dis-je devant son silence.

Il me regarda brièvement ; son visage était grave. « Oui. Dans un premier temps, Plume-de-Faucon ne l'a pas crue. Elle avait toujours eu droit à un traitement de faveur. Mais c'est là qu'elle a sorti le *deuxième* cacheton, qu'elle avait réussi à voler Dieu sait comment dans la chaussure de Joshua. Elle a dit qu'elle accepterait toutes les punitions qu'il avait en tête. Plume-de-Faucon est parti en vrille. Il l'a attrapée et l'a traînée de force à l'écart du campement. Il a fini par l'emmener dans un coin perdu au milieu de nulle part et l'a fait dormir là-bas, toute seule, avec son sac de couchage seulement. Le lendemain matin, elle n'avait pas le droit de revenir tant qu'il ne serait pas allé lui-même la chercher.

— Personne ne s'est opposé à ce type ? demandai-je. Et les autres moniteurs ? »

Hopper haussa les épaules. « Ils avaient peur de lui. On était en dehors de la civilisation. C'était comme si les règles n'existaient plus. » Il se saisit du paquet de Marlboro sur la table et en sortit une autre cigarette.

« L'autre partie de la punition, pour Ashley, consistait à dresser toutes nos tentes et à ramasser du bois pour le feu. On n'avait pas le droit de l'aider. Dès qu'elle ralentissait un peu, Plume-de-Faucon lui hurlait dessus. Elle le toisait, l'air de dire qu'elle s'en foutait éperdument et qu'elle était beaucoup plus forte que lui. Du coup, ça le rendait encore *plus* furax. Finalement, il a laissé tomber. Un des autres moniteurs lui a dit qu'il allait trop loin. Si bien qu'au bout de sept nuits passées toute seule, elle a eu le droit de nous retrouver au campement. »

Il sourit. Une expression indéchiffrable parcourut son visage. Il secoua la tête et alluma sa cigarette.

« La première nuit après son retour, on a tous été réveillés à 3 heures du matin : Plume-de-Faucon hurlait comme si on le *poignardait*. Il est sorti de sa tente à toute berzingue, en caleçon. Ce gros con bégayait comme un gamin et gémissait parce qu'il avait trouvé un serpent à sonnette dans son sac de couchage. Tout le monde croyait que c'était une blague, qu'il avait fait un cauchemar. Mais une des monitrices, Quatre-Corbeaux, est entrée dans sa tente, a pris le sac de couchage et l'a ouvert devant nous. En effet, un *serpent à sonnette* d'un mètre cinquante est tombé par terre et a traversé le campement avant de disparaître dans la nuit. Plume-de-Faucon, livide, à deux doigts de pisser dans son froc, s'est retourné et a regardé *directement* Ashley. Et elle n'a pas baissé les yeux. *Il* n'a pas prononcé le moindre *foutu* mot, mais je sais qu'il pensait que c'était elle qui avait fait le coup. On le pensait tous. »

Hopper s'interrompit un instant.

« Après ça, il nous a foutu la paix. Et Orlando... » Il déglutit. « Il *s'en est sorti*. Son insolation a disparu. Il a arrêté de pleurer. Il est devenu une sorte de héros. » Hopper renifla et s'essuya le nez avec la main. « Quand on est enfin rentrés au camp de base, on était censés passer une nuit tous ensemble, main dans la main, à s'émerveiller de nos prouesses – en l'occurrence il s'agissait de remercier Dieu de ne pas nous avoir *tués*. Parce que c'était ça, le truc : pendant tout ce temps-là, la mort avait été une possibilité. Comme si elle nous avait toujours attendus derrière les rochers. Et la personne qui l'avait conjurée, c'était Ashley. »

105

Je ne voyais pas son visage – il regardait par terre, à présent, les yeux cachés par ses cheveux. « Environ une heure avant le dîner, reprit-il, j'ai regardé par la fenêtre de la cabane et je l'ai vue monter à bord d'un 4 × 4 noir. Elle s'en allait avant les autres. J'étais déçu. J'aurais aimé lui parler. Mais il était trop tard. Un chauffeur est passé prendre ses affaires, les a mises à l'arrière et ils sont partis. C'est la dernière fois que je l'ai vue. »

Il releva la tête et me lança un regard de défi, sans rien dire.

« Tu n'as plus jamais eu de nouvelles d'elle ? »

Il fit signe que non, pointant sa cigarette vers l'enveloppe que je tenais.

« Pas avant *ça*.

— Comment sais-tu que c'est elle qui l'a envoyée ?

— C'est son écriture. Et l'adresse d'expéditeur, c'est là où... »

Il haussa encore les épaules. « Je pensais qu'elle me menait en bateau. Avant-hier soir, je me suis introduit là-bas en me demandant si j'allais y trouver une sorte de message ou un signe. Mais je n'ai rien trouvé. »

Je brandis le petit singe. « Qu'est-ce que ça veut dire ?

— Je ne l'avais jamais vu avant. Je te l'ai *déjà* dit. »

Il écrasa sa cigarette.

« Tu ne vois pas du tout pourquoi elle te l'aurait envoyé ? »

Il me lança un regard noir. « J'espérais que *tu* aurais une petite idée sur la question. C'est toi, le journaliste. »

La terre rougeâtre qui formait des croûtes sur la peluche ressemblait à celle que l'on trouve dans l'ouest, à coup sûr dans tout l'Utah. Aussi me demandais-je si ce petit singe n'avait pas pu appartenir à un des jeunes du camp – peut-être à Hopper lui-même. Mais celui-ci avait plutôt l'air du genre à emporter un vieil exemplaire de *Sur la route* en guise de doudou.

Ses réflexions sur le caractère d'Ashley étaient instructives. Elles m'en donnaient un nouvel aperçu, la montrant comme une sorte d'ange exterminateur intraitable, à l'image de sa façon de jouer de la musique. Je ne comprenais pas pourquoi elle lui avait envoyé ce singe le jour de sa mort – si tant est que c'était bien *elle* qui le lui avait envoyé.

Hopper semblait maintenant d'une humeur irritable : affalé

au fond du canapé, les bras croisés sur son vieux tee-shirt blanc froissé – « GIFFORD'S FAMOUS ICE CREAM », était-il marqué dessus. Il me faisait penser à un auto-stoppeur, encore adolescent, que j'avais rencontré un jour à El Paso ; nous étions les deux seuls clients d'un *diner* au lever du jour. Après avoir bavardé et nous être raconté nos vies, il m'avait salué et était reparti avec un routier dans un camion pétrolier BP. Un peu plus tard, en me levant pour payer, je m'étais aperçu qu'il m'avait volé mon portefeuille. *Ne faites jamais confiance à un vagabond charismatique.*

« Il y a peut-être quelque chose à l'intérieur », dis-je en retournant la peluche dans tous les sens. Je sortis mon cran d'arrêt et pratiquai une incision dans le bas du dos. J'en dégageai tout le rembourrage, jauni et durci, et cherchai à l'intérieur. Il n'y avait rien.

Je m'aperçus que mon portable vibrait. L'indicatif du numéro était 407.

« Allô ?

— Pourrais-je parler à M. Scott McGrath ? »

C'était une femme. Sa voix était claire et musicale.

« Lui-même.

— Nora Halliday à l'appareil. L'employée du vestiaire. Je me trouve en ce moment au croisement de la 45e Rue et de la 11e Avenue. Au Pom-Pom. Vous pouvez venir ? Il faut qu'on parle.

— 45e Rue et 11e Avenue. J'y suis dans un quart d'heure.

— OK. »

Elle raccrocha. Perplexe, je me levai.

« Qui est-ce ? demanda Hopper.

— Une employée de *vestiaire*. La dernière personne à avoir vu Ashley vivante. Hier, elle a bien failli me faire arrêter. Et aujourd'hui ? Elle veut *parler*. Je dois y aller. En attendant, garde le singe.

— Pas de problème. »

Avec un regard méfiant, il me l'attrapa des mains et le remit dans l'enveloppe, puis disparut dans la chambre avec le paquet.

« Merci de m'avoir consacré un peu de ton temps, lui lançai-je dans mon dos. Je te rappelle si j'ai du nouveau. » Mais Hopper venait de se glisser dans le couloir, juste à côté de moi, et enfilait son manteau gris.

« Cool », dit-il. Il ferma la porte à clé et descendit les marches. « Où vas-tu ?

— Au croisement de la 45ᵉ Rue et de la 11ᵉ Avenue. J'ai rendez-vous avec une *employée de vestiaire*. »

Alors que ses pas résonnaient dans l'escalier, je me maudis de lui avoir dit où j'allais. Je travaillais *en solo* – depuis toujours.

D'un autre côté – je descendis à mon tour –, ce n'était peut-être pas une si mauvaise idée de faire équipe avec lui sur *ce* coup. Il y avait la mécanique quantique, la théorie des cordes, et puis il y avait la zone la plus insaisissable du monde connu, *les femmes*. Et d'après mon expérience dans ce domaine épineux – plusieurs décennies d'essais et d'erreurs, souvent accompagnés de résultats minables (Cynthia), aboutissant au triste constat que je ne serais jamais en pointe dans ce secteur, juste un chercheur médiocre parmi tant d'autres –, il n'y avait qu'une seule constante identifiable : face à des types comme Hopper, les icebergs se transformaient en flaques d'eau.

« *Très bien !* criai-je. Mais c'est moi qui parle. »

13

Le Pom-Pom était un *diner* à l'ancienne, aussi étroit qu'un wagon de train.

Nora Halliday était assise au fond, près d'une photo de Manhattan qui couvrait tout le mur. Elle était complètement avachie, ses jambes toutes maigres étendues devant elle. Pourtant, elle n'était pas simplement *assise* sur la banquette. On aurait dit qu'elle avait d'abord réglé trois mois de loyer, une caution, des frais d'agence exorbitants, signé le bail, et avait ensuite emménagé sur la banquette.

À côté d'elle, il y avait deux énormes sacs de courses Duane Reade. De l'autre côté, un sac en papier Whole Foods et un grand sac à main en cuir gris, béant comme un requin éventré, laissant apercevoir tout ce qu'il avait ingéré le matin même : *Vogue*, un chandail vert encore sur ses aiguilles à tricoter, une basket, des écouteurs Apple blancs enroulés autour non pas d'un iPod, mais d'un *Discman. Ça aurait tout aussi bien pu être un gramophone.*

Elle ne nous vit pas approcher, car elle avait les yeux fermés et murmurait toute seule – visiblement en train d'apprendre les répliques stabilotées sur le texte qu'elle tenait entre les mains. Sur la table, devant elle, une assiette de pain perdu à moitié mangé, flottant sur une mer de sirop comme une péniche sur le Mississippi.

Elle leva les yeux vers moi, puis vers Hopper. Instantanément – sans doute électrisée par sa belle gueule –, elle se redressa.

« Je vous présente Hopper, dis-je. J'espère que sa présence ne vous pose pas de problème. »

Hopper, sans un mot, s'installa sur la banquette qui lui faisait face.

Elle était bizarrement accoutrée : un jean délavé tout droit sorti d'un film des années quatre-vingt, un pull en laine d'un rose tellement vif qu'il vous piquait les yeux, des mitaines en laine noires et un rouge à lèvres blafard. Contrairement à la veille, ses cheveux blond pâle, fourchus aux extrémités, étaient détachés, avec une raie au milieu, et tombaient jusqu'à ses coudes.

« Alors comme ça, vous êtes comédienne ? » dis-je avant de m'asseoir à côté de Hopper.

Elle sourit et hocha la tête.

« Tu as joué dans *quoi* ? » demanda Hopper.

Elle promena un regard troublé sur lui, puis revint vers moi. *Même moi*, je savais que c'était une des questions les plus grossières à poser à une comédienne.

« Rien. *Pour l'instant.* Ça fait seulement cinq semaines que je suis comédienne. Depuis que je suis arrivée ici.

— Où étais-tu avant ? demandai-je.

— À Saint Cloud. Près de Narcoossee. »

Je ne pus qu'acquiescer, ignorant parfaitement ce qu'était *Narcoossee*. On aurait dit le nom d'une réserve indienne, avec un casino où l'on pouvait jouer au craps et regarder un sosie de Crystal Gayle chanter *Brown Eyes Blue*. Mais Nora sourit sans aucune gêne et referma son texte en caressant la couverture comme s'il s'agissait de la sainte Bible – pourtant c'était *Glengarry Glen Ross*, de David Mamet.

« Pardon d'avoir été aussi désagréable hier soir, me dit-elle.

— Excuses acceptées. »

Avec un petit froncement de sourcil, elle balaya la surface de la table et fit tomber quelques miettes de pain par terre. Elle se tourna et ouvrit le sac Whole Foods en jetant un coup d'œil à l'intérieur comme s'il contenait un être vivant. Elle y fourra ses deux mains et en sortit délicatement un objet rouge et noir qu'elle posa sur la table et fit glisser vers moi.

Je le reconnus tout de suite.

C'était un manteau de femme. L'espace d'un bref instant, le *diner*, et tout ce qui s'y trouvait, cessa d'exister. Il y avait ce vêtement, d'un *rouge* si intense, qui me toisait, et rien d'autre. On aurait dit un costume, raffiné, vaguement russe – la laine rouge, les parements en agneau noir, le cordon noir qui ornait le devant.

La femme que j'avais croisée au Reservoir de Central Park, plusieurs semaines auparavant, portait ce manteau.

La chevelure sombre mouillée, les allées et venues autour des lampadaires, le manteau qui s'allumait comme une fusée éclairante, me prévenant que... *Quoi* ? S'était-elle simplement amusée avec moi ? La manière dont cette femme avait réussi à me suivre jusque dans le métro défiait toute logique. L'épisode avait été si incongru que, rentré chez moi ce soir-là, je n'avais pas pu fermer l'œil, comme contaminé par l'étrangeté de la chose. J'étais sorti du lit plus d'une fois pour écarter les rideaux, m'attendant presque à voir sa mince silhouette former une incision rouge sur le trottoir et son visage se lever vers moi avec un regard noir et dur. J'avais même douté de ma santé mentale et m'étais demandé si *l'heure avait sonné* : les dernières années, mauvaises, avaient fini par provoquer chez moi une rupture mentale avec le réel, et désormais, la digue ayant sauté, les démons que je rencontrerais n'auraient plus aucune limite. Ils sortiraient simplement de ma tête en rampant et se jetteraient sur le monde.

Or, ce soir-là, le trottoir ne comportait aucune trace de rouge. La rue, la nuit, étaient parfaitement calmes.

J'avais même commencé à oublier cet épisode – *jusqu'à maintenant*.

C'était donc Ashley Cordova que j'avais vue.

Au choc initial succéda chez moi l'impression paranoïaque que quelque chose clochait, y compris cette employée de vestiaire un peu gauche. Elle devait participer à une sorte de conspiration. Mais elle ne fit que me renvoyer un sourire innocent. Hopper, quant à lui, dut déceler quelque chose sur mon visage – une sidération totale –, car il m'observait avec un air soupçonneux, les yeux plissés.

« Qu'est-ce que c'est ? demanda-t-il.

— Le manteau d'Ashley, répondit Nora. Elle le portait quand elle est entrée dans le restaurant. »

Elle prit son couteau, sa fourchette, et picora son pain perdu. « Elle me l'a confié. Quand les policiers sont arrivés, après, pour me poser des questions, je leur ai refilé un manteau noir du bureau des objets trouvés en leur expliquant que c'était celui d'Ashley. S'ils découvraient que je mentais, je comptais leur répondre que j'avais confondu les tickets. Mais ils ne sont jamais revenus. »

Hopper fit glisser le manteau vers lui et le déplia en le tenant par les épaules. Malgré sa belle facture, le vêtement était usé et semblait même sentir la ville, le vent sale, la sueur. L'intérieur était doublé de soie noire, et je remarquai, cousue à l'intérieur du col noir, une étiquette violette. « LARKIN », était-il écrit en lettres noires. Rita Larkin était la costumière de Cordova depuis toujours. J'allais en parler lorsque je vis un long *cheveu* noir accroché à la manche, en forme de S allongé.

« Pourquoi mentir aux flics ? demanda Hopper à Nora.

— Je vais vous expliquer. Mais à une condition. Je veux faire partie de l'enquête. »

Elle me regarda. « Hier soir, vous m'avez dit que vous enquêtiez sur Ashley.

— Ce n'est pas aussi officiel que ça », répondis-je après m'être éclairci la gorge, parvenant à *détacher* mon regard du manteau et de Nora. « En réalité, j'enquête sur son père. Et Hopper n'est là qu'aujourd'hui. On n'est pas associés.

— Mais bien sûr que si, rectifia Hopper avec un regard noir.

Parfaitement. Bienvenue dans *l'équipe*. Allez, tu seras notre *mascotte*. Pourquoi mentir à la police ? »

Nora le regarda, décontenancée par sa virulence. Puis elle se tourna vers moi. Elle attendait que je réagisse.

Je ne dis rien. J'essayais de comprendre le sens profond de ma rencontre avec Ashley. Je pris une longue inspiration en essayant de *faire semblant*, au moins, de réfléchir à sa requête. Évidemment, il était hors de question d'engager qui que ce soit – et surtout pas une fille qui sortait à peine de sa cambrousse en Floride.

« Ce n'est pas non plus l'aventure du siècle, dis-je. Je ne suis pas Starsky et lui n'est pas Hutch.

— Si je ne suis pas impliquée de A à Z le jour où on retrouvera *qui* ou *ce qui* a fait mourir Ashley *aussi jeune* » – elle prononça sa phrase avec beaucoup de détermination, comme si elle l'avait répétée soixante fois devant la glace de sa salle de bains –, « je ne vous dis pas à quoi elle ressemblait ni ce qu'elle a *fait*, et vous pouvez tous les deux aller voir ailleurs si j'y suis. »

Elle reprit le manteau et commença à le ranger dans le sac.

Hopper me regarda. Il guettait ma réaction.

« Pas besoin d'être aussi rigide », dis-je.

Elle ignora ma remarque.

« *D'accord*. Tu peux travailler avec nous.

— C'est promis ? demanda-t-elle avec un sourire.

— Promis. »

Elle tendit la main. Je la serrai. Mentalement, je croisai les doigts.

« C'était une soirée calme, commença-t-elle avec entrain. Il était 22 heures passées. Il n'y avait personne dans le vestibule. Elle est entrée avec *ça* sur le dos. Du coup, je l'ai remarquée. Elle était *magnifique*. Mais très mince, avec des yeux presque translucides. Elle m'a regardée droit dans les yeux et je me suis d'abord dit : *Ouah, qu'est-ce qu'elle est belle*. Son visage était plus net que tout le reste autour. Par contre, quand elle s'est mise à marcher vers moi, j'ai eu peur.

— Pourquoi ? »

Elle se mordilla la lèvre. « On aurait dit que, si on sondait le

112

fond de ses yeux, la partie humaine était déconnectée et que c'était autre chose qui regardait.

— Comme *quoi* ? voulut savoir Hopper.

— Je ne sais pas, répondit-elle, la tête baissée vers son assiette. Elle semblait ne pas cligner des yeux. Ni même *respirer*, d'ailleurs. Ni quand elle a enlevé son manteau rouge, ni quand elle me l'a tendu, ni quand je lui ai donné le ticket. Au moment où je l'ai accroché au portemanteau, j'ai senti qu'elle m'observait. Quand je me suis retournée, je pensais qu'elle serait toujours là. Mais elle montait déjà l'escalier. »

J'avais assisté au même phénomène extraordinaire le soir où Ashley était soudain apparue dans le métro.

« À ce moment-là, d'autres clients sont entrés. Pendant que je prenais leurs manteaux, j'ai vu qu'elle redescendait l'escalier. Sans me regarder, elle s'est dirigée vers la sortie. Je me suis dit qu'elle allait fumer une cigarette. Je ne l'ai pas vue revenir mais j'ai pensé que, étant occupée, je l'avais ratée. Pourtant, à la fin de la soirée, son manteau rouge était toujours là. Il ne restait que lui. »

Elle but rapidement une gorgée d'eau.

« Pendant trois jours, reprit-elle, chaque soir, à la fermeture du vestiaire, je mettais son manteau aux objets trouvés. Quand je revenais le lendemain, je le ressortais et je le suspendais. J'étais *persuadée* qu'elle passerait le récupérer. Mais d'un autre côté, je redoutais cet instant. » Elle s'interrompit pour rabattre ses cheveux derrière les oreilles. « Le quatrième soir, à la fin de mon service, il faisait très froid dehors et je n'avais qu'un coupe-vent. Alors, après avoir fermé, au lieu de mettre son manteau aux objets trouvés, je l'ai enfilé et je suis repartie avec. J'aurais pu choisir n'importe quel autre manteau. Mais c'est le sien que j'ai pris. »

Nora baissa les yeux ; elle rougissait. « Le lendemain, quand je me suis présentée au restaurant, il y avait des policiers. Ils m'ont vue arriver avec son manteau. Ils m'ont raconté ce qui s'était passé et j'ai été effarée par *ce que j'avais fait*. J'avais peur qu'ils me considèrent plus ou moins impliquée dans sa mort. Alors j'ai ressorti des objets perdus un manteau Yves Saint Laurent et j'ai raconté que c'était le sien. » Elle prit une longue et difficile inspiration. « J'étais sûre qu'ils allaient se rendre compte que j'avais menti, qu'ils montreraient le manteau à la famille. Or personne n'est revenu me demander quoi que ce soit. Pas encore, en tout cas. » Elle me regarda. « À part *toi*.

— Qu'est-ce qu'elle portait d'autre ? demandai-je.

— Un jean, des chaussures noires et un tee-shirt noir avec un ange. »

La tenue d'Ashley au moment de sa mort.

« Est-ce qu'elle t'a parlé ? Elle t'a dit si elle avait rendez-vous avec quelqu'un ? »

Nora fit signe que non. « Je lui ai sorti les classiques "Bonsoir" et "Est-ce que vous dînerez chez nous ce soir ?". Ce sont les formules qu'ils nous font apprendre par cœur pour accueillir les clients. Mais elle n'a rien répondu. Depuis que je l'ai vue – et avant que j'apprenne sa mort –, chaque nuit j'ai fait des cauchemars. Le genre où on se réveille en sursaut et où on entend des bruits qui résonnent dans la chambre mais sans savoir ce qu'on vient de hurler. Tu vois ? »

Elle attendait une confirmation de ma part ; je hochai la tête.

« Voilà les cauchemars que *je fais*. Et ma grand-mère maternelle, Eli, disait que la famille était en phase avec la quatrième et la cinquième dimension. »

Je me sentis obligé d'intervenir avant qu'elle ne nous gratifie d'autres perles de Mamie Eli.

Je souris. « Bon. Je réfléchis à tout ça et je te recontacte.

— D'abord, il faut qu'on se file nos numéros. »

Hopper et elle échangèrent leurs coordonnées. Je commençais à me demander comment j'allais pouvoir *m'auto-éjecter* de cet endroit lorsque Nora jeta un coup d'œil à sa montre, poussa un couinement et bondit de la banquette.

« Mince ! Je suis en retard pour le boulot. » Elle s'empara de l'addition et fouilla dans son sac à main. « Oh, non... » Elle me regarda en se mordillant un ongle. « J'ai oublié mon portefeuille chez moi.

— Pas de problème. Je m'en occupe.

— Vraiment ? Merci. Je te revaudrai ça. Tu peux me croire. »

S'il fallait apprécier ses talents de comédienne à l'aune de *cette phrase*, elle n'aurait même pas été prise dans une sitcom de fin de journée. Elle referma son sac à main, le fit passer par-dessus son épaule et se saisit du sac Whole Foods.

« Je peux prendre le manteau. Comme ça tu seras moins encombrée. »

Elle me regarda avec un soupçon de méfiance, mais se ravisa et me tendit le sac.

« À plus ! lança-t-elle joyeusement avant de se précipiter vers la sortie, les tibias fouettés par ses sacs. Et merci pour le petit déjeuner. »

Je me levai à mon tour et, déchiffrant l'addition, m'aperçus que la chère petite avait en réalité commandé *deux* petits déjeuners : le pain perdu et le café, mais aussi des œufs brouillés, un peu de bacon, un demi-pamplemousse et du jus de cranberry. *Ainsi, notre Judi Dench en version maigrichonne avait autant d'appétit qu'un sumotori.* Ce qui expliquait sans doute pourquoi elle avait décidé de parler – afin de se faire offrir le repas.

« Qu'est-ce que tu en penses ? demanda Hopper en se levant.

— Jeune et impressionnable, dis-je avec un haussement d'épaules. Elle a sans doute inventé la moitié de ce qu'elle raconte.

— *C'est clair.* C'est sans doute pour ça que tu avais l'air de t'ennuyer comme un rat et que tu étais prêt à te mettre en quatre pour récupérer ce manteau. »

Je ne lui répondis pas et me contentai de sortir deux billets de vingt dollars.

« D'abord, dit-il, elle n'a nulle part où habiter. » Il avait les yeux rivés sur la devanture du *diner* : Nora Halliday et ses nombreux sacs étaient toujours visibles, de l'autre côté de l'avenue à quatre voies. Elle se servait d'un reflet sur la façade d'un immeuble pour se faire une queue-de-cheval. Puis elle ramassa ses sacs et disparut derrière un camion de livraison.

Avec un dernier regard sévère – me montrant sans ambages qu'il ne me faisait pas confiance *ou* ne m'aimait pas particulièrement –, Hopper colla son téléphone à son oreille.

« Garde un œil ouvert, Starsky », dit-il en sortant.

Je pris sur moi et attendis qu'il disparaisse. Je ne pensais pas le revoir – *ni* Hannah Montana, d'ailleurs. Une fois que New York aurait repris le dessus, ces deux-là resteraient sur le carreau.

C'était ça le plus beau, avec cette ville : elle était intrinsèquement machiavélique. On ne s'y souciait pas que les gens aillent au bout des choses, qu'ils donnent suite, qu'ils imitent servilement la masse ou montrent une quelconque cohérence, non par méchanceté, mais à cause du *poids* de la vie new-yorkaise. New York écrasait ses habitants jour après jour, comme un énorme déluge qui leur brisait les reins, et seuls les plus *vaillants* – ceux doués d'une *volonté* à la Spartacus – avaient la force de rester non pas simplement *à flot*, mais dans la course. Cela valait autant pour le travail que pour la vie privée. Au bout de deux mois, la plupart des gens se retrouvaient loin, très loin de là où ils avaient prévu d'aller, empêtrés dans les ronces au milieu d'un marécage alors qu'ils voulaient filer vers l'océan. D'autres se noyaient carrément (sombraient dans la drogue) ou remontaient sur le rivage (déménageaient dans le Connecticut).

Néanmoins, l'un comme l'autre avaient été d'un grand secours.

C'était donc Ashley Cordova que j'avais croisée ce fameux soir. Je croyais avoir décidé de mon propre chef d'enquêter sur sa mort, et pourtant, chose incroyable, elle était venue vers moi la première, s'était plantée comme une écharde dans mon subconscient. J'allais devoir réétudier la chronologie des faits, mais je me rappelais que notre rencontre au Reservoir remontait à un peu plus d'une semaine avant sa mort. Je l'avais aperçue sans doute quelques jours après qu'elle s'était enfuie de la clinique psychiatrique, Briarwood Hall.

Comment avait-elle su que je serais là ? Personne n'était au courant que je faisais mon jogging dans le parc en pleine nuit. À part Sam. Un soir, plusieurs mois auparavant, pendant que je la bordais, elle m'avait dit que j'étais « loin d'elle », et j'avais répondu que c'était *faux*, parce que j'allais courir dans son quartier. À chaque tour que j'accomplissais, je pouvais lever les yeux vers sa fenêtre et la voir blottie dans son lit, à l'abri. C'était un peu *exagéré*, bien sûr : je ne pouvais pas plus voir l'appartement luxueux de Cynthia et Bruce sur la 5e Avenue que la tour Eiffel, mais l'idée lui avait plu. Elle avait fermé les yeux, en souriant, et s'était aussitôt endormie.

Par conséquent, la seule explication possible était qu'Ashley m'avait suivi. Elle avait pu entendre parler de moi après les pour-suites judiciaires intentées par son père. On pouvait imaginer qu'elle avait voulu me retrouver pour me révéler quelque chose au sujet de Cordova – me revint immédiatement à l'esprit la phrase inquiétante de John : « Il y a quelque chose qu'il fait aux enfants » –, mais qu'elle avait flanché au dernier moment.

D'un autre côté, après ce que venait de me raconter Hopper, la timidité ne semblait pas être un trait de caractère fondamental d'Ashley. *Bien au contraire.*

Il fallait que je rentre chez moi. D'abord pour préparer une petite virée à Briarwood et en apprendre plus long sur le séjour d'Ashley là-bas. Ensuite, je voulais consulter l'adresse URL des Blackboards que j'avais réussi à glaner sur l'ordinateur de Beck-man.

Je pris le sac Whole Foods et quittai le Pom-Pom. Le soleil avait beau être de sortie et déverser une lumière crue sur les voitures de la 11ᵉ Avenue, cela ne dissipa aucunement le malaise que j'éprou-vais face à cette réalité aussi simple qu'incroyable : le manteau d'Ashley, cet éclair rouge sang dans la nuit du Reservoir, venait d'apparaître à nouveau devant moi.

Je le tenais dans mes propres mains.

De : **Elizabeth J. Poole <ejpoole@briarwoodhospital.org>** *Masquer*
Sujet : Re : Visite
Date : 25 octobre 2011 18 h 24 EDT
À : Dr Leon Dean <leoncdean@gmail.com>

Cher Dr Dean,

Merci pour votre demande.

Je serai ravie de vous faire faire une visite guidée de notre établissement de soins d'avant-garde et de répondre à toutes vos questions. Je vous ai noté pour demain à 11 h 30.

En attendant, jetez un coup d'œil sur notre site Internet et les textes concernant Briarwood et son histoire prestigieuse.

Je vous saurais gré de m'appeler dès que vous le pouvez.

Très cordialement,

Elizabeth J. Poole
Directrice des Admissions

Hôpital de Briarwood Hall
Au service de la santé mentale depuis 1934

http://tunnelstaircase8903-5493r89jidfj9w0129e61)??*#(((souverainimplacableparfait.blackboards.onion

BIENVENUE DANS LES BLACKBOARDS

Vous êtes ici dans le trou de ver suprême des cordovistes, où le temps recule, où les arbres poussent vers le bas, où la lumière se dévore elle-même, où la peur est une brèche et où la vie est souveraine, implacable, parfaite.

AVERTISSEMENT : CE SITE CONTIENT DES IMAGES VIOLENTES EXTRAITES DU MONDE DE CORDOVA ET DU MONDE RÉEL. SI VOUS NE LE SUPPORTEZ PAS, GARDEZ LES YEUX FERMÉS.

ENTREZ >

◀ ▶ 👁 http://tunnelstaircase8903-5493r89jidfj9w0129e61)??*#(((souverainimplacableparfait.blackboards.onion/inter

PARKING | CORDOVA | FILMS | FÉROCE | NON CENSURÉ | INCONNUS | MONTEZ À BORD

QUI QUE VOUS SOYEZ,
VOUS N'AVEZ RIEN À FAIRE ICI.

SORTEZ.

ENTREZ >

14

Le lendemain matin, une heure avant mon départ pour Briarwood, situé à trois quarts d'heure de route au nord, j'étais dans ma cuisine, en train de faire du café, lorsque j'entendis frapper.

J'allai dans le vestibule et regardai à travers le judas.

Nora Halliday attendait devant ma porte.

J'ignorais comment elle avait pu avoir mon adresse. Soudain, je me rappelai : celle-ci figurait sur cette foutue carte de visite que je lui avais donnée, au Four Seasons. Quelqu'un avait dû lui ouvrir la porte d'entrée de l'immeuble. J'envisageai de faire mine de ne pas être chez moi. Mais elle frappa une deuxième fois ; je savais que le vieux parquet de mon appartement couinait à chaque pas, et elle devait m'entendre.

J'ouvris. Nora portait une veste de laine noire ajustée, un col en plume d'autruche, des collants noirs, des bottes et une minijupe en nylon à motifs zébrés ; on aurait dit une tenue de patinage artistique sortie des Jeux olympiques de Lillehammer. Elle n'avait pas de sacs de courses avec elle, uniquement son sac à main en cuir gris, et ses longs cheveux blonds noués en deux tresses qui lui entouraient la tête.

« Salut, dis-je.

— *Salut.*

— Qu'est-ce que tu fais ici ?

— Je suis prête à travailler.

— Il est 8 heures du matin. »

Elle détacha une sorte de croûte sur le revers de sa veste. « Eh bien, justement, j'ai pensé que tu aurais peut-être besoin de quelqu'un à qui soumettre tes idées. »

J'allais lui dire de repasser le lendemain – évidemment, j'allais devoir *déménager* ou demander un programme de protection des témoins entre-temps –, mais je repensai à la remarque de Hopper selon laquelle cette fille n'avait nulle part où dormir. Elle semblait en effet pâle et légèrement épuisée.

« Tu veux un café ? »

Son visage s'illumina. « *Avec plaisir*.

— Je dois partir à un rendez-vous, donc ce sera rapide.

— Pas de problème.

— Mais qu'est-ce que c'est que cette tenue, au juste ? demandai-je en la conduisant jusqu'au salon. Ta mère te laisse te promener comme ça dans la rue ?

— Oh, bien sûr. Elle me laisse faire ce que je veux. Elle est morte. »

Elle jeta son sac à côté du canapé – il devait contenir au moins une boule de bowling.

« Dans ce cas, cette grand-mère dont tu m'as parlé ne te laisse certainement pas te promener comme ça dans la rue.

— Eli ? Elle est morte aussi. »

Quelque chose me dit que j'avais intérêt à m'arrêter en si *mauvais* chemin.

« Et ton père ? »

Elle se pencha pour étudier le tableau accroché au-dessus de la cheminée.

« Il est à Starke.

— Starke ?

— La prison de Floride. Ils ont la Vieille Allumeuse, là-bas. »

La Vieille Allumeuse – c'était le surnom de la chaise électrique. J'attendis qu'elle me précise que son père n'était pas destiné à *rencontrer* la Vieille Allumeuse, mais elle se contenta d'avancer vers la bibliothèque et de regarder les livres, laissant ce bout de conversation pendouiller dans le vide comme l'extrémité d'un serpentin qu'elle n'aurait pas pris la peine d'enrouler.

« Comment tu le veux, ton café ? demandai-je, battant en retraite dans la cuisine.

— Avec du lait et deux sucres. Mais seulement si ce n'est pas trop compliqué.

— Ce n'est pas compliqué du tout.

— Tu n'aurais pas quelque chose à *manger*, par hasard ? »

J'installai Nora dans mon salon avec du café, deux muffins toastés tartinés de beurre et de confiture, ainsi qu'un exemplaire de mon livre *Carnavals de cocaïne*. Après avoir vérifié que je n'avais laissé traîner ni argent ni objets de valeur dont elle aurait pu nourrir son sac carnivore, je retournai dans mon bureau pour imprimer l'itinéraire pour Briarwood Hall.

Je tentai au passage de me reconnecter au site des Blackboards.

Mais je fus renvoyé vers la page de sortie, comme la première fois.

Mon adresse IP semblait avoir été bloquée.

Dans le salon, Nora avait pris ses aises. Elle avait ôté ses bottes, caché ses jambes sous une couverture en laine et déversé une partie du contenu de son sac sur ma table basse : deux pièces de théâtre, un tube de rouge à lèvres et le vieux Discman.

« Qui est C. L. M. ? demanda-t-elle en revenant quelques pages en arrière pour regarder la dédicace.

— Mon ex-femme. »

Elle n'en revenait pas. « *Toi*, tu as une *ex-femme* ?

— Comme tout le monde, non ?

— Où est-elle ?

— Sans doute en train de faire de la gym avec son coach.

— Tu as des enfants ?

— Une fille. »

Elle médita là-dessus, l'air songeur. Je me dis que le moment n'était pas plus mal choisi pour aborder la question mystérieuse de ses conditions de vie.

« Donc où est-ce que tu habites, exactement ?

— À Hell's Kitchen.

— Où ça, à Hell's Kitchen ?

— Au croisement de la 9ᵉ Avenue et de… Un truc comme la 52ᵉ Rue.

— *Un truc comme* la 52ᵉ Rue ?

— Je viens d'emménager, donc j'oublie toujours la rue qui coupe. Avant ça, je dormais sur le clic-clac d'une copine. »

Elle reprit sa lecture.

« Tu as des colocataires ? demandai-je.

— Deux, fit-elle sans lever les yeux.

— Et qu'est-ce qu'ils font ?

— Comment ça ?

— Ils sont maquereaux ? Drogués ? Ou est-ce qu'ils travaillent dans le porno ?

— Oh, *non*. Enfin, je ne sais pas ce qu'ils font la journée. Ils ont l'air gentils.

— Comment s'appellent-ils ? »

Elle hésita. « Louisa et Gustav. »

C'étaient des colocataires imaginaires ou je ne m'y connaissais pas. Depuis plus de vingt ans que je vivais à New York, je n'avais jamais croisé quiconque, *de près ou de loin*, portant ces noms-là.

Je regardai ma montre. *Je n'avais plus le temps de faire du baby-sitting.*

« J'ai rendez-vous chez le médecin, dis-je. Donc il va falloir que tu partes. Mais on peut discuter demain. »

Je ramassai l'assiette et le mug tandis que Nora me regardait avec de grands yeux. Je les emportai dans la cuisine, puis les mis au fond du lave-vaisselle.

« Merci pour le café, me lança-t-elle.

— Pas de quoi. »

Il y eut un long silence, un peu douteux.

J'étais sur le point d'aller voir ce qu'elle fabriquait lorsque j'entendis son sac s'ouvrir et se refermer. Elle rangeait ses affaires – *Dieu soit loué*. Mais je savais que ce n'était qu'un bref répit ; elle reviendrait le lendemain. Cette fille était comme ces minuscules poissons qui nagent sous la gueule d'un requin blanc *sur des kilomètres*, sans relâche. J'allais devoir rappeler un ancien contact, un syndicaliste ou un banquier, et lui tordre le bras jusqu'à ce qu'il embauche cette fille douze heures par jour dans une agence de la banque Capital One à Jersey City.

« C'est quoi, Shandaken ? s'exclama-t-elle soudain.

— Quoi ? »

Je sortis de la cuisine.

« Tu as un itinéraire pour aller à *Shandaken*, New York. »

Elle était dans le vestibule, en train de lire le dossier contenant l'itinéraire de Briarwood et les mails que j'avais échangés avec la directrice des admissions ; je l'avais laissé sur la table, à côté du sac Whole Foods où se trouvait le manteau d'Ashley.

« Tu vas faire une visite de l'établissement ? demanda-t-elle, intriguée. Quel *établissement* ? »

Je lui arrachai le dossier des mains et, tout en consultant ma montre – j'étais censé rouler sur l'autoroute dite du Turnpike depuis dix minutes –, je me dirigeai vers l'armoire, attrapai ma veste noire et l'enfilai.

« Un hôpital psychiatrique. » Je retournai dans le couloir pour éteindre la lumière.

« Pourquoi est-ce que tu vas visiter un hôpital psychiatrique ?

— Parce que je vais peut-être m'y faire *admettre*. Allez, on se reparle demain. »

J'attrapai l'itinéraire et le bras maigre de Nora, l'accompagnai jusqu'à la porte et la poussai *légèrement* pour qu'elle se retrouve dehors. Puis je la suivis et refermai.

« Tu as menti dans ce mail, dit-elle. Tu as écrit que tu t'appelais Leon Dean.

— C'est une faute de frappe.

— Tu vas là-bas pour enquêter sur Ashley. »

J'avançai dans le couloir. Nora s'empressa de me suivre. « Non.

— Mais tu prends quand même son manteau. Je devrais venir avec toi.

— Non.

— On n'a qu'à dire que je suis ta fille et que tu envisages de me faire interner. Je pourrais faire semblant d'être, disons... une adolescente sombre et mélancolique. Je suis vraiment forte en impro.

— Je vais là-bas pour obtenir des renseignements, pas pour faire du mime. »

En lui tenant la porte, je retrouvai dehors la matinée ensoleillée. Nora marchait vite, et d'un pas chaloupé, mais j'aurais eu du mal à dire si c'était dû à une scoliose ou à son sac en plomb.

« Cet endroit est aussi surveillé que le Pentagone, dis-je en dévalant le perron. Avec le temps, j'ai développé une technique d'interview qui fait que les gens ont confiance en moi. C'est parce que je travaille seul. Gorge Profonde n'aurait jamais parlé à Woodward s'il avait eu dans les pattes une petite gamine de Floride.

— C'est quoi, Gorge Profonde ? »

Je m'arrêtai net, les yeux fixés sur elle. Elle était sincèrement surprise.

Je traversai la rue. « Tu as forcément vu le film, *au moins. Les hommes du Président*. Robert Redford, Dustin Hoffman ? Tu sais qui sont *ces gens*, quand même ? Ou est-ce que tu ne connais aucune star de cinéma qui soit plus vieille que Justin Timberlake ?

— Je sais qui c'est.

— Eh bien, ils ont joué Woodward et Bernstein, les journalistes mythiques qui ont dévoilé le scandale du Watergate. Ils ont forcé un président des États-Unis à avouer ses forfaits et à démissionner. Un des gestes patriotiques les plus forts jamais accomplis par des journalistes dans l'histoire de ce pays.

— Donc tu seras Woodward. Et moi Bernstein.

— Ce n'est pas... Bon, d'accord, ils formaient une *équipe*. Mais ils apportaient chacun quelque chose de substantiel sur la table.

— *Moi*, je peux apporter quelque chose sur la table.

— Ah oui ? Ta connaissance profonde d'Ashley Cordova ? »

Elle s'arrêta. « *Je viens*, déclara-t-elle dans mon dos. Sinon j'appelle la clinique pour dire que tu es un imposteur et que tu utilises un faux nom. »

Je m'arrêtai à mon tour, puis me retournai vers elle. Je retrouvais la personnalité en Téflon avec laquelle j'avais lutté pied à pied au Four Seasons. La *femme* dans toute sa splendeur – toujours en train de *se métamorphoser*. Un jour désespérée, quémandant le gîte et des muffins, et le lendemain vous soumettant impitoyablement à sa volonté, comme si vous n'étiez qu'un morceau de tôle.

« C'est du chantage, donc. »

Elle acquiesça, le regard farouche.

Je parcourus les quelques mètres qui me séparaient de ma voiture garée le long du trottoir, une BMW modèle 1992 gris argent toute cabossée.

« Très bien, grommelai-je par-dessus mon épaule. Mais tu restes dans la voiture. »

Avec un couinement de joie, Nora se dépêcha de faire le tour jusqu'à la portière passager.

« Tu feras tout ce que je te dirai. Tout le temps. » J'ouvris le coffre pour y ranger le sac Whole Foods. « Tu seras un agent silencieux, sans personnalité. Tu te contenteras d'enregistrer et d'exécuter mes ordres comme une machine.

— Oh, *bien sûr*. »

Je m'installai au volant, bouclai ma ceinture et mis le contact.

« Je ne veux aucun *commentaire*. Ni jérémiade. Je ne bavarde pas, et je papote encore moins.

— OK. Mais on ne peut pas partir tout de suite. »

Elle se pencha en avant et alluma l'autoradio.

« Pourquoi donc ?

— Hopper vient avec nous.

— Non. Certainement pas. Ce n'est pas une excursion pour gamins de huit ans, bordel.

— Mais il voulait nous retrouver. Tu détestes vraiment les gens, c'est ça ? »

J'ignorai sa remarque et voulus démarrer. Un taxi qui arrivait en trombe derrière moi me klaxonna. Je pilai et dus reculer bien gentiment jusqu'au trottoir pour laisser passer un convoi de voitures qui s'agglutinèrent au feu, nous coinçant sur place.

« Tu me fais penser à un homme que j'ai rencontré à Terra Hermosa.

— Qu'est-ce que c'est que ce truc ? Terra Hermosa ?

— Un village de retraités. Il s'appelait Hank Weed. Au déjeuner, il prenait toujours la meilleure table près de la fenêtre et posait son déambulateur contre le siège libre pour que personne ne vienne s'asseoir et profiter de la vue. Il est mort comme ça. »

Je ne répondis pas, réduit au silence par le constat soudain que je ne savais absolument pas si ce qui sortait de la bouche de cette fille était vrai. Après tout, elle était peut-être *forte* en impro. Je ne pouvais pas savoir si elle avait vraiment dix-neuf ans ou si elle s'appelait vraiment Nora Halliday. Peut-être était-elle comme ces pulls d'où pend un innocent petit fil : on tire dessus et tout se détricote.

« Tu sais conduire ? demandai-je.

— Bien sûr.

— Montre-moi ton permis.

— Pourquoi ?

— Je dois m'assurer que tu ne fais pas l'objet d'une alerte enlèvement. Ou que tu n'es pas passée dans le reportage de *Dateline* sur les adolescentes tueuses. »

Avec un sourire en coin, elle se pencha, farfouilla dans son énorme sac et en sortit un portefeuille LeSportsac en nylon vert, tellement sale et taché qu'on aurait dit qu'il avait flotté pendant deux ans sur le Nil. Après avoir feuilleté quelques photos sous plastique – détournant délibérément le portefeuille pour que je n'en voie rien –, elle sortit son permis et me le donna.

Sur la photo, elle devait avoir quatorze ans.

Nora Edge Halliday. 4406 Brave Lane. Saint Cloud, Floride. Yeux : bleus. Cheveux : blonds. Née le 28 juin 1992.

Elle avait *bel et bien* dix-neuf ans.

Je lui rendis le permis sans un mot. Aussi bien Edge comme deuxième nom que Brave Lane – sans parler de son année de naissance, qui signifiait peu ou prou *hier* – suffirent à me laisser sans voix.

Le feu passa au vert. Je mis la marche avant et quittai ma place.

« Si tu veux attendre Hopper, fais-toi plaisir. Moi, j'ai du boulot.

— *Mais il est là* », jappa-t-elle, tout excitée.

En effet, avec son manteau gris, *Hopper* était en train de marcher sur le trottoir. Avant que je puisse l'en empêcher, Nora tendit le bras et klaxonna sans s'arrêter. Quelques secondes plus tard, enveloppé d'une bouffée d'air froid, de fumée de cigarette et d'alcool, Hopper s'affalait sur la banquette arrière.

« Ça va, les *lascars* ? »

Une fois de plus, il était bourré.

J'accélérai au feu orange et traversai la 7ᵉ Avenue. Hopper bredouilla une phrase inintelligible. Au bout d'une demi-heure, il me demanda de me garer sur le bas-côté du Turnpike et vomit.

Il avait l'air de n'avoir pas passé la nuit chez lui. Il portait encore son tee-shirt blanc « Gifford's Famous Ice Cream » de la veille. Sauf qu'à présent on pouvait presque lire au-dessous : « Goûtez nos 13 parfums de *honey-pie*. » Une fois son estomac vidé, il sembla vouloir s'asseoir sur la glissière de sécurité et regarder les voitures foncer comme des boulets de canon à quelques centimètres de la mienne. Nora sortit pour l'aider à remonter dans la voiture. Elle le fit avec une gentillesse et une délicatesse remarquables. Je ne pus m'empêcher de penser qu'elle avait dû faire ça souvent. *Avec qui ? Sa mère morte ? Son père prisonnier qui attendait peut-être la Vieille Allumeuse ? Grand-mère Eli ?*

Pourquoi diable s'intéressait-elle à Ashley Cordova ? À toute

cette histoire ? Et Hopper... Ce singe en peluche envoyé anonymement par la poste était-il *vraiment* la raison qui le poussait à
m'accompagner un mercredi matin, au lieu de rester au lit avec
Chloe, ou Reinking, ou n'importe quelle autre fille puant la clope
et le groupe de rock indé ?

De toute évidence, ces deux gamins en savaient beaucoup plus
long qu'ils ne le disaient. Mais s'ils me cachaient quelque chose,
je saurais bien assez vite quoi. Même chez les criminels les plus
endurcis, les *secrets* n'étaient que des bulles d'air coincées sous les
débris au fond d'un océan. Même s'il fallait pour cela un séisme,
ou plonger sous l'eau et aller remuer la vase, leur propension
naturelle était toujours à remonter à la surface – à *ressortir*.

Nora installa Hopper à l'arrière. Elle lui ôta ses lunettes noires.
Il marmonna vaguement puis, s'étirant sur toute la banquette avec
un soupir alcoolisé, cala un bras derrière sa tête et sombra. Nora
se remit à tripoter l'autoradio. Elle s'arrêta sur une chanson folk
– *False Knight on the Road*, annonçait le lecteur – et se rassit pour
contempler par la vitre les champs déchiquetés.

Alors que l'autoroute battait la cadence sous les pneus, la matinée semblait avoir du mal à éponger le ciel, jetant sur les panneaux routiers et les pare-brise une lumière terne, couleur eau
de bain.

Moi non plus je n'avais pas envie de parler. Je n'en revenais pas
de ma situation : deux parfaits inconnus à mes côtés, un méli-mélo
d'histoires derrière nous et Dieu sait *quoi* devant. En attendant,
nos vies formaient trois lignes ténues courant côte à côte.

Nous arrivâmes à Briarwood.

15

« Nous ne considérons pas nos résidents comme des *patients*,
me dit Elizabeth Poole tandis que nous marchions dans l'allée.
Ils font partie de la famille de Briarwood pour toujours. Bien,
maintenant dites-m'en un peu plus sur votre fille, Lisa. » Elle jeta
un coup d'œil vers Nora – pour l'instant connue sous le nom de

Lisa – qui marchait à vingt pas derrière nous. « En quelle année est-elle ?

— Elle *était* en première année à l'université, mais elle a abandonné. »

Elle attendit que je poursuive, mais je me contentai de sourire et de paraître mal à l'aise, ce qui était *facile*.

Elizabeth Poole était une petite femme ronde d'une cinquantaine d'années, avec un visage tellement revêche que je crus d'abord qu'elle suçait une sorte de bonbon, avant de me rendre compte, au fil des minutes, que son expression ne montrait aucun signe d'évolution. Elle portait un jean ringard à taille haute, et ses cheveux bruns réunis en une queue-de-cheval.

Nora et moi avions laissé Hopper endormi sur la banquette arrière et avions trouvé le bureau de Poole au rez-de-chaussée du bâtiment Dycon. Tout en brique rouge, il hébergeait les services administratifs de Briarwood et faisait bien plus que *trôner* au sommet de la colline immaculée : il *l'écrasait* avec ses longues annexes sans grâce et ses trottoirs gris, comme autant de tentacules. Il m'avait suffi d'un regard sur Poole – puis, surgi de derrière le bureau, sur son bichon maltais, Sweetie, d'un blanc pur et portant des barrettes roses, qui faisait le tour de la pièce comme un char de défilé le jour de Thanksgiving – pour que je veuille déjà annuler notre plan.

Les choses étaient considérablement aggravées par le talent de comédienne de Nora – ou plutôt son absence de talent.

En nous asseyant, j'avais expliqué que ma fille, Lisa, avait du mal avec la discipline. Nora avait fait une grimace et baissé les yeux. J'étais convaincu que les nombreux regards durs et entendus que Poole me jetait, loin d'être compatissants, étaient au contraire accusateurs, comme si elle savait que cette fille était un leurre. Cependant, au moment où il me parut évident qu'elle allait nous demander de quitter les lieux, Poole – ainsi que le pantelant et tintinabulant Sweetie – entama la visite guidée. Elle nous fit sortir du bâtiment Dycon et arpenter l'immense propriété.

« Quelles mesures de sécurité avez-vous mises en place ? » lui demandai-je.

Poole ralentit et observa de nouveau Nora, qui fusillait du regard le bitume (le même regard que Sue Ellen lançait à Ellie Ewing pendant toute la saison 12 de *Dallas*).

« Je préfère aborder les détails avec vous en privé, dit-elle. Mais pour aller vite, chaque patient se voit attribuer un niveau de surveillance, qui va de l'observation *générale*, ponctuelle, toutes les demi-heures nuit et jour, jusqu'à l'observation *constante*, c'est-à-dire quand le patient doit rester tout le temps à portée de main d'un technicien habilité et ne peut se servir que d'une cuiller pendant les repas. À son arrivée, Lisa sera évaluée et on lui attribuera le niveau de surveillance approprié.

— Est-ce qu'il y a eu récemment des tentatives d'évasion ? »

Ma question la prit de court. « *D'évasion ?*

— Pardon. Je ne veux pas donner l'impression d'être à Alcatraz, mais voyez-vous… Si Lisa entrevoit une occasion de s'enfuir, elle foncera tête baissée. »

Poole hocha le menton. Si elle repensait à l'évasion d'Ashley Cordova, en tout cas elle n'en montra rien.

« Notre propriété s'étend sur dix-huit hectares. Elle est entourée d'une clôture et filmée par des caméras de surveillance. À l'entrée, le personnel filtre jour et nuit le moindre véhicule entrant ou sortant. » Elle eut un petit sourire. « La sécurité de nos patients est notre priorité absolue. »

Tel était donc le discours officiel : *l'évasion d'Ashley n'avait jamais eu lieu*.

« Le plus curieux, continua-t-elle, c'est qu'une fois que les gens se font leur place ici, il est plus difficile de les faire partir que de les faire rester. Briarwood est un sanctuaire. C'est le monde extérieur qui est brutal.

— Je vois ça. C'est un endroit magnifique.

— N'est-ce pas ? »

Je confirmai par un sourire. *Aussi magnifique qu'une injection de morphine.*

Une immense et impeccable pelouse s'étendait autour de nous, lisse, plate, d'un vert impitoyable. À droite, tout au bout, il y avait un énorme chêne et un banc noir vide au-dessous. On aurait dit une carte de condoléances. Le lieu était désert à un point irréel, sauf lorsque de temps en temps une infirmière souriante nous dépassait, vêtue d'un pantalon violet et d'une blouse aux motifs chamarrés – *pour vous distraire, à n'en pas douter, pendant qu'elle vous gavait de médicaments*. Plus loin, un homme chauve courait, l'air déterminé, entre deux bâtiments en brique.

Bien que Poole m'eût expliqué qu'à cette heure-là tout le monde, à la clinique – *clinique* semblait être le terme codé pour *asile de fous* –, suivait une séance de thérapie comportementale, il émanait de cet endroit quelque chose de glauque, d'étouffé. Je n'aurais pas été surpris d'entendre les hurlements déchirants d'un homme transpercer le souffle du vent et le gazouillis des oiseaux. Ni de voir soudain l'une de ces portes s'ouvrir sur un des bâtiments que Poole avait soigneusement *évités* lors de notre visite guidée – « Encore un dortoir », m'avait-elle répondu quand je lui avais demandé de quoi il s'agissait –, ou un patient en pyjama blanc sortir et partir en courant avant d'être pris à bras le corps par un infirmier, puis traîné de force jusqu'à sa séance d'électrochocs avant que le paysage ne retrouve sa quiétude de façade.

« Combien de patients avez-vous ? » demandai-je en jetant un coup d'œil vers Nora.

Elle traînait de plus en plus loin derrière nous.

« Cent dix-neuf adultes, en comptant nos programmes de santé mentale et de désintoxication. Cela exclut les patients en traitement de jour.

— Et les psychologues travaillent de près avec chacun d'entre eux ?

— Oh, oui. »

Elle s'arrêta pour se pencher et enlever une feuille morte qui s'était nichée dans les poils de Sweetie. « Au moment de son admission, chaque résident se voit assigner une équipe de soins personnalisée qui comprend un médecin, un pharmacologue et un psychologue.

— Et à quelle fréquence les voit-il ?

— Ça dépend. Souvent tous les jours. Dans certains cas, deux fois par jour.

— Où ça ?

— Dans le bâtiment Straffen. »

Elle indiqua, sur notre gauche, un bâtiment de brique rouge à moitié dissimulé par des pins. « Je vous y emmènerai tout à l'heure. Mais d'abord allons voir le bâtiment Buford. »

Nous quittâmes le chemin pour nous diriger vers un édifice en pierre grise. Sweetie trottinait juste à côté de moi.

« C'est là que les résidents dînent et se retrouvent pour les activités récréatives. » Poole monta les marches et m'ouvrit la porte en bois. « Trois fois par semaine, des professeurs de l'université de Purchase viennent donner des conférences dans l'auditorium sur toutes sortes de sujets, du réchauffement climatique aux espèces menacées en passant par la Première Guerre mondiale. Dans notre philosophie de la guérison, il est essentiel de donner aux patients une perspective globale et un sens de l'Histoire. »

J'acquiesçai avec un sourire, tout en regardant dans mon dos pour voir où diable était passée Nora. Elle avait cessé de nous suivre et s'était plantée au beau milieu de la pelouse. La main en visière au-dessus des yeux, elle observait quelque chose derrière elle.

« Je vois bien que vous avez des problèmes avec elle, me dit Poole en suivant mon regard. Souvent, à son âge, les filles traversent une période difficile. Mais, si je puis me permettre, où est *Mme* Dean dans tout ça ?

— Elle n'est plus dans le paysage. »

Poole hocha la tête. Nora avait l'air d'hésiter à partir en courant. Puis elle décida de nous rejoindre en traînant les pieds, l'air avachi ; elle s'arrêta pour lancer un regard noir à Poole et monta les marches deux à deux. À travers le vestibule, qui sentait fortement le produit désinfectant, Poole nous conduisit dans la salle à manger, une grande pièce inondée de soleil, avec des tables rondes en bois et des fenêtres cintrées. Plusieurs employées étaient en train de dresser les tables.

« C'est ici que les résidents prennent tous leurs repas, dit Poole. Il ne vous aura pas échappé que nous nous soucions autant de leur santé physique que mentale, aussi le menu comporte-t-il une version hypolipidique, mais aussi végétarienne, végétalienne et kasher. Notre chef travaillait auparavant à Sacramento, dans un restaurant étoilé au Michelin.

— Quand est-ce que je vais pouvoir rencontrer les gens qui *habitent* ici, histoire que je voie qu'ils ne sont pas tous dingues ? » demanda Nora.

Choquée, Poole cligna des yeux, me jeta un petit coup d'œil

– je la regardai à mon tour d'un air désolé – puis, recouvrant son sang-froid, sourit.

« Vous ne rencontrerez personne *aujourd'hui* », fit-elle, diplomate, en tendant le bras pour nous emmener au bout du couloir, tandis que Sweetie glissait à ses côtés, avec ses griffes qui grattaient le sol. « Mais si vous venez, vous découvrirez une population aussi variée que partout ailleurs. »

Elle s'arrêta brusquement à côté d'une alcôve sombre et, au bout de quelques secondes, alluma le plafonnier. Les murs étaient tapissés de panneaux d'affichage sur lesquels étaient punaisées des feuilles de présence et des photos d'activités à Briarwood.

« Comme vous pouvez le voir, dit-elle en nous montrant l'intérieur, les gens sont vraiment heureux. Nous les occupons, tous autant qu'ils sont, physiquement et mentalement. »

La mine renfrognée, Nora entra. « Quand est-ce que ces photos ont été prises ? demanda-t-elle.

— Ces derniers mois. »

Nora lui jeta un regard sceptique et, les bras croisés sur son ventre, se mit à étudier les photos. J'étais en train de me dire qu'elle avait *vraiment* perdu la tête, bien décidée à imiter Angelina Jolie dans *Une vie volée*, lorsque je compris ce qu'elle faisait.

Elle cherchait Ashley.

L'idée n'était pas mauvaise. Je passai devant Poole pour voir. Les photos montraient les patients participant à des courses de relais, à des excursions dans la nature. Si certains semblaient légitimement heureux, la plupart étaient trop maigres, trop fatigués. *Ashley serait facilement reconnaissable.* La brune un peu solitaire, avec un regard de défi. Je passai en revue les photos d'un récital de musique classique, mais le pianiste était un homme avec des dreadlocks. Il y avait nombre de clichés d'un barbecue estival organisé sur la pelouse principale ; les patients étaient rassemblés autour des tables de pique-nique, en train de manger des burgers. Mais aucune trace d'Ashley, nulle part.

En me retournant vers la porte, je vis que Poole nous observait, vaguement inquiète. Nous avions dû étudier les photos d'un peu trop près.

« Ils ont tous l'air tellement heureux », dis-je.

Elle me fixa froidement. « On continue ? »

Je sortis de l'alcôve. Ce petit napperon déguisé en chien tournait sur lui-même en levant les yeux vers moi, pantelant, comme si j'avais des tranches de bœuf séché dans mes poches. Nora, elle, parcourait les pages d'une feuille de présence pour le club de lecture de Briarwood et, pas discrète pour un sou, lisait tous les noms.

« *Lisa*, dis-je. *Allons-y.* »

Poole nous raccompagna dehors et nous fit traverser la pelouse jusqu'au bâtiment Straffen, où nous montâmes directement au premier étage – consacré à la musique, à la peinture et au yoga. À en juger par ses descriptions lapidaires et son ton sec, il était évident que Poole se moquait pas mal de moi et de ma fille irritable. Je voulus la flatter à propos de la qualité des équipements, mais elle se contenta d'un sourire crispé.

Comme nous passions devant la salle de méditation – bougies, photos de prairies et de ciels bleus –, un carillon à deux notes sonna à travers un haut-parleur. Le son était aigu et se réverbérait, l'équivalent musical d'un orteil cogné.

« Il faut que j'aille aux toilettes, dit Nora sur un ton désagréable.

— Mais certainement », répondit Poole. Elle s'arrêta à côté d'une fontaine et désigna la porte, au milieu du couloir, où il était inscrit « DAMES ». « On vous attend ici. »

Nora leva les yeux au ciel et s'en alla. Les murs du couloir avaient beau être lumineux, peints à moitié en blanc, à moitié en rose nez-de-chaton, l'endroit avait quelque chose de clinique, d'étouffant, comme un compartiment de train. *Le Désorient-Express va partir. Terminus Dingoville. Tout le monde à bord.*

Des patients commencèrent à sortir des salles de classe. Ils portaient des jeans et des chemises en coton très amples – *ni ceintures, ni lacets*, remarquai-je. Il y en avait de tous âges. Un type aux cheveux gris ébouriffés sortit d'un pas hésitant d'une salle d'art – il devait avoir quatre-vingts ans. La plupart, en me croisant, fuyaient mon regard. Divers crânes d'œuf et autres psys traînaient également là, discutant et hochant la tête avec un air convaincu. On pouvait difficilement les rater, car ils étaient tous vêtus de blousons en polaire, de vestes genre chasseur et de pulls

135

en laine dans les tons terreux – *sans doute pour que les patients se croient dans une station de ski des Rocheuses.*

Poole était en train de rajuster la barrette dans les poils de Sweetie.

« J'ai entendu de très bonnes choses sur le Dr Annika Angley », dis-je.

Elle se releva, son chien dans les bras.

Annika Angley était le nom de la psychologue qui avait rédigé l'évaluation d'Ashley à son arrivée, tel que figurant dans le dossier de police.

« Une amie me l'a recommandée, ajoutai-je. Apparemment, elle est très douée avec les jeunes femmes qui ont des problèmes dépressifs. Pourrais-je m'entretenir avec elle ?

— Son bureau est au deuxième étage. Mais cette zone est interdite aux visiteurs. Et un entretien avec le Dr Angley, ou *n'importe quel* médecin, serait prématuré. Si Lisa vient ici, elle sera prise en main par une équipe de professionnels en fonction de ses besoins. Ce qui me fait penser, d'ailleurs… Je vais aller voir ce qu'elle fabrique. »

Elle posa Sweetie par terre, tout en m'adressant un sourire dont le message implicite était : *Vous ne bougez pas.* Puis elle se rendit au fond du couloir en faisant couiner ses chaussures orthopédiques noires sur le lino.

Lorsqu'elle réapparut une minute plus tard, son visage était rouge betterave.

« Elle n'est pas là. »

Je la regardai avec un air ahuri.

« *Lisa* a *disparu.* Vous l'avez vue ?

— Non. »

Poole fit volte-face et repartit d'un pas martial.

« Elle a dû sortir par *l'autre côté.* »

Sweetie et moi – éberlués par cet ultime rebondissement – lui emboîtâmes le pas. Devant les toilettes pour dames, je ne pus m'empêcher d'ouvrir la porte et de crier : « *Lisa* ? Ma chérie ? »

Par-dessus son épaule, Poole me jeta un regard noir. « Elle n'est pas là. *Vraiment.* »

Elle écarta les patients sur son chemin, poussa violemment la porte au fond du couloir et se précipita dans l'escalier. Je la suivais de près. Elle s'arrêta pour observer, les yeux plissés, la volée de marches – bloquée par un portail métallique et un panneau « RÉSERVÉ AU PERSONNEL » – puis se retourna et descendit. Nous nous retrouvâmes au rez-de-chaussée et bousculâmes un homme qui portait une pile de dossiers ; les pattes de Sweetie glissèrent sur le parquet luisant au moment de tourner au coin. Nous suivîmes Poole dans un bureau où il était inscrit sur la porte : « PROGRAMME DROGUES ET ALCOOL ».

« Beth, est-ce que tu aurais vu une cinq-quatre-six traîner dans les parages ? Une blonde, maigre ? Toute petite ? Avec des nattes à la Heidi ? » Elle me lança un regard glacial. « Et des *plumes* ?

— Non, Liz. »

Poole, en ronchonnant, retourna au bout du couloir.

« Qu'est-ce que c'est, un cinq-quatre-six ? demandai-je.

— Un patient *potentiel*. Je vais devoir visionner les écrans de contrôle. Elle aime fuguer, n'est-ce pas ? Vous avez une idée de l'endroit où elle a pu aller ?

— Si elle arrive à rejoindre la route principale, elle va sûrement essayer de faire du stop.

— À moins d'avoir des *ailes* et de pouvoir *survoler* une *clôture électrifiée* haute de neuf mètres, cette gamine n'ira nulle part.

— Je suis absolument navré. »

Nous sortîmes par les portes en verre. Dehors, sur la pelouse, les patients – dont un certain nombre étaient accompagnés par des infirmières – affluaient dans les allées pour se rendre au déjeuner. Mais aucune trace de Nora. Avec son accoutrement, elle était facilement repérable. Je ne savais pas du tout où elle était ; ça ne faisait pas partie des consignes que je lui avais données. Elle était devenue incontrôlable.

Une minute plus tard, Poole m'installait sur le canapé fleuri de son bureau.

« Attendez-moi là. Je reviens tout de suite avec votre fille.

— Merci. »

Elle me jeta un regard noir et claqua la porte derrière elle.

16

Je me retrouvais seul avec Sweetie. La bête fouina du côté de son coussin, près des plantes en pots, et en revint avec un hot-dog en plastique qui couinait.

Le carillon sonna dans les haut-parleurs une deuxième fois.

J'étudiai le plafond. *Aucune caméra visible.*

Je me levai et m'approchai du bureau de Poole.

Sur son ordinateur, un économiseur d'écran. Sans surprise, on y voyait défiler des photos de Sweetie. De temps à autre, on notait tout de même la présence, à l'arrière-plan, d'un homme chauve et menu qui semblait perplexe. *M. Poole.*

Je tapotai sur le clavier ; on me demanda un mot de passe.

J'essayai *Sweetie*. En vain.

Sur un coin du bureau, des piles de documents répartis entre des corbeilles « À VOIR » et « VU ». Je les parcourus : des mots de remerciement, des formulaires d'admission, une déclaration signée confidentiellement, un mail du Dr Robert Paul annonçant sa retraite. Il devait forcément y avoir un document administratif interne concernant Ashley Cordova, rédigé par quelque directeur et truffé de phrases telles que : « Il s'agit d'un problème extrêmement délicat », ou : « La réputation de l'hôpital est en jeu » – et ainsi de suite.

J'ouvris les tiroirs.

J'y trouvai des tas de fournitures de bureau, un catalogue de la maison Pottery Barn et des bonbons à la menthe emballés. Je m'intéressai ensuite à la rangée de meubles de classement installés le long du mur du fond : tous fermés à clé, et aucune trace des clés nulle part.

Je retournai à la porte, l'ouvris et jetai un coup d'œil dehors.

Le couloir était désert, à l'exception de deux infirmières discutant devant l'entrée principale du bâtiment Dycon, à quelques mètres.

De toute façon, je vais me faire virer à cause de Nora. Autant y aller en kamikaze. Soudain, Sweetie se mit à ronger son hot-dog sur mon pied. Une des infirmières s'arrêta de parler pour regarder dans notre direction, intriguée.

Je me baissai pour lancer le jouet à l'autre bout de la pièce. Il se logea parmi les feuilles d'un plant de maïs géant en pot, devant la fenêtre. Sweetie allait devoir escalader la tige haute de deux mètres pour l'atteindre. Je passai de nouveau la tête à l'extérieur. Les infirmières avaient tranquillement repris leur discussion. Je me faufilai discrètement dans le couloir et sortis par la porte latérale.

Une fois dehors, je me dirigeai vers le bâtiment Straffen.

Tout était redevenu calme. Seuls quelques retardataires s'avançaient vers la salle à manger. Je traversai rapidement la pelouse en direction du perron, où des patients bavardaient et fumaient. Ils me regardèrent à peine lorsque j'entrai dans le bâtiment et me dirigeai vers les ascenseurs.

Après être monté dans l'un d'eux, j'appuyai sur le bouton « 2 ». Mais ce dernier ne s'alluma pas.

Il fallait donc une sorte de code. J'allais ressortir lorsqu'une femme grisonnante entra, les yeux rivés sur son BlackBerry. Sans me prêter la moindre attention, elle composa quatre chiffres sur le digicode. Cela ne fonctionna pas, de toute évidence parce que j'avais appuyé sur un bouton juste avant. Contrariée, elle appuya sur « RESET », composa de nouveau le code, et les portes se refermèrent. Nous montâmes. Elle avait demandé le cinquième étage. Je fis un pas en avant et appuyai sur « 2 ». Cette fois, le bouton s'alluma.

La femme se tourna vers moi et me jaugea.

Au deuxième étage, les portes s'ouvrirent. Je sortis. Je sentais bien que la femme se demandait qui diable je pouvais bien être, mais les portes se refermèrent avant même qu'elle ait eu le temps de réagir.

J'étais seul.

Le deuxième étage du bâtiment Straffen ressemblait en tous points au premier, sinon que les néons au plafond étaient plus roses, le lino plus brillant, et les murs couleur vert menthe. De part et d'autre du couloir, des portes noires – les bureaux des médecins. Sur chacune d'entre elles, une plaque avec un nom imprimé. J'entendis des voix sourdes et une musique, de la flûte de bambou, le genre qui passe dans un spa pendant que l'on se fait masser.

Au milieu du couloir, il y avait une petite salle d'attente avec une fenêtre ; deux jeunes hommes étaient étendus sur des canapés et écrivaient sur des carnets.

Ils ne me virent pas passer devant eux.

Je repérai la plaque « ANNIKA ANGLEY ». Je toquai doucement à sa porte et, n'entendant rien, voulus actionner la poignée. *Fermée à clé.* Je retournai voir les deux jeunes hommes.

« Excusez-moi ? »

Ils levèrent les yeux, tout étonnés. L'un était blond, avec un visage mou et incertain. L'autre avait des cheveux bruns frisés et une peau rouge tavelée.

« Vous pouvez peut-être m'aider, dis-je. Est-ce que l'un d'entre vous connaît une ancienne résidente qui était ici il n'y a pas longtemps et qui s'appelait Ashley Cordova ? »

Le blond jeta un coup d'œil hésitant à l'autre. « Non. Mais je viens d'arriver. »

Je me tournai vers l'autre. « Et vous ? »

Il hocha lentement la tête. « Oui. J'ai entendu parler d'elle.

— Entendu quoi ?

— Simplement que la fille de Cordova était ici.

— Est-ce que vous l'avez vue ou rencontrée ? »

Il fit signe que non. « Elle était Code Blanc.

— Qu'est-ce que c'est ?

— L'unité de soins intensifs. Ils habitent tous le bâtiment Maudsley.

— *Excusez-moi*, retentit une voix masculine derrière moi. Je peux vous aider ? »

Je fis demi-tour. Un homme petit, corpulent, avec une épaisse barbe brune, était dans le couloir ; il me regardait fixement.

« En effet, dis-je. Je cherche ma fille, Lisa.

— Suivez-moi. »

Il tendit le bras et, avec un sourire exaspéré, me fit signe de m'éloigner des deux jeunes. Je les remerciai d'un hochement de tête et suivis le barbu.

« Cet étage est interdit d'accès, me dit-il, sauf aux résidents et aux médecins. Comment avez-vous fait pour monter jusqu'ici ? »

J'expliquai, aussi confus que possible, que j'avais perdu ma fille au cours d'une visite guidée organisée par Poole.

Avec un air de dédain profond – mais ne doutant pas, apparemment, de ma bêtise –, il se dirigea vers un bureau et chercha la clé. Il ouvrit la porte et alluma la pièce.

« Attendez-moi ici jusqu'à ce que je parle à Elizabeth, je vous prie.

— En fait, je connais le chemin. Je vais repartir tout seul.

— Monsieur, entrez *tout de suite* ou j'appelle la sécurité. »

Il s'appelait Jason Elroy-Martin, à en croire sa plaque. J'entrai et m'assis sur son canapé en cuir pendant que, de plus en plus agacé, il composait divers numéros notés sur une liste accrochée au mur, à côté de son diplôme de médecine de l'université de Miami. Après avoir laissé deux messages à l'intention de Poole, il finit par l'avoir au bout du fil ; aussitôt son visage – du moins ce qu'il en *restait* : sa barbe avait mangé ses joues – rougit de colère indignée.

« Il est devant moi, dit-il en me toisant. Il est entré en contact avec deux un-dix-sept. Ils écrivaient librement sur leur journal intime. Oui. *Oui.* » Il s'interrompit pour écouter. « Pas de problème. »

Il raccrocha et se rassit sur son fauteuil pivotant, les doigts croisés.

« Je peux y aller ? demandai-je.

— Vous n'allez nulle part. »

Il continua de me regarder méchamment jusqu'à ce que quelqu'un frappe à la porte.

Celle-ci s'ouvrit, laissant voir deux agents de sécurité massifs, en uniforme.

« Scott B. McGrath, dit l'un. Vous allez devoir nous suivre. »

Le fait qu'il ait prononcé le *B* – l'initiale de mon deuxième prénom, Bartley – n'augurait rien de bon.

17

Ils m'emmenèrent au centre de sécurité, un bunker de forme cubique, tout en parpaings, installé loin des autres bâtiments, à l'orée des bois. Nous entrâmes dans un hall austère où un gardien à face de crapaud était assis derrière une vitre. Je fus conduit dans un couloir. À droite et à gauche, des pièces ronronnaient d'écrans montrant des images tressautantes de corridors et de salles de classe.

« C'est maintenant qu'on me plonge la tête dans l'eau jusqu'à ce que je parle ? » demandai-je.

Ils ne répondirent pas et s'arrêtèrent devant une porte ouverte, tout au fond.

Nora était là, recroquevillée sur une chaise métallique pliante, au centre d'une pièce à la moquette jaune et aux murs lambrissés. Par bonheur, elle avait l'air *sortie* de son personnage ; elle se rongeait les ongles en regardant avec de grands yeux une Elizabeth Poole tellement rouge qu'on aurait cru qu'elle irradiait de la chaleur thermonucléaire. À ses côtés, juché sur le rebord d'un bureau, un grand homme à la chevelure poivre et sel. Il portait un pantalon de toile repassé et un pull bleu œuf-de-Pâques.

« Scott, dit-il en se levant, main tendue. Je m'appelle Allan Cunningham. Je suis le directeur de Briarwood Hall. Enchanté de vous rencontrer.

— Tout le plaisir est pour moi. »

Il sourit. Il faisait partie de ces hommes radieux qui n'étaient pas simplement soignés, mais *impeccables*, avec cette peau parfaite que l'on voit généralement chez les bébés et les bonnes sœurs.

« Alors, *Nora* », dit-il en baissant les yeux vers elle, tout sourire – elle lui sourit en retour –, « Nora dont le pseudonyme aujourd'hui, si j'ai bien compris, est *Lisa*. Elle nous a expliqué que vous n'étiez pas des résidents potentiels, comme vous le prétendiez, mais que vous étiez venus ici pour recueillir illégalement des renseignements sur une ancienne patiente.

— C'est exact, dis-je. Ashley Cordova. Elle s'est échappée de votre établissement et est morte dix jours plus tard. On cherche à savoir s'il y a eu de la part de l'hôpital une faute professionnelle qui aurait provoqué son décès.

— Il n'y a eu aucune faute professionnelle.

— Vous reconnaissez donc qu'Ashley Cordova a séjourné ici.

— Absolument pas. »

Cunningham faisait un effort surhumain pour garder son grand sourire. « En revanche, je vous dis qu'il n'y a eu aucune erreur dans notre protocole de sécurité.

— Si Ashley a été *autorisée* à partir avec un homme non identifié en pleine nuit, pourquoi l'hôpital a-t-il publié un avis de disparition le lendemain ? »

Malgré son air furieux, il ne répondit pas.

« Elle était Code Blanc. L'unité de *soins intensifs*. Ces gens-là n'ont pas le droit de s'en aller sans la présence d'un superviseur. Quelqu'un de l'hôpital a donc dû manquer de vigilance. »

Il prit une longue bouffée d'air. « Monsieur McGrath, nous ne sommes pas un hôpital public. Vous vous êtes donc introduit illégalement dans une propriété privée. Je pourrais vous faire envoyer directement en prison.

— Eh bien, *non*. »

J'ouvris ma poche et lui tendis un fascicule plié en deux. « Vous découvrirez que, en plus de nos inquiétudes au sujet d'Ashley, Nora et moi sommes venus ici pour distribuer de la documentation concernant notre religion, comme nous y autorise la jurisprudence *Marsh contre Alabama* de la Cour suprême, qui affirme, en vertu du premier et du quatorzième amendement de la Constitution, que les lois de la propriété privée ne s'appliquent pas aux personnes distribuant de la littérature religieuse, même sur une propriété privée. »

Cunningham considéra ma vieille brochure des Témoins de Jéhovah.

« Malin. *Très malin*, dit-il. Vous allez être raccompagnés hors de l'établissement. Je vais déposer une plainte à la police. Si j'apprends que vous ou vos amis – *y compris* la personne qui dort dans votre voiture – essayez encore de pénétrer chez nous, vous serez arrêtés. »

Il transforma la brochure en boule de papier et la lança, avec une belle adresse, dans la corbeille près de la porte. J'allais le remercier pour sa disponibilité lorsque, soudain, un mouvement à la fenêtre derrière lui retint mon attention.

Une femme courait à travers bois, sur le chemin qui entourait un chantier désert. Ses cheveux roux étincelaient au soleil. Vêtue d'une tenue d'infirmière rose et d'un cardigan blanc, elle semblait très pressée et fonçait droit vers notre bâtiment.

Cunningham jeta un coup d'œil dans son dos, puis revint vers moi, indifférent.

« Ai-je été assez clair, monsieur McGrath ?

— Comme de l'eau de roche. »

Il fit un petit signe aux agents de sécurité. Ils nous raccompagnèrent dehors.

En file indienne, nous longeâmes le chantier. À présent *Lisa*, malgré ses moues de vilaine fille, semblait parfaitement docile. Pendant que nous marchions entre les deux gardes, elle me lança un nombre incalculable de regards effarés, l'air de demander : « Qu'est-ce qu'on fait maintenant ? », ce qui suggérait qu'elle savourait ce conflit avec l'autorité. Et encore : si on pouvait vraiment donner le nom d'*autorité* à ces agents de sécurité. Ils ressemblaient à des fauteuils club.

Un peu plus loin, je revis l'infirmière – la même chevelure rousse que j'avais aperçue derrière la fenêtre. Elle venait de surgir du néant et fonçait dans notre direction en regardant par terre. Parvenue à quelques mètres de nous, elle redressa brusquement la tête et me fixa *droit* dans les yeux, l'air tourmenté.

Surpris, je m'arrêtai.

Elle ne fit qu'accélérer le pas et prit un autre chemin qui contournait un dortoir.

« *Monsieur McGrath*. Allons-y. »

Lorsque nous arrivâmes au parking, la nouvelle de l'incident semblait avoir fait le tour de l'hôpital, car quelques badauds – infirmières, administrateurs, psys – suivaient notre procession depuis le perron du bâtiment Dycon.

« Une fête d'adieu ? dis-je. Vraiment, vous n'auriez pas dû.

— Regagnez gentiment votre véhicule », ordonna le garde.

Je déverrouillai la portière. Nora et moi montâmes. Hopper comatait *toujours* à l'arrière. Il semblait ne pas avoir bougé.

« Et si tu vérifiais que son cœur bat encore ? » dis-je en mettant le contact.

Je démarrai et m'approchai de la sortie. Il y avait encore des gens qui nous regardaient près du bâtiment Dycon, mais aucune trace, nulle part, de l'infirmière rousse. *Avait-elle voulu que je la*

144

suive ? Elle avait dû comprendre que ça m'était impossible avec les agents de sécurité.

« Son cœur bat encore, pépia Nora, ravie, en se retournant. On a eu chaud, pas vrai ?

— *Chaud ? Non.* Je parlerais plutôt d'un franc succès. »

Je tournai à droite et accélérai sur la route qui nous sortirait de ce bourbier – deux minutes à vous donner le tournis, à travers les bois.

« Tu es fâché ou quoi ? demanda Nora.

— Oui. Je suis *fâché.*

— Pourquoi donc ?

— Avec ton petit numéro à la Houdini, tu as fait encore mieux qu'attirer l'attention sur nous. Tu as tracé un cercle rouge autour de nous avec une flèche : *Ils sont là.* La prochaine fois, pense à emmener un groupe de mariachis avec toi. »

Elle soupira et tripota le bouton de l'autoradio.

« En ce moment même, Cunningham doit être au téléphone avec la famille d'Ashley – Cordova *en personne,* sans doute – pour lui annoncer qu'un journaliste nommé Scott McGrath, accompagné d'une petite bouseuse de Floride, est en train de fouiller dans le passé médical de sa fille. Si j'avais un espoir de maintenir le secret autour de cette enquête, il s'est envolé, et grâce à toi, *Bernstein.* Ce qui m'amène à tes talents de *comédienne.* Je ne sais pas si quelqu'un te l'a déjà dit, mais il va falloir que tu revoies tes ambitions. »

Je regardai dans le rétroviseur. Une Lincoln bleue venait d'apparaître derrière nous – sur les deux sièges avant, la silhouette reconnaissable entre toutes des agents de sécurité.

« Maintenant, on a Mumbo et Jumbo qui nous collent aux basques. »

Tout excitée, Nora se retourna brusquement. Cette fille était aussi discrète qu'un semi-remorque surchargé.

Nous dévalâmes la colline, le long d'un bosquet. Il s'écoulait à peu près quinze secondes entre le moment où notre voiture prenait un virage et celui où la berline bleue se profilait derrière nous. J'appuyai encore plus sur l'accélérateur, jusqu'au prochain tournant.

« Je te parie que j'ai appris plus de choses sur Ashley que *toi,* déclara Nora.

— Ah oui ? Et qu'est-ce que tu as appris ? »

Elle ne fit que hausser les épaules en souriant.

« *Que dalle.* C'est bien ce que je pensais. »

Nous prîmes un autre virage ; la chaussée s'étirait devant nous et croisait une route de service en terre. Je m'arrêtai au stop et m'apprêtai à redémarrer lorsque, soudain, Nora poussa un cri.

La *femme* – l'infirmière rousse – avait déboulé du talus escarpé et boisé sur notre droite et courait droit vers notre voiture.

Je pilai.

Elle tomba en avant contre le capot et ses cheveux roux se répandirent partout. Pendant une horrible fraction de seconde, je crus qu'elle était blessée. Mais elle releva la tête, fit le tour de la voiture jusqu'à ma portière et se pencha à deux centimètres de ma vitre.

Elle me fixait – ses yeux marron étaient injectés de sang, son visage couvert de taches de rousseur était désespéré.

« Morgan Devold ! hurla-t-elle. Retrouvez-le. Il vous dira ce que vous voulez savoir.

— Quoi ?

— Morgan. *Devold.* »

Elle recula de la voiture en titubant, courut vers le bas-côté de la route et se mit à escalader le talus au moment précis où la voiture bleue réapparaissait derrière nous.

Elle remonta frénétiquement la colline à quatre pattes, glissant sur les feuilles et la terre. Elle finit par atteindre le sommet et s'emmitoufla dans son cardigan, puis s'arrêta un instant pour regarder notre voiture.

Les agents de sécurité ralentirent et klaxonnèrent.

Ils ne l'avaient pas vue.

Je soulevai mon pied de la pédale de frein et – encore étourdis par le choc – nous continuâmes sur la route. Cependant, dans mon rétroviseur, juste avant le virage suivant, je vis que la femme était toujours en haut de la colline. Un coup de vent fouetta ses cheveux roux contre son visage et le noya dans leur masse.

18

Un gardien au visage impassible ouvrit le portail électronique et j'accélérai. Derrière nous, la Lincoln fit demi-tour et remonta vers l'hôpital.

« Oh, mon Dieu, lâcha Nora avec un grand soupir, la main serrée sur sa poitrine.

— Qu'est-ce qu'elle a dit, comme nom ?

— Morgan Devold ?

— Note-le. D-E-V-O-L-D. »

Nora s'empressa de trouver un stylo au fond de son sac. Elle en ôta le bouchon avec les dents et griffonna le nom sur le dos de sa main.

« Je l'avais vue quand on était au centre de sécurité, dit-elle. Ensuite, elle nous a croisés pendant qu'on repartait. Elle voulait nous parler.

— Manifestement.

— Qu'est-ce qui se passe ? » marmonna une voix rauque sur la banquette.

Hopper s'était réveillé. Il bâillait. Il se frotta les yeux et, sans montrer le moindre étonnement, contempla la campagne qui défilait.

Je tendis mon portable à Nora. « Googlise *Morgan Devold* et *New York*. Dis-moi ce que ça donne. »

À cause de la mauvaise connexion, l'opération dura plusieurs minutes.

« Il n'y a pas grand-chose, finit par répondre Nora. Seulement un site de généalogie. Un certain Morgan Devold vivait en Suède en 1836. Il avait un fils du nom de Henrik.

— Rien d'autre ?

— Le nom apparaît sur un site qui s'appelle Collants En Folie. »

Nous croisâmes un autre panneau routier. « BIG INDIAN 8 KM ».

« Mais où est-ce qu'on est ? » demanda Hopper en baissant sa vitre.

Nora se retourna et se fit un plaisir de lui raconter les événements des quatre dernières heures.

« On était à deux doigts de se faire arrêter. Mais Scott a été phénoménal. Il a sorti une brochure sur laquelle il était écrit : "Le plus grand homme qui ait jamais vécu. Questions sur Jésus-Christ à l'usage des jeunes gens." » Elle gloussa. « C'était *énorme.* »

Pendant qu'elle expliquait ce qui venait de se produire avec l'infirmière, je repérai une supérette Qwik Mart sur notre droite. Je freinai et pris le tournant.

« Va voir à l'intérieur, dis-je à Nora après m'être garé près d'une pompe à essence. Demande si on peut emprunter un annuaire. Et achète deux ou trois trucs à grignoter au passage. » Je lui tendis un billet de vingt dollars et commençai à faire le plein.

Hopper sortit de la voiture en s'étirant.

« Qu'est-ce que vous avez appris sur Ashley ? dit-il de sa voix éraillée.

— Pas grand-chose. Apparemment, elle était une patiente Code Blanc, c'est-à-dire le niveau de soins le plus élevé.

— Mais tu n'as pas découvert quel était son problème.

— Non. »

Il sembla vouloir poser une autre question, mais fit demi-tour et traversa le parking en sortant ses cigarettes.

Il était 16 heures passées. Le soleil avait desserré sa poigne sur le monde, laissant les ombres se brouiller et la lumière se dégeler, s'adoucir.

Sur le trottoir d'en face, une ferme blanche trônait au centre d'une pelouse échevelée, jonchée d'ordures. Sur un câble téléphonique un peu affaissé étaient juchés deux oiseaux noirs, trop petits et trop gras pour être des corbeaux. La porte du Qwik Mart sonna derrière moi. Je me retournai et vis un vieil homme portant une chemise en laine verte et des chaussures de travail se diriger vers un pick-up, avec un chien brun sur la plate-forme. Il s'installa au volant et fit une grande boucle à droite, frôlant Hopper de très près et faisant pétarader son silencieux.

Hopper ne réagit pas. Comme saisi d'une transe mélancolique, il regardait le milieu de la route, indifférent aux voitures qui passaient en trombe.

C'était peut-être précisément ça – il envisageait de se jeter devant l'une d'elles. On aurait cru qu'il se tenait au bord d'une rivière, sur le point de plonger. Pensée noire, sans doute un résidu de paranoïa après l'apparition de l'infirmière. Je voyais encore son visage anxieux et constellé de taches de rousseur qui me fixait, ses lèvres gercées, la tache de buée sur ma vitre effaçant sa bouche.

Hopper tira sur sa cigarette, chassa ses cheveux de devant ses yeux, leva la tête vers le ciel et observa les oiseaux sur le câble téléphonique. D'autres avaient surgi de nulle part. Ils étaient maintenant au nombre de sept – sept minuscules notes noires sur une partition vierge, dont les portées et les mesures pendaient entre les poteaux tout le long de la route.

Nouvelle sonnerie de la porte. Nora sortit du magasin les bras chargés de gobelets de café, de *jelly beans*, de chips Bugles et d'un annuaire. Elle posa le tout sur le coffre.

« J'ai pris un café pour Hopper, murmura-t-elle, brandissant un gobelet géant et portant un regard inquiet sur lui à l'autre bout du parking. J'ai l'impression qu'il a besoin de caféine.

— J'ai surtout l'impression qu'il a besoin d'un gros câlin. »

Elle posa le gobelet et feuilleta l'annuaire.

« Je l'ai », murmura-t-elle avec stupéfaction.

Je m'approchai d'elle et regardai la page.

19

« C'est la prochaine », dit Nora, les yeux rivés sur l'écran du téléphone. Le trajet jusqu'à Livingston Manor s'était résumé à une heure et demie de petites routes de campagne sinueuses. Il commençait déjà à faire sombre et le ciel était devenu bleuâtre. Il n'y avait pas de panneaux indicateurs sur Benton Hollow Road, pas de numéros de maisons, pas de lampadaires, pas même de lignes blanches – uniquement les phares fatigués de ma voiture, qui, plutôt que de repousser l'obscurité croissante, se contentaient de la fouiller nerveusement. Sur notre gauche courait une longue et impénétrable haie d'arbustes vigoureux, épineux ; à droite se déployaient de vastes étendues noires, des pâturages hirsutes et des fermes décaties, avec, de temps en temps, la lumière d'un perron qui venait ponctuer la nuit.

« C'est là », murmura Nora en montrant du doigt une brèche dans les arbustes.

Il y avait bien une boîte aux lettres métallique, mais ni nom, ni numéro.

Je m'engageai.

Une étroite allée de gravier montait tout droit à travers d'épais feuillages, à peine assez large pour un *homme* – alors pour une *voiture*... Comme la pente s'accentuait, je dus appuyer à fond sur l'accélérateur, si bien que la voiture trembla de manière incontrôlée, comme une navette spatiale qui essaie de briser le mur du son. Des branches hérissées d'épines fouettaient le pare-brise.

Au bout d'environ une minute, nous arrivâmes en haut de la montée.

Je dus freiner immédiatement.

Loin devant nous, au-delà d'une pelouse négligée, se tenait une toute petite maison en bois, coincée entre de grands arbres et tellement décrépite que nous en restâmes bouche bée.

La peinture blanche, craquelée, s'écaillait. Il manquait des bardeaux sur le toit, laissant un grand trou noir ; les fenêtres à l'étage des combles étaient éventrées et carbonisées. Éparpillés sur la pelouse, au milieu des feuilles et d'un gros arbre mort, des jouets d'enfant – un wagon, un tricycle et, plus loin, au bord du jardin tout sombre, une vieille piscine gonflable qui ressemblait à une cloque éclatée.

Il émanait de cette maison plongée dans la pénombre quelque chose de si profondément inquiétant que, sans réfléchir, je coupai le moteur et les phares. Près de la porte d'entrée, une ampoule solitaire éclairait une balancelle à moitié effondrée et un vieux climatiseur. Une autre pièce à l'arrière était éclairée – une petite fenêtre rectangulaire avec des rideaux vert menthe à l'eau tirés.

Je me rendis compte que nous ne savions absolument rien de cet homme – *Morgan Devold*. Nous suivions les renseignements fournis par une parfaite inconnue, une infirmière de Briarwood dont le sens commun, à voir comme elle s'était jetée sur la voiture, semblait pour le moins sujet à caution.

Garés à côté de la maison, devant une remise en bois, il y avait un pick-up et une vieille Buick grise, du coffre de laquelle dépassait une bâche en plastique.

« Bon, qu'est-ce qu'on fait maintenant ? demanda nerveusement Nora, qui se rongeait le pouce.

— Voyons le plan, dis-je.

— *Le plan ?* rigola Hopper en se penchant entre nous deux. C'est très simple. On discute avec Morgan Devold pour découvrir ce qu'il sait. Allons-y. »

Avant que je puisse répondre, il descendit, claqua la portière et s'élança à travers le jardin. Avec son manteau de laine gris qui prenait le vent et claquait dans son dos, sa tête baissée et son pas décidé, il ressemblait à un personnage de bande dessinée irascible, à deux doigts d'exercer une vengeance brutale sur les occupants de la maison.

« Il est vraiment revenu d'entre les morts, murmurai-je. Qu'est-ce que tu as mis dans son café ? »

Nora ne répondit pas. Elle était trop occupée à chercher la poignée de sa portière, comme une petite sœur adolescente qui ne voulait pas rester seule. En quelques secondes, elle s'extirpa de la voiture et courut après Hopper.

Je préférai attendre. Qu'*ils* partent en éclaireurs – *les pauvres troufions qui cherchent les mines antipersonnel avant l'arrivée du général.*

Je n'entendais que leurs pas, des craquements légers dans l'herbe et les feuilles mortes recouvertes de brindilles. Peut-être était-ce dû à la peinture écaillée, qui donnait à l'endroit une peau squameuse, mais cette maison paraissait reptilienne, vivante, tapie au milieu des arbres, à l'affût – et cette unique fenêtre éclairée, tel un œil qui nous observait.

Quelque part, au loin, un chien aboya.

Hopper ayant atteint le perron de l'entrée, je sortis de la voiture. Il contourna le climatiseur, ouvrit la moustiquaire et frappa à la porte.

Aucune réponse.

Il frappa encore et attendit. Une rafale de vent envoya un paquet de feuilles mortes de l'autre côté de la pelouse.

Toujours pas de réponse. Hopper laissa la moustiquaire se refermer avec un claquement sec et sauta sur le parterre de fleurs. Entre les tiges mortes traînait un tuyau d'arrosage emmêlé. La main en visière au-dessus des yeux, il regarda par l'une des fenêtres.

« Il y a *quelqu'un* à l'intérieur, dit-il doucement. La télé est allumée dans la cuisine.

— Qu'est-ce qu'ils regardent ? » chuchotai-je avant d'enjamber l'énorme tronc d'arbre couché. Je dépassai Nora et étudiai un objet couché dans l'herbe, face contre terre. Un vieil ours en peluche.

« Pourquoi ? demanda Hopper en me jetant un coup d'œil.

— Comme ça, on saura à quel genre de personnages on a affaire. Si ce sont des dessins animés porno japonais, on est mal. Mais si c'est Barbara Walters[1]...

— On dirait plutôt une rediffusion du *Juste Prix*.

— C'est encore pire. »

Hopper regagna d'un pas hésitant le perron ; cette fois, il remarqua la présence d'une sonnette maculée de terre. Il appuya deux fois.

Soudain, nous entendîmes des verrous tourner et une chaînette coulisser. La porte d'entrée s'ouvrit en grand et une femme blonde entre deux âges apparut derrière la moustiquaire. Elle portait un survêtement gris large, un tee-shirt bleu couvert de taches, et ses cheveux à mèches peroxydées étaient réunis en queue-de-cheval.

« Bonsoir, madame, dit Hopper. Excusez-nous de vous déranger pendant votre dîner, mais on cherche Morgan Devold. »

Elle le dévisagea d'un air méfiant, puis tendit le cou pour me regarder.

---

1. Célèbre journaliste et animatrice du talk-show quotidien *The View* sur la chaîne ABC.

152

« Qu'est-ce que vous lui voulez ?

— On veut juste bavarder, fit Hopper avec un haussement d'épaules détendu. Il devrait y en avoir pour quelques petites minutes. On vient de Briarwood.

— Il n'est pas à la maison, répondit sèchement la femme.

— Vous savez quand il va revenir ? »

Elle plissa les yeux vers Hopper. « Vous dégagez d'ici ou j'appelle les flics. »

Elle allait claquer la porte lorsqu'un homme apparut à côté d'elle.

« Qu'est-ce qui se passe ? »

Il avait une voix douce, gentille, qui contrastait violemment avec celle de la personne qui semblait être sa femme. Il était beaucoup plus petit qu'elle et paraissait plus jeune – une petite trentaine d'années. Trapu, portant une chemise en laine bleu délavé rentrée dans son jean, manches retroussées. Ses cheveux bruns étaient coupés en brosse et son large visage rougeaud n'était ni laid, ni beau, mais ordinaire. Il ressemblait à des millions d'autres hommes.

« Vous êtes Morgan Devold ? demanda Hopper.

— C'est à quel sujet ?

— Briarwood.

— Vous avez quand même *du culot* de débarquer ici, dit la femme.

— Tout va bien, Stace.

— *On ne communique plus.* Vous avez entendu l'avocat...

— C'est bon.

— Non, ce n'est pas bon.

— Laisse, je m'en occupe. »

Devold dit cela sur un ton ferme, plus fort. Tout à coup, quelque part au fond de la maison, un bébé se mit à pleurer.

La femme déguerpit aussitôt, non sans lui jeter un regard noir.

« Vire-les-moi », lui lança-t-elle au passage.

Morgan – il semblait *bien* que ce fût lui – s'avança, un sourire gêné aux lèvres. Alors que le bébé criait, il ne dit rien, et sa posture, à l'abri de la moustiquaire, me fit penser à ma dernière visite au zoo du Bronx avec Sam : elle m'avait montré, très inquiète, un chimpanzé qui nous observait, l'air malheureux, de derrière la vitre – quelle tristesse, quelle résignation.

« Vous venez tous de Briarwood ? demanda-t-il, hésitant.

— Pas tout à fait, répondit Hopper.

— Alors qu'est-ce que vous faites ici ? »

Hopper le fixa un instant avant de dire : « Ashley. »

C'était étonnant, ce ton familier avec lequel il prononça son nom. En fait, c'était *ingénieux* – ça sous-entendait qu'ils avaient en commun une expérience merveilleuse, tellement mémorable qu'il était inutile de mentionner le nom de famille. Ashley était une sublime île cachée, une maison secrète perchée au bord d'une falaise, que seuls quelques privilégiés avaient le droit de visiter. Si le piège était délibéré de la part de Hopper, il fonctionna, car le visage de l'homme s'illumina en une fraction de seconde.

Après avoir jeté un petit coup d'œil furtif par-dessus son épaule – sa femme venait de partir pour s'occuper du bébé –, il se retourna vers nous. Avec un sourire coupable, il tendit son index et, sans faire le moindre bruit, poussa la moustiquaire pour ouvrir discrètement la porte.

« Par là », murmura-t-il.

20

Nous suivîmes Morgan Devold jusqu'à l'orée du jardin, où se trouvaient des arbres denses, juste à côté de la piscine pour enfants remplie d'une eau noire et de feuilles mortes. Le bébé pleurait toujours, même si, loin de la maison, le vent agissait comme un baume sur ses cris, les adoucissant, les enveloppant dans le froid de la nuit.

« Comment vous m'avez retrouvé ? demanda Morgan sur un ton assez résigné, les pouces dans les poches de son jean.

— Grâce à une infirmière de Briarwood, expliqua Hopper.

— Laquelle ?

— Elle ne nous a pas donné son nom, dis-je. Mais elle était jeune. Des cheveux roux et des taches de rousseur.

— Genevieve Wilson, acquiesça-t-il.

— C'est une amie à vous ?

— Pas vraiment. Mais j'ai entendu dire qu'elle avait fait un scandale auprès de l'administration quand je me suis fait virer.

— Vous travailliez là-bas ? »

Il hocha de nouveau la tête.

« Dans quel service ?

— À la sécurité.

— Pendant combien de temps ?

— Sept ans, à peu près. Avant ça, j'étais vigile à Woodbourne. J'étais sur le point d'obtenir une promotion à Briarwood. Je pensais être nommé directeur adjoint. »

Avec un sourire triste, il leva les yeux et regarda, derrière moi, sa propre maison. Il avait l'air perdu, comme s'il ne la reconnaissait plus ou ne se rappelait plus comment il avait fait pour se retrouver là.

« Et vous, vous êtes qui ?

— Des détectives privés », répondit Nora avec une excitation manifeste.

Quelque part, Sam Spade venait de se retourner dans sa tombe. J'étais convaincu que Morgan nous virerait après ce mensonge grossier. Mais il acquiesça.

« Qui vous a engagés ? demanda-t-il gravement. Sa famille ? »

Il voulait parler d'Ashley.

« On travaille à notre compte, répondis-je.

— Tout ce que vous nous direz peut être en *off* », ajouta Nora.

Il sembla accepter cela aussi, les yeux perdus dans l'eau sale de la piscine. Je m'aperçus alors qu'il se fichait de savoir *qui* nous étions. Certaines personnes portaient sur leurs épaules un secret si lourd qu'elles étaient prêtes à s'en délester gratis auprès du premier venu.

« Stace n'est au courant de rien, dit-il. Elle pense que je me suis fait virer parce que Briarwood a découvert qu'on était des adventistes du septième jour.

— Elle n'en saura rien, dit Hopper. Comment avez-vous connu Ashley ? »

Mais Morgan n'écoutait plus. Quelque chose avait attiré son

attention dans la piscine pour enfants. Le front plissé, il s'éloigna de quelques mètres, ramassa une branche morte et la plongea dans l'eau pour remuer les feuilles en décomposition et la boue.

Un gros objet flottait près du centre. Morgan l'attrapa avec la branche et le tira à lui.

Je pensais que c'était un animal noyé – un écureuil ou un opossum. Nora aussi. Elle me regarda, consternée, horrifiée, cependant que Morgan tendait son bras pour sortir l'objet de l'eau, ruisselant.

C'était une poupée en plastique.

Il lui manquait un œil, elle était à moitié chauve, elle dégoulinait d'une eau saumâtre, et pourtant, avec ses joues rebondies et ce qui lui restait de cheveux blonds emmêlés de feuilles mortes, elle affichait un sourire dément. Elle portait une robe blanche chiffonnée, souillée de matière noire, et des sortes de champignons, comme d'horribles choux-fleurs, lui avaient poussé dans le cou. Ses petits bras potelés étaient tendus vers le néant.

« Ça fait des semaines que je retourne la maison dans tous les sens pour retrouver ce truc, fit Morgan en secouant la tête. Ma fille a pleuré trois jours sans s'arrêter quand elle l'a perdu. Introuvable. Comme si la poupée en avait eu marre et s'était tirée. J'ai dû faire asseoir ma fille, lui expliquer que la poupée n'était plus là et qu'elle était partie retrouver Dieu au paradis. Et dire que pendant tout ce temps-là, elle était *ici*. »

L'ironie de la situation lui arracha un petit rire forcé et frustré.

« Comment Ashley s'est-elle enfuie de Briarwood ? demanda Hopper en me jetant un petit coup d'œil, l'air de dire que quelque chose clochait chez cet homme.

— Avec moi », répondit simplement Morgan, toujours captivé par la poupée.

Hopper hocha la tête en attendant que l'autre s'explique. Mais la suite n'arriva pas.

« *Comment ?* » insista-t-il à voix basse.

Morgan se retourna vers nous avec un sourire triste. On aurait cru s'il se rappelait soudain notre présence. « C'est marrant de se dire que la soirée qui va définitivement changer votre vie commence comme n'importe quelle autre. »

Il laissa son bras tomber sur le côté. Il tenait la poupée par la tête. La robe cul par-dessus tête, celle-ci dévoilait une petite culotte à froufrous, et des gouttes noires coulaient sur l'herbe.

« Je remplaçais un collègue, dit-il. Je faisais la garde de nuit. De 21 heures à 9 heures du matin. Stace détestait que je fasse les gardes de nuit, mais moi j'aime bien regarder les écrans la nuit. C'est facile. Je me retrouve tout seul dans les arrière-salles du centre de sécurité. Les patients dorment, les couloirs sont calmes et silencieux, on a l'impression d'être le dernier homme sur terre. » Il s'éclaircit la gorge. « Il devait être 3 heures du matin. Je ne faisais pas trop gaffe. J'avais des revues avec moi. Je n'étais pas censé en avoir, mais je l'avais déjà fait trente-six mille fois avant. Il ne se passe rien. Il ne se passe jamais rien, à part les infirmières qui vont voir les Code Rouge.

— Qu'est-ce que c'est, les Code Rouge ? demandai-je.

— Les patients suicidaires.

— Et les Code Blanc ? fit Hopper.

— Eux, ce sont les patients qu'on met à l'écart parce qu'ils peuvent se faire mal ou faire du mal aux autres. J'avais surveillé toute la nuit. Rien à signaler. Calme plat. Mais, à un moment donné, alors que je feuillette une revue, je lève les yeux et quelque chose attire mon attention sur l'écran. Une des salles de musique du bâtiment Straffen. Il y a quelqu'un *là-bas*. Dès que je vois ça, l'écran passe à une autre caméra. La rotation se fait toutes les dix secondes. Mais on peut arrêter la séquence si on veut regarder plus longtemps l'une des caméras. Donc j'arrête la séquence et je reviens à la salle de musique. Là, je vois qu'il y a une *fille* à l'intérieur. C'est une patiente, parce qu'elle porte le pyjama blanc officiel. Elle est au piano. La caméra est placée très en hauteur, dans un coin du plafond, si bien que je vois la fille de haut, un peu au-dessus de son épaule. Je vois juste ses bras maigres qui s'agitent et ses cheveux foncés, en tresse. Je ne l'avais jamais vue avant. Je fais surtout des gardes de jour, on finit par connaître les patients. Je mets le son, je monte le haut-parleur… »

Sur ce, il s'interrompit et passa sa main sur le sommet de son crâne, comme s'il n'en revenait toujours pas.

« Eh bien ? demandai-je.

— Ça m'a fait flipper.

157

— Pourquoi ?

— C'était comme un disque. Le plus souvent, les patients nous jouent *Heart and Soul* à la truelle. Le premier truc que j'ai pensé, c'est que c'était un de ces *polter*, euh...

— Poltergeist, s'empressa de dire Nora.

— Oui. Un truc surnaturel, quoi. Elle jouait *violemment*, tête baissée, avec ses mains qui se baladaient à une vitesse folle. Du coup, je me dis que c'est moi qui *hallucine*. Que j'ai des visions. Je m'apprête à déclencher l'alarme, mais quelque chose me fait hésiter. La fille termine son morceau, en commence un autre et, alors même que j'ai le doigt posé sur le bouton d'alerte, une demi-heure passe, et puis une autre. Quand elle s'est arrêtée de jouer, elle est restée immobile pendant un long moment. Et là, *très lentement*, elle a levé la tête. Je voyais seulement un côté de son visage, mais c'était comme... »

Il se tut et tressaillit, mal à l'aise.

« Comme *quoi* ? voulut savoir Hopper.

— Elle savait que j'étais là. Que je la regardais.

— Comment ça ? » demandai-je.

Il me regarda, l'air très sérieux. « Elle m'a *vu*.

— Elle a vu la caméra au plafond ?

— Plus que ça. Elle s'est levée et, arrivée à la porte, elle s'est retournée et m'a *souri*. »

Morgan s'arrêta, n'en revenant toujours pas, et se remémora. « Je n'avais jamais vu une chose pareille. Un ange aux cheveux noirs. Elle est sortie d'un coup. Et je l'ai suivie. Je l'ai regardée aller au bout du couloir, puis dehors. Elle marchait vite. J'avais du mal à la suivre avec toutes les caméras différentes. Je l'ai vue retourner dans le bâtiment Maudsley. Je me disais qu'elle allait forcément se faire choper mais quand elle est entrée, chose incroyable, il n'y avait *pas d'agent de sécurité* à la réception. »

Il n'en revenait pas. « Elle se dépêche d'entrer et de prendre l'escalier de service, à une telle vitesse qu'on dirait que ses pieds ne touchent pas le sol. Elle monte au deuxième étage et fonce dans sa chambre. Ça non plus, je n'arrive pas à y croire. Elle est Code Blanc, ce qui signifie qu'elle a une infirmière sur le dos vingt-quatre heures sur vingt-quatre. Je continue de regarder. Vingt minutes plus tard, je repère l'agent de sécurité et l'infirmière en charge du deuxième étage. Ils remontent du sous-sol, tout sourire, et quelque chose me dit qu'ils n'y sont pas allés pour faire leur lessive. Ils *fricotaient* ensemble. Et la fille le savait. » Morgan s'interrompit pour se moucher. « La première chose que je fais, c'est que j'efface les bandes. De toute façon, elles ne sont jamais visionnées. Sauf s'il y a un problème. Mais je les efface, au cas où. Le lendemain matin, je fais une demande pour qu'on me file d'autres gardes de nuit.

— Pourquoi ? demanda Hopper sur un ton légèrement accusateur.

— Il fallait que je la revoie, répondit Morgan avec un haussement d'épaules contrit. Elle allait là-bas jouer du piano tous les soirs. Et moi je regardais. La musique... »

Il semblait incapable de trouver les mots justes. « C'est ce que vous entendrez au paradis si vous avez la chance d'y aller un jour. Elle m'ignorait. Sauf à la toute fin, quand elle me *regardait*. » Morgan sourit tout seul en scrutant le sol. « Il fallait que je sache qui était cette fille. Je n'avais pas le droit de consulter les dossiers des patients. Mais je m'en foutais. Il fallait que je sache.

— Et qu'avez-vous découvert ? dis-je.

— Elle avait peur du noir. Un truc qui s'appelle la *nycta* quelque chose...

— La *nyctophobie* ? lâcha Nora.

— C'est ça ! Je me suis renseigné. Les gens qui ont ça deviennent dingues dans le noir. Ils se mettent à trembler, à avoir des convulsions, ils pensent qu'ils vont se noyer et mourir. Parfois, ils s'évanouissent. Ou se tuent...

— Attendez, l'interrompis-je. Ashley n'était pas dans le noir quand vous la regardiez par la caméra ? »

Morgan fit signe que non. « Briarwood est illuminé la nuit. Les trottoirs et les pelouses restent éclairés pour des raisons de sécurité. Comme les lumières à l'intérieur des bâtiments fonctionnent avec des détecteurs de mouvement, histoire de faire des économies d'énergie, elles s'allumaient autour d'elle pendant qu'elle allait et venait. Certaines possèdent un retardateur. J'ai commencé à voir qu'elle attendait qu'une lumière s'allume avant de continuer.

Quand elle se retrouvait dehors, elle restait du côté éclairé de chaque allée. Comme si elle avait peur de fondre en marchant dans l'ombre. Elle faisait très attention à ça. »

Je plissai le front, essayant d'imaginer cette manière de se déplacer, d'un pan de lumière à un autre. Je repensai à son ascension dans les Jardins Suspendus, jusqu'au toit de l'entrepôt, à Chinatown – y avait-il eu assez de lumière pour qu'elle puisse monter tout en haut ? D'un autre côté, autour du Reservoir de Central Park, où elle était apparue par intermittences près du lampadaire, vêtue de son manteau rouge, il régnait une obscurité presque totale.

« L'autre chose que j'ai découverte, continua Morgan, c'est que le médecin qui la soignait avait diffusé une note dans tout l'hôpital pour l'empêcher de jouer du piano. Il disait que ça provoquait chez elle des épisodes maniaco-dépressifs. Cette consigne est tombée le même jour où j'ai vu Ashley pour la première fois. C'était comme si elle *devait* jouer, du coup. Comme si rien ne pouvait l'en empêcher. »

Il se tut quelques instants.

« Le huitième soir, pendant que je la regardais quitter la salle de musique, je l'ai vue sortir quelque chose de sa poche et s'arrêter une seconde au-dessus du couvercle du piano. C'est allé très vite. Je n'ai pas bien compris. J'ai rembobiné et j'ai vu qu'elle avait collé quelque chose là-dedans. J'ai attendu la fin de ma garde pour me rendre au bâtiment Straffen et monter dans la salle de musique, au premier étage. Quand je suis entré, il y avait encore son odeur, sa *présence*. Un parfum et comme… une chaleur. Je me suis approché du piano et j'ai regardé sous le couvercle. Là, calé entre les cordes, il y avait un bout de papier plié. Je l'ai pris mais j'ai attendu d'être tranquillement assis dans ma voiture pour le lire. »

Il s'interrompit, visiblement mal à l'aise.

« Que disait le papier ? demandai-je.

— *Morgan !* »

Une porte à moustiquaire claqua.

« Qu'est-ce que tu fous encore là ? »

Stace se tenait sur le perron de l'entrée. Elle berçait le bébé contre elle, la main au-dessus des yeux pour se protéger de la lumière. Derrière elle apparut un *autre* enfant, une petite fille d'environ quatre ans, portant une chemise de nuit blanche constellée de ce qui ressemblait à des cerises.

« Ils sont *encore* là ?

— Tout va bien ! » cria Morgan. Il se tourna vers nous et murmura : « Redescendez l'allée et attendez-moi en bas, d'accord ? »

Il se dépêcha de traverser la pelouse.

« Nom de Dieu ! Je t'avais dit de les *dégager* !

— Ils travaillent aux ressources humaines. Ils font une enquête. Au fait, regarde ce que j'ai retrouvé.

— Mais on n'est pas censés – qu'est-ce que c'est que *ça* ?

— *Baby.* Je viens de la repêcher dans la piscine.

— Tu es *malade* ou quoi ? »

La petite fille hurla, sans doute en voyant la *poupée*. Nora et Hopper étaient déjà repartis. Je leur emboîtai le pas jusqu'à la voiture. Les Devold étaient retournés à l'intérieur, mais leurs cris se faisaient entendre, malgré le vent.

21

« Il est évident que Morgan est tombé amoureux d'Ashley, dit Nora.

— On ne peut pas lui en vouloir, fis-je remarquer. Il est marié à *Ça*. Je fais référence au livre de Stephen King.

— Ce type est dingue, point barre », dit Hopper.

Je me retournai vers lui. « Tu te souviens qu'Ashley était nyctophobe à Six Silver Lakes ? »

Me fusillant du regard, il recracha la fumée de sa cigarette par la vitre. « *Jamais de la vie.* »

Nous étions dans ma voiture, en bas de l'allée. Cela faisait trois quarts d'heure que nous attendions le retour de Morgan Devold. À l'exception de mes phares éclairant la route qui contournait les épais fourrés devant nous, il faisait nuit noire. Il n'y avait personne. Le vent s'était levé. Il sifflait avec insistance sur la voiture et forçait les branches à gratter nerveusement le pare-brise.

« Il ne va jamais revenir, lâchai-je. *Stace* a dû lui remettre sa muselière et le renvoyer dans sa cage au sous-sol.

— Elle n'était pas *si horrible que ça*, me dit Nora avec un regard dur.

— Faites-moi confiance : je suis la seule personne présente dans cette voiture à avoir *visité* le côté obscur du mariage et à en être revenu. Elle est *horrible*. À côté, mon ex-femme, c'est Mère Teresa.

— Il va revenir, dit Hopper. Il est obligé.

— Pourquoi ?

— Il crève d'envie de parler d'elle. »

Il écrasa sa cigarette contre la vitre et jeta le mégot à l'extérieur.

Tout à coup, Nora étouffa un cri en voyant Morgan Devold apparaître dans le faisceau des phares.

Je ne comprenais pas comment nous avions pu *ne pas* entendre ses pas. Il se tenait bizarrement, dans sa vieille chemise en laine bleue ; il clignait des yeux, l'air gêné, la tête baissée et penchée curieusement, timide. Aucun d'entre nous ne dit rien. *Quelque chose n'allait pas*. Pourtant, Hopper et Nora ouvraient déjà leurs portières et sortaient. Je me contentai d'observer Morgan Devold pendant quelques secondes. Malgré son apparition soudaine et sa pâleur de spectre, il paraissait mal à l'aise – *blessé*, même.

Je sortis à mon tour, laissant les phares allumés.

« Je n'ai que cinq minutes, dit-il nerveusement. Sinon Stace va sortir le fusil. »

C'était certainement une blague, mais dite avec un sérieux pour le moins troublant.

Les yeux plissés, il tendit un bout de papier plié.

Hopper s'en empara aussitôt puis, lui lançant un regard méfiant, le déplia à la lumière des phares. Lorsqu'il eut fini de le lire, impassible, il le transmit à Nora, qui le lut avec de grands yeux et me le donna.

C'était une page arrachée à un calepin.

JE SUIS ICI CONTRE MON GRÉ.
Je n'ai pas de problème mental.
Je ferai tout pour sortir de là.
AU SECOURS

« Il a fallu trois semaines pour tout organiser, dit Morgan. J'ai dû réutiliser toutes les cassettes pré-enregistrées. C'étaient elles qui passeraient, et non l'enregistrement en direct. Le *timecode* serait faux, mais personne ne vérifiait jamais. Je suis descendu dans la réserve, où sont conservés tous les effets personnels des patients jusqu'à leur sortie. J'ai trouvé ses affaires dans son casier et je les ai rangées chez moi, au fond d'un carton. Elle n'avait qu'un manteau rouge et noir. Très chic.

— Rien de plus ? » demandai-je, remarquant la façon étrange, méticuleuse, dont il avait dit cela. Je ne pouvais m'empêcher de l'imaginer sortant de son lit en silence, en pleine nuit, pendant que Stace dormait, puis descendant à pas de loup dans sa cave toute sombre pour aller ouvrir le carton et regarder son manteau rouge – *le fameux manteau.*

« Non, répondit-il. Elle n'avait rien d'autre.

— Pas de portable ? Pas de sac à main ?

— Non, fit-il avec un signe de tête.

— Et des vêtements ?

— Rien. Vous savez, son père est célèbre. Il fait des films à Hollywood. Alors je me suis dit qu'elle voudrait des beaux vêtements et je lui ai laissé un message pour lui demander ses mensurations. Ensuite j'ai pris un jour de congé, je suis allé chez Liberty, je lui ai acheté un jean, des chaussures noires et un beau tee-shirt noir avec un ange dessus. »

Ashley portait cette même tenue le jour de sa mort.

« Une fois les détails réglés, poursuivit-il, je suis allé dans la salle de musique et j'ai laissé à Ashley un message entre les cordes du piano, comme elle le faisait. Je lui disais que, quand elle serait prête, elle n'aurait qu'à jouer *Twinkle, Twinkle, Little Star*. Ce serait le feu vert. La nuit suivante, je passerais la chercher à 2 heures du matin, pendant que son infirmière et l'agent de sécurité seraient en train de s'envoyer en l'air dans la chaufferie.

— Pourquoi cette chanson-là ?

— Elle l'avait déjà jouée, me répondit-il avec un sourire. Ça me faisait penser à elle. Ce soir-là, Stace s'est retrouvée à l'hôpital et les médecins l'ont maintenue alitée. J'ai donc dû reprendre les gardes de jour. Je n'ai pas vu Ashley pendant une semaine. J'avais peur de rater notre rendez-vous. Mais le premier soir où j'ai réintégré le service de nuit, elle a foncé dans la salle de musique. Je flippais parce que je ne savais pas si elle allait jouer le morceau. Pourtant, elle l'a *fait*. À la toute fin. C'est là que j'ai compris que c'était parti. »

Il nous regarda fixement ; des points de lumière éclairaient ses petits yeux. Le souvenir de ces événements le ranimait.

« La nuit suivante, vers 1 heure, je lance les cassettes préenregistrées. Puis je dis à l'agent de faction à l'accueil que Stace a peur d'être encore tombée enceinte et que je dois rentrer à la maison. Je fonce tout droit vers le bâtiment Maudsley, en me disant que je vais devoir me faufiler jusqu'à la chambre d'Ashley pour la chercher. Mais elle était déjà devant, à m'attendre, dans son pyjama blanc. J'avais le cœur qui battait à *deux cents à l'heure*. J'étais aussi nerveux qu'un gamin – c'était la première fois que je la voyais en chair et en os. Elle m'a simplement pris la main et, ensemble, on a traversé la pelouse. Aussi simple que ça. » Il sourit un peu bêtement. « C'était comme si c'était *elle* qui m'emmenait, *elle* qui avait tout organisé. J'ai ouvert le coffre de ma voiture, elle est montée dedans et on est partis.

— Mais il ne faisait pas noir dans le coffre ? demanda Nora. Si Ashley était nyctophobe, elle ne serait jamais montée dedans. »

Morgan sourit fièrement. « J'avais tout prévu. Deux lampes torches pour qu'elle n'ait pas peur.

— Vous avez été arrêtés au portail de l'entrée ? demandai-je.

— Bien sûr. Mais j'ai expliqué que ma femme avait encore une urgence et le type m'a laissé passer. Dès qu'on est sortis, je me suis garé sur le côté pour laisser Ashley descendre du coffre. Je l'ai ramenée ici pour qu'elle puisse prendre une douche et se changer. Je devais aussi coucher ma fille. Comme Stace était encore à l'hôpital, c'est notre voisine qui gardait le bébé. J'ai demandé à Ashley où elle voulait aller, elle m'a dit la gare parce qu'elle devait se rendre à New York.

— Vous a-t-elle expliqué pourquoi ?

— Je crois qu'elle avait rendez-vous.

— Avec qui ? demanda Hopper.

— Je ne sais pas. Elle était réservée. Elle ne parlait pas beaucoup. Elle me regardait, simplement. Par contre, elle aimait bien ma petite fille, Mellie. Elle lui a lu une histoire pour l'endormir pendant que j'étais au téléphone avec Stace.

— Où allait Ashley, à New York ? demandai-je.

— Walford Towers, ou quelque chose comme ça.

— C'est ce qu'elle vous a dit ? »

Il eut l'air honteux. « Non. Elle m'avait demandé à pouvoir utiliser Internet. Alors, pendant qu'elle était dans la salle de bains, j'ai regardé l'historique pour voir ce qu'elle cherchait. C'était le site d'un hôtel sur Park Avenue.

— Le *Waldorf* Towers, peut-être ? suggérai-je.

— Ça doit être ça, confirma Morgan. Une fois habillée, elle a enfilé le manteau rouge. Elle était belle à se flinguer. Je l'ai conduite à la gare. On y est arrivés vers 4 heures du matin. Je lui ai donné un peu de fric, puis je l'ai laissée dans la voiture pendant que j'achetais deux billets pour Grand Central.

— Deux billets ? »

Morgan hocha la tête, gêné.

« Vous espériez partir avec elle. »

Il regarda par terre. « Ça paraît fou, aujourd'hui. Mais je suis un romantique. Je pensais qu'on partirait ensemble. Elle n'arrêtait pas de me *sourire*. Quand je suis revenu à la voiture avec les deux billets, elle avait disparu. J'ai vu qu'un train était arrivé. Je suis monté sur le quai, mais les portes venaient de se refermer. J'ai couru jusqu'au bout pour essayer de la voir. J'étais écœuré. Et j'ai fini par la retrouver. Elle était assise juste à côté de la vitre. J'ai frappé. Et lentement, elle s'est tournée vers moi et m'a fixé droit dans les yeux. Jusqu'à la fin de mes jours, je n'oublierai jamais son regard. »

Il se tut quelques secondes, les épaules voûtées.

« Elle ne me connaissait plus. »

Il poussa un soupir. Son souffle était haché.

« Vous avez été viré peu de temps après ? demandai-je doucement.

— Oui. Dès que la disparition d'Ashley a été constatée, ils sont remontés jusqu'à moi.

— Quand avez-vous appris sa mort ? »

Il cligna des yeux. « Le directeur de l'hôpital m'a téléphoné.

— Allan Cunningham ?

— Exact. Il m'a dit qu'il n'y aurait aucune suite judiciaire si je signais une clause de confidentialité stipulant que j'avais agi seul et que je n'en parlerais jamais avec...

— *Morgan !* »

C'était de nouveau Stace. Son cri nous fit tous sursauter, non seulement par sa stridence, mais par sa proximité. Nous ne la voyions pas, mais des pas lourds se rapprochaient dans l'obscurité de l'allée.

« *Morgan !* Ils sont encore là ?

— Vous feriez mieux de partir », nous glissa Morgan.

Avant que je puisse l'en empêcher, il m'arracha le bout de papier des mains et remonta l'allée en courant.

Je me lançai à sa poursuite.

« Le bout de papier ! m'écriai-je. On voudrait le *garder* ! »

Il courait à une vitesse étonnante. J'avais du mal à le suivre.

Stace apparut brusquement au sommet de la colline. Je m'arrêtai net. Elle brandissait non pas un fusil mais, beaucoup *plus* terrifiant, des *enfants*. Le bébé à moitié nu était toujours dans ses bras et la petite fille en chemise de nuit lui tenait la main en suçant son pouce.

« Ils s'en vont tout de suite, répondit Morgan. Ils voulaient savoir comment retrouver l'autoroute. » Il l'enlaça, prononça une phrase inaudible et les raccompagna à la maison, non sans ranger le bout de papier dans sa poche.

Mince. J'aurais voulu le garder pour comparer l'écriture avec celle qui figurait sur l'enveloppe reçue par Hopper.

Morgan et sa famille disparurent, mais je les entendis marcher sur les feuilles mortes. Stace disait quelque chose sur un ton énervé et le bébé pleurait.

Je fis demi-tour pour redescendre. Hopper et Nora m'attendaient, éclairés par le faisceau des phares. Je n'avais pas fait dix pas qu'une pierre ricocha derrière moi.

Je fis volte-face, surpris, et vis que je n'étais pas seul.

La petite fille en chemise de nuit me suivait.

Dans la pénombre, son visage paraissait dur et ses yeux formaient deux trous noirs.

Elle était pieds nus. Le blanc de sa chemise de nuit brillait d'une lueur violette ; les cerises ressemblaient à des maillons de chaîne avec du fil barbelé. Je me rendis compte qu'elle tenait dans le creux de ses bras la poupée décomposée que Morgan avait repêchée dans la piscine – *Baby*.

Je ressentis d'abord du dégoût, puis une envie de *prendre mes jambes à mon cou.*

Soudain, elle tendit son bras. Un frisson parcourut ma colonne vertébrale.

Elle avait le poing serré et le regard franc. Elle tenait entre ses doigts un objet noir et brillant. Je ne voyais pas très bien de quoi il s'agissait, mais on aurait dit une minuscule poupée.

Avant que je puisse réagir, elle se retourna et courut, puis disparut en haut de l'allée comme un éclair blanc.

Je restai planté là, à contempler la colline déserte, avec le pressentiment irrationnel qu'elle allait réapparaître.

Or il n'en fut rien. Néanmoins, il régnait un silence étrange.

On n'entendait plus la voix rude de Stace – ni pleurs de bébé, ni bruits de pas, ni moustiquaire ouverte puis violemment refermée. Rien d'autre que le vent qui transperçait les arbustes.

Même le chien solitaire, au loin, s'était tu.

Je me retournai et courus jusqu'à la voiture.

« Qu'est-ce que c'était ? demanda Hopper.

— Sa petite fille m'a suivi. »

Je déverrouillai les portières, m'installai au volant et, quelques minutes plus tard, nous retrouvions Benton Hollow Road. Même si aucun de nous trois ne le dit, je sentais que nous étions tous soulagés de mettre *une distance raisonnable* entre les Devold et nous.

22

« *Voilà* ce qui arrive quand on épouse la mauvaise femme, dis-je. Une femme, ça donne le ton de la vie d'un homme. S'il n'arrive pas à garder son *sang-froid*, il peut facilement se retrouver coincé à écouter jusqu'à la fin de ses jours du Michael Bolton passer en boucle dans de mauvais baffles. On ne peut pas reprocher à ce type de vouloir se tirer.

— Ce type est un loser complet, dit Hopper, assis à l'arrière.

— C'est une autre façon de dire la même chose. »

Nous n'étions plus qu'à quelques minutes de New York, sur la New Jersey Turnpike. Nous reparlions de Morgan Devold et de tout ce que nous avions appris sur le séjour d'Ashley à Briarwood.

C'était ça qui était merveilleux avec New York : vous passiez quelques heures agitées en pleine cambrousse, entre des infirmières qui se jetaient devant votre voiture et des familles bizarres, mais plus vous approchiez de Manhattan et regardiez l'horizon hérissé de gratte-ciel – *puis* le type qui venait de vous faire une queue de poisson dans une Nissan customisée crachant de la polka texane –, plus vous vous rendiez compte que tout allait pour le mieux dans le meilleur des mondes.

« Ash l'a manipulé, ajouta Hopper sans lever les yeux de son téléphone qui vibrait à chaque SMS reçu. Elle savait que quelqu'un la regardait par la caméra. Alors elle a décidé que ce bonhomme était sa meilleure chance de se tirer de là.

— Et cette histoire de peur du noir ? demandai-je en jetant un coup d'œil vers Nora. Au fait... Comment est-ce que tu connais ce mot, *nyctophobie* ? »

Elle avait défait ses longues nattes et regardait d'un air absent par la vitre en démêlant ses pointes de cheveux. « Terra Hermosa, répondit-elle. Un monsieur au premier étage, qui s'appelait Ed. Il lisait toujours une liste des phobies et se vantait d'en avoir plein. La nyctophobie, il n'avait jamais connu ça. Mais *l'automatono-phobie*, oui.

— Qu'est-ce que c'est ?

— La peur des mannequins de ventriloque. De tout ce qui a un visage en cire. Un jour, il est allé voir *Avatar* et a dû se faire hospitaliser.

— Il devrait vraiment éviter l'Upper East Side.

— C'est de la connerie, intervint Hopper en écartant ses cheveux de son front. Ash n'a jamais eu peur du *noir*. Elle a dû inventer ça pour que les médecins lui foutent la paix.

— Et le regard qu'elle a lancé à Morgan dans le train ? demanda Nora. Peut-être qu'elle ne le connaissait *vraiment plus*. Peut-être qu'elle souffrait d'amnésie ou d'une perte de la mémoire immédiate.

— Non. Morgan avait accompli sa mission et elle en avait terminé avec lui. Point final.

— Une autre chose m'a un peu inquiétée.

— *Une* autre chose seulement ? fis-je.

— Morgan racontait qu'Ashley avait lu à sa fille une histoire pour s'endormir.

— Et alors ?

— Tu ne laisses pas une inconnue que tu viens de libérer d'un hôpital psychiatrique passer un moment aux côtés de ta petite fille, si ?

— Il ne va pas être élu Papa de l'Année, c'est sûr. Et la fiancée de Chucky qu'il a repêchée dans la piscine pour enfants ? *Baby*. Sans parler de la petite *coquine* qui m'a suivi sur la route. Quand elle sera grande, elle aura besoin de faire un long séjour à Briarwood. »

Nora inclina sa tête sur le côté. « Tu ne penses pas que Morgan a fait du mal à Ashley ? Quand il l'a ramenée chez lui pour qu'elle se change… La façon dont il a décrit la scène, ça m'a foutu les jetons.

— Il n'a jamais posé la main sur elle, intervint Hopper.

— Qu'est-ce que tu en sais ? demanda Nora en se tournant vers lui.

— Parce que s'il l'avait *fait*, il serait méchamment mutilé. »

Je jetai un coup d'œil dans le rétroviseur, surpris par le ton de sa voix. Il regardait par la vitre ; son visage était éclairé par les phares des voitures qui défilaient. Au cours des dernières heures, j'avais compris que ses liens avec Ashley – *Ash*, comme il l'appelait – allaient beaucoup plus loin que la rencontre fortuite et ancienne dont il m'avait parlé. Il la connaissait mieux qu'il ne le laissait entendre, ou alors il avait eu l'occasion de l'observer attentivement, peut-être même de loin, comme Devold. Je fus tenté de l'interroger plus avant là-dessus, de lui faire avouer qu'il n'avait pas été tout à fait franc, mais y renonçai – pour le moment. Il n'aurait sans doute fait que pester et se mettre sur la défensive, ce qui ne m'aurait guère avancé.

Je regardai la pendule du tableau de bord : 21 h 42.

« Bon, où est-ce que je vous dépose ? »

Nora se tourna vers moi. « On n'a *pas encore terminé*. Il faut qu'on aille dans cet hôtel, le Waldorf, pour voir si quelqu'un a remarqué la présence d'Ashley. Morgan nous a dit qu'elle était allée là-bas. On devrait y faire un tour.

— L'idée me paraît judicieuse, dit Hopper, son regard croisant le mien dans le rétroviseur.

— C'est risqué, dis-je. Mais très bien. Allons jeter un œil. »

23

Comme la plupart des New-Yorkais, j'avais toujours évité le Waldorf Astoria comme la peste. Ou plutôt comme une vieille grand-tante très riche, très grosse et heureusement très *éloignée*, qui avait un triple menton, portait du taffetas et se montrait si autoritaire qu'il suffisait d'en entendre parler pour avoir sa dose d'elle pendant quinze ans.

Mais si vous décidiez de vous y aventurer, de franchir les portes à tambour Art déco, de croiser les hommes d'affaires de Milwaukee et les membres de l'Église unitariste, puis de faire une pause avant de vous frayer un chemin parmi la foule sur l'escalier à moquette, après la queue pour le Starbucks et la femme qui faisait rouler sa valise sur vos pieds, vous étiez aussitôt assailli par le luxe démesuré de l'endroit. Il y avait des plafonds voûtés. Il y avait des palmiers. Il y avait des horloges dorées. Il y avait du marbre. Et s'il y avait une réception de mariage – et c'était généralement le cas, en l'honneur de Bobby et Marci, venus de Massapequa, Long Island –, le hall vibrait autant qu'un gymnase le soir du bal de fin d'année.

Hopper et Nora me suivirent à travers le hall. Nous contournâmes une famille nombreuse dont chacun des membres portait un sweat-shirt Red Sox et arrivâmes devant une discrète porte en bois sur laquelle était fixée une toute petite plaque en or : « THE WALDORF TOWERS » – tellement délicate que son but affiché était de passer inaperçue.

Je pris le couloir jusqu'aux ascenseurs et montai, Nora et Hopper derrière moi.

« Tu m'as l'air de bien connaître l'endroit », dit Nora au moment où j'appuyais sur *RDC*.

C'était, malheureusement, *la vérité*.

Le Waldorf Astoria n'était qu'un moyen de détourner l'attention de la partie de l'hôtel où venaient les gens *importants* : le plus exclusif Waldorf Towers, résidence de choix des présidents, du duc et de la duchesse de Windsor, d'émirs saoudiens et d'éminents hommes d'affaires de Wall Street qui avaient rendez-vous avec leurs maîtresses. C'était triste à dire, mais c'était un peu pour ça que *je* connaissais l'endroit.

Je n'en tirais aucune fierté – et je ne le recommandais vraiment à personne – mais, juste après mon divorce, pendant six mois d'enfer, je m'étais embarqué dans une liaison avec une femme mariée. Et je l'avais retrouvée ici même, au Waldorf Towers, en tout et pour tout *seize fois*, après qu'elle m'eut envoyé des mails, sur le

ton amer d'une patronne mécontente, m'informant que le *premier*
hôtel que j'avais choisi pour nos ébats, et que je pouvais me *payer*,
le très quelconque Fitzpatrick Manhattan, sur Lexington Avenue
– mieux connu de ses fidèles clients sous le nom de *The Fitz* –,
était trop proche de son bureau, que ses chambres n'étaient pas
assez lumineuses, que les draps sentaient mauvais et que le réceptionniste l'avait regardée bizarrement lorsque, lui ayant demandé
s'il pouvait l'aider à porter ses bagages, elle avait répondu qu'elle
n'en avait pas et ne resterait que trois quarts d'heure.

Les portes de l'ascenseur s'ouvrirent. Nous étions dans le hall
du Waldorf Towers, petit, élégant et totalement désert.

Nous nous rendîmes à la réception, où un jeune homme d'origine moyen-orientale se tenait seul derrière le guichet. Il était
grand, avait une silhouette mince et des yeux noirs. Sur son badge
figurait son nom : HASHIM.

Je me présentai rapidement. « Et nous espérions que vous pourriez nous aider, continuai-je. Nous cherchons des renseignements
au sujet d'une femme qui a disparu. Nous avons tout lieu de croire
qu'elle est venue ici le mois dernier. »

Il eut l'air intrigué. Dieu merci, il ne laissa pas entendre qu'il
allait devoir appeler le directeur.

« Ça vous embêterait de jeter un coup d'œil sur sa photo ?

— Pas du tout. »

Sa voix était claire, sympathique, teintée d'un accent britannique.

De la poche intérieure de mon manteau, je sortis l'avis de disparition d'Ashley, plié de telle sorte qu'on ne voyait que sa photo,
et le lui tendis.

« Quand est-elle venue ici ? demanda-t-il.

— Il y a quelques semaines. »

Il me rendit le document. « Désolé. Je ne l'ai jamais vue ici.
Naturellement, c'est difficile à dire d'après la photo. Si vous voulez, je peux en faire une photocopie et la faire distribuer, au cas
où des membres du personnel l'auraient vue et se souviendraient
d'elle.

— Rien d'anormal n'a été signalé ?

— Non.

172

— Est-ce que le hall est filmé ?

— Oui. Mais pour visionner les bandes, il faut un mandat en bonne et due forme. J'imagine que vous avez contacté la police ? »

Je confirmai d'un hochement de menton. Hashim décocha alors un chef-d'œuvre de sourire navré pour dire qu'il ne pouvait pas m'aider davantage – *et qu'il était temps de nous en aller.*

« Elle devait sans doute porter ceci », intervint Nora en sortant le manteau d'Ashley du sac Whole Foods avant de le poser, plié, sur le sous-main en cuir.

Il baissa les yeux et s'apprêtait à faire non de la tête lorsqu'il fut visiblement frappé par un détail.

« Vous l'avez reconnu, dis-je.

— *Non*, répondit-il d'un air perplexe. C'est juste que... Une des femmes de ménage nous a signalé un incident. Ça fait un petit moment, déjà. Mais je crois que cela avait *en effet* un rapport avec une personne vêtue d'un manteau rouge. Si je m'en souviens, c'est que le sujet a été *de nouveau* abordé ce matin même, car cette femme de ménage refusait de nettoyer un des étages. Et ça nous complique l'existence, parce que nous sommes complets. »

Levant les yeux, Hashim s'aperçut que nous étions tous trois penchés au-dessus du guichet, captivés.

Inquiet, il recula d'un pas.

« Laissez-moi un numéro de téléphone et mon directeur vous recontactera, entendu ?

— On n'a pas le temps, dit Hopper en bousculant Nora pour se rapprocher de lui. Quand il s'agit d'une personne disparue, chaque minute compte. Il faut qu'on voie cette femme de ménage. Je sais que pour vous ça signifie faire une entorse à certaines *règles*, mais... » Il sourit. « Ce serait vraiment gentil de votre part. »

C'était moi qui avais suggéré, dans la voiture, d'expliquer qu'Ashley n'était pas morte, mais qu'elle avait *disparu* ; d'expérience, je savais que les disparitions rendaient les gens plus diligents et coopératifs. Cette stratégie sembla payer. Ou peut-être Hashim était-il rendu tout chose par la belle gueule de Hopper, car il le regarda fixement, quelques secondes de trop. Et je vis le désir masculin illuminer son visage, de manière fugace mais flagrante, aussi évident qu'un pétrolier braquant ses phares sur un autre bateau. Il décrocha le téléphone et, calant le combiné sous son menton, composa rapidement un numéro.

« Sarah ? Hashim, de la réception. Guadalupe Sanchez. L'incident qu'elle a signalé il y a quelques semaines… Il n'y avait pas une histoire de manteau rouge ? Ce n'est pas ça qu'elle – *ah*. » Il se tut et écouta. « Elle travaille ce soir ? » Il écouta. « Vingt-neuf. Très bien, merci. »

Sur ce, il raccrocha.

« Venez avec moi », dit-il avec un sourire insolent à l'intention de Hopper.

24

Nous suivîmes Hashim dans un ascenseur. Il introduisit une carte blanche dans la fente et appuya sur le n° 29.

Nous montâmes en silence. Hashim jetait quelques petits coups d'œil vers Hopper, lequel regardait ses Converse. Je ne savais pas *exactement* ce que signifiait cette communication muette, mais elle fonctionnait ; les portes s'ouvrirent, Hashim sortit prestement et pénétra dans le couloir aux murs couleur crème.

Tout au fond, un chariot de ménage attendait. Nous nous en approchâmes, cependant que Nora traînait derrière, occupée à étudier les quelques photos en noir et blanc accrochées aux murs, portraits de Frank Sinatra et de la reine Elizabeth.

Une fois devant le chariot, Hashim toqua sèchement à la porte entrebâillée sur laquelle figurait le numéro 29T.

« Mademoiselle Sanchez ? »

Il poussa la porte. Nous entrâmes l'un après l'autre dans le salon vide d'une suite : des canapés bleus, une moquette bleue, une fresque extravagante peinte sur les murs, montrant des colonnes grecques et une déesse à la peau bleue.

Hashim traversa une alcôve qui tenait lieu de cuisine.

Elle donnait de l'autre côté sur une chambre où une femme aux cheveux gris, toute menue, était en train de faire le lit. C'était une latina, vêtue d'une tenue de ménage grise. Elle ne réagit pas ;

elle écoutait de la musique – un iPod vert menthe était accroché à son bras.

Elle fit le tour du lit en bordant le drap et nous aperçut.

Elle poussa un cri strident, la main sur la bouche, les yeux écarquillés.

Serions-nous entrés vêtus de robes à cagoule, une faux à la main, qu'elle n'aurait pas fait une autre tête.

Hashim s'excusa, en espagnol, de lui avoir fait peur. La femme – Guadalupe Sanchez, semblait-il – enleva ses écouteurs et, d'une voix rauque, répondit quelque chose.

« Comment est votre espagnol guatémaltèque ? demanda Hashim.

— Un peu rouillé, répondis-je. »

Nora et Hopper secouèrent la tête d'un air gêné.

« Dans ce cas, j'essaierai de traduire. » Il se retourna solennellement vers elle et prononça quelques phrases dans un espagnol impeccable.

Elle l'écouta avec une attention soutenue. Parfois, elle détachait son regard de Hashim pour nous observer. À un moment donné – sans doute lorsqu'il lui expliqua la raison de notre présence –, elle hocha la tête de manière presque révérencieuse et murmura : « *Sí, sí, sí.* » Puis elle contourna le lit pour s'approcher de nous lentement, nerveusement, comme si elle avait face à elle trois taureaux prêts à charger.

De près, son visage était rond et poupon, avec des joues rebondies de bébé ; néanmoins, sa peau couleur caramel était sillonnée de fines rides, comme un sac en papier marron qu'on aurait roulé en boule.

« Montrez-lui la photo », dit Hashim.

Je la tirai de ma poche.

Avant de s'en emparer, elle prit le temps de déplier ses lunettes et de les poser sur le bout de son nez. Elle prononça une phrase en espagnol.

« Elle la reconnaît », dit Hashim.

Nora, qui jouait avec le manteau d'Ashley dans le sac Whole Foods, finit par le sortir en le tenant par les épaules.

Au premier coup d'œil, la femme se pétrifia. Elle murmura quelque chose.

175

« Elle pense l'avoir déjà vu, traduisit Hashim.

— Elle *pense* ? demandai-je. Elle a l'air assez sûre d'elle, pourtant. »

Avec un sourire gêné, il se retourna vers la femme et lui posa une question. Elle répondit d'une voix basse et grave, l'œil rivé sur le manteau d'Ashley, comme si elle avait peur qu'il s'anime. Hashim l'interrompit pour lui poser une autre question ; tout en s'exprimant avec fougue, elle *s'éloigna* du manteau. Elle parla pendant quelques minutes, parfois de manière si *démonstrative* que je me demandai si elle n'était pas une célèbre actrice de *telenovelas* vénézuéliennes. Dans le torrent d'espagnol qui se déversait, je tentai d'attraper au passage quelques mots. Soudain, je fis une prise.

Chaqueta del diablo. Le manteau du diable.

« Alors ? » demandai-je à Hashim une fois que la femme eut cessé de parler et qu'il eut cessé de traduire.

Il avait l'air agacé. « Ça s'est passé il y a quelques semaines, dit-il. À 5 heures du matin. Elle était au trentième étage et commençait sa tournée matinale. »

Guadalupe le regardait avec attention. Il souriait vaguement.

« Elle venait d'ouvrir la porte d'une chambre quand elle a remarqué quelque chose au bout du couloir. Une forme rouge. Elle ne voyait pas ce que c'était. Elle avait oublié ses lunettes chez elle. C'était un simple *tas* rouge. Elle croyait que c'était une valise. » Il s'éclaircit la voix. « Trois quarts d'heure plus tard, après avoir fait la chambre, elle est ressortie. La *chose rouge informe* était toujours là. Et pourtant, elle *bougeait*. Guadalupe a donc poussé son chariot dans le couloir et, de plus près, s'est aperçue qu'il s'agissait d'une jeune femme. La même que sur votre photo. La fille était assise par terre, le dos contre le mur. Elle portait *ce* manteau-là.

— Quoi d'autre ? intervint Hopper.

— J'ai bien peur que ce soit tout.

— Est-ce que Guadalupe lui a parlé ? demandai-je.

— Non. Elle a essayé de la secouer, mais la fille était inerte, droguée. Lupe est partie prévenir la sécurité. À leur retour, la fille avait disparu. On ne l'a jamais revue depuis.

— Est-ce qu'elle se rappelle la *date exacte* de cet incident ? Ce serait très utile.

— Elle ne s'en souvient pas. C'était il y a quelques semaines. »
Guadalupe m'adressa un sourire triste puis, repensant visiblement à un détail, ajouta quelque chose et tendit le bras droit. Le geste était étrange. Sa main formait une sorte de *griffe* – comme si elle empoignait une invisible poignée de porte. Ensuite, elle pointa le doigt sur son œil gauche en agitant nerveusement la tête.

« Qu'est-ce qu'elle dit ?

— Elle était sous le choc, répondit Hashim. C'est assez rare de tomber sur des vagabonds inanimés dans nos couloirs. Bien, maintenant, si ça ne vous *dérange* pas, on devrait laisser Lupe retourner à son travail. »

De cinq étoiles, la qualité de son service à la clientèle était passé à une étoile. Même la présence de Hopper ne suffit pas à le dissuader de mettre un terme à l'entretien. Il semblait même éviter son regard.

« En bas, vous nous expliquiez qu'elle n'a pas voulu nettoyer son étage ce matin, dis-je. Pourquoi donc ?

— Elle a eu peur de la fille. Allez, on doit retourner dans le hall. Si vous avez d'autres questions, posez-les directement à la police. »

Hashim dit encore quelques mots à Guadalupe et marcha vers la porte.

Sous l'œil inquiet de la femme de chambre, Nora rangea le manteau dans le sac. Hopper et moi la suivîmes. Mais lorsque Hashim disparut, je regagnai discrètement la chambre.

Je voulais discuter en tête à tête avec Guadalupe – peut-être obtenir d'elle des détails que je pourrais traduire plus tard. Je la retrouvai dans la salle de bains, debout devant la glace installée au-dessus de l'évier en marbre rose. Dès qu'elle m'aperçut dans le reflet, son regard passa aussitôt de son visage au mien, un regard tellement affolé que j'en fus bouleversé. Elle ouvrit la bouche pour dire quelque chose.

« *Monsieur*, intervint Hashim derrière moi. Vous devez partir *maintenant*. Sinon j'appelle la sécurité.

— Je remerciais Guadalupe pour le temps qu'elle nous a accordé. »

Non sans jeter un ultime coup d'œil à la femme de ménage – Hashim lui avait fichu la trouille, parce qu'elle était déjà penchée au-dessus de la baignoire, dos à moi –, je le suivis dehors.

25

« La police pourra vous aider, dit Hashim après nous avoir raccompagnés devant l'entrée de l'hôtel, sur la 50e Rue Est. Bonne chance. »

Il nous regarda marcher jusqu'au croisement avec Park Avenue, le long de l'église Saint Bartholomew, puis demanda quelque chose au portier – vraisemblablement de prévenir la sécurité si nous revenions – et disparut à l'intérieur.

Il était 23 heures passées. La nuit était froide et claire. Dans Park Avenue, taxis et berlines de luxe roulaient bruyamment, mais les trottoirs larges qui montaient vers le nord étaient calmes et déserts, et les majestueux buildings ressemblaient à des cathédrales creuses dans le ciel. Malgré la circulation, il régnait une impression de solitude. Devant l'entrée de l'église s'entassaient des silhouettes sombres et immobiles, des hommes vêtus de gros manteaux, endormis sur des cartons dépliés, tels des cachalots noirs surpris par une vague qui aurait brusquement reflué, les laissant échoués sur les marches.

« Qu'en penses-tu ? me demanda Nora.

— De Lupe ? Un peu *hystérique*, mais elle disait sans doute la vérité. Sa version de la vérité.

— Que pouvait bien faire Ashley au trentième étage en train de *dormir* ?

— Elle séjournait peut-être là avec quelqu'un. Elle n'avait pas la clé. Ou alors elle avait rendez-vous.

— Tu as vu comment elle a regardé le manteau ? Comme s'il allait lui sauter à la gorge.

— Elle l'a appelé le manteau du diable. Hashim a oublié d'en parler.

— Il a oublié de parler de beaucoup de choses », intervint Hopper. Après avoir passé son temps à scruter l'entrée de l'hôtel, il nous rejoignait en cherchant quelque chose dans les poches de son manteau. « Il a inventé la moitié de ces conneries.

— Donc tu parles l'espagnol, dis-je.

— J'ai vécu à Caracas quand j'avais sept ans. Ensuite, j'ai voyagé en Argentine et au Pérou pendant à peu près un an. »

Il nous dit cela l'air de rien, en poussant une cigarette hors de son paquet, le dos tourné au vent pour mieux l'allumer.

« Comme Che Guevara dans le *Voyage à motocyclette* ? demanda Nora.

— Pas vraiment. C'était un enfer. Mais je suis content que ça m'ait appris deux ou trois bricoles. Comme savoir quand quelqu'un essaie de m'enfler. »

J'étais surpris, pour dire le moins. Je ne m'attendais pas à ce qu'il soit bilingue. Je me souvins alors d'un détail qu'il avait mentionné, chez lui, le jour où il m'avait raconté son séjour à Six Silver Lakes. *Je venais de voyager avec ma mère en Amérique du Sud, parce qu'elle était dans une secte missionnaire à la con. Je me suis barré en courant.*

« Je voulais voir s'il était réglo avec nous. Mais il ne l'était pas. » Hopper exhala un long nuage de fumée. « Je n'ai pas aimé ce type.

— *Lui*, par contre, il t'a bien aimé. »

Hopper ne dit rien, manifestement agacé par ma remarque.

« Alors, qu'est-ce qu'elle a vraiment dit ? demandai-je.

— C'était assez difficile à suivre parce qu'elle parlait en dialecte guatémaltèque. Et *en plus*, elle est folle à lier.

— Comment ça ? fit Nora.

— Elle croit aux fantômes, aux esprits… C'est tout juste s'ils ne planent pas tous autour de nous comme du pollen. Elle a expliqué en long et en large qu'elle descendait d'une longue lignée de *curanderas*.

— Qu'est-ce que c'est ? demandai-je.

— Des sortes de guérisseuses traditionnelles à la noix. J'en ai déjà entendu parler. Elles soignent les corps et les âmes. Le même supermarché pour tous les problèmes.

— Mais à propos de quoi Hashim a-t-il menti ?

— Il n'a pas menti quand il a raconté qu'elle était tombée sur

Ashley au trentième étage. Mais dès qu'il en est arrivé à la partie où elle pousse le chariot jusqu'au bout du couloir, il a pris des tas de libertés. En réalité, elle a parlé d'Ashley comme d'un *espíritu rojo*, un esprit rouge. Elle n'a jamais pensé que c'était un être humain qui était assis par terre, mais une sorte d'âme perdue, coincée entre la vie et la mort. Plus elle s'en approchait, plus elle ressentait quelque chose, comme un changement dans la force de gravité de la Terre. Quand elle s'est baissée devant Ashley, elle a dit qu'elle était inconsciente. Mais pas *droguée*. Elle l'a appelée *una mujer de las sombras*. Une femme des ombres. »

Il haussa les épaules. « Aucune *idée* de ce que ça signifie. Elle l'a touchée. Ashley était comme de la glace. Alors elle l'a secouée par les épaules et, quand Ashley a ouvert les yeux, elle a vu *la cara de la muerte* qui la regardait fixement. Le visage de la mort. »

Il s'interrompit et médita là-dessus. « Elle a dit qu'Ashley était marquée, reprit-il.

— En quel sens ?

— Par le diable. Puisque je vous *dis* que cette bonne femme est dingue ! Elle a raconté qu'Ashley avait une deuxième pupille dans son œil gauche, une connerie... »

Il jeta sa cigarette par terre. « Elle a appelé ça *la huella del mal*. » Il écrasa le mégot sous son talon. Lorsqu'il leva de nouveau les yeux, il parut tout étonné de voir nos visages curieux, pressés d'entendre la traduction de cette expression.

« Ça veut dire l'empreinte du mal.

— C'est pour ça qu'elle a montré son œil gauche », dis-je.

Nora regardait Hopper, sans voix. Elle roula le sac Whole Foods contenant la robe d'Ashley en une boule encore plus compacte, comme pour s'assurer que l'*aura negativo* qui pouvait en émaner resterait bien enfermée à l'intérieur.

« Et ensuite, quoi ? demandai-je. Des stigmates sont apparus sur les paumes de Guadalupe ?

— Elle a eu peur, elle est descendue au sous-sol en courant, elle a pris ses affaires et elle est restée à l'église tout le reste de la journée. Elle n'a *pas* appelé la sécurité, ce qui explique pourquoi Hashim était vert de rage. Elle n'a pas suivi la procédure normale. Hashim pensait qu'Ashley était une clocharde et il a dit à Guadalupe qu'il allait parler à son patron de l'attitude qu'elle avait eue. Du coup, maintenant, je pense qu'elle va avoir des problèmes. À cause de nous. »

Ça paraissait logique. Quand j'avais vu Guadalupe se regarder dans la glace de la salle de bains avec cette expression étrange, c'était sans doute parce qu'elle avait peur de perdre son travail.

Hopper semblait se désintéresser de cette histoire. Il avait sorti son portable et parcourait ses textos.

« Je me casse, dit-il. À plus. »

Avec un vague sourire, il fit demi-tour et s'éloigna du trottoir.

Alors que les voitures fonçaient sur Park Avenue et déboulaient vers nous, il traversa en courant devant elles, indifférent, ou alors peu soucieux de se faire renverser. Un taxi freina en klaxonnant, mais il n'y fit pas attention ; sous notre regard muet, il monta sur le terre-plein central, attendit que les voitures passent de l'autre côté, puis courut jusqu'au trottoir d'en face.

26

Nora ne voulait pas que je la reconduise chez elle, mais j'insistai. Elle me demanda de la déposer au croisement de la 9e Avenue et de la 52e Rue.

Pendant le trajet, nous n'échangeâmes pas le moindre mot.

La journée avait été *longue*, c'était le moins qu'on puisse dire. Je n'avais mangé que des *jelly beans* et des chips Bugles. Les innombrables cigarettes fumées par Hopper m'avaient donné un mal de tête lancinant. Tout ce que nous avions appris sur le compte d'Ashley – sa fuite de Briarwood, la rencontre avec la femme de ménage – était encore trop frais. Pour l'instant, je voulais simplement rentrer chez moi, me servir un verre, aller au lit et repenser à tout ça le lendemain.

Je pris la 9e Avenue à gauche et me garai devant une épicerie coréenne.

« Merci », dit Nora. Elle attrapa la lanière de son sac et ouvrit la portière.

« Tu as séché le boulot ce soir ? demandai-je. Au Four Seasons ?

— Oh, *non*. Hier, c'était mon dernier jour. La fille que je remplaçais est rentrée de son congé maternité. Demain, je commence comme serveuse au Mars 2112.

— Où est ton appartement ?

— Là-bas, dit-elle en tendant vaguement la main derrière elle. À bientôt, sans doute. »

Avec un sourire, elle hissa son sac sur son épaule, claqua la portière et s'élança sur le trottoir.

Je ne bougeai pas. Au bout de dix mètres, Nora jeta un coup d'œil dans son dos – à l'évidence pour vérifier si j'étais toujours là – et continua de marcher.

À bientôt.

Je repris la 9ᵉ Avenue et m'arrêtai au feu rouge. Nora marchait toujours sur le trottoir, mais elle ralentit pour regarder de nouveau derrière elle. Elle dut me voir, car elle monta immédiatement les marches du premier perron minable venu.

Nom de Dieu. Sartre ne plaisantait *vraiment* pas quand il disait que l'enfer, c'est les autres.

Le feu passa au vert. J'accélérai à fond pour me déporter sur la voie de droite, mais fus aussitôt doublé par un bus en accordéon. Comme d'habitude, le chauffeur pensait qu'il conduisait une Smart, et non un mille-pattes sur roues aussi long qu'un pâté d'immeubles. Je freinai pour le laisser passer, pris la 51ᵉ Rue à droite, de nouveau la 10ᵉ Avenue, enfin la 52ᵉ Rue.

Je me garai derrière un camion et repérai tout de suite Nora.

Assise contre le rebord du perron de l'immeuble dans lequel elle avait fait mine de s'engouffrer, elle consultait son portable. Au bout d'une minute, elle se releva et regarda furtivement, derrière les colonnes, vers l'endroit où je l'avais déposée. Voyant que je n'étais plus là, elle descendit les marches et *repartit* en direction du carrefour.

Je redémarrai lentement. Devant l'épicerie coréenne, Nora longea les rangées de fleurs, dit quelque chose au vieux bonhomme qui était assis là et entra.

Je me garai de nouveau et attendis. Une minute plus tard, elle ressortit avec les deux énormes sacs de courses Duane Reade qu'elle avait apportés au Pom-Pom, ainsi que, curieusement, une grande cage à oiseau cylindrique en métal blanc.

Elle traversa la rue avec cet attirail, vers le sud de la 9ᵉ Avenue.

Tout en la regardant marcher sur le trottoir devant moi, j'attendis que le feu passe au vert et tournai à droite. Je ralentis pour ne pas la dépasser – un taxi klaxonna derrière moi – et je la vis s'arrêter devant l'entrée d'une minuscule et étroite boutique. PAY-O-MATIC, indiquait l'enseigne. Elle appuya sur une sonnette, patienta et disparut à l'intérieur.

J'accélérai, pris tout de suite la 55ᵉ Rue à droite et me garai devant une bouche d'incendie. Je verrouillai les portières et marchai jusqu'à la 9ᵉ Avenue.

La vitrine du PAY-O-MATIC était tapissée d'autocollants : WESTERN UNION, CHÈQUES, SERVICES FINANCIERS 24/24. La boutique était exiguë, avec une moquette marron, deux chaises pliantes et des cartons empilés. Contre le mur du fond, un guichet protégé par une vitre pare-balles.

J'appuyai sur la sonnette. Au bout d'une minute, la porte du fond s'ouvrit ; un homme massif et chauve passa sa tête.

Il portait une chemisette noire et son visage ressemblait à un morceau de pastrami. Il appuya sur un interrupteur fixé au mur et la porte d'entrée s'ouvrit avec un déclic.

Lorsque je franchis le seuil, l'homme s'installa derrière le guichet en essuyant ses mains sur sa chemisette. De près, je m'aperçus qu'elle était couverte de branches de bambou rouge cousues. Par principe, je me méfie des hommes qui portent des broderies.

« Je cherche une jeune femme avec des sacs de courses et une cage à oiseau. »

Il fit grossièrement semblant de ne pas comprendre. « Qui ça ?

— Nora Halliday. Dix-neuf ans. Blonde.

— Il n'y a que moi ici. »

Il avait un fort accent new-yorkais.

« Dans ce cas, je dois être Timothy Leary en train de faire un trip aux *acides*, parce que je viens de la voir entrer.

— Vous voulez parler de Jessica ?

— Exactement. »

Il me regarda, inquiet. « Vous êtes flic ?

— À votre avis ?

— Je ne veux pas d'emmerdes.

— Moi non plus. Où est-elle ?

— L'arrière-boutique.

— Qu'est-ce qu'elle fait là-dedans ? »

Il haussa les épaules. « Elle me file quarante dollars. Je la laisse crécher ici.

— Quarante dollars ? C'est tout ?

— *Eh*, fit-il, sur la défensive. J'ai une famille à nourrir.

— Où est l'arrière-boutique ? »

Sans attendre sa réponse, je m'avançai vers l'unique porte et l'ouvris.

Elle donnait sur un couloir sombre et encombré.

« Je ne veux pas d'emmerdes. » Il était juste à côté de moi. Son eau de Cologne surchargée me faisait presque tourner la tête. « J'ai fait ça pour rendre service.

— À qui ?

— À *elle*. Elle a débarqué ici il y a six semaines en pleurant. Je l'ai aidée. »

Je le contournai pour entrer dans le couloir. On entendait le rythme étouffé d'un rap, au-dessus, qui indiquait le pouls de l'immeuble.

« *Bernstein !* » criai-je.

Pas de réponse.

« C'est Woodward. Il faut que je te parle. »

Au fond du couloir se trouvaient deux portes en bois fermées. Avant de les atteindre, je dus éviter un seau rempli d'eau sale et passer devant une kitchenette où un sandwich à moitié entamé était posé sur une table pliante.

« Je sais que tu es là. »

La première porte était entrebâillée. Je la poussai avec mon pied. C'étaient des W.-C., avec une revue porno froissée et un ruban de papier toilette collés par terre.

Je toquai à l'autre porte. N'obtenant aucune réponse, j'actionnai la poignée. Elle était fermée à clé.

« Nora.

— Laisse-moi tranquille », dit-elle doucement. On aurait cru qu'elle n'était qu'à quelques centimètres, derrière une paroi en carton.

« Tu ne veux pas ouvrir la porte pour qu'on discute ?

— J'aimerais que tu t'en ailles. S'il te plaît.

— Mais je veux te proposer un travail. »

Elle ne dit rien.

« J'ai besoin d'une assistante de recherche. Logée et nourrie. Il faudrait que tu partages la chambre avec ma fille et sa collection de peluches de temps en temps, les week-ends. Mais sinon, elle est à toi. » Je regardai par-dessus mon épaule. Le gros bonhomme de la boutique écoutait en douce, sa silhouette épaisse bouchant le couloir.

« Quel est le salaire de départ ? demanda Nora derrière la porte.

— Pardon ?

— Pour le *boulot*. Quel salaire ?

— Trois cents dollars par semaine. En liquide.

— *Sérieux ?*

— Sérieux. Mais à toi de te débrouiller pour blanchir l'argent.

— Quel genre de couverture médicale ?

— Aucune. Prends de l'échinacée.

— Je ne coucherai pas avec toi ni rien de ce genre. »

Elle dit cela comme elle m'aurait annoncé une allergie alimentaire. *Je ne mange ni fruits de mer, ni cacahuètes.*

« Pas de problème.

— Tout va bien là-bas ? »

Le gros type était maintenant derrière moi.

La porte s'ouvrit tout à coup, et Nora apparut, toujours dans sa jupe de patineuse. Mais ses longs cheveux lui tombaient sur les épaules et son visage était grave.

« Oui, Martin, dit-elle. Je m'en vais.

— Avec un *flic* ?

— Ce n'est pas un flic. C'est un journaliste d'investigation. *Free-lance.* »

Le type parut *profondément* troublé – je ne pouvais pas lui en vouloir. Nora me sourit, soudain timide, et retourna à l'intérieur en laissant la porte ouverte.

C'était un vaste cagibi avec une ampoule au plafond. Étendus dans un coin, un drap et une couverture militaire. Contre le mur, un sachet de petits pains à hot-dog, une pile de tee-shirts pliés, un sac de graines allégées pour oiseaux de la marque Forti, des couteaux et des fourchettes en plastique, enfin des monceaux de petits sachets de sel ou de poivre – sans doute récupérés dans un McDonald's. À côté de la cage – qui *semblait* vide – se trouvait un annuaire de lycée bleu où il était écrit : « HARMONY HIGH SCHOOL, PATRIE DES LONGHORNS ». Près du lit improvisé, deux petites photos en couleur avaient été scotchées au mur – non loin de l'endroit où Nora posait sa tête. L'une montrait un homme barbu, l'autre une femme.

Très certainement la défunte mère et le père taulard.

Je fis un pas en avant pour regarder de plus près et m'aperçus que l'homme, en réalité, était le Christ, tel qu'il figurait dans les livres de catéchisme : la peau laiteuse, la robe de chambre amidonnée bleue, la barbe aussi méticuleusement taillée qu'un bonsaï. Il faisait ce qu'il faisait toujours : il couvait dans ses mains une lumière aveuglante, comme s'il essayait de se réchauffer après une longue journée de ski. La femme à côté de lui, c'était Judy Garland dans *Le magicien d'Oz*. Ils formaient un sacré couple.

Nora fourra un tas de tee-shirts dans le sac en plastique. « Si j'accepte ce boulot, tu n'as pas le droit de me poser des tonnes de questions. Tu te mêles de ce qui *te* regarde. » Elle attrapa deux mini-shorts dorés, avec des strass, roulés en boule dans un coin, et les jeta au fond du sac. « J'accepte uniquement jusqu'à ce qu'on découvre ce qui s'est passé avec Ashley. Après, je fais ma vie.

— Très bien. »

Je me penchai pour examiner la cage. À l'intérieur, il y avait une perruche bleue, vivante, mais tellement inerte et défraîchie qu'on l'aurait crue empaillée. Malgré les jouets raffinés qui jonchaient le papier journal déplié devant lui – des boules colorées, des plumes et des clochettes, un grand miroir –, l'oiseau avait l'air trop épuisé pour éprouver le moindre intérêt à leur égard.

« Qui est-ce ? demandai-je.

— Septimus. C'est un bijou de famille. »

Elle enjamba la cage, tout sourire. « Il est passé de génération en génération tellement de fois que personne ne sait d'où il vient.

186

Grand-mère Eli l'a reçu de sa voisine, Janine, quand elle est morte. Et Janine en avait hérité de Glen quand *lui* est mort. Et Glen l'avait reçu d'un certain Caesar, qui est mort du diabète. Avant Caesar, Dieu sait à qui il appartenait.

— Ce n'est pas un oiseau, c'est un mauvais présage.

— Certaines personnes croient qu'il a des pouvoirs magiques et qu'il a cent ans. Tu veux le prendre dans ta main ?

— *Non.* »

Mais elle était déjà en train d'ouvrir la porte de la cage. L'oiseau sautilla et *se nicha* dans sa main. Elle prit la mienne et y fit glisser l'oiseau.

Il n'allait pas faire de vieux os. Il semblait avoir la cataracte et tremblait un peu, comme une brosse à dents électrique. Je l'aurais décrété catatonique s'il n'avait pas soudain tourné la tête pour me reluquer d'un œil jaune vitreux qui ressemblait à une vieille perle.

Nora plaça son visage à sa hauteur.

« Tu promets de ne le dire à personne ? dit-elle doucement en me jetant un coup d'œil.

— Quoi donc ?

— Ça. Je ne veux pas que les gens s'apitoient sur mon sort. »

Ses yeux quittèrent l'oiseau pour se poser sur moi, sans flancher. « Je te le promets. »

Elle sourit, satisfaite, et poursuivit son rangement ; elle ramassa chacun des petits sachets de sel et de poivre et les jeta dans les sacs Duane Reade.

« Tu sais, j'ai des condiments chez moi », dis-je.

Elle hocha la tête – comme si je venais de lui rappeler de prendre son pyjama – et se mit à décrocher les collants et les soutiens-gorge noirs qui séchaient sur les étagères du haut, autant de motifs léopard ou zèbre maintenus par des perceuses Black & Decker et des bombes de peinture.

Cette fille était comme ces livres d'images qui émerveillent tant les enfants, dont les pages se plient et se déplient en trois dimensions. J'avais l'impression qu'elle ne cesserait jamais de se déplier.

Une fois qu'elle eut fini de ranger ses vêtements, elle voulut décrocher Jésus et Judy Garland du mur. Jésus se détacha sans problème. Judy, il fallait s'y attendre, résista un peu plus. Nora ouvrit son annuaire de lycée et cala les deux photos à l'intérieur, puis remit Septimus dans sa cage.

En regardant le tas vert kaki qu'il avait laissé derrière lui, je me rendis compte que l'oiseau avait chié dans ma main.

« Il vaut mieux que tu le laisses sécher avant de l'enlever, dit Nora en voyant la chose. Je suis prête. *Ah.* J'allais oublier. »

Elle fouilla dans son sac à main et me tendit une photo en couleur. Pensant qu'elle me montrait un membre de sa famille, je constatai avec surprise qu'il s'agissait d'une photo d'Ashley.

Ses yeux gris, creusés de cernes, semblaient s'agripper à moi.

« Tu sais, quand j'ai disparu de la visite à Briarwood et que j'ai eu des problèmes... *Voilà* ce que j'étais partie chercher. Je l'avais vue sur un des panneaux, près de la salle à manger, sous "Pique-nique hebdomadaire". C'est bien elle, n'est-ce pas ? »

La cara de la muerte, avait dit la femme de ménage du Waldorf. Le visage de la mort.

Je comprenais ce qu'elle voulait dire.

27

Le lendemain matin, je fus réveillé à 5 h 42 par des craquements de plancher devant la porte de ma chambre. J'entendis des pas qui s'éloignaient dans le couloir, suivis par le bruit de tuyaux qui couinaient, et encore des pas jusqu'à la chambre de Sam, puis en bas, où des assiettes et des verres tintèrent dans la cuisine comme si quelqu'un entamait les préparatifs d'un dîner pour vingt-cinq convives.

Tout en me demandant si je n'allais pas retrouver, le lendemain matin, mon appartement vidé de tous ses objets de valeur, je me rendormis, avant d'être de nouveau réveillé par un coup discret à la porte.

« Oui, bredouillai-je.

— *Ah*. Je t'ai réveillé ? »

La porte s'ouvrit, puis ce fut le silence. J'entrouvris un œil. Ma pendule indiquait 7 h 24. Nora m'observait derrière la porte.

« Je me demandais juste quand on allait *s'y mettre*.

— Je descends tout de suite.

— Super. »

Mon Dieu.

Encore embrumé, j'enfilai un peignoir et me traînai en bas, où je trouvai Nora pelotonnée sur le canapé du salon, vêtue d'une marinière à rayures noires et blanches et de leggings noirs. Tout en écalant un œuf dur, elle griffonnait sur un carnet relié de cuir dont je compris, après quelques secondes de stupéfaction, que c'était le *mien*. Je l'avais déniché chez un relieur de livres à Naples, un artisan italien de quatre-vingts ans nommé Liberatore, qui avait mis un an pour le fabriquer de ses mains tremblantes et percluses d'arthrite. C'était le tout dernier de son espèce, car l'homme était mort et son magasin avait été remplacé par une concession Fiat. Je m'étais dit que je le garderais pour le jour où j'aurais quelque chose de profond et de substantiel à y consigner.

« Tu aimes faire la grasse mat', pas vrai ? » Elle s'interrompit et me sourit. Je vis qu'elle avait écrit en haut d'une page : « NOTES SUR L'AFFAIRE ASHLEY CORDOVA », puis des phrases illisibles.

« Il n'est même pas 8 heures du matin. C'est tôt.

— Si Grand-mère Eli était là, elle t'aurait expliqué que la journée était déjà perdue. Je t'ai préparé le petit déjeuner. »

Avec une légère appréhension, j'entrai dans la cuisine.

Il y avait une assiette d'œufs brouillés et de toasts sur le plan de travail. Nora avait tout *nettoyé*, par la même occasion. Pas la moindre assiette ni le moindre verre sale dans l'évier.

Je ressortis. « Ne fais pas la cuisine pour moi. Ni le ménage. Il s'agit d'une pure relation de travail.

— Ce ne sont que *des œufs*.

— J'ai quarante-trois ans. Je n'ai pas besoin d'aide pour me nourrir.

— *Pas encore*. Je connaissais quelqu'un à Terra Hermosa, un certain Cody Johnson, qui a présenté des signes de démence sénile à l'âge de trente-neuf ans.

— Je crois avoir déjà entendu cette histoire. Il est mort seul ?

— On meurt tous seuls. »

Je n'avais pas grand-chose à ajouter à *ça*. Dès que cette fille évoquait Terra Hermosa, c'était comme si elle balançait du DDT sur la conversation – ça la tuait *instantanément*.

Je me servis une tasse de café et fis signe à Nora de me suivre.

« Dans ce carton, il y a tout ce que je sais sur Cordova, lui dis-je alors que nous entrions dans mon bureau. Trie-le selon la date de parution et le sujet. Garde toutes les informations sur ses *films* ensemble. Mets de côté tout ce qui te paraît susceptible de nous aider à comprendre la personnalité d'Ashley, sa musique, ses loisirs, son passé – les références à sa vie de famille ou à la maison des Adirondacks, le Peak. »

Je remarquai alors une petite liasse de papiers qui dépassait. La première page était une photo du Peak que j'avais dégottée dans un vieux numéro du *National Geographic*, imprimée et agrafée. Je la détachai et la donnai à Nora.

« Tu peux commencer par lire ça. Quand j'ai commencé à enquêter sur Cordova, il y a cinq ans, je me suis rendu à Crowthorpe Falls. Je me suis un peu baladé et j'ai demandé aux gens du coin ce qu'ils avaient entendu. Tout ce que j'ai trouvé est contenu là-dedans. »

Je regagnai la porte et laissai Nora assise en tailleur sur le canapé. Elle rabattit délicatement ses cheveux derrière ses oreilles et commença à lire.

Voyage à Crowthorpe Falls, NY, et au Peak
S. McGrath
Du 3 au 13 avril 2006

Crowthorpe Falls, New York.   Harrison, Taylor & Woods, Architectes

LE PEAK, LA RÉSIDENCE D'EDWARD ROBB ROCKEFELLER, ESQ. - LA FAÇADE DE L'ENTRÉE

Le Peak, vers 1912

Le Peak

La propriété connue sous le nom du Peak, ancienne résidence secondaire de Rockefeller, construite par les architectes Harrison, Taylor & Woods, est située au nord du lac Lows, au cœur des Adirondacks, dans le nord de l'État de New York.

La bourgade la plus proche, Crowthorpe Falls, est l'une des plus pauvres de la région. L'essentiel de la ville (surnommée Crow par les gens du coin) est constitué de parcs de mobil-homes, de granges abandonnées et de parkings, de motels, de cafés routiers et de bars topless. Pour rejoindre le Peak à partir de Crow, il faut bien connaître le coin : presque aucune route n'est goudronnée, et aucune signalisation en vue.

Stanislas Cordova et sa première femme Genevra, héritière de la famille italienne Castagnello, ont racheté cette propriété, grâce à une saisie immobilière, à un couple d'aristocrates anglais, lord et lady Sludely of Sussex. Peu de temps après leur installation, en 1976, Cordova a entamé la construction d'immenses plateaux de tournage sur l'ensemble des cent vingt hectares du domaine, ce qui lui a permis de tourner ses films, de les monter et d'en mixer le son sans jamais quitter les lieux.

Après l'annulation de son accord de production avec Warner Bros, Cordova s'est mis à financer lui-même ses films, faisant du Peak son studio autonome officiel — et renforçant son image d'ermite fou et agoraphobe.

Source : Wikipedia.org/wiki/Stanislas_Cordova

Voyage à Crowthorpe Falls, NY, et au Peak
S. McGrath

Vue satellitaire du Peak

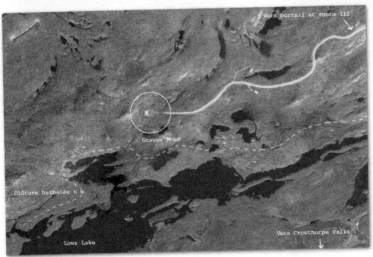

Le Peak se trouve en pleine nature, au sommet d'une crête élevée, juste au nord de Graves Pond, une étendue d'eau plus petite, elle-même située au nord du Lows Lake.

L'ensemble de la propriété — qui s'étend, au nord, au-delà du Darning Needle Pond, non loin du lac Cranberry — est ceint d'une clôture barbelée de six mètres de haut.

Voyage à Crowthorpe Falls, NY, et au Peak
S. McGrath
Entretien avec Nelson Garcia - 3 avril 2006

*Décembre 2004
Équip. médical?*

Garcia est le voisin le plus proche de Stanislas Cordova. Âgé de soixante-dix-huit ans, ancien cultivateur de pommes à la retraite, il est originaire de Lafayette, New York. Depuis 1981, il vit dans son mobil-home couleur rouille installé sur un terrain situé de l'autre côté de la route mal entretenue qui mène au Peak. Il prétend n'avoir jamais rencontré ni même vu les Cordova - à cause de son diabète de type 2, il s'aventure rarement en ville. Une infirmière lui rend visite et lui fournit le nécessaire trois fois par semaine. En revanche, il a des choses intéressantes à me raconter au sujet de son célèbre voisin.

«Avant, on avait des panneaux routiers un peu partout, mais le facteur m'a dit qu'ils les avaient enlevés.
- Qui ça, "ils"?
- Les gens qui habitent là-haut.
- Les Cordova, vous voulez dire?»
Il acquiesce.
«Pourquoi auraient-ils enlevé les panneaux?
- Ils ne veulent pas qu'on monte en haut. Ils aiment rester seuls. C'est ce que j'ai entendu les gens dire. Je voyais toutes sortes de belles voitures aller et venir entre minuit et la fin de la matinée. Surtout dans les années quatre-vingt et quatre-vingt-dix. Des limousines. Une Rolls-Royce, un jour. Parfois, j'entendais des hélicoptères atterrir là-bas. Et de la musique, aussi. Mais depuis le début de l'an 2000, c'est calme. Jamais vu personne entrer ni sortir.»
Garcia dit avoir reçu, au début du mois de décembre 2004, une série de colis UPS destinés au Peak mais qui lui ont été livrés par erreur. Le premier était une énorme boîte où figurait une étiquette au nom de Century Scientific.

Century Scientific, Inc., basée à Scranton, Pennsylvanie, est une société spécialisée dans les équipements médicaux. Elle vend des lits, des fauteuils roulants, des civières et d'autres accessoires thérapeutiques à des hôpitaux privés.

«Parfois, ma fille m'envoie des colis, alors j'ai signé sans regarder, me raconte Garcia. Mais après le départ du livreur, je me suis aperçu que ça ne m'était pas destiné.

– À qui était-ce adressé?

– À un certain Javlin Cross. Et l'adresse indiquait 1014, Route 112. *Moi* je suis au 33, Route 112. Je n'ai pas ouvert le colis. Mais il était lourd. Je pouvais à peine le soulever. Environ un mètre vingt de haut. J'imagine que ce devait être une sorte de fauteuil – vu la forme du paquet.»

Garcia a contacté UPS et le colis a été récupéré dans l'heure.

Une semaine plus tard, le livreur lui a déposé un autre colis, toujours destiné à Javlin Cross.

«L'adresse d'expéditeur parlait de "pharmaceutiques", raconte Garcia. J'ai dit au type qu'il y avait erreur. Il s'est excusé, il m'a expliqué qu'il était nouveau. Et ç'a été la dernière fois. Mais pendant un ou deux mois, une fois par semaine, l'après-midi, je voyais le camion arriver et monter là-haut pour livrer Dieu sait quoi. J'attendais quelques minutes et puis j'entendais le bruit strident du portail en métal électronique qui s'ouvrait pour laisser entrer le camion. Un bruit tellement perçant que ça faisait mal aux oreilles. Je croyais que ça allait casser la télé.» Il secoue la tête. «À mon avis, il y avait quelqu'un de malade là-haut. Ou de blessé.»

Garcia me confie qu'il aurait sans doute oublié cet incident s'il n'avait pas remarqué une autre chose étrange, environ une semaine après le raté des livraisons. En déposant en voiture ses ordures à la benne, au bout de la route, il a senti une odeur bizarre qui émanait des autres sacs-poubelle.

«Je n'avais jamais rien senti de tel. C'était immonde. Comme du plastique brûlé.»

Garcia m'explique que seuls les Cordova et lui-même se servaient de cette benne. La semaine suivante, il n'a plus vu le moindre sac-poubelle, et jusqu'à ce jour il est le seul utilisateur de la benne.

«Maintenant, ils mettent le feu à toutes leurs ordures, dit-il. On peut sentir l'odeur quand il fait très chaud la nuit. Ça brûle. Et parfois, quand le vent souffle du sud-est, je peux même voir la fumée.»

Je demande à Garcia s'il a déjà vu un film de Cordova. Il fait signe que non.

Voyage à Crowthorpe Falls, NY, et au Peak
S. McGrath
Entretien avec Nelson Garcia - 3 avril 2006

«J'en ferais des cauchemars, répond-il.

- Dans son film *Isolat 3*, lui dis-je, il est question d'un homme qui se retrouve détenu contre son gré. Un ancien prisonnier que le personnage principal doit traquer et délivrer. Il s'appelle Javlin Cross - le même nom qui figure sur les colis que vous avez reçus.»

Garcia hoche la tête, songeur.

«Quelle est l'opinion générale des habitants au sujet de Cordova?

- Comment ça?

- Qu'est-ce que les gens disent de lui? De la propriété?

- Personne ne veut en parler. Je ne sais pas pourquoi. Mais ils n'en parlent pas. Voyez, ici, c'est le genre d'endroit où les gens s'occupent de leurs oignons.»

Il n'a rien d'autre à ajouter. Comme il a l'air de se préparer à regarder *La Roue de la fortune*, je le remercie de m'avoir consacré du temps et m'en vais.

Voyage à Crowthorpe Falls, NY, et au Peak

S. McGrath

Kate Miller

28 mai 2003
5h30 du matin

    Le 28 mai 2003, à 5 h 30 du matin, à Bainville, New York, une petite ville
touristique située à environ cent cinquante kilomètres au nord d'Albany et
à trois quarts d'heure de voiture de Crowthorpe Falls, Kate Miller, âgée de
soixante-deux ans, marchait le long de la route d'Old Forge, déserte.
    C'était la fin d'une longue soirée. Miller travaillait comme réceptionniste
de nuit au Forest View Motel, un établissement au sud de la ville. Six jours par
semaine, chaque matin, qu'il vente, qu'il neige ou qu'il pleuve, elle parcourait
à pied les trois kilomètres entre le motel et la rue principale de Bainville,
puis prenait le car qui l'emmenait à trente kilomètres au nord, à Danville, où
elle habitait avec son mari et son petit-fils de douze ans.
    La route d'Old Forge est une étroite chaussée à deux voies qui rejoint
Bainville sur une pente raide. Ses virages en tête d'épingle sont connus
pour occasionner de nombreux accidents de voiture – impliquant surtout des
adolescents du coin ou des touristes. Miller m'a raconté que ce jour-là, à trois
kilomètres de la ville, alors qu'elle marchait sur le côté gauche de la route,
face aux voitures qui arrivaient, une berline sport gris métallisé l'a dépassée
en trombe sur la voie de droite.
    « Je pensais que c'était un conducteur ivre [car] il zigzaguait. Il a disparu
après le virage. Il y a eu un silence, puis un fracas, des bris de verre et un
craquement. Le klaxon était actionné, aussi. »
    Malgré l'arthrose aux genoux qui l'empêchait de courir, elle s'est
précipitée sur les lieux de l'accident. Moins d'une minute plus tard, elle a
vu ce qui s'était passé : le conducteur, appréciant mal le virage, avait perdu
le contrôle de sa voiture et percuté un sapin planté à deux mètres cinquante en
contrebas de la route.
    La voiture était salement abîmée et une blonde d'une cinquantaine d'années
remontait le talus à quatre pattes, vers la route. Elle était très secouée mais
ne semblait pas blessée, hormis quelques égratignures sur le visage et les bras.
    « Elle pleurait. Et tremblait de tous ses membres. Je lui ai demandé si elle
avait un portable. Elle m'a répondu qu'elle l'avait laissé chez elle. Je n'ai
jamais possédé de téléphone portable.

Voyage à Crowthorpe Falls, NY, et au Peak
S. McGrath
Kate Miller

Alors j'ai dit que j'irais en ville et appellerais une ambulance. Je lui ai demandé s'il y avait quelqu'un d'autre avec elle. Elle a fait signe que non. »

Miller a donc poursuivi son chemin, non sans faire un écart sur le bas-côté de la route pour jeter un dernier coup d'œil à la voiture.

« Et là, j'ai remarqué qu'il y avait quelqu'un allongé sur la banquette arrière. Un gros bonhomme tout en noir, inanimé, couvert de bandages. Il en avait partout sur les bras et sur le visage. Ils avaient l'air ensanglantés. Mais je ne me suis pas arrêtée pour la contredire – après tout, elle venait d'avoir un accident et ne devait certainement pas avoir les idées bien en place. J'ai décidé d'aller chercher les secours aussi vite que possible. »

Cinquante minutes se sont écoulées entre le moment où Miller a appelé les urgences depuis une station-service, trois kilomètres plus loin, et le moment où une ambulance et les policiers sont arrivés sur les lieux de l'accident. Ils ont découvert une femme qui s'est présentée sous le nom d'Astrid Goncourt. La voiture, une Mercedes métallisée modèle 1989, était vide.

Goncourt a admis qu'elle roulait trop vite, soufflé dans un alcootest et s'est évanouie. Les policiers n'ont décelé aucune trace de la présence d'une autre personne dans la voiture. Goncourt a été conduite à l'hôpital du coin et soignée pour des coupures et des éraflures légères. Elle en est ressortie quelques heures plus tard.

Le lendemain, le *Daily News* de New York et le *Times Union* d'Albany ont rapporté que Mme Cordova avait eu un accident de voiture en rentrant d'une fête d'anniversaire chez un ami et qu'elle avait été légèrement blessée. Le fait que le Peak se trouve à une heure de route de Bainville (soit un long trajet à 5 heures du matin) n'a pas éveillé les soupçons des policiers, bien qu'il soit difficile de dire s'il s'agissait de la version d'Astrid ou d'un simple cas de négligence professionnelle.

Trois semaines après l'accident, Miller a de nouveau contacté la police. Entre-temps, elle avait lu des choses sur Astrid et son célèbre mari – « Je ne suis pas branchée par les films d'horreur », a-t-elle expliqué quand on lui a demandé pourquoi, au départ, ces noms ne lui avaient rien dit –, et elle avait reconnu la personne qu'elle avait vue dans la voiture : Stanislas Cordova.

La police de Bainville a enregistré sa déclaration et l'a remerciée.

Le témoignage de Miller n'a jamais connu de suite.

Voyage à Crowthorpe Falls, NY, et au Peak
S. McGrath
La montée en voiture - 13 avril 2006 14 h 14

De toute évidence, je devais me rendre en personne au Peak.
Je suis monté à bord de ma voiture, j'ai pris à gauche ce qui était
l'entrée du 1014, Route 112 - d'après le GPS - et j'ai accéléré dans
l'allée dépourvue de panneaux.

Après six mètres quadrillés d'ornières et de boue, l'allée
s'aplanissait et se transformait en une route de gravier étonnamment
bien entretenue. De toute évidence, un gardien devait en prendre soin de
manière régulière : pas une branche, pas un buisson, pas une mauvaise
herbe ne venaient souiller la chaussée. Sur plusieurs troncs d'arbres, des
branches basses un peu trop longues avaient été manifestement sciées.

À ma droite, j'ai croisé un panneau rouge et blanc, petit mais visible :
« Allée privée. Accès interdit. » C'était un chaud et paisible après-midi
de printemps. Au-dessus, la lumière du soleil ruisselait à travers les
arbres ; la journée avait quelque chose de tranquille, de léthargique.

J'ai pris un virage. J'étais maintenant au cœur de la forêt. Le
feuillage au-dessus de moi était tellement épais que j'avais l'impression
d'être dans un pull en laine : lourd, serré, et quelques rares trouées à
travers lesquelles on pouvait apercevoir le ciel bleu. Soudain, j'ai senti
une forte odeur d'essence - sans doute ma voiture qui avait besoin d'un
petit réglage -, mais quelque chose d'autre, aussi : une odeur de *brûlé*.

J'ai dépassé un arbre bizarre : trois troncs voluptueusement enroulés
les uns autour des autres, signe de souffrance ou de plaisir. Le spectacle
avait quelque chose de pornographique. « Mon Dieu, me suis-je demandé,
c'est donc si facile ? »

Je n'ai parcouru que quelques mètres.

Après un virage, j'ai découvert juste devant moi une guérite,
apparemment déserte, et envahie de lierre. Impossible de la contourner,
ni en voiture, ni à pied. Derrière le portail en fer forgé, une
impressionnante clôture perçait la forêt dans les deux sens. J'ai approché
ma voiture. Deux caméras de surveillance étaient nichées, tels des nids de
guêpes, de part et d'autre du portail. J'ai baissé ma vitre en levant les
yeux vers l'une d'elles. J'aurais juré avoir vu l'objectif de la caméra
bouger et le petit œil de cyclope zoomer sur moi.

« Est-ce que je pourrais éventuellement monter boire un café ? »

Au cœur de l'après-midi torride et comme suspendu, ma phrase semblait
bête, creuse.

Comment *vivait*-il là-haut ? Cette maison était-elle sa version à
lui du Neverland de Michael Jackson, du Graceland d'Elvis, du Royaume
magique de Walt ? Les rumeurs sur sa folie relevaient-elles simplement de
sa légende et était-il en fait, non pas un prince des ténèbres, mais un
vieux monsieur souhaitant passer le reste de ses jours dans la paix et la
solitude ?

Peut-être la vérité était-elle tout autre. Peut-être Kate Miller avait-
elle raison ; peut-être avait-elle vu Cordova à l'arrière de cette voiture
au petit matin du 28 mai 2003. Peut-être avait-il été grièvement blessé
dans un accident au Peak, voire tué. Kate Miller, l'unique témoin, avait
été manipulée afin qu'elle déguerpisse. Astrid possédait certainement un
portable et avait aussitôt appelé quelqu'un - un ami ou un des enfants
de Cordova, Theo ou Ashley - pour, dans l'intervalle, extraire Cordova de
la voiture et l'emmener ailleurs. Cordova est-il vivant ? Est-il cloué au
lit, inanimé, sur un fauteuil roulant ? Cela expliquerait la série de colis
médicaux reçus par Nelson Garcia presqu'un an plus tard.

Je suis sorti de ma voiture, j'ai pris une photo du portail et je suis
reparti. J'ai redescendu l'allée jusqu'à la route 112, non sans croiser

Voyage à Crowthorpe Falls, NY, et au Peak
S. McGrath
La montée en voiture – 13 avril 2006 14 h 14

le mobil-home de Garcia et la benne à ordures. Je n'ai pas levé le pied de l'accélérateur avant d'avoir retrouvé les embouteillages sur FDR Drive, à Manhattan.

Quelle que soit la vérité autour de Cordova, en l'espace de quinze films effrayants il nous a montré à quel point nos yeux et nos cerveaux nous trompent sans cesse – et que ce que nous tenons pour certain n'existe pas.

Désormais, on ne peut espérer qu'une chose : qu'il revienne un jour, pour que nous puissions voir, une fois de plus, combien nous avons été aveugles.

Nelson Garcia
V tél (518) 555-1493

28

« La ligne a été désactivée », dit Nora en raccrochant. Elle essayait de joindre le vieil homme, Nelson Garcia, sur le numéro de téléphone qui figurait dans mes notes.

« Il est probablement mort. Le jour où je l'ai vu, il arrivait à peine à se lever du canapé. »

Nora ne dit rien. Elle s'empara de la transcription de l'interlocuteur anonyme, John, et la relut avec attention.

Il était 20 h 30 passées. Je rentrais tout juste d'un dîner au bout de la rue, au Café Sant Ambroeus, avec un vieil ami – Hal Keegan, un reporter photo d'*Insider* avec lequel je travaillais jadis, mais que je n'avais guère revu ces dernières années. J'avais préféré ne pas lui dire ce sur quoi je travaillais. Je lui faisais confiance mais, malgré mon arrestation par la sécurité de Briarwood, j'avais encore bon espoir de garder le secret autour de mon enquête. Malgré leur pragmatisme à toute épreuve, les journalistes étaient une race superstitieuse. Il y avait l'idée tacite que, quand un journaliste était sur un coup, ses intuitions et ses théories s'envolaient et que ses confrères pouvaient les attraper comme un rhume. En général, il ne fallait pas attendre très longtemps avant que vos concurrents suivent les mêmes pistes que vous. Sans me bercer de l'illusion que j'étais le seul et unique journaliste à enquêter sur la mort d'Ashley Cordova, il n'y avait aucune gloire à être le deuxième ou le troisième à faire éclater une affaire. Être le *premier* – il n'y avait que ça de vrai.

Chez moi, j'avais trouvé Nora à l'endroit même où je l'avais laissée, toujours en train de trier mes papiers. Je lui avais apporté des *linguine al pesto*, mais après s'être écriée : « Super, merci, ç'a l'air bon », elle les avait à peine touchées et avait continué de lire, captivée, le programme, désormais obsolète, du cours de Beckman sur Cordova. J'étais surpris par sa détermination. Cela faisait douze heures *non stop* qu'elle était dans mon bureau et qu'elle n'interrompait sa lecture que pour jeter un coup d'œil vers cette perruche préhistorique de Septimus, dont elle avait posé la cage sur l'étagère près de la fenêtre – « Il adore regarder les gens », avait-elle dit.

Bien qu'elle ne m'eût donné aucun *détail*, je me figurais que Nora avait été élevée par une bande de vieillards libertaires dans cet endroit dont elle parsemait toutes ses conversations : *Terra Hermosa*. Elle semblait surnaturellement *à l'unisson* des horaires de nourriture et du rythme des personnes âgées. Elle m'avait demandé ce que je comptais faire à manger à 16 h 45 – l'heure mythique du dîner pour le troisième âge – et employait des expressions désuètes : *bonté divine, ça par exemple, nom d'une pipe en bois* et *relax, Max*.

« Combien de temps après ton voyage à Crowthorpe Falls as-tu reçu le coup de fil anonyme ? me demanda-t-elle en écartant les transcriptions.

— Quelques semaines plus tard. »

J'étais sur le canapé en cuir, en train de taper sur mon ordinateur portable des notes sur nos visites à Briarwood et au Waldorf.

« Ça signifie donc que ce que tu as découvert là-bas était *vrai*.

— Kate Miller et Nelson Garcia, tu veux dire ? »

Elle acquiesça. « C'est sans doute pour ça que John t'a téléphoné. Cordova a dû voir ta bobine grâce à la caméra de surveillance quand tu es remonté en voiture jusqu'à son portail. Et John était un traquenard.

— J'aurais tendance à le penser, mais je n'en ai jamais eu la confirmation.

— Peut-être que Cordova *a bel et bien été blessé* lors de l'accident de voiture, cette nuit-là. Et que quelqu'un *était malade* dans la maison, ce qui explique qu'ils aient reçu tout le matériel médical.

— Je n'en ai pas parlé dans mes notes, dis-je avant de poser mon ordinateur et de me caler au fond du canapé. Mais j'ai toujours trouvé un peu suspecte l'identification de Cordova par Kate Miller. Six mois après notre entretien, elle a essayé de refourguer son histoire à l'*Enquirer*. Ils n'en ont pas voulu. Rien de ce qu'elle affirmait ne pouvait être corroboré et ils voulaient surtout éviter un procès. Pour que le *National Enquirer* refuse de s'en prendre à toi, il faut vraiment que tu sois infréquentable. »

Je bus le reste de mon whisky. « De toute façon, Miller a toujours été infoutue d'expliquer comment elle savait à quoi ressemblait Cordova. Parce que *personne* ne le sait vraiment. Les photos de lui parues dans *Rolling Stone* semblent avoir été retouchées. Quant au célèbre gros plan de lui sur le tournage de *L'héritage*, il paraît que ce n'est pas Cordova, mais une doublure.

— Il est peut-être défiguré comme le fantôme de l'Opéra, susurra Nora, tout excitée. Ou alors Kate Miller a vu un cadavre dans la voiture.

— On ne peut pas conclure qu'on a affaire à des tueurs fous sans preuve. »

Elle sembla ne pas m'avoir entendu. « Les Cordova ont peut-être des pouvoirs magiques. Il y a ce que la femme de ménage du Waldorf nous a raconté hier. Même *Morgan Devold* y a fait allusion – comme quoi Ashley *savait* qu'il la regardait. L'espace d'une seconde, il a cru observer quelqu'un qui était déjà mort. Dans tes notes, Garcia dit que personne ne veut parler du Peak. » Sur ce, elle ramassa le boîtier du CD d'Ashley et étudia attentivement la pochette. « Même la musique qu'elle a enregistrée. Il y est question du diable.

— Tu serais étonnée par la quantité de gens qui optent pour le *paranormal* quand ils ne trouvent pas d'explications, dis-je en m'approchant de la bibliothèque pour me resservir un verre. Ils s'en saisissent comme on attrape le ketchup. En revanche, moi, et par conséquent *toi*, puisque tu es mon employée, nous nous intéresserons aux faits avérés et établis. »

J'avais beau résolument *ne pas croire* au paranormal, je gardais toujours en moi le souvenir lancinant de la manière dont Ashley avait surgi au Reservoir, ce fameux soir. Je n'en avais pas parlé à Nora. Je n'en avais parlé à personne. Pour dire la vérité, je n'étais plus très sûr de ce que j'avais vu. C'était comme si cette soirée-là pouvait être séparée de toutes les autres, une soirée dépourvue de logique, une soirée du fantasme et de l'étrange, née de mes propres hallucinations, une soirée qui n'avait pas sa place dans le monde réel.

Nora avait mis la main sur l'enveloppe 20 × 25 qui contenait le dossier de police d'Ashley – celle que m'avait remise Sharon Falcone – et en avait sorti la liasse de papiers. Elle détacha une des premières pages et me la donna.

C'était une reproduction en couleur des photos du corps d'Ashley, prises à son arrivée chez le médecin légiste. Il y avait là plusieurs clichés – habillée et déshabillée, mais Sharon avait dit vrai en précisant que toutes les images particulièrement crues, de face comme de dos, étaient absentes. Cette photo-là montrait la partie supérieure du visage d'Ashley ; ses yeux gris, à la fois rougis et jaunis, étaient grands ouverts, inertes.

« Regarde son œil gauche », dit Nora.

Il y avait une tache noire à l'intérieur de l'iris.

« *Ça ?* C'est une pigmentation concentrée dans l'iris. C'est très courant.

— Pas de cette manière-*là*. La tache traverse toute la pupille, parfaitement horizontale. C'est forcément ce dont parlait Guadalupe. Sa *marque*. J'ai oublié le terme espagnol qu'a employé Hopper, mais ça signifiait l'empreinte du mal.

— *La huella del mal.*

— Et puis il y a ce qui est arrivé à la *première* femme de Cordova.

— Genevra. »

Nora confirma d'un signe de tête.

« J'ai déjà enquêté là-dessus. » Je lui rendis la photo et me rassis sur le canapé. « Tout comme la police et une centaine d'autres journalistes ou chasseurs de scoops à l'époque. Elle avait appris à nager seulement deux mois plus tôt. *Même* les membres de sa famille – des snobs milanais qui *méprisaient* Cordova, qui le considéraient comme un prolétaire barbare – ont reconnu qu'il s'agissait d'un accident. Genevra était connue pour son impulsivité. Elle a annoncé à la nounou de son fils qu'elle allait au lac pour s'entraîner à nager. On lui a demandé d'attendre, elle a refusé. Il faisait mauvais ce jour-là. Il s'est mis à pleuvoir, puis ç'a été l'orage. Elle a dû se perdre. Ne plus savoir comment regagner la rive. Les recherches ont commencé et on l'a retrouvée prise au piège des roseaux, au fond du lac. Cordova était en pleine postproduction de *Treblinka* ; il avait une dizaine d'alibis, en l'occurrence l'ensemble de son équipe et Artie Cohen, son producteur de la Warner Bros, qui s'est exprimé devant la presse. Cinq mois plus tard, il accordait sa dernière interview à *Rolling Stone*. Depuis, il n'a plus fait la moindre apparition publique. »

Nora semblait ne pas écouter. Elle se mordillait la lèvre et s'était remise à chercher activement dans les papiers. De mes anciennes notes, elle sortit un papier et me le tendit.

J'y reconnus un article que j'avais imprimé à partir d'un microfilm, des années plus tôt, dans les archives d'une bibliothèque. Daté du 7 juillet 1977, il était tiré du *Times Union* d'Albany.

POUR LA POLICE, LA NOYADE DE CASTAGNELLO EST UN ACCIDENT

Par JASON MONTERSON

Selon les autorités, Genevra Castagnello, la femme du cinéaste Stanislas Cordova retrouvée morte dimanche matin dans un lac de sa propriété des Adirondacks, s'est noyée accidentellement.

Arthur Bailey, enquêteur en chef au service de médecine légale du comté de St. Lawrence, a déclaré, après l'autopsie, que Genevra Castagnello, trente et un ans, est morte des suites d'une noyade accidentelle.

Samedi après-midi, Mme Castagnello avait disparu après être allée nager dans le Graves Pond, l'un des nombreux lacs de la propriété. Elle avait été vue pour la dernière fois à 16 heures, alors qu'elle entrait dans l'eau vêtue d'un maillot de bain rouge. Une heure plus tard, n'étant toujours pas rentrée malgré la pluie et le tonnerre, les autorités ont été prévenues. Dimanche matin, au bout de quinze heures de recherches, son corps a été repêché dans le lac par les pompiers du comté de St. Lawrence.

La chaîne WNYT a précisé que Mme Castagnello n'avait appris à nager que récemment, après avoir enfin surmonté sa peur de la noyade.

« Je suis sous le choc », confiait Anoushka Ponti, une amie d'enfance de Genevra venue d'Italie lui rendre visite et qui se trouvait dans la maison au moment de l'accident. « Nous avions déjeuné ensemble quelques heures plus tôt. Elle est descendue au lac pour nager et se détendre après avoir mis le bébé à la sieste. Elle était mélancolique. C'est si soudain, je ne comprends pas. C'était une personne magnifique. »

Le lieutenant Jason Restig, du service de communication des pompiers du comté de St. Lawrence, a déclaré que, même si l'enquête reste ouverte, les faits parlent d'eux-mêmes, ajoutant : « Nous ne pensons pas à un acte criminel. Ni drogue, ni alcool. Il s'agit d'une malheureuse tragédie. »

Genevra avait épousé Stanislas Cordova en 1975, après l'avoir rencontré lors d'une projection de *Quelque part dans une pièce vide* au festival de Venise. Ancien mannequin à Milan, elle était issue d'une célèbre famille dont la fortune remonte au XIXᵉ siècle, époque de son partenariat

BELLA ITALIA. Castagnello était depuis deux ans mariée au réalisateur Stanislas Cordova. Elle s'est noyée samedi dans un lac de sa propriété.

avec la banque C M de Rothschild & Figli.

Elle laisse derrière elle son mari Stanislas, actuellement en train de travailler à son sixième film, *Treblinka*, et un fils âgé de quatre mois, Theodore.

Times Union Albany 7 juillet 1977

LES PARTISANS DE L'ACCÈS AU LOGEMENT ENVISAGENT UNE MANIFESTATION DANS TOUT L'ÉTAT

« Même si *c'était* un accident, dit Nora, avoir sa première femme et sa fille qui meurent accidentellement, ça fait désordre au niveau du karma. Mais ce qui me frappe le plus, c'est ce que son *amie* a raconté.

— Au sujet de sa mélancolie ? »

Nora acquiesça. « Genevra s'est peut-être suicidée. Si Ashley s'est suicidée aussi, qu'est-ce que ça nous dit sur Cordova ?

— Qu'il est toxique. D'un autre côté, une mère qui se suicide, laissant son nourrisson orphelin, ça va à l'encontre des instincts primaires de la maternité.

— C'est parce qu'elle était avec *lui*. »

Nora se pencha et avisa d'un œil méfiant la pile de documents. « J'ai lu tes autres notes. Tu n'as pas trouvé grand monde pour te parler de lui.

— Merci de me le rappeler.

— Et *Matilde* ? Tu as déjà entendu des choses là-dessus ?

— Le dernier film de Cordova ? »

J'étais surpris qu'elle connaisse ce titre. Seuls les plus inconditionnels des cordovistes connaissaient *Matilde*.

Elle fit signe que oui.

« Mis à part deux ou trois rumeurs non étayées selon lesquelles le script faisait mille pages et l'avait rendu fou, non. »

Elle se rongea l'ongle du pouce et soupira. « On a besoin d'une nouvelle piste.

— J'avais quelque chose de prometteur. Mais je n'ai pas réussi à y avoir accès.

— Quoi donc ?

— Blackboards. Le site invisible des cordovistes, sur le réseau Tor. Une communauté pour ses fans les plus endurcis.

— C'est quoi, le réseau Tor ?

— L'Internet caché. Pour y accéder, il faut télécharger un *plug-in* Firefox. J'ai réussi à obtenir l'URL chez un ami à moi, professeur, et j'ai *essayé* de me connecter. Mais chaque fois, je me fais rembarrer. »

Je posai mon ordinateur portable sur le bureau pour le lui montrer. Je tentai de me connecter et fus une fois de plus renvoyé vers la page BIENVENUE DANS LES BLACKBOARDS.

« Je vois le problème, me dit Nora. Comme nom d'utilisateur, tu mets Seigneur de Fogwatt. On devrait tenter quelque chose qui ait un rapport avec Cordova. »

Nora débrancha mon routeur sans fil dans le coin et attendit cinq minutes, m'expliquant que cela me donnerait une nouvelle adresse IP qui ne serait pas reconnue et bloquée par le site. Lorsqu'elle rebrancha le routeur, elle retrouva la page ENTREZ et fournit de nouveaux renseignements.

« Pour le nom d'utilisateur, on n'a qu'à essayer Gaetana Stevens 2991. »

Gaetana Stevens était le nom du personnage incarné par Ashley Cordova dans *Respirer avec les rois* (1996), le dernier film de Cordova, un de ses fameux *films interdits*.

J'étais ébahi. Peu de gens avaient *vu* ce film. Je n'avais pu le faire que chez Beckman, cinq ans auparavant. Il en possédait une copie pirate, qu'il avait refusé de me prêter au motif que le DVD comportait un code impénétrable empêchant toute forme de copie ou d'extraction – et Beckman soupçonnait, sans doute à juste titre, que je ne le lui rendrais jamais.

Voir ce film *une fois*, c'était se perdre dans tant de scènes d'une crudité à vous faire bondir de votre siège qu'à la fin je me rappelais m'être senti un peu surpris d'avoir retrouvé le monde réel. Quelque chose, dans la noirceur du film, m'avait fait me demander *si j'y arriverais* – comme si, en voyant de telles images, je me condamnais irrémédiablement (*ou simplement m'enfermais*), parvenu à une vision de l'humanité si sombre, si profondément ancrée dans mon âme, que jamais je ne pourrais redevenir celui que j'étais. Cette angoisse, naturellement, persista lorsque la vie quotidienne eut repris le dessus. Et même à ce jour, cette histoire terrifiante n'était guère plus, dans ma mémoire, qu'une succession d'images effarantes, mal éclairées, ponctuées par la présence d'Ashley Cordova, dont je me souvenais comme d'une magnifique enfant aux yeux gris, portant un ruban rouge autour de sa queue-de-cheval.

Pendant tout le film, elle ne prononce pas un mot. Elle entre et sort de salles de dessin en courant, se cache sous les escaliers et les cagibis, regarde à travers les serrures et les portails en fer forgé, fonce à bicyclette sur la pelouse en laissant d'horribles traces sur l'herbe.

L'intrigue du film était simple – il en allait presque toujours ainsi chez Cordova, qui avait recours au procédé de l'odyssée ou de la traque. Elle était adaptée d'un obscur roman néerlandais, *Ademen Met Koningen*, écrit par August Hauer. Les membres de la famille Stevens, aussi fortunée que corrompue – un sublime clan de Caligulas décadents dans un pays européen non identifié –, se font méthodiquement massacrer, l'un après l'autre, sans que la police n'y comprenne rien. Alors que l'inspecteur chargé de l'enquête finit par arrêter un clochard, l'ancien jardinier de la famille, l'ultime rebondissement du film nous révèle que l'assassin est en réalité le plus jeune enfant de la famille, la muette et vigilante Gaetana, huit ans – jouée, bien entendu, par Ashley. Le temps que le policier reconstitue le sinistre puzzle, il est trop tard. La petite fille a disparu. La dernière scène la montre en train de marcher le long d'une route, où elle monte dans le break d'une famille en vadrouille. Comme dans tout film de Cordova qui se respecte, l'ambiguïté demeure : cette famille est-elle vouée à connaître le même sort funeste que la sienne, ou la petite fille se fait-elle simplement passer pour une orpheline afin d'être élevée par une famille plus heureuse ?

« Comment est-ce que *tu* as réussi à voir *Respirer avec les rois* ? »

Nora avait terminé l'inscription aux Blackboards et appuyé sur *Je suis prêt*. Nous attendions de voir si la page se chargerait.

« Moe Gulazar, me répondit-elle.

— Qui est Moe Gulazar ?

— Mon meilleur ami. »

Elle souffla pour chasser une mèche de son visage. « Un vieux dresseur de chevaux qui vivait au fond du couloir. Il adorait tout ce que faisait Cordova. Comme il avait aussi des contacts sur le marché noir, un jour il a échangé tous ses trophées équestres contre les films interdits. Il organisait tout le temps des projections clandestines, à minuit, dans la salle des loisirs. » Elle me regarda. « Moe avait trois talents.

— Il savait chanter, danser et jouer ? »

Elle secoua la tête. « Il parlait l'arménien, il montait des étalons, et il se travestissait en femme.

— En effet, ça demande un *sacré* talent.

— Quand il se déguisait, même toi, tu aurais cru que c'était une femme.

— Parle pour toi.

— Il disait toujours que, quand *lui* disparaîtrait, ce serait la fin d'une espèce rare. "Il n'y en aura plus jamais des comme moi, ni en captivité ni en liberté." C'était sa devise.

— Où est ce bon vieux Moe aujourd'hui ?

— Au paradis. »

Elle dit cela avec une telle certitude mélancolique – ça aurait aussi bien pu être Bora Bora.

« Il est mort d'un cancer de la gorge quand j'avais quinze ans. Il n'arrêtait pas de fumer des cigarillos depuis qu'il avait douze ans. Il avait grandi autour d'un champ de courses. Et il m'a légué toute sa garde-robe. Du coup, il est toujours avec moi. »

Elle se contorsionna et dégagea son bras de l'énorme cardigan en laine gris pour me montrer une étiquette rouge cousue sur le col et couverte de belles lettres noires : « PROPRIÉTÉ DE MOE GULAZAR ».

Ainsi donc, derrière sa flamboyante garde-robe se cachait un vieux travesti arménien. Dans un premier temps, je me dis qu'elle affabulait : elle avait sans doute trouvé chez Goodwill un carton rempli de vêtements portant tous la même étiquette mystérieuse, puis inventé un scénario délirant pour expliquer comment elle les avait récupérés. Mais lorsqu'elle replongea son bras dans la manche, je vis qu'elle avait le visage tout rouge.

« Il me manque tous les jours, dit-elle. Je trouve ça horrible que les gens qui nous *comprennent* vraiment soient ceux dont on ne peut pas profiter longtemps. Alors que ceux qui ne nous comprennent pas *du tout* restent là. Tu as déjà remarqué ?

— Oui. »

C'était peut-être *vrai*, du coup. De toute façon, s'il fallait choisir entre croire en l'existence d'un dresseur de chevaux arménien travesti et *ne pas* y croire, autant y croire.

« C'est pour ça que tu voulais participer à cette enquête ? Parce que tu connais aussi bien les films de Cordova ?

— Bien sûr. C'était un *signe*. Ashley m'a donné son manteau. »

À mon grand étonnement, la page s'était chargée avec succès. En haut, il était écrit : « VOUS AVEZ RÉUSSI. »

Je tirai une chaise en bois à côté de Nora et m'assis. Ce faisant, je remarquai qu'elle sentait l'eau de Cologne pour hommes, une odeur aussi frappante que celle du chocolat noir, et je ne pus m'empêcher de penser que c'était la preuve dont j'avais besoin : un souvenir de ce bon vieux Moe Gulazar, toujours avec elle.

◄ ► 👁 http://tunnelstaircase8903-5493r89jidfj9w0129e61)??*#(((souverainimplacableparfait.blackboards.onion/lost

PARKING	CORDOVA	FILMS	FÉROCE	NON CENSURÉ	INCONNUS	MONTEZ À BORD

VOUS AVEZ_RÉUSSI

Si vous avez trouvé ce site caché, c'est que quelqu'un vous a jugé digne d'être ici.

Félicitations : vous êtes au début de votre vie. Vous êtes également un cordoviste. Ici, vous pouvez tout faire, tout révéler mais vous ne pouvez pas mentir. ALLEZ mentir ailleurs sur le Net, arborer un faux sourire et vous abrutir dans une série d'alternatives imbéciles comme J'AIME ou JE N'AIME PAS. Ici, bien que l'anonymat complet soit garanti, il n'y a qu'une seule certitude : l'incontestable vérité des choses. La vérité de Cordova : la complexité du cerveau humain et la résilience de l'esprit humain. La soif de terreur. La soif d'amour. La soif d'expériences émotionnelles qui vous brisent en mille morceaux.

Ce site est une réalité terrifiante. Un lieu de travail sacré. Une forêt dangereuse. Un endroit où vous pourrez évoquer et interroger tout ce qui menace et effraie votre famille, vos amis, votre religion, votre société. Un monde qui est à mille lieues du surfait et du commercial. Un lieu sale, inquiétant, chaotique, laid, fascinant. Un lieu qui ne comporte ni fond, ni murs. Ici, on ne se bat que pour accéder à quelque chose de valable. Quelque chose de vrai. Voilà ce que Cordova, dans toute son œuvre, nous enjoint de trouver. Notre vrai moi.

Cordova n'a rien à voir avec ce site. Il se peut même qu'il n'en connaisse pas l'existence. Ce site a été créé par ses admirateurs les plus sérieux, comme un prolongement de ce qu'il a fait pour nous – et quelle que soit son identité : montrer le bout du tunnel sombre qui nous délivrera. La peur est la première étape.

AVERTISSEMENT : Si nous nous apercevons que, d'une manière ou d'une autre, vous souillez cet espace libre et sauvage, vous en subirez les conséquences. Nous croyons en la liberté d'expression et en la complexité des choses, mais nous, createurs de ce recoin plongé dans le noir, nous battrons pour en maintenir la noirceur.

Les créateurs des Blackboards

Souverain, implacable, parfait_

?

RÉVEILLER LE FÉROCE

Parking
Abandonnez tout ce avec quoi
vous êtes venu

Cordova
Le peu que nous savons de sa
philosophie :
Réveiller le féroce qui est en
vous
La dernière interview :
29 décembre 1977
Rolling Stone

Expériences non censurées

Forum
Parlez aux inconnus

Les Films

Silhouettes baignées de lumière
(1964)
L'héritage (1966)
La traque du rouge (1968)
Distorsion (1972)
Quelque part dans une pièce vide
(1975)
Treblinka (1977)
Les poucettes (1979)

Un moindre mal (1982)
L'enfant de l'amour (1985)
La nuit tous les oiseaux sont noirs
(1987)
La douleur (1989)
La fenêtre brisée (1992)
Attendez-moi ici (1993)
Isolat 3 (1994)
Respirer avec les rois (1996)

MONTEZ A BORD   CREUSEZ   ?   SI VOUS ÊTES PERDU CLIQUEZ ICI

PARKING CORDOVA FILMS FÉROCE NON CENSURÉ INCONNUS MONTEZ À BORD

RÉSULTATS DE LA RECHERCHE POUR « PHOTOS DE CORDOVA » *Résultat 1 sur 243*

POSTÉ PAR BECKETT REINHART   12/12/1999 23 h 39

Ma grand-mère était une figure célèbre du tout-New York dans les
années cinquante et soixante. Elle s'appelait Gwendolyn « Dottie »
Howard et avait épousé L. P. Howard, un couturier millionnaire.
Dottie était considérée comme faisant partie des « cygnes » de
Truman Capote. En 1966, elle participa donc, dans la grande
salle de réception du Plaza, au fameux bal masqué noir et blanc
organisé par Capote pour fêter le succès de *De sang-froid*.

Dottie quittait les toilettes pour dames après s'être
repoudrée lorsque, soudain, un homme lui attrapa le poignet.
Avec un sourire entendu, il l'emmena dans une alcôve, loin
de la foule, pour lui tendre une coupe de champagne et lui
dire de « boire ». Dottie fut sidérée par une telle audace.
Elle n'avait encore jamais vu cet homme. Il était grand, il
avait des gestes rapides et des yeux noirs perçants derrière
ses lunettes d'intellectuel. Néanmoins, elle fit exactement ce
qu'il lui demanda et vida la coupe de champagne sous ses yeux,
tandis qu'il restait silencieux. Ensuite, il lui essuya la
bouche avec son pouce, se pencha et l'embrassa. Au moment où
Dottie se laissa emporter, sachant qu'elle disparaîtrait avec
lui dans la nuit s'il le lui ordonnait, l'homme se retira, lui
prit la main et la raccompagna jusqu'à la salle de réception.
Là, il la confia à son mari en déclarant simplement : « Votre
femme était perdue. »

Il va sans dire que Dottie resta étourdie et fébrile jusqu'à la fin de la soirée - cherchant dans la foule cet homme aussi mystérieux qu'étrange. Vers 3 heures du matin, alors que la fête touchait à sa fin, elle le repéra enfin, qui s'engouffrait, seul, dans un taxi à l'arrêt.

« Mais qui est-ce ? lâcha-t-elle.

– Cordova, répondit quelqu'un. C'est un réalisateur. »

Dottie n'oublia jamais cette soirée. Plus tard, elle raconta qu'elle avait eu l'impression d'être un petit four dans lequel il avait croqué avant de le reposer sur le plateau.

J'ai épluché toutes les photos prises lors du bal ce soir-là et je pense avoir retrouvé Cordova.

SUITE >>

PARKING | CORDOVA | FILMS | FÉROCE | NON CENSURÉ | INCONNUS | MONTEZ À BORD

RÉSULTATS DE LA RECHERCHE POUR « PHOTOS DE CORDOVA »   *Résultat 9 sur 243*

Stan Cordova
Hollywood, × 1962

POSTÉ PAR Parfois Il Faut Se Mettre à Genoux   12/02/2000 2 h 03

J'ai déniché cette photo dans un vide-grenier à Beverly Hills,
Californie, en 1999. Elle était dans un carton rempli de
vieilles photos de famille et de cartes. J'ai demandé à la
propriétaire la provenance de cette photo. Elle ne le savait
pas. Elle vidait la maison de son beau-père, qui venait de
mourir à quatre-vingt-deux ans. Elle m'a dit qu'il avait
été comptable pour plusieurs affaires, à Hollywood, souvent
illégales, y compris une célèbre maquerelle de Beverly Hills
qui avait été au centre d'un réseau de prostitution de luxe
pour hommes et femmes.

J'ai appris grâce aux Blackboards que, quand Cordova a décidé
de faire son premier film, *Silhouettes baignées de lumière*,
il s'est rendu à Hollywood et y a travaillé comme gigolo pour
trouver l'argent dont il avait besoin. À mon avis – mais je
peux me tromper –, cette photo a été piquée dans les archives
de la maquerelle de Beverly Hills – une image qu'elle montrait
à ses clientes potentielles.

SUITE >>

Lola, + bébé   8 mois et demi

É PAR Axel   12/10/2001 4 h 18

ère possédait plusieurs immeubles à bas loyers dans le
x, près de Morris Avenue. C'étaient surtout des immigrés
iens et espagnols qui vivaient là, souvent clandestinement.

http://tunnelstaircase8903–5493r89jidfj9w0129e61)??*#(((souverainimplacableparfait.blackboards.onion/search

PARKING | CORDOVA | FILMS | FÉROCE | NON CENSURÉ | INCONNUS | MONTEZ À BORD

En 1967, une de ses locataires a disparu du jour au lendemain
sans laisser d'explication. Chez elle, il ne restait que cette
photo, coincée sous le tapis du salon. Pendant presque vingt
ans, l'appartement – le 2E, un studio – avait été loué à une
dame italienne qui parlait à peine l'anglais. Quand elle s'y
est installée, en 1944, elle arrivait d'Espagne avec un enfant
en bas âge, mais sans mari. Sur le contrat de bail, elle avait
dit s'appeler *Lola Cordova*. Je pense qu'il doit s'agir d'une
photo de la mère de Cordova avec Stanislas, prise juste après
leur installation en Amérique. Plus tard, ma mère m'a raconté
que cette femme était discrète, propre, qu'elle payait son
loyer rubis sur l'ongle et qu'elle travaillait comme une bête
– elle avait deux emplois : femme de chambre dans un hôtel de
Manhattan et femme de ménage chez des gens fortunés. Ma mère,
qui devait s'occuper de quatre immeubles, ne se rappelle pas
avoir vu le petit garçon grandir ou jouer dans la cour comme
d'autres gamins. Aujourd'hui encore, elle ne sait pas où est
partie cette femme, ni ce qu'elle est devenue.

SUITE >>

◀ ▶ 👁 http://tunnelstaircase8903-5493r89jidfj9w0129e61)??*#(((souverainimplacableparfait.blackboards.onion/search

PARKING | CORDOVA | FILMS | FÉROCE | NON CENSURE | INCONNUS | MONTEZ À BORD

RÉSULTATS DE LA RECHERCHE POUR « PHOTOS DE CORDOVA » *Résultat 59 sur 243*

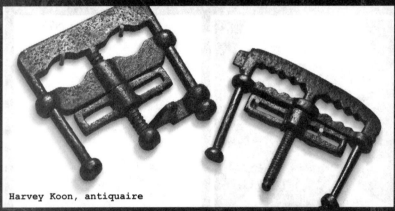

Harvey Koon, antiquaire

POSTÉ PAR Emily Jackson N'Est Pas Folle   02/08/2002 12 h 39

À l'été 2001, j'ai travaillé pour Harvey Koon, antiquaire à New York, spécialisé dans les objets hors du commun, comme les instruments de torture datant de l'Inquisition espagnole ou les vieux équipements de marine. Il compte de nombreux clients aussi riches qu'étranges, dont la plupart restent anonymes. Un jour, alors que je classais des factures, je suis tombée sur une adresse d'expédition que je connaissais : 1014, Route 112, Crowthorpe Falls, NY.

C'est l'adresse de la propriété de Cordova, le Peak.

Intriguée, j'ai consulté l'historique des objets achetés et expédiés là-bas. Le plus récent était une paire de poucettes – un instrument de torture médiéval dont on se servait pour briser les doigts et les orteils des prisonniers. C'est aussi l'objet que Brad Jackson, le professeur d'études médiévales, a en sa possession dans le film de Cordova du même nom, *Les poucettes*.

Les deux autres objets achetés et expédiés à cette adresse étaient un casque de scaphandre Siebe Gorman, de la Royal Navy, et un pal roumain du quinzième siècle, extrêmement cher, un pieu en acier sur lequel les prisonniers étaient embrochés comme des cochons, rendu célèbre par Vlad l'Empaleur, plus connu sous le nom de Dracula. Il est évident que Cordova – ou un membre de son entourage proche – collectionne ces antiquités pour le moins originales.

Le lendemain de ma découverte, j'ai été licenciée pour cause de « problèmes budgétaires ». Je n'ai jamais su si c'était parce que mon patron s'était rendu compte que j'avais fouillé et appris que Cordova était un de ses clients – ou s'il s'agissait d'une simple coïncidence.

SUITE >>

PARKING | CORDOVA | FILMS | FÉROCE | NON CENSURÉ | INCONNUS | MONTEZ À BORD

RÉSULTATS DE LA RECHERCHE POUR « PHOTOS DE CORDOVA » *Résultat 85 sur 243*

24.1.1979

James,

Cordova pense à vous pour son prochain film. Un moindre mal.

Si vous en êtes d'accord, appelez-moi afin que l'on aille chez lui pour discuter du rôle.

Inez Gallo

POSTÉ PAR La Vérité Est Une Gageure   22/11/2003 4 h 19

Dans les années soixante-dix et quatre-vingt, mon père travaillait comme agent artistique chez Discover Management. Il représentait James Coburn, le célèbre acteur. Quand j'étais jeune, mon père me racontait qu'il recevait des lettres d'Inez Gallo, l'assistante de Cordova, notamment une photo troublante du cinéaste portant un masque à gaz. Je me disais toujours que mon père — enclin à l'espièglerie — plaisantait. Lorsqu'il est mort d'une crise cardiaque en 1994, j'ai trié ses papiers et je suis tombé sur ce document. C'est une photo 20 × 25, et le message au verso est écrit au feutre indélébile.

Une autre chose dont je me souviens à propos de Cordova : d'après mon père, les gens *bien informés* murmuraient qu'il avait un problème aux yeux — ce que l'on appelle photophobie, c'est-à-dire qu'ils sont sensibles à l'air et à la lumière extérieurs — et que, par conséquent, il portait souvent des lunettes de soleil avec des verres noirs opaques, ou des lunettes de plongée britanniques à l'ancienne.

SUITE >>

http://tunnelstaircase8903-5493r89jidfj9w0129e61)??*#(((souverainimplacableparfait.blackboards.onion/search

PARKING | CORDOVA | FILMS | FÉROCE | NON CENSURÉ | INCONNUS | MONTEZ À BORD

RÉSULTATS DE LA RECHERCHE POUR « PHOTOS DE CORDOVA » *Résultat 104 sur 243*

POSTÉ PAR Si Tu Vois Un Oiseau Mort   09/08/2004 12 h 39

En 1991, j'étais l'assistant du producteur de cinéma Artie Cohen. Un soir, Artie
nous a annoncé qu'il resterait tard au bureau. C'était du jamais vu : il aimait
être rentré à la maison à 18 heures pour pouvoir dîner avec ses enfants. Il
était tendu ; il m'a dit de rentrer chez moi – en me conseillant d'inviter ma
petite amie au restaurant. Conscient qu'il était le producteur de Cordova depuis
longtemps, j'ai compris qu'il se tramait quelque chose. Je lui ai dit au revoir
et j'ai foncé chez moi pour récupérer mon appareil photo. Je suis retourné au
bureau, à TriBeCa, j'ai pris l'escalier de service, je me suis trouvé un poste
d'observation près de la fenêtre qui donnait sur la rue et j'ai attendu.

SUITE >>

PARKING | CORDOVA | FILMS | FÉROCE | NON CENSURÉ | INCONNUS | MONTEZ À BORD

Longtemps. Au bout de quatre heures, je me suis assoupi. À mon réveil, je suis redescendu pour aller jeter un coup d'œil dans le bureau d'Artie. Là, j'ai vu que sa lumière était encore allumée. Il n'était pas seul. Non seulement ça, mais il était ivre – il parlait tout seul. Je suis remonté à mon poste. Finalement, à 2 h 37 du matin, un homme seul a surgi au coin et traversé la rue déserte. Il faisait trop noir pour y voir quoi que ce soit, mais je savais que c'était Cordova. J'ai pris des photos de la silhouette *à l'aveugle*, incapable de voir en dehors du viseur tant il faisait nuit. Il s'est engouffré à l'intérieur de l'immeuble. Je me suis dit que je le suivrais quand il s'en irait, histoire d'avoir plus de photos de lui. J'ai attendu. Le soleil s'est levé. Intrigué, je suis descendu voir le bureau d'Artie. Il était fermé à clé, plongé dans l'obscurité complète. Ils avaient dû repartir par une porte latérale. Ou alors m'étais-je endormi quelques minutes sans m'en rendre compte ? Je suis rentré chez moi, déprimé, et j'ai développé la pellicule. Les photos que j'avais prises étaient floues et sombres – sauf celle-ci.

Artie n'a jamais reparlé de cette soirée. Je lui ai demandé pourquoi il était resté si tard, mais il était mal à l'aise. «J'étais tout seul», insistait-il. En fin de compte, cette photo suffisait à me prouver l'existence de Cordova et le fait que, curieusement, il ne sort que la nuit.

SUITE >>

PARKING	CORDOVA	FILMS	FÉROCE	NON CENSURÉ	INCONNUS	MONTEZ À BORD

RÉSULTATS DE LA RECHERCHE POUR « PHOTOS DE CORDOVA » *Résultat 172 sur 243*

Ce livre appartient
à Mle Ashley Cordova
8 ans

POSTÉ PAR Bientôt Il Y Aura Des Rires   28/10/2006 1 h 48

Ce livre a été oublié dans la chambre d'hôtel où a séjourné la
légendaire actrice Marlowe Hughes le 25 juillet 1996. C'était
l'hôtel du Cap-Eden-Roc, au Cap d'Antibes. Le lendemain de
sa découverte sur la table de chevet, une femme a téléphoné
pour demander si nous l'avions trouvé. Comme je travaillais
à la réception, c'est moi qui ai pris l'appel. J'ai menti,
répondant à la femme qu'aucun livre n'avait été laissé dans la
chambre.

Le nom de Theodore Cordova est raturé en haut, au crayon à
papier.

SUITE >>

PARKING	CORDOVA	FILMS	FÉROCE	NON CENSURÉ	INCONNUS	MONTEZ À BORD

RÉSULTATS DE LA RECHERCHE POUR « PHOTOS DE CORDOVA » *Résultat 218 sur 243*

POSTÉ PAR Spécimen 919   11/05/2008 23 h 28

Je crois que Stanislas Cordova et Inez Gallo, son assistante
depuis toujours, ne sont qu'une seule et même personne. Une
roue était tatouée au dos de sa main le jour où elle est venue
chercher l'Oscar décerné à Cordova pour *Les poucettes* (1979).

Le même tatouage est visible sur la main de Cordova dans la photo publicitaire de la Warner Bros distribuée pour son premier film, *Silhouettes baignées de lumière* (1964).

SUITE >>

http://tunnelstaircase8903–5493r89jidfj9w0129e61)??*#(((souverainimplacableparfait.blackboards.onion/search

PARKING · CORDOVA · FILMS · FÉROCE · NON CENSURÉ · INCONNUS · MONTEZ À BORD

RÉSULTATS DE LA RECHERCHE POUR «PHOTOS DE CORDOVA» *Résultat 243 sur 243*

POSTÉ PAR Diane De La Classe d'Écriture   21/02/2011 3 h 06

Ce qui vous arrive quand vous regardez un film de Cordova.

SUITE >>

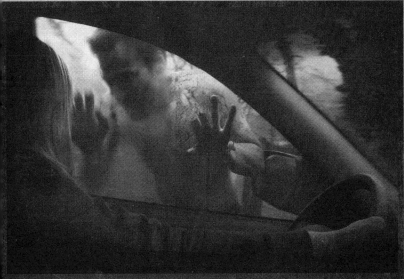

POSTÉ PAR Crowboy123   23/12/2006 23 h 27

Je vis à Long Lake, une petite ville à vingt kilomètres au sud
de Crowthorpe Falls.

Un soir de juin 1992, alors que j'étais dans un *diner*, j'ai
remarqué la présence d'un jeune adolescent mexicain. Assis sur
une banquette, il était dans un état affreux. Il ne parlait
pas l'anglais. Comme j'enseigne l'espagnol au lycée du coin,
je lui ai demandé s'il avait besoin d'aide. Il m'a répondu
qu'il venait juste d'assister à une scène horrible.

Il appartenait à un groupe de travailleurs immigrés qui
avaient été convoyés du Mexique jusqu'à Crowthorpe Falls, un
mois plus tôt, pour travailler sur un tournage. Je sentais
bien qu'il était clandestin, mais je ne l'ai pas interrogé là-
dessus puisqu'il avait l'air d'avoir peur de parler. Il m'a
expliqué qu'ils avaient tourné une séquence en voiture avec
deux acteurs, en pleine forêt. Au bout de quelques heures, un
inconnu – un jeune adolescent – est arrivé sur le tournage
en courant et en criant. Après un long moment de confusion,
il s'est avéré que ce garçon était le fils du réalisateur. Il
conduisait un bateau à moteur sur un lac, non loin de là, et
s'était accidentellement sectionné trois doigts.

Le garçon tenait ses doigts ensanglantés dans sa main, il
hurlait de douleur et demandait à son père d'appeler une
ambulance.

Le réalisateur a refusé. Au contraire, il a congédié un de ses
acteurs et demandé à son fils de le remplacer.

Il l'a obligé à tourner seize fois la scène, jusqu'à ce que son fils perde connaissance. Une ambulance a fini par être appelée. Mais à ce moment-là il s'était écoulé trop de temps pour que les doigts puissent être recousus.

Après m'avoir raconté cela, le jeune Mexicain a pris peur. Il a séché ses larmes et a quitté le restaurant. J'ai appelé la police de Crowthorpe Falls pour demander une enquête sur cet incident, mais personne ne m'a jamais recontacté.

Cette histoire m'a hanté durant des années. J'ai réussi à retrouver sur Internet une copie du film d'horreur que Cordova avait tourné à cette époque-là, *Attendez-moi ici*. J'ai été horrifié de voir que le personnage de John Doe, au début, était joué par Theo, le fils de Cordova. Je pense que tout ce que m'a raconté le Mexicain est vrai. La douleur atroce qu'on lit sur le visage de Theo est authentique et, si vous arrêtez l'image à cinq minutes et quarante-huit secondes, vous pouvez voir les os des doigts coupés sur sa main gauche, en train de pendouiller.

SUITE >>

29

Nora et moi passâmes presque toute la nuit à parcourir les Blackboards. Nous avions l'impression de traverser à tâtons un palais du rire plongé dans le noir complet, avec des trappes et des tunnels, des voix provenant de pièces sans portes et des escaliers branlants qui s'enfonçaient sous terre, interminables.

Dès que je m'apprêtais à suggérer d'aller nous coucher et de reprendre notre exploration de ces gigantesques archives Cordova avec un œil reposé le lendemain matin, il y avait toujours une nouvelle anecdote à découvrir, un énième incident troublant, une rumeur, une photo étrange.

Réveiller le féroce – le site comportait beaucoup de pages consacrées à la soi-disant philosophie existentielle de Cordova, d'après laquelle, en un mot comme en cent, être terrorisé, *mort de trouille*, était le début de la liberté, le moyen d'ouvrir les yeux face à ce qui, dans la vie, était cru, sombre et sublime, et par conséquent d'apprivoiser nos monstres. En jargon cordoviste, il fallait *tuer l'agneau*, se débarrasser de son moi faible et craintif, donc se libérer des contraintes que nous imposaient les amis, la famille, la société dans son ensemble.

Une fois que vous aurez tué l'agneau, vous serez capable de tout et de n'importe quoi, et le monde vous appartiendra, proclamait le site. *Souverain. Implacable. Parfait.*

Ces trois mots, que Cordova avait employés dans sa célèbre interview à *Rolling Stone* pour décrire le plan qu'il préférait dans tous ses films – un gros plan sur son œil –, formaient une devise pour les Blackboards et pour sa vie même. *Souverain* : le caractère sacré de l'individu, se considérer comme un être d'élite, puissant, autonome, arracher son autorité des mains de la société. *Implacable* : ne jamais oublier que sa propre mort est inéluctable, ce qui signifie qu'il n'y a aucune raison de ne pas être féroce, aujourd'hui, dans sa vie. *Parfait* : comprendre que la vie et l'instant présent constituent un idéal absolu. Pas de regret, pas de culpabilité, car même si vous vous retrouvez coincés, ce n'est qu'un cocon dont il faut s'extirper – *et libérer sa vie.*

Je savais que, aux yeux de ses admirateurs, Cordova était un enchanteur amoral, un sombre compagnon qui les éloignait des aspects les plus rances et les plus ennuyeux de leur vie quotidienne pour les conduire jusqu'aux tréfonds du monde, un lieu humide et percé de tunnels, où chaque seconde apportait son lot de surprises. Cette errance dans les murmures et les soupçons de Blackboards, cette masse de commentaires anonymes – qui allaient de la révérence à l'effroi, en passant par le suprêmement retors et le dépravé –, ne fit que confirmer ce que je pressentais depuis longtemps, à savoir que Cordova, plus qu'un simple excentrique à la Lewis Carroll ou à la Howard Hughes, était un personnage qui suscitait dévotion et émerveillement chez un grand nombre de gens, un peu comme le gourou d'une secte.

À 3 h 45 du matin, après avoir exhumé ma copie pirate d'*Attendez-moi ici*, achetée à Beckman pour soixante-quinze dollars, Nora et moi, hagards, proches du délire, étions dans le salon et regardions la terrifiante première scène, dans laquelle Jenny Decanter, jouée par Tamsin Polk, vingt-deux ans, roule seule sur une route de forêt en pleine nuit.

Soudain, Theo Cordova – dans le rôle de John Doe #1 – surgit parmi les arbres. Jenny pousse un cri, pile et envoie sa voiture dans le fossé.

J'avais toujours trouvé que Theo Cordova ressemblait à un Puck dérangé : sur les nerfs, à moitié nu, l'œil vitreux, le torse couvert de sang et de ce qui s'apparentait à des morsures humaines. Après l'anecdote racontée par Crowboy123 sur les Blackboards, il paraissait encore plus effrayant *à présent*. Quand il tapait à la vitre de la voiture, essayant d'ouvrir la portière, et prononçait sa seule réplique – « *Aidez-moi, s'il vous plaît* », à peine audible à cause des hurlements de Jenny –, sa voix suintait comme une sève bizarre.

Nora, debout à côté de l'écran plat, appuya sur « pause ».

Image par image, elle s'approcha des cinq minutes et quarante-huit secondes, où l'on devait constater qu'il manquait trois doigts à Theo.

« *Là*.

— C'est un film. Ça pourrait être un effet spécial, du maquillage, une prothèse...

228

— Mais dans son regard il y a une vraie *douleur*. Je le *sais*. »

Elle appuya sur « lecture », et la main de Theo disparut du cadre.

Jenny parvenait à redémarrer et, manquant écraser ce garçon blessé et au bout du rouleau, remontait sur la route, avec les branches d'arbres qui se cassaient sur le pare-brise et les pneus qui crissaient. Au moment de repartir à l'aveugle, pétrifiée, clignant des yeux pour les sécher, elle regardait dans le rétroviseur.

Le corps à moitié nu du garçon était d'abord rougi par ses phares arrière, puis se réduisait vite à une mince silhouette noire, après quoi – *aussi rapide qu'un insecte* – Theo décampait de la route et disparaissait.

Nora s'était hissée sur le canapé. Elle tira la couverture en laine au-dessus de ses jambes et se baissa pour soulever Septimus de la table basse, comme si le vieux volatile pouvait la protéger des horreurs qui s'annonçaient à l'écran.

« Tu veux que je fasse du pop-corn ? demandai-je.

— Carrément. »

Finalement, nous regardâmes *Attendez-moi ici* jusqu'au bout.

Les films de Cordova étaient des opiacés addictifs ; il était impossible de n'en regarder qu'une minute. On en redemandait toujours. Vers 5 h 30, alors que j'avais la tête remplie d'images *gore* et de cette histoire cauchemardesque – sans parler des murmures anonymes qui résonnaient depuis les Blackboards –, Nora et moi décidâmes d'aller nous coucher.

30

Le lendemain, j'appris au réveil que *Vanity Fair* prétendait avoir « le scoop » sur Ashley Cordova et annonçait une parution de l'article, sur son site, d'ici quelques jours. Cela signifiait non seulement que d'autres journalistes étaient sur le coup, mais qu'*ils* iraient aussi bientôt à Briarwood Hall – et chez Morgan Devold. L'avance dont je disposais, grâce au dossier de police d'Ashley que Sharon Falcone m'avait permis de consulter, serait vite perdue.

Et, malheureusement, mes propres recherches s'enlisaient.

Nous avions appris qu'Ashley s'était échappée de Briarwood et qu'elle était victime de *nyctophobie*, « une peur de la nuit ou de l'obscurité due à la perception erronée, par le cerveau, de ce que pourrait subir le corps une fois exposé à un environnement sombre », d'après le *New England Journal of Medicine*. Nous avions accompli un petit exploit en nous connectant aux Blackboards et étions désormais capables d'étudier les rumeurs lancées par ses fans les plus endurcis.

Cependant, nous n'avions aucune piste nouvelle.

Après avoir quitté Morgan Devold, Ashley avait pris le train jusqu'à New York. Mais *pourquoi* ? Où était-elle allée pendant les dix jours précédant sa mort – hormis au trentième étage du Waldorf Towers ? Le mystère était toujours entier.

Je *pouvais* toujours soudoyer un employé de l'hôtel afin qu'il me donne la liste de tous les clients ayant séjourné à cet étage-là entre le 30 septembre et le 10 octobre. Mais d'après mon expérience personnelle, je savais qu'il me fallait *autre chose*, un filtre. La liste serait longue, et bon nombre des clients étaient à coup sûr des touristes fortunés qui n'apprécieraient pas d'être interrogés sur leurs faits et gestes à l'hôtel – et ne se sentiraient pas tenus de répondre *honnêtement*. Une fois que j'aurais retrouvé tout ce petit monde et exhibé la photo d'Ashley, les résultats seraient certainement maigres et, pire encore, l'exercice m'aurait pris un temps fou.

« On pourrait peut-être montrer la photo d'Ashley dans les magasins autour du Waldorf, dit Nora après que je lui eus fait part de mes doutes. En demandant si quelqu'un l'a remarquée. Avec son manteau rouge, elle n'a pas dû passer inaperçue.

— Autant emporter la photo à Times Square et demander à des passants choisis au hasard s'ils l'ont vue. C'est trop vaste. Il nous faut quelque chose de plus précis. »

Elle proposa que nous regardions les films de Cordova. « Peut-être qu'on repérera un détail caché, comme les trois doigts manquants de Theo. »

Sans autre solution immédiate à lui opposer, je dépoussiérai le coffret des huit films de Cordova publié par la Warner Bros – de *L'héritage* (1966) à *L'enfant de l'amour* (1985) –, qui était censé ressembler à la célèbre mallette Samsonite que l'on voit dans *Les poucettes* (1979). Après avoir baissé les stores du salon et refait du pop-corn, nous nous préparâmes à un marathon Cordova.

Nora téléphona à Hopper pour l'inviter à se joindre à nous, mais il ne décrocha pas. Pour tout dire, je n'aurais pas été surpris s'il s'était volatilisé. Par sa nervosité – et quelle qu'ait été sa relation avec Ashley –, je sentais que sa volonté de participer à mon enquête serait aussi changeante que ses humeurs. Il semblait osciller entre un intérêt profond pour cette histoire et une envie de tourner la page.

Juste avant de lancer *Les poucettes*, alors que je refaisais du pop-corn dans la cuisine, j'entendis sonner l'interphone.

« J'y vais ! » chanta Nora.

Au bout d'une minute, n'entendant rien d'autre que le silence, je passai la tête hors de la cuisine. Je n'en revenais pas : Cynthia et ma fille Sam étaient dans le vestibule, en train de regarder Nora avec des yeux ahuris.

C'était mon week-end de garde. J'avais oublié.

Voir mon ex-femme me faisait toujours l'effet d'une violente secousse. *Jeannie* était pourtant la messagère attitrée pour tout ce qui touchait Sam. Cynthia chez moi, c'était comme un grizzli en train de fourrer son nez dans mon campement reculé : un scénario catastrophe que j'avais *envisagé*, mais uniquement comme le pire imaginable.

Elle était magnifique, comme d'habitude, avec un manteau en laine crème et un jean, et son brushing blond cendré. Elle travaillait pour une galerie d'art contemporain sur Madison Avenue et regardait souvent les inconnus curieusement accoutrés comme s'il s'agissait de portraits d'Elvis à l'aérographe à quatre-vingt-dix-neuf cents.

« Bonjour, ma chérie, dis-je à Sam. Madame Quincy. Que nous vaut l'honneur ? »

Elle se tourna vers moi. « Tu n'as pas eu mes messages ? Jeannie est à l'hôpital. Elle a une mononucléose et doit retourner en Virginie en attendant d'être rétablie. Il y en a pour six semaines au moins. »

Je regardai Sam. Elle tenait d'une main ferme la poignée de sa valise *Toy Story* et observait Nora, bouche bée, les yeux écarquillés.

« Mon cœur, je te présente ma nouvelle assistante de recherche. »

Elle ne dit rien. Elle avait tendance à perdre sa langue devant les

231

inconnus, fascinée qu'elle était. Elle s'abrita timidement derrière mon ex-femme.

« Je peux te parler en tête à tête ? me demanda Cynthia avec un sourire crispé.

— Mais certainement.

— Sam, reste ici, s'il te plaît. Je reviens tout de suite. »

Cynthia me précéda au fond du couloir. Une fois dans mon bureau, elle referma la porte derrière moi.

« Qui est cette fille ?

— C'est Nora. Elle m'aide sur un reportage.

— Quel *âge* ? Seize ans ?

— Dix-neuf ans. Et très mûre pour son âge. »

J'aurais adoré imaginer Cynthia jalouse de me voir avec une autre femme, mais ses questions n'avaient rien à voir avec moi. Elle s'inquiétait pour Sam.

Elle promena son regard autour de la pièce et plissa le front devant les papiers et les notes empilées par terre, pensant à coup sûr : *Il y a des choses qui ne changeront jamais.*

Elle était toujours aussi sublime. C'était atroce. Alors qu'elle s'avançait dans la quarantaine, j'attendais le jour où elle se réveillerait avec des rides, comme une pelouse somptueuse massacrée par un labyrinthe de taupinières. Mais *non*, ces yeux verts, ces pommettes, cette petite bouche expressive qui traduisait ses moindres humeurs avec la rapidité d'un interprète de l'ONU : tout, chez elle, était encore juvénile, étincelant. Et chaque matin Bruce se réveillait à côté de ce visage. Je n'arrivais toujours pas à croire que cet homme – cinquante-huit ans, bedonnant, des poignets velus et un yacht baptisé *Dominion II* à Lyford Cay – avait le droit de vivre au quotidien avec une telle beauté. Il savait repérer les bonnes affaires sur le marché – je devais bien lui concéder ce talent-là. Lorsque Cynthia lui avait vendu le bien nommé *Beautiful Bleeding Wound Over the Materialism of Money Painting*, de Damien Hirst, Bruce avait fait remarquer qu'elle aussi était une œuvre d'art digne d'être regardée toute la vie. Qu'elle se fût laissé acheter en même temps que *le tableau* – ça, je ne l'avais pas vu venir.

Quand j'avais rencontré Cynthia en deuxième année à l'université du Michigan, elle était frivole et pauvre, jeune diplômée en civilisation française qui citait Simone de Beauvoir à tout bout de champ, qui s'essuyait le nez avec la manche de son manteau quand il neigeait et passait la tête par la vitre, en voiture, à la manière des chiens, laissant le vent lui ébouriffer les cheveux. Mais cette femme-là n'existait plus. Ce n'était pas sa faute, non plus. L'argent fait ça aux gens. Il les emmène au pressing pour les amidonner et les repasser, cruellement, de sorte que tout ce qui dépasse, toute la poussière, la faim et les rires innocents, est nettoyé. Rares sont ceux qui survivent aux grandes fortunes.

« Donc toi et cette fille, vous ne faites que travailler ensemble, dit Cynthia en revenant vers moi.

— Oui. C'est mon assistante de recherche.

— Le problème, c'est qu'avec *toi* assistante de recherche peut signifier tout un tas de choses. »

J'encaissai le coup. C'était vrai : après notre divorce, je m'étais embarqué dans une *petite aventure* avec ma dernière assistante de recherche en date, Aurelia Feinstein, trente-quatre ans – je précise tout de même que ce n'était pas aussi torride qu'on pourrait le croire. Coucher avec Aurelia, c'était comme écumer le catalogue d'une bibliothèque déserte, en quête d'une fiche très obscure, et pour ainsi dire jamais consultée, sur la poésie hongroise. Il régnait un silence de mort, personne ne me donnait la moindre indication et rien n'était à sa place.

« C'est pour tous publics, ici, donc où est le problème ?

— Tu ne t'es même pas souvenu que Sam venait aujourd'hui.

— C'est faux. Elle va s'éclater. S'il y a le moindre problème, je t'appelle et tu peux l'exfiltrer par hélicoptère.

— Et Nancy ?

— *Nora.* Elle aura débarrassé le plancher avant 10 heures. »

Ce n'était pas le moment de préciser que Sam avait une camarade de chambrée.

Cynthia lâcha un soupir. Son visage afficha un air de capitulation que je lui connaissais bien. « Tu me la ramènes dimanche, 18 heures dernier carat. Bruce et moi avons repoussé notre voyage à Santa Barbara à la semaine *prochaine.* Si bien que tu auras Sam pour un long week-end. » Elle me scruta, sceptique. « À moins que tu ne puisses pas gérer.

233

— Je peux gérer.

— On part avec des amis, donc tu ne pourras pas changer d'avis au dernier moment.

— Tu as ma parole. J'ai envie de passer plus de temps avec elle. »

Elle sembla s'y résoudre. Elle rejeta ses cheveux blonds par-dessus son épaule et me regarda avec l'air d'attendre que j'ajoute quelque chose.

Ç'avait été une des grandes énigmes de notre mariage. Au cours des seize années que nous avions passées ensemble, Cynthia avait souvent attendu que j'ajoute quelque chose, comme si certains mots très précis pouvaient déverrouiller le coffre-fort haut de gamme qu'elle était. Or je n'avais jamais réussi, ni de près ni de loin, à déchiffrer la combinaison. « Je t'aime » ne marchait pas. Pas davantage « À quoi tu penses ? », ni « Dis-moi ce que tu as envie d'entendre ».

Elle attendait une minute, parfois plus, et quand elle comprenait qu'elle resterait fermée à clé jusqu'à nouvel ordre, elle s'en allait, murée dans un silence complet. C'est précisément ce qu'elle fit : elle ouvrit la porte et repartit dans le couloir.

J'allais lui emboîter le pas lorsque mon portable vibra dans ma poche. C'était Hopper.

« Viens au croisement de la 58ᵉ Rue et de Broadway, cria-t-il tandis que le bruit d'une sirène de police s'engouffrait dans le téléphone. Tout de suite.

— Quoi ?

— J'ai rencontré une personne qui a vu Ashley quelques jours avant sa mort. »

Je jetai un coup d'œil au fond du couloir. Cynthia était en train de débarrasser Sam de son manteau.

Merde.

« Donne-moi vingt minutes », dis-je avant de raccrocher.

Ainsi donc, Hopper n'arrivait pas à garder ses distances. Ce gamin se révélait une carte maîtresse.

31

Sam me fixait de son regard sombre. Alors que je venais de lui expliquer, accroupi à sa hauteur avec mon air le plus grave, que papa avait des *choses top secret* à faire et devait filer, et qu'elle allait donc rester avec maman – elle ne dit pas un mot.

« Le week-end prochain, on passera quatre *jours* ensemble, dis-je. Rien que toi et moi, d'accord ? »

Toujours ce silence. Là-dessus, pensant visiblement à quelque chose de sérieux, elle leva sa main droite et me donna *une tape affectueuse* sur la tête. Elle n'avait jamais fait ça. Cynthia, toute rouge, me jeta un regard furieux – *Bravo, belle éducation* – mais, avec un sourire aimable par égard pour Sam, lui tendit la poignée de sa valise *Toy Story*. Sam la fit sagement rouler jusqu'à la porte, telle une hôtesse de l'air épuisée apprenant qu'elle devait encore faire un vol pour Cincinnati.

« Au revoir, mon cœur, dis-je. Je t'aime plus que... Plus que *quoi*, déjà ?

— Plus que le soleil et la lune, répondit-elle en prenant le couloir.

— Je saurai me faire pardonner, dis-je à Cynthia.

— Bien *sûr*. »

Elle ramena ses cheveux en arrière et sourit avant de suivre Sam. « On mettra ça sur ton ardoise. »

Je m'approchai du placard du couloir en essayant d'ignorer le raz-de-marée de culpabilité qui me submergeait.

« Hopper a appelé, dis-je à Nora derrière moi. On le rejoint *tout de suite*. Il a une piste. » J'attrapai mes clés, mais Nora ne bougeait pas de la porte du salon. Elle me regardait avec de grands yeux.

« Qu'est-ce qui se passe ?

— C'était *violent*.

— Qu'est-ce qui était violent ?

— *Ça*.

— Mon ex ? Oui, je sais. Tu imagines un peu que *cette femme*, avant, ne vivait que pour le karaoké du samedi soir ? À la fac, on la surnommait la Bangles. Elle n'arrêtait pas de chanter *Walk Like an Egyptian* toute la journée.

— Je ne te parle pas d'*elle*. »

J'aidai Nora à enfiler son manteau. « Mais de *quoi*, alors ? Et dis-le-moi vite, parce qu'il faut qu'on se dépêche.

— Tu te crois malin, mais tu ne l'es pas. »

Je la poussai dans le couloir et fermai la porte à clé. « Malin à propos de quoi ?

— Tu es fou amoureux *dingue* d'elle.

— *Oh*. Personne n'est fou ou dingue ou amoureux de quiconque ici. »

Elle posa une main sur mon épaule. Son visage montrait de la commisération.

« Il faut que tu tournes la page. Elle est *heureuse*. » Là-dessus, elle partit joyeusement dans le couloir, me laissant bouche bée.

32

Hopper nous attendait au coin, près de l'agence HSBC. La cigarette au bec, il avait la mine grave et creusée ; sans doute n'avait-il presque pas dormi depuis la dernière fois que nous l'avions vu, deux jours plus tôt.

« Qu'est-ce qu'on fait là ? lui demandai-je.

— Tu te souviens de ce que nous a raconté Morgan Devold ? Comme quoi il pensait qu'Ashley devait jouer du piano tous les jours ?

— Bien sûr.

— Hier, je me suis fait la réflexion : si Ashley était venue à New York pour retrouver quelqu'un et si elle voulait jouer, où serait-elle allée ?

— Dans des clubs de jazz ? À la Juilliard School ? Au bar d'un hôtel ? Difficile à dire.

— Aucun de ces établissements ne laisserait une inconnue s'asseoir au piano et se mettre à jouer. Mais j'ai repensé à ce que m'a dit un de mes amis qui est à fond dans le classique. Si tu es vraiment bon, les magasins de Piano Row te laissent jouer aussi longtemps que tu le veux. Du coup, cet après-midi, je suis allé là-bas, j'ai posé des questions et un des patrons l'a reconnue. Ashley est allée deux fois dans son magasin la semaine précédant sa mort.

— Bien joué.

— Il nous attend. Mais il faut qu'on se magne parce qu'il va bientôt fermer. »

Hopper jeta sa cigarette sur le trottoir et s'élança.

Je n'avais jamais entendu parler de Piano Row. C'était une portion de la 58ᵉ Rue, comprise entre Broadway et la 7ᵉ Avenue, où de fragiles magasins de pianos s'étaient nichés entre d'énormes immeubles des années soixante, tels des moineaux vivant parmi les hippopotames. Nous dépassâmes une boutique nommée Beethoven Pianos, dont la vitrine était couverte d'affichettes pour des concerts de Vivaldi et des cours de chant. À l'intérieur étaient alignés des quarts-de-queue étincelants, tous identiques, le couvercle soulevé, comme de grosses danseuses qui attendaient leur tour. Hopper longea en vitesse le supermarché Morton Williams, traversa la rue, passa devant une caserne de pompiers et entra dans un magasin dont l'auvent vert sale indiquait : KLAVIERHAUS.

Je laissai passer Nora et la suivis à l'intérieur. Contrairement à Beethoven Pianos, il n'y avait que trois pianos exposés. L'établissement était désert. Ni client, ni vendeur. Il semblait qu'à l'âge d'Internet les *pianos*, comme les livres, devenaient une espèce culturelle en voie de disparition. Ils le resteraient sans doute, à moins qu'Apple invente l'iPiano, qui tiendrait dans la poche et pourrait être joué par SMS interposés. *Avec l'iPiano, vous deviendrez un iMozart. Vous pourrez alors composer votre propre iRequiem pour votre propre iEnterrement, le tout vu par des millions d'iAmis qui vous iAimaient.*

Tout au fond du magasin, Hopper revint par une porte, accompagné d'un homme très maigre, entre deux âges, vêtu d'un pantalon en velours côtelé et d'un col roulé noir. De son crâne dégarni jaillissait une petite touffe de cheveux gris. Il avait tout du petit prodige de la musique classique. On pouvait voir ce genre d'hommes férus de Mahler dans un rayon de dix rues autour du Carnegie Hall. Ils portaient généralement des couleurs terreuses, possédaient toute la série des Grands Concerts de la télévision publique en DVD, vivaient seuls dans des appartements d'Upper

West Side, avec des plantes en pot auxquelles ils parlaient tous les jours.

« Je vous présente Peter Schmid, dit Hopper.

— Responsable de Klavierhaus », ajouta fièrement Peter.

Nora et moi nous présentâmes. « J'ai cru comprendre qu'Ashley Cordova était passée ici il y a quelques semaines, dis-je.

— Je ne savais pas du tout qui elle était *à l'époque*, répondit Peter avec empressement, les mains jointes. Mais d'après la description de M. Cole, oui, je crois bien qu'elle est venue ici. »

Il faisait partie de ces gens dont on croit d'abord qu'ils ont un accent étranger ; or il était tout ce qu'il y a d'américain, sinon qu'il parlait *délicatement*, comme si le moindre mot était un objet qu'il fallait épousseter et brandir à la lumière.

« Est-ce que la police est venue vous interroger au sujet d'Ashley ?

— Non, non. Aucun policier n'est venu. J'ignorais parfaitement qui elle était jusqu'à ce que M. Cole vienne cet après-midi. Il m'a donné sa description et je l'ai aussitôt reconnue. »

Il jeta un coup d'œil à Hopper. « Les cheveux foncés. Le manteau rouge avec les motifs noirs sur les manches. La beauté.

— Quand est-elle passée, exactement ?

— Vous voulez la date précise ?

— Ce serait précieux. »

Peter fonça dans un coin du bureau, le long du mur opposé. Après avoir farfouillé derrière le comptoir, il sortit un grand agenda en cuir bourré de papiers.

« Je suis quasiment certain que c'était un mardi, car on venait juste d'avoir notre salon musical hebdomadaire, dit-il en ouvrant l'agenda. D'habitude, ça se termine à 22 h 30. Ce soir-*là*, vers 23 heures, j'étais derrière, en train de ranger, quand tout à coup j'ai entendu la plus belle interprétation imaginable des *Valses nobles et sentimentales* de Ravel. Vous connaissez, j'imagine ? »

Nous fîmes signe que non. Il en parut préoccupé.

« *Bon*. J'avais oublié de fermer la porte à clé. » Tout en étudiant l'agenda, il plissa le front et porta un doigt à ses lèvres. « C'était le 4 octobre. Ça doit être ça, oui. »

Tout sourire, il tourna vers nous l'agenda afin que nous puissions jeter un coup d'œil et tapota son index sur la date en question.

« Je me suis précipité dans la salle et je l'ai vue au piano.

— Quel piano, et où ? »

Il indiqua l'avant du magasin. « Le Fazioli. Là-bas, près de la vitrine. »

Suivi par Nora, je m'en approchai.

« C'est un bon piano ? » demandai-je.

Derrière nous, Peter gloussa, comme si j'avais fait une blague. « Les Fazioli sont les meilleurs pianos du monde. De nombreux professionnels les jugent supérieurs aux Steinway. »

J'examinai le piano. Même à mes yeux profanes, il était superbe, intimidant.

« Les pianos sont comme les gens, fit observer Peter. Chacun a sa personnalité. Il faut du temps pour les apprivoiser. Et ils peuvent se sentir seuls, parfois.

— Quelle est la personnalité de celui-là ? demanda Nora.

— *Celle*-là, vous voulez dire ? Ah. C'est un peu une diva. Si elle était au lycée, ce serait la plus belle fille de l'année. Elle peut avoir ses humeurs, être tyrannique. Prendre le pouvoir, si vous n'y prenez pas garde. En revanche, si vous vous montrez ferme avec elle, elle vous éblouira. Les tables d'harmonie des pianos sont toutes en bois de sapin. Mais les *Fazioli*, eux, sont fabriqués avec des sapins de la forêt de Val di Fiemme, dans le nord de l'Italie. »

Il attendit notre réaction émerveillée, mais nous ne pouvions que le regarder sans rien dire.

« C'est le même bois qu'utilisaient les Stradivarius pour fabriquer leurs légendaires violons au dix-septième siècle. Ça leur donnait un son velouté et riche qui ne peut être reproduit par aucun autre constructeur aujourd'hui. Ce qui explique que les Stradivarius valent maintenant des millions.

— Qu'avez-vous fait quand vous l'avez entendue ?

— Je comptais la prier de revenir le lendemain. Après tout, on était fermés. Mais son jeu était... » Il ferma les yeux et secoua la tête. « *Électrisant*. Ça se voyait qu'elle avait été formée en Europe, à cause de son articulation intraitable, violente, parfaitement équilibrée par une profonde familiarité, évoquant certains des plus grands pianistes de tous les temps. Argerich. Pascal Rogé. Je ne pouvais pas supporter l'idée de l'interrompre. Le génie n'obéit pas aux horaires d'ouverture, *n'est-ce pas*[1] ? Je ne lui ai rien dit jusqu'à ce qu'elle ait terminé.

— Combien de temps a-t-elle joué ?

— Environ une minute et demie. Elle me disait vraiment quelque chose, mais d'une façon très lointaine. Comme un air qui ressurgit soudain de votre enfance mais sans que vous ne vous souveniez des paroles ni de grand-chose, à part quelques notes mystérieuses. »

Il poussa un soupir. « *Maintenant*, je réalise qu'il s'agissait d'Ash DeRouin. Devenue femme. J'avais entendu dire par un de nos patrons, Gabor, qu'elle venait jouer ici il y a longtemps, adolescente. Mais je n'ai pas fait le rapprochement. » Il s'arrêta, songeur. « Quand elle a eu fini, elle m'a demandé poliment si elle pouvait jouer toute la suite, depuis le *Assez lent* jusqu'à l'*Épilogue*. L'ensemble dure à peu près un quart d'heure. Naturellement, j'ai dit oui. » Il sourit. « Elle m'aurait demandé à jouer toutes les sonates de Beethoven, j'aurais accepté. Après, elle a levé la tête et m'a regardé. Elle avait des yeux très perçants.

— Est-ce qu'elle a dit autre chose ?

— Elle m'a remercié. Elle avait une voix grave. Rauque. Et une manière de bouger, un peu comme un cygne. Une surface immaculée. Impossible de savoir ce qui se passe au-dessous. Elle est restée plantée là un moment, sans rien dire. Je sentais qu'elle avait du mal à parler. Je me suis demandé si l'anglais était sa langue maternelle. Elle a ramassé son sac et puis… »

Ses yeux s'éloignèrent du piano, comme s'il revoyait Ashley marchant vers la porte. « J'ai *essayé* de la retenir, mais quand je lui ai demandé son nom, elle a répondu : "Personne." Et elle est partie.

— Quel était son comportement ?

— Son comportement ?

— Elle paraissait déprimée ? Mentalement dérangée ?

— Hormis sa réticence à parler ? Non. Pas *cette* fois-là. Cette fois-là, elle était plutôt contente. Comme on pourrait l'être après une baignade revigorante dans le Pacifique. Les musiciens ont cette sensation quand ils ont bien travaillé. »

1. En français dans le texte.

Il s'éclaircit la gorge et se retourna pour contempler la rue déserte à travers la vitrine. « Je l'ai regardée s'éloigner sur le trottoir. Elle avait l'air de ne pas très bien savoir où aller. Finalement, elle est partie à l'ouest, vers Broadway, et a disparu. Puis je suis rentré chez moi. Je me rappelle très bien que je n'ai pas réussi à dormir de toute la nuit. Pourtant, j'étais très serein. J'avais eu récemment quelques problèmes personnels, dont je vous épargnerai volontiers les détails. Mais pour moi son apparition soudaine a été comme un cadeau. En partie parce que j'avais été *le seul* à la voir. Elle aurait très bien pu être une hallucination. Une des *demoiselles* de Debussy. J'étais persuadé de ne plus jamais la revoir.

— Quand est-elle revenue ? »

Il sembla attristé par ma question. « Trois jours plus tard.

— Le 7 octobre, donc, dis-je en notant la date sur mon Black-Berry. Vous vous rappelez à quelle heure ?

— Une heure après la fermeture. 19 heures, peut-être ? Encore une fois, j'étais le dernier dans le magasin. Même notre stagiaire était parti. »

Il se retourna pour désigner un grand carnet en cuir, manifestement ancien, qui trônait, ouvert, sur une table contre le mur du fond. « Nous demandons à toutes les personnes qui viennent chez Klavierhaus de signer le livre d'or. On raconte que, si un artiste signe le livre d'or de Klavierhaus, ça l'aidera pour ses futurs récitals et sa technique. Une sorte de baptême, si vous préférez. Tous les plus grands l'ont signé. Zimerman. Brendel. Lang Lang. Horowitz. »

Voyant que ces noms ne nous disaient pas grand-chose, il prit une courte inspiration, visiblement découragé, et pointa le doigt derrière lui en direction du bureau.

« J'étais en train de taper les adresses et les noms quand j'ai entendu quelqu'un frapper à la vitrine. Normalement, le magasin était fermé. Mais quand j'ai vu qui c'était, je l'ai laissée entrer, *bien sûr*. En revanche, dès que j'ai ouvert la porte, j'ai compris que quelque chose n'allait pas du tout.

— Comment ça ? » demanda Hopper.

Peter semblait mal à l'aise. « Je pense qu'elle n'avait pas pris de douche – peut-être même n'avait pas enlevé son *manteau* – depuis la dernière fois. Elle avait les cheveux en pétard. Elle sentait la crasse et la sueur. Les ourlets de son jean étaient sales. *De la boue de la campagne*, je me suis dit. Elle avait l'air droguée. J'ai alors pensé qu'elle n'avait pas d'endroit où dormir. On a pas mal de vagabonds qui entrent dans le magasin. Ils viennent après avoir dormi sur les marches de l'église Saint Thomas, dans la 5ᵉ Avenue. Ils sont attirés par la musique. » Il poussa un soupir. « Elle m'a demandé si elle pouvait jouer. J'ai dit oui. Et elle s'est assise juste là. » Il indiqua le même sublime piano Fazioli, regardant le tabouret de cuir marron inoccupé. « Elle a fait courir ses doigts sur le clavier et a dit : "Aujourd'hui, Debussy, je pense. Il ne m'en veut pas tant que ça." Quelque chose dans ce goût-là. Et ensuite elle...

— Attendez, le coupai-je. Elle a parlé du compositeur comme si elle le *connaissait* ?

— Bien sûr, répondit Peter avec un hochement de tête enjoué.

— Ce n'est pas un peu curieux ?

— Pas du tout. Les pianistes concertistes deviennent souvent assez intimes avec les compositeurs morts. C'est plus fort qu'eux. La musique classique, ce n'est pas simplement de la *musique*. C'est un journal intime. Une confession débridée en pleine nuit. Une mise à nu de l'âme. Je vais vous donner un exemple récent : Florence and the Machine. Dans la chanson *Cosmic Love*, elle fait la liste de toutes les façons dont le monde est devenu sombre et déroutant dès l'instant où elle, jeune femme plutôt passionnée, a été terrassée par une histoire d'amour. "Les étoiles, la lune, elles se sont toutes éteintes." *Eh bien*, avec Beethoven ou Ravel, ce n'est pas très différent. Ces compositeurs se jetaient dans leur musique à corps perdu. Quand un pianiste apprend une partition, il en vient à connaître *intimement* le compositeur mort – avec tous les plaisirs et les difficultés qu'implique une relation aussi intense. Vous découvrez ainsi la ruse de Mozart, ses troubles de l'attention. Le désir de reconnaissance de Bach, sa haine des raccourcis. Le tempérament explosif de Liszt. La fragilité de Chopin. Du coup, quand vous vous apprêtez à rendre sa musique *vivante* pendant un concert, sur *scène*, devant des milliers de gens, vous avez vraiment *besoin* d'avoir le mort à vos côtés. Parce que vous le ramenez à la

242

vie. C'est un peu comme Frankenstein ressuscitant son monstre, voyez ? Ça peut être un miracle stupéfiant. Ou ça peut très mal se passer. »

Je jetai un coup d'œil vers Hopper. Il continuait de regarder fixement Peter, mi-absorbé, mi-sceptique. Nora était envoûtée.

« Et que s'est-il passé, cette fois ? demandai-je.

— Elle s'est mise à jouer. Les quintes parallèles qui ouvrent *La cathédrale engloutie...*

— Les quintes de *quoi* ? intervint Nora, perdue.

— *La cathédrale engloutie.* »

Face à notre ignorance crasse, Peter était radieux, incapable de dissimuler sa joie.

« Claude Debussy. L'impressionniste français. C'est un de mes préludes préférés. C'est l'histoire d'une cathédrale engloutie au fond de l'océan. Par un jour de beau temps, elle remonte et émerge de la houle et du brouillard, avec ses cloches qui sonnent à la volée, pour rester quelques *secondes* en suspens, étincelant au soleil, avant de replonger dans les abîmes sous-marins, invisible. Debussy demande à l'interprète de jouer les dernières notes *pianissimo*, avec la demi-pédale, pour qu'on ait vraiment l'impression d'entendre des cloches au fond de la mer. Les notes se heurtent les unes aux autres avant de s'estomper et de s'éteindre, comme toutes choses – comme *nous tous* –, avec quelques accords qui se réverbèrent, puis le silence. »

Peter s'arrêta. Son visage se rembrunit.

« Elle n'y arrivait pas. Son jeu – si expressif la première fois, d'un lyrisme si tendre, si romantique – était dérangeant, à présent. Elle mordait dans la musique, mais les notes lui échappaient. C'était erratique. *Désespérant.* Et quand elle a levé les yeux vers moi, je... » Il déglutit péniblement. « Elle avait les yeux rouges. On aurait vraiment dit qu'ils saignaient. J'étais tellement horrifié par son visage, et la manière dont il s'était transformé depuis la dernière fois, que je suis tout de suite allé téléphoner à la police en la laissant jouer. Dès que je suis entré dans l'arrière-boutique, elle s'est arrêtée. Il n'y avait plus que le silence. J'ai passé la tête par la porte. Elle était assise, immobile, et me *scrutait*, comme si elle savait ce que je faisais. Tout à coup, elle a ramassé son sac et elle est partie. Comme *ça*, dit-il en claquant les doigts. C'est cela qui m'a le plus effrayé.

— Pourquoi ? » demandai-je.

Peter se tordait les mains, gêné. « Elle se déplaçait comme un animal.

— Un *animal* ? fit Hopper.

— Oui. C'était trop rapide. Ce n'était pas normal du tout.

— Dans quelle direction est-elle partie ? voulus-je savoir.

— Je ne sais pas. Je suis retourné à l'avant du magasin, mais il n'y avait aucune trace d'elle. Je suis même sorti pour voir. Elle n'était *nulle part*. J'ai tout de suite fermé la porte à double tour. Je ne voulais pas rester là tout seul. »

Il observa un silence mélancolique. Il regardait le sol. « Elle n'est jamais revenue. Je *pensais* à elle. Mais je n'en ai parlé à personne avant vous. » Il se tourna vers Hopper. « Quand vous m'avez posé des questions sur elle, ç'a été un soulagement. J'étais tellement content de savoir que je n'avais pas rêvé. Je suis... Je suis sous pression, ces derniers temps. » Il rougit. « Pour dire le moins, ça m'a fait plaisir de voir que je ne devenais pas fou. » Ses yeux se posèrent de nouveau sur le piano. « Elle était un peu comme cette cathédrale dont je vous ai parlé. Elle s'est relevée, m'a ébloui, s'est décomposée et puis a disparu, ne laissant que son écho. Et moi, je ne savais plus trop ce que j'avais vu.

— Vous avez la vidéo-surveillance dans le magasin ?

— Nous avons une alarme. Mais pas de caméras.

— A-t-elle parlé d'autre chose ? De l'endroit où elle vivait ?

— Oh, *non*. Nous n'avons rien dit de plus que ce que je vous ai rapporté.

— Et elle n'a rien laissé ? Pas d'objets personnels ?

— Je crains que non. »

Nora s'était approchée de la petite table contre le mur du fond, sur laquelle était posé le livre d'or ouvert, et tournait les pages.

« C'est vraiment tout ce que je... Ah, faites *attention* avec ça. » Peter la rejoignit immédiatement. « Les pages sont assez fragiles, et c'est notre seul exemplaire.

— Je me demandais si elle l'avait signé », dit Nora. Peter jetait des coups d'œil nerveux par-dessus son épaule.

Hopper, lui, s'intéressait au Fazioli. Il passait sa main sur le clavier étincelant et jouait quelques touches noires.

Je marchai jusqu'à Nora. Elle avait trouvé la page marquée au 4 octobre et faisait glisser son doigt sur la liste des noms et des adresses griffonnés.

« Daniel Hwang, lut-elle. Yuja Li. Jessica Song. Kirill Luminovich. Boris Anthony. » Elle tourna la page un peu brutalement, et Peter se toucha le front, comme s'il allait s'évanouir. « Kay Glass. Viktor Koslov. Ling Bl...

— Qu'est-ce que tu viens de dire ? demandai-je.

— Viktor Koslov.

— Non, avant ça.

— Kay Glass. »

Je m'approchai un peu plus, incrédule, et regardai la page.

Le nom avait été rédigé au stylo noir, dans une écriture familière, identique, j'en étais certain, à celle qui figurait sur le message que Morgan Devold nous avait montré – et même peut-être sur l'enveloppe reçue par Hopper.

« C'est elle », dis-je.

33

Les rues étaient étroites. Des *bodegas* ratatinées et des immeubles délabrés étaient à touche-touche. Aux étages, les fenêtres, cachées par des plantes et des flacons de shampooing, s'éclairaient de verts et de bleus électriques, tels des aquariums sales. De temps en temps, un piéton solitaire passait, généralement chinois, tenant à la main des sacs en plastique ou marchant d'un pas pressé, vêtu d'une doudoune. Presque tous les passants se retournaient vers nous, comme s'ils savaient – sans doute parce que nous étions dans un taxi – que nous avions une idée derrière la tête.

Le chauffeur tourna dans Pike Street, une grande rue à quatre voies. Sur notre gauche se dressait un petit immeuble en brique – « MANHATTAN REPAIR COMPANY », annonçait l'enseigne –, et à droite, ce qui ressemblait à une école publique.

« C'est Henry Street », dit soudain Hopper en tendant le cou pour mieux lire la plaque de rue. Le chauffeur de taxi prit à gauche. « HONG KONG SUPERMARKET. » « JASMINE BEAUTY SALON. » Il était plus de 19 heures, et tous les magasins étaient fermés, leurs rideaux métalliques baissés et cadenassés.

« Voilà le n° 91, dit Nora, penchée en avant pour mieux sonder la rue déserte. Le n° 83 arrive juste après sur la droite. »

Sur le livre d'or de Klavierhaus, Ashley avait écrit – et Peter Schmid était incapable de dire *quand*, exactement, elle l'avait fait :

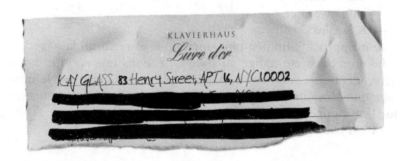

Kay Glass était le nom de l'amie disparue dans *Un moindre mal* – la femme invisible qui invite sa nouvelle collègue, Alexandra, et son fiancé, Mitchell, à passer le week-end dans la maison de plage de ses parents. Au début du film, Alex et Mitch, qui se sont disputés pendant presque tout le trajet depuis la ville, arrivent à la maison peu après minuit. Celle-ci est entièrement plongée dans le noir et déserte ; leur amie – Kay Glass – n'est pas là. Une première inspection de la maison – une structure en verre moderniste, construite au bord de l'océan comme un monument à la gloire du nihilisme – leur apprend qu'un crime atroce s'est produit juste avant leur arrivée, et que les assassins – cagoulés, tout de noir vêtus – sont encore là.

Ce personnage m'était familier. Non seulement les Blackboards regorgeaient de théories et d'autels à la gloire de la mystérieuse Kay Glass, mais j'avais aussi entendu Beckman gloser sur le nom et sa signification. Pour lui, *Kay Glass* était synonyme de chaos. Il affirmait aussi que la femme disparue – et la question de savoir ce qui lui était arrivé – était en réalité une métaphore de l'inexorable noirceur de la vie. Cette image était une des marques de fabrique de Cordova, et Beckman s'en était inspiré pour baptiser un de ses chats : *l'Ombre*.

« Kay Glass, c'est l'Ombre qui nous poursuit indéfiniment, dit-il. C'est ce que nous cherchons mais ne trouvons jamais. C'est le mystère de notre existence, le constat que, même quand on obtient tout ce que l'on veut, cela finira un jour par nous abandonner. C'est ce que l'on ne voit pas, le désastre imminent, les ténèbres qui donnent une dimension à notre vie. »

Le fait que, parmi une multitude de pseudonymes possibles, Ashley eût choisi *celui-là* – le nom d'une femme disparue dans un film de son père –, menait à toutes sortes de conclusions sur le plan psychologique, la plus évidente étant que les histoires de Cordova faisaient partie de la réalité quotidienne d'Ashley, voire, peut-être, éclipsaient sa personnalité propre. Qu'avait-elle répondu lorsque Peter Schmid lui avait demandé qui elle était ?

« *Personne.* »

Cela me faisait penser à son portrait dans la newsletter d'Amherst. « C'est merveilleux de se perdre dans un morceau de musique, y disait-elle. D'oublier son nom pendant quelque temps. »

Notre taxi ralentit dans la rue déserte. Le pont de Manhattan s'étendait devant nous en diagonale, comme un grand arbre abattu que personne n'aurait pris la peine d'enlever. Des constructions minables avaient poussé tout autour.

« Là », dit Hopper en montrant un immeuble sur notre droite.

Devant, l'auvent indiquait : « 83, HENRY STREET », en lettres blanches, suivies de caractères chinois. Des grilles métalliques avaient été baissées de part et d'autre de l'entrée – une porte verte munie d'une petite fenêtre rectangulaire.

Je réglai la course et nous descendîmes.

Il régnait un calme et un silence étranges ; on n'entendait que les gémissements lointains des voitures invisibles qui franchissaient le pont. Je m'approchai de la porte et regardai par la petite fenêtre.

À l'intérieur, derrière une rangée de boîtes aux lettres, partait un couloir en piteux état, couvert de graffitis peints à la bombe.

« Regardez », murmura Nora, le doigt pointé vers l'étiquette collée à côté de la sonnette de l'interphone de l'appartement n° 16. Le nom était le suivant : K. GLASS.

« N'appuie *pas* », dis-je. Je reculai pour lever les yeux vers l'immeuble : quatre étages, de la brique rouge effritée, un escalier de service rouillé. Toutes les fenêtres étaient sombres, sauf deux au premier étage et une autre au dernier, décorée de rideaux roses à froufrous.

« Il y a quelqu'un qui vient », susurra Hopper. Il s'éloigna de la porte et courut vers le coin de l'immeuble, où se trouvait un parking. Nora recula et se dépêcha de marcher sur le trottoir. Quant à moi, je contournai les ordures entassées près du caniveau et traversai la rue.

Au bout de quelques secondes, j'entendis la porte s'ouvrir derrière moi, puis des pas rapides.

Un Asiatique vêtu d'un blouson bleu venait de sortir et se dirigeait vers Pike Street. Il ne semblait pas nous avoir vus – pas même Hopper, qui s'était faufilé derrière lui et avait réussi à retenir la porte avant qu'elle ne se referme.

« *Joli*, susurra Nora tout excitée avant de se ruer à l'intérieur après lui. Le n° 16 doit être au dernier étage.

— Attendez deux secondes », dis-je derrière eux.

Mais Hopper avait déjà disparu dans le couloir, suivi par Nora. Je voulus jeter un coup d'œil sur les boîtes aux lettres. Mis à part Glass au n° 16, il n'y avait qu'un Dawkins au n° 1 et un Vine au n° 13.

Je pris le couloir ; une télévision bavardait non loin de là. J'entendais déjà Nora et Hopper marcher en haut. Une lumière vive s'alluma quelque part au-delà du couloir et projeta soudain leurs ombres allongées sur le mur face à moi – deux grandes langues noires qui glissèrent sur la paroi, léchant les carreaux marron craquelés, puis disparurent.

Je leur emboîtai le pas. Les marches étaient jonchées de détritus et de flyers pour des escort-girls asiatiques, la plupart rédigés en chinois. L'un d'eux, coincé sur une vitre sale, vantait les mérites d'un « MASSAGE ASIATIQUE », avec la photo d'une Coréenne nue portant des jambières en cuir et regardant timidement par-dessus son épaule. « APPELEZ YUMI », était-il écrit.

Hopper et Nora avaient disparu au dernier étage. Au moment

où j'attaquai la volée de marches suivante, tout en écartant avec mon pied une cannette de Tsingtao, j'entendis un *bang* au-dessous.

Je regardai par-dessus la rambarde métallique.

Il n'y avait personne. Pourtant j'étais sûr d'entendre quelqu'un *respirer*.

« Y a quelqu'un ? » lançai-je. Ma voix résonna dans tout l'escalier.

Aucune réponse.

Je montai les dernières marches et ouvris la porte marquée du numéro 5 ; je vis Hopper et Nora au fond d'un long couloir sombre, devant l'appartement n° 16. Lorsque j'arrivai enfin à leur hauteur, ils se retournèrent et, tout surpris, regardèrent derrière moi.

Une femme venait de surgir à l'autre bout du couloir.

34

L'unique ampoule du plafond répandait une lumière jaune malsaine sur son large nez et son grand front. Assez grosse, elle portait une longue jupe verte et un tee-shirt noir, tandis que ses cheveux bruns hirsutes recouvraient ses épaules.

« Je peux savoir ce que vous foutez là ? demanda-t-elle d'une voix rauque, masculine.

— On vient voir une amie », dis-je.

Elle s'avança vers nous, les épaules voûtées, en faisant claquer ses tongs sous ses pieds nus.

« *Quelle* amie ?

— Ashley.

— Qui ça ?

— Kay, intervint Nora. Il voulait dire *Kay*. »

Entendant ce nom, la femme s'arrêta et refusa d'aller plus loin. Elle devait avoir autour de cinquante ans, la peau tachée et quelques dents en moins, ce qui la faisait ressembler à une statue qui s'effrite.

« Où *est* cette foutue Kay ? s'écria-t-elle. Dites-lui qu'elle me doit trois semaines de loyer. C'est pas le secours populaire, ici. »

Hopper sortit un bout de papier de sa poche de manteau et le déplia.

« C'est elle ? » C'était une photo d'Ashley en noir et blanc. Il avait dû l'imprimer à partir d'un site Internet, car je ne l'avais encore jamais vue – à moins qu'elle ne provînt de sa collection personnelle, une photo prise à Six Silver Lakes. La femme ne se déplaça pas pour la regarder ; elle ne fit qu'avancer son menton.

« Vous êtes des flics ?

— Non, répondis-je. On est des amis de Kay.

— Quand est-ce que vous l'avez vue pour la dernière fois ? » demanda Nora.

La femme nous fusilla du regard. « Je parle pas aux flics.

— On *n'est pas* des flics », dit Hopper avant de sortir son porte-feuille de sa poche arrière. Dès qu'il l'ouvrit, les petits yeux noirs de la femme fondirent sur lui comme des mouches sur un étron. « Répondez à nos questions, on va vous dédommager. » Il lui tendit trois billets de vingt dollars ; elle s'en saisit immédiatement, les compta, puis les glissa sous son tee-shirt.

« Est-ce que c'est Kay ? répéta Hopper en montrant la photo.

— Ça lui ressemble beaucoup.

— Quand l'avez-vous vue pour la dernière fois ? demandai-je.

— Ça fait des *semaines*. C'est pour ça que je suis montée. Quand j'ai entendu votre bazar, j'ai cru qu'elle venait récupérer ses affaires en essayant de me la faire à l'envers. Vous savez quand Son Altesse compte refaire surface ?

— Pas vraiment. »

La nouvelle la mit dans une colère noire. « J'aurais pu louer cette chambre cinq fois. Maintenant il va falloir que je fasse venir un serrurier. Et que je nettoie ses saloperies.

— Pourquoi un serrurier ? »

Elle hocha la tête en direction de la porte. « Je n'ai pas la clé de sa chambre. Elle a changé la serrure sans me le dire.

— Pourquoi ?

— Qu'est-ce que j'en sais, moi ?

— À quoi ressemblait-elle ? » demanda Nora.

La femme fit une grimace. « Elle avait des airs de duchesse, si vous voulez tout savoir. Elle avait une manière d'exiger des choses, comme si elle était la reine d'Angleterre. Elle voulait que je répare les lampes des toilettes parce que c'était trop sombre pour elle, et puis le robinet. Elle a dû confondre avec le Marriott.

— Vous savez ce qu'elle faisait à New York ? »

Elle plissa les yeux, comme légèrement offensée. « Moi, vous me payez au jour dit, je me fous de ce que vous fabriquez dans votre chambre. Elle m'a quand même rendu *un* service, une fois. Je devais faire une course et elle a gardé mon neveu pendant deux heures. J'ai trouvé *ça* bien. Mais là-dessus, elle me change la serrure, elle se barre et elle m'enfle sur le loyer. Je gère un immeuble, moi, pas une association caritative. » Elle regarda de nouveau la porte, furieuse. « Maintenant il va falloir que je paie un serrurier.

— Combien de temps a-t-elle habité ici ? demandai-je.

— À peu près un mois. Mais ça fait des semaines que je ne l'ai pas vue.

— Et comment est-elle arrivée ici ?

— Elle a répondu à mon annonce. Je poste des prospectus autour de Port Authority.

— Combien pour qu'on puisse défoncer la porte ? demanda Hopper en faisant glisser ses mains sur cette dernière. On vous réglera aussi les impayés de Kay.

— Euh, ça ferait... Allez, *cent cinquante*. Plus tous les dégâts sur la porte.

— Tenez, voilà trois cents. »

Après avoir tendu une liasse de billets à la femme, qui les saisit sans demander son reste, Hopper alla au bout du couloir, où se trouvaient une porte avec une vitre sale – une sorte de salle de bains collective – et un extincteur. Il décrocha ce dernier et revint ; il le brandit au-dessus de sa tête et l'abattit violemment sur le verrou.

Il répéta son geste cinq fois. Le bois finit par se fendre. Puis, avec une aisance et un calme qui laissaient penser qu'il n'en était pas à son coup d'essai, il posa l'extincteur, recula de quelques pas et donna un grand coup d'épaule dans la porte. Celle-ci s'ouvrit en claquant contre le mur, puis se referma ; elle était entrouverte de trois centimètres.

Pendant un moment, personne ne bougea. Hopper poussa la porte en grand.

À l'intérieur régnait une obscurité complète. La lumière du couloir éclairait à peine le sol en ciment éraflé et les murs couverts d'une peinture bleue écaillée.

Il y avait aussi une odeur *nauséabonde* – quelque chose en cours de putréfaction.

Je me tournai pour demander à la propriétaire quand elle était entrée pour la dernière fois dans la chambre de Kay. Mais elle s'en allait déjà.

« Il faut que je retourne en bas, bredouilla-t-elle avant de faire demi-tour et de filer au fond du couloir dans un grand bruit de claquettes. Je dois aller garder mon neveu. » Elle se précipita. Quelques secondes plus tard, j'entendis son pas lourd dans l'escalier.

« Elle a peur de quelque chose, dis-je.

— C'est cette *odeur* », murmura Nora.

35

Hopper posa le pied à l'intérieur. Je le suivis, tâtant le mur à la recherche d'un interrupteur.

« *Putain*, dit-il en toussant. Ça sent vraiment très mauvais. »

Il y eut soudain un bruit de *raclement*. Il venait de heurter quelque chose – une chaise en métal pliante. Puis, grâce à sa lampe torche, la chambre se retrouva soudain baignée d'une lumière pâle.

La pièce était exiguë et austère : un tapis marron élimé, une fenêtre avec un store déchiré, un lit de camp métallique affaissé dans un coin. En voyant la manière dont les draps étaient rejetés, la couverture verte qui pendait par terre et le *creux* bien distinct sur l'oreiller, on avait l'impression qu'Ashley venait de partir quelques minutes plus tôt. D'ailleurs tout, dans cette chambre minable, indiquait sa présence récente, et son souffle emplissait encore l'atmosphère renfermée.

La puanteur rance, mélange d'eaux usées et de *brûlé*, semblait suinter des murs. Une tache brune maculait le plafond près de la fenêtre, comme si on avait tué quelque chose sur le toit et laissé le sang couler lentement dans la charpente. Le sol, jonché de quelques emballages en plastique, était rendu poisseux par le résidu d'une boisson gazeuse noire qui s'y était déversée.

« Devold ne nous avait pas dit que Morgan portait un pyjama blanc quand elle s'est enfuie de Briarwood ? demanda Hopper.

— Si, répondis-je.

— Il est là. »

En effet – un pantalon de coton blanc serré par un cordon et un haut avaient été jetés en tas sur les draps.

Hopper avait l'air de ne pas vouloir les toucher. Je ramassai le pantalon et notai avec surprise non seulement que A. *Cordova MH-314* – le numéro de sa chambre à Briarwood – était imprimé sur l'élastique, à l'intérieur, mais également que les jambes avaient gardé la forme d'Ashley. Idem pour le haut, qui avait la taille carrée des blouses de chirurgien : la manche gauche était encore courbée au coude.

Je reposai le tout sur le lit et m'approchai d'un petit placard. Il ne contenait rien, hormis quatre cintres en fil de fer suspendus à une tringle en bois.

« Il y a quelque chose là-dessous », dit Hopper. Il regardait sous le lit.

Nous le soulevâmes et le déplaçâmes au centre de la pièce. Et nous contemplâmes tous trois, stupéfaits, ce qui venait d'apparaître sous nos yeux.

Aucun de nous ne prononça un mot.

36

Dans un premier temps, je pensai à une sorte de cible. Si j'avais découvert une chose pareille sous *mon* lit, je me serais sans doute demandé si ce n'était pas un coup de la Grande Faucheuse, histoire de me rappeler que mon tour arrivait dans quelques jours – *ou si je n'avais pas des ennemis bien décidés à me coller la trouille de ma vie.*

Quatre cercles concentriques de cendre noire avaient été méticuleusement disposés sur le sol. Au centre – sous l'emplacement exact du torse ou du cœur d'Ashley si elle était allongée sur le lit, remarquai-je –, il y avait une pyramide de charbon de bois. Elle mesurait environ quinze centimètres de hauteur ; le charbon était blanc et effrité, mais le ciment, dessous, était carbonisé.

« Qu'est-ce que c'est ? demanda Nora.

— C'est cette cendre qui sent mauvais », dit Hopper, accroupi à côté des cercles.

Nous prîmes quelques photos. Nora retrouva un sachet en plastique dans son sac et, le retournant comme un gant, nous recueillîmes un échantillon de la poudre. On aurait dit un mélange de terre, d'os et de feuilles finement hachées. Je refermai le sachet et le rangeai au fond de la poche de mon manteau.

« Oh putain, lâcha Hopper derrière nous. Regardez-moi un peu ça. »

Il se tenait près de la porte et observait quelque chose qui avait été logé au-dessus – un faisceau de bâtonnets. Ils avaient été placés au fond de l'encoignure, *comme pour rester totalement invisibles*.

Hopper les décrocha et les brandit à la lumière du couloir. Ils ressemblaient à des *racines* – les unes épaisses, les autres plus fines, d'autres encore enroulées en spirale, mais elles avaient toutes l'air de provenir de la même plante. Chacune avait été soigneusement entourée de ficelle blanche, puis nouée aux autres.

« On dirait une sorte de rite occulte », dis-je en les prenant des mains de Hopper. Depuis le temps, j'avais vu bon nombre de coutumes religieuses étranges – le lancer de bébé en Inde ; les moines jaïnistes qui se promenaient tout nus, *habillés* d'air ; des garçons, dans certaines tribus, forcés de porter des gants remplis de fourmis flamandes, en un rite de passage à l'âge adulte. Et cela y ressemblait fortement.

« Pourquoi placer ça au-dessus de l'encadrement de la porte ? » demanda Nora.

Je regardai Hopper. « Dans ton souvenir, Ashley avait des pratiques ou des croyances inhabituelles ?

— Non.

— On fait une deuxième inspection pour vérifier qu'on n'est pas passés à côté de quelque chose. Et après, on se tire d'ici. »

Nora et Hopper acquiescèrent et jetèrent des regards méfiants autour d'eux. J'allais me diriger vers la table de chevet lorsque, du coin de l'œil, je vis une forme *verte* passer devant la porte, suivie de claquements cadencés. Des *tongs*.

Je passai la tête par la porte. La propriétaire filait dans le couloir. *Cette vieille chouette nous avait espionnés.*

« Attendez ! m'écriai-je en me lançant à sa poursuite.

— Je ne sais rien du tout, grommela-t-elle.

— Vous avez forcément dû remarquer *l'odeur* qui sortait de sa chambre. »

Elle s'arrêta brusquement au bout du couloir et se retourna. Sa peau luisait de sueur.

« Je ne sais pas ce que cette fille *fabriquait*.

— Est-ce qu'un des voisins a dit quelque chose ? »

Elle ne répondit pas. Elle avait une manière désagréable de se mouvoir, comme un *lézard*, restant aussi figée qu'une pierre – comme consciente qu'elle serait camouflée par la pénombre et les murs fissurés autour d'elle –, puis détalant rapidement. À présent, elle était immobile et me regardait fixement, la tête inclinée sur le côté.

« Elle faisait peur aux gens. » Avec un grand sourire, elle ajouta : « Je comprends pas *pourquoi*, vu qu'elle est maigre comme un clou. Et je peux vous garantir que certains des zozos qui me louent mes chambres, en général ce sont *eux* qui font peur. Mais c'est pas mon problème. Les gens font ce qu'ils veulent, du moment qu'ils me paient. »

J'étais arrivé au milieu du couloir. Mais je dus m'arrêter car un petit garçon – il n'avait pas plus de cinq ou six ans – m'observait par l'entrebâillement de la porte de l'escalier. Au bout d'un moment, il s'échappa pour se planter, l'air renfrogné, derrière la femme. Il portait un tee-shirt sale, un pantalon de coton trop court et des chaussettes beaucoup trop grandes pour ses pieds.

« C'est votre neveu ? »

La femme posa sur lui un regard froid puis se tourna vers moi sans mot dire.

« Vous nous avez dit que Kay l'avait gardé, un jour, pendant que vous étiez dehors. Est-ce qu'il peut me dire quelque chose sur elle ? »

Elle pointa le doigt vers moi. « Pour un *ami*, vous ne savez pas grand-chose. »

Je remarquai alors qu'un rai de lumière provenait d'une chambre à côté de moi. La porte bougea. *Quelqu'un nous écoutait.* Avant même que je puisse voir de qui il s'agissait, j'entendis un gros bruit. La propriétaire et le petit garçon avaient disparu dans l'escalier. Je me lançai à leur poursuite.

« Attendez !

— *Foutez-nous la paix.* »

Je dévalai les marches, trébuchai sur les flyers et me rétablis sur le palier inférieur. Sans réfléchir, j'attrapai le bras du petit garçon. Il poussa un cri *à vous glacer les sangs*, comme si je l'avais marqué au fer rouge.

Surpris, je le laissai tranquille. Mais il continua de hurler tout en regardant quelque chose – une sorte de figurine qu'il venait de lâcher – tomber par-dessus la rambarde métallique, rebondir sur les marches et atterrir sur le carrelage du rez-de-chaussée. Avec un gémissement, il descendit pour aller le récupérer.

« Regardez ce que vous avez fait, maugréa la femme, furieuse, en voulant le rattraper. Allez chercher vos *amis* et tirez-vous. On n'est au courant de rien. »

Une fois au rez-de-chaussée, je les vis inspecter frénétiquement le couloir. Le garçon se redressa, tourné vers la vieille femme, et agita sa main. *Il s'exprimait en langage des signes.* Il était sourd. *Et je l'avais traumatisé.*

Tout penaud, je me retournai et me mis à inspecter le carrelage en écartant du pied flyers et emballages. Je retrouvai rapidement ce qu'il cherchait dans un rectangle de lumière, sous l'escalier.

C'était un petit serpent en bois sculpté – une dizaine de centimètres, le corps sinueux, la gueule ouverte, la langue tirée. Il pesait étonnamment lourd.

Soudain arrivée à ma hauteur, la propriétaire me l'arracha des mains pour le redonner au petit garçon. Elle le prit par le bras et le traîna jusqu'à la porte d'un appartement. Le temps qu'elle le pousse à l'intérieur, le suive et claque la porte, j'entrevis une pièce en désordre, où une télévision diffusait des dessins animés.

Nora et Hopper descendaient en courant, faisant trembler l'immeuble. Ils foncèrent au bout du couloir. Nora se retourna vers moi, sans un mot, pour me faire signe de me dépêcher. Je retrouvai la nuit fraîche et m'aperçus que je cherchais mon souffle, comme si je m'étais péniblement libéré de quelque chose – quelque chose qui m'étouffait sans même que je m'en rende compte.

37

« Vous avez pris les racines qui étaient au-dessus de la porte ? demandai-je après avoir rattrapé Nora et Hopper sur le trottoir d'en face.

— Oui, répondit Nora en ouvrant son sac pour me montrer.

— Très bien. On prend un tax...

— Non. Une voisine d'Ashley va descendre pour nous parler. »

Je repensai au rai de lumière que j'avais aperçu devant la chambre n° 13.

« Pendant que tu poursuivais la propriétaire, une autre femme a passé sa tête par la porte, inquiétée par le vacarme. Hopper lui a montré la photo d'Ashley et elle l'a reconnue. Elle va nous parler d'elle dans deux secondes.

— Bien joué.

— La voilà », dit doucement Nora, tandis qu'une silhouette émergeait du 83, Henry Street.

C'était une grande fille, qui portait un sweat-shirt à fermeture éclair blanc et des baskets. Elle avait un sac de sport noir accroché à l'épaule, et ce qu'il contenait – *des fusils d'assaut*, à en juger par la forme – avait l'air assez lourd, lui courbant le dos. Elle se dépêcha de traverser la rue pour nous rejoindre.

« Désolée d'avoir mis autant de temps, dit-elle, essoufflée, en montant sur le trottoir, enveloppée d'un parfum puissant. Je ne trouvais plus mes clés. Je pars au travail, donc je suis assez pressée. Qu'est-ce que vous vouliez savoir ? »

Malgré son visage assez joli, encadré par des boucles blond peroxydé, elle était tellement maquillée qu'il était difficile de savoir ce qui relevait de l'illusion. Elle devait avoir trente ans, même si je remarquai qu'elle se tenait délibérément à l'écart du lampadaire et gardait ses mains dans les poches de son sweat-shirt, les épaules voûtées, comme si elle n'aimait pas qu'on la regarde de près.

« Deux ou trois choses sur votre voisine Kay. »

Elle sourit. « Ah, oui. Comment elle va ? Ça fait longtemps.

— Elle va bien, répondis-je sans prêter attention au regard de Nora. C'est une de nos amies, et on voudrait en savoir un peu plus sur son séjour ici. Qu'est-ce qu'elle faisait ?

— Oh là ! Je ne sais pas. On ne se parlait presque jamais. »

Posant son sac de sport par terre – de mystérieux bruits métalliques s'en échappèrent –, la jeune femme sortit de sa poche un kleenex roulé en boule et se moucha. « *Pardon*. Je me remets tout juste d'un méchant rhume. Kay, je dirais que je ne l'ai vue qu'une fois.

— Quand ça ? demandai-je.

— Il y a un mois, peut-être. Je rentrais tout juste du travail. Il devait être cinq ou six heures du matin. Je suis allée dans la salle de bains pour me démaquiller. Il n'y en a qu'une par étage. Tout le monde se la partage. J'y étais depuis à peu près trois quarts d'heure, en train de me laver les dents, peut-être même de parler toute seule, quand tout à coup j'ai entendu un gros bruit d'éclaboussure derrière moi. »

Elle tressaillit. « J'ai eu une peur bleue. J'ai hurlé. J'ai dû réveiller tout l'immeuble.

— Pourquoi ? demandai-je alors qu'elle s'interrompait pour se moucher de nouveau.

— Elle était là, répondit-elle en poussant un petit rire aigu comme une clochette. *Kay*.

— Où ça ?

— Dans la baignoire. Pendant tout ce temps-là, elle avait pris un bain derrière moi. »

Je regardai Nora et Hopper. Ils avaient l'air de penser la même chose que moi – l'aspect pour le moins troublant de la scène que cette femme venait de décrire lui échappait totalement.

« Je me suis présentée, reprit-elle en reniflant. Elle m'a dit son nom, puis elle a penché sa tête en arrière sur la baignoire et a fermé les yeux, comme si elle avait eu une longue journée et n'avait pas trop envie de parler. J'ai fini de mettre mes crèmes antirides et je lui ai souhaité une bonne nuit. Après l'avoir entendue quitter la salle de bains, j'y suis retournée parce que j'avais oublié mon dentifrice sur le lavabo. Comme elle n'avait pas vidé la baignoire, j'ai plongé ma main pour enlever la bonde. » Elle secoua la tête. « Je ne sais pas *comment* elle a fait pour rester là-dedans sans que ses bras et ses jambes se congèlent. L'eau était *glacée*.

— Vous n'avez jamais revu Kay ?

— Non. Je l'ai *entendue*, par contre. Les murs, ici, sont comme du papier. Elle avait l'air d'avoir les mêmes horaires que moi.

— À savoir ?

— Je travaille la nuit. »

Elle dit cela avec un air vague, en regardant la rue déserte derrière nous. « Attendez... Si. Il y a eu une *autre* fois. Oui, pardon. J'ai le cerveau assommé par l'antirhume. C'était mon jour de congé, donc un samedi. En rentrant du supermarché, j'ai croisé Kay dans l'escalier. Elle partait en boîte. Je ne me souviens plus du nom. » Elle secoua encore la tête. « Un nom assez féminin. Un truc français, peut-être. Je *crois* qu'elle m'a dit que c'était une ancienne prison à Long Island. Elle voulait savoir si j'y étais déjà allée. Mais je ne connaissais pas.

— Une ancienne prison ? »

Elle haussa les épaules. « La conversation a duré cinq secondes. Et vous savez quoi ? La semaine dernière, j'ai vu deux types devant sa porte. Ils m'ont regardée avec un air de me dire de me mêler de ce qui me regarde. Du coup, je n'ai rien fait.

— À quoi ressemblaient-ils ?

— Deux *types*. L'un avait peut-être la trentaine, l'autre était plus vieux. Plus tard, j'ai entendu Dot monter et les virer. Elle n'aime pas les inconnus.

— Dot ?

— Oui. Vous avez parlé avec elle tout à l'heure.

— Elle vit avec un petit garçon ?

— Lucian. Son neveu.

— Depuis quand est-ce qu'il habite là ?

— Depuis que j'y suis aussi. Environ un an. »

Elle renifla et retroussa sa manche pour regarder l'heure. « Merde. Il faut que je me grouille. » Elle ramassa son sac de sport et le hissa, toujours bruyant, sur son épaule. « Vous direz bonjour à Kay de ma part ?

— Bien sûr.

— Où est-ce qu'on peut vous contacter si on a d'autres questions ? » demanda Nora.

Après une légère hésitation, la jeune femme ouvrit son sac de sport et lui tendit une carte de visite noire. Elle sourit, puis partit en direction du pont de Manhattan. Nora me passa la carte sans un mot.

« IONA, était-il écrit. ANIMATIONS POUR ENTERREMENTS DE VIE DE GARÇON. »

38

« Une boîte de nuit à Long Island, dis-je. Avec un nom français. Et qui serait située dans une ancienne prison ou un bâtiment désaffecté. Ça vous dit quelque chose ? »

J'étais au téléphone avec Sharon Falcone, devant le Gitane, un imprévisible petit café franco-marocain de Mott Street. Après avoir quitté le 83, Henry Street, nous avions pris un taxi jusque-là pour manger un morceau et faire le point. La recherche combinée de « boîte de nuit », « Long Island », « français » et « prison désaffectée » n'ayant rien donné sur Google, j'avais décidé d'appeler Sharon, pensant qu'elle saurait peut-être de quoi il s'agissait.

« Ne me dites pas que vous me harcelez parce que vous avez besoin d'aide pour faire des rencontres », répondit-elle.

J'entendais des téléphones sonner derrière elle, ainsi qu'une télévision branchée sur les infos en continu de NY1 News. Elle était donc encore à son bureau du commissariat, assise sur son vieux fauteuil pivotant, sa paire de lunettes sur le nez, plongée dans les détails d'une affaire que ses collègues avaient laissée tomber depuis longtemps.

« Pas vraiment, dis-je. C'est une piste.

— Je connais Long Island comme je connais ma cuisine. Je sais qu'elle est là pour mon plaisir et mon bonheur, mais curieusement, je n'arrive jamais à y aller. Je ne peux pas vous aider. Je peux me remettre au travail, maintenant ?

— Et les sciences occultes à New York ? C'est fréquent ?

— Est-ce que vous considérez le culte de l'argent comme une science occulte ?

— Je parle plutôt des pratiques et des rituels bizarres. Est-ce que vous y êtes souvent confrontée sur les scènes de crime ? Ça vous surprendrait ?

— *McGrath*. J'ai des coups de couteau. J'ai des blessures par balle. J'ai un fils de bonne famille qui a poignardé sa mère dans le cou, un bébé de six mois secoué jusqu'à la mort et un homme qui s'est fait émasculer à l'hôtel InterContinental de Times Square. Alors *oui*, l'occultisme, on connaît. On a toute la panoplie. Il y a peut-être un Starbucks à chaque coin de rue et un iPhone vissé sur chaque oreille, mais je vous rassure, ça n'empêche pas les gens d'être toujours aussi dingues. Autre chose ? »

J'allais lui répondre par la négative et m'excuser de l'avoir dérangée lorsqu'une idée me vint.

« J'ai peut-être un cas à soumettre aux services de protection de l'enfance. »

Falcone ne répondit pas tout de suite, même si je la voyais presque se redresser brusquement, sortir un bloc-notes d'une pile de dépositions et de photos de laboratoire, chercher une page blanche parmi ses griffonnages illisibles et attraper un stylo.

« Je vous écoute.

— J'étais à l'instant avec une femme qui a un petit garçon sourd à sa charge. Et il y a quelque chose qui cloche. L'immeuble est un trou à rats, peut-être un bordel.

— Quelle est l'adresse ?

— Le 83, Henry Street, entre Pike Street et Forsyth Street. La femme s'appelle Dot. C'est la propriétaire.

— Je vais demander à quelqu'un de jeter un coup d'œil là-dessus.

— Merci. Bon, quand est-ce que je vous invite à boire un verre quelque part ?

— Quand cette ville sera un océan de tendresse.

— Jamais, donc ?

— Je ne perds pas espoir. »

Un téléphone sonna près d'elle. « Il faut que je vous laisse... » Elle raccrocha.

Il était 22 heures passées, vendredi soir. Des groupes de pré-trentenaires avaient envahi les trottoirs, ils affluaient vers les bars et les lieux de drague. Sur le trottoir d'en face, au coin où le mur de brique rouge incliné entourant l'ancienne cathédrale Saint Patrick tournait abruptement, je remarquai un homme vêtu d'une veste en cuir noire en train de téléphoner avec un portable, la main en coupole au-dessus de sa bouche.

Il me regardait fixement. Je n'arrivais pas à me défaire de l'idée que c'était de *moi* qu'il *parlait*.

Il détourna la tête vers le magasin Ralph Lauren au coin de la rue, mais sans cesser de téléphoner. Je retournai à l'intérieur du Gitane.

Je me faisais des films.

39

« J'étais en train de raconter à Hopper, me dit Nora après que je me fus rassis à côté d'elle près de la vitrine, que j'avais retrouvé un ticket de caisse dans la poubelle d'Ashley. »

Hopper examinait le petit bout de papier jaune. Avec un regard sceptique, il me le tendit.

C'était un reçu, écrit à la main, émanant de L'Envol du Dragon, un salon de tatouage installé au 51, 14ᵉ Rue Ouest. Le 5 octobre 2011 à 20 h 21, quelqu'un – je pensai forcément à Ashley, même si aucun nom n'était mentionné – avait payé 363,24 dollars en liquide pour un « tatouage drapeau US/portrait ». D'après les photos du médecin légiste, je savais que le tatouage qu'avait Ashley sur le pied droit était antérieur à ce reçu. Aussi ne voyais-je pas du tout à quoi ce *tatouage drapeau US/portrait* faisait référence.

« On ira là-bas demain. Pour voir si quelqu'un la reconnaît.

— Il va aussi falloir trouver quelqu'un qui nous explique ces cercles qu'elle a placés sous son lit, dit Nora en croquant dans son toast à l'avocat.

— Rien ne nous dit que c'est *elle* qui les a placés, rectifia Hopper. N'importe quel taré a pu le faire.

— Je suis d'accord, fis-je. La propriétaire qui nous écoutait en douce a très bien pu nous mentir à propos de cette histoire de clé. Il y a aussi ces deux types qu'Iona a croisés devant la porte d'Ashley. Je me demande si elle ne se cachait pas de quelqu'un, peut-être de sa famille. Sinon, pourquoi louer cette chambre sous un faux nom et changer la serrure ?

— C'est presque comme s'il y avait deux Ashley, dit Nora avec un air songeur.

— Comment ça ? »

Elle enfonça sa fourchette dans la pyramide de couscous posée sur son assiette. « Il y a la pianiste. La femme intrépide et sauvage. La fille qu'a rencontrée Hopper à Six Silver Lakes. Et puis il y a cette autre fille dont les gens n'arrêtent pas de nous parler. La créature aux tendances surnaturelles.

— Tendances surnaturelles », répétai-je.

Elle acquiesça, le visage grave. « Ce que nous a expliqué Guadalupe, au Waldorf Towers. Comme quoi elle était *marquée*. » Elle se tourna vers Hopper. « Sur la photo du médecin légiste, on avait vu une tache noire sur son œil gauche, exactement comme elle nous l'a dit. Pensez aussi à la façon dont elle a manipulé Morgan Devold sans prononcer le moindre *mot*. Elle l'a hypnotisé. Et Peter, au Klavierhaus ? Il disait qu'elle se déplaçait comme un animal.

— Elle a été admise contre son gré dans un *hôpital psychiatrique*, intervint Hopper, calé au fond de son siège. Qui *sait* ce qu'ils lui ont refilé comme médocs ? Je connais des gens qui prennent de ces merdes et qui essaient de s'en *sortir*. La moitié du temps, ils ne savent même pas ce qu'ils font.

— J'ai remarqué une autre chose, poursuivit Nora avec une voix étouffée. Ashley s'intéressait bizarrement aux enfants. »

J'étais impressionné. J'avais moi-même noté cette particularité. « Ashley a lu une histoire à la fille de Morgan Devold pour

263

l'endormir, reprit-elle. Elle a également gardé le neveu de la propriétaire. Si elle était venue à New York en espérant rencontrer
quelqu'un au Waldorf – et maintenant dans cette fameuse boîte
de nuit –, pourquoi perdre du temps avec ce genre de choses ?

— Peut-être qu'elle aimait les gamins, proposa Hopper.

— Ça fait *beaucoup* d'échanges avec des enfants en l'espace de
quelques jours. Vous vous souvenez de la poupée que Morgan
Devold a repêchée dans la piscine ? Il nous a expliqué qu'elle avait
disparu depuis plusieurs semaines.

— Et ? demanda Hopper.

— Eh bien, ça correspond au moment où Ashley se trouvait
chez lui.

— Tu penses donc que c'est *Ashley* qui a caché la poupée dans
la piscine ?

— Peut-être. Pourquoi aurait-elle disposé ces cercles de poudre
sous son lit ? Ou ces racines au-dessus de sa porte ?

— On a déjà *établi* que ce n'est sans doute pas elle qui a fait ça. »
Hopper dit cela avec une telle colère que deux mannequins qui
mangeaient à la table voisine s'arrêtèrent de parler et le dévisagèrent.
Il se pencha en avant et baissa d'un ton. « Je suis sûr que tu es *ravie* à
l'idée d'imaginer Ashley comme une sorte de Blair Witch, en train de
concocter ses potions avec des queues de chiots, des orteils de petits
enfants et je ne sais quelle autre *connerie*. Mais c'est n'importe quoi.
C'est sa famille qui est responsable. Ce sont *eux*, les fous furieux
qui l'ont envoyée à Briarwood. Elle voulait leur échapper. Elle en
est sans doute morte. » Ces derniers mots, il les marmonna comme
pour lui-même, en chassant ses cheveux de ses yeux et en plantant
sa fourchette dans ses œufs au plat, trop énervé pour manger.

Nora me regarda et, sans un mot, se remit à manger. Je ne dis
rien. La formule qu'elle avait employée – *Ashley s'intéressait bizarrement aux enfants* – me faisait penser à mon interlocuteur anonyme,
cinq ans auparavant. John. *Il y a quelque chose qu'il fait aux enfants*,
m'avait-il dit, et ces mots, depuis, n'avaient cessé de me hanter.

Qu'est-ce que cela voulait dire ? Que tous les membres de cette
famille, du moins le père et la fille, faisaient une fixette sur les
enfants ? *Pourquoi ?*

Devant une telle question, le cerveau fournissait automatique-

264

ment les réponses les plus épouvantables. Cette dichotomie était un thème central dans l'œuvre de Cordova : la malveillance des adultes, la pureté de la jeunesse et la collision entre ces deux forces. *Quelque part dans une pièce vide, Les poucettes, L'héritage, L'enfant de l'amour* : tous ces films abordaient cette question, d'une façon ou d'une autre, même si dans *Respirer avec les rois* Cordova retournait la situation en faisant de l'enfant le dépravé, et des adultes les saints. Dans *L'enfant de l'amour*, Marlowe Hughes avait cette réplique, légère variante d'une phrase de William Blake :

« Mieux vaut tuer un enfant innocent et s'en débarrasser que de le maltraiter et d'élever un monstre. »

Je repensai soudain à la fille de Morgan Devold, Mellie, à la manière dont elle s'était approchée de moi, sur la pointe des pieds, en silence, et avait tendu sa main qui tenait un objet noir.

L'avais-je mal comprise ? Avait-elle muettement demandé de l'aide ? M'avait-elle supplié de ne pas partir ? J'étais content d'avoir parlé à Sharon Falcone du petit garçon sourd au 83, Henry Street. Moyennant quelques recherches supplémentaires, je n'hésiterais pas à refaire la même chose pour les enfants Devold. L'idée était tellement dérangeante que je me mis à écrire un SMS à Cynthia, m'excusant du changement de programme et lui disant que j'avais hâte d'avoir Sam pour le week-end pendant que sa mère serait à Santa Barbara.

« C'est la troisième fois que ce type passe devant en nous reluquant », dit Hopper, les yeux fixés sur la vitre derrière moi.

Je me retournai pour suivre son regard. C'était le *même homme* que j'avais déjà remarqué – grand, les cheveux foncés, la veste en cuir noire. Il était de nouveau sur le trottoir d'en face, à quelques mètres de là où je l'avais repéré.

« Il m'épiait tout à l'heure, quand j'étais dehors », dis-je.

Hopper bondit soudain de son siège et bouscula une serveuse qui faillit renverser son plateau au moment où il se précipita dehors. En le voyant, l'homme disparut au coin de la rue. Je me levai et m'élançai à leur poursuite.

40

Hopper était à mi-hauteur du pâté d'immeubles, au milieu de la chaussée. Je le rattrapai à hauteur du croisement avec Lafayette Street.

« Il vient de partir ! » cria-t-il en montrant du doigt un taxi qui fonçait vers Houston Street. Je le pris en chasse. Pendant ce temps, Hopper courait entre les voitures pour essayer d'en héler un autre.

Loin devant, au carrefour, le feu passa à l'orange ; le taxi, se déportant sur la file du milieu, roulait à toute berzingue. *Il allait le brûler – et ce serait fichu.* Or il pila et s'arrêta brusquement au feu rouge.

Je disposais de quelques secondes. Je slalomai entre les voitures, atteignait le véhicule par la droite. Je vis l'homme – une silhouette sombre sur la banquette, en train de regarder derrière lui, sans doute pour voir si Hopper le suivait encore. Je tentai d'ouvrir la portière.

Il se retourna tout à coup, éberlué. Sa surprise laissa cependant vite place à un *calme froid* lorsqu'il s'aperçut que les portières étaient fermées. Il me rappelait vaguement quelqu'un.

« Qui êtes-vous ? criai-je. Qu'est-ce que vous voulez ? »

Il secoua la tête en haussant les épaules, comme s'il ne voyait absolument pas qui j'étais. *M'étais-je trompé de taxi ?* Ce dernier avança lentement et le visage de l'homme se perdit dans l'obscurité. Sur ce, le feu passa au vert. Le taxi traversa Houston Street, et les voitures durent me contourner en klaxonnant.

Au moment où le taxi avait redémarré, un rai de lumière avait éclairé la main gauche de l'homme.

Il lui manquait trois doigts.

41

De retour au Gitane, j'expliquai à Hopper et à Nora ce qui venait de se passer, ainsi que ma conviction d'avoir été épié par Theo Cordova en personne.

« Ça change tout, dis-je. Désormais, la famille nous surveille.

On va donc devoir partir du principe que tous nos faits et gestes sont observés. »

Ils s'y résignèrent. Hopper jeta presque aussitôt quelques billets froissés sur la table et se leva, en réponse à un SMS qu'il venait de recevoir. Nora et moi rentrâmes à la maison. Elle partit se coucher ; je me servis un verre de Macallan et cherchai « Theo Cordova » sur Internet.

Il y avait au moins mille références sur Google Images, toutes des photos de films de Cordova. Il avait joué des petits rôles dans *La nuit tous les oiseaux sont noirs* et *La fenêtre brisée* ; mais la plupart provenaient de la première scène d'*Attendez-moi ici*, quand il court à moitié nu vers la route.

Plus je regardais ces images, plus j'étais convaincu que c'était bien le même homme, le même nez long et fin, les mêmes yeux marron clair. Dans mes notes, je retrouvai sa date de naissance : il était né à l'hôpital Saint Peter, à Albany, le 12 mars 1977. Il avait donc trente-quatre ans.

Il n'y avait guère plus de renseignements à son sujet sur les Blackboards. Dans l'univers de Cordova, Theo faisait plus ou moins figure d'élément secondaire. Selon une source, il vivait depuis onze ans dans le fin fond de l'Indiana, comme paysagiste, sous le nom de Johnston.

Après avoir parcouru plusieurs autres pages des Blackboards, j'eus une idée. Dans la partie PARLEZ AUX INCONNUS, je publiai un simple post où je demandais que l'on m'aide à identifier et à accéder à une mystérieuse boîte de nuit de Long Island portant un nom français et « installée dans une prison désaffectée ou oubliée ».

Puis je mis l'ordinateur en veille et allai me coucher.

42

Malgré ma fatigue, je fus incapable de trouver le sommeil. J'avais le sentiment très net que ce type était encore là, quelque part, en train de m'observer.

Theo Cordova. L'impression était si forte que je sortis de mon lit, tirai le store et regardai par la fenêtre. Mais Perry Street était toujours silencieuse et obscure, peuplée d'ombres, sans aucun autre mouvement que le frémissement des arbres sous le vent léger. *Voilà que je me transformais en un paranoïaque complet, un personnage de Dostoïevski.*

Je me recouchai. Je remontai le drap sur mon visage, avec une furieuse *envie de dormir*, et poussai mon oreiller du côté le plus frais. Au bout de quelques secondes, il était chaud et poisseux. Les draps aussi étaient brûlants, et détachés du matelas, de sorte qu'ils me ceignaient la taille, pareils à des plantes carnivores essayant de m'étrangler. Dès que je fermais les yeux, je voyais le visage de Theo, à moitié caché dans la pénombre du taxi, ses yeux ternes et sa main difforme sur la vitre, comme s'il tentait de me dire quelque chose, de me supplier, de me menacer, une présence aussi dérangeante et fuyante que celle d'Ashley ce fameux soir au Reservoir.

Pourtant, je dus finir par m'endormir vers 3 heures du matin, car je fus réveillé par un coup discret à la porte.

J'entrouvris un œil. La pendule indiquait 3 h 46.

« Je peux entrer ? » murmura Nora.

Sans attendre ma réponse – *Dieu* merci, j'avais mon pantalon de pyjama –, elle se glissa dans ma chambre. Je ne voyais pas grand-chose, mais elle semblait porter une chemise de nuit à manches longues ; on aurait dit un fantôme qui venait d'entrer comme un souffle dans ma chambre, en suspens au bout de mon lit, me jaugeant, essayant de voir si je méritais d'être hanté.

« J'étais en train de réfléchir... dit-elle, sans finir sa phrase.

— Pourquoi est-ce que tu réfléchis à 4 heures du matin ? demandai-je en entassant les oreillers sous ma tête et en m'adossant à la tête de lit. Ç'a intérêt à valoir le coup.

— C'est Hopper. Avant, je n'arrivais pas à mettre le doigt dessus, mais... » Elle posa ses pieds sur le bord du lit, ce qui fit remonter sa chemise de nuit au-dessus de ses genoux. « Comment est-ce qu'il a su pour le magasin de pianos ? Il aurait retrouvé *le seul endroit* où Ashley est allée, parmi tous ceux qui existent à New York ? C'est trop gros. »

J'étais d'accord avec elle. Ç'avait été un tel coup de chance : Hopper dénichant par hasard chez Klavierhaus quelqu'un qui avait vu Ashley. Quand une chose ressemble à une coïncidence incroyable, neuf fois sur dix ce n'en est pas une.

« Et lorsque j'ai suggéré que c'était Ashley qui avait mis cette poudre sous son lit, il a piqué une colère noire.

— J'ai remarqué, oui. »

Elle se rongeait l'ongle du pouce. « Tu penses qu'il est en partie responsable de ce qui lui est arrivé ?

— Je n'en sais encore trop rien. Mais il nous cache quelque chose, c'est sûr.

— Je ne crois pas qu'il nous aime beaucoup, non plus.

— *Ça*, c'est grave. Et puis il fume sans arrêt, il fait la gueule et il se coiffe comme un *bad boy*. On dirait qu'il se prend pour le rebelle dans un film de John Hughes[1]. »

Elle éclata de rire.

« On va tenter une des plus belles manœuvres tirées du manuel de McGrath. Le coup de Corleone, ça s'appelle. On le surveille de près. Il finira par se dévoiler. Ça marche à tous les coups. »

Elle rabattit ses cheveux derrière ses oreilles, faisant trembler le lit, mais ne dit rien.

« Je peux te poser une question ? » demandai-je.

Elle se retourna vers moi. Son visage formait une tache laiteuse dans le noir.

« Terra Hermosa. Comment est-ce que tu as eu le droit de vivre là-bas ? Il devait tout de même y avoir un âge minimum.

— *Oh*. Ma présence était illégale. Mais je ne pouvais pas quitter Eli. C'est elle qui m'a élevée. Le pire jour de ma vie, c'est quand elle est tombée sur le parking de Bonnie Lee's Fried Chicken et que les médecins ont dit qu'elle devait déménager dans une maison spécialisée.

— Quel âge avais-tu quand tu t'es installée là-bas ?

— Quatorze ans.

— Et tes parents, dans tout ça ? »

---

1. Réalisateur de plusieurs comédies adolescentes comme *La folle journée de Ferris Bueller* ou *Maman, j'ai raté l'avion*.

Elle tripotait les manches froncées de sa chemise de nuit. « Ma mère est morte quand j'avais trois ans. Elle avait un problème au cœur. Mon père était en prison depuis vingt ans, à ce moment-là.

— Pour quelle raison ?

— Fraude postale, fraude téléphonique, usurpation d'identité, vol de cartes de crédit. Il faisait vraiment de son mieux pour enfreindre la loi. Eli disait toujours que si mon père avait consacré à un vrai travail la moitié de l'énergie qu'il avait mise à voler de l'argent, il serait devenu milliardaire. »

Je hochai la tête. Des hommes de cet acabit, j'en avais connu ; j'avais même enquêté sur plus d'un.

« Pendant un temps, je passais la journée là-bas, je m'en allais et je revenais en douce le soir. Et puis, un jour, je me suis fait attraper. Il était prévu que je sois envoyée dans une famille d'accueil. Mais Eli s'est liguée avec les autres vieux de son étage et ils ont fait un énorme scandale. La directrice a fini par surprendre tout le monde – elle ne voulait pas d'une révolte de vieillards. Elle a décidé que, si je me cachais lorsque les évaluateurs de l'État viendraient, je pourrais vivre là jusqu'à la fin du lycée. Il y avait toujours une chambre de libre, parce qu'il y avait toujours quelqu'un qui mourait. Quand Eli est morte d'un cancer, je suis partie sans dire au revoir à personne. Je me suis dit que si je ne partais pas à ce moment-là, je ne le ferais jamais. »

Elle s'interrompit et s'éclaircit la gorge. « Elle est morte à l'hôpital un dimanche et je suis retournée dans sa chambre pour prendre ses affaires. Il y avait une liste d'attente, donc je savais que quelqu'un la remplacerait. Si la famille ne récupère pas les effets personnels, ils les balancent à la poubelle et en un clin d'œil c'est comme s'il n'y avait jamais eu personne dans la chambre. Rien qu'un vieux lit, une chaise et une fenêtre qui attend d'être regardée par la personne suivante. J'étais en train de rassembler les affaires de ma grand-mère quand, tout à coup, Bill le Vieux Crasseux, qui vivait dans la chambre d'en face, a sifflé dans ma direction.

— *Bill le Vieux Crasseux ?* Tu ne m'as jamais parlé de lui.

— On le surnommait comme ça parce qu'il avait toujours les ongles noirs de crasse. Il avait fait la Seconde Guerre mondiale et il racontait à tout le monde qu'il se trouvait juste à côté du bunker de Hitler quand il a explosé. Du coup, certains disaient que des débris étaient encore logés sous ses ongles, d'où leur saleté. »

Elle s'arrêta et renifla. « Il m'a sifflé pour que j'aille le voir. Il sifflait toujours les gens. J'avais peur. Personne n'allait le voir, tellement sa chambre sentait mauvais. Mais il a cherché sous son lit et a sorti une boîte à chaussures Rockport. Il m'a expliqué qu'il avait économisé pour que je puisse réaliser mes rêves. Il y avait six cents dollars là-dedans. Il me les a donnés en me disant : *"Maintenant, tu vas pouvoir faire quelque chose de ta vie. Allez, déguerpis, petite."* Alors j'ai *déguerpi*. J'ai marché jusqu'à la gare de Kissimmee et j'ai pris un car pour New York. Les gens ne se rendent pas compte à quel point c'est facile de changer de vie. Il suffit de monter dans un car. »

Elle se tut. Pendant quelques instants ni elle ni moi ne parlâmes, laissant son récit dériver entre nous comme un radeau.

« J'ai eu de la *chance*, reprit-elle. La plupart des gens n'ont que papa et maman. Moi j'ai eu des tas de gens.

— Tu as eu beaucoup de chance. »

Elle semblait contente. Elle rentra ses mains dans ses longues manches blanches.

« C'est facile d'être soi-même dans le noir. Tu as déjà remarqué ? Bon allez, il faudrait peut-être qu'on dorme un peu. » Le lit trembla lorsqu'elle sauta d'un bond et fila hors de la chambre. « Bonne nuit, Woodward.

— Bonne nuit, Bernstein. »

http://www.vanityfair.com/online/daily/2011/10/ La-fille-de-l-enchanteur-Pg1

VF DAILY
Culture, Société, Politique

CULTURE   EXCLUSIVITÉ WEB

La fille de l'enchanteur

29 OCTOBRE 2011

J'aime 16   Tweet 2   COMMENTAIRES (0)   EMAIL

Il y a deux semaines, les fans du plus secret des cinéastes culte, Stanislas Cordova, ont eu la tristesse d'apprendre que sa fille Ashley, vingt-quatre ans, avait été retrouvée morte dans un entrepôt, à New York, apparemment après s'être donné la mort. Liz Kruger, de *Vanity Fair*, a retrouvé la camarade de chambrée d'Ashley au Amherst College, en première année, et découvert que la fille du réalisateur, aussi glamour que débridée, laissait dans son sillage tragique autant de questions troublantes que son père.

Photo K&M Recording

« Nous avons vécu ensemble presque un an et je ne peux pas dire que je l'ai connue », raconte Emma Banks, qui fut la camarade de chambrée d'Ashley, entre 2005 et 2006, en première année au Amherst College. « Elle était sauvage. Je viens de Moline, dans le Kansas, un village de 371 habitants. Chez moi, des filles comme Ashley, ça n'existe pas. Elle avait un incroyable tatouage japonais sur le pied et buvait du whisky en écrivant ses dissertations. »

Le fait que je sois assise au Pastis un mercredi matin, en train de manger un croissant avec une femme qui a connu Ashley Brett Cordova, est un peu surréaliste. Depuis l'annonce de son probable suicide dans un entrepôt délabré de Chinatown – ramenant pour la première fois le nom de Cordova à la surface après un long silence, si l'on excepte le scandale suscité par le journaliste Scott McGrath il y a cinq ans –, j'ai tenté de retrouver les amis d'Ashley, ses voisins, les gens avec qui elle a travaillé, pour entendre ce qu'ils avaient à dire à son sujet et savoir s'ils étaient capables d'expliquer une telle tragédie. En vain.

{   1 2 3 4 5   SUITE   }

CULTURE EXCLUSIVITÉ WEB

La fille de l'enchanteur

29 OCTOBRE 2011

Ashley n'utilisait aucun réseau social – ce qui, à notre époque, signifie qu'elle n'existait pas. Google n'évoque que sa carrière de prodige musical et son rôle dans le dernier film de son père, *Respirer avec les rois*, dont je ne peux trouver de copie pirate que sur le site Craigslist, et pour la somme de mille neuf cent cinquante dollars. Contacter The Spence School (où elle a, paraît-il, passé un demi-semestre) et Amherst College (dont elle est sortie diplômée) afin d'obtenir son dossier universitaire se révèle impossible – les documents la concernant sont sous scellés.

Pour l'instant, mes recherches solitaires ne m'ont conduite que vers Emma Banks, vingt-cinq ans, originaire de Moline, Kansas, et qui vit aujourd'hui à Chelsea, New York. Diplômée en économie à Amherst, elle travaille en tant qu'analyste chez JPMorgan Chase.

« Ashley lisait des choses comme *Interview* ou Byron, poursuit Banks tout en découpant soigneusement un croissant en deux. Parfois, elle passait toute une nuit à composer de la musique. Je me réveillais à 4 heures du matin et je la voyais sur son lit, avec une lampe torche, en train de griffonner au stylo. Nous, les autres étudiants de première année, on traînait en groupe, angoissés par nos notes et soucieux de nous faire des

Lorsqu'elle a quitté leur chambre à la fin de l'année universitaire 2005-2006, Banks a trouvé cette photo – l'une des trois qui s'étaient glissées derrière la commode d'Ashley.

amis, de rentrer dans le moule. Mais elle, elle savait déjà qui elle était. Et *rien* ne lui faisait peur. »

Quand je lui demande ce qu'elle entend par là, Banks me relate un incident qui s'est produit au milieu du deuxième semestre, lorsque, avec une amie, elle s'est rendue à une fête hors du campus. À leur arrivée, il y avait du tumulte dans une pièce du fond. Après s'être frayé un chemin parmi la foule, Banks a vu que tout le monde regardait un concours de boisson avec *strip poker* impliquant Ashley Cordova et huit hommes, tous étudiants en dernière année.

« J'aurais été tellement intimidée à sa place. Ils appartenaient à l'équipe de crosse,

La fille de l'enchanteur

29 OCTOBRE 2011

ils étaient diplômés en économie, *ultra*-arrogants. Ils se prenaient tous pour le prochain George Soros. Et Ashley les a battus à plate couture. Quatre d'entre eux ont dû sortir pour aller vomir sur la pelouse. Au bout d'un moment, il ne restait plus qu'elle et un fils à papa nommé Carson. Un minable, un connard fini, le genre de type qui emploie des mots comme *atténuer* et raconte ses étés passés à Martha's Vineyard. Vous voyez un peu ? Eh bien, en moins d'une heure, il s'est retrouvé en caleçon, tellement ivre qu'il est tombé de sa chaise et s'est écroulé par terre, inconscient. Ashley, elle, était totalement sobre. Elle avait raflé tout leur argent et n'avait dû enlever que son *pull*. C'est ce jour-là que tous les mecs du campus sont tombés amoureux d'elle. »

Le deuxième des trois polaroids laissés par Ashley.

Banks raconte un autre incident, un soir où elle est rentrée tard de la bibliothèque pour trouver Ashley organisant un « action ou vérité » dans leur chambre. « Ashley refusait les vérités, dit Banks, et ne faisait que les actions. Celles-ci devenaient de plus en plus audacieuses, mais elle n'hésitait jamais. À un moment donné, quelqu'un l'a défiée d'éteindre une cigarette avec ses doigts. Elle l'a écrasée sur sa *langue*. Quand on lui a demandé de monter sur le toit et qu'elle l'a fait sur-le-champ, en marchant sur le rebord – on était au dernier étage du bâtiment Appleton –, je me suis sentie mal et j'ai dû quitter la chambre. Je suis revenue une heure plus tard. La soirée était terminée et Ashley lisait dans son lit. Comme s'il ne s'était rien passé. »

Je demande à Banks si Ashley lui a parlé de sa vie familiale – de son père, notamment.

« Non, elle était secrète. Mais lors d'une fête, juste avant les vacances de Noël, je me rappelle l'avoir vue sortir avec un joueur de foot, Matt, qui rendait folles toutes les filles du campus. Elle est sans doute partie avec lui, parce qu'elle a disparu pendant quatre jours. Quand elle a fini par revenir, je l'ai retrouvée sur son lit, recroquevillée, en sanglots. J'ai eu peur, car je ne l'avais jamais vue comme ça. Je lui ai demandé ce qui n'allait pas et elle m'a répondu : "Un cœur anéanti." C'était *tellement elle*… Elle n'avait pas seulement le cœur brisé, mais anéanti, vous comprenez ? Elle disait qu'elle était

La fille de l'enchanteur

29 OCTOBRE 2011

amoureuse de quelqu'un et que c'était sans espoir. J'ai pensé que Matt l'avait plaquée. Mais il s'est mis à lui téléphoner sans cesse pour essayer de la revoir, du coup je ne crois pas que c'était à cause de lui. C'était autre chose. Quelqu'un d'autre. Je n'ai jamais su qui. »

Banks, diplômée en économie, passait l'essentiel de ses soirées en bibliothèque. Elle a eu rapidement un petit ami et ne restait pas beaucoup dans la chambre – mais quand elle s'y trouvait, Ashley n'était jamais là.

« Je crois qu'elle prenait tout le temps le train jusqu'à Manhattan pour y faire ses trucs, en plus de ses devoirs. Malgré toutes ses escapades, elle avait de meilleures notes que moi. Je me rappelle avoir vu un jour sa moyenne semestrielle imprimée sur son bureau – il n'y avait que des A. Elle faisait tout à 100 %, elle *brûlait la chandelle par les deux bouts* – une expression qu'elle employait souvent. Elle détestait tout ce qui était fade, et faible, et prudent, autant d'adjectifs qu'elle devait certainement m'accoler. »

Banks ignorait tout des parents d'Ashley, sinon qu'ils appelaient régulièrement, comme les siens. « La plupart du temps, c'était sa mère. Elle avait un fort accent français. Très classe. Mais un jour j'ai décroché en l'absence d'Ashley et un homme à la voix caverneuse voulait lui parler. Je lui ai demandé de la part de qui, il a répondu : "Son père." Rien de plus. »

Les choses ont continué ainsi jusqu'à la moitié du deuxième semestre, lorsque Ashley a soudain disparu d'Amherst – sans la moindre explication.

« Il y a eu plusieurs coups de fil pour elle, me raconte Banks. Je n'ai pas reconnu la voix. C'était un homme, en tout cas. Et soudain, Ashley *a disparu*. Une femme hispanique est arrivée la semaine suivante pour récupérer ses affaires. Je n'étais pas là, mais des gens l'ont vue. Quand je suis rentrée dans la chambre, il n'y avait plus rien. Il ne restait que trois photos, que j'ai retrouvées des mois plus tard, alors que

Le dernier des trois polaroids laissés par Ashley Cordova.

{ PRÉCÉDENT 1 2 3 4 5 SUIVANT }

CULTURE ◗ **EXCLUSIVITÉ WEB** ▶

La fille de l'enchanteur

29 OCTOBRE 2011

je partais pour les vacances d'été. Elles étaient tombées derrière sa commode. Ashley avait un vieux Polaroid des années soixante-dix avec lequel elle prenait tout le temps des photos. D'où ces trois-là. »

Je demande à Banks où, à son avis, Ashley était partie.

« La rumeur disait qu'elle était tombée enceinte. Ou qu'elle avait fait quelque chose d'illégal, ou encore qu'elle avait sombré dans la drogue et qu'elle était en cure. Personne n'en savait rien. Et là-dessus, au printemps de ma deuxième année, elle est revenue. Elle avait obtenu la permission de vivre hors du campus. J'avais perdu tout contact avec elle. Mais je me souviens de l'avoir vue à la bibliothèque, une fois, seule, en train de lire, à la fin de la dernière année. Je voulais la saluer mais je ne l'ai pas fait. Je crois que j'étais encore intimidée. »

Banks affirme avoir été attristée d'apprendre la mort d'Ashley. (Au moment de la publication de cet article, la police de New York n'a pas encore fait connaître la conclusion officielle du médecin légiste, bien que les premières constatations fassent penser à un suicide.) Banks reconnaît que sa camarade de chambrée la fascinait par son énergie et son charme. Aujourd'hui, elle n'éprouve que des regrets et s'en veut de ne pas avoir pris le temps de la connaître, de voir ce qu'il y avait derrière l'attitude provocatrice d'Ashley et sa soif de vivre.

« Si j'ai appris une chose à son sujet, c'est qu'elle vivait avec une intensité que la plupart d'entre nous n'avons jamais le courage de montrer, me confie Banks. Cependant, il y avait quelque chose, chez elle, qui l'empêchait de mener une existence ordinaire. D'une certaine façon, je ne suis pas surprise par sa mort. Un boulot, un mari, des gamins, une maison à la plage ? Pas son style. Je ne saurais dire pourquoi, sinon qu'elle était une force qui traversait la vie en trombe, qui défiait la logique, vous faisait peur, et même mal, parce qu'elle était tout ce que vous vouliez être, mais que vous n'auriez jamais le courage d'être – et puis elle a disparu. Voilà quelle a été mon expérience avec Ashley Cordova. »

Banks s'interrompt. Son croissant, qu'elle n'a pas terminé, gît sur son assiette, déchiqueté.

« "Il y a mainte et mainte année/Dans un royaume près de la mer/Vivait une jeune fille que vous pouvez connaître /Par son nom d'Ashley C." »

Elle sourit, gênée. « Au deuxième semestre, après sa disparition brutale, quelqu'un de notre étage – je n'ai jamais su qui – a écrit ça sur le tableau blanc accroché à notre porte. Je l'ai laissé parce que c'était beau. Personne n'oserait réécrire un poème d'Edgar Poe pour moi, vous comprenez ? »

Banks regarde sa montre. Elle enfile sa veste de tailleur grise et met son sac JPMorgan Chase en bandoulière. « C'est tout ce que je sais », dit-elle avant de vider son cappuccino et de poser doucement la tasse sur la soucoupe. Elle soupire. « Allez, il faut que je retourne à ma vie, maintenant. »

43

Je quittai l'article de *Vanity Fair* ouvert sur mon BlackBerry. Il était 10 heures passées et nous étions sur l'Avenue A, dans un taxi.

Pour tout dire, l'article – publié sur le site du journal le matin même – me rassurait. La journaliste n'avait pas beaucoup avancé dans son enquête, *Dieu soit loué*, et une recherche sur Google m'indiqua que personne d'autre n'avait suivi la piste essentielle, à savoir le séjour d'Ashley à Briarwood. Nous avions donc encore un coup d'avance. *Du moins pour quelque temps.*

J'avais néanmoins relevé un détail curieux : le départ soudain d'Ashley d'Amherst pendant sa première année.

« C'est là », dit tout à coup Nora. Le chauffeur de taxi ralentit.

Nous avions tourné dans la 9e Rue Est et Nora désigna du doigt une étroite devanture de magasin à quelques mètres devant nous : une porte d'entrée noire et un auvent métallique rouge tout cabossé sur lequel ne figurait qu'un seul mot, en lettres violettes :

Enchantements

Sur son site Internet, la boutique Enchantements s'autopro- clamait *le plus ancien et le plus grand fournisseur en sorcellerie et divination de tout New York*.

Nous descendîmes du taxi pour nous diriger vers les marches du perron, jonchées de feuilles mortes et de mégots.

À peine étions-nous entrés qu'un grand jeune homme aux cheveux orange et au visage constellé de taches de rousseur sortit de derrière la caisse en hurlant : « Zéro, reviens ici ! » Zéro se révéla être un chat persan blanc qui s'était précipité vers la porte, que j'avais refermée juste avant qu'il puisse s'échapper.

« Merci, gars », dit le jeune.

Il y avait une odeur d'encens surpuissante, un plafond bas et d'étroits murs en brique inclinés vers l'intérieur comme un corridor dans une gravure d'Escher. Ils étaient tapissés d'étagères débordant de bibelots ésotériques. Dans ce magasin, on avait l'impression que tous les objets sacrés étaient nés égaux. Comme si Jésus, Bouddha, Mahomet et Vishnou – plus deux ou trois divinités païennes – s'étaient réunis pour organiser un vide-grenier.

Des chaudrons de sorcière miniatures (en medium, large et extra-large) étaient audacieusement entassés aux côtés de saint François d'Assise, de la Vierge et de quelques autres saints catholiques. Près d'eux se trouvait un livre de poche usé jusqu'à la corde, *La magie kabbalistique juive*, posé à côté d'une bible, elle-même côtoyant un jeu de tarot, des sachets de pot-pourri nommés *Sachets Ouanga pour la chance & le bonheur*, un panier de crucifix en cire, des grenouilles en céramique et des fioles en plastique remplies d'eau bénite (vendues 5,95 dollars).

Le magasin était bondé. Il fallait croire que de nombreux New-Yorkais avaient renoncé aux psys ou au yoga et s'étaient dit : « Et si on essayait la magie ? » Vers le fond, un groupe de femmes trentenaires étaient agglutinées autour d'une haute étagère remplie de centaines de bougies colorées, qu'elles choisissaient avec une belle frénésie. Un homme d'âge mûr à la mine fatiguée et portant une chemise bleue – il ressemblait de manière inquiétante à mon agent de change – lisait attentivement le mode d'emploi d'une table tournante.

Je contournai Nora ainsi qu'un garçon à l'air sombre et aux cheveux bruns filasse, occupé à feuilleter un fascicule – je lus au passage le titre par-dessus son épaule : *Guide de l'interprétation planétaire et magique* –, pour m'approcher du présentoir. Ce dernier contenait des colliers d'argent, des pendentifs et des breloques sur lesquelles étaient gravés des hiéroglyphes et d'autres signes inconnus de moi. Au-dessus de la caisse, suspendue au plafond, une étoile à cinq branches entourée d'un cercle : un pentacle – le symbole des satanistes, si je me rappelais bien mes cours à l'université. Derrière, sur le mur du fond, des portraits encadrés, en noir et blanc, au format 20 × 25, d'hommes et de femmes qui avaient l'expression sévère et les petits yeux morts des tueurs en série – autant de sorciers et sorcières légendaires, à n'en pas douter.

Un petit panneau rédigé à la main était scotché à côté de ces visages.

Nous ne vendons pas d'objets de magie noire,
inutile de demander.

Le jeune aux cheveux orange qui avait ramené Zéro nous aborda.
« Vous avez besoin d'aide ?

— Oui, dit Nora en reposant le livre qu'elle feuilletait – *Signes,
symboles & présages*. On cherche quelqu'un qui pourrait nous aider
à identifier certaines plantes et racines qu'on a découvertes dans
la chambre d'une amie, disposées bizarrement. »

Il hocha la tête, pas surpris le moins du monde, et tendit son
pouce vers le fond du magasin.

« Demandez aux sorcières de service. Elles savent tout. »

Je ne l'avais pas vu en entrant mais, tout au fond, se dressait
un comptoir en bois. Derrière, un jeune hispanique était assis.

Nora et moi nous frayâmes un chemin jusqu'à lui en contour-
nant les dames affairées devant les bougies. L'une d'elles, une
rousse frisée, tenait à la main plusieurs bougies, une violette, une
jaune, une orange et une verte. « Je devrais prendre aussi saint
Élie et san Miguel, non ? » demanda-t-elle à son amie.

« Ne fous pas tout en l'air, me glissa Nora. Je sais que tu ne
crois pas en ces trucs, mais tu n'es pas obligé d'être désagréable.

— Moi ? Mais qu'est-ce que tu racontes ? »

Elle me jeta un regard réprobateur, puis se plaça derrière une
jeune femme qui discutait à voix basse avec le jeune hispanique.
Juché sur un tabouret en plastique, il sculptait laborieusement
une bougie verte à l'aide d'un long couteau de chasse.

Il ne *ressemblait* pas à une *sorcière* – mais c'était sans doute le
même genre de remarque imbécile que celle du voisin expliquant
au *Evening News* que le vieux Jimmy qui habitait au sous-sol
chez sa mère et ne sortait presque jamais ne *ressemblait* pas à un
tueur en série. Notre sorcière de sexe masculin avait des cheveux
noirs ébouriffés et portait une chemise militaire, à la manière de
Fidel Castro et du Che, ce qui lui conférait une sorte d'autorité
socialo-tropicale.

Devant lui, le comptoir en bois était encombré de bougies
colorées, de sachets d'herbes, de flacons d'huile et autres liquides
obscurs, de cutters, de ficelle et de couteaux à cran d'arrêt. Sur

un clipboard suspendu par une corde à un côté du comptoir, quelques pages usées. Je les attrapai – « COMMANDES DE BOUGIES SUR MESURE », était-il écrit – et les parcourus.

« *Gagnez au Tribunal. Cette bougie vous permettra de remporter tous vos litiges judiciaires, grands et petits.* »

« *Sagesse Violette. Servez-vous-en pour surmonter les obstacles, connus ou inconnus – et pour prendre des décisions prophétiques. Elle vous permettra d'acquérir la sagesse des savoirs anciens tels que l'astrologie, la magie hermétique, la kabbale et autres systèmes magiques.* »

« *Viens à Moi. Cette bougie opère sur les gens qui sont remplis de désir sexuel et les rapproche les uns des autres. C'est une bougie SEXUELLE TRÈS PUISSANTE. Doit être utilisée avec prudence.* »

J'aurais dû venir ici depuis *longtemps*.

La femme devant nous s'éloigna. Nous nous approchâmes du comptoir.

« En quoi puis-je vous aider ? » demanda le jeune homme sans lever les yeux. Nora lui expliqua, avec tact et discrétion, la raison de notre présence et sortit de son sac à main deux sachets en plastique, l'un contenant l'échantillon de poudre, et l'autre les racines nouées avec de la ficelle blanche.

« On a trouvé *ça* sous le lit d'une amie, disposé en cercles étranges, dit-elle en montrant l'échantillon de poudre. On aurait besoin d'aide pour savoir de quoi il s'agit et pourquoi ç'a été placé là. »

Le jeune rangea son couteau et prit le temps de s'essuyer les mains avec un chiffon avant de prendre l'un des sachets. Il le palpa et l'examina sous la petite lampe de bureau posée devant lui, avant de l'ouvrir et de renifler. L'odeur pestilentielle lui fit plisser les yeux. Il referma le sachet, le posa et sauta de son tabouret pour aller chercher une petite échelle, calée dans un coin, qu'il installa devant les étagères à notre droite. Celles-ci remontaient jusqu'au plafond et étaient remplies, rayon après rayon, d'énormes bocaux de verre remplis d'herbes, chacun doté d'une étiquette jaunie.

Je m'avançai pour en déchiffrer quelques-unes.

MARANTE. TÉRÉBENTHINE DE JUDÉE. RAISIN DE MER. FEUILLE DE VANILLE. MORCEAUX DE SANG-DRAGON. ARGENTINE. RACINE DE JEAN LE CONQUÉRANT. BELLE-DES-PRÉS. LARME-DE-JOB.

Le jeune monta tout en haut de l'échelle et se jucha sur la pointe des pieds pour attraper un bocal rangé dans le rayon supérieur.

HERBE DE SAINT-GEORGES, annonçait l'étiquette.

Il regagna le comptoir, souleva le couvercle du bocal et, au moyen d'une cuiller, versa un peu de la substance poudreuse sur sa paume.

Il la compara au contenu du sachet.

« Même texture, même odeur, marmonna-t-il.

— Alors ? demanda Nora.

— De la racine de valériane.

— Qu'est-ce que c'est ? demandai-je.

— Une herbe dont la réputation magique est plutôt sombre.

— La *réputation magique* ? »

Il hocha la tête, en rien perturbé par mon scepticisme. « Parfaitement. La valériane est très souvent utilisée en magie noire. Pour jeter un sort. Forcer un amour. Désenvoûter. C'est *un peu* comme si vous découvriez une tenue sado-maso dans l'armoire de votre meilleur ami. Impossible de faire comme si de rien n'était, vous comprenez ? »

Je n'étais pas tout à fait sûr de *comprendre*, mais j'acquiesçai.

« Vous disiez que la poudre avait été répandue selon un schéma bien précis ? demanda-t-il.

— Oui. »

Je lui montrai les photos sur mon BlackBerry.

« On a également trouvé ces racines nouées ensemble, ajouta Nora en désignant l'autre sachet sur le comptoir. Elles étaient cachées sur l'encadrement de sa porte d'entrée. » Fronçant les sourcils, le jeune homme plongea sa main dans une petite boîte sur sa droite, enfila une paire de gants en latex et sortit les racines.

« Où est-ce que vous avez trouvé tout ça ? demanda-t-il sur un ton méfiant.

— Dans la chambre que louait une amie », répondis-je.

Il étudia la racine à la lumière, la retourna entre ses doigts. « Je pense qu'on a affaire à du très lourd, dit-il. Il faudrait que vous en parliez avec Cleopatra. Je vais voir si elle est disponible. »

D'un coup sec, il tira un épais rideau de velours noir tendu contre le mur du fond. Pendant qu'il s'y engouffrait, j'eus le temps d'apercevoir une autre pièce, une lumière rouge tamisée et quelques bougies.

« Accroche-toi à ton *porte-monnaie*, dis-je à Nora. On a été catalogués gros poissons. On va avoir accès à la salle des flambeurs. Ils vont nous proposer un aperçu de notre avenir, un contact avec les morts et divers instruments de purification de l'âme qui nous sauveront des mauvaises vibrations et nous délesteront de plusieurs milliers de dollars.

— Chuuut, me tança-t-elle alors que le jeune hispanique passait sa tête à travers le rideau.

— Elle va vous recevoir », dit-il en écartant pour nous le velours noir.

Nora reprit les sachets en plastique et le suivit, tout excitée, comme si on venait de lui accorder un entretien en tête à tête avec le pape dans le saint des saints du Vatican.

Prononçant en silence un Ave Maria, je la suivis à mon tour.

44

C'était une petite arrière-salle, éclairée d'une faible lumière rouge, avec des murs en brique effrités tendus de tissu noir. Quelques chaises pliantes étaient installées autour d'une table en bois ronde au-dessus de laquelle était suspendue une lampe à ampoule rouge.

Debout, au fond, à côté d'un comptoir en désordre, une femme – j'en déduisis qu'il s'agissait de *Cleopatra* – était en train de parler dans un téléphone sans fil, le dos tourné vers nous. Grande et dodue, elle portait une blouse paysanne noire, un jean et une paire de vieilles Doc Martens. Ses cheveux noir de jais et zébrés de mèches violettes tombaient sur ses épaules comme un abat-jour.

« Asseyez-vous, dit le jeune homme en tirant deux chaises. Au fait, je m'appelle Dexter. »

« Oui, on n'a qu'à essayer ça sur lui, dit Cleopatra au téléphone, d'une voix neutre et clinique. Les baies de genièvre. Et voyons comment il réagit. S'il ne vous rappelle pas pour fixer un troisième rendez-vous, on passera à quelque chose de plus puissant. »

Elle raccrocha et se retourna.

Elle était d'origine asiatique – *coréenne*, à mon avis. Un visage rond et sévère, la quarantaine bien avancée. Elle avait de grandes plumes de merlebleu dans les cheveux et une telle quantité de bracelets en argent, de boucles d'oreilles en forme de crâne et autres colliers – y compris, en pendentif, une dent de tigre de dix centimètres – qu'elle marcha vers nous avec un bruit de ferraille.

« Je suis Cleo, déclara-t-elle, impassible. J'ai cru comprendre que vous aviez trouvé des preuves de magie noire.

— On ne sait pas *de quoi il s'agit* », rectifia Nora.

Cleo, qui de toute évidence avait entendu cette rengaine mille fois, tira du mur jusqu'à la table un fauteuil capitonné dont la mousse avait crevé le siège. Elle s'assit, replia une jambe sous ses fesses, leva l'autre et passa son bras autour, de sorte qu'elle finit par se retrouver dans une position tordue – à mi-chemin entre une posture de yoga extrêmement complexe et un insecte mort sur le rebord de la fenêtre.

« Tu me mets au jus ? » demanda-t-elle à Dex avec un soupçon d'impatience.

Dex prit les sachets en plastique, puis mon BlackBerry, et lui présenta le tout. On aurait dit un interne montrant une IRM problématique à un spécialiste.

« Tu vois ça ? murmura-t-il, le doigt pointé vers quelque chose. Et *là* ? Je... Je n'ai pas compris la symétrie. D'abord j'ai pensé à de la poussière d'enclume ou à des excréments de lapin. Mais *ça* ? Je n'ai jamais vu... » Sa voix se perdit dans un silence perplexe. Cleo s'empara de mon téléphone et plissa les yeux en zoomant l'une des photos.

« C'est bon, dit-elle avec un clin d'œil pour Dex. Tu peux y aller. »

Il hocha la tête et, non sans nous regarder une dernière fois – avec une inquiétude qui paraissait sincère –, fila vers le rideau pour retourner dans le magasin.

Cleo examina les photos pendant une bonne minute, sans faire attention à nous.

Elle prit les herbes pour les renifler – aucunement gênée par l'odeur fétide –, puis passa aux racines. Lorsqu'elle se pencha au-dessus de la table, les plumes agrafées à ses cheveux glissèrent sur sa joue.

« Dites-moi où vous avez trouvé tout ça, fit-elle à voix basse.

— Dans la chambre qu'une de nos connaissances louait, répondit Nora. Les cercles et le charbon de bois étaient sous son lit.

— Qui est cette connaissance ?

— On préférerait garder ça secret, intervins-je.

— Un homme ou une femme ?

— Une femme, confirma Nora.

— Et où est-elle aujourd'hui ?

— Là encore, on ne veut pas en parler, dis-je.

— Comment va-t-elle ?

— Bien. Pourquoi ? »

Cleo, après avoir longuement observé le bouquet de racines, leva les yeux vers moi. Ils étaient noirs, tellement enfoncés dans son visage replet que je n'en voyais pas le blanc ; il n'y avait que ses deux iris noirs, pétillants de lumière malgré l'obscurité de la pièce.

« Votre amie est victime d'un sortilège assez violent. »

Sans aller plus avant, elle posa les racines et se cala au fond de son fauteuil, attendant patiemment que nous répondions.

Je la regardai en silence. Idem pour Nora.

En temps normal, j'aurais fait peu de cas d'une telle déclaration et l'aurais mise sur le compte de la pure superstition. Pourtant, il y avait quelque chose chez cette Cleopatra – dans sa conviction absolue – dont on ne pouvait pas faire peu de cas. D'abord, cette femme ressemblait à la sœur punk de Confucius. Et elle parlait avec la voix experte et monocorde d'un neurochirurgien.

« Quel genre de sortilège ? voulus-je savoir.

— Pas sûre, répondit-elle. En tout cas, ce n'est pas de la petite poisse de deuxième zone. »

Elle prit mon BlackBerry et me montra une des photos. « Elle a procédé à un rite de désenvoûtement extrêmement puissant. De la racine de valériane en cercle, mélangée à du soufre, du sel, de la chitine d'insecte, des os humains séchés, et sans doute un autre truc qui vous retournerait le ventre. Le tout autour d'ase fétide

284

brûlée sur une pyramide de charbon absolument parfaite. Il devait y avoir une odeur absolument répugnante.

— Oui, confirma aussitôt Nora.

— C'était la Merde du Diable. L'ase fétide. Elle repousse le mal et fait du tort aux ennemis. Une autre manière de conjurer un sort consiste à la mélanger avec de la racine de valériane, des plumes de poule noire, de la poudre de magie noire et une mèche de cheveux de la personne qui vous a ensorcelé. Vous urinez dessus, vous mettez la mixture dans un bocal en verre et vous l'enterrez dans un endroit sur lequel vous savez que la personne marchera souvent, par exemple son perron ou son garage. Après ça, elle vous laissera tranquille jusqu'à la fin de vos jours.

— Est-ce que ça marche sur une ex-femme ? Si elle habite dans un immeuble de la 5ᵉ Avenue, est-ce que je peux simplement confier la mixture au portier ? »

Nora me jeta un regard noir, mais Cleopatra se contenta de se racler la gorge.

« Si vous n'avez pas accès à un endroit que cette personne fréquente, reprit-elle patiemment, vous faites ce que votre amie a fait. Vous installez un cercle de valériane.

— Et ç'a marché ? demanda Nora. Est-ce que ç'a enlevé le sortilège qu'elle avait reçu ?

— Aucune idée. Les sorts, c'est un peu comme des antibiotiques très rudimentaires. Il faut en essayer plusieurs avant de voir ce qui marche. Les supersorts peuvent être résistants comme une famille de bactéries qui se métamorphose sans arrêt pour rester fermement liée au corps qui l'héberge et prospérer dedans. Avez-vous parlé à votre amie ces derniers temps ? Comment se sent-elle ? »

Nora me regarda, gênée.

« Et ces racines qu'on a trouvées au-dessus de la porte ? » demandai-je.

Cleo s'enfonça dans son fauteuil et considéra le bouquet posé sur la table. « C'est ce qu'on appelle le Lacet du Diable. C'est une racine naturelle, de la famille des chèvrefeuilles, qui pousse dans les forêts et les prés sauvages. On s'en sert comme d'une protection. Au fin fond du Sud, les gens en font des colliers de cheville. Ou alors ils les font tremper dans le whisky et les enterrent. Vous pouvez aussi faire ce que votre amie a fait. Prenez neuf racines, un peu de ficelle blanche, faites un seul nœud autour de chaque racine – neuf racines, neuf nœuds – et posez-les quelque part à côté de la porte d'entrée ou sous votre véranda. Certains les enfouissent devant leur maison.

— Qu'est-ce que ça fait ? » demandai-je.

Elle me fixa un long moment avant de répondre, le visage impénétrable.

« Ça fait trébucher le diable.

— *Trébucher ?*

— Ça l'arrête. Ça le ralentit.

— Je vois, dis-je en prenant les racines. Je ne comprends pas pourquoi notre pays dépense six cents milliards de dollars pour sa défense. On devrait simplement distribuer quelques-uns de ces trucs à chaque famille américaine. »

Cleo, à l'évidence, avait l'habitude des sceptiques et des incrédules ; elle n'était pas troublée le moins du monde. Sans mot dire, elle se contenta de croiser ses doigts couverts de bagues – des têtes de mort, des croix égyptiennes, une tête de chat – sur son genou relevé.

« Est-ce que votre amie prenait des bains avant le lever du jour ?

— Oui, dit Nora. Dans de l'eau glacée. »

J'allais demander à Nora ce qu'elle racontait lorsque je me rappelai le curieux épisode relaté par Iona – quand, rentrée au petit jour, elle était tombée sur Ashley prenant un bain.

« Donc elle se livrait à des rituels de nettoyage, acquiesça Cleo.

— À quoi servent-ils ?

— Ils purifient du mal. Pendant *quelque temps*. Ils n'ont pas un effet permanent. Ils s'apparentent plutôt à des pansements provisoires. Est-ce qu'elle nettoyait le sol chez elle ? »

Nora me jeta un coup d'œil. « On ne sait pas.

— Était-elle froide au toucher ?

— Aucune idée, répondis-je.

— Avez-vous remarqué qu'elle avait du mal à communiquer ? Un peu comme si elle avait la bouche remplie de sable ou de beurre de cacahuète ?

— Impossible à dire.

— Et un surpoids inquiétant ?

— Comment ça ? »

Cleo haussa les épaules. « J'ai entendu dire que certaines personnes frappées par un sortilège particulièrement puissant pendant une longue période, quand elles montent sur une balance, peuvent peser jusqu'à cent quarante kilos, voire parfois cent quatre-vingts, alors qu'elles ont l'air d'avoir beaucoup, beaucoup maigri.

— Impossible à dire aussi. »

Pourtant me revint en mémoire la première et dernière fois que j'avais vu Ashley en chair et en os, alors qu'elle errait autour du Reservoir – son allure étrange, comme une transe, le bruit de ses pas lourds qui transperçait la pluie.

Cleo, soudain traversée par une autre idée, reprit mon BlackBerry et, le front plissé, consulta les photos.

« Il y a une chose que je ne vois pas ici, c'est une inversion. Quand on a affaire à la magie noire, il faut se désenvoûter, mais aussi *inverser*, afin que le sort reparte comme un boomerang sur celui qui l'a lancé. » Elle leva les yeux vers nous. « Les sorts ne sont rien d'autre que des énergies. Imaginez-les comme des particules chargées que vous avez dirigées vers un lieu précis. Il faut bien les mettre quelque part. L'énergie n'est ni créée, ni détruite, mais transférée. C'est justement ce transfert dont je ne vois ici aucun signe. Et ça me chiffonne. » Elle pencha la tête sur le côté pour réfléchir, jouant avec sa dent en pendentif. « Vous avez vu des bougies d'inversion dans sa chambre ?

— Qu'est-ce que c'est ? demanda Nora.

— De la cire blanche en bas, de la cire noire en haut. »

Nora fit signe que non.

« Et un carton rempli d'objets ?

— Non.

— Pas de boîte-miroir, marmonna Cleo.

— Une boîte-miroir ? »

Elle me regarda. « Pour les inversions directes. Vous prenez une bougie noire, vous inscrivez le nom de votre ennemi dessus et vous l'enterrez dans un cimetière, avec des morceaux d'un miroir brisé. Toute la négativité et le mal qui vous visaient repartiront vers lui. » Elle s'éclaircit la voix et haussa un sourcil noir comme de l'encre. « Retournons dans sa chambre. Y avait-il de la poudre ou des traces de craie sur le sol ?

— Il faisait sombre à l'intérieur, dit Nora. Mais non. On aurait remarqué.

— En revanche, ajoutai-je, le sol était collant. »

Cleo me regarda. « *Collant* ?

— Comme si du jus de fruit avait été versé dessus. Et il y avait deux emballages en plastique. »

Cleo abandonna la position tordue dans laquelle elle était assise et se pencha au-dessus de la table, le menton en avant.

« Est-ce que vous avez *pris* un de ces emballages ? » Elle demanda cela avec une telle intensité que je sentis son haleine, aussi brûlante, aillée et âcre que si elle avait avalé une tisane bizarre. Elle avait de petites dents jaunies par le tabac, dont plusieurs, au fond, étaient couronnées d'or.

« Non, répondis-je.

— *Dans ce cas, comment savez-vous qu'il s'agissait d'emballages en plastique ?*

— Le bruit donnait cette impression. »

Elle inspira longuement, nerveusement. « Vous êtes *entrés* dans la chambre ? demanda-t-elle en se carrant au fond de son fauteuil.

— Évidemment. Comment est-ce que vous croyez qu'on a trouvé cette chose sous son lit ?

— C'était quand ?

— Hier soir. »

Cleopatra regarda sous la table. « Est-ce que vous portiez ces chaussures-là ?

— Oui. »

Elle se leva et regagna le comptoir du fond pour en revenir avec une paire de gants en latex et une pile de vieux journaux. Elle enfila les gants d'un coup sec et étala un journal sur la table.

« Retirez une chaussure et donnez-la-moi lentement, je vous prie. »

Tout en jetant des coups d'œil vers Nora – elle avait l'air terrorisée –, j'ôtai une de mes chaussures de cuir noires et la donnai à Cleo.

Avec soin – comme si elle manipulait une bête enragée –, elle posa la chaussure sur le journal, la semelle face à elle. Elle sortit de la poche de son jean un petit couteau de poche, long de dix centimètres, dont le manche était délicatement sculpté dans un os d'animal. Elle déplia la lame avec ses dents puis gratta lentement la semelle. Elle fit cela pendant plusieurs minutes, très concentrée ; lorsqu'elle s'arrêta pour étudier la lame à quelques centimètres de son nez, je vis une épaisse pâte marronnasse sur le bord. On aurait dit de la mélasse séchée.

« Voilà l'inversion, murmura-t-elle. C'est un sortilège d'empreinte très sophistiqué. Je n'ai jamais rien vu de tel.

— Qu'est-ce que c'est, un sortilège d'empreinte ? demanda Nora.

— Quelque chose sur lequel votre ennemi doit marcher. Un piège.

— Mais c'est *nous* qui avons marché dessus », dis-je.

Les yeux de Cleo passèrent aussitôt du couteau à moi.

« A-t-elle la moindre raison de penser que *vous* êtes son ennemi ?

— Non. »

À peine avais-je répondu cela que je ressentis un frisson désagréable. Je repensai tout à coup à Ashley me suivant au Reservoir, à son visage dur lorsqu'elle avait soudain surgi près du bâtiment des vannes. M'avait-elle considéré comme une menace ? *Mais que lui avais-je fait, qu'avais-je fait à son père, qu'avais-je fait sinon chercher la vérité ?* Peut-être cela suffisait-il à faire de moi un adversaire. Dans ce cas, comment la famille pouvait-elle être aussi hypocrite ? Presque tous les héros des films de Cordova cherchaient désespérément la même chose. L'art ne reflétait-il pas, en partie, les valeurs du créateur ? *Pas nécessairement.* Dès qu'il s'agissait d'expliquer le comportement d'autrui, les gens trouvaient des justifications illogiques et égoïstes.

« Quel qu'ait été son raisonnement », susurra Cleo, comme si elle lisait dans mes pensées, étudiant de nouveau la matière noire sur le couteau, « une chose est sûre.

— Quoi ? demandai-je, la bouche soudain sèche.

— Vous avez été *envoûté*. »

45

« Ça vous embêterait de m'en dire *un peu plus* ? »

Cleo se contenta de reposer délicatement le couteau. Elle se leva et marcha jusqu'à la bibliothèque au fond de la pièce.

« Regarde », me glissa Nora en examinant les semelles craquelées de ses propres bottes de motard. Elles étaient constellées des mêmes taches sombres, comme du chewing-gum noir. Elle ôta une botte et en inspecta la semelle à la lumière du plafonnier. Je distinguai, mêlés à la pâte, du sable et du fil, peut-être même des rognures d'ongles, ainsi que des morceaux luisants de ce qui ressemblait à du verre.

Cleo revint avec une énorme pile d'encyclopédies dans les bras. *Hoodoo – Envoûtements – Sorcellerie – Racines*, par Harry Middleton Hyatt, indiquaient les dos. Les volumes semblaient anciens, avec des couvertures orange nouées ensemble à l'aide d'un ruban noir élimé. Cleo s'assit, s'empara du premier tome, choisit la page du sommaire et fit glisser son index sur les entrées. Une fois arrivée tout en bas – apparemment, elle n'avait pas trouvé ce qu'elle cherchait –, elle referma violemment l'ouvrage et passa au deuxième tome.

Je saisis le volume qu'elle venait de refermer. Il sentait le mildiou, les pages en étaient jaunes. Il avait été publié en 1970. Une grosse tache de liquide rouge – de la sauce tomate ou du sang – avait séché sur la couture de la page de titre. *Hoodoo – Envoûtements – Sorcellerie – Racines. Croyances connues chez de nombreux Noirs et personnes blanches, oralement recueillies auprès de Noirs et de Blancs.*

Description générale des croyances, p. 1. Croyance aux esprits, aux fantômes, au diable et autres, p. 19. Calendrier des sorts et récurrence des effets des sorts dans le temps, p. 349.

C'était, semblait-il, une encyclopédie des sortilèges ; certaines entrées étaient brèves, d'autres extrêmement longues. Il s'agissait d'entretiens avec des gens du Sud venus de trous paumés, avec un accent à couper au couteau et dont les récits étaient retranscrits presque phonétiquement. Ainsi, à la page 523, sous le titre

Mains de gloire regroupées plus ou moins alphabétiquement selon leur composant principal (par exemple noix de pavier, épingles, os de chat noir), figurait l'entrée suivante :

> **669.** Juste un – voyez, vous prenez un serpent – vous pouvez prend' un serpent à sonnette, vous y séchez la tête, vous l'enfermez quequ'part, et alors vous pouvez y aller et faire une poudre de *goofer* avec. Ça vous tue n'importe qui.
>
> [Waycross, Géorgie]

« J'ai trouvé quelque chose de similaire », marmonna Cleo. Elle examina à nouveau la semelle de ma chaussure avant de reporter son attention sur la page qu'elle avait sous les yeux. Je tendis le cou pour voir ce qu'elle lisait.

Tome 4 : *D'autres sorts impliquant des parties et déchets du corps humain.*

« "Le tour de l'Os Noir", murmura-t-elle en rabattant une mèche de cheveux violets derrière son oreille. "Corde de chanvre usée, gomme arabique et poudre de *goofer* ou de malheur." Votre amie s'est servie d'une petite variante. Je vois du sable noir ici, et des algues, aussi. Elle a dû trouver ça dans un endroit exotique. Vous le mettez par terre en *quinconce*, c'est-à-dire à un carrefour improvisé. Votre ennemi le franchit sans le savoir. Aussitôt, ça lui colle aux chaussures et, en l'espace de quelques heures, ça le tue à petit feu.

— *À petit feu ?* m'écriai-je. Comment ça ? »

Elle haussa les épaules. « J'ai entendu parler de comas. De crises cardiaques. Brutalement, vous perdez tout ce que vous aimez, votre travail ou votre famille. Vous vous retrouvez paralysé des pieds à la tête. » Elle haussa un sourcil. « Avez-vous ressenti de drôles de choses dans les jambes ?

— Je me suis réveillée ce matin avec un pied engourdi », dit Nora, inquiète.

Cleo acquiesça, comme si elle s'attendait à cette mauvaise nouvelle. Puis elle inclina la tête, se saisit de sa dent de tigre et la roula entre ses doigts.

« Il y a une chose qui m'ennuie. Vous m'avez parlé des emballages en plastique par terre. Je ne pense pas qu'il s'agisse d'emballages en plastique.

— Qu'est-ce que c'était, alors ?

— Sans doute des peaux de serpent. Si elles étaient remplies de terre d'un cimetière, c'est que votre amie a combiné tout ça avec un sortilège de mort.

— C'est-à-dire...

— Comme son nom l'indique. Ça va vous tuer.

— Le ministère de la Santé dit la même chose à propos des cigarettes. »

Cleo me regarda, simplement. « Avec les cigarettes, la mort survient au bout de plusieurs décennies. Avec ça, en revanche, vous pouvez mourir en quelques semaines. »

Nora était pétrifiée.

« On vous a déjà dit que vos *manières* de sorcière étaient un peu rudes ?

— Ça ne sert à rien d'édulcorer la magie noire. »

Je voulus sourire à Nora pour la rassurer, mais elle m'ignorait. Elle avait les yeux rivés sur la semelle maudite de sa botte, comme s'il s'agissait d'un amas de tumeurs malignes.

« De la terre d'un cimetière, dis-je. Ce qui signifierait que notre amie est allée chercher de la terre dans un cimetière ?

— Oui. Et ce n'est pas facile. Il faut que ce soit fait à une certaine heure de la nuit. Sous une certaine lune. Il faut savoir quelle tombe choisir. Comment la personne est morte. Certaines sorcières pensent que la meilleure terre provient soit d'un assassin, soit d'un bébé âgé de moins de six mois, soit de quelqu'un qui vous a aimé au-delà du raisonnable. Il faut également savoir où vous allez creuser par rapport au corps – au-dessus de la tête, du cœur ou des pieds. Vous devez aussi laisser quelque chose en signe de remerciement. De l'argent ou du whisky, ça marche bien, en général. Après, vous mélangez la terre aux mues de serpent et à la poudre de *goofer*.

— C'est quoi, la poudre de *goofer* ? demanda Nora.

— La bombe H des sortilèges. Quand vous l'utilisez contre quelqu'un, vous l'empoisonnez spirituellement. Le terme *goofer* vient du congo *kufwa*, qui veut dire mourir. La poudre est géné-

ralement jaunâtre, mais quand vous y incorporez la terre du cimetière, elle devient sombre et presque invisible. C'est un produit
très puissant parce qu'il vous ronge l'esprit sans que vous ne vous
en rendiez compte. Il empoisonne votre cerveau et votre cœur. Il
vous arrache à vos meilleurs amis, vous isole, vous dresse contre
le reste du monde, si bien que vous êtes repoussé à la marge, à la
périphérie de la vie. Il vous rend fou, ce qui, par bien des aspects,
est encore pire que de mourir.
 — Donc notre amie avait l'équivalent d'un doctorat en sorcellerie ? dis-je.
 — Elle avait une excellente connaissance de la magie noire.
Absolument.
 — Mais qu'est-ce que *c'est*, la magie noire ? Le vaudou ? Le
hoodoo ?
 — Ça peut vouloir dire plein de choses. C'est un terme générique
qui désigne toutes les formes de magie utilisées à des fins néfastes.
Je ne suis pas spécialiste. Moi, j'ai une formation en déesse-terre,
en sorts de fertilité, en purification spirituelle, ce genre de choses.
Les pratiques noires sont très souvent clandestines. Transmises de
génération en génération. Des réunions secrètes en pleine nuit. De
vieux grimoires truffés de sortilèges écrits à l'envers. Des greniers
où s'entassent les ingrédients les plus obscurs, par exemple des
fœtus de daim, des excréments de lézard, du sang de bébé. Il faut
avoir l'estomac bien accroché. Mais ça *marche*. Votre amie vient-
elle d'une famille d'occultistes ?
 — C'est possible.
 — Eh bien, elle *pensait* qu'elle était envoûtée. Elle a essayé par
tous les moyens de contrer son sort, de le renvoyer à celui qui le
lui avait jeté. Elle a voulu le tuer. *Voilà* à quoi ça ressemble, si
vous voulez mon avis. Peut-être qu'elle ne s'attendait pas à ce que
vous marchiez dessus, mais quelqu'un d'autre, par exemple celui
qui lui a jeté le sort. Je vous conseillerais de retrouver votre amie
et de lui poser la question. »
Nora me lança un regard circonspect.
« Maintenant, voilà ce que je *peux* vous dire, ajouta Cleo en
se raclant la gorge. Grattez le sortilège à l'aide d'un couteau ou
d'une lame de rasoir. Prenez garde à ce qu'il ne touche pas votre

peau. Enveloppez-le dans du papier journal et jetez le tout à un carrefour ou dans une rivière d'eau douce.

— J'imagine que ça exclut l'Hudson ?

— Je vais également vous donner quelques bougies d'inversion. »

Elle retourna au fond de la pièce, s'accroupit à côté d'un placard et fouilla dans les étagères. « Encore une fois, je n'ai vraiment pas d'expérience dans ce domaine. Vous devriez consulter un guérisseur spécialisé en magie noire.

— Et où est-ce qu'on peut trouver ça ? À Disney World ?

— Cherchez sur Google. Vous verrez des noms apparaître. Mais tous les vrais guérisseurs vivent en Louisiane, dans les bayous. »

Cleo revint vers nous. Elle tendit à Nora deux bougies, noires autour de la mèche, blanches en bas.

« Combien est-ce que ça va nous coûter, ces petites choses-là ? Deux cents dollars ?

— Gratis. C'est contraire à la déontologie de faire payer des gens qui souffrent de la magie noire. C'est un peu comme quelqu'un qui arrive aux urgences avec une balle dans la tête. Vous faites tout votre possible pour le sauver. Il n'est plus question d'argent. »

Pétrissant sa dent de tigre avec un air songeur, Cleo nous regarda remettre nos chaussures. Nora prit les bougies et expliqua que nous étions *trois*, en réalité, à avoir pénétré dans la chambre d'Ashley. Cleo sortit donc une troisième bougie d'inversion, puis nous raccompagna à l'intérieur du magasin.

Il y avait encore plus de monde. Un vieux couple élégant regardait les bougies en tête de mort. Quatre adolescentes s'intéressaient aux encens. Un jeune homme, avec l'air désespérément BCBG d'un analyste financier au chômage, lisait un fascicule : « Cours d'automne chez Enchantements ».

La magie, c'était marrant, jusqu'à ce que vous vous retrouviez avec la bombe H des sortilèges collée à vos semelles.

Dexter devait avoir mis au parfum le petit jeune aux cheveux orange à la caisse, car ils nous regardèrent, fascinés, pendant que nous passions devant eux.

Cleo nous ouvrit la porte, chassant le chat persan.

« Bonne chance.

— Merci », répondit tristement Nora en sortant. Je m'arrêtai un instant.

« Et si je ne crois pas *une seule seconde* à tous ces trucs ? Je viens d'une famille catholique, vous savez. »

Cleo me lança un regard vide, même si je crus voir une lueur amusée passer dans ses yeux noirs.

« Dans ce cas, j'imagine que vous n'avez aucune raison de vous inquiéter. »

Elle referma la porte, la mine soucieuse, et fonça parmi la foule des clients, vraisemblablement pour aller retrouver sa tanière tamisée à l'arrière du magasin.

46

« Tu penses qu'on va *mourir* ? demanda Nora sur un ton anxieux alors que nous descendions les marches du magasin.

— Tout le monde a tendance à mourir.

— Dans les *jours qui viennent*. Cette histoire de poudre de malheur dont elle nous a parlé. Elle disait que ça peut nous tuer sans même qu'on s'en rende compte.

— C'est aussi ce que font les ex-femmes. Le plus intéressant, dans ce qu'elle a dit, c'est que la connaissance de la magie noire se transmet de génération en génération.

— Tu crois que c'est ça que cachent les Cordova ? Qu'ils sont tous *magiciens* ou quelque chose dans ce genre-là ? »

Je ne répondis pas. L'idée paraissait absurde. *D'un autre côté*, Cordova était un créateur excentrique, enfermé dans une maison coupée du monde, une sorte de boîte de Petri où il cultivait le bizarre et le fantasque. Cleo nous avait assuré qu'Ashley s'y connaissait plutôt bien en matière de *sortilèges*. Elle avait forcément appris à combiner ces substances auprès de *quelqu'un*.

Mais à qui avait-elle voulu adresser ce sortilège de l'Os Noir ? À *moi* ? L'avait-elle installé par terre en sachant que j'allais enquêter sur sa mort et finir par débarquer dans sa chambre de Henry

295

Street ? Et Hopper ? Il avait reçu ce fameux singe en peluche et avait appris, Dieu sait comment, qu'Ashley était passée chez Klavierhaus. *Ou bien avait-elle voulu viser quelqu'un d'autre ?* Iona, si elle était digne de foi, prétendait avoir vu deux hommes devant la porte d'Ashley. L'un aurait pu être Theo Cordova. Peut-être était-ce *sa propre* famille qu'Ashley considérait comme son ennemie et à laquelle elle avait destiné ce sortilège de mort. Hopper tenait ses proches pour responsables. Peut-être l'avaient-ils traquée, avaient-ils essayé de la retrouver, de peur qu'elle ne révèle la vérité sur leur compte. Après tout, elle m'avait suivi, *moi* – ce qui aurait rendu la famille, à n'en pas douter, un peu nerveuse.

Nora méditait là-dessus en se rongeant les ongles. « Ça pourrait expliquer le suicide d'Ashley. Elle ne supportait plus le poids de ce que sa famille faisait depuis des années – la magie noire. » Elle fronça son nez. « C'est peut-être ce que la femme de chambre du Waldorf a remarqué quand elle a vu la marque sur son œil. Si ça se trouve, elle a compris qu'Ashley pratiquait la magie noire.

— Pour l'instant, ce ne sont que des conjectures. »

Refermant la porte métallique derrière nous, je m'aperçus que mon téléphone vibrait. Je crus d'abord que c'était Hopper ; c'était en fait un mail envoyé par les Blackboards, m'indiquant que quelqu'un avait répondu à mon post. Mais pour lire la réponse, j'avais besoin de mon ordinateur portable et du navigateur Tor.

« Tu penses peut-être que toutes ces histoires de magie, c'est du grand n'importe quoi, mais pas *moi*, me dit Nora en raclant ses semelles sur le trottoir. Ce sortilège est comme du ciment.

— Il faut qu'on retourne chez moi. »

Je posai un pied sur la chaussée et hélai un taxi.

« Et si on allait à L'Envol du Dragon pour en savoir un peu plus sur ce reçu ?

— Plus tard. Quelqu'un des Blackboards a répondu à mon post. »

...taircase8903-5493r89jidfj9w0129e61)??*#(((souverainimplacableparfait.blackboards.onion/etrangers/aide/post1

PARKING | CORDOVA | FILMS | FÉROCE | NON CENSURÉ | INCONNUS | MONTEZ À BORD

PARLEZ AUX INCONNUS – DEMANDE D'AIDE
POSTÉ PAR Gaetana Stevens 2991   29/10/2011 2 h 11   9332 **vues**

J'ai besoin que l'on m'aide à identifier et à avoir discrètement accès à une mystérieuse boîte de nuit de Long Island. Je sais qu'elle a un nom français et qu'elle est installée dans une prison désaffectée ou oubliée.

Toutes les pistes sont les bienvenues. Merci.

RÉPONSE À : DEMANDE D'AIDE : OUBLIETTE
Posté par Agent Spécial Fox   29/10/2011 10 h 24   189 **vues**

L'endroit que vous cherchez
A pour nom Oubliette.
Les papillons qui vont y butiner
Font pleurer les honnêtes hommes.

Dans cette cave de malheur
Les femmes sont *verboten*.
Les condamnations qu'on y exécute
Aucune jeune fille ne devrait les voir.

Si vous étiez Membre, une telle question
Vous ne l'auriez jamais posée.
M'est avis que vous êtes un tricheur
Le chemin je vais vous l'indiquer :

Roulez ce soir à minuit jusqu'à Montauk
Marchez vers l'est le long du rivage.
Quand vous verrez l'escalier de Duchamp
Avancez jusqu'à la porte.

Oubliette est une maison de fous
Un enfer, une agression.
Actif ou spectateur béat
Vous devez surveiller vos arrières.

Si vous êtes vulnérable ou faible
Vous serez perdu.
Et tous ceux qui vous aiment
N'auront plus qu'à prier.

RÉPONDEZ >>

47

Oubliette.

Il n'y avait aucune référence à une boîte de nuit de ce nom sur Internet, rien qui vienne corroborer les propos d'Agent Spécial Fox. D'après Wikipédia, le mot venait du verbe *oublier* et signifiait au sens strict *lieu oublié*. Historiquement, une oubliette était la partie la plus cachée, la plus confinée du donjon d'un château, où il n'y avait qu'une trappe en fer au plafond et aucune lumière – une cellule tellement minuscule que bien souvent le prisonnier ne pouvait pas se retourner, ni même *bouger*. Un cercueil pour les vivants condamnés, réservé aux prisonniers les plus honnis, ceux que leurs geôliers voulaient oublier.

J'avais l'intuition que ce devait être une sorte de boîte échangiste. Avec un nom pareil, on ne devait pas y passer des soirées particulièrement amusantes, mais, à en croire Iona, Ashley s'y était rendue. Aussi cela valait-il la peine d'essayer d'y trouver quelqu'un qui l'avait rencontrée.

Ce soir-là, à 20 heures, alors que le temps était frais et nuageux, Nora et moi quittâmes Perry Street pour passer prendre Hopper. Il avait fini par répondre à nos messages et voulait se joindre à nous, ce qui ne me posait aucun problème ; depuis son coup de maître du Klavierhaus, il se révélait être un atout inattendu.

Il nous avait fixé rendez-vous au croisement de Bowery et de Stanton Street. Nous attendîmes plus de vingt minutes. Au moment où je me disais que nous allions partir sans lui – il y avait trois heures de route jusqu'à Montauk, la plus orientale des villes des Hamptons, sur Long Island –, Hopper sortit du Sunshine Hotel.

C'était un endroit mal famé, un des derniers bouges de la ville, où les chambres – qui ressemblaient davantage à des *boxes* pour mules – coûtaient quatre dollars cinquante la nuit. Je ne pouvais que conclure que Hopper faisait affaire là-bas, vendant ses *bonbons* à quelques clients friands de sucreries, car les hommes postés près de la porte lui adressèrent des sourires nerveux lorsqu'il passa parmi eux.

« C'est comment, le Sunshine ? » demandai-je au moment où il s'affala sur la banquette arrière.

Sans prendre la peine de nous saluer, il sortit une liasse de billets froissés, les compta, puis les fourra au fond de sa poche de manteau.

« Fabuleux », marmonna-t-il.

Quelques minutes plus tard, nous roulions sur la Brooklyn-Queens Expressway. Nora raconta à Hopper tout ce que nous avions appris chez Enchantements, y compris le sortilège de l'Os Noir sur lequel nous avions marché à cause d'Ashley. Elle lui montra d'ailleurs les taches sur ses propres Converse – il avait une belle marque noire au talon gauche. Il réagit avec une incrédulité teintée de cynisme.

« Et ce salon de tatouage ? demanda-t-il. L'Envol du Dragon.

— On n'y est *pas encore* allés. Quand j'ai vu qu'on avait eu une réponse concernant Oubliette sur les Blackboards, on est tout de suite retournés à l'appartement. »

Hopper ne répondit pas. Il regardait par la vitre, les yeux plissés, songeur.

Trois heures plus tard, il dormait sur la banquette arrière et Nora parcourait la radio satellite. Je roulais à cent trente kilomètres à l'heure sur la Route 27 déserte, qui ressemblait à une lame grise déchirant les marais salants et les prés saumâtres. J'étais venu dans cette région plusieurs fois, à l'époque où j'étais marié, mais jamais à 5 heures du matin, et jamais pour une mission comme celle-là.

« Je veux venir, dit Nora.

— On en a déjà parlé.

— Mais Ashley y est allée, elle. *Je* peux facilement passer pour un garçon. J'ai pris un pantalon et une casquette de base-ball.

— On n'est pas dans *Boys Don't Cry*. Et avec ta performance à Briarwood, on a bien compris que tu n'étais pas Hilary Swank. »

Au bout de quelques minutes, nous arrivâmes à Montauk. Malgré la nuit, la ville avait des airs de champ de foire évacué. Les trottoirs, violemment éclairés, couverts de sable et de bouteilles en plastique vides, étaient déserts. Les maisons de plage avec leurs bardeaux, si gaies l'été, se tassaient sur la colline, sombres et maussades, prêtes à affronter l'hiver. Même les indigènes étaient invisibles.

Je pris à droite South Emery Street, puis Emerson Street à gauche, avant d'accélérer le long des boutiques et des bars sombres, Ocean Resort, Born Free Motel, les panneaux indiquant « À L'ANNÉE PROCHAINE », puis : le Sea Haven Diner, avec son enseigne en néon bleu allumé jour et nuit, et quelques voitures garées devant. Je le dépassai et empruntai Whaler's Way où, après avoir croisé une série de condos, je me garai derrière un vieux pick-up.

Lorsque je coupai le moteur, j'entendis le roulement de l'océan, quelque part dans le noir, devant nous.

« OK, les petits gars, dis-je. C'est parti. »

Nous descendîmes. Hopper bâillait et s'étirait. Je verrouillai la voiture et confiai les clés à Nora pendant que nous retournions dans Emerson Street.

« Tu veux que Hopper t'accompagne ? lui demandai-je.

— Je peux me débrouiller toute seule », répondit-elle, furieuse. Elle mit son sac à main gris en bandoulière, tourna les talons et s'en alla.

Nous la regardâmes partir. Ses pas crissaient sur le trottoir. L'ourlet de sa robe s'éclaira une fraction de seconde lorsqu'elle passa sous le réverbère. Avec cette robe de velours vert petit pois, ses collants au crochet noirs, les bottes de motard de Moe's et ses mitaines noires, on aurait dit un croisement entre Lily Munster et Cendrillon, mais en version *punk*.

« Tu devrais peut-être la rattraper, dis-je. Histoire de t'assurer qu'elle ne risque rien en nous attendant là-bas. »

Hopper haussa les épaules. « Mais non, elle s'en sortira très bien.

— Je suis content de voir que la galanterie n'a pas complètement disparu de ce monde. »

Hopper se contenta de la suivre du regard. Nora tira la porte du *diner* et disparut à l'intérieur. Voyant qu'elle n'en ressortait pas, je remontai la fermeture de mon blouson.

« Allons-y », dis-je.

48

Nous marchâmes jusqu'à l'extrémité de Whaler's Way en suivant la palissade en bois qui longeait la plage, au-delà de la lueur des réverbères. Je sortis ma lampe de poche. Après avoir progressé péniblement sur le sable, nous remontâmes la colline pentue. Un vent glacé fouettait mon visage et transperçait mes habits. Ne connaissant pas le code vestimentaire d'Oubliette, je m'étais habillé tout en noir – blouson en cuir, pantalon, chemise –, dans l'espoir que ce look de *vor* (*vor* est le terme argotique russe pour désigner un caïd) suffirait à dissuader les gens de me chercher des noises.

Le vent forcit. Lorsque nous arrivâmes au sommet de la colline, le grondement de l'Atlantique devint assourdissant. La plage semblait déserte. La mer était agitée, hachée de moutons, les vagues s'abattaient violemment sur le rivage, et seules les explosions d'écume blanche venaient rompre la chape d'obscurité autour de nous.

Loin devant, sur toute la côte, faisant face à l'est, on voyait des immeubles et des maisons – tous paraissaient sombres, comme calfeutrés pour l'hiver – et, derrière les réverbères de la ville, les falaises de Montauk qui dominaient la plage.

L'escalier de Duchamp.

L'indice était pour le moins obscur. Je connaissais le tableau cubiste de 1912 auquel il semblait faire référence : le *Nu descendant un escalier n° 2,* par Marcel Duchamp. Nora et moi l'avions cherché sur Google avant de quitter l'appartement. Quant à trouver un rapport entre *ça* et quelque chose sur *cette plage,* je ne voyais pas du tout.

Je me retournai vers Hopper, mais il se tenait debout devant l'eau, immobile. Son manteau claquait derrière lui et la mer moussait à quelques centimètres de ses pieds. Il avait l'air si sombre, si mélancolique, à contempler ainsi les vagues rugissantes, que je me demandai une seconde s'il n'envisageait pas d'aller à leur rencontre – et de se laisser engloutir.

« C'est par là ! » criai-je, à peine audible à cause du vent.

Il dut tout de même m'entendre, car il fit demi-tour et me rejoignit.

Notre progression était très lente.

La plage était jonchée des débris d'une récente tempête – des paquets d'algues emmêlées, des coquillages fracassés, des bouteilles et des galets, de longs bouts de bois flotté dépassant du sable. Le vent, toujours plus fort, essayait de nous faire reculer. L'air salé était abrasif, mordant. Nous longeâmes quelques barres d'immeubles carrés, aux vérandas et aux parkings vides, ainsi que des motels dont les panneaux étaient plongés dans le noir. Je scrutais chaque volée de marches dégradées qui descendait vers la plage, à la recherche d'un *signe* de vie – mais il n'y avait rien.

Nous étions seuls.

Au bout de vingt minutes, nous avions quitté Montauk et atteint Ditch Plains, la plage de surf. Elle était déserte, à l'exception d'une attache de cheville égarée, à moitié enfouie dans le sable. Alors que j'escaladais des rochers, je n'eus pas le temps de m'écarter quand une vague vint s'abattre sur le rivage et me trempa jusqu'aux genoux d'une eau glacée. Je pouvais faire une croix sur le *vor* russe : quand j'arriverais à la boîte de nuit, j'aurais l'air de Tom Hanks dans *Seul au monde*.

Si j'y arrivais.

À cet endroit, la plage se rétrécissait considérablement. Les immenses falaises ressemblaient à des épaules musculeuses, noueuses, surplombant la côte. Face à nous, il n'y avait que des propriétés à plusieurs millions de dollars, et il n'était pas difficile d'imaginer l'une d'elles hébergeant une fête privée. Mes yeux mouillés par le vent violent virent, loin devant eux, les silhouettes noires des maisons perchées sur les crêtes, mais pas la moindre lumière.

Oubliette. Le lieu oublié.

Peut-être cela voulait-il dire qu'ils faisaient la fête dans le noir.

Hopper m'avait dépassé. Il marchait en silence, avec une détermination obstinée, les yeux sur le sable – indifférent, semblait-il, au froid, aux vagues qui mouillaient ses Converse et au bas de son manteau trempé. J'accélérai le pas pour le rattraper. Ma lampe torche frôlait les rochers, les coquilles de crabe vides, les algues. Je vis qu'il s'était arrêté et qu'il m'attendait à côté d'un escalier en bois.

De la plage, il remontait la falaise jusqu'à une maison cachée tout en haut, au bord du vide.

« Tu penses que c'est ça ? » cria-t-il.

Rien, dans ces marches, ne me rappelait le tableau de Duchamp. Je fis signe que non. « Continuons ! »

Nous marchâmes encore dix minutes et tombâmes sur d'autres marches, celles-ci à moitié démolies. Si, à première vue, rien ne me faisait non plus penser à Duchamp, en examinant l'escalier à l'aide de ma lampe torche, je découvris avec surprise que les marches du haut avaient *bel et bien* quelque chose de cubiste. Des morceaux de bois flotté fracassé avaient été grossièrement cloués et zigzaguaient au petit bonheur la chance le long de la paroi rocheuse, avant de disparaître au-dessus. Plus que des *marches*, c'était une échelle branlante à peine fixée à la roche.

C'était néanmoins le deuxième escalier que nous croisions. Et le titre du tableau évoquait un *n° 2*.

« Ça pourrait être ça ! » hurlai-je.

Hopper hocha la tête et sauta sur la première marche praticable. Elle était à un mètre cinquante du sol ; les précédentes, ainsi qu'une partie de la rambarde, gisaient en morceaux sur le sable. La structure trembla dangereusement sous son poids lorsqu'il poursuivit sa montée et finit par atteindre une portion où le garde-corps était intact, si bien qu'il put s'en servir pour rester en équilibre.

Je sautai à mon tour sur la première marche et, m'interdisant de regarder en bas, suivis Hopper. Chaque planche, humide et pourrie, ployait sous mes pieds. À un moment donné, une marche sur laquelle Hopper venait de poser le pied se brisa en deux, et sa jambe traversa deux autres planches pourries *au-dessous* ; il était donc accroché à la rambarde et je dus m'accroupir pour éviter que le bois ne me tombe sur la tête avant de s'écraser sur la plage.

Hopper réussit à se hisser sur la marche suivante, qui ne céda pas, et reprit son ascension. Au bout de quelques minutes, il avait disparu en haut de la falaise. Lorsque vint mon tour, je dus fournir un effort surhumain, les dernières marches manquant à l'appel. Je finis par me redresser au milieu de hautes touffes de roseaux des sables. J'éteignis ma lampe torche.

Nous étions dans un jardin.

Au-delà d'une pelouse bien entretenue, d'une piscine couverte et de plusieurs cerisiers noirs se dressait une imposante demeure en bois de cèdre, plongée dans une obscurité et un silence complets.

Je consultai ma montre. Il était 1 heure passée.

« On arrive peut-être trop tard », murmurai-je.

Hopper me dévisagea. « Il faut vraiment que tu sortes un peu plus souvent. »

D'un pas prudent, il traversa les amélanchiers et se retrouva sur l'allée, en direction de la maison. Je le suivis. À une vingtaine de mètres de la terrasse de derrière, sans crier gare, une porte s'ouvrit, laissant s'échapper une musique au rythme lourd et rapide. Une lumière pâle se répandit sur les dalles.

Hopper et moi nous arrêtâmes net, pétrifiés, le dos plaqué contre les haies qui bordaient l'allée.

Un grand garçon dégingandé et vêtu d'un tablier de barman noir sortit, traînant derrière lui de nombreux sacs-poubelle.

Il traversa la terrasse et les jeta contre un muret qui entourait la maison ; le bruit du verre brisé retentit dans la nuit. Après s'être débarrassé du dernier sac, il retourna à l'intérieur en claquant violemment la porte.

La maison replongea dans le silence.

Nous attendîmes une minute. On n'entendait que le vent et, en contrebas, le lointain grondement de l'océan.

Sur un signal, un hochement de tête partagé, nous courûmes les derniers mètres qui nous séparaient de la terrasse et montâmes les marches. Hopper s'attaqua à la porte. Elle s'ouvrit sans difficulté. Nous entrâmes.

49

C'était une sorte de grande remise.

Les lumières au plafond avaient été éteintes et il faisait un froid de gueux. Apparemment, nous étions seuls. Entassées tout autour de nous, de grandes caisses et cageots en bois ; contre le mur était posé un chariot à deux roues. Je m'approchai des caisses et lus les étiquettes. RÉMY MARTIN. DIVA VODKA. CHÂTEAU LAFITE. WRAY AND NEPHEW LTD. JAMAICAN RUM.

Pas mal du tout. Tout le long du mur, je vis une rangée de réfrigérateurs en acier énormes, et plus loin, dans une alcôve, suspendus à des crochets alignés, des pantalons et des chemises noirs – comme des tenues de serveurs. Au centre de la pièce trônait une longue table en bois couverte de provisions. Je voulus voir de plus près. Des paquets de ce qui ressemblait à de la cocaïne étaient empilés là, emballés dans de la cellophane, chacun pesant environ un kilo. Il y en avait au moins une centaine, sans compter quatre caisses fermées par des cadenas et enchaînées aux pieds de la table à l'aide d'un câble en métal.

« C'est le duty free de l'aéroport de Carthagène des Indes », murmurai-je.

Hopper me rejoignit, les yeux écarquillés. « Ou alors un milliardaire qui s'est préparé un joli bunker pour la fin du monde. » Il attrapa une des briques de coke et, à la manière d'un *quarterback* chevronné, la lança en l'air comme un ballon de football américain. Il la rattrapa et la fourra dans sa poche de manteau.

« Tu *déconnes* ?

— Quoi ?

— Repose-la. »

Il haussa les épaules et se dirigea vers les réfrigérateurs. « Je fais une étude de marché. » Il ouvrit l'un d'eux. Il était rempli d'emballages en carton et de plateaux.

« Je me suis déjà incrusté dans des soirées comme ça. » Il fouilla dans les compartiments. « Tout est financé par un prince saoudien ou par un Russe. Pour eux, toute cette saloperie, c'est comme la Bud Light ou les bretzels pour nous. Qu'est-ce que tu en aurais à foutre s'il te manquait deux paquets de chips ? »

Je soulevai une boîte de cigares cubains. *Cohiba Behikes.*

Hopper étudia le contenu d'un bocal noir et le reposa. « Il y a plus de caviar là-dedans que dans la mer Noire.

— Sers-toi. Moi, je me tire avant que le prince saoudien ait besoin d'un petit remontant. »

Je m'avançai vers la porte située à l'autre extrémité de la pièce.

J'entendis de la *house*. On aurait dit les rouages qui faisaient tourner la Terre, rutilants, incessants.

J'entrouvris la porte et jetai un coup d'œil. Il me fallut un petit moment d'adaptation pour comprendre ce que je voyais.

C'était une fête. Pourtant, le sol – des carreaux marquetés, noirs et blancs, géométriques – ondulait comme la mer. Il couvrait toute l'étendue d'une immense salle circulaire, entourée de colonnes corinthiennes, mais sans plafond – il n'y avait qu'un ciel bleu vif parsemé de nuages. *Comment diable pouvait-il faire un temps radieux ici ?* Au loin, derrière des voûtes de pierre tapissées de lierre et des portes obscures ouvrant sur des allées en terre, se trouvait un jardin luxuriant, rempli de fleurs, où des statues grecques étaient étendues sous le soleil. Une aigrette faisait trempette dans un ruisseau scintillant. Des perroquets rouge et vert volaient à travers la jungle, dont la canopée filtrait divinement la lumière.

Tandis que mes yeux cherchaient désespérément un semblant de réalité, mon esprit court-circuita, à la fois fasciné et désireux de trouver une explication rationnelle à ce spectacle fou : *une biosphère, une mise en scène, un Disney World pour adultes, un portail vers une autre planète.* Sur ces entrefaites, je repérai une imperfection dans ce paradis tropical : par terre, à environ trente centimètres de moi, je vis une *douille d'ampoule.*

Tout était peint – un trompe-l'œil photoréaliste tellement précis, tellement beau, que dans la pénombre dorée il en devenait presque *animé, grouillant de vie.* Le centre de la salle était encastré en contrebas ; s'y trouvait une foule compacte de gens, les uns assis sur des canapés en cuir, les autres debout autour des tables en marbre. *Eux* étaient vrais, cela ne faisait aucun doute. C'étaient des hommes d'âge mûr, dont la plupart avaient la tête de gargouille fatiguée des grands *self-made-men* (les autres avaient l'attitude mollassonne des héritiers), blancs pour l'essentiel, avec quelques Japonais. Parmi eux des femmes circulaient, croulant sous les robes longues et les bijoux, même si, à cause de ce sol liquide, elles semblaient flotter sur l'eau, heurtant des groupes d'hommes comme des bouts de papier pris dans une branche, avant de dériver à l'autre bout de la pièce, portées par un nouveau courant mystérieux.

Le code vestimentaire était *strict* – ce qu'avait omis de me signaler la personne qui m'avait répondu sur les Blackboards. Les hommes portaient veste et cravate. À coup sûr, Hopper et moi allions *détonner* – sans parler des cercles blancs d'eau salée sur mon pantalon.

Hopper arriva derrière moi. Je fis un pas de côté pour qu'il puisse jeter un coup d'œil.

« Nom de Dieu, murmura-t-il.

— Ça doit être une sorte de secte. Si quelqu'un te propose du Kool-Aid[1] ou une douche chaude, *refuse*. Et n'oublie pas la raison de notre présence ici. Trouver quelqu'un qui a vu Ashley. »

Il se tourna vers moi et me tendit sa main. « On se retrouve après. »

Nous nous saluâmes et je sortis de la remise.

50

Un bar en marbre noir était dressé devant le mur du fond. Quelques hommes y avaient pris place – ne restait libre qu'un tabouret rouge, tout à droite. L'endroit parfait pour me poser, le temps de *comprendre* précisément ce à quoi j'avais affaire. Je me dirigeai donc d'un pas tranquille vers le tabouret en faisant tout le tour de la salle, le long des colonnes – *elles* étaient réelles –, légèrement étourdi par le sol mouvant et les paysages luxuriants qui m'encerclaient.

Le plafond était aussi haut que celui d'une cathédrale, et la fresque du ciel avait été peinte avec un tel réalisme qu'elle paraissait infinie, d'un bleu éclatant. À force de lever les yeux, j'en perdis ma concentration et faillis bousculer un petit homme corpulent,

1. En 1978, lors du suicide collectif qui provoqua la mort de 913 personnes à Jonestown, au Guyana, Jim Jones, le gourou de la secte du Temple du Peuple, fit boire à ses adeptes du Kool-Aid, un célèbre jus de fruit en poudre, mélangé à du cyanure.

brun et dégarni, qui avait brusquement surgi devant moi. Il évita mon regard et marcha droit vers le mur du jardin de pierres. Il poussa une urne couverte de mousse posée sur un pilier, ce qui déclencha l'ouverture d'une porte. J'eus le temps d'entrevoir une salle de bains au carrelage noir et blanc, ainsi qu'un employé en tenue noire posté à côté des lavabos, les mains serrées, regardant discrètement le sol, avant que le jardin désert ne réoccupe l'espace.

Je m'assis sur le tabouret libre au bout du bar, soulagé de constater qu'il était solide et *réel*, et me retournai pour observer la scène.

Des serveurs en pantalon noir et blouse asiatique déambulaient parmi les tables en marbre, tenant des plateaux d'argent sur lesquels étaient posés des verres. Il y avait aussi un DJ perché en haut d'une tour, portant un tee-shirt violet, des écouteurs autour du cou et des dreadlocks jusqu'à la taille. Même s'il paraissait relativement normal, tout droit venu de Brooklyn ou de Bay Area, je remarquai qu'il évitait de baisser les yeux vers le public, tout occupé qu'il était à manipuler un synthétiseur et deux MacBooks.

On avait dû lui dire de ne pas regarder les clients.

Je reportai mon attention sur la foule. Les femmes étaient splendides. Elles étaient de toutes les couleurs, souvent mates et exotiques, avec pour point commun une taille d'environ un mètre quatre-vingts et une minceur qui les faisait ressembler à des insectes grouillants, se nourrissant, insatiables, des vestes noires et des crânes chauves. Elles avaient l'air jeunes. L'une d'elles se retourna. Ses cheveux blonds étaient si clairs qu'ils formaient un halo blanc autour de son visage. Elle rejeta la tête en arrière, tout sourire, et j'aperçus une impressionnante pomme d'Adam.

Mon Dieu. C'était un *homme*.

Faisant fi de l'angoisse irrationnelle qui montait en moi, j'en observai une autre qui évoluait au milieu des gens dans une robe à paillettes bleue. Après avoir discuté avec un groupe d'hommes, elle – *ou il* – en toucha un sur l'épaule. Elle avait des ongles longs vernis de noir, des bras lestés de bijoux. Très lentement, comme si les gestes brusques étaient prohibés dans ce lieu – car ils menaçaient de rompre le charme –, ils se détachèrent du groupe. Elle le prit par le poignet et l'emmena en haut de l'escalier, le long d'un mur de pierre croulant derrière lequel s'étendait la mer Égée. Ils se faufilèrent par une porte voûtée et disparurent dans une allée. Il y avait au moins douze entrées identiques autour de la salle. Elles donnaient sur – *quoi ? Mystère et boule de gomme.*

Ce devait être un club sado-maso pour clientèle de luxe. *Ne jamais sous-estimer le désir des hommes à qui tout réussit de se faire torturer pour s'amuser.*

« Puis-je vous servir quelque chose, monsieur… ? »

Je me retournai et vis le barman face à moi. Bien qu'habillé d'un élégant costume gris, comme tout le monde, avec une cravate de soie bleue nouée en double Windsor, il était baraqué. Sa coupe en brosse, ses traits anguleux et sa posture raide me laissaient penser que c'était un ancien soldat.

« Un whisky, sans glace », dis-je.

Il ne bougea pas. Son visage se vida de toute sympathie. *Je venais de commettre une bourde et de me faire démasquer.* Je ne réagis pas. Lui non plus. Les anabolisants l'avaient rendu tellement musclé qu'il ressemblait à une figurine, comme si ses bras étaient incapables de se plier et que sa tête pouvait se détacher à force d'être triturée.

« Vous avez une préférence ? demanda-t-il.

— Je vous laisse choisir. »

Il attrapa la bouteille de Glenfiddich sur les étagères.

Pendant qu'il me servait, une porte dissimulée s'ouvrit à côté du bar – une scène pastorale dans un paysage toscan – et le jeune homme que j'avais vu sortir les poubelles déboula, une caisse de verres dans les bras. Tête baissée – lui aussi semblait avoir reçu pour consigne de ne pas croiser les regards –, il commença à empiler les verres sur les étagères à miroirs.

Le barman revint avec mon verre et resta planté là, attendant quelque chose.

« Votre *carte* ? demanda-t-il.

— Laquelle ? dis-je en faisant mine de chercher mon porte-feuille.

— *De membre.*

— Ah, je n'en ai pas. Je suis invité.

— Invité par qui ?

— Harry, je peux avoir un verre d'eau tout de suite ? J'ai la tête qui tourne. »

Je n'aurais pu rêver meilleur timing. Une des femmes – ou *hommes*, s'il s'agissait bien de ça – s'était glissée juste derrière moi. Elle avait le profil d'une poupée faisant la moue, de longs cheveux blonds et une robe de soie violette tellement moulante qu'on l'aurait crue coulée sur elle.

Le barman, Harry – il avait plutôt une *tête* à s'appeler GI Joe –, lui jeta un regard furieux, signe qu'elle enfreignait gravement les règles en demandant une chose pareille.

« Essaie en bas, répondit-il avec un sourire crispé.

— Je ne peux pas. Je... J'ai juste besoin d'un peu d'eau et ça ira mieux. »

Non sans un regard assassin pour elle, puis pour moi – *on n'en a pas encore terminé, mon coco* –, il s'en alla.

« On s'amuse bien avec lui », dis-je en me retournant vers elle.

Elle me jaugea avec méfiance. Ses mains – elle aussi avait ces longs ongles noirs – s'agrippaient au bar, comme pour y rester bien attachée ; sans quoi, vu sa maigreur, elle serait montée jusqu'au plafond tel un ballon d'hélium. Ses yeux bleus très maquillés semblaient mouillés, et ses pupilles, dilatées. Elle avait fait quelque chose à sa bouche pour la gonfler, y avait injecté un produit lui donnant un air outré et triste, comme un clown.

« Comment vous appelez-vous ? » demandai-je.

Ma question mit immédiatement un terme à la discussion. Elle me lança un regard glacial. J'étais persuadé qu'elle allait décamper. Or elle pencha la tête sur le côté.

« Vous êtes un ami de Fadil, dit-elle.

— Mais *où est* Fadil ? Je ne l'ai pas vu.

— Il est retourné en France, non ? »

Harry posa violemment le verre d'eau sur le bar. Elle s'en saisit et le but d'un trait. Une goutte coula au bord de sa bouche rouge, puis sur son menton. Mal assurée sur ses talons, elle reposa le verre vide et le barman, en silence, s'en alla le remplir de nouveau. *Il avait déjà exécuté ce petit numéro avec elle.*

Elle s'essuya la bouche avec le revers de ses doigts.

« Vous êtes sûre que ça va ? » demandai-je à voix basse.

Au lieu de me répondre, elle étudia le décolleté plongeant de sa robe et rajusta celle-ci en faisant une grimace grotesque avec sa bouche.

« Vous devriez manger quelque chose. Ou rentrer chez vous. Dormir un peu. »

Elle me dévisagea, à la fois interloquée et embrumée, comme si j'avais encore dit quelque chose de bizarre. Harry posa le deuxième verre devant elle. Sans un mot, elle l'avala cul sec.

Je m'éclaircis la gorge tout en souriant à Harry. « Je disais que j'étais un ami de Fadil. »

Le nom – arabe – lui était familier. Il hocha la tête de mauvaise grâce et se dirigea vers l'autre extrémité du bar, où un homme petit et gros lui faisait signe.

Je me penchai vers la femme.

« Vous pouvez peut-être m'aider. »

Mais son attention était retenue par le jeune commis qui empilait les verres sous le comptoir, juste devant nous. Avec ses cheveux bruns en pétard et ses taches de rousseur, il avait l'air d'avoir moins de seize ans, sorti tout droit d'un tableau de Norman Rockwell.

« Hé, murmura la femme. Tu me rendrais un service ? Tu peux me donner une vodka-cranberry ? »

Il ne l'écouta pas.

« Oh, *putain*. T'inquiète pas pour Harry. C'est un agneau. Je vais crever. »

Sa supplique, menaçant de monter dans les aigus, incita le garçon à lever les yeux vers elle, à contrecœur, puis à regarder vers l'autre bout du bar, où Harry était occupé à préparer un nouveau cocktail. Il dut la prendre en pitié, car il se retourna et attrapa une bouteille de Smirnoff.

« Tu es un ange », murmura-t-elle.

Il ajouta le jus de cranberry, lui tendit la boisson et recommença à empiler les verres.

« Je pourrais avoir des glaçons ? » demandai-je en poussant le mien.

Il hocha la tête. Lorsqu'il m'apporta les glaçons, je glissai un billet de cent dollars dans sa main. Il me regarda, surpris.

311

« Fais comme si de rien n'était, lui dis-je en gardant un œil sur Harry. J'ai besoin de quelques renseignements. » Je sortis de ma poche la photo d'Ashley et la fis glisser sur le bar.

« Tu la reconnais ? »

Il gardait sa tête baissée et rangeait les verres.

« Enlevez ça, susurra-t-il. Il y a des caméras. »

Je remis la photo dans mon portefeuille. Si nous étions observés, j'espérais qu'on penserait que j'avais simplement montré au gamin une photo de ma fille – ou, étant donné la clientèle du lieu, ma petite amie mineure débarquée des pays de l'Est et ne parlant pas l'anglais.

« Tu peux m'aider ? »

Le jeune garçon regarda sur sa droite et se gratta la joue. « Euh, *oui*, c'était la menace à la sécurité.

— La *quoi* ? »

Il se remit à ranger les verres. « C'est la menace à la sécurité d'il y a quelques semaines. Ils ont sa photo affichée en bas.

— Que s'est-il passé ?

— Je suis désolé. Je ne peux pas faire ça. Je vais me retrouver dans une merde noire si...

— C'est une question de vie ou de mort. »

Il me scruta avec angoisse. Je l'aurais davantage vu livrer les journaux le matin ou diriger une bande de scouts que travailler ici. Je sortis un autre billet de cent dollars, me penchai au-dessus du bar pour attraper une touillette et la fis tomber à ses pieds.

Il se baissa à son tour pour la ramasser, puis commença à arranger les piles de serviettes rouges ornées d'un O noir ; en étudiant longuement ce O, je m'aperçus qu'il s'agissait en réalité d'une bouche ouverte, d'une bouche *qui hurlait*.

« Elle a agressé un client, marmonna le garçon dans sa barbe.

— Agressé ?

— Elle... *l'a pourchassé*. C'est ce que j'ai entendu dire.

— Comment ? »

Il n'avait pas l'air de vouloir le dire – ou ne le savait pas.

« Quel client ? »

Il jeta un coup d'œil craintif vers Harry et prit une serviette pour essuyer le bar.

« On l'appelle l'Araignée. »

312

— Quoi ? »

Il haussa les épaules. « C'est son surnom. »

Les mots eurent un curieux effet sur la fille. Alors qu'elle avait bu son verre sans faire attention à nous, elle pivota et essaya de fixer son regard épuisé sur moi.

Je me retournai vers le jeune commis, qui remplissait avec des pincettes en argent le bocal en cristal de cerises au maraschino sur le bar. Lesquelles cerises, remarquai-je avec étonnement, étaient *entièrement noires*, y compris les queues ; et toutes étaient jumelles, attachées les unes aux autres.

« Quel est son vrai nom ? » demandai-je avant de siroter mon verre d'un air détendu.

Le gamin secoua la tête. *Il ne le savait pas.*

« Il est là ce soir ? Tu peux me le montrer ? »

Il humecta ses lèvres nerveusement. Il était à deux doigts de me répondre lorsque, tout à coup, il aperçut quelque chose derrière moi. Il tourna les talons, prit la caisse vide sur le comptoir et se dirigea vers la porte, le regard fuyant, pour disparaître dans la campagne italienne.

Je voulus voir ce qui l'avait tant impressionné.

Un homme d'âge mûr, aux cheveux blanc argenté en épis, fendait la foule sans quitter des yeux la femme qui était à côté de moi. Il se planta juste derrière elle et lui glissa quelque chose à l'oreille.

Elle tressaillit d'un coup. L'homme l'empoigna alors par son bras nu et la força à abandonner son tabouret avec une telle brutalité qu'elle renversa son verre, faisant une horrible tache sombre sur sa robe. L'air renfrogné, elle bredouilla une phrase dans une langue étrangère, mais la musique était trop forte pour que je puisse comprendre. Là-dessus, elle s'en alla, titubant, jouant des coudes dans la foule, prit l'escalier et disparut dans une des allées obscures.

Je me retournai vers le bar en buvant mon whisky, sans un regard pour l'homme. Il était toujours dans mon dos et avait reporté toute son attention sur *moi*.

« Je crois qu'on ne se connaît pas », dit-il.

51

« Vous croyez bien, répondis-je.

— Remédions à cela.

— Je suis un invité de Fadil. »

Il hésita, pris au dépourvu. Ce devait être le directeur de l'établissement. Affublé d'un costume coûteux et d'une oreillette, il avait la posture bombée de tous les hommes petits et peu sûrs d'eux quand ils ont du pouvoir. Je crus qu'il me laisserait tranquille mais, après m'avoir jaugé, il fit une grimace en voyant le cercle d'eau salée sur mon pantalon.

« Comment connaissez-vous M. Bourdage ? dit-il.

— Demandez-le-lui.

— Venez avec moi, je vous prie.

— J'aimerais finir mon verre.

— Venez avec moi, sinon il va y avoir un sérieux problème. »

Je le dévisageai avec une indignation lasse. « Vous en êtes sûr ?

— Est-ce que j'ai l'air de ne pas l'être ? »

Je haussai les épaules, terminai mon whisky en prenant mon temps et me levai.

« Vous allez le payer cher », dis-je.

Si ma phrase le désarçonna, même *un peu*, en tout cas il n'en montra rien. Il avança d'un pas martial jusqu'aux petites marches qui descendaient vers la salle principale et m'attendit.

Les choses étaient mal embarquées. Je lui emboîtai le pas. Au moment de rejoindre la foule, je fus pris d'une nouvelle sensation de vertige désagréable. J'avais l'impression de me noyer dans une autre dimension, ou plutôt de percuter un obstacle. Les fresques en trompe-l'œil avaient sans doute été peintes pour être observées depuis ce point central, car elles prenaient toutes une ampleur redoublée. Des villages côtiers bourdonnaient. Des champs de tournesols ondoyaient sous le vent, une bande de corbeaux s'égaillaient au-dessus – et pourtant ils étaient incapables de partir. Une jungle de broméliacées tremblait au passage d'un animal sombre en train de chasser. Un serpent se tortillait sur un mur. Même la musique syncopée semblait se refermer sur moi. Je sentais le soleil qui m'assommait la nuque. Alors que nous nous frayions un chemin au milieu des costumes et des cravates, des filles et de ces *garçons* vêtus de robes qui, de près, semblaient faites non pas de tissu mais d'écailles de poissons, malgré la musique j'entendis quelques fragments de conversations : *être ici, parfois, je suis d'accord, ski nautique.*

Je devais garder mon calme et me tirer de là – illico presto. Nous nous dirigions visiblement vers une de ces allées sombres. Pour rien au monde je ne voulais suivre ce type et me faire casser les jambes, sinon pire.

Je parcourus du regard les murs de l'atrium, à la recherche de la porte qui ouvrait sur la remise, mais elle était perdue au milieu des scènes étincelantes qui m'entouraient.

Le directeur marchait devant moi. Il me lorgnait d'un air furieux, attendant que je le rattrape. Soudain, un grand blond lui tapota l'épaule pour le saluer et lui serra la main.

Je m'immobilisai quelques secondes. *C'était sans doute l'occasion ou jamais.*

L'homme lui présenta un ami. Le directeur se retourna. Je fis aussitôt volte-face et m'éloignai à grandes enjambées à travers un groupe, bousculant par mégarde le dos d'un serveur. Un cocktail lui échappa des mains et se fracassa par terre.

J'accélérai le pas sans regarder personne en face. Les femmes avaient des talons aiguilles et des ongles de pied vernis de *noir* et limés en *pointe*, comme des épines bizarres. Soudain, je repérai une anomalie : *une paire de Converse blanches et sales.* Elles étaient portées par un serveur.

Hopper.

Il avait donc enfilé une des tenues accrochées dans la remise. Il tenait un plateau d'argent et déambulait parmi les convives comme s'il était le propriétaire des lieux. Je le rejoignis.

« Il faut que je foute le camp d'ici. Je me suis fait choper. »

Il hocha la tête. « Suis-moi. »

Nous prîmes à gauche toute, en jouant des coudes, puis montâmes rapidement les marches de marbre. Hopper avançait d'un pas décidé vers le mur de pierre croulant qui ceignait la salle.

Aucune porte n'était visible. Mais Hopper tendit la main et appuya sur le visage d'une statue de femme allongée, couverte de mousse.

Rien ne se passa. Le front plissé, il appuya sur toutes les parties de la statue érodée, les bras, les jambes, les pieds nus, à la recherche de ce qui commandait l'ouverture de cette foutue porte.

Je jetai un coup d'œil derrière moi.

Deux clients assis dans la grande salle nous observaient, manifestement préoccupés. L'un d'eux fit demi-tour et appela un serveur.

J'aperçus alors le directeur. Tout en murmurant quelque chose dans son oreillette et en promenant son regard autour de la salle, il se frayait brutalement un chemin au milieu de la foule.

Encore quelques secondes et il me repérerait.

« Est-ce qu'on peut envisager de se dépêcher un peu ? murmurai-je.

— Je te jure que je viens juste de sortir par cette porte. »

Je me mis à côté de lui et tâtai le mur. Hopper se dirigea vers une autre statue couchée, à gauche. Il lui toucha les mains, le visage, les seins, les yeux. *Dieu soit loué*, la statue se mua en une porte rectangulaire qui ouvrait sur un long couloir aux murs blancs et au lino orange.

Nous nous y engouffrâmes. Tout au fond, deux portes en inox.

« Et dire que tu pensais que c'était *moi* qui allais nous foutre dans la merde, fit Hopper sans se retourner.

— Il fallait bien ça pour obtenir des renseignements cruciaux.

— Ah oui ? Lesquels ?

— Ashley est venue ici il y a quelques semaines. Elle cherchait un des membres connu sous le nom de l'Araignée. Voilà ce qu'on appelle *le talent*.

— L'Araignée ? Quel est son vrai nom ?

— Je n'ai pas pu le savoir. »

Après avoir poussé les deux portes battantes, nous entrâmes dans une cuisine industrielle. Il y régnait une atmosphère animée, avec des casseroles fumantes, des odeurs de viande rôtie et d'ail, des cuisiniers en tenue. Quelques-uns levèrent les yeux pour nous voir contourner les plans de travail, les cuisinières encombrées de poêles brûlantes, les chariots, les plateaux de desserts.

Nous repartîmes par deux autres portes battantes, dans un deuxième couloir vide.

Hopper s'arrêta, pantelant, et pointa le doigt.

« Va jusqu'au bout, tourne à droite, la porte donne dehors. »

Je m'élançai, mais me retournai en voyant que Hopper ne me suivait pas.

« Tu restes ici ? »

Il regagnait la cuisine. « Je n'en suis qu'au début.

— Sois prudent. Et merci de m'avoir sorti de cette merde. »

Il sourit. « Tu n'en es pas encore sorti. »

52

Parvenu au bout du couloir, je tournai à droite et courus vers la sortie de secours tout au fond. Une alarme se déclencha.

Le directeur avait dû signaler une menace à la sécurité.

Je poussai la porte et me ruai dehors.

Je me retrouvai sur une aire de chargement vivement éclairée. L'allée était remplie de camions de livraison, sans compter deux 4 × 4 Escalade. Un serveur solitaire était assis sur une caisse, en train de fumer. Il me sourit en me voyant passer devant lui, l'air de rien, descendre quelques marches et prendre un chemin de pierre qui longeait le côté de la maison.

Ce devait être le côté est.

Après avoir tourné au coin, je m'arrêtai brusquement.

J'étais face à l'entrée de la résidence, une porte cochère à colonnes sophistiquée et truffée d'agents de sécurité tout de noir vêtus. Une Range Rover métallisée était garée juste devant, la vitre arrière baissée – le passager était soumis à une vérification d'identité. L'allée tournait à gauche à travers un massif d'arbres denses, sans doute vers le nord et Old Montauk Highway – *la sortie*. Plus loin sur ma gauche, derrière la végétation, je distinguai une pelouse et plusieurs voitures garées.

Je ne pouvais pas m'échapper par là. Les agents de sécurité avaient manifestement été prévenus : ils se dispersaient à l'inté-

rieur. L'un se tourna dans ma direction et fit signe à un autre
– *qui avança vers moi.*

Je reculai et, piquant un sprint, passai une deuxième fois devant
la plate-forme de chargement et le serveur solitaire. Il se leva et
cria en me voyant courir, puis tourner au coin d'une autre aile de
la maison. Les fenêtres n'étaient pas éclairées. Peut-être était-ce
dû au vent dans les arbres, mais, l'espace d'une seconde, j'aurais
juré avoir entendu *le gémissement étouffé et prolongé* d'un homme.

Nom de Dieu. Je continuai, fonçai vers le jardin de derrière,
entre les parterres de fleurs et les fourrés, et tournai au coin.

Je dus m'arrêter immédiatement.

La pelouse était inondée de lumière. Des agents de sécurité
arpentaient la terrasse et la piscine. Deux d'entre eux, à l'autre
bout de la pelouse, inspectaient l'escalier par lequel Hopper et
moi étions arrivés.

Je me retournai pour voir s'il n'y avait personne derrière moi.
J'entendais les pas des agents qui se rapprochaient.

Je dépassai en toute hâte les tas de sacs-poubelle, escaladai le
mur en pierre et traversai l'étendue herbeuse jusqu'à une grande
haie à travers laquelle je me faufilai difficilement. Les branches
étaient si compactes que j'avais l'impression de me débattre dans
un filet très serré. Je dus m'accroupir pour casser les plus grosses
d'entre elles avec mes mains et ramper tête la première.

Derrière moi, j'entendis des cris transpercer le grondement de
l'océan.

Je finis par arriver de l'autre côté de la haie et me relevai.

Contrairement à ce que j'espérais, je n'étais pas dans un autre
jardin, mais sur une lande déserte – il n'y avait ni maison ni
pelouse, uniquement l'obscurité et des arbustes à hauteur d'épaule,
impossibles à franchir. J'avançai le long de la haie dont je venais
juste de m'extirper. Le sous-bois étant moins épais, je me frayai
un chemin dans ce qui ressemblait à du houx ou à des rosiers, en
direction de l'océan.

Il me fallait trouver un autre escalier descendant vers la plage. Je
rejoignis la falaise. Des rafales de vent déferlaient de l'Atlantique.
Je marchai d'un pas hésitant le long du précipice ; cependant, au
bout de quelques minutes, je compris qu'il n'y avait pas d'escalier.

Je devais me trouver dans une réserve naturelle. J'étais fait comme un rat. Il n'y aurait ni escalier, ni maison avant plusieurs kilomètres.

Je regardai derrière moi. La haie bougeait. Des silhouettes noires surgissaient entre les branches, des lampes torches balayaient les fourrés noueux et se rapprochaient de moi.

Ils étaient toujours à mes trousses. Le directeur avait dû lancer une fatwa contre moi.

Je courus vers le bord de la falaise. Elle ne tombait pas abruptement dans la mer, mais suivait une pente douce hérissée d'arbustes. Je m'agrippai à l'un d'entre eux et me laissai glisser, les pieds devant, déclenchant une avalanche de pierres et de sable. Les lampes torches inspectaient déjà la végétation qui se trouvait juste au-dessus de moi ; à cause des vagues, les cris des hommes étaient à peine audibles. Le dos plaqué contre les pierres, j'attendis que mes poursuivants s'éloignent un peu pour reprendre ma dégringolade. La plupart des arbrisseaux que j'attrapais s'arrachaient du sol, si bien que je fis une chute libre jusqu'à ce que je réussisse à empoigner une racine capable de supporter mon poids.

J'atterris sur un promontoire, une roche qui surplombait la plage.

La marée était montée. Il n'y avait pas de plage, uniquement des vagues d'un mètre cinquante qui refluaient pendant quelques secondes, le temps de dévoiler des rochers à pic pointus en bas de la falaise, avant de faire une violente culbute vers l'avant et de se fracasser sur les rochers.

Je décidai d'attendre, à l'affût d'un mouvement au-dessus de moi.

J'étais à l'abri. Personne ne serait assez bête pour descendre et me retrouver ici.

Pourtant, à l'instant précis où j'en arrivai à cette conclusion, je vis deux silhouettes sombres se pencher et me hurler dessus.

À tâtons, je descendis de quelques mètres et me retrouvai sur de gros galets. Je progressai lentement entre eux, vers l'ouest, accélérant dès que les vagues reculaient. Au bout de quelques minutes, j'aperçus le squelette épineux de ce qui devait être l'escalier de Duchamp, loin devant moi, surgissant des vagues.

Je m'en approchai. Soudain, des lampes torches apparurent au sommet de la falaise ; elles sondaient le rivage, leurs faisceaux de lumière glissaient le long des rochers à quelques dizaines de centimètres de l'endroit où j'étais accroupi.

Ils attendaient. Un des faisceaux se braqua sur moi.

Un cri déchira le roulement des vagues. Je repris ma course, plus vite cette fois, m'attendant presque à entendre une rafale de balles cribler les rochers tout autour de moi.

Une fois en bas de l'escalier, je calai mes chaussures entre deux rochers, pour me tenir en équilibre, et regardai en haut. Un agent de sécurité qui essayait de descendre faisait trembler l'ensemble des marches sous son poids. J'attrapai la plus pourrie des planches et, après quelques tentatives, parvins à l'arracher, emportant au passage une grosse portion de la rambarde. Je jetai le tout dans la mer derrière moi et repartis parmi les rochers, trempé par un nouvel assaut des vagues.

Au bout de quelques mètres, je jetai un rapide coup d'œil derrière moi.

L'agent de sécurité avait trébuché à travers une volée de marches, juste au-dessus de celle que j'avais arrachée ; accroché à la paroi de la falaise, il avait l'air d'attendre des secours. Je repris ma fuite et gravis une partie difficile des falaises, où il n'y avait pas grand-chose à quoi s'agripper. À peine m'étais-je dit que j'allais *peut-être* rentrer chez moi en *homme libre* qu'une énorme vague vint s'abattre sur les rochers.

Je lâchai prise et tombai en arrière. Tandis que mes oreilles bourdonnaient d'un tonnerre assourdissant, je fus renversé et bus la tasse. Je pus tout de même remonter à la surface, suffoquant ; mais quelques secondes plus tard une autre vague se forma, me tira en arrière et me propulsa vers la falaise. Poussant aussi fort que possible avec mes pieds, je me projetai sur un autre gros rocher et parvins à me hisser dessus, la bouche pleine d'eau de mer.

Je levai la tête. J'avais les yeux en feu. J'étais seul au fond d'une étroite anse. Accroupi sur mon rocher, je m'attendais à voir débouler un des agents.

Or personne ne vint.

Lorsque le ciel commença à devenir gris argent, je réussis à discerner un ruban de sable sur la plage. Je sautai dessus et me mis à courir devant plusieurs immeubles silencieux, le long de la palissade en bois qui bordait Whaler's Bay. Dans la faible lumière du jour naissant, l'allée déserte m'apparut, encore pâle.

Je m'arrêtai et découvris la place de parking vide.

Ma voiture avait disparu.

Stupéfait, je me dirigeai vers Emerson Street et le restaurant Sea Haven tout en balayant du regard le parking. Il n'y avait aucune trace de ma voiture, uniquement un pick-up gris métallisé et une Subaru. J'entrai dans l'établissement. Il était vide, à l'exception d'un vieil homme assis sur une banquette du fond et d'une serveuse rousse en train de lire un magazine, avachie sur le comptoir.

« Vous, vous avez une tête de naufragé, me dit-elle.

— Je cherche une jeune femme. Blonde. En robe verte. Est-ce qu'elle était là ? »

Elle sourit soudain. « Nora, vous voulez dire ?

— Exactement.

— Bien sûr qu'elle était là.

— Mais où est-elle, maintenant ?

— Alors là... Elle est partie il y a à peu près une heure. »

Je m'installai sur un des tabourets et ôtai mon blouson de cuir qui ruisselait encore d'eau de mer.

« Je vais vous prendre un café, trois œufs au plat, du bacon, des toasts et du jus d'orange. »

La serveuse disparut derrière des portes battantes. Lorsqu'elle revint avec mon café, elle poussa un long soupir et croisa les bras.

« Elle a reçu un coup de fil d'un type. Elle est partie en trombe, surexcitée. »

Tout en avalant une gorgée de mon café, je la regardai. « Un coup de fil sur son portable ?

— *Non.* Ici, le réseau est pourri. Il n'y a qu'une barre. Le type a appelé le café et a demandé à lui parler. J'imagine que vous êtes son père et que vous venez la chercher ? »

Elle n'attendit même pas ma réponse et hocha la tête d'un air entendu. « Je ne sais pas comment vous faites pour supporter ça, vous les pères. Ces filles qui courent toujours après les voyous.

Et puis Internet, qui aggrave la situation, avec tous ces détraqués et ces violeurs. »

Dieu merci, mon petit déjeuner arriva rapidement.

Quelques gens du coin entrèrent, mais toujours aucun signe de Hopper ou de Nora.

Une fois ma collation terminée, je voulus les appeler – je fus surpris de constater que mon portable marchait encore. La serveuse avait dit vrai : aucun réseau. Je me servis du téléphone près de la caisse, mais dans les deux cas je tombai sur leur répondeur.

Je montai dans le train de la ligne de Long Island qui me ramènerait vers la civilisation – si tant est que Manhattan mérite *ce titre* – et m'endormis avant même que nous ayons quitté la gare. Il était 9 h 45.

53

J'arrivai à New York un peu après midi. Toujours aucune nouvelle de mes deux acolytes. Je regagnai Perry Street en taxi. Nora ayant un double des clés, je me demandais si elle n'était pas rentrée à l'appartement après avoir vainement essayé de me joindre. Or celui-ci était désert, et le répondeur de la ligne fixe ne comportait aucun message.

Je pris une douche et envisageai d'aller me coucher, mais je me sentais trop nerveux, trop préoccupé – *trop contrarié*.

Ils avaient laissé le général pour mort sur le champ de bataille. Ou alors, leur était-il arrivé quelque chose ? Je n'eus pas le temps de m'inquiéter car mon portable sonna, me rappelant que Peg Martin, l'une des actrices d'*Isolat 3*, serait au Washington Square Park, à l'allée des chiens, ce soir à 18 heures. C'était la piste que m'avait indiquée Beckman la semaine précédente.

J'entrai dans mon bureau, donnai quelques graines à Septimus et ressortis de mes cartons l'interview accordée en 1995 par Peg Martin à *Sneak*. Depuis celle de Cordova dans *Rolling Stone* en 1977, c'était la seule fois qu'une personne ayant travaillé avec lui s'exprimait ouvertement sur le sujet.

LE VISAGE DU MOMENT

PEG MARTIN

Sneak est allé à la rencontre de Peg Martin, dix-huit ans, vedette de *New Found Glory*, la toute première série originale lancée par HBO, afin qu'elle nous parle de son personnage et réponde aux bruits de plus en plus insistants selon lesquels elle est apparue la première fois au cinéma dans un film de Cordova.

« Pourquoi tant de mystère ? Je ne sais pas. »

D'après la rumeur, vous avez connu votre baptême du feu dans le dernier film de Cordova, *Isolat 3*, qui ne peut être diffusé que clandestinement et dont on dit qu'il est tellement effrayant que le voir revient à traverser l'enfer. On meurt d'envie de vous poser la question : est-ce que cela est vrai ?

PM : Je ne veux pas m'étendre là-dessus. Mais oui : c'est moi qui incarnais Vivian dans *Isolat 3*.

Comment vous êtes-vous retrouvée dans un film de Cordova ?

PM : À l'époque, après les cours, je travaillais dans un magasin Baskin-Robbins à Vienna, dans le New Jersey. Un jour, une femme est venue me voir pour me dire qu'elle aimait bien mon style. J'ai discuté une fois avec Cordova, au téléphone. Le lendemain, il m'a rappelée et m'a annoncé que j'avais le rôle.

« Elle a une empathie naturelle et vous ne pouvez pas détacher vos yeux d'elle », explique Brendan Fraser, qui partage l'affiche avec elle dans *New Found Glory*, la série de HBO.

23 janvier 1995

Photo publicitaire pour la série de HBO *New Found Glory*.

On dirait une version moderne de Lana Turner se faisant repérer chez Schwab's, à Hollywood. Comment était-ce de travailler avec lui ?

PM : J'avais un tout petit rôle. Mes trois scènes ont été tournées en deux jours dans un entrepôt, quelque part au nord de New York. Je jouais une femme de ménage battue par son mari. Mon bras gauche était censé être cassé et plâtré. Le costumier m'a mis un vrai plâtre autour du bras afin que je m'habitue à ce handicap. Mon petit ami, William Bassfender, avait quant à lui un rôle beaucoup plus important. Il joue le criminel piégé dans l'Isolat et qui essaie de s'enfuir. Il a tourné pendant trois mois, mais il refuse d'en parler.

« Il ne m'a jamais directement parlé. »

Pourquoi est-ce que personne ne veut parler de Cordova ?

PM : Quand vous travaillez avec lui, vous signez un accord de confidentialité long comme le bras. D'ailleurs, je n'ai rien d'autre à ajouter sur ce sujet, sinon je vais sans doute me faire assassiner par un tueur à gages ou quelque chose dans le genre.

Pourquoi tant de mystère ?

PM : Je ne sais pas.

Il y a tellement de rumeurs autour de Cordova. On dit qu'il s'agit en fait de plusieurs personnes. D'autres prétendent que c'est une femme. Qu'en pensez-vous ?

PM : C'est un seul homme. D'un autre côté, il ne m'a jamais directement parlé. Il me donnait les consignes de jeu par l'intermédiaire de son assistante, Inez Gallo.

Vous ne l'avez jamais vu de près ?

PM : Non.

Où peut-on trouver une copie d'*Isolat 3* ?

PM : C'est impossible. Les copies sont très bien gardées. Je n'ai même pas vu le film.

Vous n'avez pas vu votre propre film ?

PM : Non. Je déteste avoir peur.

Où vit Cordova ? Dans sa propriété du Peak ?

PM : Est-ce qu'on peut parler de ma série pour HBO ? Je suis censée être là pour en faire la promotion.

Bien sûr. Mais juste une dernière question à propos de Cordova : sur quoi travaille-t-il ?

PM : Ma dernière réplique dans *Isolat 3* était : « Les scientifiques cherchent des extraterrestres au fin fond de l'univers, mais ils sont ici. Des extraterrestres qui se font passer pour des hommes. L'invasion a déjà commencé. Pour notre propre salut, on devrait les laisser tranquilles. » Je crois que ça résume tout.

Elle avait dix-sept ans à l'époque du tournage avec Cordova. Elle devait donc en avoir maintenant trente-cinq.

En cherchant son nom sur Google, je découvris quelques photos d'*Isolat 3*. Peg Martin n'avait que trois scènes dans le film, et YouTube en montrait une, dans une version de mauvaise qualité. Elle incarnait Vivian Jean, l'une des femmes de ménage qui travaillaient toute la nuit dans les bureaux du cabinet d'avocats Milton, Bowers & Reid, en plein centre de New York. Elle finissait par se volatiliser dans un escalier de service et on ne la revoyait plus jamais. Quelques instants avant sa disparition, elle disait : « Les scientifiques cherchent des extraterrestres au fin fond de l'univers, mais ils sont ici. Des extraterrestres qui se font passer pour des hommes. L'invasion a déjà commencé. Pour notre propre salut, on devrait les laisser tranquilles. » Elle parlait de son mari violent, de la manière dont les êtres que l'on aime peuvent devenir monstrueux. J'avais toujours trouvé intéressant que Martin, dans son interview, ait cité *cette* réplique pour décrire Cordova.

Selon IMDb, après avoir joué dans la série *New Found Glory* pour HBO – un remake moderne de *New York-Miami*, abandonné au bout de la première saison –, Peg Martin avait participé à *Dust Up*, la série produite par ABC TV Western, aux côtés de Jeff Goldblum. Depuis 1996, elle n'avait plus rien tourné. Même s'il n'y avait aucun renseignement sur elle, ni sur ce qu'elle était devenue, je me souvenais que, au dire de Beckman, elle avait sombré dans l'héroïne – ce qui expliquait sans doute la brièveté de sa carrière cinématographique.

Je regardai ma montre. Il était presque 17 heures. Je devais y aller. Mais un homme seul qui se promenait dans un parc en se montrant sympathique et en posant trop de questions – cela allait éveiller toutes sortes d'inquiétudes.

Il me fallait un leurre.

54

« Mme Quincy m'a appelée pour m'avertir que *vous* viendriez, dit Dorothy en me jaugeant d'un air sceptique par-dessus ses lunettes. Mais *pas* avec une demi-heure d'avance. Samantha est en pleine audition pour *Casse-noisette*. »

Dorothy était la tsarine grisonnante qui dirigeait d'une main de fer l'école de danse de Manhattan. Je l'avais déjà rencontrée. Avec elle, j'avais toujours l'impression de m'être échappé d'un goulag en Sibérie.

« D'accord, mais j'ai réservé au Plaza pour un thé en tête à tête avec ma fille.

— Si vous la récupérez *maintenant*, elle ne sera plus en lice pour recevoir une poupée de la part de Herr Drosselmeyer. Peut-être même qu'elle ne pourra pas aller jusqu'à la scène des festivités.

— Je vous en supplie, Dorothy. Sam doit faire la scène des festivités. Elle *est* la scène des festivités. »

Dorothy soupira et capitula. « Allez-y. »

Avec un petit clin d'œil, je me retournai et pris le couloir, dont le parquet couinait sous mes pieds, vers la salle de bal où étaient donnés les cours. J'avais appelé Cynthia pour lui demander si je pouvais passer quelques heures avec Sam ce soir – histoire de me faire pardonner d'avoir décalé sa visite. Par miracle, elle m'avait donné son accord. Je n'étais pas allé dans les détails de *ce que nous ferions* pendant ces quelques heures mais, quoi qu'il arrivât avec Peg Martin, Sam serait ravie de voir l'allée des chiens, puis de se faire offrir un dîner et un sundae au caramel chez Serendipity 3.

Je trouvai ma fille au bout du couloir, dans la salle inondée de soleil. Tchaïkovski beuglait. Sam dansait au milieu d'un groupe de gamins de cinq ans qui avaient tous les bras au-dessus de la tête et sautaient en même temps. Elle semblait prête pour le Bolchoï : un justaucorps écarlate, des collants blancs, des chaussons et un tutu blanc. Placée au premier rang, elle regardait la maîtresse de ballet montrer les pas de danse.

Je frappai à la porte vitrée.

Les enfants s'immobilisèrent aussitôt. La maîtresse tendit son long cou et me toisa avec arrogance.

« *Oui*, monsieur ? Je peux vous aider ? »

J'entrai. « Je suis venu chercher Samantha. »

55

Bien qu'il commençât à faire nuit, Washington Square Park était rempli d'étudiants, de skaters, d'amoureux transis. Un breakdancer équipé d'un ghetto blaster des années quatre-vingt avait attiré une foule autour de lui. La plupart des femmes s'arrêtaient en pleine conversation pour regarder, éblouies et enchantées, Sam passer devant elles en serrant fort ma main. Si elle avait accepté de mettre son manteau noir et son sac à dos Raiponce rose, elle avait en revanche refusé d'ôter son tutu, ses collants et ses chaussons de danse.

« C'est une dame très gentille, dis-je. On va aller bavarder avec elle et voir son chien pendant quelques minutes. D'accord ? »

Sam acquiesça en écartant de son visage ses boucles blondes.

« Qu'est-ce que tu t'es fait à la main ? » demanda-t-elle.

Depuis mon évasion d'Oubliette *via* les falaises, j'avais les mains sévèrement entaillées.

« Ne t'en fais pas. Papa est très *costaud*. Maintenant, donne-moi un peu les données de base sur Maman. Elle travaille toujours à la galerie ? »

Sam réfléchit. « Maman a un problème avec Sue, répondit-elle.

— La directrice de la galerie. Elles se sont toujours bouffé le nez. Et ton beau-père ?

— Bruce ? »

Parfait. Il était toujours un nom propre, comme moi. Par bonheur, il n'était pas *Papa*.

« Oui, Bruce. Est-ce que la SEC a déjà enquêté sur lui ? Des arrestations pour délit d'initié, peut-être ? »

Elle me regarda en plissant les yeux. « Bruce a de la brioche.

— C'est Maman qui le dit ? »

327

Sam fit signe que oui. Elle tira mon bras avec force. « Elle lui fait boire des jus tout verts et, quand Bruce va au lit, il a *faim*. »

Ainsi donc, le vieux Quincy avait pris quelques kilos et subissait une des tristement célèbres purges fruitières de Cynthia. Soudain, je me sentais le plus heureux des hommes.

« Est-ce que Maman parle de moi ? »

Sam médita pendant quelques instants, puis hocha la tête.

« Ah bon ? Et qu'est-ce qu'elle dit ?

— Que tu as *vraiment* besoin *d'aide*. »

Elle imita même la grimace vertueuse de sa mère. « Elle dit que tu as pété des plombs et que tu t'es masqué avec *une jeune poupiasse*. »

Pété *un plomb*. *Maqué* avec une jeune *poufiasse*. J'aurais dû arrêter de lui poser des questions après l'histoire de la *brioche*.

Je me baissai et pris Sam dans mes bras, car nous étions arrivés devant l'allée des chiens, une zone clôturée le long de la bordure sud du parc. On y voyait des tas de chiens en train de s'ébrouer, et leurs maîtres silencieux qui, tels des parents d'enfants acteurs, faisaient le tour de l'enclos, autoritaires, nerveux, armés, prêts à dégainer laisses, balles, ramasse-crottes et friandises.

« OK, mon lapin. On cherche un gros chien noir et une dame aux cheveux roux âgée d'environ trente-cinq ans. Si tu les repères, sois discrète. Pas de doigt pointé. Pas de cris. *Reste cool*. Pigé ? »

Sam acquiesça. Là-dessus, elle émit un couinement strident et me donna un coup de pied. Elle fit une grimace et pointa le doigt, mais avec son *auriculaire*.

« Tu les as vus ? »

Elle hocha de nouveau la tête.

Bien joué – dans la partie la plus éloignée de l'allée, il y avait une rousse décharnée et un vieux labrador noir assis sur le banc, à ses côtés.

« Travail de surveillance magistral, chérie. Tu pourrais être embauchée sans problème par le contre-espionnage. »

J'attendis avant de jeter un coup d'œil derrière nous pour m'assurer que personne ne nous observait. Depuis mon retour à New York, j'étais constamment à l'affût, au cas où Theo Cor-

dova se manifesterait de nouveau. Mais je ne remarquai rien
d'anormal.

J'ouvris le portail et nous pénétrâmes dans l'allée.

56

Je regardai Sam exécuter sa mission avec précision et assurance. *Cette petite aurait fait un sacré Béret vert.* Grâce à elle, toute
l'opération parut relever du pur hasard. Dans un premier temps,
arrivée tout près de Peg Martin, elle s'arrêta et s'accroupit devant
un chihuahua miniature blanc qui portait sur lui plus de lamé
qu'une pute de Newark. Elle le caressa pendant une bonne minute
et passa au labrador noir. Cynthia lui avait bien mis dans la tête
qu'elle devait toujours obtenir la permission avant de toucher un
animal inconnu, parce que je l'entendis demander poliment à Peg
Martin, puis au chien lui-même, si elle pouvait le caresser.

Les deux durent accepter car, avec beaucoup de délicatesse et
de respect, Sam commença à flatter le sommet de la vieille tête
grisonnante du chien, qui avait l'œil fatigué et impassible. Elle le
caressa d'abord avec son auriculaire, sur les quelques centimètres
qui séparaient les deux sourcils.

Je dépassai les autres propriétaires de chiens plantés le long de
la barrière et m'avançai.

« Elle peut ? demandai-je en m'approchant de Peg Martin.

— Bien sûr.

— Il ne mord pas ? »

Elle avait reporté son attention sur les chiens devant elle.

« Non. »

Aucun doute possible : c'était Peg Martin.

Ses cheveux étaient plus fins, teints en une nuance de roux
artificiel, à mi-chemin entre la feuille d'automne mourante et la
betterave. Toutes ces années après, elle, qui dans *Isolat 3* rayon-
nait d'une présence si éclatante, si bizarre, semblait éteinte, blême,
au bout du rouleau.

« Comment tu t'appelles ? demanda Sam au chien, qui ne répondit pas.

— Comment s'appelle-t-il ? » demandai-je à Peg.

Elle eut l'air agacée que je l'interpelle de nouveau.

« Leopold.

— *Leopold* », dit Sam. Elle lui caressait la tête avec sa main plate comme une spatule. *Elle aurait tout aussi bien pu étaler soigneusement du sucre glace.*

« Vous me dites quelque chose, repris-je. Vous n'enseignez pas le catéchisme à Saint Thomas, par hasard ? »

Elle parut exaspérée.

« Euh, *non*. Vraiment pas.

— Au temps pour moi. »

Elle sourit légèrement et s'intéressa de nouveau aux chiens.

Je laissai passer une minute, à les regarder à mon tour, pour ne pas me montrer trop empressé. La meute était menée par un dalmatien frénétique. Une petite pétasse de chihuahua blanc avait beau faire son petit numéro de racolage – jappant pour attirer le client –, tous les chiens étaient captivés par une balle de tennis détrempée.

« OK, dis-je. Je vais tenter une autre piste… Vous allez sans doute me prendre pour un fou. »

Elle me jeta un regard méfiant.

« *Isolat 3*. La femme de ménage qui a le bras cassé. C'était vous, non ? »

Surprise, elle cligna des yeux. Personne ne l'avait jamais reconnue. J'étais persuadé d'avoir surjoué, un peu trop émerveillé pour être honnête, mais elle fit oui de la tête.

« C'est exact.

— Vous étiez fabuleuse dans ce film. La seule chose qui m'ait empêché de devenir dingue. »

Elle sourit, rouge comme une pivoine.

C'est une vérité universellement admise qu'aucun acteur ne se lasse d'entendre qu'il a été brillant dans un rôle.

« Il faut que je vous demande. Comment est-ce qu'il était ? Cordova ? »

Son sourire s'éteignit aussi vite qu'une allumette soufflée. Elle consulta sa montre, attrapa la lanière de son sac à dos et la cala sur son coude, prête à partir. Cependant, et à mon grand soulagement, Sam avait réussi à apprivoiser Leopold, qui remuait la queue. On aurait dit un essuie-glace. Voyant cela – et Sam s'entretenant d'un sujet de la plus haute importance avec l'animal –, elle hésita.

« C'est dramatique, ce qui est arrivé à sa fille », dis-je.

Peg se gratta le nez.

« Mais d'un autre côté, je ne suis pas surpris. Pour créer une œuvre aussi tordue et qui prend autant aux tripes, ce type doit être épouvantable en privé. C'est forcé. Prenez Picasso. O'Neill. Tennessee Williams. Capote. Est-ce que c'étaient des enfants de chœur qui irradiaient la joie de vivre ? Non. Seuls nos plus grands démons intimes peuvent nous pousser à produire des œuvres puissantes. »

Je me disais qu'en l'abreuvant de paroles Peg Martin ne se lèverait pas. Elle était calée sur le banc et me scrutait, l'air absorbé.

« Peut-être, dit-elle. On ne sait jamais à quoi ressemble une famille, vu de l'extérieur. Mais j'ai juste… »

Elle s'interrompit : cette foutue balle de tennis avait roulé derrière ses pieds. Elle se baissa pour la ramasser ; les chiens étaient pétrifiés, la gueule fermée, les oreilles dressées. Peg lança la balle et se rassit dès que les chiens eurent foncé à l'autre bout de l'allée.

« Vous avez juste… ? » insistai-je discrètement.

Bon sang mais laisse-la parler. Et calme-toi, nom de Dieu.

« Au début du tournage d'*Isolat 3*, répondit-elle, il avait invité mon petit ami à passer l'après-midi avec sa famille là-haut, dans sa maison. Le Peak. Il ne faisait jamais ce genre de choses. Il était secret. C'est ce qu'on m'avait dit, en tout cas. Mais sa femme organisait ce jour-là un pique-nique. Ils en faisaient tout le temps en été. Billy était invité. Alors j'ai pu m'incruster. »

Il était secret. Elle parlait de Cordova.

Et Billy – il devait s'agir de William Bassfender, le petit ami dont elle avait parlé dans son interview à *Sneak*. C'était l'Écossais musclé et tatoué qui jouait Spécimen 12, le prisonnier de l'Isolat. Si ma mémoire était bonne, après le film, Bassfender avait enchaîné avec une pièce de théâtre à Londres, dans le West End, et devait figurer dans le *Nixon* d'Oliver Stone lorsqu'il mourut dans un accident de voiture en Allemagne.

Je me tournai vers les chiens afin que Peg ne voie pas que je buvais chacune de ses paroles.

« C'était surréaliste. Je vous le concède, n'importe quelle famille qui se retrouvait sans que tout le monde hurle ou tombe ivre mort m'aurait paru surréaliste. Mais même aujourd'hui, je crois qu'il y avait plus d'amour et de joie dans cette famille-là que dans toutes celles que j'ai connues avant ou après. » Elle secoua la tête, incrédule. « Ces gens avaient leur propre langage.

— Quoi ?

— Le fils de Cordova, Theo, avait *inventé* un langage pour la famille. Ils le parlaient entre eux, racontaient des blagues et rigolaient, ce qui les rendait tous encore plus intimidants. Je me souviens d'Astrid m'expliquant tout ça, comme si c'était hier. "Les Russes ont seize mots pour l'amour. Notre langue à nous en possède vingt." Elle me montrait tous les carnets que Theo avait noircis. Il avait écrit son propre dictionnaire, aussi épais que la Bible, bourré de règles de grammaire et de conjugaisons de verbes irréguliers qu'il avait inventés. Astrid m'a appris certains mots. Je ne les ai jamais oubliés. *Terulya*, par exemple. Ça signifiait l'amour profond, l'amour qui vous transperce. C'est une chose qu'il faut avoir connue avant de mourir, si on veut avoir vécu. Je me rappelle avoir été choquée d'entendre un adolescent parler de ça. Mais ils étaient tous comme ça. Ils vivaient à cent à l'heure. Aucun d'entre eux ne s'encombrait de quoi que ce soit. Il n'y avait pas de limites. »

Elle se tut, mélancolique, peut-être même un peu jalouse de cette famille qu'elle décrivait. Elle croisa les bras et, le front plissé, regarda de nouveau les chiens.

« Un *pique-nique*, dis-je pour l'inciter à poursuivre.

— C'était une très belle journée. Quand vous entriez dans la propriété, vous preniez une longue route qui montait à travers les bois. Et au bout, la maison se profilait, un immense manoir dominant la colline comme un château de conte de fées. L'endroit était désert. Billy et moi avons tambouriné à la porte et fait le tour de la maison, des jardins. Personne. Finalement, vingt minutes plus tard, l'énorme porte d'entrée s'est ouverte. Un Japonais nous a reçus. Il venait de se réveiller et ne parlait pas un mot d'anglais. Il avait un pyjama de soie vert et portait un sabre à la taille. Il est sorti en se frottant les yeux et en bâillant, nous a dit quelque chose en japonais et nous a fait signe de le suivre. Il nous a conduits jusqu'au lac. Ils étaient tous là-bas. Un groupe de gens installés sur des couvertures blanches, protégés par des parasols blancs. Il y avait tout le monde, sauf Cordova. Ce jour-là, il travaillait. C'est ce qu'on nous a dit, en tout cas. »

Elle prit une longue inspiration. « C'était comme se promener dans un tableau. Un rêve. Il y avait des stars du cinéma, Jack Nicholson et Dennis Hopper, mais ils n'étaient même pas l'attraction principale. Il y avait aussi des astronautes qui parlaient de l'espace. Un ancien membre de la CIA qui vivait reclus et gardait dans son portefeuille l'article du *New York Times* rapportant sa mort. Un célèbre dramaturge. Un prêtre du coin qui avait parcouru le monde pendant quinze ans avant de rentrer au pays. Le fils de Cordova, Theo, était là, aussi. Il avait seize ans, il était magnifique, il prenait tout en photo avec un vieux Leica, quitte à aller dans les marécages jusqu'à la taille pour photographier des libellules en train de se battre. Il vivait une histoire d'amour fougueuse avec une certaine Rachel qui avait dix ans de plus que lui. Elle était là, d'ailleurs. Je me souviens que quelqu'un disait qu'elle avait joué dans un des films de Cordova.

— Lequel ?

— Je ne me rappelle plus, dit-elle avec un sourire nostalgique. Le décorateur de Cordova avait construit pour la famille une flotte entière de canots à voile aux couleurs vives – les *bateaux pirates*, tout le monde les appelait – qui naviguait autour du lac. Il y avait aussi une meute de chiens, à moitié loups. Un des invités nous a expliqué comment les Cordova les avaient récupérés en pleine nuit chez un paysan qui les élevait pour en faire des chiens de combat. *Voilà* les histoires vraies qu'ils racontaient. La mère de Cordova était présente. Elle ne parlait pas l'anglais et était en train de mourir d'un cancer. Ils étaient tous très gentils avec elle. Ils l'installaient sur une chaise pliante pour qu'elle puisse boire son limoncello à l'ombre d'un parasol. Ce jour-là, je me suis promis que, si j'avais un jour la chance de fonder une famille, elle ressemblerait à celle-là. C'était un fantasme devenu réalité. J'ai passé le plus clair de l'après-midi avec un philosophe français et

Astrid, qui apprenait à tout le monde la peinture à l'huile. Avec nos pinceaux, au bord du lac, face au vent, on peignait. Quand Billy et moi sommes repartis, le soleil se couchait et j'ai éprouvé un sentiment de perte terrible, comme si j'avais passé la journée sur une île paradisiaque et que l'océan m'attirait vers le grand large sans que je puisse jamais revenir.

— À vous entendre, on dirait Shangri-La », répondis-je, voyant qu'elle ne poursuivait pas.

Elle me jeta un regard distrait, sans rien dire, et je m'en voulus d'avoir parlé, d'avoir peut-être brisé la magie de son récit. Les mots avaient eu du mal à sortir puis, à ma grande surprise, s'étaient déversés de sa bouche comme d'une fontaine, une fontaine tarie depuis des années. À présent, elle semblait regretter d'avoir ouvert la bouche.

« C'était en quelle année ? demandai-je sur un ton détaché.

— La même année qu'*Isolat 3*. Au printemps 1993, je crois. »

Ashley était née le 30 décembre 1986. Elle devait donc avoir six ans à l'époque.

« Vous avez rencontré Ashley ? »

Peg hocha la tête. Elle sembla hésiter, puis ne pas pouvoir laisser sans réponse une question aussi brûlante.

« Elle était sublime. Des cheveux foncés coupés court, presque noirs. Comme un elfe. Des yeux gris clair. » Elle sourit, soudain ranimée. « J'avais dix-sept ans. Je n'étais pas du tout branchée par les enfants. Mais de but en blanc Ashley m'a prise par la main et m'a conduite dans un coin désert du lac. Il y avait là un saule pleureur et de hautes herbes, et l'eau était vert émeraude. Elle m'a demandé si je voyais les deux trolls. Je me rappelle encore leurs noms : Elfriede et Vanderlye. Quand elle a fini par lâcher ma main pour courir après un papillon – un énorme papillon, rouge vif et orange, comme si cet endroit possédait ses propres insectes –, je croyais aux trolls. Et j'y crois toujours. »

Elle se tut, comme gênée par son ardeur. Je vis que Sam la regardait droit dans les yeux et l'écoutait attentivement.

Il faisait maintenant sombre dans le parc, et les gens qui attendaient le long de la barrière n'avaient plus de visage. Les ormes géants, avec leurs longues branches, sombraient lentement dans l'obscurité, s'éloignaient. La meute des chiens était encore active, véritable tourbillon marron et blanc de halètements et de gravier soulevé.

« Depuis, reprit Peg avec une voix éteinte, je chéris cette journée comme une sorte de vieille carte postale. Quelque chose qu'on colle dans un carnet pour garder le souvenir d'un bonheur parfait – pour se rappeler que ça *existe*, l'espace d'un instant, comme un éclair dans le ciel. Quand j'ai appris ce qui était arrivé à Ashley, je n'y ai pas cru. Je ne la connaissais pas du tout, mais... Ça m'a paru tellement soudain. Et *injuste*. Quand vous avez une famille comme celle-là et que vous n'arrivez pas, malgré tout, à supporter ce monde, quel espoir cela nous laisse-t-il, à nous autres ? »

Elle sourit tristement, le regard perdu.

« Et travailler avec lui, comment était-ce ? » Je craignis aussitôt d'être allé trop loin. Heureusement, elle se contenta de hausser les épaules.

« J'avais un tout petit rôle, vous savez. Je ne suis restée sur le tournage que deux jours. Je ne comprenais rien à ce qui se passait, vraiment, parce que l'équipe était mexicaine et que l'assistante de Cordova donnait toutes les consignes en espagnol.

— Son assistante... Inez Gallo, vous voulez dire ?

— Oui. Mais tous les membres de l'équipe l'appelaient *Coyote*.

— *Coyote* ? Pourquoi ?

— Aucune idée.

— Vous êtes toujours en contact avec Cordova ? Ou quelqu'un de l'époque ? »

Peg fit signe que non. « Une fois qu'il vous avait fait jouer et avait extrait de vous ce qu'il voulait, tel un chirurgien qui prélève des organes, il en avait terminé avec vous. Après mes deux jours de tournage, ç'a été fini. »

Elle se détourna de moi pour ouvrir son sac à dos et en sortir une laisse qu'elle attacha au collier de Leopold.

« Il faut que j'y aille. »

Elle était à deux doigts de partir. Je voulais poursuivre la discussion, j'étais tenté d'envoyer au diable les précautions et de continuer d'abreuver cette femme de questions – tout pour la faire parler, pour qu'elle m'en dise plus. Pourtant, je sentais bien que sa franchise vacillait, que le moment était passé.

Elle se leva, puis se pencha pour aider son chien à descendre du banc. Il se mouvait comme un vieillard perclus d'arthrite. Peg lui releva les pattes arrière, les posa par terre et se tourna vers moi avec un sourire forcé.

« Prenez soin de vous, dit-elle.

— Vous aussi. »

Leopold et elle s'en allèrent, deux silhouettes marchant au ralenti, insensibles à la meute des chiens qui courait à côté d'elles.

« Elle est gentille, la dame ? me demanda Sam en écartant les boucles de ses yeux.

— Très gentille. »

Elle grimpa sur le banc à mes côtés, se colla à moi et me regarda fixement.

« Elle est triste ?

— Non, chérie. Elle a une vie bien remplie. »

Sam sembla se satisfaire de ma réponse. C'était une des choses que j'adorais chez elle. Je pouvais faire des observations obscures sur les êtres humains, sur leurs faiblesses ou leur hypocrisie, leurs souffrances profondes – elle s'en emparait comme un vieux diamantaire auquel on tendait une pierre brute : elle la retournait dans sa main et la rangeait au fond de sa poche pour l'examiner et la tailler plus tard, puis passait à autre chose.

Elle se gratta la joue, croisa ses doigts sur ses genoux – imitant *ma* façon de croiser les doigts – et nous les regardâmes s'éloigner en silence.

Devant le portail, Leopold attendit que Peg ouvre, puis sortit tranquillement. Il s'arrêta, tourna la tête pour la regarder verrouiller derrière eux et fourrer ses mains dans ses poches – le tout en un mouvement lent et chorégraphié dont seuls les plus vieux couples avaient le secret, et seulement après de longues années.

Ils regagnèrent le parc. À mesure qu'ils s'éloignaient, plus rien ne les distinguait, sinon le fait qu'ils étaient ensemble. Et même de très loin, alors qu'ils n'étaient plus que deux formes sombres avançant côte à côte, on voyait qu'ils faisaient une paire remarquable.

« Mme Quincy *descend* », dit le portier après avoir raccroché.
Je me baissai vers Sam. Hormis ses chaussons de danse sales et
son tutu légèrement froissé, elle avait l'air en forme.

« Je suis fier de toi, mon lapin », lui dis-je.

Les portes de l'ascenseur s'ouvrirent. Cynthia sortit, vêtue d'un
élégant chemisier blanc, d'un jean et de mocassins en daim Tod's.
Sa chevelure dorée étincelait. À son visage souriant, je compris
qu'elle était furieuse.

« Bonjour, mon amour, dit-elle à Sam. Va attendre Maman près
de l'ascenseur. »

Sam cligna les yeux et traversa sagement le hall en marbre.

Cynthia se tourna vers moi. « J'avais dit *18* heures.

— Je sais...

— Elle passait l'audition pour *Casse-noisette*.

— J'ai tout réglé avec Dorothy. Elle fera la scène des festivités. »

Cynthia soupira et traversa à son tour le hall. « N'oublie pas,
jeudi, ajouta-t-elle par-dessus son épaule.

— Jeudi ? »

Elle se retourna. « Bruce et moi, nous allons à *Santa Barbara*.
Tu te souviens ?

— Bien sûr. Sam reste avec moi tout le week-end. »

Tout en me lançant un regard menaçant – *ne déconne pas sur ce
coup-là* –, elle prit Sam par la main et entra dans l'ascenseur. Je
levai la mienne pour saluer ma fille ; elle sourit à l'instant précis
où les portes se refermèrent.

L'après-midi au Peak décrit par Peg Martin semblait presque
trop idyllique pour être vrai. Mais elle n'était âgée que de dix-sept
ans à l'époque, certainement peu sûre d'elle et impressionnable ;
aussi était-il possible qu'elle eût pris quelques libertés avec ses

souvenirs sans même s'en rendre compte. Quand on connaissait les thèmes horribles chers à Cordova, que sa maison et son lieu de travail aient pu représenter un tel paradis terrestre semblait improbable. *La vie d'un artiste devait-elle être proche de son œuvre ?* Voilà un sujet sur lequel des étudiants en doctorat écrivaient des thèses entières. Néanmoins, dans sa manière de raconter la façon dont Ashley l'avait emmenée au bord du lac, où vivaient les *trolls*, Peg s'était montrée d'une honnêteté indéniable, tout comme son portrait de Cordova en chirurgien prélevant des organes et laissant ses acteurs pour morts.

Dans tout mensonge un peu raffiné se cache un noyau de vérité.

En rentrant chez moi, j'entendis de la musique dans le salon. Je jetai mon manteau sur le siège et trouvai Nora recroquevillée au creux du fauteuil club en cuir, sa perruche posée sur son genou. Hopper était affalé sur le canapé, plongé dans des papiers. Devant lui, à côté d'un carton à pizza, les trois bougies d'inversion que nous avait données Cleo se consumaient sur la table basse.

« Tu es revenu ! s'écria joyeusement Nora.

— Ne me dites rien. Vous avez tous les deux perdu vos portables et des vents de force dix ont arraché toutes les lignes téléphoniques sur la côte Est.

— On est *désolés*. Mais on avait une bonne raison de disparaître en plein combat. »

Elle coula un regard entendu à Hopper, qui sourit. Ils partageaient un motif de satisfaction.

Hopper me tendit les papiers ; je les pris. Quinze pages, environ deux mille noms. Beaucoup étaient des noms de sociétés ou d'étranges pseudonymes, par exemple Marquis de Roche.

« C'est la liste des membres d'Oubliette, dit Nora surexcitée.

— Je vois ça. Comment est-ce que vous l'avez obtenue ?

— Ça n'a pas été facile, intervint Hopper, tout fier, les mains croisées derrière la tête. Après *ton* départ, c'est devenu la bande de Gaza. Mais comme j'avais ma tenue de serveur, personne ne faisait attention à moi. J'ai discuté avec une des filles – en tout cas je *crois* que c'en était une. Elle m'a montré comment descendre au sous-sol, où se trouvent les bureaux. J'en ai trouvé un désert, je me suis assis devant l'ordinateur et j'ai tapé *membres* dans le moteur de recherche du disque dur. Des dossiers Excel sont apparus. Je me suis connecté à mon adresse mail, je me suis envoyé les dossiers à moi-même, j'ai vidé le cache et je suis ressorti. Sauf qu'apparemment ils avaient visionné les vidéos de surveillance et m'avaient vu *te* sortir de ce merdier. Deux agents de sécurité m'ont alors poursuivi dehors, jusqu'à ce que je me retrouve sur la propriété d'un voisin. J'ai dû entrer en douce dans la maison et téléphoner à Nora pour qu'elle vienne me chercher. J'ai réussi à lui décrire l'endroit où j'étais.

— Ç'a été une vraie cavale, confirma Nora. Avec les pneus qui crissent et tout. J'avais l'impression d'être dans *Thelma et Louise*.

— Je croyais que tu étais Bernstein, dis-je.

— Nora est arrivée, tous phares éteints, continua Hopper. J'ai escaladé une fenêtre, j'ai foncé à travers le jardin et on s'est tirés de là.

— Vers quelle heure ? »

Nora se tourna vers Hopper. « 4 heures du matin, peut-être ?

— J'ai attendu au café jusqu'à 9 heures. Qu'est-ce que vous avez fabriqué pendant cinq heures ?

— On est retournés à Oubliette parce que je voulais jeter un coup d'œil, lâcha Nora. On s'est cachés près de la porte d'à côté, dans l'espoir de pouvoir discuter avec les clients quand ils repartiraient, leur demander s'ils reconnaissaient Ashley. Mais on n'a pu en aborder aucun. Ils avaient tous l'air épuisés. Des domestiques les escortaient jusqu'à des voitures de luxe ou des limousines. Un type en fauteuil roulant avait l'air *mort*. De toute façon, il y avait trop d'agents de sécurité.

— Et vous n'avez pas pensé à me téléphoner ? Vous avez abandonné le patron, *el jefe*, sur le champ de bataille, sans transmettre le moindre message ? »

Hopper se leva en bâillant et en s'étirant. « Les gars, on se voit demain de bonne heure.

— De bonne heure ? » demandai-je.

Nora confirma d'un signe de tête. « Demain, on va coller des avis de recherche pour Ashley tout autour du 83, Henry Street. » Elle me tendit alors une feuille de papier où figurait, scannée, la photo d'Ashley qu'elle avait dénichée à Briarwood.

« AVEZ-VOUS VU CETTE JEUNE FEMME ? BELLE RÉCOMPENSE EN ÉCHANGE DE RENSEIGNEMENTS SÉRIEUX. APPELEZ VITE. »

« On éliminera les appels bidon en demandant quelle était la couleur du manteau d'Ashley. »

Hopper nous quitta. Je me dirigeai vers mon bureau et laissai Nora prendre des notes sur son carnet. En récupérant une copie de la liste des invités, Hopper avait accompli un *miracle* de travail d'enquête, une prouesse bien plus grande que tout ce que *j'étais* parvenu à faire ces derniers temps – même si j'avais la ferme intention de *ne pas* le reconnaître. Je passai quelques heures à comparer la liste des membres d'Oubliette à celle des acteurs de Cordova et de toutes les personnes liées de près ou de loin à son univers, au cas improbable où *un* nom apparaîtrait sur *les deux*. En vain. Mais cela éliminait une hypothèse : la personne qu'Ashley était allée chercher à Oubliette – *l'Araignée* – n'avait probablement *aucun* rapport avec le travail de son père. *S'agissait-il d'un ami d'Ashley ? D'un inconnu ? De quelqu'un lié de près ou de loin à sa mort ?*

J'éteignis la lampe en me frottant les yeux et retournai dans le couloir.

L'appartement était silencieux. Avant de monter, Nora avait soufflé les bougies d'inversion. Pourtant, je remarquai que les mèches étaient toujours d'un orange ardent, comme si elles refusaient de s'éteindre – *trois points orange dans l'obscurité*. Je les pris, les jetai dans l'évier de la cuisine, fis couler l'eau du robinet jusqu'à ce que je sois sûr qu'elles soient éteintes et partis me coucher.

59

« Hopper a promis qu'il serait là, dit Nora en sondant la rue déserte. C'est lui qui a eu l'idée de coller les avis de recherche. »

Il était 9 heures. Nous étions de retour au 83, Henry Street, armés d'une centaine d'avis de recherche. Nous décidâmes de nous partager la tâche : je m'occuperais des immeubles à l'ouest du Manhattan Bridge, jusqu'à East Broadway et Bowery, et Nora de tout ce qui se trouvait à l'est du pont.

Le quartier était majoritairement chinois. J'avais donc peu d'espoir que notre avis de recherche en anglais nous conduise très loin. Coller des affichettes, comme si Ashley était un chaton perdu, n'était pas tout à fait mon style, mais ça ne pouvait pas faire de mal. Puisque Theo Cordova était à nos trousses, le secret qui entourait notre enquête n'existait plus. Pourquoi ne pas donc opérer un virage complet, bombarder le quartier avec la photo d'Ashley et voir ce que *cela* donnerait ?

Je collai l'avis de recherche sur les réverbères, dans les cabines téléphoniques, sur les boîtes aux lettres, dans les stands Learning Annex. Une femme chinoise à bicyclette, avec des sacs en plastique orange suspendus au guidon, freina pour voir ce que je faisais ; elle me jeta un sale regard et repartit aussi sec. Quelques hommes, dans des épiceries, refusèrent de me laisser coller l'affichette après avoir vu de quoi il s'agissait, faisant non avec la tête et m'invitant à quitter les lieux.

Au bout du *sixième* refus, je me demandai s'ils craignaient que la disparition d'une femme blanche ne leur porte la poisse ou s'ils avaient vu quelque chose, sur la photo d'Ashley, qui ne leur plaisait pas. Ou, plus dérangeant encore, *si j'avais la tête d'un agent de l'immigration et des douanes.*

Au salon de coiffure Hao, sur Madison Street, ce fut tout le contraire. L'adolescente au téléphone, la patronne, deux coiffeuses et une cliente (peignoir rose et papier d'aluminium sur les cheveux) m'entourèrent, tout sourire, et discutèrent dans un cantonais survolté. Elles mirent beaucoup de soin à coller l'avis de recherche sur la vitrine, à côté d'une vieille publicité pour une épilation des sourcils ; lorsque je repartis, elles me saluèrent de la main comme un cousin adoré qu'elles n'allaient pas revoir avant quarante ans.

Plus j'arpentais les rues, plus je croisais de restaurants chinois, de magasins de cadeaux, de salons de coiffure pour hommes et femmes, de carpes blanches derrière les vitrines des animaleries, plus j'avais l'impression d'être épié. Pourtant, lorsque je regardais derrière moi – allant même jusqu'à entrer dans une laverie automatique pour vérifier –, je ne remarquais rien de suspect.

341

Je me demandai si cette sensation n'était pas due au regard d'Ashley, si vivant et si intense sur la feuille blanche. Tout avis de recherche était troublant, puisqu'on y voyait la personne disparue en train de sourire, lors d'une soirée d'anniversaire ou d'un moment agréable, totalement inconsciente de son destin. Néanmoins, Ashley, seule devant cette table de pique-nique de Briarwood, avait quelque chose de grave en elle, presque de prescient, comme si elle savait ce qui l'attendait quelques semaines plus tard.

En marchant, je me rendis compte que j'avais totalement raison. *J'étais* épié – mais *par tout le quartier*. L'idée qu'avait eue Hopper de coller ces affichettes n'était pas si bête. Car si je jurais *tant que ça* dans le paysage, si j'attirais autant de regards hostiles et si j'incitais les passants à ralentir à côté de moi – à un moment donné, je levai les yeux vers un immeuble délabré et vis qu'une vieille dame avait écarté un rideau en dentelle pour m'observer –, dans ce cas, Ashley n'était pas passée inaperçue non plus.

Tous ces gens-là devaient l'avoir vue, épiée, s'être posé des questions à son sujet pendant qu'elle marchait sur le trottoir dans son manteau rouge.

Désormais, il ne nous manquait qu'une seule chose : que l'un d'entre eux ait le courage de nous appeler.

60

« Tom-*mei* ! tonna le type au guichet, avec un fort accent new-yorkais, en direction de la dizaine de tatoueurs qui travaillaient derrière lui. Ces messieurs-dames ont un truc à te demander ! »

L'Envol du Dragon était un vaste salon de tatouage éclairé aux néons et installé au premier étage d'un immeuble de la 14ᵉ Rue Ouest. L'intérieur en était chaleureux, loin de l'ambiance *Easy Rider* de certains de ses confrères, où les voyous qui maniaient le pistolet à encre donnaient le sentiment que ce n'était qu'un travail d'appoint, leur principale activité consistant à tuer sur contrat.

La lumière était tranchante, clinique, et les murs, décorés de papier calque et de pochoirs encadrés montrant des tatouages inté-graux, des crânes, des bouddhas, des guerriers, des motifs maoris, le tout au milieu d'étagères encombrées de bouteilles d'encre colorée et d'iode. *Heart-Shaped Box*, de Nirvana, braillait dans les enceintes.

« Demande-leur si c'est des flics ! » La voix de l'homme couvrit le bourdonnement de guêpe des pistolets à encre. Mais les tatoueurs restèrent tous penchés au-dessus de leur client.

Je ne voyais pas du tout qui venait de répondre.

« Vous êtes des flics ? » nous demanda le type, grimaçant face à cette perspective atroce.

Il avait des cheveux blonds peroxydés et la mine perpétuelle-ment ébahie d'un surfeur de Malibu confronté à une vague beau-coup plus haute que prévu. Des loups tatoués grognaient partout sur ses biceps.

« Non », dis-je.

Le jeune attendit un peu avant de se retourner une deuxième fois.

« C'est *pas* des flics !

— Dis-leur de rappliquer ! »

Le jeune, agitant la tête au rythme de la musique, montra du doigt une alcôve, tout au fond du salon.

« Vous pouvez aller voir Tommy, le patron. »

Ledit Tommy s'avérait être un gros bonhomme entre deux âges qui portait des gants de latex noirs. Il était penché, et très concen-tré sur son travail, même si, à cette distance, il avait plutôt l'air d'autopsier un cachalot. Son client était allongé sur une table de massage noire et devait peser au moins cent cinquante kilos : chauve, nu, la peau plus blanche qu'une tranche de pain de mie. En traversant le salon pour aller vers eux, suivi par Nora, je vis que le tatouage en cours était celui d'un énorme lotus ; un tronc rabougri sortait de la raie des fesses du client, remontait le long de sa colonne vertébrale et fleurissait à travers tout son dos, tandis que des branches tordues se rejoignaient sur son torse et que deux oiseaux – en attente de coloriage – se posaient sur ses avant-bras.

« Qu'est-ce qui se passe ? demanda Tommy sans lever les yeux.

— Vous la reconnaissez ? dis-je en montrant la photo d'Ashley. Elle est venue chez vous il y a quelques semaines. »

Il ne regarda pas avant d'avoir terminé de colorier une fleur de lotus rose.

Ces types affublés de surnoms enfantins – Bobby, Johnny, Freddy... Il devait exister une règle non écrite selon laquelle ils avaient l'air plus méchants que le commun des mortels. Celui-là avait une large figure de voyou et des cheveux poivre et sel. Des tatouages non identifiables dépassaient du col et des manches de sa chemise moulante en polyester argenté. Il avait beaucoup d'assurance, peut-être habitué à voir des gens traverser son magasin pour rejoindre son poste tout au fond – *l'équivalent du bureau du directeur* – et, comme nous à cet instant précis, lui demander son *avis* sur toutes sortes de choses.

Il nous toisa lentement, puis avisa la photo et se pencha de nouveau vers son client.

« Bien sûr. Elle est venue ici il y a quelques semaines de ça.

— Quelle était la couleur de son manteau ? demanda Nora.

— Rouge. Avec du noir sur les manches. »

Nora me jeta un regard surpris.

« Elle est venue se faire tatouer ? demandai-je.

— Non. Elle voulait récupérer sa photo d'après.

— Sa *photo d'après* ? Qu'est-ce que c'est ? »

Tommy s'interrompit et leva les yeux vers moi. « *Après* avoir terminé votre tatouage, on vous *photographie*. » Il indiqua alors un mur tapissé de photos de gens souriants exhibant leurs tatouages.

« Elle avait un kirin en partagé sur sa cheville, ajouta-t-il en reprenant son ouvrage. Elle voulait savoir si on avait toujours la photo.

— En *partagé* ?

— Un tatouage sur deux personnes. Si elles sont séparées, ça ne ressemble pas à grand-chose. Mais ensemble, quand elles sont enlacées, la main dans la main, le regard mouillé et autres conneries de ce genre, ça prend forme. Un truc un peu à la "tu me complètes" dans *Jerry Maguire*. »

Évidemment. Le tatouage sur la cheville d'Ashley ne montrait qu'une moitié de l'animal, la tête et les pattes avant.

« Vous dites qu'il s'agissait d'un kirin ?

— Les fans de tatouages japonais adorent. Une créature mythique.

— Et elle vous a dit qui avait l'autre moitié ? voulut savoir Nora.

— Non. Mais ça marche du tonnerre chez les amoureux, les jeunes mariés, les lycéens, les couples qui vont être séparés, par exemple l'un des deux qui part en prison. J'en ai encore fait un la semaine dernière. Un couple d'environ soixante-dix balais. Ils sont venus de Fort Myers jusqu'ici pour leurs cinquante ans de mariage. J'ai la photo d'après quelque part. »

Il éteignit son pistolet à encre et fit pivoter son fauteuil pour atteindre le bureau en désordre derrière lui. Chacun de ses gestes était rendu un peu plus impressionnant par ses gants de latex noirs, comme un cambrioleur ou un mime. Il retrouva la photo, la tendit à Nora, ralluma son pistolet, puis se pencha pour inspecter le visage de son client sous la table de massage.

« Comment ça se passe là-dessous, Mel ?

— Super. »

Pourtant, Mel n'avait *pas l'air* super. Il bavait par terre.

Nora me passa la photo. On y voyait deux retraités souriants, bras dessus, bras dessous, vêtus tous deux d'un polo jaune et d'un bermuda en toile beige. Au-dessus du pied *droit* de la femme et du pied *gauche* de l'homme était tatoué un demi-cœur ailé rouge. Avec leurs pieds collés l'un contre l'autre, le cœur était reconstitué.

C'était un peu mièvre à *mon* goût, mais Nora était fascinée.

« À tous les clients qui me demandent un séparé, reprit joyeusement Tommy, je dis : "Soyez sûrs de votre coup à 1000 %." Vous ne pouvez pas savoir le nombre de filles qui reviennent en larmes un mois après et me demandent de tout refaire parce que leur prince charmant s'est barré avec leur meilleure copine. Au départ, j'ai cru que c'était ça que votre amie voulait. » Il désigna, d'un signe de tête, la photo d'Ashley. « Or elle voulait juste la photo.

— Elle vous a expliqué pourquoi ?

— Non.

— Et elle l'a récupérée ? demanda Nora.

— Hm-hm. Elle s'était fait tatouer il y a longtemps, en 2004, alors que je travaillais dans mon ancien salon, au Chelsea Hotel. Avec le déménagement, des choses ont été perdues. Je l'ai laissée parcourir les dossiers dans l'arrière-boutique. Elle a cherché pendant deux bonnes heures. Mais elle n'a pas retrouvé la photo.

345

— On a un reçu qui prouve qu'elle a acheté quelque chose »,
dis-je en sortant le ticket de ma poche.

Tommy ne prit même pas la peine de le regarder.

« Ce jour-là, il y avait un jeune soldat en permission. Il voulait se
faire tatouer le portrait de sa femme sur son cœur. Elle était dans
l'armée aussi et elle s'était fait tuer en Afghanistan. Il était dans
un état lamentable, mais ce qu'il voulait, c'était un *vrai tatouage*.
Il n'avait pas de quoi se le payer. Alors on a décidé de tatouer
uniquement le nom de sa femme. Mais votre copine a tout réglé.
Aussi simple que ça. »

Nora me regarda, étonnée.

« Est-ce qu'elle avait un comportement bizarre ? demandai-je.

— Mis à part le fait qu'elle ne parlait pas beaucoup ? Non.

— Elle avait l'air d'aller mal ?

— Un peu pâle, peut-être.

— Est-ce que vous savez qui lui avait fait son tatouage en 2004 ?

— Un de mes anciens employés. Larry. Ça portait sa signature.

— Et où est-ce qu'on peut trouver Larry ? »

Tommy gloussa. « Quelque part entre l'enfer et le paradis. »

À l'aide d'un mouchoir en papier, il essuya la fleur, achevée,
l'examina de près et passa à la suite.

« Un jour, Larry était en train de tatouer quelqu'un et une minute
plus tard je l'ai retrouvé par terre, inconscient, avec du sang qui
lui coulait du nez comme les fontaines du Bellagio à Las Vegas. Il
est mort dans l'ambulance. Rupture d'anévrisme. » Tommy plissa
le front et se pencha tout près de son client. « Tu es sûr que ça va,
Mel ? Tu ressembles à un cadavre, vu d'ici.

— Je t'écoute », répondit Mel.

Tommy fronça les sourcils, releva la tête vers nous et poussa
un long soupir.

« Mais voilà le *truc*. Après la visite de votre copine, le soir, je
suis rentré chez moi. Et j'ai repensé à ce qui était arrivé à Larry
quelques semaines avant sa mort. Tout ça se passe à l'été 2004,
en gros. Pour que vous compreniez mieux les choses, vous devez
savoir qui était *Larry*. Il était *mastoc*, l'enfoiré. Plus gros qu'un
frigo, plus gros qu'une armoire, je vous le jure sur toutes les bibles
du monde.

— Plus gros que moi ? demanda Mel, avec une voix étouffée, sous la table.

— Non, *pas* plus gros que toi. Mais pas loin. »

Tommy reprit son tatouage. « C'était un sacré artiste. Il avait étudié à Yokohama auprès d'un maître Horiyoshi. Ce mec savait *travailler* la peau comme les meilleurs Japonais. Il pouvait vous faire un sublime *tebori*, un *horimono*, un *irezumi*, tout ce que vous voudrez, et c'est pour ça que je l'ai engagé chez moi. Parce que, à part ça, c'était un vrai *connard*. Et tout ce que je vous dis, je lui aurais dit en face. Il *savourait* sa connardise. Il détestait les gamins. Il les traitait de larves. Il avait quatre nanas en même temps. Aucune n'était au courant pour les trois autres. Et toute sa vie était comme ça. Que des mensonges et des esquives, des appels sans réponse et des déceptions. Alors un jour, je me pointe et je trouve la boutique silencieuse. Toutes les lumières sont éteintes, et Larry est assis dans le noir, tout seul, comme s'il était malade. Je lui demande ce qui ne va pas. Il est tout déprimé, il me dit que sa vie c'est de la merde, qu'il est un lâche, un menteur, qu'il a commis trop d'erreurs. Il me dit qu'il va changer ses *priorités*. C'était la première fois de ma vie que je l'entendais prononcer un mot de quatre syllabes. Alors je le cajole. Je lui demande ce qui a bien pu l'amener sur la voie du salut. Il me raconte qu'il vient juste de faire un tatouage japonais séparé pour deux adolescents. Ils venaient de quitter le salon dix minutes plus tôt. Ils étaient amoureux et ça lui avait fait l'effet d'une décharge électrique. Comme si un éclair était tombé de nulle part alors qu'il n'y avait même pas d'orage. Un craquement soudain dans le ciel. Quand vous avez quelque chose comme ça sous les yeux, vous ne pouvez pas vous empêcher de vous dire qu'il y a d'autres possibilités. Il a commencé à me parler de la vie, de l'amour et des promesses. » Tommy leva les yeux vers nous, grimaçant. « Tout à coup, j'avais Shakespeare devant moi. Mais je ne faisais plus gaffe. J'étais furax parce qu'il avait tatoué illégalement deux *gamins*, ce qui voulait dire que je pouvais perdre ma licence. Et puis de toute façon, c'était Larry. C'était *évident* que d'ici deux ou trois jours il redeviendrait le connard qu'il avait toujours été. Une semaine après, je rentre dans le salon. » Il secoua la tête en se grattant le menton.

« Et là, je tombe sur une *adolescente*. Je ne laisse jamais entrer les petits jeunes, mais il y en a une qui est là. Elle a vraiment l'air bizarre. *Immense*. Des bras et des jambes tellement longs qu'ils s'emmêlaient les uns les autres quand elle marchait. Des bagues aux dents. Et des cheveux frisés jusque-là, dit Tommy en montrant avec sa main. Des taches de rousseur partout, comme si quelque chose avait explosé à l'intérieur d'elle. Je lui demande qui s'occupe d'elle. Elle me répond *Larry*. Il s'avère que c'est sa fille, qu'il a abandonnée deux ou trois ans plus tôt, quand il tatouait dans le Kentucky. Il m'explique qu'il va être un vrai papa, maintenant. » Avec un grand sourire, Tommy secoua la tête, puis se remit à l'ouvrage. « Un *vrai papa*. C'était deux jours avant qu'il claque. Qui sait si ces deux petits adolescents ne l'avaient pas vraiment rendu meilleur. Je me dis que oui. Je me dis que c'était sérieux. Pourquoi *pas*, après tout ? Parfois on *peut* être surpris par les gens. Parfois ils peuvent vous arracher le cœur et le réduire en purée, non ? »

Il posa la question avec une telle ardeur que sa voix flancha. Il resta un moment silencieux, hésitant, s'éclaircissant la gorge, puis reprit son travail et s'attaqua à la dernière fleur rose.

« Eh bien, l'autre soir, après la visite de votre copine, je suis rentré chez moi et j'ai repensé à tout ça. Je me suis demandé si cette fille n'était pas un de ces deux gamins dont m'avait parlé Larry. Les fugueurs. Parce que c'est comme ça qu'il les appelait. Ils partaient quelque part ensemble. *Où ça*, je ne sais pas. À Pétaouchnok, sans doute. »

Tommy s'arrêta et nous regarda longuement, le visage empreint d'une tendresse surprenante.

« Alors, c'était qui, cette fille ? » demanda-t-il.

Le kirin japonais est considéré comme la créature la plus puissante ayant jamais existé, plus forte que les dragons, le Minotaure, le Phénix – et même plus que l'homme. Bien qu'il soit physiquement redoutable, la vraie supériorité du kirin réside dans sa bonté, car il n'use de sa force que pour défendre les innocents. Le kirin est un gardien et un protecteur, le champion du bien. Il est tellement doux qu'il ne chasse pas, mais vit du vent et de la pluie ; et quand il marche, il le fait sans fouler l'herbe sous ses pieds.

Face à la méchanceté et à la tromperie, toutefois, le kirin déchaîne une violence qui ne connaît aucune limite. Il embrase le ciel, fait naître les crépuscules les plus rouges que l'on puisse concevoir, et, sautant en l'air, pousse un rugissement si assourdissant que les oiseaux deviennent enroués et les océans se glacent. Après cela, la terre tremble pendant une année entière.

Il a une tête de dragon, un corps de cerf, des écailles de poisson, des pattes de cheval et une queue de bœuf. Il porte généralement des bois ou une corne unique. Le kirin est souvent représenté avec du feu tout autour de son corps.

Au repos, le kirin est calme et n'est visible que des gens au cœur pur. Ceux qui ont eu la chance de voir un kirin disent que c'est une créature aussi vive que l'éclair, avec une tête de dragon et un corps de cheval, souvent couvert d'écailles de poisson étincelantes. Au dire de tous, c'est une créature merveilleuse, car quel que soit l'endroit de la Terre où il est apparu, ceux qui l'ont aperçu assurent que les nuages se séparent, toujours, dévoilant un soleil et un ciel d'or.

61

Je rendis la page imprimée à Nora.

« Pourquoi Ashley serait-elle allée chercher cette photo à L'Envol du Dragon ? » Elle était assise sur le canapé. Septimus voletait sur l'accoudoir.

« Peut-être que la photo comportait un *indice*, répondis-je. Quelque chose qui lui aurait permis de retrouver la fameuse Araignée.

— Et si c'était l'Araignée qui avait l'autre moitié du tatouage ? »

Je me penchai pour parcourir l'emploi du temps d'Ashley que j'avais retranscrit sur mon ordinateur portable. « Devold a fait sortir Ashley de Briarwood le 30 septembre. Le 4 octobre, elle s'est présentée à Klavierhaus et a joué sur un piano Fazioli. Chez le tatoueur de L'Envol du Dragon le 5. Deux jours plus tard, le 7, elle est retournée à Klavierhaus. D'après le patron, Peter Schmid, elle avait l'air dépenaillée et se comportait bizarrement. Le 10, elle a envoyé le paquet à Hopper, est passée au bar du Four Seasons, et quelques heures plus tard, dans la nuit, elle est tombée, ou s'est jetée, ou a été poussée dans la cage d'ascenseur. Au cours de ces onze jours, elle a loué l'appartement du 83, Henry Street, et elle est allée à Oubliette, ainsi qu'au Waldorf Towers. »

Et, *last but not least : elle est allée au Reservoir.*

« On dirait presque qu'elle rendait une ultime visite à des lieux importants, dit Nora. Pour renouer des liens brisés, jeter un dernier coup d'œil, juste avant de... » Elle ne put aller au bout de sa pensée.

« Avant de se suicider », dis-je.

Elle hocha la tête à contrecœur.

« Ou avant que quelqu'un dont elle se cachait, ou qu'elle traquait, ne la rattrape.

— Quelqu'un comme l'Araignée, par exemple. »

Il devait y avoir une explication cachée derrière cette errance d'Ashley, une explication *autre* qu'une volonté de se suicider. Qu'avait dit Peg Martin, déjà, à propos des Cordova ? *Ils vivaient à cent à l'heure. Aucun d'entre eux ne s'encombrait de quoi que ce soit. Il n'y avait pas de limites.* Ni ça, ni tout ce que nous avions appris d'Ashley, ne cadrait avec une envie de mourir à vingt-quatre ans. *Et si les Cordova n'avaient pas peur de ce que je pouvais découvrir, Theo Cordova ne me suivrait pas.*

J'attrapai mon portable qui vibrait. Je venais de recevoir un mail.

À : Scott B. McGrath

De : Stu
Fwd : Votre client
31 octobre 2011 13 h 59

McGrath,

Ce matin j'ai reçu une demande intéressante.

Voir plus bas.

Affectueusement,
Stu

P.S. Tu es toujours vivant ?

À : Stuart Laughton
De : Assistante
Sujet : Votre client

Cher M. Laughton,

Mme Olivia Endicott du Pont souhaiterait s'entretenir avec votre client, le journaliste d'investigation Scott McGrath. Pourriez-vous lui transmettre ce mail afin qu'il nous contacte ?

Mme du Pont aimerait discuter avec lui d'un sujet de la plus haute importance.

Très sincèrement vôtre,
Louise Burne

Assistante personnelle de Mme Olivia E. du Pont
(212) 555-9290

Je n'avais pas eu de nouvelles de mon avocat, Stu Laughton, depuis que je m'étais échoué à ce fameux cocktail de charité quelques semaines auparavant. Il m'avait envoyé un SMS pour m'annoncer la mort d'Ashley, me demandant de le rappeler.

Chose que je n'avais pas faite. Stu était un aristocrate anglais doublé d'une pipelette invétérée. Si je lui donnais le moindre signe d'une reprise de mes recherches sur Cordova, tout le monde, entre ici et la station McMurdo, en Antarctique, serait au courant.

J'appelai son bureau.

Sa secrétaire décrocha. Après m'avoir mis en attente, elle me dit : « M. Laughton est en réunion. » Ce qui signifiait que Stu était à son bureau, en train de manger un sandwich œuf dur-salade et de faire une réussite, et qu'il me rappellerait quand il serait d'humeur.

À ma grande surprise, son coup de fil survint deux minutes plus tard.

62

« Tu as *parlé*, lui dis-je.

— Je n'ai pas prononcé le moindre mot, insista Stu à l'autre bout du fil.

— Tu as dû citer mon nom en rapport avec Cordova pendant un de tes déjeuners d'affaires, sans quoi rien ne peut expliquer ce mail.

— Tu vas avoir du mal à le croire, McGrath, mais tu n'es pas mon seul client et je ne parle pas *toujours* de toi à chaque heure de la journée, chaque jour de la semaine, même si je dois reconnaître que ça m'est très difficile, tant tu es *foutrement* fascinant. »

Discuter avec Stu exigeait toujours un ajustement mental. En tant qu'Anglais chic et parfaitement bien élevé, il disposait d'un vocabulaire si riche, la moindre conversation avec lui était à ce point parsemée d'ironie, d'esprit et d'une connaissance profonde de l'actualité, que ça revenait un peu à communiquer avec Jeeves[1] – s'il avait été journaliste à la BBC.

« Comment est-ce que tu l'expliques, dans ce cas ?

— Aucune idée. *Si*, par quelque miracle divin, Olivia Endicott te demande de lui écrire son autobiographie, accepte tout de suite. Pour citer le capitaine Smith : "Prenez ce que vous pouvez et débrouillez-vous pour trouver un canot de sauvetage." Toute personne encore liée au texte imprimé est en train de devenir le triton crêté de la culture. Il y a d'abord eu les poètes, les dramaturges, puis les romanciers. Les vieux briscards du journalisme sont les prochains sur la liste.

— C'est censé m'angoisser ?

— Accepte le travail qui se présente à toi, mon vieux. Ton rival, désormais, est un gamin de quatorze ans en pyjama, dont le pseudo est Ninja-vérité-12 et pour qui vérifier ses sources consiste à lire les tweets sur la question. Tremble, vieille carcasse. »

Après avoir assuré Stu que j'appellerais Endicott, je raccrochai.

« On vient de trouver un moyen de remonter jusqu'à Marlowe Hughes, dis-je à Nora en faisant reculer mon fauteuil de bureau. Il ne peut pas s'agir d'une coïncidence. Quelqu'un a parlé. Quelqu'un avec qui on a discuté ou à qui on a graissé la patte. »

Nora semblait interloquée.

« Olivia Endicott du Pont veut me rencontrer. »

Nora fronça les sourcils. « Qui est Olivia Endicott du Pont ? »

63

« Elles étaient sœurs. Elles étaient actrices. Et elles se *détestaient*. »

Voilà comment Beckman commençait toujours celle qu'il préférait parmi toutes les histoires vraies hollywoodiennes – la Guerre

---

1. Créé par l'auteur britannique P. G. Wodehouse, Jeeves est l'incarnation du valet impeccable et flegmatique qui tire son maître, Bertie, de toutes sortes de situations inextricables.

des Deux Sœurs Endicott. Il disait cette phrase avec une sévérité digne de l'Ancien Testament. On voyait presque le ciel s'obscurcir, les nuages se retourner et une nuée de sauterelles noircir l'horizon.

J'avais entendu Beckman la raconter au moins cinq fois, toujours passé 3 heures du matin, après un dîner chez lui en compagnie de ses étudiants ; il était chauffé à blanc par la vodka et l'attention fascinée des convives, et ses cheveux noirs tombaient sur son visage luisant de sueur.

Moi-même, j'adorais entendre cette histoire, et ce pour deux raisons. D'abord, deux sœurs en guerre ouverte, cela attisait l'imagination. Comme aimait à dire Beckman : « À côté de Marlowe et Olivia Endicott, Abel et Caïn, ce sont les frères Farrelly. »

Contrairement aux rivalités célèbres entre Bette Davis et Joan Crawford, Liz Taylor et Debbie Reynolds, Olivia de Havilland et Joan Fontaine, ou Angie et Jennifer, l'animosité entre les deux sœurs Endicott n'avait jamais été reprise par la presse – hormis quelques articles bâclés dans le *Hollywood « Confidential » Star Magazine* de Bill Dakota –, et ce silence de plomb ne faisait qu'en souligner l'indéniable férocité.

Ensuite, malgré le talent de Beckman pour la mise en scène et sa propension à incarner tous les rôles comme s'il était sur la scène du Nederlander Theatre, les détails *ne variaient jamais d'un iota* – jamais le moindre ajout, le moindre enjolivement. Cette histoire était comme un collier de pierres précieuses : dès que Beckman la ressortait, chaque gemme était taillée et méticuleusement sertie de la même manière qu'elle l'avait toujours été.

J'avais d'ailleurs procédé à des vérifications cinq ans plus tôt, à l'époque de mes premières recherches sur Cordova et, par association, sur Marlowe Hughes, son actrice principale, son ex-épouse pendant trois mois, et vedette du terrible *Enfant de l'amour*. Tous les noms, dates et lieux mentionnés par Beckman correspondaient parfaitement aux sources existantes. J'en avais donc conclu que cette histoire de sœurs ennemies, aussi démente qu'elle parût, était vraie.

Née en avril 1948, Olivia Endicott était la sœur aînée de Marlowe Hughes ; elle n'avait que dix mois de plus.

354

Naturellement, Marlowe Hughes n'était pas *née* Marlowe Hughes, mais Jean-Louise « J. L. » Endicott, le 1er février 1949, à Tokyo.

La plupart des gens viennent au monde sous la forme de trolls rouges et fripés. J. L., elle, ressemblait à un ange. Lorsque les infirmières lui donnèrent une fessée pour qu'elle prenne son premier souffle, au lieu de hurler comme un singe, elle soupira, sourit et s'endormit. Dès l'instant où elle rentra chez elle de l'hôpital, ce fut comme si sa sœur Olivia était devenue un meuble.

« Olivia n'était pas laide, disait Beckman. Loin de là. Avec ses cheveux foncés et son joli minois, elle était belle. Et pourtant, à partir de ses dix mois, elle aurait tout aussi bien pu être un rideau en chintz chaque fois que sa sœur se trouvait dans la même pièce qu'elle. »

Elles étaient filles de militaires. Leur mère était infirmière, leur père médecin sur la base aérienne d'Iruma. En 1950, ils quittèrent le Japon pour Pasadena, en Californie, mais, au bout de quelques mois, leur père, John, abandonna femme et enfants, les laissant endettées jusqu'au cou. Leur mère dut faire les chambres et la vaisselle dans un motel. Des années plus tard, Marlowe engagerait un détective privé pour retrouver son père et apprendrait qu'il s'était installé en Argentine avec un colonel à la retraite qui était toujours son compagnon.

Ni elle ni sa sœur ne reparleraient plus jamais de ce père.

Même à l'école primaire, elles étaient déjà rivales. Olivia s'amusait à découper les vêtements de J. L. et à pisser sur sa brosse à dents. En représailles, J. L. n'avait qu'à *débarquer* dans n'importe quel endroit où *se trouvait* Olivia – au cours de danse, à la chorale – pour que cette dernière se réduise à « un minuscule accroc dans le papier peint », comme disait Beckman. Car J. L. savait danser, elle aussi, *et* chanter. Alors qu'Olivia était timide, coincée et d'un tempérament nerveux, J. L. racontait des blagues de corps de garde et rigolait en balançant la tête en arrière. C'était une Ava Gardner blonde : des yeux verts, un menton fendu par une petite fossette (comme si Dieu, voulant signer *cette* œuvre, y avait fièrement enfoncé son pouce), un visage en forme de cœur. Du professeur de danse au maître de chorale en passant par les propres amis d'Olivia, tous ressentaient la même chose : ils étaient *sous le charme*.

Elles avaient beau fréquenter un collège et un lycée différents – tentative de leur mère pour apaiser la situation –, tous les garçons qu'Olivia ramenait à la maison tombaient immanquablement amoureux de J. L. Le faisait-elle exprès ? Était-ce sa faute si elle était belle ?

D'après Beckman, il n'y avait rien à faire.

« Si on vous offre une Aston Martin, vous faites une virée avec pour voir à quelle vitesse elle roule. Bien entendu, adolescente, Marlowe est allée trop loin. Si Olivia lui faisait un sale coup, par exemple lui volait ses devoirs de maths ou mettait de la mayonnaise dans sa crème de nuit, J. L. s'étalait sur le canapé et regardait le *Ford Television Theatre*, en short et en débardeur, juste devant le petit ami d'Olivia. Lorsque celle-ci proposait de passer dans une autre pièce, le pauvre garçon tout émoustillé ne l'entendait même pas. »

Olivia décida donc de ne plus faire venir ses amis à la maison. Mais cacher sa sœur revenait à vouloir empêcher le soleil de se lever.

« Aussi que pouvait *faire* Olivia, simple mortelle enchaînée par les lois de la génétique à une déesse ? »

Elle s'enfuit de chez elle.

En 1964, à seize ans, Olivia partit pour West Hollywood avec deux de ses copines du cours de danse de Mlle Dina. Trois mois plus tard, elle avait un agent et un petit rôle muet dans le film *Beach Blanket Bingo*, sorti en 1965. Travailleuse, assidue, elle répétait plus que tous les autres acteurs. Olivia avait enfin trouvé sa voix et sa voie. Elle décrocha des rôles à la télévision, notamment dans *Match contre la vie* et *Les aventuriers du Far West*.

« Pour la première fois, elle avait l'impression d'exister », disait Beckman.

À ce moment-là, la comédie était à mille lieues des pensées de J. L.

Elle avait découvert les galipettes, après s'être fait déniaiser par un prof de physique. Mais quand Olivia fit l'objet d'un petit article dans *Variety* intitulé « Les étoiles montantes », pour la beauté du geste, J. L. abandonna l'école et postula pour un rôle dans la série télévisée *Combat !*. Le directeur de casting tomba amoureux d'elle mais comprit qu'il lui fallait un autre nom que celui, à coucher dehors, de *J. L. Endicott*.

Il se trouvait qu'il lisait à l'époque *Le grand sommeil* de Raymond Chandler, dont le héros était le célèbre détective Philip Marlowe. Il avait aussi sous les yeux un tabloïd de Los Angeles à deux sous, *Confidential : Uncensored and Off the Record*. Le journal était ouvert à la page où figurait un article sur Howard Hughes et son addiction supposée aux narcotiques.

Il fabriqua ainsi le nom parfait pour une star du cinéma : Marlowe Hughes.

Elle décrocha son premier grand rôle en 1966, celui d'une femme dans *L'homme de la Sierra*, avec Marlon Brando (ils eurent une brève aventure), tandis qu'Olivia languissait dans de mauvaises séries télévisées, faisant de petites apparitions dans *The Andy Griffith Show* et *Hawk*. En 1969, Marlowe était devenue une star. Elle avait tourné quatre films, son nom étincelait sur Sunset Boulevard. Olivia se réfugia à New York pour s'essayer au théâtre. En 1978, lors de la soirée *bungalow* organisée par Warren Beatty au Beverly Hills Hotel, Marlowe fut présentée au sémillant Michael Knight Winthrop du Pont, un joueur de football américain, diplômé de Princeton, héros de la guerre et héritier de la fortune du Pont, qui avait inspiré Warren Beatty pour son personnage du fringant millionnaire Leo Farnsworth dans *Le ciel peut attendre*. Tout le monde le surnommait le Chevalier, pour son allure impeccable et son charme suranné. Trois mois plus tard, Marlowe et le Chevalier étaient fiancés.

Pendant que la vie de Marlowe brillait de tant de feux qu'il fallait porter des lunettes noires, celle d'Olivia sombrait dans les ténèbres du néant. Le seul contrat qu'elle décrocha fut celui de doublure dans *Ring Around the Bathtub*, le spectacle de Broadway qui s'arrêta le soir même de la première, en 1972.

Les deux sœurs, disait-on, ne s'étaient pas parlé depuis plus de treize ans. Mais l'une étant sur la côte Ouest et l'autre sur la côte Est, il n'y avait pas de risque qu'elles se rencontrent.

357

Sur ces entrefaites, le 25 octobre 1979, survint un accident funeste.

Ce jour-là, alors que Marlowe faisait une promenade à cheval avec des amis à Montecito, sa monture, effrayée par le bruit d'une tondeuse à gazon, se cabra et s'emballa, la faisant chuter. Par miracle, Marlowe s'en tira avec quelques fractures à la jambe gauche, mais suffisamment graves pour que les médecins lui imposent de rester à l'hôpital Cedars-Sinai, avec attelle de traction, deux mois durant.

Tous les après-midi, le Chevalier venait à son chevet pour lui faire la lecture. Les deux mois de convalescence terminés, les médecins décrétèrent qu'elle devait encore rester alitée quelques semaines supplémentaires. Le Chevalier continua ses visites – jusqu'à ce qu'un jour il arrive en retard, et le lendemain encore plus en retard, et le surlendemain ne vienne plus du tout. Après dix jours d'absence, au cours desquels Marlowe n'eut *aucune* nouvelle de lui, il finit par se présenter à l'hôpital.

Il lui annonça que leurs fiançailles étaient rompues. Se confondant en excuses, versant des larmes de chagrin et de honte, il offrit à Marlowe Hughes une bague sertie d'une perle noire dont l'anneau de platine portait gravés ces mots : « Envole-toi, bel enfant. »

Marlowe était dévastée. Des infirmières rapportèrent qu'elle tenta de se jeter par la fenêtre de sa chambre. Quatre semaines plus tard, deux jours après sa sortie de l'hôpital, le *New York Times* annonça l'incroyable nouvelle : « Le Chevalier, l'héritier du Pont, épouse l'actrice Olivia Endicott. »

La cérémonie se déroula dans l'intimité de la propriété familiale, au cœur de la vallée de l'Hudson.

Personne, pas même Beckman, ne savait comment diable Olivia avait fait son coup – ni où elle avait rencontré le Chevalier, ni par quelle magie la créature somme toute ordinaire qu'elle était avait réussi à capter l'amour qu'il éprouvait pour Marlowe, une des plus belles femmes du monde. Certains parlèrent d'hypnose, voire d'un pacte avec le diable qui aurait commencé avec le fatal accident de cheval.

Ou bien s'agissait-il d'une malheureuse coïncidence ?

Marlowe n'évoqua jamais publiquement cet incident. Toutefois, bien des années plus tard, alors qu'on l'interrogeait sur sa sœur au cours d'une interview, elle répondit : « Je ne pisserais même pas sur Olivia si elle était en flammes. »

Elle s'envola, *plutôt deux fois qu'une* – ou du moins *essaya*. Marlowe se maria trois fois : à un décorateur en 1981, à Cordova en 1985 – leur union ne dura que trois mois, mais il parvint à obtenir d'elle une performance époustouflante dans *L'enfant de l'amour*. En 1994, elle épousa un vétérinaire : ils divorcèrent quatre ans plus tard. Elle n'eut aucun enfant. Au tournant de la quarantaine, Mme Hughes se retrouva dans la peau du personnage que tant de déesses du cinéma avaient connu avant elle : elle devenait mortelle. Elle vieillissait. On ne lui donnait plus de rôles. Il y eut de la chirurgie esthétique, des rumeurs d'addiction aux analgésiques puis, après une apparition gênante dans *Superman 4*, où elle avait l'air maquillée avec du pastel, une disparition rapide de la scène publique.

Olivia, elle, resta mariée au Chevalier, dont elle eut trois fils. Depuis vingt-sept ans, elle faisait partie du conseil d'administration du Metropolitan, soit la position la plus prestigieuse qu'on puisse concevoir à New York.

« Marlowe a eu la gloire, Olivia le prince, disait toujours Beckman à voix basse, les yeux pétillant devant le feu de cheminée. Mais qui a *gagné* le combat de la *vie* ? »

Le consensus voulait que ce fût Olivia.

« Peut-être, répondait Beckman. Mais qui sait quelles jalousies ont rongé ses tripes comme l'acide ronge de vieux tuyaux ? »

Il y avait une dernière petite chose. Elle concernait Cordova.

Après son mariage avec le Chevalier, Olivia Endicott continua quand même de travailler de-ci, de-là, à Broadway, jusqu'à la fin des années quatre-vingt, avant d'abandonner la scène pour se consacrer à son rôle de mère, d'épouse et de philanthrope.

Elle n'en demeurait pas moins une admiratrice fervente de Cordova.

D'après Beckman, Olivia lui écrivait lettre sur lettre, le harcelait avec une opiniâtreté folle. Elle le suppliait de la laisser travailler avec lui, de passer des castings, ne fût-ce que pour jouer des rôles muets. Elle espérait à tout le moins le *rencontrer*. Cordova semblait être la dernière chose qui lui manquait – le coup de grâce – pour remporter une victoire totale sur sa sœur.

« Et à chaque lettre d'Olivia, disait Beckman, Cordova répondait par la même phrase tapée à la machine. »

À ce moment-là de son récit, Beckman se levait et s'installait sur son pouf persan. D'un pas lent, il gagnait ensuite un recoin humide et sombre du salon, ouvrait brusquement un tiroir de bureau rempli de papiers, de factures, de numéros de *Playbill*, et farfouillait dedans. La minute suivante, une fois revenu parmi les convives, il tenait dans ses mains une enveloppe beige.

Lentement, il la montrait à l'étudiant le plus proche de lui, qui l'ouvrait d'une main fébrile, sortait la lettre et la lisait en silence avant de cligner des yeux, sidéré, et de la passer à son voisin.

Beckman prétendait avoir mis la main sur le document par hasard, lors d'une vente immobilière.

11 novembre 1988

Ma chère du Pont,

S'il ne restait plus que vous sur Terre, vous ne joueriez toujours pas dans mon film.

Cordova

64

En racontant l'histoire à Nora, j'étais très loin des effets théâtraux de Beckman.

« "Envole-toi, bel enfant" ? dit-elle. C'est l'adieu le plus triste du monde. Tu crois que tout ça est vrai ?

— Je le crois, oui.

— Appelle Olivia. *Immédiatement.* »

Je composai le numéro de téléphone.

« Bien sûr, monsieur McGrath, dit la secrétaire au bout du fil.

Seriez-vous disponible demain ? Mme du Pont part pour Saint-Moritz dans deux jours. Elle espérait que vous lui pardonneriez cette sollicitation de dernière minute et que vous auriez un peu de temps à lui consacrer, puisqu'elle ne revient pas avant quatre mois. »

J'acceptai donc de rencontrer Olivia chez elle le lendemain, à midi. L'adresse était ce qu'on pouvait concevoir de plus proche d'un Buckingham Palace américain : 740, Park Avenue. C'était la maison d'enfance de Jackie Kennedy et d'innombrables autres héritiers et héritières de grandes fortunes. En un mot, du pur New York ancien et riche : solide, grisonnant, discret et snob comme ce n'est pas permis.

Au même moment, je m'aperçus que mon portable sonnait.

Le nom ne me disait rien : *Épicerie de la Route Dorée, Inc.*

« Qui est-ce ? demanda Nora.

— Je sens que c'est la première personne à nous appeler au sujet de l'avis de recherche d'Ashley. »

65

La Route Dorée était une épicerie chinoise qui ignorait la langue anglaise avec une telle ardeur que, placé comme je l'étais dans l'une des allées étroites du magasin, où régnaient des odeurs âcres de poisson et de sésame, je pouvais me croire au fin fond de la province de Chongqing.

Il y avait des poulets entiers suspendus par leurs ergots, des milliards de nouilles, de thés noirs et de produits en apparence mortels – des piments rouges qui vous paralysaient la langue pendant un an ; des légumes tellement épineux qu'en les avalant j'aurais eu peur d'avoir la gorge tailladée. Dehors, le magasin ressemblait à un mafioso en embuscade sur le trottoir – un auvent rouge sale abaissé sur une vitrine immonde et des étals de fruits gâtés.

Je suivis Nora, qui avait disparu au fond, et la retrouvai seule devant une table couverte de ce qui s'apparentait à des paquets de chips. Jusqu'à ce que je lise l'étiquette : « COPEAUX DE CALAMAR SÉCHÉ. »

Elle haussa les épaules, intriguée. « Je viens de parler à un type, mais il a disparu par là. » Elle m'indiqua une porte en acier à côté d'aquariums où nageaient des poissons gris.

Lorsque j'avais décroché mon téléphone, un homme parlant à peine l'anglais m'avait annoncé qu'il avait des *renseignements*, même s'il était incapable de me dire précisément lesquels. Pour finir, une femme avait pris le combiné pour aboyer une adresse : *11, Market Street*, près d'East Broadway, à seulement une rue et demie du 83, Henry Street. Aussi était-il tout à fait plausible qu'Ashley fût entrée dans cette boutique.

Là-dessus, un Chinois frêle et entre deux âges apparut, suivi de ce qui était sans doute sa famille au grand complet : sa femme, sa fille d'environ huit ans et une grand-mère qui semblait remonter à la période Mao.

Diable ! C'était peut-être même Mao *en personne*. Elle avait le même grand front, le même visage fatigué, le pantalon gris, les claquettes, les pieds nus, qu'on aurait pu prendre pour deux briques sèches fissurées et tombées de la Grande Muraille.

Ils nous adressèrent un grand sourire et s'en allèrent chercher un tabouret pour faire asseoir la vieille dame. La femme du patron lui tendit alors un bout de papier froissé. Je reconnus l'avis de recherche.

« Nous avons des renseignements, dit la petite fille dans un anglais parfait.

— Sur cette femme-là ?

— Vous l'avez rencontrée ? demanda Nora.

— Oui, répondit la fillette. Elle est venue ici.

— Comment était-elle habillée ? »

La famille eut une discussion animée en cantonais.

« Elle portait un manteau orange vif. »

C'était à peu près ça.

« Et qu'est-ce qu'elle a fait quand elle est venue ?

— Elle a discuté avec ma grand-mère. »

La petite montra du doigt Mao, qui étudiait attentivement l'affichette, comme un exposé qu'elle s'apprêtait à lire en classe.

« En anglais ? »

La petite s'esclaffa comme si j'avais fait une plaisanterie. « Ma grand-mère ne parle pas l'anglais.

— Elle lui a parlé en *chinois* ? »

La fille hocha la tête. *Ashley parlait le chinois.* C'était pour le moins inattendu.

« De quoi ont-elles parlé ? »

Pendant quelques minutes, le brouhaha en cantonais fut tel que Nora et moi ne pûmes rien faire d'autre que regarder. Finalement, tout le monde se tut : Mao avait enfin parlé, d'une voix fragile, à peine audible.

« Elle a demandé à ma grand-mère où elle était née, expliqua la petite fille. Si son pays lui manquait. Elle a acheté du chewing-gum, et puis elle a discuté avec un chauffeur de taxi qui vient de temps en temps dîner ici. Il lui a dit qu'il l'emmènerait là où elle voulait. Ma grand-mère l'a beaucoup aimée. Mais votre amie était très fatiguée.

— Fatiguée comment ? »

Conciliabule avec Grand-Mère Mao. « Elle s'endormait, répondit-elle.

— Et ce chauffeur de taxi, vous le connaissez ? »

Elle fit signe que oui. « Il vient dîner ici.

— À quelle heure ? »

Nouveaux échanges, au cours desquels la mère de la petite monopolisa la parole.

« À 21 heures.

— Il vient ce soir ? demanda Nora.

— Parfois il vient. Parfois il ne vient pas. »

Je consultai ma montre. Il était 20 heures.

« Autant attendre, dis-je à Nora. On verra bien. »

J'expliquai cela à la fillette, qui transmit à sa famille. Je remerciai les parents. Avec un grand sourire, ils s'approchèrent pour nous serrer la main, s'écartant afin que nous n'oubliions pas de saluer aussi Mao.

Après avoir sorti mon portefeuille, je remerciai le père et voulus lui donner un billet de cent dollars ; il le refusa. La discussion dura dix bonnes minutes, même si je remarquai que *sa femme* avait les yeux *collés* au billet. Il *fallait* que je convainque son mari d'accepter ; sans quoi, à en juger le regard de sa chère épouse, la nuit lui serait *fatale*.

Finalement, il céda. Je me tournai alors vers Grand-Mère Mao dans l'intention de lui poser quelques questions supplémentaires. Mais la vieille dame quitta sans un mot son tabouret et, par la porte, disparut dans l'arrière-boutique.

66

« Putain, les gars, dit le taxi, vous m'avez foutu les boules. Je croyais que vous étiez venus pour me renvoyer dans mon pays. » Il partit d'un grand rire qui dévoila toutes ses dents, la plupart d'un blanc éblouissant, quelques-unes en or. Tout en grattant son bonnet rouge et jaune de rasta, il posa les yeux sur la photo d'Ashley.

« Oui, bien sûr. Elle est montée dans ma voiture ici.

— Quand ça ? demandai-je.

— Il y a deux semaines, peut-être.

— Quelle était la couleur de son manteau ? » intervint Nora.

Il réfléchit en caressant sa barbe grise de trois jours.

« Marron-vert, non ? Mais je suis daltonien, les gars. »

Il se faisait appeler Zeb et mesurait près de deux mètres. Il était noir – jamaïcain, me dis-je d'après son léger accent – et maigre, mal peigné et dégingandé, tel un palmier après un petit ouragan.

Dans l'heure qui venait de s'écouler, pendant que nous attendions, Nora et moi avions réussi à mettre bout à bout plusieurs renseignements de base. Zeb venait dîner à la Route Dorée cinq soirs sur sept. Il mangeait dehors, appuyé contre le coffre de son véhicule, en écoutant la musique à fond par les vitres baissées, puis s'en allait reprendre son service de nuit qui s'achevait à 7 heures du matin.

« Quand je suis arrivé, continua Zeb en se grattant la tête, elle était au fond, en train de tchatcher avec la grand-mère. J'ai pris mon dîner. Elle m'a suivi dehors.

— Et vous l'avez emmenée quelque part ?

— Oui.

— Vous vous rappelez où ? »

Il réfléchit. « Une maison de gros friqués dans Upper East Side.

— Vous pourriez nous y conduire ?

— Ah, ça, non. »

Il leva la main. « Je confonds tous les trajets, à force de rouler.

— On vous paiera », lâcha Nora.

Il retrouva son entrain. « Vous me paierez la course au compteur ? »

Nora fit signe que oui.

« Bon, OK. Ça marche. »

Avec un grand sourire, comme s'il n'en croyait pas ses yeux, Zeb attrapa joyeusement un plat en polystyrène et y déposa des nouilles, des *egg rolls*, du poulet au sésame – si tant est que ce fût du poulet : la viande grisâtre ressemblait au *siopao*, ou *chat en boulette vapeur*, que j'avais mangé un jour, par erreur, à Hong-Kong. *Incroyable, la vitesse avec laquelle l'argent vous réveillait la mémoire d'un homme.*

Nora et moi l'attendîmes dehors.

« Ça va nous coûter *un bras* », dis-je en regardant au bout de Market Street, où un homme s'approchait lentement de nous. Je reconnus aussitôt le manteau en laine gris et la cigarette.

« Regarde un peu qui a décidé de faire une apparition. »

Sans dissimuler son inquiétude, Nora le bombarda de questions sur le lapin qu'il nous avait posé le matin même. « On t'a attendu. J'ai failli prévenir la police.

— J'avais des choses à faire », répondit Hopper, peu convaincant.

Il semblait n'avoir pas dormi de la nuit. Je commençais à comprendre que la clé de son comportement se trouvait dans ses propres propos au sujet de Morgan Devold : *Il va revenir. Il est obligé. Il crève d'envie de parler d'elle.*

Nora le mit au parfum des dernières avancées. Une minute plus tard, nous roulions à tombeau ouvert dans Park Avenue, collés à l'arrière d'un taxi dont le volant était recouvert d'une moquette bleue et au rétroviseur duquel pendaient plus de chaînes en or qu'au cou de Mister T. Je me penchai pour étudier de plus près la carte d'identité de Zeb – de son vrai nom Zebulaniah Akpunku – et remarquai la présence, sur le siège passager, d'un vieux livre de poche usé, *L'amour quand on a tout perdu.*

« Est-ce que vous avez noté quelque chose d'anormal chez cette fille ? » lui demandai-je à travers la vitre blindée.

Il haussa les épaules. « C'était une Blanche. Elles ont toutes un peu la même tête. » Il éclata de rire, ne se calmant que pour avaler un morceau.

« Elle a discuté avec vous ? Vous pouvez nous parler d'elle ?

— Non, les gars. En tant que chauffeur de taxi, je n'ai qu'une seule règle.

— Laquelle ?

— Ne jamais regarder dans le rétro.

— *Jamais ?* »

Il déboîta sur la voie de gauche et fit une queue de poisson à un autre taxi.

« Ce n'est pas bon de toujours avoir les yeux sur ce qu'on laisse derrière. »

Dix minutes après, nous arpentions de long en large toutes les rues comprises entre la 60ᵉ Rue Est et la 70ᵉ Rue Est d'un côté, entre Madison Avenue et Lexington Avenue de l'autre. Le compteur passa de vingt dollars à trente, puis à *quarante.*

« Ah *voilà*, c'est ici », disait tout le temps Zeb en se penchant pour scruter les rangées de maisons silencieuses, jusqu'à atteindre le croisement de rue. « *Merde.* Je me suis gouré. » Il poussait un soupir déçu, puis reprenait allègrement une bouchée de poulet au sésame. « Pas de soucis, les gars. C'est le tronçon suivant. »

Or la même chose se produisait au tronçon suivant. *Et au suivant.*

Un quart d'heure plus tard, le montant de la course s'élevait à soixante dollars et vingt-cinq cents. Nora se rongeait les ongles et Hopper n'avait pas prononcé un seul mot de tout le trajet, affalé sur la banquette, les yeux rivés à la vitre.

J'étais sur le point d'arrêter le massacre lorsque, dans la 71ᵉ Rue Est, Zeb pila brusquement.

« *C'est là !* » Il nous montrait un immeuble sur la gauche.

C'était une grande maison, entièrement plongée dans l'obscurité, qui ressemblait davantage à une ambassade qu'à une résidence – de la pierre gris clair, environ sept mètres de large. Elle était abîmée et négligée ; les marches du perron étaient tapissées de feuilles mortes, la double porte de l'entrée jonchée de menus à emporter – preuve patente que personne n'y avait mis les pieds depuis des semaines.

« On est déjà passés ici, dis-je.

— Croyez-moi. C'est la *maison*.

— D'accord. »

J'ouvris la portière et nous descendîmes. Je donnai quatre-vingts dollars à Zeb.

« *Peace*, mon frère. »

Il fourra avec bonheur les billets dans sa poche de chemise, à côté de ce qui semblait être un énorme joint à moitié fumé. Il mit les Rolling Stones à fond et, bien que le feu fût orange au carrefour – pour lui, un feu orange signifiait probablement *accélère et prie* –, débola sur Park Avenue dans un vacarme de pièces branlantes et de transmission fatiguée. Le coffre gémit sourdement au moment où la voiture roula en trombe sur un nid-de-poule et prit au sud, nous laissant seuls dans la rue silencieuse.

67

Nous traversâmes pour avoir une meilleure vue d'ensemble. Il faisait très sombre de ce côté-ci de la rue ; il n'y avait qu'un lampadaire et un gratte-ciel dont l'entrée se situait à l'angle de Park Avenue, si bien que nous pouvions tranquillement surveiller la maison.

Il était 23 heures passées et il n'y avait pas un chat. New York était peut-être la ville qui ne dormait jamais, mais à 22 heures les riches habitants d'Upper East Side étaient déjà au fond de leurs lits aux draps fabriqués sur mesure.

« On dirait que personne n'habite là depuis des années », fis-je remarquer.

Je m'aperçus que Hopper observait attentivement la maison. Bien que son visage arborât une expression indéchiffrable, j'y décelais une sorte d'hostilité profonde, comme si cette majesté imposante recelait à ses yeux quelque chose de détestable.

Il faut reconnaître que la maison *était* d'un luxe ostentatoire : cinq niveaux, un jardin sur le toit – on voyait des branches d'arbres dépasser de la corniche. Toutes les fenêtres étaient dans le noir, quelques-unes comportant d'épais rideaux, et les vitres étaient sales. Un étroit balcon couvert courait devant les fenêtres du premier étage, surmonté d'un toit en cuivre rouillé et orné de fer forgé. Pourtant, malgré cette splendeur, ou à cause d'elle, il émanait de la maison une froideur, une solitude.

« On va frapper à la porte ? murmura Nora.

— Vous deux, vous restez là », dis-je.

Je traversai la rue et montai le perron. Sur les marches, des feuilles mortes et des déchets, une serviette en papier, un mégot. J'appuyai sur la sonnette, non sans remarquer au passage la bulle noire d'une caméra de sécurité au-dessus des interphones. Je l'entendis retentir à l'intérieur – une sonnerie stridente, surgie tout droit de l'Angleterre du dix-neuvième siècle –, mais personne ne répondit.

Je sortis les papiers coincés dans la fente du courrier : le menu d'un fast-food et deux publicités pour un serrurier disponible jour et nuit. Ils étaient jaunis, déformés par la pluie. *Ils traînaient là depuis plusieurs mois.*

« Elle appartient sans doute à un Européen plein aux as, dis-je en retrouvant Hopper et Nora. Il doit venir séjourner là deux jours par an.

— Il n'y a qu'une seule manière de le savoir », répondit Hopper. Il tira une dernière bouffée sur sa cigarette, la jeta par terre et, remontant le col de son manteau, traversa à son tour la rue.

« Qu'est-ce qu'il *fait* ? » demanda doucement Nora.

Hopper s'avança vers la maison, se saisit de la grille en fer forgé qui surmontait la fenêtre voûtée au rez-de-chaussée et *se mit à grimper*. En quelques secondes, il se retrouva à trois mètres cinquante au-dessus du sol. Il s'arrêta une minute, regarda en bas, puis posa le pied sur une des vieilles lanternes qui encadraient la porte d'entrée et, enjambant environ un mètre cinquante dans le vide, s'accrocha au rebord en ciment du balcon du premier.

Il se hissa un peu plus haut et *resta en suspens* pendant quelques secondes, avec son manteau gris qui flottait autour de lui comme une cape. Il passa sa jambe droite au-dessus de la rambarde et atterrit couché sur le balcon. Sans attendre, il se remit debout et, après avoir jeté un petit coup d'œil vers le trottoir, se glissa le long de l'étroite véranda jusqu'à la fenêtre la plus à droite. Il s'accroupit, mit sa main en visière pour regarder à travers la vitre et chercha dans son manteau ce qui semblait être son portefeuille. Au moyen, sans doute, de sa carte de crédit, *il ouvrit la fenêtre* et, sans la moindre hésitation, *rampa à l'intérieur*.

Pendant quelques instants, rien ne se passa. Hopper finit par réapparaître sous forme de silhouette ; il referma la fenêtre et disparut.

J'étais stupéfait. Je m'attendais à entendre à tout instant des sirènes retentir ou une domestique hurler. Mais la rue restait plongée dans le silence.

« *Quoi ?* dit Nora, une main serrée sur sa poitrine. Qu'est-ce qu'on *fait* ?

— Rien. On attend. »

Nous n'eûmes pas à attendre longtemps.

Hopper n'était pas à l'intérieur depuis dix minutes qu'un taxi s'engagea dans la rue, ralentit et s'arrêta juste devant la maison.

« Oh, non », lâcha Nora.

La portière arrière s'ouvrit. Une femme corpulente sortit.

« Envoie un SMS à Hopper. Dis-lui de se tirer de là tout de suite. »

Pendant que Nora cherchait fébrilement son portable, je me glissai entre les voitures en stationnement et me dirigeai vers la femme qui montait les marches du perron en cherchant ses clés dans son sac à main.

68

« Excusez-moi ? »

Elle ne se retourna pas. Elle enfonça la clé dans la serrure et ouvrit une des portes.

« Madame, je cherche la station de métro la plus proche. »

Elle se rua à l'intérieur et alluma l'interrupteur. J'eus le temps d'apercevoir une entrée aux murs blancs, un sol carrelé noir et blanc, et enfin, lorsqu'elle fit demi-tour, *la femme elle-même*, juste avant qu'elle ne claque la porte.

Un verrou fut actionné, suivi par les sept bips d'un code d'alarme.

J'étais pétrifié. *Je la connaissais.*

Soudain, les lampes au-dessus de l'entrée s'allumèrent, m'inondant d'une lumière vive. *Elle voulait avoir un bon aperçu de moi sur la caméra de surveillance.*

Je montai les marches et appuyai sur la sonnette.

Aucune réponse.

Je sonnai une deuxième fois, puis une troisième. Je ne m'attendais *pas* à ce qu'elle m'ouvre – je voulais seulement prévenir Hopper, lui faire comprendre qu'il devait décamper sans perdre de temps. Je redescendis rapidement le perron pour regagner Park Avenue. Au coin, je traversai la rue en direction du nord et retrouvai Nora à l'endroit où je l'avais laissée.

« Il est *toujours à l'intérieur*, murmura-t-elle. Je lui ai envoyé un texto mais je n'ai pas eu de…

— Tu ne vas pas me croire. C'était *Inez Gallo*. L'assistante de Cordova pendant des années. La baraque doit appartenir aux Cordova. »

C'était *sidérant* – non seulement Hopper était entré *par effraction* dans une résidence personnelle de Cordova, mais il était à présent *coincé à l'intérieur.*

Nora, n'en revenant pas, se retourna vers la maison, où une lumière vive venait d'éclairer le premier étage, dévoilant une bibliothèque sombre et tapissée de lambris, des étagères remplies de livres.

« Il ne peut plus ressortir, dit Nora. On appelle la police ?

— Pas tout de suite.

— Mais il faut qu'on fasse quelque chose. Elle risque de lui *tirer* dessus…

— On doit lui laisser le temps de jeter un coup d'œil.

— Combien de temps ? »

Des hurlements de sirènes répondirent à sa question, d'abord lointains, puis de plus en plus forts. Brusquement, trois voitures de police déboulèrent dans la rue et s'arrêtèrent devant la maison. Quatre agents en sortirent, montèrent rapidement les marches, furent accueillis par Gallo et disparurent à l'intérieur. Deux de leurs collègues restèrent devant, sur le perron, jetant des regards méfiants vers le bout de la rue.

« Il est temps qu'on s'en aille, dis-je.

— Mais on doit vérifier qu'il va bien…

— On lui sera plus utiles *hors* de prison. »

Tout à coup, nous entendîmes des voix puissantes ; les flics ressortirent en emmenant Hopper jusqu'au bas des marches.

Il était menotté et son manteau gris avait été confisqué. En dehors de ça, avec son vieux tee-shirt bleu et son jean, il semblait peu ému par la situation. Il évita soigneusement de regarder dans notre direction, mais j'étais sûr d'avoir surpris un petit sourire sur son visage au moment où les flics lui faisaient baisser la tête et le poussaient sans ménagement vers la banquette arrière d'une de leurs voitures.

69

Une fois rentré à la maison, j'appelai un vieil ami, un avocat pénaliste du nom de Leonard Blumenstein. Je n'avais jamais eu besoin de lui – *pas encore, du moins* – mais il avait sorti de la mouise des tas de gens que je connaissais. Apparemment, vous pouviez téléphoner à Blumenstein deux heures après avoir assassiné votre femme et, avec une voix plus soyeuse qu'un foulard Hermès, il vous garantissait que tout se passerait bien. Puis il vous donnait quelques consignes, comme si vous aviez simplement perdu votre passeport.

Je laissai un message à sa secrétaire : quelqu'un qui m'aidait dans mes recherches avait *perdu la tête* et s'était introduit par effraction dans un domicile privé – bien que sans arme et sans rien voler – avant de se faire attraper par la police.

On m'assura que Blumenstein me rappellerait.

Là-dessus, Nora et moi passâmes dans mon bureau pour faire des recherches sur Inez Gallo.

« Qu'est-ce qu'on sait d'elle ? me demanda Nora, lovée sur le canapé, à côté du carton de documents.

— Pas grand-chose. Elle est censée être l'assistante de Cordova depuis très longtemps. »

Après avoir fouillé parmi mes papiers, je ressortis la photo de mariage d'Inez Gallo, qui apparaissait partout où son nom figurait dans la presse. Sur cette photo, elle ressemblait à toutes les autres jeunes mariées radieuses, ce qui ne faisait que rendre le portrait plus tragique. Quelques années plus tard, elle avait abandonné ce même mari et leurs deux enfants pour travailler aux côtés de Cordova.

« Il y a aussi cette page sur les Blackboards, observa Nora. Celle dont l'auteur affirme que Cordova et elle ne sont qu'une seule et même personne. Ils ont chacun une petite roue tatouée sur la main gauche. Tu es *sûr* que c'était une femme ?

— Sûr et certain. »

En cherchant du côté de YouTube, nous trouvâmes une vidéo de mauvaise qualité, un extrait du fameux discours de remerciement prononcé par Gallo au nom de Cordova, lors de la cérémonie des Oscars, en 1980.

D'abord, les deux présentateurs, Goldie Hawn et Steven Spielberg, annonçaient : « Et l'Oscar est attribué à… Stanislas Cordova, pour *Les poucettes*. »

Le public poussait de grands cris : c'était une énorme surprise. Tout le monde pensait que l'Oscar du meilleur réalisateur irait, les doigts dans le nez, à Robert Benton, le réalisateur de *Kramer contre Kramer*. D'ailleurs, Benton était tellement convaincu d'avoir gagné qu'il se levait de son siège et se dirigeait vers la scène, avant que sa femme le suive et l'arrête, physiquement. S'ensuivait un long moment de confusion au cours duquel les gens du public, déconcertés, murmuraient, regardaient autour d'eux, se demandaient s'il y avait eu erreur, si Cordova *était venu*.

Puis les caméras se braquaient sur Inez Gallo, qui descendait rapidement la travée étroite du Dorothy Chandler Pavilion. On l'avait installée tout au fond, loin des vraies stars, les Jack Lemmon, les Bo Derek, les Sally Field, les Dudley Moore.

Les cheveux noirs, corpulente, vêtue d'un tee-shirt noir et de rangers, Gallo avait des traits marqués et durs – elle ressemblait indéniablement à Cordova sur ses photos de jeunesse. Plus tard, des membres de l'assistance diraient qu'ils avaient cru qu'elle venait perturber la cérémonie, à l'image de Robert Opel, en 1974, qui avait traversé la scène nu comme un ver au moment où David Niven s'apprêtait à présenter Elizabeth Taylor – ou de Marlon Brando, en 1973, envoyant Sacheen Littlefeather refuser son Oscar du meilleur acteur pour *Le parrain*, au nom des Amérindiens exploités. Gênée, Inez Gallo recevait la statuette des mains de Spielberg et déclarait, devant le micro trop haut pour elle : « C'est une exhortation à tous ceux qui nous regardent : sortez de votre chambre fermée, réelle ou imaginaire. »

Là-dessus, elle quittait la scène en courant et la chaîne diffusait une publicité.

Après avoir visionné le discours plusieurs fois, nous consultâmes le site Blackboards. La plupart des discussions concernant Inez Gallo portaient sur les on-dit quant à la véritable nature de sa relation avec Cordova : elle était sa sœur, sa marionnettiste, son éminence grise, son *Doppelgänger* féminin, une sorte d'auxiliaire et de complice monomaniaque qui pourvoyait à ses moindres besoins et désirs, la gardienne qui venait réparer toutes ses bêtises.

À force de naviguer sur cet océan de rumeurs, les paupières de Nora commencèrent à se fermer ; elle partit se coucher, mais je lus encore quelques heures.

Peut-être était-ce simplement dû au choc de ma rencontre avec elle, mais Inez Gallo m'était apparue comme un personnage très étrange – son large visage taillé à la serpe, ses traits durs, sa voix revêche.

Peut-être que le fin mot de cette histoire était exactement ce que Cleo, la patronne d'Enchantements, nous avait dit : *La magie noire se transmet de génération en génération.*

Je cherchai dans les Blackboards une référence à cela, aux mots *sorcellerie* et *Inez Gallo*, ou à la roue tatouée que Cordova et elle portaient tous deux, disait-on, sur la main gauche.

Mais, hormis une brève allusion au fait qu'elle était originaire de Puebla, au Mexique, et à son dévouement pour le réalisateur, tellement aveugle qu'il en devenait légendaire (« Pour le protéger, Gallo sera prête à tout », affirmait un des posteurs), il n'y avait rien.

70

« Woodward ? »

J'entrouvris un œil. Mon horloge indiquait 4 h 21 du matin.

« Tu dors ?

— Oui.

— Tu peux parler ?

— Bien sûr. »

Nora poussa la porte et pénétra dans l'obscurité de ma chambre. Elle portait, une fois de plus, sa chemise de nuit spectrale, forme pâle juchée à l'extrémité de mon lit.

« Qu'est-ce qui se passe ? » demandai-je en me redressant sur les oreillers.

Elle ne répondit pas. Elle paraissait nerveuse. Elle avait une façon bien à elle de se montrer assez bavarde et de soudain ne plus parler, ne plus bouger, si bien qu'on devait scruter son visage comme un violent ciel bleu dans le désert, à l'affût de quelque signe de vie, même lointain, un faucon, un insecte.

« Il va falloir que tu m'en dises un peu plus, lui lançai-je au bout d'un moment. Je suis un *homme*. Je deviens analphabète dès qu'il s'agit de lire entre les lignes.

— Bon... »

Elle soupira, comme s'il s'agissait de la *fin* de la conversation plutôt que du début. D'un autre côté, étant *femme*, elle avait déjà dû avoir cette discussion mille fois dans sa tête.

« C'est Hopper ? demandai-je. Tu es inquiète parce qu'il passe la nuit en prison ? Je te rassure, il se débrouillera très bien. »

Le lit bougea.

« Tu as hoché la tête ? Il fait trop noir, je ne vois rien.

374

— Ça n'a *rien* à voir avec lui, mais avec quelque chose que j'ai dit et que je regrette.

— Quoi donc ?

— Quand je t'ai dit que je ne coucherais pas avec toi.

— Pas besoin de préciser quoi que ce soit : cela va sans dire. Et ce n'est pas la première fois que j'entends ça. »

Je *ne voyais pas* où Bernstein voulait en venir, mais j'avais un mauvais pressentiment. Il était crucial que Nora *quitte* ma chambre et retourne se coucher, *illico presto*. Mélanger *sexe* et *journalisme d'investigation* était une idée à peu près aussi inspirée que Ford fabriquant la *Pinto*[1] – ce qui était censé être au départ amusant, sexy et pratique se transformait en un cauchemar qui faisait des dégâts dans tous les sens.

« Tu es *beau*, dit Nora. Si tu étais à Terra Hermosa, les vieilles dames en *mourraient*.

— Ce n'est pas ce qu'elles font, de toute façon ?

— Je ne voulais pas dépasser les limites professionnelles.

— Tu avais *raison*. Tu ne peux pas savoir le nombre de femmes avec qui j'ai dépassé *toutes sortes* de limites et à quel point je me suis senti mal.

— *Vraiment ?*

— Autant que si on était venu m'annoncer que je n'avais plus que quelques semaines à vivre. »

Elle gloussa.

« Ç'a commencé dès ma première fois, quand j'avais quinze ans. Lorna Doonberry. Tu parles de *limites* : elle jouait au bridge avec ma mère. Je me suis un peu emballé et elle est tombée dans un rideau de douche. Tu vois les petits porte-savons dans les baignoires ?

— Je vois.

— Elle s'est cogné la tête dessus. Deux dents en moins. Du sang partout. En l'espace d'une seconde, Lorna est passée de quadragénaire divorcée parfaitement attirante à actrice principale dans *La nuit des morts-vivants*.

---

1. La Ford Pinto, lancée en 1971 sur le marché nord-américain, fit l'objet de polémiques quant à la sécurité de son moteur après plusieurs accidents mortels, ce qui engendra pour la marque de longues et coûteuses procédures.

— Moi, ma première fois, ç'a été avec Tim Bailey. »

J'attendais qu'elle développe. Rien ne vint.

« Ne me dis pas que c'était un des résidents de Terra Hermosa.

— Oh, *non*. Il travaillait pour une entreprise de piscines. Il nettoyait la nôtre tous les vendredis.

— Quel âge avait-il ?

— Vingt-neuf ans.

— Et quel âge avais-tu ?

— Seize ans. Mais seize ans *vieille*. Il avait une femme et deux enfants. J'avais très mauvaise conscience. C'est terrible de mentir. C'est un champ qu'on n'arrête pas de semer, d'arroser et de labourer, mais rien ne poussera jamais dessus. »

Elle enroula ses bras autour de ses genoux et agita nerveusement ses épaules. « J'ai essayé de mettre fin à notre histoire deux ou trois fois, mais Tim et moi, on allait derrière la cuisine pendant que tout le monde était chez Wine and Cheese, et il me faisait danser sur de la country qu'on entendait par la fenêtre. Il était *bon danseur*. Mais il était triste. Il rêvait de partir et de tout reprendre à zéro, comme si sa vie n'avait jamais existé.

— Il l'a fait ?

— Je ne sais pas. Je peux te raconter quelque chose ?

— Bien sûr.

— Tu n'en feras pas tout un plat ?

— Promis.

— Quand je suis arrivée la première fois à New York, à Port Authority, il était 3 heures du matin. Et quelqu'un m'a volé Septimus. »

Elle s'interrompit et serra ses deux mains entre ses genoux.

« Un des passagers du car me l'a volé. Je savais que c'était lui. Il était monté à Daytona Beach et il était resté assis derrière moi et Septimus pendant tout le trajet. Il puait l'alcool. Il a essayé d'engager la conversation, mais j'avais mes écouteurs et je faisais semblant de dormir. Il y avait un truc qui clochait chez lui. Mentalement, je veux dire. Et puis, en arrivant à Port Authority, j'ai manqué de vigilance au moment de descendre du car. Une dame avait besoin qu'on l'aide à installer un de ses enfants sur une poussette. Je l'ai aidée, ensuite je suis allée chercher ma valise dans le coffre du car et, quand je suis remontée sur le trottoir, Septimus avait disparu. Sa cage n'était plus là. Ça m'a rendue folle. Je l'ai signalé au chauffeur, il m'a dit d'aller voir le bureau principal. Mais je ne pensais qu'à une chose : j'allais mourir. J'allais mourir sans Septimus. Je n'arrivais plus à *réfléchir*. Tous les autres passagers étaient partis. Je suis sortie du parking et je suis entrée dans la zone commerciale. C'était calme. Soudain, le même type s'est retrouvé à marcher derrière moi. Il m'a murmuré qu'il avait mon oiseau. Il m'a dit qu'il voulait me le rendre. Tout ce que je devais faire, c'était lui tailler une pipe dans les toilettes. »

Je dévisageai Nora. J'avais l'impression de ne plus avoir de souffle, tant cette confidence avait surgi sans crier gare. Je pris bien garde de ne rien dire, de ne même pas bouger.

« Je lui ai répondu que je ne le croyais pas. Alors il m'a emmenée derrière un restaurant Villa Pizza, dans les toilettes pour dames. La cage de Septimus était posée par terre, mais vide. Et là, j'ai vu que le type l'avait coincé à l'intérieur d'une poubelle en métal, dans les cabinets. Tu sais, là où on jette les trucs. Septimus était en train de se débattre là-dedans, il devenait fou. Parce qu'il *déteste* être dans le noir. Depuis toujours. On dit qu'il faut mettre un drap au-dessus de leur cage pour calmer les oiseaux, mais Septimus, lui, déteste ça. Il *doit voir*. Le type m'a dit que je n'avais qu'à faire *ça* et il le délivrerait. Je suis allée dans les cabinets avec lui. Il y avait une femme qui s'habillait tout au fond, mais elle n'a pas bronché quand je l'ai appelée. Le type a ouvert sa braguette et s'est penché en arrière, la main violemment refermée sur le couvercle de la poubelle. Alors je me suis exécutée. J'ai pensé à délivrer Septimus et à mordre le type, mais c'était impossible. Quand je m'arrêtais, il me donnait un coup sur la tête. Il n'arrêtait pas de dire "Nancy. Nancy. Nancy." Une fois que ç'a été terminé, il a souri et a sorti Septimus en le serrant fort dans son poing, comme du dentifrice. J'ai hurlé, hurlé, et quand il a vu que je craquais, il a éclaté de rire et a jeté Septimus hors des cabinets. Au départ, je ne savais pas où il était. Et je l'ai finalement retrouvé par terre, sous le radiateur. J'ai repris sa cage, et ma valise, et j'ai couru aussi vite que possible. L'endroit était désert, les magasins fermés, et les rares passants regardaient dans le vide comme des fantômes. J'ai monté l'escalator jusqu'à la rue. Je me suis dirigée vers la file des taxis, j'en ai pris un et j'ai demandé au chauffeur de m'emmener au centre de tout. Madonna avait dit ça le jour où elle était arrivée à New York ; elle avait demandé au taxi de l'emmener au centre de tout. »

Nora me regarda comme si elle m'avait posé une question.

« Le chauffeur ne savait pas où ça se trouvait. J'ai dit Times Square. Il m'y a emmenée directement. Il y avait du monde, des lumières partout, comme si on était en plein après-midi. J'ai alors compris que j'allais m'en sortir. Parce que j'étais exactement là où je devais être. J'avais passé ma vie à me dire que j'attendais d'être ailleurs. Et pour la première fois, ce n'était *pas* le cas. » Elle se tourna vers moi, les mains sur les genoux. « Je ne l'ai jamais raconté à personne.

— Je suis content que tu me l'aies raconté. »

Il me fallut un moment avant de digérer son histoire, qui me faisait l'effet d'une vapeur toxique : elle planait dans l'atmosphère de la chambre et avait besoin de temps pour se dissiper. Je me sentais à la fois écœuré et pris d'un besoin urgent de m'assurer que Nora allait bien, d'extirper de son cerveau le souvenir de cet épisode. Ce n'était jamais l'événement lui-même qui nous ravageait, inlassablement, mais la perception que l'on en avait.

« Tu n'as pas voulu porter plainte ? »

Elle fit signe que non. « Je ne voulais pas perdre une seule minute de plus avec ça. Ma vie devait *commencer*. Les malheurs qui nous frappent n'ont pas forcément un sens. Et de toute façon, ce type répondra devant Dieu de ce qu'il a fait. »

Elle dit cela avec beaucoup de conviction. Pour une fille qui ne possédait rien d'autre qu'une perruche, croire avec une telle certitude en l'expiation du mal sur terre – croyance que je n'étais jamais parvenu à faire mienne, ayant vu mille fois le vice rester impuni – m'impressionnait. Et je mis un petit moment avant de pouvoir répondre.

Dehors, la nuit était si calme qu'une voiture passa dans la rue en émettant un ronronnement feutré et doux ; ç'aurait tout aussi bien pu être un canot sur l'eau.

« Tu es une personne magnifique et forte. »

Je n'avais pas voulu dire ça, *pas tout à fait* – trouver les mots justes capables d'adoucir cette flétrissure indélébile dans le cœur d'une femme n'avait jamais été ma spécialité –, mais ma phrase fit sourire Nora. Elle se rapprocha de moi, faisant couiner le matelas, m'embrassa sur la joue et bondit du lit, vague silhouette bleuâtre glissant dans l'obscurité.

« Je *t'adore*, ajoutai-je. Et c'est garanti à vie, sans conditions. Je suis comme les valises Victorinox et les chaussettes Darn Tough. »

Elle eut un rire ensommeillé et quitta ma chambre. « Bonne nuit, Woodward, murmura-t-elle sans se retourner. Merci de m'avoir écoutée. »

Je ne sais pas combien de temps je restai assis, les yeux dans le noir, entouré par les ombres nettes qui se brouillaient au fil des minutes et, pour unique bruit, les frissons nocturnes de la ville au-dehors. Au bout d'un moment, alors que je m'étais à moitié endormi, la présence de Nora se fit ressentir, comme si une créature sauvage s'était introduite dans ma chambre, un faon ou un oiseau iridescent, voire un *kirin*.

71

« Il a passé la nuit à la prison de Manhattan, m'apprit Blumenstein au téléphone. J'ai envoyé un jeune associé pour le sortir de là. Ils ont laissé tomber le cambriolage, mais il se retrouve avec une accusation d'effraction sur le dos. La caution sera d'environ cinq mille dollars.

— Pourquoi une telle somme ? demandai-je, le combiné calé contre mon oreille pendant que je sortais mon manteau du placard et l'enfilais.

— Il a trois condamnations à son actif. Une agression contre un policier à Buford, en Géorgie. Un larcin à Fritz Creek, en Alaska.

— En *Alaska* ?

— Et, il y a deux ans de ça, détention de substance illicite en vue de la revendre. À Los Angeles.

— Quelle substance ?

— Du cannabis et de la MDMA. Il a fait deux mois de prison et cent heures de travaux d'intérêt général. »

Je lui dis que je paierais la caution. Après avoir raccroché, je résumai rapidement notre discussion à Nora pendant que nous nous préparions à notre rendez-vous avec Olivia Endicott. Je lui avais fait une omelette. Dès qu'elle la vit, elle me dit, le visage tout rouge, qu'elle n'avait pas faim. Je mis ça sur le compte de cette mystérieuse boîte noire du comportement féminin qui défiait toute explication, jusqu'à ce que je m'aperçoive – en me maudissant pour ma *bêtise* – que c'était dû à ce qu'elle m'avait raconté en pleine nuit. Elle ne voulait plus que je prenne des pincettes avec elle, que je la manie comme un petit objet fragile et fêlé. Je jetai donc l'omelette à la poubelle et annonçai que les collants noirs de Moe Gulazar et la chemise du capitaine Sparrow ne convenaient certainement pas à un rendez-vous avec une des personnalités les plus élégantes de New York. Je lui ordonnai de changer de tenue. Avec un sourire soulagé, elle courut en haut pour s'exécuter. Quelques minutes plus tard, nous pressions le pas dans Perry Street.

Il faisait gris, la pluie menaçait. Nous nous dirigeâmes vers le métro – nous étions déjà en retard. Et s'il y avait bien une chose que je savais à propos des grandes fortunes new-yorkaises, c'est qu'elles adorent *vous* faire attendre, pas l'inverse.

72

« Monsieur McGrath. *Bienvenue.* »

La femme qui nous ouvrit la porte de l'appartement 17D avait une cinquantaine d'années, portait un tailleur gris poussière et possédait le visage éteint de ceux qui ont passé leur vie dans la servitude. Elle posa ses yeux intrigués sur Nora.

« Je vous présente mon assistante. J'espère que ça ne vous dérange pas si elle se joint à nous.

— Mais pas du tout. »

Avec un sourire, elle nous fit entrer dans le vestibule, où un vieux bonhomme affublé d'une veste bordeaux fripée surgit – apparemment des murs – pour prendre nos manteaux. Sans un mot, il disparut au fond d'un autre couloir peu éclairé.

« Par ici. »

La dame nous conduisit dans la direction opposée, au fond d'une galerie sombre. Les murs couleur de vin étaient surchargés de tableaux, à la manière des échafaudages recouverts de publicités pour les concerts : sauf que c'étaient là des Matisse, des Schiele, des Clemente, et un Magritte, chaque œuvre équipée de sa propre lampe en bronze, comme un casque de mineur. Entre ces chefs-d'œuvre, des portes ouvertes ; je ralentis pour jeter un coup d'œil derrière chacune d'elles. Toutes les pièces ressemblaient à des grottes humides. En guise de stalactites, des rideaux de brocart et des sièges Louis XIV, des vases et des lampes Tiffany, des bustes en marbre, des sculptures d'ébène, des livres. Nous passâmes devant une salle à manger majestueuse aux murs vert céleri, avec un lustre en cristal qui flottait à mi-hauteur, telle une méduse congelée.

La femme nous pressa d'entrer dans un vaste salon. Les fenêtres, orientées au nord-ouest, transformaient la ville en une paisible nature morte de béton avec ciel gris. Un hélicoptère survolait l'Hudson comme une mouche égarée.

La femme nous fit signe de nous asseoir sur le canapé de chintz jaune installé devant une table basse couverte d'objets miniatures : des *schnauzers* en porcelaine, des bergers, des rince-doigts. Quelques tulipes jaunes et rouges jaillissaient d'un vase chinois, assorties aux murs jaunes et aux redingotes rouges des cavaliers de l'immense scène de chasse au renard peinte à l'huile derrière nous.

Nora s'assit à côté de moi, toute raide, les mains croisées sur les cuisses. Elle avait l'air nerveuse.

« Puis-je vous offrir du thé pour vous faire patienter ? Mme du Pont est au téléphone.

— Du thé, ce serait parfait, répondis-je. Merci. »

La femme disparut.

« Voilà ce qu'on appelle les *méga-riches*, murmurai-je à l'oreille de Nora. Ces gens-là forment une race à part entière. N'essaie pas de les comprendre.

— Tu as vu l'armure quand on est entrés ? Une vraie armure étincelante, là, *debout*, qui attendait son chevalier.

— Les 2 % les plus riches de la planète possèdent plus de la moitié de la richesse mondiale. Et *je* crois bien que tout est là, dans cet appartement. »

Nora, se mordillant la lèvre, montra du doigt un petit guéridon à ma droite, sur lequel trônait une photo en noir et blanc dans un cadre en argent ancien. On y voyait Olivia à côté de son mari, le Chevalier, sans doute une vingtaine d'années plus tôt. Ils posaient, bras dessus, bras dessous, à côté d'une vieille Bentley, devant un gigantesque manoir campagnard. Ils semblaient heureux mais, naturellement, ça ne voulait pas dire grand-chose. *Tout le monde sourit devant un photographe.*

Brusquement, Nora se redressa.

Une femme venait d'entrer dans la pièce. Je me levai aussitôt, imité par Nora, occupée à rajuster sa jupe.

C'était Olivia.

Plus que marcher, elle *flottait*. Trois pékinois l'accompagnaient en trottinant. La pièce avait été de toute évidence décorée en fonction d'elle, ou vice-versa. Sa chevelure brune zébrée de gris, qui tombait jusqu'au menton et faisait comme une sucette tourbillon autour de son visage, était assortie au tapis persan, aux pieds griffus de la table et même à l'étui à cigarettes en argent, avec les élégantes initiales gravées sur le couvercle : OPE – dans une belle écriture qui ressemblait à des cheveux emmêlés bouchant l'écoulement de la douche.

Je ne savais pas vraiment à quoi je m'étais attendu – sans doute à une grande dame couverte de bijoux –, mais Olivia était étonnamment simple et sobre, sans falbalas. Elle portait une robe gris et noir toute simple, ainsi qu'une double rangée de grosses perles autour du cou. Son visage ovale était beau, doux et impeccablement maquillé ; elle avait des yeux marron très vifs, surmontés de longs sourcils, et un cou élégant comme la tige d'une fleur qui commencerait tout juste à faner. *Combien de fois Marlowe Hughes avait-elle rêvé de tordre cette chose-là entre ses mains ?*

Comme elle s'avançait vers nous, souriante, je m'aperçus que son bras droit était maintenu lâchement par un foulard en soie rouge et noir. Sa main pendouillait comme une aile brisée, mais Olivia semblait déterminée à surmonter ce handicap avec panache. Les ongles de cette main rabougrie étaient couverts d'un impeccable vernis rouge tomate.

Sur l'annulaire de sa main *valide*, qu'elle tendait à présent vers nous, brillait un diamant bleu clair d'au moins douze carats. Il vous fixait sans ciller, tel un œil hypnotisé.

« Olivia du Pont. Je suis ravie que vous ayez pu venir, monsieur McGrath.

— Tout le plaisir est pour moi. »

Après nous être serré la main, nous nous assîmes tous, y compris les pékinois, qui avaient l'air de trois grosses filles boudinées dans des manteaux de fourrure. Olivia s'installa sur le canapé blanc face à nous, un bras étendu sur le plaid blanc qui recouvrait le dossier. Les chiens s'entassèrent autour d'elle pour former une sorte de forteresse à poils, puis nous regardèrent, dans l'expectative, comme si nous étions là pour amuser la galerie.

« Pardon de vous avoir fait attendre. C'est de la *folie* ici, à cause du départ.

— Vous quittez la ville ? demandai-je.

— Juste pour la saison. Nous passons l'hiver en Suisse. Toute la famille nous rejoint. Mes petits-enfants adorent le ski et la randonnée, même si Mike et moi préférons traînasser. Pour tout dire, on s'assoit devant le feu et on ne bouge plus le petit doigt pendant quatre mois. »

Elle rit, un rire vif et élégant, comme le bruit d'une cuiller tintant contre une coupe en cristal avant le toast d'un haut dignitaire.

Dieu, que de chemin parcouru. C'était fou de voir comment une femme, une fois touché le gros lot conjugal, acquérait non seulement une nouvelle garde-robe et de nouveaux amis, mais une nouvelle voix, sortie tout droit d'un gramophone des années trente (grésillant, mono-stéréo), et un vocabulaire où figuraient obligatoirement les mots *traînasser*, *saison* et *affreusement désolée*. Je dus faire un effort pour me rappeler que celle-là était fille de militaires, qu'elle avait grandi dans la misère et que sa mère avait dû, en guise de troisième boulot, nettoyer les toilettes de *son* lycée.

Aujourd'hui, Olivia possédait sans doute six propriétés et un yacht aussi gros qu'un pâté d'immeubles.

« Mon petit-fils Charlie est un de vos grands admirateurs, monsieur McGrath.

— Scott. S'il vous plaît.

— Charlie est en quatrième à la Trinity School. Il a lu votre premier livre, *Au royaume de MasterCard*, l'été dernier. Il a été *très* impressionné. Maintenant, il lit *Carnavals de cocaïne* et veut devenir journaliste d'investigation. »

J'en déduisis qu'elle allait me demander de bien vouloir lire un merveilleux reportage que le cher petit avait posté sur son blog, ou encore que je lui trouve un boulot, d'où cette invitation chez elle.

« Vous savez, je n'ai jamais douté de vous, reprit Olivia, le sourcil levé. Tout ce ramdam, il y a quelques années, autour de vous et de Cordova, votre chauffeur imaginaire, les propos scandaleux que vous avez tenus à la télévision. Je savais exactement de quoi il retournait.

— *Vraiment ?* Pour moi, ça reste un *mystère*.

— Vous aviez fait quelque chose pour le provoquer, répondit-elle, souriant devant mon regard surpris. Vous avez certainement remarqué qu'autour de Cordova l'espace *se déforme*. Plus vous vous approchez de lui, plus la vitesse de la lumière diminue, l'information se brouille, les esprits rationnels deviennent illogiques, *hystériques*. C'est un espace-temps faussé, comme la masse d'un soleil géant qui bouleverse son environnement immédiat. Vous tendez la main pour attraper quelque chose et vous découvrez que ce quelque chose n'a jamais existé. J'ai vu cela de mes propres yeux. »

Elle s'interrompit, songeuse, et ses trois servantes en uniforme entrèrent dans la pièce avec le thé. Devant nous, sur la table basse, elles posèrent une tour d'argent de cinq étages, remplie de gâteaux, de petits-fours, de mini-*cupcakes* et de sandwiches triangulaires. Olivia ôta ses chaussures à talons en velours – de chez Stubbs & Wootton, remarquai-je, *le Nike des milliardaires* – et replia sous elle ses pieds chaussés de bas noirs. Pendant que les domestiques nous servaient, je vis que Nora ouvrait de grands yeux face à tant de raffinement.

« Merci, Charlotte. »

Charlotte et les deux autres filles acquiescèrent muettement et s'en allèrent sans faire le moindre bruit sur la moquette.

« Vous devez vous demander ce que vous faites ici, dit Olivia en sirotant son thé. Vous avez repris votre enquête sur Cordova, n'est-ce pas ? »

Nos regards se croisèrent au moment où elle reposa sa tasse. Le sien pétillait comme celui d'une petite fille.

« Comment le savez-vous ?

— Allan Cunningham. »

Le nom me disait quelque chose.

« Le directeur de Briarwood. J'ai participé à plusieurs opérations caritatives pour son établissement. Il m'a dit qu'il vous avait surpris en train de fourrer votre nez là-bas, la semaine dernière. En vous faisant passer pour un éventuel client. »

Bien sûr – Cunningham m'avait traîné jusqu'au poste de sécurité et avait menacé d'appeler la police.

« Comment se passe votre enquête ?

— Ce n'est pas facile de faire parler les gens. »

Olivia posa la tasse sur sa soucoupe, se carra au fond du canapé et me regarda fixement.

« Moi, je parlerai », dit-elle.

Je ne pus m'empêcher de sourire, amusé par sa franchise. « De quoi ?

— De ce que je sais. Et ça fait pas mal de choses, croyez-moi.

— À cause de votre sœur ? »

Son sourire se fissura. Je ne m'y attendais pas. Je pensais qu'elle avait oublié Marlowe depuis longtemps, qu'elle l'avait remisée dans un coffre-fort de l'enfance et l'y avait enfermée avant de jeter la clé. Or la simple mention de sa sœur parut l'agacer.

« Cela fait quarante-sept ans que je n'ai pas parlé à Marlowe. Je ne sais pas ce qu'elle pensait de Stanislas, ni quelle a été son expérience. J'ai fait mes propres rencontres. Et je n'ai jamais voulu en parler. Jusqu'à aujourd'hui.

— Pourquoi ce revirement ?

— Ashley. »

Elle prononça le nom sans émotion. Nora, penchée en avant,

reluquait nerveusement les petits-fours, comme si elle craignait qu'ils ne s'enfuient tous si elle en approchait un.

« La police pense que c'était un suicide, dis-je.

— Peut-être. Mais il y a autre chose derrière.

— Comment le savez-vous ?

— Je l'ai rencontrée une fois. »

Elle s'interrompit pour boire une gorgée de thé. Une fois sa tasse reposée, elle me lança un regard perçant. « Croyez-vous au surnaturel, monsieur McGrath ? Les fantômes, le paranormal et les forces mystérieuses que l'on ne voit pas mais qui agissent sur nous ?

— Non, pas vraiment. En revanche, je crois en la capacité du cerveau humain à rendre ces choses-là bien réelles.

— Stanislas et sa troisième femme, Astrid, possèdent une propriété dans les Adirondacks, près de Lows Lake.

— Oui, je sais. *Le Peak.* »

Elle haussa un sourcil. « Vous y êtes allé ?

— Il y a cinq ans, j'ai *essayé* d'y faire un tour pour présenter mes hommages. Je n'ai jamais réussi à franchir le portail de sécurité. »

Olivia, calée contre le dossier du canapé, afficha un sourire entendu. « J'ai découvert l'endroit en juin 1977. La première semaine de juin. J'étais à l'époque une actrice dans le besoin. J'avais vingt-neuf ans. Cordova préparait son prochain film, *Les poucettes.* Son assistante, Inez Gallo, venait d'écrire à mon agent pour dire que Cordova m'avait vue dans *Le massacre de la Saint-Valentin* et avait été très impressionné. » Elle sourit, manifestement gênée.

« Il faut dire que j'avais un rôle muet assez minable. Je *tournais le dos* à la caméra pendant tout le film. Du coup, j'ai cru à une mauvaise blague. Mais l'assistante a insisté : Cordova adorait ce que je faisais et me voyait dans un rôle très inhabituel, un rôle qu'il avait créé *spécialement* pour moi. Il m'a invitée à passer le week-end au Peak, afin d'en discuter. Je vivais dans l'East Village, à l'époque. J'ai donc emprunté de l'argent à une amie pour pouvoir louer une Packard break et je suis montée là-haut toute seule. Je n'avais pas décroché le moindre boulot depuis un an. Il fallait absolument que je travaille. Sur la route, j'ai fait un pacte avec moi-même : je ferais tout – *absolument tout* – pour avoir ce rôle. »

Elle s'interrompit quelques instants. Sa main caressait distraitement un des chiens.

« La route était splendide. Une fois que vous avez dépassé les bois et le portail de sécurité, ça se transforme en une belle promenade au milieu des chênes et des collines. Il n'y avait pas un chat. Il faisait beau et *très chaud*. Malgré le soleil, je me rappelle que j'étais très nerveuse, au point d'en être *terrorisée*, comme si j'entrais dans un cimetière en pleine nuit. De temps en temps, j'entendais des oiseaux, *des corbeaux*, croasser au-dessus de moi. Mais dès que je ralentissais et que je levais les yeux, il n'y avait rien, ni dans le ciel ni dans les arbres. *Rien.* »

Elle but une gorgée.

« Quand je suis arrivée devant la maison, un manoir gigantesque et sombre surgi de, je ne sais pas... d'une nouvelle de *Poe*, je me suis garée à côté des autres voitures. Elles étaient relativement nombreuses, comme si d'autres actrices avaient été convoquées. Mais je me sentais incapable de sortir de la mienne. C'était terrible. Pourtant, je le voulais, ce rôle. J'en avais *besoin*. Être dans un film de Cordova, c'était le *summum*, voyez-vous. J'avais entendu dire que ça pouvait lancer non seulement une carrière, mais *une vie*. »

Elle s'interrompit. Cette dernière phrase lui arracha un sourire ironique.

« J'ai réussi à sortir et j'ai frappé à la porte d'entrée. J'ai été aussitôt accueillie par une femme impressionnante, une Italienne, qui gardait étrangement ses distances. Sans un mot, elle m'a fait signe de rejoindre le déjeuner qui avait commencé sur une loggia couverte de glycines. Il y avait là une grande tablée – je ne connaissais personne. Les groupies de Cordova, je me suis dit. En revanche, aucune trace du bonhomme. D'un autre côté, je ne savais pas *vraiment* à quoi il ressemblait. J'ai demandé à quelqu'un où il était et on m'a gentiment répondu qu'il travaillait. On a tiré une chaise pour moi devant la table. Ils étaient tous en train de parler d'un objet que quelqu'un venait d'acheter dans une vente aux enchères privée. Ils se le passaient les uns aux autres et il a fini par se retrouver entre mes mains. Bizarrement, tout le monde s'est tu et on m'a demandé si je savais de quoi il s'agissait. C'était très curieux. On aurait dit une sorte de poignard, avec un manche en bronze délicatement gravé et une lame étroite, d'une douzaine de centimètres de long, et une drôle de boucle au milieu. Assis tout au bout de la table, un jeune homme blond qui portait une tenue de prêtre – il était magnifique, un véritable Adonis – a proposé que je le plante dans mon poignet pour voir ce qui se passerait, et tout le monde a éclaté de rire. Tout le monde, sauf la sublime Italienne qui m'avait accueillie. J'ai fini par comprendre que c'était Genevra, la femme de Cordova. Elle se contentait de me fixer d'un regard angoissé, comme un prisonnier trop terrorisé pour parler. Je me sentais tellement bouleversée et émue que j'ai cru, pendant quelques secondes, que j'allais fondre en larmes. Là-dessus, quelqu'un m'a repris le poignard des mains et le déjeuner s'est terminé. Plus tard, j'ai fait des recherches et j'ai découvert de quoi il s'agissait.

— Qu'est-ce que c'était ? » demandai-je, voyant qu'elle ne poursuivait pas.

Elle me regarda gravement. « Une *aiguille*. On en trouvait beaucoup en Europe aux seizième et dix-septième siècles, à l'époque des chasses aux sorcières. Elles sont en métal précieux, joliment sculptées. Le "piqueur" s'en servait pour poignarder la femme accusée, et généralement déshabillée, sur tout le corps. Quand il trouvait enfin une partie qui ne saignait pas ou ne provoquait aucune douleur, il avait découvert la marque de la sorcière. En réalité, c'était que la pauvre femme ne pouvait plus crier. Elle avait été piquée par cette aiguille environ trois cents fois et avait perdu conscience après s'être lentement vidée de son sang. Ces objets-là, ces instruments de torture archaïques, constituent aujourd'hui un marché florissant pour certains collectionneurs. »

Nora était tellement captivée qu'elle avait oublié de mâcher le gros morceau de gâteau dans sa bouche. Une miette tomba de ses lèvres ; elle la ramassa immédiatement sur son pull. Elle déglutit bruyamment.

« Mais très vite, ce déjeuner bizarre m'est sorti de la tête car quelqu'un – une maîtresse de maison un peu hommasse, avec un visage en sueur et des yeux noirs brillants – m'a annoncé que

Cordova était prêt à me voir. On m'a conduite, à travers plusieurs couloirs, jusqu'à une grande pièce remplie de meubles de classement et comportant une longue table à manger au bout de laquelle était assis un homme. Il était comme un roi sur son trône. Autour de lui, des tas de papiers, de photos de décors, des costumes, des notes de scènes. Il était gros, mais pas d'une manière grotesque comme Orson Welles à la fin de sa vie, ou comme Hitchcock, ni même comme Brando. Non, sa corpulence avait quelque chose de *distingué*. Il avait une tête ronde, d'épais cheveux noirs, et il portait des lunettes rondes toutes noires. Il était beau. Du moins je *crois* qu'il l'était. Il avait un visage fascinant. Et pourtant vous ne vous en souveniez pas la minute d'après, comme si votre cerveau ne pouvait pas mémoriser ses traits, pas plus qu'un nombre infini. C'était peut-être dû aux lunettes, à l'absence de regard. Pendant un moment, j'ai même cru qu'il était aveugle. Mais ce n'était pas le cas, parce qu'il m'a fixée sans un mot puis m'a dit que j'avais du persil sur la lèvre. Et, à mon immense désarroi, c'était *vrai*. Ensuite, il m'a demandé si je voulais jouer dans son film. Naturellement, j'ai répondu oui, oh que *oui*. Je l'admirais énormément depuis *Silhouettes baignées de lumière*. Il a souri. Après, il m'a posé toute une série de questions très précises, de plus en plus intimes, de plus en plus dérangeantes. Il m'a demandé si j'avais une famille, un petit ami, si j'étais sexuellement active, combien de fois j'allais chez le médecin, qui étaient mes parents proches. Est-ce que j'étais en bonne santé ? Est-ce que j'avais facilement la trouille ? C'était une *vraie* préoccupation. Il voulait savoir de quoi j'avais peur : le vertige, les araignées, la noyade, la mer. Quelles souffrances physiques avais-je endurées ? Quel était mon pire cauchemar ? J'ai commencé à soupçonner que le but caché de toutes ces questions était moins de me connaître ou de voir si je convenais pour le rôle que de savoir si j'étais quelqu'un d'isolé, de savoir qui verrait la différence si je disparaissais ou si je *changeais*. Je n'arrêtais pas de lui demander en quoi consistait le rôle. Je voulais vraiment jeter un coup d'œil sur le script. Il me répondait par un silence et un sourire entendu. Finalement, une autre personne est entrée – une femme – et m'a raccompagnée dehors.

J'avais l'impression d'avoir été retournée sur le gril pendant plus d'une heure. Or l'entretien n'avait duré qu'un quart d'heure. »

Olivia inspira longuement et, de sa main valide, nous resservit du thé. Lorsqu'elle attrapa un sucre avec la pince et le lâcha dans sa tasse, je remarquai avec étonnement que ses doigts tremblaient. *Elle était nerveuse.*

« J'ai vite compris, reprit-elle, qu'on reparlerait des *Poucettes* après le dîner. J'ai accepté. Une servante m'a menée jusqu'à ma chambre. C'était une maison gigantesque, et ma chambre était en réalité une suite, avec un mur entier de fenêtres, des rideaux semblables à de grands voiles de mariée et une vue sur le lac en bas de la colline. Je n'avais jamais vu une chambre aussi sublime. Je me suis allongée sur le lit, histoire de fermer les yeux quelques instants, mais j'ai sombré dans un sommeil profond. La route avait dû me fatiguer plus que je ne le pensais. Trois heures plus tard, je me suis brusquement réveillée dans le noir. Je suffoquais, j'avais la gorge en feu, comme si quelqu'un venait de m'étrangler. Et j'avais l'impression que mes poignets et mes bras avaient été cloués. Ils me faisaient un *mal de chien*. Pourtant, il n'y avait personne. Aucune trace de contrainte non plus. C'est alors que j'ai découvert avec horreur que ma valise était vide : tous mes vêtements avaient été soigneusement suspendus dans le placard. Même mes sous-vêtements étaient pliés et empilés dans la commode. Une robe que j'étais apparemment censée mettre pour le dîner avait été sortie, y compris les boucles d'oreilles et un peigne en argent pour mes cheveux. Les rideaux s'agitaient dans tous les sens et les fenêtres étaient ouvertes. Elles étaient pourtant fermées quand je m'étais couchée. J'avais la chair de poule, comme si j'étais sur le point d'être terrassée par la foudre. Je n'avais qu'une seule idée en tête. *Je devais m'enfuir.* Le dîner commençait à 20 heures et d'autres invités étaient en train d'arriver. Je m'en fichais. J'ai jeté mes vêtements dans la valise et je suis sortie de la chambre. J'ai réussi à trouver un escalier de service et je me suis retrouvée dehors en pleine nuit. Ma voiture n'avait pas bougé. Je suis repartie sans allumer les phares. Au départ, j'étais persuadée d'être suivie. Il y avait des phares à quelques virages derrière moi, mais ils ont disparu avant que j'atteigne le portail. Il était fermé. Je suis descendue, je l'ai ouvert moi-même et je suis repartie en trombe. J'ai roulé sans m'arrêter pendant six heures. Mais cette *sensation* – un poids, une suffocation, comme si tout mon corps avait été serré dans une sorte d'étau – ne m'a pas lâchée pendant quatre jours. J'étais à deux doigts d'aller à l'hôpital. »

Elle s'interrompit pour attraper deux petits-fours à l'orange ; elle avala le premier et donna l'autre à l'un des pékinois. Lorsqu'elle nous regarda de nouveau, elle affichait un sourire mélancolique.

« Naturellement, plus les jours passaient, plus je me sentais humiliée en repensant à cet incident. Le temps efface de nos souvenirs la plupart des horreurs et des souffrances. Toute cette sorte de terreur que j'avais ressentie, je l'ai mise sur le compte de ma jeunesse, de mon imagination débordante. *Distorsion*, son film sur la folie contagieuse des adolescents, m'avait beaucoup impressionnée. Je m'étais emmêlé les pinceaux. J'avais confondu l'art et la vie. Juste après cet épisode, j'ai donc écrit à Cordova trois mots d'excuse. Mais je n'ai eu aucune nouvelle de lui, si ce n'est une réponse très mesquine.

— C'est-à-dire ?

— Quelque chose disant que, même si j'étais la dernière personne à survivre sur terre, il ne me prendrait jamais dans un de ses films. J'imagine que cette invitation au Peak était mon casting et que j'avais tout foutu en l'air. »

Je ne pus m'empêcher de sourire. Ce qu'elle disait recoupait parfaitement la lettre de Cordova à Endicott que Beckman faisait lire à ses étudiants.

Elle haussa les épaules avec un air dédaigneux. « Et puis je m'en suis remise. Deux ans plus tard, je me mariais. J'avais une famille, un grand amour, une vraie vie. J'avais depuis longtemps renoncé à mes rêves d'actrice, mes rêves de célébrité, dont je comprenais que ce n'était rien de plus que participer à une fête foraine minable où l'on vit en permanence dans une cage, tout autant applaudi qu'humilié. Là-dessus, en 1999, j'ai reçu une invitation surgie de nulle part. Elle venait de Cordova. Il me conviait à un dîner chez lui, à New York cette fois. Tout cela se passait quelques années après son dernier film, *Respirer avec les rois*, et il vivait depuis longtemps en reclus, encore plus secret et inquiétant qu'auparavant. J'ai hésité. Mais enfin, *c'était* Cordova. Je l'admirais toujours autant. J'avais fait des pieds et des mains pour obtenir des copies de ses œuvres pirates. Pour moi, il était moins un cinéaste qu'un magicien, un hypnotiseur à la Raspoutine. Après toutes ces années, je me sentais quand même toujours frustrée, et ça me taraudait encore un peu, cette question à son sujet dont je voulais connaître la réponse. Le dîner avait lieu à deux pas d'ici, juste de l'autre côté de Park Avenue, sur la 75ᵉ Rue. Si je me sentais mal à l'aise, je pouvais toujours partir et rentrer chez moi à pied. »

Je jetai un coup d'œil vers Nora. Elle hocha la tête d'une manière imperceptible ; elle pensait la même chose que moi : la maison dans laquelle Hopper s'était introduit la veille se trouvait sur la 75ᵉ Rue. Olivia devait forcément parler du même endroit. Je comprenais aussi les sentiments qu'elle décrivait, l'impression de frustration à l'égard de Cordova, le besoin d'une conclusion, d'une *fin*, la manière dont cela vous ronge malgré les années qui passent. Je ressentais la même chose.

« J'avais alors cinquante ans. Je n'étais plus la petite ingénue fébrile. J'étais mariée depuis vingt ans, j'avais élevé trois fils. Il en fallait beaucoup plus pour me faire peur. »

Elle se pencha en avant pour attraper un autre gâteau sur lequel les trois pékinois collèrent leurs yeux. Olivia leur fendit le cœur en enfournant le gâteau dans sa bouche.

« Ç'a été un dîner magnifique mais, chose étrange, Cordova n'était même pas là. Il n'y avait que sa femme, Astrid, qui nous a expliqué que son mari était débordé par son travail à la campagne et qu'il n'aurait pas le temps de se joindre à nous. J'étais étonnée. Je sentais que quelque chose n'allait pas, comme s'il s'agissait d'un traquenard. Pourtant, les invités formaient un mélange merveilleux. J'en connaissais deux de mes années au théâtre. Très vite, mes réserves sont tombées. Il y avait une gloire de l'opéra russe, un scientifique danois, une actrice française connue pour son immense beauté. Mais tous les regards étaient braqués sur la fille de Cordova, Ashley. À l'époque, elle menait une carrière de pianiste assez exceptionnelle. Elle avait douze ans, et je n'avais jamais vu un enfant aussi sublime, avec des yeux presque translucides. Elle a joué pour nous. Du Schubert, un concerto de Bach, un mouvement du *Petrouchka* de Stravinski. Puis elle nous a rejoints pour le dîner. Curieusement, elle a choisi de s'asseoir *juste* à côté de moi. Je me suis aussitôt sentie décontenancée. Ses yeux... Ils étaient tellement beaux et en même temps tellement... »

Olivia serra les mains en fronçant les sourcils.

« Tellement quoi ? » demandai-je.

Nos regards se croisèrent. « *Vieux.* Ils avaient vu trop de choses. »

Elle s'arrêta pour prendre une profonde inspiration et sourit tristement.

« Le repas était somptueux. La conversation, fascinante. Ashley, charmante. Cependant, quand elle ne parlait pas, elle semblait absente, comme si elle était ailleurs, dans un autre monde. Une fois le dîner terminé, Astrid a proposé que l'on se livre à un jeu japonais auquel, disait-elle, la famille jouait souvent le soir, l'ayant appris d'un vrai samouraï japonais qui vivait apparemment avec les Cordova. Ça s'appelait le jeu des Cent Bougies. Plus tard, j'ai vérifié le mot japonais. *Hyakumonogatari Kaidankai.* Vous en avez déjà entendu parler ?

— Non, répondis-je.

— C'est un ancien jeu de société japonais. Il remonte à l'époque d'Edo. Dix-septième, dix-huitième siècles. On allume cent bougies, puis chaque bougie est soufflée après que quelqu'un a raconté un court *kaidan*. Un *kaidan*, en japonais, c'est une histoire de fantômes. Ainsi la pièce devient de plus en plus sombre, jusqu'à ce que la dernière bougie soit soufflée. C'est à ce moment-là qu'un être surnaturel finit par entrer dans la pièce. En général, c'est un *onryō* – un fantôme japonais assoiffé de vengeance. »

Olivia inspira lourdement et expira.

« On a commencé à jouer. On était tous bien éméchés par le porto et le vin doux, et ravis d'entendre nos histoires. Mais quand c'était au tour d'Ashley, elle racontait des histoires très élaborées. Je me disais qu'elle les avait apprises par cœur – à moins que, du haut de ses douze ans, elle ait été capable de s'exprimer avec une telle éloquence en improvisant. Sa voix était posée et basse, et parfois on aurait dit qu'elle émanait d'un autre endroit de la pièce. Toutes ses histoires étaient captivantes, certaines d'une violence à vous remuer les tripes. Je me souviens d'une, notamment, où il était question d'un maître qui violait une pauvre petite servante et la laissait pour morte sur le bas-côté de la route. J'étais sidérée par la facilité avec laquelle ses lèvres formaient les mots, comme si elle parlait d'une chose parfaitement naturelle. Quelquefois, j'avais l'impression d'être hors de moi-même quand elle parlait. *Ailleurs*. Quoi qu'il en soit, au bout d'un certain temps – je ne sais plus exactement à quel moment –, il ne restait plus qu'une seule bougie. Il revenait à Ashley de raconter la dernière histoire. C'était une histoire d'amour contrarié, un Roméo et Juliette tout en maladies et en espoir, avec une jeune fille qui mourait jeune, délivrant son amoureux. Tout le monde était fasciné. Elle a soufflé la bougie et la pièce s'est retrouvée plongée dans le noir. C'était *trop* sombre. Les gens gloussaient. Quelqu'un a sorti une blague salace. Soudain, il y a eu un bruit de succion et j'ai senti un doigt froid sur mon front. J'étais sûre que c'était Ashley. J'ai hurlé, j'ai voulu me lever, mais mes deux jambes étaient paralysées. Humiliation absolue, je me suis traînée hors de mon siège et je suis tombée par terre. Astrid, navrée, m'a aidée à me remettre debout et a rallumé les lumières. Tout le monde rigolait. Ashley, elle, était assise, sans me regarder, mais avec *un sourire*. Cette sensation que j'avais éprouvée au Peak, toutes ces années plus tôt, cette impression de constriction, comme si on me serrait à l'intérieur, était de nouveau là. J'ai attendu un peu, me sentant mal, puis je me suis excusée et je suis partie. Je suis rentrée à la maison, je me suis fait du thé et je suis allée me coucher. Quelques heures plus tard, lorsque Mike s'est réveillé à mes côtés, j'étais dans le coma. J'avais été victime d'une attaque. Je me suis réveillée à l'hôpital et je me suis rendu compte que j'avais perdu l'usage de mon bras droit. »

Elle posa les yeux sur son bras inerte, enroulé dans son foulard, presque comme s'il était distinct d'elle, un albatros rabougri qu'elle était obligée de porter.

« J'avais eu une rupture d'anévrisme. D'après les médecins, elle avait dû être déclenchée par mon angoisse liée à l'incident. Je suis une femme sensée, monsieur McGrath. Je ne suis pas du genre à sombrer dans l'hystérie. Ce que je *sais*, c'est qu'ils ont fait quelque chose à Ashley pour qu'elle se comporte d'une certaine manière.

— Qui donc ?

— Sa famille. Cordova.

— Et qu'ont-ils fait, précisément, selon vous ? »

Olivia réfléchit. « Vous avez des enfants ?

— Une fille.

— Dans ce cas, vous savez qu'elle est née innocente mais qu'elle absorbe tout ce qui se passe autour d'elle comme une éponge. Leur mode de vie au Peak, ma propre visite là-bas, les questions qu'il m'avait posées ce jour-là. On aurait dit que j'étais une expérience. Et ils avaient dû faire la même chose avec Ashley. Sauf que, contrairement à moi, elle ne pouvait pas s'échapper. Du moins pas quand elle était enfant. »

Je regardai Nora. Elle avait l'air envoûtée. Les propos d'Olivia confirmaient mon hypothèse de départ, à savoir qu'au moment de sa mort Ashley était brouillée avec sa famille et se dissimulait derrière un faux nom, traquant une personne surnommée l'Araignée. En revanche, je ne comprenais pas pourquoi elle était retournée à la maison de la 75e Rue, si ce n'est pour rencontrer Inez Gallo. Peut-être cette dernière habitait-elle là-bas.

« Connaissez-vous quelqu'un dans l'entourage de Cordova qui se fait appeler l'Araignée ? demandai-je en me penchant vers Olivia.

— L'Araignée ? fit-elle, le front plissé. Non.

— Et Inez Gallo ? Ce ne pourrait pas être son surnom ?

— L'assistante de Cordova ? Pas à ma connaissance. Mais je ne sais rien d'elle, sinon qu'elle est, à mon avis, la femme qui m'a accompagnée jusqu'à Cordova. Et pendant qu'il m'interrogeait, elle était assise à sa droite, comme son homme de main ou son garde du corps. Ou alors son subconscient. »

Je hochai la tête. Ce statut de subordonnée omniprésente étayait tout ce qui était écrit concernant Inez Gallo sur les Blackboards.

« Pourquoi est-ce que personne ne parle de Cordova ? demandai-je.

— Les gens sont terrorisés. Ils lui attribuent un pouvoir – réel ou imaginaire, je l'ignore. Ce que je *sais*, c'est que dans l'histoire de cette famille il y a des choses atroces. J'en suis *sûre et certaine*.

— Pourquoi n'avez-vous pas creusé dans cette direction ? Vous avez l'air passionnée par la question. Vous devez forcément avoir une large gamme de ressources à votre disposition.

— J'ai fait une promesse à mon mari. Il voulait que je tourne la page, après ce qui s'était passé. Si je m'énervais, si j'essayais d'aller au fond des choses, perdrais-je l'usage de *mon autre bras* ? Et ensuite de mes jambes ? Car voyez-vous, une part de moi-même pense *vraiment* que cette jeune fille a provoqué quelque chose dans cette pièce, et que la raison de mon invitation là-bas, à savoir une vengeance, s'était déroulée *exactement* comme ils l'avaient prévu. Ils voulaient me faire payer ce qu'ils estimaient être une offense de ma part à ma sœur. »

Je ne pouvais m'empêcher de repenser au sortilège de mort. D'un point de vue très concret, ma vie était *bel et bien* devenue plus dangereuse depuis que nous avions marché dessus. J'avais failli me noyer. *Il vous ronge l'esprit sans que vous ne vous en rendiez compte*, nous avait dit Cleo. *Il... vous isole, vous dresse contre le reste du monde, si bien que vous êtes repoussé à la marge, à la périphérie de la vie.* Je pouvais comprendre qu'un phénomène identique ait pu frapper quelqu'un qui traquait Cordova.

Olivia soupira. Elle paraissait fatiguée. Son visage avait perdu son intensité et s'était vidé de ses couleurs.

« Je crains de ne plus avoir beaucoup de temps », fit-elle remarquer en jetant un coup d'œil vers la porte au bout de la pièce. Je suivis son regard. Je l'avais écoutée avec une telle attention que je n'avais pas vu que la femme au tailleur gris qui nous avait accueillis – son assistante, déduisis-je – avait passé sa tête par l'entrebâillement de la porte, rappelant sans un mot à sa patronne qu'elle avait un rendez-vous important.

« Vous avez parlé d'Allan Cunningham, lui dis-je. Ashley a été hospitalisée à Briarwood juste avant sa mort. J'ai voulu savoir dans quelles circonstances elle a été admise là-bas, mais Cunningham m'a donné du fil à retordre. Est-ce que vous pourriez m'aider à l'approcher ? »

Olivia sourit, amusée. « Allan m'a juré qu'Ashley n'avait jamais été hospitalisée là-bas. Mais je lui reposerai la question, bien sûr. Nous serons à Saint-Moritz jusqu'à la fin du mois de mars. » Elle se pencha et glissa ses pieds dans ses chaussures. « Le numéro que vous avez tombe directement sur mon assistante. Appelez-la si vous avez besoin de quoi que ce soit. Elle pourra me transmettre le message.

— C'est très gentil à vous. »

Elle se releva – ses trois pékinois bondirent aussitôt sur le tapis, tout autour de ses pieds – et noua le foulard en soie autour de son bras immobile. Lorsque Nora et moi nous levâmes, Olivia tendit sa main et serra la mienne avec un sourire d'une douceur désarmante. Ses yeux marron brillaient.

« Ç'a été un vrai plaisir, monsieur McGrath.

— Tout le plaisir est pour moi. »

Nous avançâmes vers la porte.

« Une dernière chose », dis-je.

Elle s'arrêta et se retourna. « Je vous écoute.

— Si je veux parler à votre sœur, où puis-je la trouver ? »

Elle eut l'air irritée. « Elle ne peut pas vous aider. Elle ne peut même pas s'aider elle-même.

— Elle a été mariée à Cordova.

— Et pendant tout ce temps-là elle était shootée aux barbituriques. Je pense qu'elle ne se souvient de *rien* – sauf peut-être de s'être fait sauter quelques fois par Cordova. »

Elle était là : derrière l'élégance impeccable, *la fille de militaires qui ne se laissait pas faire.*

« Ce serait quand même une chance unique de parler avec elle de ce qu'elle a vu là-haut, de ce à quoi ressemblait Cordova, sa façon de vivre. Elle était aux premières loges. »

Olivia me regarda avec arrogance, peu habituée qu'elle était à ce qu'on la contrarie. Ou peut-être était-elle exaspérée qu'une fois de plus, après toutes ces années, le nom de sa sœur remonte à la surface devant elle.

« Même si je vous donnais son adresse, elle ne vous recevrait pas. Elle ne voit plus personne à l'exception de sa femme de ménage et de son dealer.

— Comment le savez-vous ?

— Sa femme de ménage vient ici chaque semaine pour me donner ses factures et un compte-rendu sur sa santé. Ma sœur ignore qu'elle est ruinée et que ça fait vingt ans que *je* lui paie ses soins et sa drogue. Si vous vous demandez pourquoi je ne l'ai pas envoyée à Betty Ford, à Promises ou à *Briarwood*, je peux vous garantir que ce n'est pas faute d'avoir essayé. Onze fois. Mais ça ne sert à rien. Il y a des gens qui ne veulent pas décrocher. Ils ne veulent pas affronter le réel. Une fois que la vie les fait trébucher, ils préfèrent rester le visage dans la boue.

— Très bien. Mais si ce que vous nous avez dit est *vrai*...

— *C'est* vrai, coupa-t-elle.

— Marlowe pourrait peut-être m'en apprendre encore plus. Même le témoin le moins fiable détient une part de vérité. »

Olivia me lança un regard de défi, puis soupira.

« Le Campanile. Beekman Place. Appartement 1102. » Elle fit demi-tour et se dépêcha de rejoindre la porte, suivie par son pantelant cortège à poils. « Adressez-vous au portier, Harold, ajouta-t-elle sans se retourner. Je lui téléphonerai cet après-midi. Il s'occupera de tout.

— Je vous remercie beaucoup.

— Quand vous la *verrez*, ne lui parlez pas de moi. Pour votre bien. »

J'aurais juré avoir décelé un petit sourire satisfait sur son visage.

« Vous avez ma parole. »

Elle nous raccompagna au bout de la galerie, jusqu'au vestibule de l'entrée. Le vieux bonhomme nous attendait avec nos manteaux. Il avait l'air tellement raide que je ne pus m'empêcher de penser qu'il était resté planté là pendant plus d'une heure.

« Merci pour tout, dis-je à Olivia. C'était très précieux.

— J'espère que vous pourrez *faire* quelque chose. Vengez cette fille. Elle était unique. »

Nora entra dans l'ascenseur. Derrière elle, je tendis la main pour empêcher la fermeture de la porte.

« Une dernière question, si je peux me permettre, madame du Pont. »

Elle se retourna et pencha la tête sur le côté, dans un angle très étudié, à mi-chemin entre la curiosité et le dédain.

« Comment avez-vous rencontré M. du Pont ? Je me le suis toujours demandé. »

Elle me toisa. Pensant qu'elle allait me rétorquer froidement que ce n'étaient pas mes oignons, je fus surpris de la voir sourire.

« À l'hôpital de Cedars-Sinai, à Los Angeles. On s'est retrouvés dans le même ascenseur. On allait tous deux voir Marlowe, au septième étage. L'ascenseur s'est bloqué. Un plomb avait sauté. Une heure après, quand l'ascenseur s'est *débloqué*, Mike n'avait plus envie d'aller voir Marlowe au septième étage. »

Elle me lança un regard triomphant.

« Il avait envie de *descendre* dans le hall d'entrée, avec *moi*. »

Avec un petit sourire, elle tourna les talons et disparut dans la pénombre du vestibule, suivie par ses chiens.

73

Lorsque Nora et moi retrouvâmes l'auvent gris clair sur Park Avenue, je découvris qu'il pleuvait dru. Je n'avais rien remarqué en haut, sans doute absorbé que j'étais par les histoires d'Olivia. Ou alors son appartement était tellement élégant qu'il *censurait* le mauvais temps comme une impardonnable faute de goût.

Le portier me tendit un immense parapluie et, tout en en ouvrant un autre, courut sous la pluie pour héler un taxi.

« Je ne m'attendais pas à ça, dis-je à Nora. Je l'ai trouvée franche et plutôt convaincante. »

Nora secoua la tête, essoufflée. « *Moi*, je n'ai pas arrêté de penser à Larry.

— Le tatoueur ?

— Oui. Tu te souviens de ce qui lui est arrivé ?

— Il est mort.

— *D'une rupture d'anévrisme.* Tu ne comprends pas ? On a affaire à une *série*. Olivia en a subi une, comme Larry. *Les deux* après avoir rencontré Ashley.

— Tu es en train de m'expliquer que c'est l'Ange de la Mort, c'est ça ? »

Je dis cela sur le ton de la plaisanterie, mais soudain je repensai à l'incident, raconté par Hopper, qui s'était produit à Six Silver Lakes – le serpent à sonnette retrouvé dans le sac de couchage du moniteur, et la rumeur voulant que ce fût un coup d'Ashley. *Sans compter, bien sûr, son apparition au Reservoir.*

« Olivia nous a décrit la même chose que Peg Martin. Une visite au Peak. Mais chacune a vécu une expérience totalement différente. Pour l'une, ça a été une épreuve terrifiante. Pour l'autre, une sorte de rêve d'enfance éveillé.

— Je me demande laquelle est vraie.

— Les deux, peut-être. Les incidents se sont produits à quasiment vingt ans d'écart. Olivia nous a dit qu'elle y était allée en juin 1977, soit un an après que Cordova eut acheté le Peak avec Genevra et un mois avant qu'elle se noie. Le pique-nique de Peg remonte à 1993.

— Le portrait qu'Olivia nous a fait de Genevra fait froid dans le dos, tu ne trouves pas ?

— La prisonnière qui a trop peur pour parler. »

Elle acquiesça. « Et cette histoire d'aiguilles pour piquer les sorcières ?

— En fait, ça confirme ce que Cleo supposait, à savoir qu'Ashley vient d'une dynastie d'adeptes de la magie noire. »

Nora était inquiète. Elle se rongeait les ongles. « Je suis sûre que si un jour on entrait *dans* le Peak, c'est ce qu'on découvrirait. »

Je voyais très bien ce qu'elle voulait dire. Les phrases de Cleo, quand elle avait décrit la réalité sordide des gens qui pratiquent la magie noire, s'étaient gravées dans mon cerveau. *De vieux grimoires truffés de sortilèges écrits à l'envers. Des greniers où s'entassent les ingrédients les plus obscurs, par exemple des fœtus de daim, des excréments de lézard, du sang de bébé. Il faut avoir l'estomac bien accroché. Mais ça marche.*

Le portier avait trouvé un taxi. Nous abandonnâmes notre auvent en courant pour nous réfugier sur la banquette arrière. Je vis alors que j'avais manqué un appel de Blumenstein et deux de Hopper. Lequel m'avait également envoyé un SMS :

Suis libre sous caution. Mille mercis. Vais chez toi.

Parfait. J'avais hâte de lui demander ce qu'il avait vu dans la maison – et mieux encore : *Par quel miracle avait-il su comment y entrer ?*

74

Une fois dans mon immeuble, Nora s'arrêta brusquement et m'attrapa le bras en montrant la serrure de ma porte.

Elle était brisée, et le bois avait été fracassé.

Je poussai lentement la porte. Il faisait noir à l'intérieur ; on n'entendait que le bruit de la pluie.

J'entrai dans le vestibule.

« *Non*, me glissa Nora. Il y a peut-être encore quelqu'un... »

Je lui fis signe de se taire et continuai d'avancer prudemment dans le couloir. Chacun de mes pas faisait craquer le parquet. Soudain, j'entendis un bruit sourd en provenance du salon.

Je fonçai et eus juste le temps de voir un homme s'échapper par la fenêtre. Tandis que la pluie torrentielle martelait son manteau noir et son bonnet, il enjamba la jardinière et sauta.

Je filai vers l'entrée, croisai Nora et vis l'intrus passer comme un éclair devant l'immeuble, dans Perry Street, en direction de l'ouest.

Je ressortis et me lançai à sa poursuite. Dans sa fuite, il bouscula un piéton – je m'aperçus qu'il s'agissait de *Hopper*.

« Attrape-le ! » criai-je.

Me voyant courir vers lui, Hopper fit demi-tour et poursuivit l'homme, qui venait juste de prendre la 4e Rue Ouest.

Il était nettement plus petit que Theo. Ce devait être quelqu'un d'autre.

Hopper disparut au coin de la rue. Lorsque j'arrivai au carrefour, quelques secondes plus tard, il avait déjà pris en chasse mon visiteur indiscret dans Charles Street. Je courus derrière eux, en évitant les voitures, les vélos attachés, les gens aux bras chargés de courses. Mon cambrioleur eut le feu vert sur Hudson Street, harcelé par Hopper qui hurlait, même si ses cris étaient noyés sous les coups de tonnerre. Au bout de quelques minutes, j'arrivai devant West Side Highway, encombrée par un embouteillage. Hopper franchit le terre-plein central et rejoignit le trottoir d'en face. Je dus attendre que le feu passe au vert.

L'homme fonçait vers le nord sur la piste cyclable qui longeait le Hudson River Park, non loin d'une série de barrages de police.

Tout à coup, il tourna à gauche, en direction de la Jetée 46, puis se volatilisa.

Le feu passa à l'orange. Profitant d'une brèche dans la circulation, je traversai la rue à grandes enjambées. Je retrouvai Hopper sur la piste cyclable.

« Je l'ai perdu », me dit-il, pantelant.

La main en visière pour me protéger de la pluie, je regardai tout au bout de la piste. Hormis un couple qui promenait un berger allemand, il n'y avait personne. En revanche, la jetée, un lieu de loisirs très prisé, était noire de monde. Une trentaine ou une quarantaine de personnes flânaient sur la promenade, protégées par des cirés et des parapluies.

« Il est sur la jetée, dis-je. Je m'occupe de ce côté-là, tu prends l'autre. » Je croisai une famille de touristes vêtus de ponchos en plastique, un jeune homme qui baladait son Jack Russell et deux adolescents amoureux qui gloussaient, blottis sous un manteau marron.

Aucune trace du cambrioleur.

Après avoir dépassé une bande de joggeurs bien couverts qui s'étiraient devant le garde-corps, je repérai un homme, seul, tout au bout de la jetée.

Il était assis sur un banc et regardait l'Hudson, il me tournait le dos. Vêtu d'un manteau kaki, il tenait un parapluie rouge vif ouvert au-dessus de sa tête. Il y avait tout de même quelque chose de bizarre chez lui. En m'approchant, je compris : non seulement les quelques cheveux gris qui lui restaient étaient tout ébouriffés, comme s'il venait d'ôter son bonnet, mais ses épaules montaient et descendaient, *comme s'il était à bout de souffle.*

L'air de rien, je m'avançai près du banc, à côté d'une poubelle, à environ deux mètres de lui, et me tournai pour voir son visage.

Ce n'était qu'un vieux monsieur. Il avait une main posée sur la poignée d'une canne à quatre pieds et son jean était trempé. À ses côtés traînaient un grand sac à dos JanSport bleu et les restes d'un sandwich Subway.

Mon attitude devait avoir quelque chose de gênant. Or il se contenta de me regarder en souriant, puis marmonna quelques mots.

402

« Pardon ? demandai-je.

— Vous pensez qu'on va avoir besoin de l'arche de Noé ? »

Je lui souris gentiment et, passant devant lui, marchai jusqu'à l'extrémité de la jetée. Le déluge était tellement violent qu'on ne faisait presque plus la différence entre les eaux gonflées du fleuve gris et la pluie.

Je me retournai pour voir une dernière fois le vieillard – *histoire d'être sûr.*

Il était toujours voûté sur son banc, inoffensif, et la pluie faisait tomber des trombes d'eau de son parapluie rouge.

Il sourit encore et me fit signe d'approcher. En voyant son air émoustillé, je me rendis compte qu'il avait pris mes regards pour une forme d'invitation sexuelle.

C'était un vieil homo qui venait draguer.

Nom de Dieu.

« Vous en voulez un ? cria-t-il, les yeux levés vers le parapluie rouge qui rendait sa peau rose. Je crois que j'en ai un autre. » Se pourléchant les lèvres, il ouvrit son sac à dos et fouilla à l'intérieur.

Je levai la main pour décliner sa proposition et m'élançai sans attendre sur la promenade. Soudain, l'éclair frappa, suivi d'un nouveau roulement de tonnerre. Lorsque j'atteignis le côté nord de la jetée, je vis qu'il y avait un peu de grabuge ; un petit groupe de gens s'était formé au bord de la piste cyclable. Bousculant les badauds, je trouvai Hopper, accompagné par un autre passant, en train d'aider une vieille Noire à se relever.

La pauvre dame sanglotait. Trempée jusqu'aux os, elle ne portait qu'une petite robe d'intérieur rose et soutenait son bras endolori dans sa main.

« Qu'est-ce qui s'est passé ? demandai-je à une femme.

— Elle s'est fait agresser. Il lui a même volé sa canne, le fumier. »

À peine eut-elle terminé sa phrase que je fendais déjà la foule et courais de toutes mes forces sur l'allée.

Le petit vieux avait disparu.

Une fois arrivé devant le banc désert, je ne pus que regarder, furieux.

Gisaient là, abandonnés, le parapluie rouge, le sac à dos, la canne et l'imperméable, l'emballage du sandwich Subway. *L'en-*

foiré... Il avait dû le sortir de la poubelle pour faire croire qu'il déjeunait tranquillement.

À l'endroit exact où il s'était assis, il y avait un petit carré blanc, face cachée.

Je le pris. C'était ma carte de visite.

75

Je rendis ses affaires à la vieille dame.

Tout lui appartenait : le sac à dos JanSport bleu, le parapluie rouge, la canne, le manteau. L'argent était toujours là. Son agresseur s'était approché par-derrière, lui avait violemment arraché ses affaires et l'avait poussée sur le trottoir.

« Un vieux ? *Jamais de la vie !* » s'exclama Hopper, malgré le déluge, alors que nous traversions Greenwich Street en courant, direction Perry Street.

« Je t'assure. C'était un *vieux.*

— Dans ce cas, il a un régime d'athlète, parce que je peux te garantir qu'il avait la puissance d'une Suzuki. Qu'est-ce qu'il t'a volé ?

— On va voir ça tout de suite. »

Nous accélérâmes le pas. J'avais du mal à garder la tête froide, tant les choses étaient allées vite. D'un autre côté, je me disais que je n'aurais jamais dû laisser Nora seule. Je n'avais même pas pris le temps de vérifier que le cambrioleur n'avait pas de complice.

Nous nous précipitâmes dans l'immeuble. Nora n'était pas dans le couloir.

« *Nora !* »

Je poussai la porte et traversai le vestibule. Dans le salon, rien n'avait été dérangé. Je pris le couloir jusqu'à mon bureau et m'arrêtai net.

On aurait dit qu'un séisme avait frappé la pièce. Les papiers, les cartons, les dossiers, des étagères entières avaient été saccagées et jetées par terre. Une fenêtre était ouverte, laissant la pluie s'engouffrer. Nora déambulait, affolée, au milieu du chaos.

« Qu'est-ce qui se passe ? Tu es blessée ?

— *Il n'est plus là.*

— Quoi ? »

Elle était affolée. « Septimus. Je ne le retrouve pas. »

Je découvris la cage vide sur le sol.

« *Où est mon ordinateur portable ?* hurlai-je.

— Tout a été volé. Il y avait quelqu'un d'autre. Je l'ai entendu partir par la fenêtre, mais je ne l'ai pas vu. »

Elle s'approcha du placard. La porte en bois avait été dégondée.

Je me frayai un chemin jusqu'à la fenêtre pour la refermer violemment. Mes meubles de classement avaient été ouverts, mes papiers, fouillés, et mes articles du *Times* encadrés, décrochés du mur. L'affiche du *Samouraï* pendait de guingois, si bien que Delon, au lieu de scruter froidement, sous son feutre, un point situé au-delà de la pièce, contemplait le sol. *Fallait-il y voir une sorte de message crypté ? L'idée que j'étais myope, que je ne voyais pas clair ?*

Je remis l'affiche à l'endroit, attrapai les coussins en cuir et les lançai sur le canapé. Je m'emparai de l'une des étagères renversées et la soulevai, non sans marcher sur un cadre, face contre le sol. En le prenant, je m'aperçus avec un frisson d'horreur que c'était ma photo préférée de Sam, prise quelques heures après sa naissance. Le cadre avait été brisé. Je dégageai les éclats de verre, posai la photo sur mon bureau et me dirigeai vers un carton retourné, celui qui contenait toutes mes recherches sur Cordova.

Je faillis éclater de rire.

Il était vide – à l'exception du petit prospectus « APPELEZ YUMI » que j'avais ramassé au 83, Henry Street. La fille à moitié nue me jetait un regard espiègle, l'air de me dire : *Ça t'étonne vraiment tant que ça ?*

Je n'en revenais pas de ma bêtise. Je *savais* que nous étions suivis, et pourtant, comme un crétin doublé d'un imprudent, je n'avais pris aucune précaution. Et c'était *d'autant plus bête* que, la dernière fois que j'avais traqué Cordova, ma vie s'était effondrée autour de moi comme un mauvais décor de cabaret. Mes papiers étaient désormais entre les mains du sujet même de mon investigation. Cordova allait lire toutes mes notes, toutes mes intuitions, mes gribouillis. *Il se promènerait dans mon cerveau comme dans un grand magasin.* Mon ordinateur portable comportait certes un mot de passe, mais n'importe quel hacker digne de ce nom pouvait le craquer. Cordova allait vite savoir tout ce que nous savions des derniers jours d'Ashley.

Le petit avantage dont nous disposions depuis Oubliette, le Waldorf et Briarwood, le fait que nous sachions qu'Ashley s'était lancée à la recherche de ce personnage surnommé *l'Araignée* – tout ça était maintenant perdu.

Je ramassai ma chaîne hi-fi, remis le récepteur sur l'étagère et constatai avec stupéfaction que le CD d'Ashley avait aussi disparu. Une autre idée inquiétante se forma dans ma tête.

« Où est le dossier de police d'Ashley ? »

Nora fouillait encore dans le placard.

« Le dossier que j'ai obtenu *illicitement* par Sharon Falcone – tu le lisais il y a deux jours. Où est-il ? »

Elle se retourna. Elle avait la mine défaite.

« Je ne sais pas. »

Elle se mit à pleurer. Aussi commençai-je à chercher parmi les décombres à mon tour. Je ne pouvais même pas imaginer les conséquences d'une fuite de ce dossier : Sharon perdrait son boulot ; sa carrière se terminerait lamentablement à cause de moi, de mon imprudence ; mon nom apparaîtrait *une fois encore* au grand jour, synonyme de produit toxique. J'étais tellement furieux qu'il me fallut un petit moment pour réaliser que Hopper nous appelait en hurlant.

Il était dans la cuisine, debout près de la porte ouverte du four.

La perruche était à l'intérieur. Elle battait désespérément des ailes autour du ventilateur.

Nora se précipita pour récupérer délicatement son oiseau. Il était vivant, mais tremblait comme une feuille.

« Le four était allumé ? demanda-t-elle à Hopper.

— Non. »

Pendant qu'elle s'occupait de Septimus, Hopper me lança un regard entendu.

Il pensait la même chose que moi. Il ne fallait pas voir dans ce geste une preuve de clémence, mais un avertissement. Avec cette perruche épargnée, le message était clair : ils menaient la danse. Ils avaient voulu s'amuser avec l'oiseau, jouer avec lui, pétrifier la fragile créature un peu plus longtemps. Mais s'ils avaient voulu, ils auraient pu le tuer.

Et il en allait de même pour nous.

76

Nous passâmes les heures suivantes à ranger mon bureau, tandis qu'un serrurier remplaçait le verrou de la porte d'entrée. Tout ce qui concernait Ashley et Cordova avait disparu, à quelques exceptions près – mes anciennes notes sur Crowthorpe Falls, la carte de visite d'Iona (« ANIMATIONS POUR ENTERREMENTS DE VIE DE GARÇON »). Nous les retrouvâmes sous le canapé, ce qui laissait penser que les cambrioleurs avaient d'abord jeté mes papiers par terre et les avaient *ensuite* fouillés pour trouver des renseignements sur les Cordova.

Autre coup de chance, ils n'avaient pas récupéré le manteau d'Ashley – il était toujours roulé en boule dans le sac Whole Foods, derrière la porte. Ils l'avaient sans doute pris pour un sac-poubelle. Nous retrouvâmes aussi le dossier de police de Sharon Falcone. L'avant-veille, Nora l'avait emporté en haut pour le lire avant de dormir. Il était donc toujours sur sa table de chevet – preuve qu'ils n'avaient pas eu le temps de monter.

Je n'arrêtais pas de penser à Olivia Endicott. *Comme par hasard*, pendant que nous étions chez elle, les cambrioleurs avaient eu tout le temps de s'introduire dans mon appartement. Je ne pouvais m'empêcher de me poser la question : m'étais-je trompé sur son compte ? Était-elle de mèche depuis le début et leur avait-elle signalé notre rendez-vous ? *Pourquoi ? Quel intérêt avait-elle à protéger Cordova ?*

Les événements semblaient aussi obéir à une symétrie pour le moins troublante. Nous suivions les traces d'Ashley ; Theo Cordova suivait les nôtres. Hopper était entré par effraction chez *eux* la nuit précédente ; ils venaient d'entrer par effraction chez moi.

En voulant retrouver l'homme sur la jetée, j'avais fini par ne rencontrer que moi-même, *ma* carte de visite. Étaient-ils réellement menacés par notre enquête ? Ou y voyaient-ils un jeu, répétant nos faits et gestes, nous les renvoyant tels des boomerangs, une violation de l'intimité des Cordova débouchant sur une violation de la mienne, un empiétement sur un autre ?

J'avais beau n'y comprendre goutte, au moins une chose que nous avait dite Olivia semblait se vérifier : *Autour de Cordova, l'espace* se déforme... *La vitesse de la lumière diminue, l'information se brouille, les esprits rationnels deviennent illogiques,* hystériques.

Je montai prendre une douche et donnai à Hopper une serviette pour qu'il en fasse autant. Je comptais commander des plats chinois et l'interroger sur la maison – il avait juste eu le temps de nous dire qu'il n'avait pas pu voir grand-chose avant de se faire attraper. Je laissai Nora s'occuper de Septimus et me retirai dans ma chambre afin de vider mon vieux coffre-fort, dans le placard. Je ne m'en étais pas servi depuis des lustres, mais j'allais devoir y ranger toutes mes notes, toutes les pièces à conviction.

J'étais en train de trier de vieux dossiers *censurés* lorsqu'on frappa à ma porte.

Dans l'embrasure, je vis Nora, livide.

« Qu'est-ce qui se passe ? C'est Septimus ? »

Elle fit non de la tête et m'invita, d'un signe, à la suivre.

Elle avait mis une musique assourdissante dans le salon, à tel point que nous n'entendions même pas nos pas. Au fond du couloir, elle tendit le doigt vers la porte de la salle de bains – à peine entrouverte.

Hopper était à l'intérieur. Le robinet était ouvert. Espionner les hommes dans les salles de bains ne faisait pas partie de mes habitudes, mais Nora insista, à grand renfort de gestes, pour que je jette un coup d'œil.

Je m'avançai. Devant le lavabo, Hopper se brossait les dents, une serviette autour de la taille.

Et c'est là que je vis la chose.

« Qu'est-ce qui se passe ? demanda Hopper en entrant dans le salon.

— Assieds-toi, dis-je. On va avoir une petite discussion.

— Ah oui. La maison.

— Pas la maison, intervint Nora, de méchante humeur. Le tatouage sur ton pied. »

La phrase le pétrifia. « Quoi ?

— Le kirin d'Ashley, dit-elle. C'est *toi* qui as l'autre moitié. »

Hopper avisa la porte.

« Hopper, on l'a vu. Tu nous as menti. »

Il la fusilla du regard, puis se précipita subitement vers la porte. Mais je m'étais préparé. Je l'attrapai par le tee-shirt et le poussai violemment au fond d'un fauteuil.

« Ce putain de tatouage sur ta cheville. On t'écoute. »

Il avait l'air trop choqué pour parler, ou alors cherchait une énième excuse. Au bout d'une minute, Nora se leva et lui servit un verre de whisky.

« Merci », bredouilla-t-il, l'air maussade. Il but une gorgée, les yeux perdus dans son verre. « De l'avoir connue et ensuite de *ne plus* la connaître, dit-il à mi-voix, c'est comme purger une peine de prison à perpétuité. On voit tout de loin, à travers une vitre épaisse, les téléphones, les heures de visite. Plus rien n'a de goût. Il y a des barreaux partout où on regarde. » Il sourit faiblement. « On ne peut plus sortir. »

Il releva la tête et nous regarda droit dans les yeux, comme s'il se rappelait notre présence. Il semblait soulagé.

Et c'est ainsi que, tandis que la pluie martelait les fenêtres, telle une armée essayant d'investir les lieux, il commença à nous parler d'elle.

« Je ne vous ai pas menti, dit Hopper. C'est bien à Six Silver Lakes que j'ai rencontré Ashley. Et c'était vrai, ce pari qu'on avait fait. Elle m'a snobé. Pareil pour l'incident avec le gamin dont tout le monde se moquait. Orlando. Quand il a pris l'ecstasy et qu'Ash a payé les pots cassés. Tout ça *est arrivé*, OK ? Ce que je *ne vous ai pas dit*, c'est que j'avais prévu de me tirer.

— De Six Silver Lakes ? demandai-je.

— Oui. J'en avais ma claque. Même après le coup du serpent à sonnette, il restait encore huit semaines. Je ne voulais plus avaler toutes leurs conneries. Bien sûr, grâce à Ash, Plume-de-Faucon chiait dans son froc. Mais ensuite ? Il faisait 40° tous les jours. Les jeunes étaient des Ted Bundy en puissance et les moniteurs, des *saloperies* de pervers. Le soir, on en entendait un, Marcheur-de-Mur, qui s'astiquait dans sa tente. C'était une question de jours avant qu'il demande à un gamin de le rejoindre. La seule fille un peu intéressante, Ash, ne daignait même pas me donner l'heure. Alors je me suis dit : *Qu'ils aillent tous se faire foutre.* Une des monitrices, la psy, Crin-de-Cheval, passait son temps à consulter une carte qu'elle cachait dans son sac à dos. Elle pensait être discrète. Mais un soir, alors qu'elle avait un entretien en tête à tête avec une des filles, je lui ai volé sa carte. Dessus, j'ai vu que, si on sortait du parc national de Zion, il y avait une autoroute pas très loin qui partait à l'ouest, vers le Nevada. Si j'arrivais à rejoindre la route, je pourrais facilement faire du stop dans un camion. J'avais déjà voyagé avec des routiers. La plupart détestent les flics, du coup on peut leur faire une confiance absolue. Les autres sont tellement défoncés à la meth qu'ils ne savent même pas qui est assis sur le siège passager. Mon objectif était d'aller à Las Vegas.

« Comme Crin-de-Cheval a fait tout un foin à cause de sa carte volée, on a eu droit à un interrogatoire devant le feu de camp. Ils ont fouillé les sacs à dos mais n'ont rien trouvé. Les moniteurs en ont conclu que Crin-de-Cheval l'avait elle-même perdue. Or je l'avais cachée sous la semelle de ma chaussure de randonnée. J'ai préparé un plan d'évasion. Je rationnerais ma nourriture en gardant le reste au fond de mon sac de couchage. J'attendrais qu'on ait atteint la zone de campement la plus proche de cette fameuse route. D'après mes calculs, on devait y arriver trois jours plus tard. De là, la route se trouvait à une demi-journée de marche. Je me barrerais une fois que tout le monde se serait endormi. Il y avait une monitrice, Quatre-Corbeaux, qui était censée monter la garde toute la nuit, mais elle allait se coucher en douce vers 1 heure. En revanche, il y avait *une chose* à laquelle je n'avais pas pensé. Orlando. »

Hopper passa sa main dans ses cheveux. « On partageait notre tente. Dès le départ, on se voit attribuer un camarade de tente. Dans mon cas, c'était Orlando. Un soir, alors que j'étais en train d'étudier la carte, tout à coup j'ai entendu dans le noir : "Hopper, qu'est-ce que tu regardes ?" Il s'était réveillé et m'espionnait, je ne savais pas depuis combien de temps. Je lui ai expliqué que j'avais vu un lézard et lui ai dit de se recoucher. Mais il était malin. Il était *habitué* à ce que tout le monde lui mente. Le matin, quand je me suis réveillé, il avait fouillé dans mes affaires et avait trouvé la carte. Il m'a dit qu'il savait que je comptais m'enfuir et que, si je ne partais pas avec lui, il me balancerait aux moniteurs. »

Il s'interrompit pour avaler une grande rasade de whisky.

« Je crois qu'il n'avait jamais rien obtenu de gentil de la part des autres sans chantage. Il voulait que je lui promette sur la vie du Christ – il venait de Caroline du Nord, ses parents étaient des baptistes *born again*. Il parlait toujours de Jésus comme si c'était son voisin, un type pour qui il faisait des travaux de jardinage. Alors j'ai dit *d'accord*. Pas de problème. Génial. J'ai juré, au nom du Christ tout-puissant, que je l'emmènerais avec moi. J'ai juré qu'on était ensemble dans cette aventure. Comme Frodo et Sam. »

Il me jeta un coup d'œil. « Je n'avais *aucune intention* de l'emmener avec moi. Autant essayer de m'enfuir avec un *canapé d'angle* sur le dos. Orlando était le boulet absolu. »

En disant cela, Hopper parut inquiet. Il balaya les cheveux devant ses yeux et se remit à regarder la table basse, très concentré.

« Puis le jour J est arrivé. On avait installé notre camp à l'endroit précis qu'il me fallait. Quand tout le monde est parti se coucher, la nuit était claire et il y avait un *silence* que je n'oublierai jamais. En général, il y a des insectes et des saloperies qui vous hurlent dans les oreilles toute la nuit, mais ce soir-là il régnait un calme absolu, comme si tous les êtres vivants avaient déguerpi. J'ai réglé ma montre pour qu'elle sonne à minuit. Au lieu de ça, j'ai été réveillé par un moniteur. *Tout le groupe* était debout. Il tombait une pluie torrentielle. Le camp était inondé, on dormait dans huit centimètres d'eau. C'était le chaos. Les moniteurs criaient à tout le monde de plier les tentes. On devait monter en altitude parce qu'ils avaient peur d'une crue subite. Ils n'avaient rien à foutre de *notre* bien-être. Simplement, ils ne voulaient pas mourir. Les gens hurlaient, devenaient dingues. Je me suis rendu compte que c'était une aubaine : dans une telle confusion, il me serait encore plus facile de m'enfuir. Je savais où je devais aller, où se trouvait le chemin. J'ai aidé Orlando à ranger la tente mais, ce faisant, j'ai remarqué Ashley. Elle avait déjà plié la sienne et nous attendait tous. Soudain, le faisceau d'une lampe torche a éclairé son visage à l'autre bout du campement. Elle me regardait. *L'expression* de son visage – c'était comme si elle *savait* ce que je m'apprêtais à faire. Je n'ai pas eu le temps de réfléchir. Certains gamins commençaient à se frayer un chemin en hauteur, jusqu'au prochain campement. Je me suis mis derrière eux. Je suis resté à bonne distance et, dès qu'ils se sont retrouvés loin devant moi, j'ai éteint ma lampe torche et je me suis écarté du chemin pour descendre la pente, parmi les pierres. Et j'ai attendu. Je voyais quelques jeunes marcher sur la crête, d'autres se prenaient encore la tête avec les tentes. La pluie tombait si fort que, dans la nuit noire, on ne voyait pas à trente centimètres. Personne ne remarquerait mon absence avant le lendemain matin. J'ai rallumé la lampe torche et je suis parti. »

Hopper s'interrompit pour se resservir.

« Je n'avais pas marché dix minutes que, en me retournant, j'ai vu une autre lumière de lampe torche juste derrière moi. Orlando. J'étais *fou de rage*. Je lui ai crié de repartir, mais il a refusé. Il n'arrêtait pas de dire : "Tu m'as promis. Tu as promis de m'emmener avec toi." Il n'arrêtait pas de dire ça. J'ai pété un plomb. Je lui ai dit que je ne pouvais pas le sacquer. Qu'il était gros, que tout le monde se moquait de lui. Je lui ai dit qu'il était pathétique et faible et que même sa mère, au fond d'elle, ne l'aimait pas. Je lui ai dit que personne au monde ne l'aimait et ne l'aimerait jamais. »

Hopper se mit à sangloter, un gémissement étouffé et torturé qui semblait le transpercer de part en part. « Je voulais qu'il me déteste. Pour qu'il s'en aille. Je ne voulais pas qu'il m'aime. Je ne voulais pas qu'il m'admire. »

Il prit une longue inspiration et se tut, la tête entre les mains. Au bout d'une minute, il s'épongea le visage avec le creux de son bras et s'avança sur son fauteuil, visiblement décidé à reprendre son récit, à s'y frayer un chemin, sans quoi il s'y perdrait, s'y noierait.

« Je suis parti. Une minute plus tard, j'ai vu sa lampe torche, une petite lumière blanche dans le noir, loin derrière moi. J'avais l'impression que la lumière diminuait, comme si Orlando faisait demi-tour. Et puis je n'arrivais plus à savoir si elle s'approchait de moi ou si elle s'éloignait. Peut-être qu'il essayait encore de me rattraper. J'ai continué. Mais une heure après, je me suis rendu compte que j'étais bloqué. La piste que j'étais censé suivre passait à travers un canyon qu'on appelle les Gorges, et quand je suis tombé dessus en glissant dans la boue, j'ai vu qu'à la place de la piste il y avait une rivière déchaînée. Impossible de la traverser. Je devais revenir sur mes pas. J'ai mis un temps fou parce que le chemin ressemblait à une coulée de boue. Je n'étais même pas sûr de pouvoir y arriver, et sans la carte j'aurais été perdu. J'ai eu l'impression de marcher des heures et des heures dans la nuit. Trois heures plus tard, j'ai quand même retrouvé la crête, devant le nouveau campement. Il devait être 5 heures du matin, il pleuvait toujours des cordes. Tout le monde dormait. Personne n'avait remarqué mon absence. J'ai déroulé mon sac de couchage, je me suis glissé dans une des tentes et je me suis écroulé de fatigue. Quand je me suis réveillé, les moniteurs avaient procédé à un comptage. Aucune trace d'Orlando. L'après-midi, ils ont prévenu la garde nationale. Je me rappelle que c'était une journée splendide. Un ciel bleu immense, magnifique, éclatant. »

Les yeux baissés, il se pencha et inspira lourdement, difficilement.

« Ils l'ont retrouvé à dix-sept kilomètres de là, noyé dans une rivière. Tout le monde croyait que c'était un accident, qu'il s'était égaré pendant la tempête. Mais moi, je connaissais la vérité. C'était à cause de ce que je lui avais dit. En marchant, il avait vu la rivière et s'était jeté dedans. J'étais responsable. C'est moi qui ai tué ce gentil gamin qui n'avait rien fait de mal, à part être lui-même. Il n'avait aucun problème. Moi oui. C'était moi, le loser. Le bon à rien. Celui que personne n'aimait et que personne n'aimerait jamais. Ashley avait sauvé Orlando, murmura Hopper. Et moi, je l'ai détruit. »

Il ferma les yeux. Il avait l'air de souffrir terriblement, comme si les mots le déchiquetaient. Au bout d'un moment, il se força à lever les yeux ; ils étaient mouillés et rougis.

« On nous a ramenés au camp de base en hélicoptère, reprit-il. Les parents sont arrivés, très remontés. Les moniteurs ont été poursuivis pour négligence. Deux d'entre eux ont fait de la prison. Leurs pratiques disciplinaires ont été divulguées et, un an plus tard, le camp a changé de nom pour s'appeler les Douze Forêts d'Or, ou un truc dans le genre. Personne ne savait que j'avais un lien avec ce qui était arrivé. Sauf Ash. Elle ne disait rien, mais je le sentais à sa manière de me regarder. On a été les deux derniers à partir. Un 4 × 4 noir est venu la chercher. Ce n'étaient pas ses parents, mais une femme en tailleur. Avant de monter sur la banquette arrière, elle s'est retournée vers moi. J'étais dans une cabane, elle ne pouvait donc pas me voir, et pourtant si. Elle savait tout. »

Hopper semblait à deux doigts de pleurer mais s'y refusa, séchant ses yeux avec son avant-bras.

« On était censés être récupérés par nos parents, dit-il d'une voix éraillée. Mon oncle ne pouvait pas venir. Mais c'était de la folie, avec la police, les journalistes du coin, la famille d'Orlando. Finalement, les flics se sont tournés vers moi et m'ont dit : *"Va-t'en."* Je n'avais plus qu'à me *barrer*. Et c'est ce que j'ai fait. »

J'étais tellement absorbé par son récit que je n'avais pas vu que Nora avait précipitamment traversé le salon. Elle saisit la boîte de kleenex sur l'étagère, la tendit à Hopper, en lui souriant, et regagna le canapé.

« Les cinq mois qui ont suivi, dit Hopper en s'interrompant pour se moucher, ont été un black-out complet. Ou plutôt un *trou noir*. J'ai fait du stop. Je suis allé dans l'Oregon, puis je suis remonté jusqu'au Canada. La plupart du temps, je ne savais pas *où* j'étais. Je marchais. Je passais mes nuits dans des motels, sur des parkings, dans des centres commerciaux. Je volais de l'argent et de la nourriture. Un jour, j'ai acheté de l'héroïne et je suis resté enfermé dans la chambre d'un motel pendant plusieurs semaines. J'étais complètement dans les vapes, j'espérais trouver le bout de la terre et me laisser flotter en l'air. Quand je suis arrivé en Alaska, je suis passé par une petite ville, Fritz Creek, et j'ai volé un pack de bières dans une supérette. J'ignorais qu'en Alaska, dans le moindre petit magasin, il y a toujours un fusil derrière la caisse. Le patron a tiré à deux centimètres de mon oreille. La balle a atterri dans un paquet de chips. Ensuite, il a braqué son arme sur ma tête. Je l'ai supplié d'appuyer sur la détente. Il me rendrait service. Sauf qu'à force de le saouler avec ça, j'ai dû lui foutre les jetons. Il a baissé son fusil et, visiblement effaré, il a prévenu la police. Un mois plus tard, j'étais à Peterson Long, un pensionnat militaire dans le Texas. Au bout d'une semaine, je me rappelle que j'étais dans la bibliothèque – il y avait des barreaux aux fenêtres –, en train de me demander comment j'allais pouvoir me tirer de là, lorsque j'ai reçu un mail venu de nulle part. »

Il força un sourire. Il regardait ailleurs, comme s'il était encore surpris par ce mail.

« Dans la ligne objet, il y avait simplement écrit : "Oserai-je ?" Je ne savais pas du tout ce que ça voulait dire, ni qui me l'envoyait. Jusqu'à ce que je lise l'adresse : Ashley Brett Cordova. J'ai d'abord cru à une blague.

— "Oserai-je ?" »

Hopper me regarda. Son visage se rembrunit. « Ça vient de Prufrock. »

Évidemment. *La chanson d'amour de J. Alfred Prufrock.* C'était un poème de T. S. Eliot, une description terrible de la paralysie et du désir amoureux à sens unique dans le monde moderne. Je n'avais pas relu ce poème depuis l'université, mais je me rappelais encore certains vers qui brûlaient le cerveau : « *Dans la pièce les femmes vont et viennent / En parlant de Michel-Ange.* »

« Voilà comment notre amitié a commencé, dit simplement Hopper. Nous nous écrivions. Elle ne parlait jamais de sa famille.

Parfois, elle parlait de son frère. Ou de ce qu'elle étudiait. Ou de ses chiens, deux bâtards qu'elle avait sauvés. C'est grâce à ses lettres que je ne me suis pas enfui de ce pensionnat. J'avais peur qu'on se perde de vue. Un jour, elle m'a écrit que je devais peut-être arrêter de me fuir moi-même et essayer de me poser quelque part. Alors c'est ce que j'ai fait. » Il secoua la tête. « Quand les vacances de printemps sont arrivées, je crevais d'envie de la voir. Au fond de moi, je devais penser que ce n'était pas à Ashley, en fait, que j'écrivais, mais à un personnage né de mon imagination. Comme je savais qu'elle était à New York, j'ai cherché sur Internet et j'ai trouvé un endroit à Central Park, la Promenade, près du kiosque à musique. Je lui ai fixé rendez-vous là-bas le 2 avril à 19 heures pile. Dans le genre *débile*, on ne pouvait pas faire mieux. Mais je m'en foutais. Elle a attendu deux jours avant de me répondre ; elle m'a envoyé un mot, un seul. Le plus beau mot du monde.

— À savoir ? demandai-je, comme il ne poursuivait pas.

— Oui. »

Il sourit timidement. « J'ai pris trois cars différents pour aller à New York. Je suis arrivé la veille du jour dit et j'ai dormi dans le parc, sur un banc. J'étais dans un état de nervosité impossible. Comme si c'était la première fois que je sortais avec une fille. Mais Ashley n'était pas une fille. C'était un miracle. Finalement, il était 19 heures. 19 h 30. *20 heures.* Pas d'Ashley. Elle m'avait posé un lapin. Je me sentais *mal.* Je m'apprêtais à m'en aller quand tout à coup j'ai entendu derrière moi sa voix grave : "Salut, Patte-de-Tigre." » Hopper leva rapidement les yeux et secoua la tête d'un air narquois. « Mon foutu *totem* aux Six Silver Lakes... Je me suis retourné et, bien sûr, elle était là. »

Il observa un silence et repensa à cet instant, encore émerveillé.

« Et voilà, reprit-il d'une voix douce. On a passé toute la nuit à *discuter*, à nous promener dans la ville. On aurait pu marcher dans ces rues indéfiniment, faire une halte au bord d'une fontaine, manger des pizzas et des glaces, fascinés par le carnaval humain qui nous entoure. Ashley était la personne la plus incroyable qu'on puisse imaginer. Être à ses côtés, c'était tout avoir. Quand le jour s'est levé, on était assis sur un perron, à regarder les rues s'éclairer. Elle m'a raconté que la lumière mettait huit minutes pour quitter le soleil et arriver jusqu'à nous. On ne pouvait pas s'empêcher d'aimer cette lumière qui venait d'aussi loin et traversait les espaces les plus perdus pour arriver ici, atterrir à une telle distance. C'était comme si on était seuls sur terre. »

Il s'interrompit et me jeta un regard pénétrant. « Elle m'a dit que son père lui avait appris à vivre au-delà des limites de la vie, dans ses recoins les plus cachés, là où le commun des mortels n'a pas le courage d'aller, là où on souffre, là où règnent une beauté et une douleur inimaginables. Elle se demandait toujours : "Oserai-je ? Oserai-je déranger l'univers ?" Toujours d'après "Prufrock". Son père adorait ce poème, je crois, et la famille ne vivait que pour répondre à cette question. Ils s'imposaient toujours de ne pas mesurer l'existence avec une cuiller à café, à coups de matins et d'après-midi, mais au contraire de nager au fond, *tout au fond* de l'océan, pour découvrir le lieu où chantaient les sirènes. Où il y avait du danger, de la beauté et de la lumière. Uniquement *l'instant présent*. Ashley disait que c'était la seule manière de vivre. »

Après ce déluge fiévreux de paroles, Hopper s'arrêta un instant pour se ressaisir et reprendre son souffle.

« Elle était *comme ça*. Ash ne se contentait pas de chevaucher les vagues et de plonger à corps perdu vers le lieu où chantaient les sirènes – elle était elle-même une sirène. Quand je l'ai raccompagnée chez elle, j'étais amoureux d'elle. Amoureux fou. »

Il dit cela sans émotion, d'un air neutre, impavide. Je sentais que c'était la première fois qu'il parlait véritablement d'Ashley. Sa voix fragile, les mots qu'il employait pour la décrire – j'avais l'impression que ceux-ci étaient enfouis en lui depuis des années ; ils étaient moisis, bleuis, fragiles, ils se dissolvaient pratiquement au contact de l'air.

« Tu l'as raccompagnée jusqu'à la 71e Rue Est ? » demandai-je.

Il me dévisagea. « Là où nous étions hier soir.

— C'est pour *ça* que tu savais comment y entrer, dit Nora, sidérée. Tu avais déjà escaladé la façade.

— Après notre première soirée ensemble, ses parents étaient furieux qu'elle ne soit pas rentrée à la maison. Ils n'étaient pas très souples avec elle. Ils insistaient pour qu'elle soit de retour avant 1 heure du matin, sinon ils menaçaient de l'envoyer quelque part,

417

dans leur propriété ou quelque chose comme ça. Du coup, cette semaine-là, je ramenais Ash chaque soir à 1 heure devant la maison et je l'attendais sur le trottoir d'en face, où on avait passé la fameuse nuit. Vers 1 h 30, Ash descendait le mur et on s'en allait vers les quais, ou au Carlyle, ou à Central Park. À 6 heures, elle remontait dans sa chambre. Elle avait sectionné les câbles, si bien que les capteurs de sa fenêtre ne déclenchaient pas l'alarme. Ses parents n'en ont jamais rien su. Visiblement, ils ne sont *toujours pas* au courant. Quand j'ai revu la maison, hier soir, rien n'avait changé. Je m'attendais presque à voir Ash descendre par la fenêtre. »

Hopper regarda le sol et vida son whisky.

« À la fin de la semaine, reprit-il d'une voix calme, je suis retourné à l'école. La première chose que j'ai faite a été d'écrire une lettre aux parents d'Orlando pour leur dire ce qui s'était passé. Ash m'avait donné le courage de faire une chose pareille, même si elle ne m'en avait jamais parlé. Quand j'ai posté la lettre, j'ai eu le sentiment que la corde m'avait été retirée du cou. Ils ont mis plusieurs semaines à me répondre mais leur lettre, quand elle a fini par me parvenir... Je crois qu'elle m'a soufflé. Ils me remerciaient de m'être dénoncé et d'avoir révélé la vérité. Ils me demandaient de me pardonner moi-même, me disaient qu'ils prieraient pour moi et que je serais toujours le bienvenu chez eux. »

Hopper, encore soufflé, secoua la tête. « Les deux semaines suivantes, Ash et moi, on s'écrivait tous les jours. À la fin mai, je n'ai pas eu de nouvelles pendant une semaine. J'étais fou. J'avais peur qu'il lui soit arrivé quelque chose. Et puis j'ai reçu un coup de fil. C'était Ash. Je n'oublierai jamais le ton de sa voix. Elle était désespérée, en larmes. Elle me disait qu'elle ne pouvait plus vivre avec ses parents, qu'elle voulait partir quelque part où ils ne pourraient pas la retrouver. Elle m'a demandé si je la suivrais. Et j'ai dit... J'ai prononcé le plus beau mot du monde.

— Oui », murmurai-je.

Il hocha la tête. « J'ai emprunté de l'argent à un de mes profs pour acheter les billets d'avion. Le 10 juin 2004. 21 h 35. United, vol 7057, JFK-Rio de Janeiro, au Brésil. Dans le sud du pays, sur l'île de Santa Catarina, il y a une ville qui s'appelle *Florianópolis*, où j'étais déjà allé une fois. La plus belle chose sur Terre après *elle*. J'avais un pote qui tenait un bar là-bas, sur la plage. Il m'a dit qu'il nous filerait du boulot en attendant la suite. Les vacances d'été sont arrivées et j'ai encore pris les trois cars Greyhound pour retrouver Ash à New York. Ce jour-*là*, je savais que la machine était *lancée*. On allait tout plaquer. La plus belle soirée de ma vie, ç'a été quand on s'est fait faire ces tatouages. J'avais entendu parler de L'Envol du Dragon. Mais le *kirin*, c'était *son* idée.

— C'est Larry qui vous a tatoués ? demanda Nora.

— Oui. C'était un vrai molosse. On n'était que tous les trois dans la boutique. Le dessin était compliqué. C'est le genre de tatouage qu'on est censés faire sur tout un mois, rapport à la douleur. Mais comme notre avion partait le lendemain, c'était maintenant ou jamais. Une fois que ç'a été terminé, Ash m'a pris dans les bras en rigolant, comme si elle n'avait pas eu mal du tout, et elle m'a dit à demain. Demain, tout commencerait. »

Hopper prit une longue inspiration. Les doigts croisés, il regardait fixement la fenêtre derrière nous, où la pluie venait toujours fouetter les vitres. Soudain il paraissait très loin, perdu dans un abîme insondable, un abîme du passé dont il ne pouvait plus s'extirper. Ou peut-être repensait-il à un détail qu'il ne pouvait pas nous dévoiler, des mots qu'elle avait dits, une chose qu'elle avait faite, qui resteraient toujours un secret entre eux.

Lorsque son regard se posa de nouveau sur nous, Hopper sembla hésiter à reprendre son récit.

« Ça vous embête si je fume ? »

Je fis signe que non. Il se leva pour chercher ses cigarettes dans sa poche de manteau. Je jetai un coup d'œil à Nora. Elle était tellement hypnotisée qu'elle n'avait pas bougé d'un pouce depuis un quart d'heure – un coude sur l'accoudoir, une main sous son menton.

Hopper se rassit et tapota sur son paquet pour en faire sortir une cigarette qu'il alluma sans attendre. Un long silence suivit. Hopper avait la mine grave et pensive. La fumée de sa cigarette s'accrochait au vide autour de lui.

« C'est la dernière fois que je l'ai vue », nous dit-il.

79

« On devait partir le lendemain, reprit-il. Le 10 juin. J'avais rendez-vous avec Ash à 18 heures au Neil's Coffee Shop. C'est une cafétéria sur Lexington Avenue, à une rue de chez elle. Et de là, on devait foncer à JFK. 18 heures. Aucune nouvelle d'elle. 19 heures. *20 heures.* Je l'ai appelée sur son portable. Pas de réponse. Je suis allé chez elle et j'ai sonné. En général, les lumières étaient allumées. Là, tout était plongé dans le noir. J'ai frappé à la porte. Personne n'est venu me répondre. Alors j'ai escaladé le mur, exactement comme le faisait Ash, sur les barreaux métalliques du balcon du premier, puis la fenêtre tout à droite. L'endroit était luxueux, un vrai palace, mais tout avait été vidé. Et *à la va-vite.* Comme si une bande de criminels avaient décidé de sauver leur peau en s'enfuyant. Des tissus avaient été jetés sur les meubles, si bien qu'ils traînaient à moitié par terre. Les draps avaient été enlevés des lits. Le lait, les fruits et le pain avaient été entassés sur le trottoir – une montagne de sacs-poubelle. J'ai trouvé la chambre d'Ash, au deuxième étage. Il y avait quelques photos, des livres, mais manifestement beaucoup de ses affaires avaient été empaquetées et emportées au dernier moment. La lampe de chevet était renversée. Dans son placard, en revanche, cachée sous des couvertures au fond du tiroir du haut, j'ai découvert une petite valise en cuir. Je l'ai sortie et je l'ai ouverte. Elle était remplie de ses vêtements. Des robes d'été, des tee-shirts, mais aussi de l'argent liquide, des partitions et un guide du *Brésil* Lonely Planet. Elle avait donc *envisagé* de partir. J'ai alors compris que ses parents avaient découvert le pot aux roses et qu'ils l'avaient emmenée avec eux, sans doute dans cette propriété où elle avait été confinée toute sa vie. »

Hopper observa un silence. Il retournait nerveusement le bout de sa cigarette avec son pouce.

« J'étais sur le point de prévenir la police lorsque j'ai eu des nouvelles d'elle. Elle m'a envoyé un *mail.* Elle était *désolée,* mais elle avait fait une erreur. On n'était que des gamins qui se faisaient un film, emportés par le tourbillon de l'instant. Elle ne voulait être attachée à personne. Elle disait qu'elle avait adoré les moments passés avec moi, mais que c'était terminé. Aussi simple que ça. Elle me demandait de continuer à chevaucher les vagues vers le large, de toujours chercher ces putains de chambres de la *mer*, où chantent les *sirènes*... »

Il ne termina pas sa phrase, exaspéré, et tira longuement sur sa cigarette.

« J'étais sûr que ses parents l'avaient enfermée dans leur maison, reprit-il en recrachant la fumée d'un coup. Je lui ai écrit que je ne la croyais pas. Que je la retrouverais et qu'elle me le dirait en face. Elle m'a demandé de ne pas la recontacter. Alors je lui ai *encore* écrit. Si c'était vraiment *mon Ashley*, quelle était l'adresse du perron sur lequel on s'était assis, la première nuit, pendant que le soleil se levait au-dessus des immeubles ? Elle m'a répondu en quelques *secondes*. *131, 19ᵉ Rue Est.* "Et je ne suis l'Ashley de personne", a-t-elle ajouté. Pour moi, ç'a été un coup au cœur. Un an plus tard, j'ai découvert qu'elle faisait des études à Amherst. Donc elle allait bien. Ç'avait bien été sa décision. »

Il écarta ses cheveux de son visage, puis s'enfonça dans son fauteuil. Il avait l'air calme, presque un peu étourdi.

« Tu as eu d'autres nouvelles d'elle ? » lui demanda gentiment Nora.

Il hocha la tête de manière imperceptible ; ses yeux se tournèrent vers elle, mais il ne répondit pas.

« Qu'est-ce qu'elle disait ?

— *Rien.* Elle m'a envoyé un singe en peluche. »

Bien sûr. Le *singe* – la vieille peluche aux coutures défaites, couverte de boue séchée. Je l'avais presque oublié.

« Pourquoi ? » demandai-je.

Il me regarda droit dans les yeux. « C'était celui d'*Orlando*. Il dormait avec. Je ne sais pas comment Ash l'a récupéré, ni où elle l'a trouvé. Mais quand je l'ai sorti de l'enveloppe, ça m'a rendu malade. *Elle* était *malade*, aussi, de m'envoyer ça, alors qu'elle savait que tous les jours je pensais à ce gamin, que tous les jours je vivais dans l'horreur de ce que j'avais fait. Je me suis rendu à l'adresse d'expéditeur qu'elle avait notée sur l'enveloppe, pensant trouver une explication. C'est là que je suis tombé sur toi.

— Pas étonnant que tu ne m'aies pas fait confiance. »

Il haussa les épaules. « J'ai pensé que tu travaillais peut-être pour la famille Cordova.

— Comment savais-tu pour Klavierhaus ? demanda Nora.

— J'y étais allé une fois avec Ash. Elle jouait souvent là-bas. »

Nora, l'air soucieux, se rongeait les ongles. « Et tu n'es pas venu avec nous à L'Envol du Dragon *parce que...*

— J'avais la hantise d'être reconnu. C'était il y a longtemps, mais... Je ne voulais pas courir le risque. Ni me souvenir. »

Il posa un regard haineux sur le tatouage. « Pendant un temps, je rêvais souvent que je coupais mon pied pour ne plus être obligé de voir ce truc.

— Pourquoi tu ne nous l'as pas dit ? demandai-je. Tu as dû te rendre compte, à un moment donné, qu'on ne comprenait pas plus que toi ce qui se passait. »

Hopper secoua la tête. « Je ne savais pas *quoi* penser. Dans cette histoire, dans cette *sorcière* qu'on est en train de chercher, je ne reconnais pas du tout l'Ashley que j'ai connue. Les sortilèges par terre ? La nyctophobie ? Ashley n'avait pas peur du *noir*. Elle n'avait peur de rien.

— Ce n'est peut-être pas elle qui t'a envoyé le singe ? suggéra Nora.

— C'est son écriture sur l'enveloppe.

— Un membre de sa famille aurait pu l'imiter. Peut-être que les Cordova craignent qu'elle t'ait dit certaines choses et qu'ils t'ont envoyé ça pour te faire peur.

— Ça fait des semaines que je me retourne la cervelle dans tous les sens pour essayer de me rappeler *une chose* qu'elle m'aurait dite. Mais je n'ai rencontré aucun membre de sa famille, et elle en parlait rarement, même si je sentais bien, surtout à cause de ce fameux coup de téléphone, que son père et elle ne s'entendaient *pas*.

— Rien sur la sorcellerie ? »

Hopper parut décontenancé. « L'idée qu'Ash se soit livrée à une chose pareille est tout simplement *délirante*.

— Et pourquoi a-t-elle été envoyée à Six Silver Lakes ?

— Elle m'a expliqué qu'un jour elle avait perdu son sang-froid et s'était brûlée avec une bougie. En effet, elle avait une méchante trace de brûlure à la main gauche. Point final.

— Et quand tu es entré dans la maison hier soir ? »

Il me regarda avec une gêne évidente avant de répondre. « *C'était exactement pareil.* Comme si personne n'y avait mis les pieds depuis ma dernière visite, il y a sept ans de ça. Les mêmes draps jetés en hâte sur les meubles. La même partition de Chopin sur le piano d'Ashley, couvercle ouvert. Les mêmes tapis roulés, les mêmes *livres* empilés sur les tables, le même verre posé sur le linteau de la cheminée. Sauf qu'il y avait à peu près *dix centimètres de poussière* partout. Et cette odeur de *moisi*, comme dans une tombe. J'étais en train de monter vers la chambre d'Ashley pour voir si elle était repassée entre-temps. Honnêtement, je m'attendais à trouver sa valise encore remplie et cachée dans le placard, là où je l'avais laissée. À ce moment-là, j'ai entendu la sonnette de l'entrée et j'ai dû redescendre. J'étais presque à la fenêtre quand la lumière est arrivée et qu'une femme m'a ordonné de lever les mains en l'air. Elle tenait un fusil, putain.

— Inez Gallo, dis-je. Tu l'avais déjà vue avant ? »

Il fronça les sourcils. « L'espace d'une seconde, j'ai *cru* reconnaître la femme qui était venue chercher Ashley en voiture à Six Silver Lakes. Mais je n'en suis pas sûr à 100 %.

— Ashley est retournée à L'Envol du Dragon pour retrouver la photo où vous êtes tous les deux, intervint Nora. Elle voulait la récupérer, mais elle avait été perdue. »

Hopper la dévisagea. « Non. » Lentement, il mit la main à sa poche arrière et sortit son portefeuille. Il en tira un bout de papier.

Il me le tendit.

C'était une vieille photo craquelée, une photo qui avait été regardée des milliers de fois.

Après tout ce qu'il venait de nous raconter, les voir ensemble avait quelque chose d'incroyable, comme si deux êtres venus de deux mondes différents étaient entrés en collision. Assis sur une chaise pliante, ils se tenaient par la main. C'était un instant volé, un instant de jeunesse, de joie – un instant tellement libre que l'appareil photo n'avait même pas pu le saisir. Elle les montrait flous et déformés, ce qui laissait penser qu'ils étaient si frais, si légers, qu'il n'y avait pas de mots pour les décrire. Leurs chevilles jointes formaient cette créature guerrière en feu, bondissant vers sa mort, ou vers sa vie.

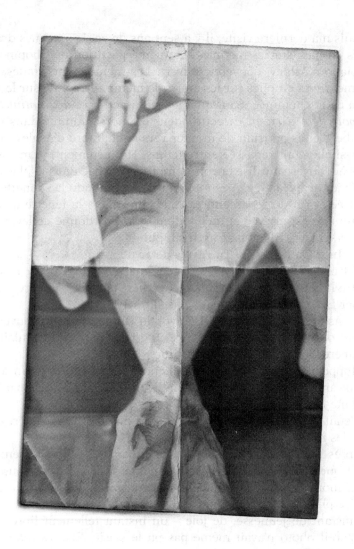

80

Je donnai à Hopper un oreiller et des couvertures pour qu'il puisse s'installer sur le canapé. La pluie continuait de tomber, et il n'avait pas l'air de vouloir rentrer chez lui.

Nora, fatiguée, nous souhaita une bonne nuit et disparut dans la chambre de Sam.

Je partis aussi me coucher. Malgré mon état de fatigue physique et morale, avant d'éteindre la lumière je cherchai « Six Silver Lakes » sur mon BlackBerry, histoire de vérifier les détails du récit de Hopper. Il y avait pas mal d'articles sur la noyade d'Orlando, qui remontait à juillet 2003. Beaucoup des coupures de journaux avaient en réalité été scannées et postées sur un site nommé Lesangesperdus.com.

L'ENQUÊTE SUR LE DRAME DU PARC DE ZION SE POURSUIT

Par Stacey Liu

PARC NATIONAL DE ZION, UTAH. Cinq moniteurs d'un camp pour jeunes en difficulté ont été arrêtés, et un autre a démissionné, après la mort d'un garçon de quinze ans lors de violentes inondations dans le parc, lundi soir. Orlando Wang, âgé de quinze ans, a déjoué la surveillance des moniteurs du programme éducatif en pleine nature de Six Silver Lakes, tandis que le campement quittait la piste de Canyon Overlook pendant une grosse tempête, lundi soir.

Ce n'est que sept heures plus tard, alors que plus de vingt centimètres de pluie étaient tombés dans la région, provoquant des crues brutales, que la disparition du jeune Orlando a été remarquée. Le poste de commandement du parc national a reçu un appel d'urgence mardi, juste après 7 heures du matin. Au terme de vastes recherches, les équipes du parc national ont repêché le corps de l'adolescent dans l'affluent nord de la rivière Virgin.

Les moniteurs, aujourd'hui inculpés pour négligence et mauvais traitements, ont refusé de se soumettre au détecteur de mensonges.

ACCUSÉ DE

Je lus les autres articles. Tous confirmaient les dires de Hopper.

Ainsi donc, il l'avait aimée. Je le savais, bien entendu.

Ashley.

Comme elle était insaisissable, comme elle se métamorphosait sans cesse, composée d'autant de créatures antagonistes que le tatouage. Tête de dragon, corps de cerf. *Tendances de sorcière.* Elle était la lampe torche d'Orlando dans le noir, derrière nous, un point de lumière sous le déluge, qui harcelait Hopper, qui *me* harcelait. Elle était un signal lumineux, aux origines et aux intentions mystérieuses, dont il était impossible de savoir s'il s'approchait ou s'éloignait de moi. Quelle était la différence, au fond, entre une chose qui vous poursuivait et une chose qui vous menait quelque part ?

J'éteignis la lampe et fermai les yeux.

Oserai-je ?

Je sursautai brusquement, le cœur en émoi. La chambre avait beau être plongée dans le noir et déserte, j'eus la sensation très nette que quelqu'un venait de me glisser ces mots à l'oreille.

J'attrapai mon téléphone portable sur la table de chevet, cherchai *Prufrock* sur Google, et lus, l'œil hagard, le poème.

Le texte était aussi violent et triste que dans mes souvenirs – peut-être même davantage, maintenant que je n'étais plus un arrogant jeune homme de dix-neuf ans, maintenant que les vers sur le temps et « Je deviens vieux… Je deviens vieux » prenaient tout leur sens. Le narrateur du poème, Prufrock, était une sorte d'insecte cloué – mais qui s'agite encore – à sa petite vie ennuyeuse, un monde fait d'interminables mondanités, fêtes et autres observations ineptes ; l'équivalent moderne en serait sans doute un homme seul, entouré de ses écrans et de ses écouteurs, en train de tweeter, d'accepter des amis, de mettre à jour un profil, le bavardage incessant de la culture Internet. Ses pensées oscillaient entre la résignation, la répétition, la conviction illusoire d'avoir le temps devant lui, et une envie profonde *d'autre chose*, de meurtre, de création.

D'après Hopper, toute la famille Cordova vivait en réponse à ce poème.

Dans ce cas, il s'agissait indéniablement d'une existence féroce, enivrante. Cela corroborait même l'après-midi extraordinaire que Peg Martin m'avait décrit devant l'allée des chiens, et un certain nombre d'histoires plus anciennes concernant Ashley. Mais ce pouvait être aussi un asservissement, *un enfer*, que de continûment vouloir *l'enchantement*, de plonger sans cesse pour trouver les chambres au fond de la mer. *De chercher les sirènes.*

C'était aussi tragique que de partir en quête de l'Éden.

Je refermai les yeux. Mes membres étaient tellement lourds qu'ils semblaient fondre dans le lit ; mon esprit se délestait de toutes ses pensées, si bien qu'elles s'envolaient, sans attaches, sans cohérence. *Elle a agressé un client. On l'appelle l'Araignée. Une conscience des ténèbres dans leur forme la plus extrême. Tu n'as aucun respect pour l'opaque, McGrath. Pour l'inexpliqué, l'obscur. Dans l'histoire de cette famille, il y a des choses atroces. J'en suis sûre et certaine. Souverain. Implacable. Parfait.*

Je n'entendais que la pluie, qui jouait sur les fenêtres comme un orchestre épuisé. Il fallut que je sombre dans le sommeil pour que l'orage laisse échapper quelques notes délicates – fragments d'une nouvelle chanson – avant de se dissoudre d'un coup.

81

« C'est lui », dis-je.

Laissant Nora et Hopper assis sur la rambarde, tout au bout de la 52e Rue Est – juste devant le Campanile, un bel immeuble en pierre dominant l'East River –, j'allai à la rencontre de l'homme qui approchait, dans son uniforme gris de portier.

Tout petit et très chauve, il tenait un petit gobelet de café et sa démarche avait quelque chose de badin. Il aurait pu être le cousin de Danny DeVito.

Je le rejoignis sous un auvent gris. « Vous êtes Harold, je présume. »

Il eut un grand sourire. « C'est moi. »

Je me présentai. Il me situa tout de suite. « Ah, *oui*. Le crack du journalisme. Mme du Pont m'a prévenu que vous alliez passer. Donc comme ça, vous, euh… » Il leva le menton pour regarder derrière moi et baissa d'un ton. « Vous voulez aller voir Marlowe.

— Olivia m'a dit que vous pouviez vous débrouiller pour que je puisse lui parler. »

Il sourit en coin. « On ne *parle* pas à Marlowe.

— Qu'est-ce qu'on fait, alors ?

— Qu'est-ce qu'on fait face à *n'importe quelle* créature carnivore ? On fait gentiment demi-tour et on prie pour qu'elle n'ait pas faim. »

Il éclata de rire, puis se rembrunit en voyant mon visage perplexe. « Revenez ce soir. 23 heures tapantes. Je vous ferai monter. Mais ensuite, euh... vous serez tout seul.

— Qu'est-ce que vous voulez dire par là ?

— J'ai pour principe de ne jamais aller au-delà de la buanderie.

— Je veux simplement *parler* avec Marlowe. Pas la cambrioler.

— Pourtant, c'est *comme ça* qu'on parle à Marlowe. C'est comme ça que Mme du Pont lui rend visite. Vu que c'est Mme du Pont qui régale, en réalité elle s'introduit en douce dans son propre appartement.

— Olivia s'introduit *en douce* chez sa sœur en pleine nuit ? »

J'avais du mal à imaginer Olivia du Pont s'introduire *en douce* quelque part.

« Oh, mais bien sûr. Marlowe Hughes et la lumière du jour, ça fait un *mauvais cocktail*. La nuit, elle est plus... *zen*.

— Et pourquoi est-elle *zen* la nuit ?

— Son dealer arrive à 20 heures. Deux heures plus tard ? Elle est sur un tapis volant au-dessus de Shangri-La. »

Il sourit mais, voyant ma réaction, secoua la tête, sur la défensive. « Je vous jure que c'est la *seule* façon d'entrer sans danger. C'est à ce moment-là qu'on fait les réparations nécessaires, qu'on sort les poubelles, qu'on vérifie qu'elle n'a pas laissé le gaz ouvert ou bouché les toilettes avec le courrier de ses fans. Une fois par semaine, Mme du Pont apporte de la nourriture et des fleurs. Si elle le faisait pendant la *journée*, il y aurait un carnage. Alors que *là*, quand Marlowe se réveille, elle croit que les lutins du Père Noël lui ont rendu une petite visite. »

Il but une gorgée de son café, scrutant quelque chose dans mon dos. Je remarquai qu'un des autres portiers du Campanile s'en était allé.

« Artie doit prendre sa pause. Revenez à 23 heures et je vous ferai monter là-haut. Mais... » Il plissa de nouveau les yeux. « Vous connaissez les bâtons électriques qu'on utilise dans les cirques, pour les tigres ? Eh bien, je vous conseille d'en prendre un avec vous. » Il rit grassement de sa propre blague et s'élança

428

sur le trottoir. « Mais bon… Même avec Siegfried et Roy[1], ça n'a pas marché, ajouta-t-il sans se retourner. Du coup, je ne vous garantis rien. »

82

Un quart d'heure plus tard, nous étions assis derrière la vitrine du Starbucks, au croisement de la 2ᵉ Avenue et de la 50ᵉ Rue Est.

« C'est la situation idéale, dit Hopper. Si Hughes est shootée, on aura tout le temps d'inspecter son appartement. »

J'étais soulagé de voir Hopper en forme ce matin. Après tout ce qu'il nous avait raconté… Lorsque quelqu'un se dévoile autant, il est toujours difficile de savoir comment il réagira après coup. Or il semblait plus déterminé que jamais.

« C'est comme si on avait un accès secret à la maison de Marilyn Monroe, dit Nora. Ou de Liz Taylor. Imaginez un peu les photos, les lettres et les histoires d'amour avec des présidents, dont *personne* n'est au courant. Elle sait peut-être même où est Cordova.

— Aussi alléchante que soit la perspective de retourner de fond en comble l'appartement de Marlowe Hughes pendant qu'elle plane à vingt mille mètres, dis-je, cette opération n'est possible que grâce à Olivia. Je ne veux surtout pas qu'elle apprenne que j'ai fouillé l'appartement de sa sœur comme dans un vide-grenier.

— On fera vite, répondit Hopper, et on laissera l'endroit exactement dans l'état où on l'aura trouvé. »

Je ne dis rien. J'observais le trottoir d'en face. À quelques mètres d'un restaurant, le Lasagna Ristorante, un homme avec des cheveux blancs et un manteau noir traînait de manière suspecte devant un mur en briques. Bien que depuis cinq minutes il eût une dispute très vive au téléphone, de temps à autre il nous regardait *directement*.

---

1. Célèbre duo de magiciens-dompteurs d'origine allemande, dont la carrière s'interrompit brutalement en 2003, après que Roy eut été attaqué par un de leurs tigres blancs.

« Il faut récupérer la liste des clients du Waldorf, dis-je sans détacher mes yeux de l'individu. On aura ainsi les noms de tous les clients qui ont séjourné au trentième étage entre le 30 septembre et le 10 octobre, soit les dix jours pendant lesquels Ashley se trouvait à New York. Ensuite, on les comparera à la liste d'Oubliette. Si un nom figure sur les deux, on saura que c'est cette personne-là que cherchait Ashley. L'Araignée. »

Dehors, l'homme aux cheveux blancs raccrocha et prit la 2ᵉ Avenue, vers le nord. Je m'attendais à ce qu'il fasse demi-tour ou traverse la rue, mais il sembla s'en aller.

« Et comment obtenir ces noms ? demanda Nora.

— Par la seule méthode qui vaille. »

Je terminai mon café. « Corruption et intimidation. »

83

J'entrai dans le hall du Waldorf Towers pour reconnaître les lieux.

Ce jour-là, il y avait derrière la réception une jolie femme d'une trentaine d'années aux longs cheveux noirs brillants – sa plaque la désignait sous le nom de DEBRA – et un jeune Japonais, MASATO. Après avoir répondu au téléphone plusieurs fois, Debra sortit de sous le guichet un grand sac Vuitton. C'était bon signe : elle aimait les produits de luxe et elle accepterait volontiers quelques billets pour s'en offrir d'autres. Pendant ce temps, Masato était à l'autre bout du guichet, stoïque, ne faisant et ne disant rien, tel un guerrier kendo passé maître dans la voie du sabre.

La fille seule et le dernier samouraï – pas besoin d'être un génie pour savoir lequel, des deux, serait le plus facile à soudoyer.

Je retrouvai Nora et Hopper sur les marches de l'église Saint Bartholomew, en face de l'hôtel. Je leur décrivis Debra et établis une rotation dans notre surveillance, afin que l'on puisse mettre la main sur elle dès qu'elle quitterait l'hôtel. L'un de nous trois, de l'église, garderait un œil sur l'entrée du personnel, pendant que les deux autres attendraient au Starbucks, au coin de la rue.

Quatre heures passèrent. Plusieurs employés sortirent pour aller fumer discrètement une cigarette sur le trottoir d'en face, mais aucune trace de Debra.

À 16 heures, je procédai à une nouvelle reconnaissance et constatai que Debra avait dû s'en aller par une autre sortie : il n'y avait que Masato à la réception.

« Tout le monde peut être corrompu, me dit Hopper après que je lui eus expliqué ce fâcheux développement.

— Oui enfin, vu la tête du bonhomme, il doit valoir au moins trois cents décapitations et un *katana*. »

Sur les coups de 18 heures, Nora nous prévint que Masato quittait l'hôtel. Je réussis à lui mettre le grappin dessus.

« Oui, bien sûr, je vous fais ça, répondit-il sans l'ombre d'un accent après avoir écouté ma proposition. Pour trois mille dollars. En liquide. »

J'éclatai de rire. « Cinq cents. »

Il se leva et sortit du Starbucks. J'étais sûr qu'il bluffait. Mais il prit l'escalator du métro et descendit au milieu de la foule compacte.

« Huit cents ! » lui lançai-je tout en bousculant plusieurs femmes au regard méchant et aux bras chargés de sacs pour le retrouver. Masato ne se retourna pas. « *Mille !* » Avant de le rattraper, je dus pousser une jeune fille qui avait une tête de chouette et des lunettes en écaille. « La liste complète, avec les adresses des domiciles. »

Masato se contenta de chausser un énorme casque bleu de DJ.

« Mille deux cents. C'est mon dernier prix. Et à ce *tarif-là*, je veux aussi savoir quelle marque de cacahuètes ils ont choisie dans le minibar. »

Marché conclu.

Quelques minutes plus tard, Masato, montrant un visage parfaitement impassible, *retourna* à l'intérieur du Waldorf. Quant à moi, j'allai retirer de l'argent au coin de la rue, puis revins au Starbucks. Une heure s'écoula. La foule des banlieusards, tout à l'heure flot ininterrompu, s'était éclaircie pour n'être plus qu'un ruisseau de femmes au visage fatigué et d'hommes au costume froissé. Une demi-heure après, toujours aucun signe de Masato.

Je commençais à me dire qu'il lui était arrivé malheur lorsque, soudain, il entra dans le Starbucks et sortit une épaisse enveloppe de son sac.

Il y avait là plus de deux cents noms, classés dans l'ordre chronologique, ainsi que les appels passés depuis le téléphone de l'hôtel. Je lui donnai l'argent ; il compta les billets au vu de tout le monde. Apparemment, ce Starbucks était habitué aux transactions louches car, derrière le comptoir, les employés qui nous avaient vus traîner toute la journée près de la vitrine continuaient de prendre les commandes comme si de rien n'était.

« Java chip light frappuccino ! »

Masato rangea l'enveloppe dans sa sacoche et s'en alla sans un mot. Il remit son casque et s'engouffra dans le métro.

Nous commandâmes des cafés, nous nous assîmes à une table au fond de la salle et commençâmes à éplucher la liste en la comparant à celle des membres d'Oubliette.

Nous faisions cela depuis plus d'une heure, lisant à voix haute chacun notre tour, lorsque Nora, tout excitée, bondit de son siège, les yeux tout ronds.

« Comment tu l'écris ? Le dernier nom que tu viens de citer ?

— Villarde, répéta Hopper. V-I-L-L-A-R-D-E.

— Je l'ai *ici* », dit-elle, ébahie, en brandissant la feuille de papier.

Je regardai le nom sur la liste d'Oubliette.

Hugo Gregor Villarde III.

Sur celle du Waldorf, il devenait *Hugo Villarde*.

Villarde avait pris la chambre n° 3010 le 1er octobre, pour une nuit. Il n'avait passé aucun coup de fil. Il avait indiqué une adresse dans Spanish Harlem.

Le 175, 104ᵉ Rue Est.

Avec mon BlackBerry, je cherchai son nom sur Google.

Aucun résultat.

« *Ça*, c'est le résultat le plus inquiétant qu'on puisse imaginer, dit Nora.

— Essaie de regarder l'adresse », proposa Hopper.

Une référence professionnelle apparut : un magasin nommé La Porte Cassée. Pas de site Internet, mais un référencement sur

Yelp.com, qui en faisait une boutique pour « les amateurs éclairés de mobilier ancien excentrique ».

« "Ouvert le jeudi et le vendredi, de 16 à 18 heures", lut Nora par-dessus mon épaule. Bizarre, comme horaires.

— On ira faire un tour là-bas demain à l'ouverture », dis-je.

En regardant le nom sur les deux listes, je fus gagné par une onde d'enthousiasme et de soulagement. Enfin une *piste correcte* – une minuscule *ouverture* par laquelle je pouvais passer mes doigts et pousser la porte : *l'homme qu'Ashley avait recherché dans les jours qui avaient précédé sa mort.*

84

« Vous n'avez aucune inquiétude à avoir », expliqua Harold en s'arrêtant au palier du neuvième étage pour éponger son front dégarni couvert de sueur, avant de reprendre l'escalier derrière nous. « Son dealer est venu à 20 heures ce soir, donc elle plane.

— Elle comate toute la nuit ? lui demanda Nora.

— Si vous restez *silencieux*. Il y a deux mois de ça, on lui a envoyé un bricoleur pour réparer deux ou trois petites choses. Elle s'est redressée sur son lit et s'est mise à lui parler comme si c'était son ex-mari. Le pauvre, elle l'a accusé de baiser dans tous les coins, alors qu'il était simplement là pour remplacer une valve de radiateur. Mais elle est fragile et elle a besoin d'un fauteuil roulant ne serait-ce que pour faire *quelques dizaines de centimètres*. Donc rassurez-vous, elle n'en viendra jamais aux mains. »

Je m'arrêtai pour m'assurer qu'il plaisantait. Mais il se contentait de respirer avec un sifflement de la gorge. Il monta la dernière marche et nous rejoignit sur le palier du dixième étage. Il chercha les clés dans sa poche de pantalon et s'avança vers une des deux portes blanches qui portaient le numéro 1102.

« En cas d'urgence, si vous avez besoin de moi, il y a un interphone dans la cuisine.

— Quel genre d'urgence ?

— Soyez prudent. Essayez de ne toucher à rien. Elle déteste qu'on déplace ses objets. »

Il actionna la poignée et ouvrit doucement la porte. Elle était bloquée de l'intérieur par une chaîne.

« Elle doit être encore un peu plus parano ce soir », marmonna Harold en glissant sa main à travers l'entrebâillement et en faisant adroitement coulisser la chaîne. « Quand vous repartirez, claquez simplement la porte. » Il s'en alla dans l'escalier. « Bonne chance à vous. »

Nous échangeâmes des regards intrigués.

« Je trouve ça triste pour elle, dit Nora. D'être enfermée comme ça là-dedans. »

On n'entendait que le bourdonnement de l'ampoule dans l'escalier et le pas lourd et régulier de Harold qui s'éloignait en bas.

Par la porte, nous entrâmes dans une buanderie obscure qui puait la sueur et le talc. J'allumai la lampe du plafond. Des peignoirs et des pyjamas en soie étaient entassés absolument partout – sur la machine à laver, dans des paniers à linge sale, par terre. L'un d'eux, avec ses manches bouffantes et sa ceinture rouge, aurait très bien pu être porté par le roi du Siam. J'entrouvris la porte d'en face ; elle donnait sur un long couloir sombre.

Il régnait un silence absolu. La seule source lumineuse provenait d'une porte ouverte à l'autre extrémité du couloir : *la chambre de Marlowe*, à en croire les indications de Harold.

« Elle doit dormir la lumière allumée, murmura Nora à côté de moi.

— On va d'abord la voir, répondis-je. Ensuite on fera le tour de l'appartement. »

Nous prîmes le couloir. Les murs étaient couverts, comme dans une exposition, de photos encadrées. Il y avait juste assez de lumière pour y voir clair : Marlowe allongée au bord d'une piscine, au milieu des palmiers, un chapeau noir à large bord sur la tête ; Marlowe à la première du *Parrain 2*, tenant Pacino par le bras ; Marlowe dans une robe de mariée des années quatre-vingt (avec des manches gonflées, comme des bouées), souriant à un marié qui ne ressemblait à rien et qui avait l'air de ne pas en revenir d'épouser une telle bombe. Sans doute était-ce le vétéri-

434

naire qui avait succédé à Cordova. Beckman, à son sujet, n'avait qu'une chose à dire : « Un homme qui boxait tellement au-dessus de sa catégorie qu'il souffrait du mal des hauteurs. » Je ne vis en revanche aucune image de Cordova ni du séjour de Marlowe au Peak. Exactement à mi-chemin du couloir, après une photo d'elle sur le tournage de *Lune de miel aux orties*, assise sur les genoux de Gig Young, se trouvait le chef-d'œuvre : une photo géante, en noir et blanc, de son sublime profil, la tête un peu penchée en arrière, baignée d'ombres et de lumière. Elle était d'une beauté renversante, tellement assourdissante qu'elle en brisait les ampoules et les objectifs, faisait court-circuiter le cerveau et vous faisait bafouiller : *c'est impossible*. Dans le coin, une signature : « Cecil Beaton, 1979 ».

Nous dépassâmes trois portes ouvertes. Mais je ne vis rien : les pièces étaient plongées dans l'obscurité, et les rideaux, sans doute tirés.

Devant la chambre de Marlowe, nous nous arrêtâmes, subjugués par la vision qui s'offrait à nous. Je n'avais encore jamais vu une telle splendeur tropicale délabrée.

On aurait dit un lagon asséché, le coin des flamants roses dans un zoo en faillite depuis des années. Deux immenses faux palmiers s'en allaient chatouiller, mélancoliques, le plafond. Une moisissure noire s'étalait sur le papier peint rose fleuri complètement délavé, comme si la chambre avait une barbe de trois jours. On sentait une puissante odeur de désodorisant mêlé à du moisi et à du chlore de piscine d'hôtel. Une minuscule lampe en cuivre jetait une lumière rose sur d'anciennes commodes en bois, ainsi que des guéridons sculptés et dorés. Des figurines de porcelaine étaient disséminées absolument partout – des petits tambours, des roquets, des cygnes aux becs ébréchés. Des vases débordaient de faux bouquets qui ne cherchaient même pas à paraître vrais, avec leurs feuilles luisantes en plastique et leurs énormes fleurs couleur bonbon chimique. Dominant le côté opposé de la chambre, où il flottait tel un vieux ferry à quai, un lit king-size baroque.

Et au centre de ce lit, noyée sous les replis des draps de satin roses, se trouvait une minuscule silhouette recroquevillée.

Marlowe Hughes. *Le dernier flamant rose.*

Elle était si petite et si maigre qu'il semblait presque inconcevable qu'il puisse y avoir une *femme* là-dessous – et certainement pas celle dont le magazine *Life* disait qu'elle était « une piscine dans le désert de Gobi ». Des touffes de cheveux blond platine dépassaient des draps comme des herbes de sable.

J'entrai sur la pointe des pieds, suivi par Hopper. Nos pas étaient assourdis par la moquette, qui avait dû être jadis couleur crème clair, désormais rendue marron aux endroits maintes fois foulés tout autour de la pièce. Je m'approchai de la table de chevet, sur la gauche, où trônaient des flacons de médicaments orange, une bouteille en verre remplie d'un curieux liquide jaune fluorescent et un cendrier rempli de mégots, dont beaucoup tachés de rouge à lèvres marron. Un extincteur rouge était posé à côté du lit. *Au cas où elle s'immolerait par accident.*

Sa figure était entièrement cachée sous le drap. Il y avait quelque chose de tellement vulnérable dans ce *tas* immobile et inerte que je ne pus m'empêcher d'éprouver un soupçon de culpabilité à son égard pour ce que nous étions en train de faire.

« Mme Hughes ? » murmurai-je.

Elle ne bougea pas.

« Qu'est-ce que ça donne ? me demanda Nora, inquiète, depuis la porte. Elle va bien ?

— Aussi bien qu'un pneu crevé sur le bas-côté de la route.

— Non, sérieusement. Elle dort ?

— Je crois. »

Hopper, qui s'était déplacé jusqu'à l'autre table de chevet, étudiait l'étiquette d'un flacon de médicaments.

« Du Nembutal », dit-il à voix basse. Il secoua le flacon. Les pilules s'agitèrent. Il reposa le flacon. « Très rétro. »

Il passa ensuite à la commode placée contre le mur, entre les fenêtres, dissimulée sous des rideaux roses gonflés qu'on aurait pu prendre pour des robes de mariée du début des années quatre-vingt. Il ouvrit le tiroir supérieur, regarda à l'intérieur et sortit un papier.

« "Chère Mlle Hughes, lut-il à voix haute. Laissez-moi commencer par vous dire que je suis votre plus grand admirateur." »

Je le rejoignis. Le tiroir contenait des dizaines d'enveloppes, les unes ouvertes et froissées, les autres fermées par des élastiques. C'était le courrier des fans. Je pris une enveloppe au hasard. L'adresse d'expéditeur mentionnait : « PRISON DE BOONVILLE C-3 ». Le timbre indiquait : « 21 MAI 1980 ». La lettre avait été tapée grossièrement sur une fine feuille de papier machine. « Chère Mlle Hughes, Le 4 juillet 1973 à 1 h 32 du matin j'ai tué un homme avec un pistolet sur le parking de Joe's Barbecue. » Après avoir lu la suite, où le prisonnier demandait qu'elle lui écrive en retour puis signait par une déclaration d'amour, je repliai la lettre et sortis une autre enveloppe. « Chère Marlowe, si vous passez un jour par D'Lo, Mississippi, faites donc un tour dans mon restaurant, Villa Italia. J'ai donné votre nom à un de mes plats : la Bellissima Marlowe. Ce sont des capellini avec une sauce aux coques et à la crème. » Je reposai la lettre.

Dans un coin, derrière un fauteuil roulant replié, il y avait une bibliothèque bourrée de magazines. En m'en approchant, je me rendis compte que ces lettres de fans avaient en réalité envahi la chambre comme des parasites : elles remplissaient la moindre fissure, le moindre recoin, le moindre espace vide, entassées au-dessus de piles de *Hello !*, des numéros de *Star* remontant aux années soixante-dix, dont l'un avec une horrible photo de Marlowe en couverture (« IVRE MORTE ! MARLOWE PART EN CURE, disait le titre. TOUS LES DÉTAILS SUR SA CRISE SECRÈTE »), une liasse de pages dont je compris qu'il s'agissait d'un scénario taché de café, *L'empoisonneur*, par Paddy Chayefsky. Le scénariste oscarisé lui avait même laissé un mot, de sa main, sur la page de titre. « Mlle M – j'ai écrit cela en pensant à vous, P. » Je sortis une autre pile de papiers : des résultats de recherches sur Google, imprimés. *Marlowe Hughes. Environ trente-deux millions de résultats.*

Tandis que Hopper lisait une autre lettre, Nora était penchée au-dessus de la coiffeuse, couverte d'anciens flacons de parfum et de boîtes à bijoux ; elle regardait ce qui s'apparentait à des photos sépia de bébé, fixées sous le cadre du miroir taché.

« Allons-y, dis-je à voix basse. Vous deux, vous jetez un coup d'œil dans les pièces du couloir. Moi, je vais inspecter la chambre et surveiller Marlowe. »

Ils hésitèrent. La chambre elle-même exerçait une sorte d'effet

437

soporifique ; il eût été tentant de fouiller jusqu'à la fin des temps cette Pompéi des promesses envolées. Mais Nora acquiesça, non sans remettre à sa place une photo sur le miroir. Puis ils quittèrent la chambre et refermèrent la porte.

Je me retournai vers le tas sur le lit. Il n'avait pas bougé.

De l'autre côté de la chambre, derrière la coiffeuse, se trouvait une autre porte. Je m'en approchai à pas de loup, la poussai délicatement et allumai.

C'était un vaste dressing bourré de vêtements, d'escarpins déformés et de talons aiguilles alignés. En face, une porte ouvrait sur une salle de bains.

Il régnait là-dedans une forte odeur de naphtaline. Les tenues semblaient remonter pour la plupart aux années soixante-dix et quatre-vingt. Tout au fond d'un compartiment, je remarquai la présence de plusieurs housses à vêtements violet clair cachées derrière une série de robes du soir à strass, *comme si elles espéraient rester invisibles*. Elles étaient au nombre de neuf. Juste pour voir, j'écartai les robes, descendis la première housse et l'ouvris.

À ma grande surprise, c'était l'élégant tailleur blanc que Hughes portait dans *L'enfant de l'amour*, maculé de taches d'herbe. L'étiquette violette de la costumière de Cordova, Larkin, était cousue sur la poche intérieure.

Je descendis la housse suivante et tirai la fermeture éclair. C'était le même tailleur. J'ouvris la housse suivante : identique, sauf que *ce tailleur-là* était éclaboussé de sang. Je grattai les traces marron. Elles semblaient vraies.

J'ouvris la housse cachée derrière. Encore une fois, le même tailleur, mais avec encore *plus de sang* et de boue ; la jupe était déchirée. La housse suivante contenait le même vêtement, cette fois parfaitement propre et d'un blanc immaculé.

Dans le film, dont l'action se déroulait sur une seule journée, Hughes ne portait que ce tailleur blanc. Larkin avait manifestement confectionné neuf versions de ce tailleur, chacune tachée de diverses quantités de sang, de boue, de sueur, de bière et d'herbe, selon l'étape du récit. À la fin du film, après tout ce qu'elle subit en traquant son maître-chanteur et ancien proxénète – elle est violée, tabassée, abrutie de sédatifs, pourchassée à travers des cités, sur des autoroutes et dans des ruelles –, le tailleur est déchiqueté et sale. Elle l'enlève et le brûle sur le barbecue de son petit jardin tranquille, en banlieue, puis part se coucher à côté de son mari endormi – un pédiatre qui ignore tout, et ignorera toujours tout, du passé de sa femme et de ses vingt-quatre heures de perdition.

Dans le dernier plan du film, glaçant, le mari toujours endormi passe son bras autour des épaules de sa femme, tandis que celle-ci, parfaitement éveillée, scrute l'obscurité de leur chambre immaculée – image qui semblait résumer le regard de Cordova sur les liens ténus entre les êtres, nos secrets les plus enfouis que, par un pur geste d'humanité, nous épargnons à ceux que nous aimons le plus.

Je sortis mon portable, pris quelques photos des costumes, refermai les housses, les remis au fond de l'armoire et éteignis la lumière.

Mais au moment de regagner la chambre, j'eus le souffle coupé. *Le lit était vide.*

La *forme* ratatinée avait disparu. Les draps de satin roses avaient été rejetés sur le côté.

« Mademoiselle Hughes ? »

Aucune réponse. *Merde.*

85

Elle devait forcément se cacher dans la pièce.

Le fauteuil roulant était toujours replié devant la bibliothèque, et la porte de la chambre, fermée. Je soulevai le cache-sommier en taffetas rose. *Rien, mis à part quelques vieux kleenex.*

Je m'avançai vers les rideaux, les écartai, puis inspectai la salle de bains. Elle était déserte : deux ampoules au-dessus d'un miroir sale, un plan de travail couvert de vieux maquillages – des blushes, des poudres blanchâtres, des faux cils dans des étuis en plastique – et, derrière la porte, un peignoir rouge informe. Je soulevai le rideau de douche : une éponge végétale douteuse accrochée à la pomme de douche rouillée, un support de rangement rempli de flacons répugnants, du shampooing Prell, de l'après-shampooing

Breck Silk'n Hold. « J'espère, me dis-je, que son dernier shampooing n'est pas aussi vieux que ces produits. »

Je regagnai le couloir et trouvai Nora dans la pièce d'à côté,
encombrée de valises et de vieux cartons. Elle avait allumé une
lampe et inspectait le placard.

« J'ai perdu Marlowe.

— Quoi ?

— Elle est sortie de son lit pendant que j'avais le dos tourné.

— Mais Harold nous a dit qu'elle avait besoin d'un fauteuil
roulant pour se déplacer.

— Eh bien, Harold se trompe. Cette femme se déplace aussi
vite que le Viêt-cong. »

Je ressortis aussitôt, suivi par Nora. Nous inspectâmes la pièce
suivante, un élégant salon qui avait des airs de terrarium pourri,
puis entrâmes dans une cuisine vieillotte où Hopper était en train
de photographier des coupures de journaux fixées par des aimants
à la porte du réfrigérateur – toutes montraient des photos jaunies
de Marlowe.

« Elle n'a pas pu venir ici, répondit-il après que je lui eus expliqué la situation. Je n'ai pas quitté la pièce. »

Pendant qu'il disait cela, je vis la porte de la cuisine *bouger juste*
derrière lui.

« Mademoiselle Hughes ? m'écriai-je. N'ayez pas peur. Nous voulons simplement discuter. »

Lorsque je m'approchai, la porte s'ouvrit brusquement vers moi
et une minuscule bonne femme toute de satin noir vêtue, la tête
dissimulée par un grand capuchon, bondit d'un plan de travail et
se rua sur moi, un couperet à la main.

Je n'eus aucun mal à parer le coup – elle avait autant de force
qu'un pissenlit – et le couteau tomba par terre. Son épaule était
incroyablement fragile ; j'avais l'impresion de tenir le barreau
d'une grille. Par réflexe, je la lâchai lorsqu'elle fit volte-face.
Elle me donna un méchant coup de pied dans l'aine, puis se
précipita hors de la cuisine en claquant la porte. Nous nous
lançâmes à sa poursuite. Hopper finit par attraper le capuchon
de son peignoir.

Elle hurla au moment où il la ceintura. Tandis qu'elle gesticulait dans tous les sens, il la traîna jusqu'au salon et l'assit sur un fauteuil en velours violet, sous de faux palmiers.

« Du calme, dit-il. On ne va pas vous faire de mal. »

Nora alluma les lampes du plafond et Marlowe se mit aussitôt en position fœtale ; elle enfouit son visage entre ses genoux, pareille à une fleur nocturne sensible à la lumière. Son peignoir en soie, avec doublure rouge tomate, la recouvrait entièrement, de sorte qu'elle n'était guère plus qu'une boule de tissu sur le siège.

« Éteignez ça, bredouilla-t-elle d'une voix rauque. *Éteignez.* »

Un frisson glacial parcourut ma nuque. C'était *sa* voix. « Une voix qui se prélasse toute la journée dans sa sortie de bain », avait écrit Pauline Kael dans sa critique élogieuse de *L'enfant de l'amour*, publiée par le *New Yorker*. Et c'était vrai. Qu'elle fuît des voyous, se retrouvât suspendue dans le vide en haut d'un immeuble ou versât de l'essence sur son maître-chanteur avant de lui mettre le feu à l'aide d'une allumette, sa voix coulait toujours comme du miel, lente et suave.

Malgré les années, cette voix n'avait pas changé, à peine un peu plus lente et un peu plus suave.

Je fis un signe à Nora, qui éteignit. J'ouvris les rideaux. L'enseigne en néon orange sur FDR Drive éclaira la pièce, adoucissant le décor, transformant le clinquant en un jardin de minuit. Les fausses roses, les fauteuils dorés, le canapé fleuri devinrent autant de mystérieuses souches d'arbres entrelacées de mauvaises herbes et de fleurs sauvages.

Lentement, Hughes releva la tête. La lumière pâle éclairait une moitié de son visage.

Nous la regardâmes tous trois, fascinés, bouleversés. La célèbre fossette du menton, le petit minois, les yeux écartés – tout était là, mais tellement érodé que cela en devenait méconnaissable. Cette femme était un temple en ruine. Elle avait subi des opérations de chirurgie esthétique épouvantables, non pas de simples retouches, mais du vandalisme *en bonne et due forme* : des pommettes gonflées, des yeux et une chair étirés, comme si la vie l'avait littéralement décousue. Une peau cireuse et livide, des sourcils maladroitement surlignés de traits noirs au moyen, sans doute, d'un feutre.

S'il existait une preuve que rien ne durait et que le temps flétrissait toutes les roses, elle se trouvait devant nous. Je pensai d'abord à un film de science-fiction, comme si son immense beauté avait été un corps surnaturel qui s'était nourri d'elle, l'avait dévorée vivante puis, passant à quelqu'un d'autre, avait abandonné ce squelette ravagé.

« Est-ce que vous êtes venus ici pour me *tuer* ? » demanda Marlowe d'un ton enjoué, peut-être même plein d'espoir, la tête penchée sur le côté. On aurait dit qu'elle posait devant l'objectif. Son profil doré par la lumière possédait encore les angles et les courbes de sa jeunesse (« un profil sur lequel on adorerait skier », s'était extasié Vincent Canby dans sa critique pour le *New York Times*), mais il n'était plus que l'esquisse bâclée de ce qu'il avait été.

« Non, répondis-je calmement, assis sur une chaise face à elle. Nous sommes venus parce que nous voulons apprendre des choses sur Cordova.

— *Cordova*. »

Elle dit cela avec étonnement, comme si elle n'avait pas prononcé ce mot depuis des années, avalant presque goulûment le nom comme un bonbon dur.

« Sa fille est six pieds sous terre, lâcha-t-elle.

— Que savez-vous de sa mort ? » demandai-je, décontenancé. De toute évidence, l'état mental de Marlowe était plus complexe que prévu ; elle savait qu'Ashley était morte.

« La pauvre, elle n'avait aucune chance, marmonna-t-elle.

— Qu'est-ce que vous venez de dire ? » demanda Hopper en s'avançant vers elle.

Je l'aurais tué : il l'avait interrompue. Elle le fixa avec un sourire entendu pendant qu'il s'asseyait sur un fauteuil en velours à côté d'elle.

« Vous devez être Tarzan, Greystoke, le roi des *Singes*. Il ne vous manque plus que les grognements et la massue. J'ai hâte de vous voir en pagne. Voyons, qui d'autre avons-nous ici ? » Après avoir dit cela sur un ton acide, elle se pencha pour dévisager Nora. « Une danseuse de cabaret. Tu auras beau te faire sauter par la terre entière, tu n'arriveras même pas au niveau des médiocres, Debbie. Et *vous*. » Elle se tourna vers moi. « Un pseudo-Warren

Beatty sorti tout droit de *Reds*. Vous trois, vous avez l'air enfariné des incapables qui cachent bien leur jeu. Vous voulez savoir des choses sur *Cordova* ? » Elle se gaussa de manière exagérée, même si je crus entendre des cailloux lui racler la gorge. « Ainsi les puces lèvent les yeux au ciel et se demandent *pourquoi les étoiles*.

— Arrêtez votre numéro d'actrice folle, dit Hopper.

— Ce n'est pas un numéro, murmura Nora, assise sur le canapé, raide comme un piquet.

— On ne partira pas tant que vous ne commencerez pas à nous raconter...

— Hopper, lui dis-je.

— Dans ce cas, répondit Marlowe, je pense qu'on va *crécher* ensemble. Tu dormiras dans la chambre d'amis. Les galipettes, pour moi c'est *fini*. Mais je te préviens : les draps n'ont pas été changés depuis que j'ai couché avec Hans, du coup ils risquent d'être un peu collants. »

Brusquement, Hopper se leva, marcha jusqu'à une lampe dans un coin et, en l'allumant, plongea toute la pièce dans une lumière bleue. Lui aurait-il jeté de l'acide au visage que Marlowe n'aurait pas réagi autrement. Elle se pencha et enfouit de nouveau sa tête entre ses genoux ; elle suffoquait.

« Éteins », ordonnai-je à Hopper. Il avait l'air de ne pas m'entendre. Je m'aperçus que cette situation devenait vite fatigante, même si, plus je réprimandais Hopper, plus cela semblait ragaillardir Marlowe.

« Ashley Cordova. Qu'est-ce que vous savez d'elle ? demanda-t-il en la toisant de toute sa hauteur.

— Que dalle ! Tu es *sourd* ou quoi, Roméo ?

— *Hopper*. »

Je me levai.

« De la merde, pépia Marlowe. Zéro. La tête à Toto. Depuis le jour de sa naissance, elle était foutue.

— Elle ne sait pas ce qu'elle raconte, dit Nora.

— Vous allez me torturer ? M'assassiner ? *Parfait*. J'aurai enfin un timbre à mon effigie. Pas comme Ashley. Personne ne se souviendra d'elle. Elle est morte pour rien. »

Avant même que je puisse réagir, Hopper se pencha au-dessus d'elle et la secoua par les épaules.

« Vous ne lui arrivez même pas à la cheville... »

Je bondis et ceinturai Hopper avant de le pousser de nouveau sur le canapé.

« Qu'est-ce qui se passe, bordel ? » hurlai-je.

Il semblait aussi stupéfait que moi par son geste. Je revins vers Marlowe. Elle était affalée sur son fauteuil, inerte.

Nom de Dieu.

On aurait dit que Hopper lui avait arraché son dernier souffle de vie.

Pour le coup, nous étions *tous* partis pour tâter de la chaise électrique.

Nora courut vers la lampe et l'éteignit. Le salon laissa de nouveau place aux vignes sombres et aux rochers tranchants. Marlowe redevint un animal noir et furtif gisant, blessé, sur son fauteuil. Au bout d'un moment, je me rendis compte avec horreur qu'elle geignait ; elle poussait des gémissements ténus qui donnaient l'impression de s'écouler d'un recoin sombre de son âme.

« On est désolés, murmura Nora, accroupie à côté d'elle, la main sur son genou. Il ne voulait pas vous faire mal. Est-ce qu'on peut vous apporter quelque chose à boire ? De l'eau, ou... »

Brusquement, Marlowe cessa de pleurer – comme si quelqu'un avait appuyé sur un interrupteur.

Elle redressa la tête.

« Oh, *oui*, ma petite. Il y a du, euh... de l'eau gazeuse, juste... » Elle pivota sur son fauteuil et tendit le cou vers l'autre côté de la pièce. « Là, dans la bibliothèque, deuxième étagère. Derrière *L'île au trésor*, tu trouveras un peu, euh... Un peu *d'eau*. Si tu pouvais m'en servir, chérie. »

Elle montrait avec insistance les bibliothèques au fond du salon, encadrées par une fresque de roses entrelacées qui montaient jusqu'au plafond. Nora s'empressa de chercher derrière les rangées de livres.

« Il n'y a que de l'alcool ici, dit-elle en sortant une grande bouteille dont elle lut l'étiquette. Heaven Hill Old Style Bourbon.

— *Vraiment ?* Oh, comme c'est dommage. Lucille a dû me

444

confisquer ma bouteille d'Évian. Elle me tance toujours parce que je bois trop d'eau. Elle veut que j'assiste à des réunions sur le sujet, les Hydrauliques Anonymes ou je ne sais quelle connerie. Je vais devoir me contenter de ce… *bourbon*, ma petite. *Apporte-moi mon Heaven Hill*. Et ne traîne pas des pieds. »

Nora hésitait.

« Donne-la-lui, dis-je.

— Et si ça se mélange avec les pilules qu'elle a prises ? »

Dans mon for intérieur, je sentais que la vieille Marlowe ne prenait pas de pilules – ni *rien* d'autre. Quand elle avait bondi du plan de cuisine, tel un des singes volants dans *Le magicien d'Oz*, elle avait montré des réflexes incroyables. Les propos incohérents qu'elle débitait semblaient purement mentaux, un effet collatéral de sa solitude et de son enfermement ici depuis deux ans. Malgré sa terreur feinte face à notre irruption chez elle, je sentais qu'elle était ravie d'avoir un public.

« *Donne-la-lui*. »

Marlowe sauta pratiquement de son fauteuil pour lui arracher la bouteille. Avec ses mains plus rapides que celles d'un croupier de blackjack à Las Vegas, elle dévissa le bouchon et avala une belle lampée de bourbon. Je n'avais jamais vu quelqu'un avoir aussi soif, mis à part dans une publicité pour le Mountain Dew. Il y eut un léger *clic*, métal contre verre, et je remarquai que ses minces doigts blancs étaient enfin sortis de la longue manche du peignoir. Elle ne portait qu'un seul bijou, une bague sertie d'une grosse perle noire.

C'était celle que son grand amour, le Chevalier, lui avait prétendument offerte le jour où il avait rompu leurs fiançailles. Même si j'avais vérifié le récit de Beckman, cela faisait tout drôle de voir ce symbole de rupture amoureuse ici, maintenant, sous mes yeux.

Marlowe éloigna la bouteille de ses lèvres en poussant un soupir, s'essuya la bouche et se cala confortablement au fond de son fauteuil. Elle avait l'air calme, à présent, et *étrangement lucide*, serrant la bouteille dans ses bras comme un bébé emmaillotté.

« Alors comme ça, mes petits chéris, vous voulez mieux connaître Cordova, susurra-t-elle.

— Oui, dit Nora.

— Vous êtes *sûrs* ? Vous savez, il y a certaines choses qui vous mangent tout cru.

— On prend le risque », dis-je en m'asseyant sur la chaise face à elle.

Elle parut satisfaite de cette réponse. Elle se mettait en jambes, *se préparait*.

Au moins deux ou trois minutes passèrent avant qu'elle ne reprenne la parole. Sa voix grave, pleine de cailloux et de nids-de-poule encore quelques instants plus tôt, devint tout à coup lisse, pavée, avançant sans difficulté dans l'obscurité.

« Que savez-vous du Peak ? » dit-elle.

86

« C'est la propriété mythique de Cordova, répondis-je. Elle est située au nord du Lows Lake, en pleine nature.

— Saviez-vous qu'elle avait été construite sur le site d'un massacre de Mohawks ?

— Non. »

Elle se pourlécha les babines. « Soixante-huit femmes et enfants ont été tués à cet endroit. Leurs cadavres ont ensuite été jetés dans une fosse, en haut d'une colline, et brûlés. C'est là qu'ont été posées les fondations de la maison. Bien sûr, Stanny l'ignorait quand il a acheté la propriété. À l'en croire, il savait seulement que le couple qui vivait là, un lord anglais et son imbécile de femme, avait été ruiné. Mais ils ont oublié de lui dire que la femme était devenue complètement folle à force d'habiter cette maison. Quand il a vendu, et de retour en Angleterre, le lord n'a pas eu d'autre choix que de la faire interner, la pauvre. Au bout de quelques jours, elle a planté une paire de ciseaux dans l'oreille d'un médecin. Elle a alors été transférée à Broadmoor, l'hôpital pour les fous criminels. Peu de temps après, le lord a été terrassé par une crise cardiaque. Mort. *Emballé, c'est pesé*, comme on dit. »

Stanny – de toute évidence, le petit surnom dont elle affublait

Cordova. Elle s'arrêta pour siffler une autre rasade de bourbon. C'était comme si, à chaque gorgée, elle ressuscitait, revenait lentement à la vie. Elle semblait même devenir moins osseuse, se remplir.

« Sans rien savoir de tout cela, reprit-elle en s'éclaircissant la gorge, mon Stanny s'est installé dans cette charmante demeure avec sa charmante femme et son fils encore bébé. Au cas où vous ne l'auriez pas remarqué, je suis une vieille *garce* cynique. Je ne *crois* en rien. La religion ? Des êtres humains qui cherchent désespérément à obtenir une assurance sur l'infini. La mort ? Le grand *nada*. L'amour ? De la dopamine envoyée dans le cerveau, qui diminue avec les années et ne laisse place qu'au mépris. Mais enfin... Apprendre l'existence de ces deux choses-là, le massacre et la folie ? Même *moi*, ça m'aurait fait fuir. »

Elle but encore et s'essuya la bouche avec sa manche.

« Stanny m'a raconté que le jour même de leur arrivée, après le départ des déménageurs, sa femme s'est éclipsée pour aller piquer un somme en haut. Lui est parti faire une de ses longues promenades. Il marchait toujours seul dans les bois quand il cherchait une idée de film. Et il en cherchait une à ce moment-là. *Quelque part dans une pièce vide* venait de sortir. C'était tellement bien que tout le monde mourait d'envie de savoir ce qu'il allait faire après. »

Elle s'interrompit. Ses doigts maigres rampèrent hors des manches pour tripoter l'étiquette blanche de la bouteille.

« Au bout d'une heure de marche, après avoir pris un chemin, puis un autre, jusqu'au cœur de la forêt, il a remarqué une ficelle rouge nouée à une branche d'arbre. *Une simple ficelle rouge.* Vous savez ce que ça signifie ? »

Nora fit signe que non. Marlowe hocha la tête en levant la main.

« Il l'a dénouée, sans y réfléchir plus longtemps, et a continué sa promenade jusqu'à ce que le chemin débouche sur une clairière en forme de cercle, à côté d'une rivière au courant violent. Dans cette clairière, *rien* ne poussait. Pas la moindre brindille, pas la moindre pomme de pin, pas la moindre feuille. Rien que de la terre, sur un cercle parfait – *inhumain*. Et à l'extérieur du cercle, il a trouvé une feuille de plastique où figuraient des lettres écrites à l'envers, indéchiffrables. Il y avait aussi une poupée nue

447

décapitée, les pieds cloués à une planche en bois et les poignets ligotés avec un autre bout de ficelle rouge. Stanny a pensé que des petits farceurs du coin avaient dû laisser ça sur sa propriété. Il a ramassé le tout et l'a jeté à la poubelle. Mais quand il est revenu au *même* endroit, trois semaines plus tard, il a découvert des cercles noirs carbonisés sur le sol. De toute évidence, quelque chose avait brûlé là. Et l'odeur prouvait que c'était *récent*. Il a porté plainte auprès des policiers. Ils ont écrit un rapport, et lui ont promis de patrouiller dans la zone et d'informer les habitants que la maison n'était plus inhabitée. Stanny a planté des panneaux "ACCÈS INTERDIT" tout autour de la propriété. Un mois plus tard, sa femme et lui ont été réveillés en pleine nuit par des cris stridents. Ils ne savaient pas si c'était un animal ou un humain. Le matin, Stanny est retourné à la clairière. Là, au centre d'un cercle parfait, il y avait un autel avec un faon nouveau-né posé dessus, énucléé et la gueule fermement bâillonnée. Sur son corps tacheté, des symboles bizarres avaient été incisés au couteau. Stanny était sous le choc. Il a signalé l'incident aux policiers. Une fois de plus, ils ont pondu un rapport. Pourtant, il a remarqué *quelque chose* sur leurs visages, dans leur manière d'échanger des regards. Stanny a alors compris que non seulement ils savaient qui faisait ces choses-là, mais qu'ils y participaient *eux-mêmes*. Aux côtés d'innombrables habitants du village, ils se servaient de la propriété pour procéder à des rituels sadiques. D'un autre côté, ça n'avait rien de surprenant. Il vivait tout de même au milieu des *dingues*, des petits péquenots blancs complètement cinglés, des consanguins genre *Délivrance*. »

Elle eut un sourire espiègle. Ses yeux pétillaient.

« Enfin... Vous voyez le tableau. Et vous pouvez imaginer sans peine ce que la chère épouse de Stanny, Genevra, issue d'une famille milanaise huppée, pensait de tels arriérés analphabètes. Elle l'a supplié de dresser une clôture autour de la propriété pour se protéger, pour les *empêcher* d'entrer. Ce qu'il *a fait*. Il a construit une clôture électrique haute de six mètres qui lui a coûté une fortune. Mais le problème, en réalité, c'est qu'au lieu *d'empêcher* les autres d'entrer sur sa propriété, il s'était *barricadé* à l'intérieur, avec sa famille. »

448

Marlowe se tut quelques instants.

« Je ne sais pas comment il s'est mis à faire ses expériences, reprit-elle. Il ne me l'a jamais dit. Stanny n'avait pas peur de l'inconnu. Autour de nous. En chacun de nous. C'était le thème qu'il explorait inlassablement. Il prenait son sous-marin et il y allait. Il descendait loin, loin, dans les tréfonds, dans la fange des désirs humains, dans la laideur de l'inconscient. Personne ne savait quand il en reviendrait, ni même s'il en reviendrait. Lorsqu'il travaillait sur un projet, il disparaissait. Il ne respirait plus que par ça. Il écrivait jour et nuit, pendant des semaines, jusqu'à être tellement fatigué qu'il dormait ensuite deux semaines d'affilée, comme un monstre en hibernation. À vivre, il pouvait être un cauchemar. Et j'en sais quelque chose, croyez-moi. J'ai vu ça de très près. »

Visiblement fière de cette déclaration, elle avala une gorgée de Heaven Hill. Une goutte coula sur son menton.

« Le problème avec Stanny, comme avec beaucoup de *génies*, c'étaient ses *besoins* insatiables. Besoin de vivre. Besoin d'apprendre. Besoin de dévorer. De baiser. De comprendre pourquoi les gens agissaient comme ils agissaient. Il ne jugeait jamais, voyez-vous. *Rien* n'était jamais totalement *mauvais*. À ses yeux, ça restait toujours de l'humain, et donc digne d'être étudié, d'être examiné sous toutes ses coutures. »

Elle nous regarda en plissant les yeux.

« Vous l'admirez, n'est-ce pas ? »

Je fus incapable de lui répondre. J'étais trop abasourdi, non seulement par ce qu'elle venait de raconter, mais par son sursaut d'énergie et de clairvoyance, qui semblaient croître en proportion de la quantité de bourbon qu'elle ingurgitait – elle avait presque vidé la moitié de la bouteille.

« Que savez-vous de sa jeunesse ? demanda-t-elle.

— Il est le fils unique d'une mère seule, dis-je. Il a grandi dans le Bronx.

— Et il était doué aux échecs, ajouta Nora. Il jouait pour de l'argent à Washington Square Park.

— Non, ça, c'est Kubrick, rectifia aussitôt Marlowe. Pas Cordova. *Ne confondez pas les génies*, bordel. »

449

Elle nous regarda l'un après l'autre. « C'est tout ? »
Devant notre silence, elle ricana.

« C'est ça que j'ai toujours trouvé si pathétique chez les *fans*.
Ils fondent en larmes dès qu'ils vous aperçoivent en chair et en
os plus d'une seconde, ils encadrent la fourchette avec laquelle
vous avez mangé, mais ils sont incapables de *faire* quoi que ce
soit à partir de cette admiration, par exemple enrichir leur propre
existence. Ça rendait mon Stanny dingue. Il me disait toujours :
"*Huey*…" C'était le surnom qu'il me donnait. "*Huey*, ils voient
mes films cinq fois de suite, ils m'écrivent des lettres enflammées,
mais ils passent à côté du sens profond. Ils n'en retirent rien. Ni
héroïsme, ni courage. Pour eux, tout ça n'est que du *divertisse-
ment*." »

Huey lâcha un soupir et but une autre gorgée.

« Stanny a été élevé en bon catholique. Sa mère, Lola, faisait
deux boulots comme femme de ménage dans un des grands hôtels
de New York. Elle venait d'un petit village des environs de Naples.
Mais elle avait une grande connaissance de la *stregheria*. Vous en
avez entendu parler, j'imagine ?

— Non, fit Nora.

— C'est un mot italien ancien qui désigne la *sorcellerie*. Une
tradition vieille de sept cents ans, transmise essentiellement par
les récits de femmes, les histoires pour faire peur aux enfants ou
les persuader de manger leurs légumes et d'aller au lit de bonne
heure. Le père de Cordova, lui, était originaire d'Espagne, de Cata-
logne. Il était forgeron. La famille a vécu dans une petite ville près
de Barcelone avant d'émigrer en Amérique quand Stanny avait
trois ans. Le jour du départ, le père a décidé qu'il resterait. Il ne
voulait pas quitter sa terre natale. Alors Lola a emmené leur fils
et est partie pour l'Amérique. Un an plus tard, le père avait fondé
une autre famille. Stanny ne lui a plus jamais reparlé. Mais il se
souvenait de sa grand-mère lui parlant de la *bruixeria*, la sorcellerie catalane. Elle lui racontait que c'est le jour de l'An que les sorcières ont le plus de pouvoir et qu'elles enlèvent les enfants. Elle
lui disait de placer les pincettes en croix sur les braises, dans la
cheminée, et de les saupoudrer de sel, pour empêcher les sorcières
de descendre par là. Donc vous voyez bien, mes chéris, que Stanny

a grandi dans la superstition. Il ne la prenait pas au sérieux, certes, mais elle était présente du côté de ses deux parents. Et les *mauvais* jours, l'imagination de Stanny est plus puissante que notre réalité. Je crois qu'avec un parcours comme le sien, il y était malheureusement prédisposé... *Sensible*, pourrait-on dire. »

Les yeux rivés sur nous, elle n'arrêtait pas de jouer avec sa bague perlée, de la retourner autour de son doigt.

« Il ne m'a jamais dit comment ça s'était passé. Mais peu de temps après avoir construit la clôture autour de sa maison, il s'est aperçu que les gens du village continuaient de s'introduire dans la propriété.

— Comment faisaient-ils ? demandai-je.

— Ils venaient par bateau. La maison est au nord de Lows Lake. Quand vous quittez la partie de la rive ouverte au public et que vous atteignez la côte nord, vous suivez une petite rivière. Elle finit par déboucher sur un autre lac qui se trouve sur la propriété du Peak. Le jour où Stanislas a découvert cette faille, il a demandé à ses équipes d'installer une clôture grillagée jusqu'au fond du lit de la rivière, si bien que seul un *dé à coudre* pouvait passer par là. Une semaine plus tard, un soir, sa femme et lui ont été réveillés par un bruit de percussion. Des voix. *Des cris.* Le lendemain matin, il est retourné voir la clôture et a constaté que la partie qui barrait l'accès le long de la rivière avait été *sciée*. Et, vu la manière dont le fil de fer avait été découpé, ç'avait été fait de *l'intérieur* de la propriété, et non de l'extérieur.

— Quelqu'un qui vivait là », dis-je.

Elle hocha la tête mais ne répondit pas.

« Qui ça ? Un domestique ?

— Tout paradis a son serpent. »

Elle sourit. « Si Stanny avait une faiblesse, c'était celle de croire que la personnalité est une chose mouvante. Pour lui, les gens ne pouvaient pas être mauvais, en tout cas pas sous une forme absolue. Il adorait avoir du monde autour de lui. Vous auriez appelé ça des parasites, des *groupies* ; *lui* en parlait comme de ses *alliés*. Il vivait au Peak depuis moins d'un mois lorsqu'il rencontra au village, par hasard, un jeune et beau prêtre qui venait de s'installer aussi à Crowthorpe pour reprendre la paroisse. Stanny avait justement besoin d'un spécialiste de la religion pour un scénario sur lequel il travaillait, celui des *Poucettes*. Les deux hommes devinrent donc amis. Au bout de quelques semaines, le prêtre créchait au Peak. Genevra était furieuse. Elle détestait ce bonhomme. Il était beau comme un *dieu*, un genre de Tyrone Power baraqué, avec des cheveux blonds et des yeux bleus. Il devait sans doute avoir un *schwanz* du tonnerre, si vous voyez ce que je veux dire. Il prétendait avoir grandi dans les champs de maïs de l'Iowa. Mais il avait quelque chose de répugnant. Genevra a essayé de convaincre Stanny que ce prêtre était un danger, un imposteur, une sangsue. L'Italienne catholique bon teint qu'elle était avait relevé quelques *grosses lacunes* dans sa culture chrétienne. Elle pensait aussi qu'il était anormalement obsédé par son mari. Stanny lui répondait de ne pas s'en faire, que ce prêtre était fascinant, qu'il l'inspirait. »

Marlowe reprit une rasade de bourbon.

« Je ne sais pas comment c'est arrivé, continua-t-elle. Mais j'imagine qu'un soir Stanny est sorti pour aller affronter les villageois et qu'il a fini par se cacher pour mieux les observer. Quand il est rentré à la maison, aux aurores, son regard sur cette affaire avait complètement changé. J'ignore ce qu'il a vu ou ce qu'ils ont *fait*. Il n'y a jamais eu aucune preuve, mais Genevra était persuadée que le prêtre était impliqué. Qu'il avait scellé une sorte de *pacte* avec ces gens-là et qu'il était peut-être même un des leurs. »

Elle poussa un soupir.

« C'est donc dans ces conditions que Stanny a commencé sa vie là-bas. Du point de vue de la création, il atteignait des sommets. Certes, ses films précédents étaient passionnants, mais la série d'œuvres qu'il a réalisées au Peak l'ont fait entrer dans une nouvelle dimension. Il a commencé à réaliser ses films de nuit. Il m'a expliqué un jour ce que c'était. "Huey. J'adore mettre mes personnages dans le noir. Il n'y a que là que je peux voir exactement qui ils sont." »

Marlowe agita ses longues manches en satin pour lisser le tissu au-dessus de ses genoux. Je ne dis rien, fasciné autant par elle que par ce qu'elle nous révélait de Cordova. Elle était désormais si lucide, si animée, qu'on aurait dit une autre femme.

« Au bout du compte, reprit-elle, il n'avait plus besoin de quitter la propriété. Tout, tout le monde, venait à *lui*. Il possédait cent vingt hectares de terrain. Il construisait ses décors sur place, montait ses films sur place. Quand il partait, c'était qu'il avait trouvé un lieu de tournage proche de Crowthorpe. Comme s'il en était venu à croire que sa force ne pouvait être canalisée que sur cette propriété. Et c'était vrai. Il arrivait à obtenir une qualité de jeu incroyable. Son énergie était sans limites. Il était Poséidon, et ses acteurs, son banc de petits poissons. Quand vous travailliez avec Stanny sur un film, vous séjourniez au Peak. Vous preniez vos repas là-bas, vous ne sortiez jamais, vous n'aviez droit à aucun contact avec le monde extérieur. Vous lui confiiez les clés de votre royaume. Vous vous en remettiez à lui. *Corps et âme*. Tout ça était convenu à l'avance. Vous débarquiez le premier jour de tournage ignorant, aveugle. Vous ne saviez rien ni du film, ni de votre personnage, ni du reste ; vous saviez seulement que votre vie, telle que vous l'aviez connue, était terminée. Vous vous apprêtiez à descendre dans un trou de ver, sans connaître la destination. Quand vous en ressortiez trois ou quatre mois plus tard et que vous rentriez chez vous, vous *n'étiez plus le même*. Vous compreniez que, jusque-là, vous aviez été en sommeil.

— Comment les gens pouvaient-ils accepter une chose pareille ? demanda Hopper pendant qu'elle reprenait une gorgée. S'en remettre corps et âme à *un seul homme* ? On dirait que vous nous parlez de Charles Manson. »

Sa véhémence sembla l'amuser. Elle le regarda droit dans les yeux.

« L'être humain souhaite exercer son libre arbitre, bien sûr. Mais il existe un désir *tout aussi* puissant, celui de se retrouver pieds et poings liés, bâillonné. Naturellement, il y avait le prestige d'une apparition dans un film de Cordova. C'était le succès garanti. Après ça, vous décrochiez les meilleurs rôles. Même lorsqu'il est sorti du circuit. Ça vous donnait du prestige. Vous étiez un guerrier. Et pourtant, le vrai privilège qu'il y avait à travailler avec Stanny, ce n'était ni l'argent, ni la gloire : c'était *l'après*. Nous, les acteurs, on en parlait entre nous. Quand vous finissiez par retrouver la vraie vie après un tournage avec Cordova, vous aviez l'impression que toutes les couleurs avaient gagné en intensité dans votre regard. Les rouges étaient plus rouges, et les noirs, plus noirs. Vous ressentiez les choses profondément, comme si votre cœur lui-même était devenu gigantesque, tendre et gonflé. Vous faisiez des rêves – et *quels rêves* ! Travailler avec cet homme irascible a été la période la plus éreintante de ma vie. J'ai accédé aux parties les plus enfouies, les plus tourmentées de ma personnalité, des parties que je redoutais d'ouvrir parce que j'avais peur de ne plus jamais pouvoir les refermer. Peut-être que je ne les ai pas refermées, d'ailleurs. Mais si c'était à refaire, je le referais tout de suite. Je jouais dans un film. C'était quelque chose qui me survivrait. Quelque chose de fou. Une œuvre d'art puissante qui n'était pas une recette commerciale, mais un objet permettant de *transpercer* les gens, de les faire saigner. En vivant au Peak, vous étiez aussi clandestin que n'importe quel mouvement de résistance. Vous étiez sous les ordres du dernier des vrais rebelles. Vous découvriez aussi jusqu'où vous pouviez aller – dans l'amour et dans la peur, dans la résilience et le sexe, dans l'euphorie. Vous appreniez à vous débarrasser de ce que la société vous avait enseigné et à vous débrouiller tout seul. À reprendre la vie *à partir de zéro*. Vous imaginez un peu l'ivresse d'une telle découverte ? Vous reveniez de là et vous vous rendiez compte que le reste du monde était endormi, dans le coma, et qu'il ne le savait même pas.

— C'est pour cette raison que vous êtes tombée amoureuse de lui ? » demanda timidement Nora.

Marlowe se redressa, désarçonnée par la question, et avança son menton. « Tout le monde tombait amoureux de lui, ma fille. Entre ses mains, *vous* n'êtes que de la glaise. Et ça vaut pour tout le monde. Comment résister à l'homme qui vous comprend et vous apprécie jusque dans vos moindres cellules ? On s'est mariés pendant le tournage de *L'enfant de l'amour*. » Elle accompagna sa phrase d'un geste triste de la main, les yeux perdus dans sa bouteille de Heaven Hill vide.

« Disons simplement que, quand ça s'est terminé, j'ai vu que notre amour était une fleur de serre chaude : magnifique et colorée sous abri, dans des conditions très précises, mais morte une fois sortie de son enclave, dans le vrai monde. Je ne pouvais pas vivre éternellement au Peak. Car entre-temps Stanny avait décidé qu'il ne partirait jamais de là-bas. C'était son domaine intime, ses ténèbres à lui. Il voulait rester à jamais sur cette planète magique. Et moi il fallait bien que je regagne le monde.

— Il refusait *vraiment* de partir ? » demanda Nora, incrédule.

Marlowe la toisa. « *Zeus* répugnait à quitter *l'Olympe*, n'est-ce pas ? Sauf pour aller tourmenter quelque mortel. De temps en temps, au milieu du tournage, Stanny disparaissait pendant plusieurs semaines d'affilée et demeurait introuvable. Absolument introuvable. Du coup, on se demandait souvent s'il n'allait pas se réfugier ailleurs. Dans un lieu secret au sein du lieu secret. Quand il *finissait* par réapparaître, il avait du sable dans ses chaussures, un drôle de sable pierreux, et il sentait l'air marin. Il était aussi particulièrement déchaîné au *plumard*, si vous voyez ce que je veux dire – comme s'il était parti en mer sur son vaisseau pirate, avait envahi et réduit en cendres des villages, violé, pillé et tué, et revenait ensuite au Peak avec les cheveux incrustés de sel et la peau imbibée de brume, de sueur et de sang. » Elle sourit d'un air songeur. « Ces nuits-là, il me cassait en deux.

— Attendez, fit Hopper, penché en avant, les coudes sur les genoux. Ces intrus qui venaient du village... Vous dites que Cordova était *devenu* un des leurs ? »

Marlowe semblait exaspérée. « J'ai dit que je ne connaissais pas *la nature exacte* de son implication, Tarzan. Mais, à un moment donné, il ne se contentait plus d'*observer*. C'est ce qui explique le suicide de sa femme. Genevra. Il ne m'a jamais raconté ce qui s'était vraiment passé. Mais j'imagine que la pauvre, qui était assez fragile, a découvert ses *activités* nocturnes. Le prêtre, voyez-vous – il était toujours là, à traîner dans les parages, à attendre en silence près de la clôture, comme une ombre. Onctueux, omniprésent. Pour Genevra, c'était insupportable. Un après-midi sinistre, elle s'est noyée dans un lac de la propriété. La police a conclu à un accident, mais Stanny connaissait la vérité. Genevra n'était pas descendue pour aller nager. Elle a pris une barque, a ramé jusqu'au centre du lac et s'est jetée dans l'eau, les poches de sa robe remplies de pierres. Quand ils ont retrouvé sa barque, plus tard, ils l'ont détruite. Stanny adorait sa femme, bien sûr. Mais pas assez pour être normal. Il ne pouvait pas être l'homme d'une seule femme. Ou d'un seul homme. Vous verrez que les grands artistes n'aiment pas, ne vivent pas, ne baisent pas, et même ne meurent pas comme les gens normaux. Parce qu'ils ont toujours leur art, qui les nourrit plus que n'importe quelle relation humaine. Quelle que soit la tragédie humaine qui les frappe, ils ne sont jamais *trop* terrassés, car il leur suffit de verser ce drame dans leur chaudron, d'y incorporer d'autres ingrédients répugnants et de faire chauffer le tout à feu vif. Ce qui en ressortira sera même encore plus sublime que si la tragédie n'avait pas eu lieu. »

Elle s'arrêta de parler, soudain lasse. Pendant une minute, elle ne fit rien d'autre que triturer son peignoir, dont elle pinçait le tissu.

« Les rumeurs ont commencé à circuler, bien sûr, sur ce que fabriquait Cordova au Peak. Surtout parmi nous, les acteurs. J'ai entendu une histoire, par exemple, de la bouche de Max Hiedelbrau. Il jouait le père de Jinley dans *La fenêtre brisée* et ce connard de patriarche dans *Respirer avec les rois*. »

Je me souvenais bien de Max dans les deux films ; un acteur australien, un grand type corpulent avec une tête de Droopy.

« Max est un insomniaque notoire. Un jour, pendant le tournage de *La fenêtre brisée*, à 4 heures du matin, il est allé dehors pour se promener dans les jardins tout en répétant son texte. Il a vu soudain une silhouette courir vers l'entrée principale, monter le perron et disparaître dans la maison. C'était Stanny. Il semblait revenir de la forêt et il tenait un paquet noir dans les bras. Max l'a suivi et a découvert des taches rougeâtres sur la poignée de la porte. C'était du sang. Il y avait aussi des petites gouttes dans le vestibule en marbre et sur les marches de l'escalier. Max est allé se recoucher. Le matin, toutes les traces avaient été nettoyées. »

Marlowe avala la dernière goutte de bourbon.

« Oui, les gens racontaient des choses, poursuivit-elle en me regardant. Mais les patrons de Warner Bros, qui venaient régulièrement sur le tournage, ne disaient rien. Cependant – et c'est assez révélateur –, même si le Peak était une des résidences privées les plus luxueuses qu'ils aient jamais vues, avec domestiques à plein temps et cuisinier français, aucun de ces cadors de Hollywood n'a jamais passé *une seule nuit* dans la maison. Même quand le tournage se terminait à pas d'heure, ils rentraient toujours à leur hôtel, à Tupper Lake, pourtant situé à plus d'une heure de route.

— Ils avaient peur ? demanda Nora.

— Ils n'avaient pas les *cojones*, répondit Marlowe avec un sourire narquois. Tant que Stanny leur rapportait de l'argent et faisait les films que le public crevait d'envie de voir, ils n'en avaient rien à foutre de sa vie privée. Il buvait du sang ? Il faisait des incantations ? Il décapitait des animaux ? Oh, ils en avaient vu d'autres. En revanche, ils ont dû étouffer un incident avec une actrice – apparemment devenue folle à force de travailler avec Stanny. Elle a eu tellement la frousse, la pauvre, qu'elle est sortie par la fenêtre de sa chambre, au troisième étage, en pleine nuit, a rampé jusqu'au sol comme un mille-pattes et n'a plus jamais été revue ensuite.

— Qui était-ce ? demanda Nora.

— Son nom m'échappe. Voyez-vous, il pouvait faire ce qu'il voulait pour débrider sa créativité, obtenir de ses acteurs qu'ils se torturent l'âme et *se vident de leur sang* devant la caméra afin que le monde puisse le boire – du moment que tout le monde fermait sa gueule, la vie continuait. Ils regardaient ailleurs. Comme nous tous.

— Sauf Ashley. »

Hopper murmura ces mots avec un tel calme, une telle fermeté, qu'ils transpercèrent la pièce, et transpercèrent Marlowe, la réduisant au silence, la troublant même un peu.

« Elle ne regardait *jamais* ailleurs, ajouta-t-il.

— C'est vrai », répondit Marlowe.

87

« C'est arrivé sur un pont du diable. » Marlowe ne lâchait pas Hopper des yeux. Elle serrait anxieusement son peignoir aux épaules et à la poitrine. « Vous en avez *entendu* parler ?

— Non, répondit Nora.

— Ce sont des ponts médiévaux. Ancrés au plus profond du folklore. La plupart se trouvent en Europe, de l'Angleterre à la Slovénie, construits entre l'an mil et le dix-septième siècle. Même si l'histoire varie d'un pont à l'autre, le postulat de départ est le suivant : le diable accepte d'aider à la construction du pont en échange de la première âme humaine qui le franchira. Je ne connais pas les détails. Mais il se trouve qu'il existait un tel pont sur la propriété du Peak. Il a dû être construit par *eux*, j'imagine.

— Les habitants de Crowthorpe Falls, vous voulez dire ? »

Elle acquiesça. « Dès son premier souffle, Ashley a été une enfant extraordinaire. Le reflet sublime de son père. Intrépide, brune, des yeux gris-bleu clair aussi limpides qu'un ruisseau. Une intelligence, une curiosité insatiable, cette manière d'*appréhender* la vie. Ces deux-là étaient inséparables. Stanny adorait son fils, Theo. Mais il y avait quelque chose chez Ashley qui... Eh bien, il ne pouvait pas s'empêcher de la vénérer. Comme *tout le monde*. »

Elle voulut boire au goulot, la tête rejetée en arrière, mais semblait avoir oublié que la bouteille était vide. Elle s'essuya la bouche.

« Stanislas n'a jamais su comment sa fille en était venue à le suivre dans la forêt ce soir-là. Elle n'en a parlé à personne. Mais je crois savoir qui lui a soufflé l'idée. Vous voyez, ce fameux prêtre – il *rôdait* toujours dans le coin. Cela faisait un moment qu'on ne l'avait pas vu au Peak. Après la mort de Genevra, il avait disparu, soi-disant parti en missionnaire à travers l'Afrique. Et voilà que, soudain, le *pauvre* garçon était de retour, n'ayant ni endroit où dormir, ni beaucoup d'argent. Cordova ne s'est pas opposé à ce que son vieux copain *crèche* au Peak à nouveau. Je n'en ai pas la preuve, mais j'imagine que le prêtre devait être assez jaloux d'Ashley. Il adulait Cordova. Il devait espérer que Stanny et lui, un jour... Je ne sais pas. *Se marieraient et auraient plein d'enfants ? Comme deux jeunes tourtereaux ?* »

Marlowe s'enfonça sur son siège. « Quoi qu'il en soit, au mois de juin 1992 – Ashley avait cinq ans –, en pleine nuit, Stanislas se trouvait devant ce pont du diable qu'il avait construit avec les villageois. Et pendant qu'il participait à *je ne sais quel* rituel, particulièrement dépravé, j'imagine, Ashley a surgi de nulle part. Elle s'est avancée directement sur le pont. Vous pouvez imaginer à quel point le spectacle pouvait être dérangeant pour n'importe quel enfant. Or Ashley, elle, n'avait pas peur. Stanislas, quand il l'a vue, lui a crié de *s'arrêter*, de rebrousser chemin. Mais dans le tumulte, en le voyant, Ashley a fait ce que toute petite fille qui aime son père aurait fait – elle a couru vers lui. Ashley a traversé le pont et ne s'est arrêtée qu'une fois parvenue de l'autre côté. Elle était donc *la première* âme humaine à le franchir. »

Marlowe se tut. Elle était toujours penchée vers l'avant, un peu instable. Une main blanche et osseuse émergea de sa large manche en satin noir avant de se poser sur sa gorge.

« Stanislas était bouleversé. Le rituel a été interrompu aussitôt. Les feux, éteints. Il a ordonné à *ces gens* de quitter la propriété et a raccompagné Ashley à la maison. Il était soulagé de voir qu'elle allait bien. Après tout, sa maison de famille était un véritable *décor de cinéma*. Elle avait assisté à des feux de joie, à des explosions de voitures, à des hommes et des femmes se déclarant un amour ou une haine éternels, à des scènes de bagarre, à des scènes d'amour, à des courses-poursuites, elle avait vu des femmes pendues dans le vide en haut d'un immeuble, des hommes tombant du ciel – et tout ça dans son jardin. Il l'a mise au lit et lui a lu un chapitre de son recueil de contes préféré, *Le monde mystérieux de Bartho Lore*. Elle s'est endormie avec le sourire aux lèvres – comme toujours. Stanny a décidé de ne pas en parler à sa femme. J'ignore dans quelle mesure Astrid – la troisième épouse de Stanny – savait ce qu'il manigançait en pleine nuit, mais je pense qu'il était libre de faire ce que bon lui semblait tant que ça ne concernait pas les enfants. Quand Stanny est allé se coucher ce soir-là, il a prié Dieu. *Choix* intéressant, quand on sait à quoi il venait de consacrer son temps libre. Mais c'était bel et bien Dieu qu'il priait. Même à ce moment-là, il ne croyait pas *tout à fait* aux choses qu'il avait manigancées. Il espérait désormais que rien de tout ça n'était vrai. Cela ne pouvait pas exister. L'idée est parfaitement absurde, n'est-ce pas ? »

Elle dit cela avec un cynisme ravi, non sans avaler une longue gorgée de sa bouteille de Heaven Hill vide. *Peut-être humait-elle les vapeurs.*

459

« En moins d'une semaine, Stanislas a commencé à noter une différence. Ashley avait toujours été une enfant alerte et *douée*, mais ses dons prenaient maintenant une tournure *sévère*. Il avait invité quelques officiers et un ancien ambassadeur chinois à séjourner chez lui pendant qu'il travaillait sur son prochain film. Deux semaines après leur arrivée, Ashley parlait couramment leur langue. Elle s'est mise aussi à fixer les gens droit dans les yeux, comme si elle arrivait à lire dans leurs pensées et à voir leur avenir se dérouler devant elle comme une pellicule de trente-cinq millimètres. Elle riait encore, bien sûr, elle était toujours magnifique, mais il y avait en elle une gravité nouvelle. Et puis il y avait le *piano*. »

Marlowe tressaillit.

« Astrid était bonne pianiste. Depuis ses quatre ans, Ashley avait un professeur de la Juilliard School qui venait à la maison deux fois par semaine pour lui donner des cours privés. À cinq ans, elle était forte pour son âge mais n'était pas vraiment passionnée par l'instrument. Elle préférait aller dehors, monter à cheval ou à vélo, grimper aux arbres. À présent, elle s'asseyait, s'enfermait des heures durant et jouait jusqu'à avoir des ampoules aux doigts. Au bout de plusieurs semaines, elle pouvait maîtriser n'importe quelle œuvre qu'on lui mettait sous les yeux. Beethoven, Bartók... *En quelques heures*. Par cœur. De plus en plus, le changement qui s'opérait en elle était tangible. Stanny était trop dévasté pour y croire. Néanmoins, il s'est mis à faire des recherches. Depuis la nuit des temps, les *pactes* avec le diable se traduisent souvent par la maîtrise virtuose d'un instrument de musique. En Italie, au dix-neuvième siècle, il y a eu Paganini – toujours considéré comme le plus grand violoniste de tous les temps. Même chose pour Robert Johnson, le chanteur de blues. Il est tombé sur un carrefour à Tunica, dans le Mississippi, et a donné son âme au diable en échange d'une maîtrise musicale absolue. »

Elle s'interrompit. Son souffle était court, nerveux.

« Astrid ignorait toujours ce qui était arrivé. Elle pensait que sa fille grandissait, tout simplement, et développait une intelligence folle. Mais elle a commencé à remarquer qu'Ashley était curieusement froide au toucher. Quand elle lui prenait la température, celle-ci, au lieu d'être à 37,5°, tournait toujours autour de 35,5° ou 36°. Elle l'a emmenée dans plusieurs hôpitaux de New York. Les médecins ne trouvaient rien d'anormal. Astrid s'est inquiétée, surtout quand Ashley a montré des signes de difficultés de comportement. Elle ne riait plus. Et dès qu'elle se mettait en colère, elle faisait *peur*. Finalement, Stanislas a dû tout raconter à sa pauvre femme. Il lui a montré ce qu'il pensait être la marque du diable sur leur fille. Cette chose qu'on appelle l'empreinte du crapaud. Une grosse tache sur l'iris, près de la pupille. Ashley en avait une à l'œil gauche. »

Je dévisageai Marlowe. Elle venait de décrire ce que Lupe, la femme de chambre du Waldorf, nous avait expliqué. *La huella del mal. L'empreinte du mal.* Nora se tourna vers moi ; elle repensait clairement à la tache qu'elle avait repérée sur le cliché du médecin légiste.

« Bien entendu, Astrid refusait d'y croire. Là-dessus, il s'est produit un incident terrifiant qui l'a fait changer d'avis. Un soir, en pleine nuit, toute la maison a été réveillée par un homme qui hurlait dans son lit. C'était le prêtre. Son pyjama, ainsi que son habit de prêtre dans le placard, était *en feu. Lui-même* était en feu. La famille a réussi à éteindre les flammes et Astrid a transporté le prêtre, à peine conscient, jusqu'à sa voiture pour l'emmener à l'hôpital. Cordova, bien sûr, ne pouvait plus conduire. Il refusait de quitter la propriété. Ils n'ont pas voulu appeler d'ambulance, craignant pour leur réputation. Alors, Astrid, affolée, roulant à cent à l'heure, a perdu le contrôle de sa voiture après un virage en tête d'épingle et percuté un arbre. La voiture était détruite. Theo a sauvé le prêtre en le transportant dans une camionnette ; en effet, plus ou moins inanimé et gémissant de douleur, il était en train de mourir. Il l'a déposé à un hôpital de campagne près d'Albany et est reparti. Le prêtre a été admis sous le nom de John Doe, entièrement couvert de brûlures au troisième degré. Pendant tout le drame, Ashley ne s'était manifestement pas réveillée. Mais le lendemain matin, Astrid a remarqué que sa fille avait une trace de brûlure terrible à la main gauche. Elle a alors compris qu'Ashley était coupable. C'est à ce moment-là qu'elle a commencé à croire Stanny, à croire à cette histoire de sortilège diabolique. » Marlowe secoua la tête. « Le prêtre a survécu. J'ai entendu dire qu'il avait disparu de l'hôpital un mois après son admission et que plus personne ne l'avait jamais revu, ni au Peak, ni ailleurs. »

Je n'en croyais pas mes oreilles. Marlowe venait de nous raconter en détail l'incident que j'avais exhumé cinq ans plus tôt, à l'époque de mes recherches sur Cordova. Un matin de la fin du mois de mai, Kate Miller, réceptionniste dans un motel, avait été témoin d'un accident de voiture aux premières heures du jour. Astrid Cordova était au volant. Elle affirmait être seule dans la voiture, mais Kate jurait avoir vu quelqu'un d'autre, un homme sur la banquette arrière, vêtu de noir et le visage entouré de bandages – un homme qu'elle disait être Cordova.

En réalité, il s'agissait du prêtre, brûlé vif.

« Quel âge avait Ashley, à l'époque ? demandai-je.

— Quinze ans ? Seize ans ? répondit Marlowe en haussant les épaules. Après ça, ils l'ont envoyée ailleurs.

— Où ça ?

— Dans une sorte de camp pour adolescents difficiles. Dernière tentative, et relativement *vaine*, pour faire comme si le problème d'Ashley était banal. »

Je me tournai vers Hopper. Affalé sur sa chaise, jambes croisées, il regardait attentivement Marlowe.

« Astrid était folle de rage. Elle a exigé que son mari *répare* les dégâts. Alors, il a eu une *idée*. Il pensait qu'il était possible d'inverser le sortilège en échangeant l'âme d'Ashley contre celle de quelqu'un d'autre. Un troc. Avec un autre enfant. C'est ce qui a creusé le fossé entre Ashley et sa famille. Car, quand ses parents ont fini par lui expliquer leur projet, Ashley voulait s'en remettre à la fatalité. Cordova, lui, cherchait toujours une issue. Il l'a fait jusqu'à la fin. Il en était dévoré. Tourner un nouveau film ? Hors de question. Il n'y avait plus que *ça*. Cette histoire le rongeait, elle cannibalisait toute la famille. Parfois, Ashley était parfaitement normale et ses parents espéraient que les ténèbres dans lesquelles elle se débattait n'existaient en réalité que dans leurs têtes. Et puis un événement survenait et ils savaient que ça recommençait. Qu'il reviendrait la chercher.

— *Il* ? demanda soudain Hopper. Qui donc ? »

Marlowe se tourna vers lui.

« Mais enfin, le diable, bien sûr. »

Il gloussa. « *Bien sûr...* »

Elle lui jeta un regard plein de dédain ; son visage, tel un masque, était immobile.

« *Iblis*, dans l'islam, murmura-t-elle. *Mara* chez les bouddhistes. *Seth* pour les Égyptiens. *Satan* en Occident. Quand vous prenez le temps d'étudier l'Histoire, c'est incroyable, à quel point il est *universellement* accepté. »

Elle pencha la tête sur le côté, songeuse, et me regarda.

« Stanislas pensait que ça se produirait quand elle aurait vingt-quatre ou *vingt-cinq* ans – d'après un calcul des pleines lunes et tout le baratin. Je ne sais pas ce qui s'est passé. En tout cas, à un moment donné, la famille tout entière est devenue complice de ce projet de transfert vers un autre enfant. C'est triste à dire, mais l'idée n'était pas si farfelue. Ces sectes prospèrent grâce aux fugueurs, aux enfants qui ne manqueraient à personne s'ils venaient à disparaître. Beaucoup de ces filles tombent enceintes pour pouvoir sacrifier leur bébé sur un autel. Les crimes occultes sont une *réalité* dans ce pays, sauf qu'ils sont étouffés par la police parce qu'il est presque impossible d'en traîner les auteurs devant un tribunal. *Non* que les preuves manquent – oh que non. Ces gens-là ne peuvent pas s'empêcher de laisser des preuves de leurs rituels terrifiants. Vous savez, c'est difficile d'effacer les traces sur son corps quand *on verse du sang chaque semaine*. Non. C'est parce que les jurys n'arrivent jamais à y *croire*. C'est un pas gigantesque qu'ils sont incapables de franchir. On dirait une histoire tirée d'un des films de nuit. Pas de la vraie vie. »

Elle s'arrêta là. En un geste réflexe, elle dévissa péniblement le bouchon de la bouteille, porta celle-ci à ses lèvres et remarqua enfin, stupéfaite, qu'il n'y avait plus rien dedans – plus une goutte.

« Comment se fait-il que vous sachiez toutes ces choses ? » demanda doucement Nora.

Marlowe se tourna vers elle, apparemment pour la rabrouer. Mais elle se ravisa et se contenta de regarder ses propres mains, recroquevillées sur ses genoux. Elle les observait comme s'il s'agissait non pas d'une partie de son corps, mais d'insectes étranges qui étaient remontés sur ses jambes et qu'elle n'avait plus la force de chasser.

« Stanny avait confiance en moi. Il m'a tout raconté. Il savait que je comprendrais sa souffrance. Moi qui ai vécu une telle perte, ça m'a détruite. Ça m'a ravagée de l'intérieur. Quand vous aimez à ce point un être et que vous le perdez, vous ne vous en remettez jamais. Stanny savait que je comprendrais de quoi il parlait. J'avais passé du temps avec Ashley. Lorsqu'il m'en a parlé pour la première fois, je n'en ai pas cru un mot. Mais plus tard, elle devait avoir à peu près huit ans, j'ai emmené Ashley en vacances avec moi. Quand nous étions assises sur la plage, près de Côté Plongée, à Antibes, je la surprenais parfois en train de me *dévisager*. C'était comme si elle voyait mon passé et mon avenir – et même le lieu où mon âme irait une fois que je serais morte, se débattant à jamais dans les limbes. J'avais l'impression qu'elle voyait tout ça et qu'elle avait pitié de moi. »

Cette *perte destructrice* devait être une référence au beau fiancé de Marlowe, le Chevalier, qui l'avait plaquée pour partir avec sa sœur Olivia.

« Mais ce prêtre, dis-je au bout d'un moment. Vous vous souvenez de son nom ?

— Les gens l'appelaient *le Prêtre*, un peu sur le ton de la blague. Je me souviens de lui pendant le tournage de *L'enfant de l'amour*. Il passait ses journées à pêcher. Je le voyais de loin, debout au bord du lac, tout de noir vêtu, comme une tache d'encre qui imbibait le beau paysage environnant, le ciel, les eaux bleues, les arbres. Je ne comprenais pas ce qu'il fabriquait jusqu'à ce que, m'approchant, je remarque sa grande canne et sa boîte à pêche. Il était immobile et attendait patiemment que ça morde. On aurait dit qu'il avait assez de patience pour pouvoir attendre jusqu'à la fin des temps. Genevra le surnommait *il Ragno*. L'Araignée.

— *Quoi ?*

— L'A... L'Araignée. À cause de sa manière de bouger. Tellement *silencieuse*.

— Est-ce que son vrai nom était Hugo Villarde ?

— Je... Je ne sais pas trop. »

Marlowe recommençait à sombrer ; elle était de plus en plus

faible, recroquevillée sur son fauteuil pour fuir la lumière et n'être guère plus qu'un visage blanc spectral perdu dans l'obscurité. Lorsqu'elle s'était mise à parler, j'avais eu de sérieux doutes quant à sa capacité à nous tenir des propos *sensés*, encore plus à nous dire la vérité. Pourtant, elle m'avait surpris plus d'une fois, dévoilant des détails qui confirmaient tout ce que j'avais pu apprendre par moi-même.

Et voilà qu'arrivait cette révélation au sujet de l'Araignée.

« Avez-vous rencontré l'assistante de Cordova, Inez Gallo ? » demandai-je.

Marlowe tressaillit, l'air révulsé. « Le *Coyote* ? Mais bien sûr. Partout où allait Cordova, son petit Coyote le suivait. Elle était amoureuse de lui, naturellement. Elle obéissait à tous ses ordres, exécutait la moindre corvée pour lui, même la plus cruelle. Tout ce qu'elle lui demandait en retour, c'était de pouvoir respirer le même air que lui. C'est Stanny qui a trouvé le titre pour *Respirer avec les rois*, en pensant à *elle*, au *pathétique* consommé du Coyote. Je pense qu'au fond elle aurait voulu qu'il la dévore vivante, pour être enfin plus près de lui que *quiconque* et vivre le restant de ses jours nichée dans les recoins les plus obscurs de son ventre.

— Où est-il aujourd'hui ? intervint Nora après un long silence. Cordova, je veux dire.

— Ah... La question à cent mille dollars. Personne n'a jamais trouvé la bonne réponse. »

Elle dit cela d'un air distrait et attendit si longtemps avant de reprendre la parole, le menton baissé, que je me demandai si elle ne s'était pas endormie.

« Je suppose qu'il est toujours là-bas, finit-elle par ronchonner. Ou alors il est remonté sur son bateau pirate et vogue sur les mers pour ne jamais revenir. Maintenant qu'Ashley est morte, j'imagine que le peu d'humanité qu'il restait à mon Stanny a dû partir en fumée. Rien ne le retient, désormais. Plus rien. »

Elle émit un drôle de son, comme si elle s'étouffait, puis se pencha en avant et commença à tousser, une toux sèche et violente.

« Mon lit, murmura-t-elle. Emmenez-moi jusqu'à mon lit. Je suis très... très fatiguée. »

Nora me jeta un coup d'œil. J'avais beau hésiter, c'était à moi d'aider Marlowe. J'avais peur de voir de près son visage ravagé, je craignais qu'elle soit trop fragile pour supporter qu'on la touche. Elle s'était de nouveau éloignée, évaporée, repliée en deux comme un vieux transat, tellement usée qu'elle risquait bien de se briser en mille morceaux entre mes mains. Nora lui enleva doucement la bouteille de Heaven Hill – Marlowe résista, telle une petite fille qui refuse de lâcher sa poupée –, puis se pencha au-dessus d'elle et l'enlaça.

« Tout va bien se passer », lui glissa-t-elle à l'oreille.

Je me plaçai à côté d'elle et, le plus délicatement possible, pris Marlowe dans mes bras. Ses coudes bien serrés autour de ma nuque, son visage dissimulé au fond de son capuchon, je la transportai hors du salon, au bout du couloir. À peine l'avais-je déposée sur son lit, suivi par Nora et Hopper, qu'elle s'enfouit sous ses draps, comme un insecte qui se cache dans le sable.

« Ne partez pas tout de suite, dit-elle d'une voix rauque, sous ses draps. Vous devez me faire la lecture pour que je puisse m'endormir. Ah. *Hirondelle*. C'était ça.

— Vous faire la *lecture* ? demanda Nora.

— Il y a un garçon qui vient me voir. Chaque soir à 20 heures, il vient et me lit une histoire pour m'endormir. Là, il y a *Le comte*. Lisez-moi juste un tout petit…

— Quel livre ? murmura Nora.

— Dans le tiroir. Là, là. *Le comte de Monte-Cristo*. Il attend. »

Avec un regard hésitant dans ma direction, Nora tendit la main vers la poignée du tiroir. Et je me surpris à espérer que Marlowe disait bien la vérité. Elle semblait faire référence au *dealer* dont nous avaient parlé Harold et Olivia. Quel malentendu incroyable, que quelqu'un puisse être considéré comme un dealer alors qu'il venait simplement faire la lecture à une vieille dame – la lumière confondue avec les ténèbres, le paradis avec l'enfer.

Cependant, lorsque Nora ouvrit le tiroir, il était vide. Nul livre, mais des vieux kleenex et des lettres de fans.

Hopper et moi ouvrîmes les autres tiroirs, mais ne trouvâmes pas le moindre exemplaire du *Comte de Monte-Cristo* – il n'y avait aucun livre dans la chambre, uniquement des magazines *people* et des piles de lettres de fans entourées d'élastiques et adressées à

Mlle Marlowe Hughes. Hopper demanda si elle souhaitait qu'il lui lise une de *ces* lettres à voix haute ; elle ne répondit pas.

Elle dormait déjà.

88

« En fait, je peux *comprendre*, dis-je avant de vider le reste de mon whisky, en faisant les cent pas devant le canapé du salon. Cordova s'enferme dans une installation claustrophobique en pleine nature. Il n'en *repart* jamais. Il devient le roi d'un royaume de cent vingt hectares. Il s'entoure de gens qui l'idolâtrent, tous ces parasites, ces *alliés*, qui doivent sans doute lui rappeler chaque jour qu'il est un dieu. Et au bout d'un moment, il y croit, à ce pouvoir. Il s'ébat dans la forêt en pleine nuit avec des gens du coin qui vénèrent le diable. Rien d'étonnant, donc, à ce que toute la famille, y compris Ashley, finisse par y croire aussi. Et cette croyance les détruit.

— Et si *c'était* vrai ? » demanda Nora, installée sur le canapé. Hopper était assis à l'autre bout, en train de fumer une cigarette avec un air rêveur.

« Tu veux parler des pouvoirs dont Cordova se serait doté là-bas ?

— Oui.

— Depuis quarante-quatre ans que je suis vivant, je n'ai jamais vu de fantôme. Je n'ai jamais senti un *frisson glacé* me parcourir l'échine. Je n'ai jamais vu un seul miracle. Chaque fois que mon cerveau a voulu tirer une conclusion vaguement mystique, j'ai compris que cette propension était simplement le fruit de la peur et qu'il n'y avait aucune explication rationnelle derrière.

— Pour quelqu'un qui *enquête*, je te trouve bien aveugle. »

Je ne comprenais pas ce qui lui prenait. Depuis que nous avions quitté l'appartement de Marlowe et étions rentrés chez moi pour commander un repas chinois et faire le point, elle était fermement convaincue que tout ce que nous avait dit Marlowe, y compris le fameux sortilège du diable, était vrai. Le moindre avis contraire, ne fût-ce qu'une simple marque de scepticisme, la mettait dans une colère noire.

— Tu ne vois pas que tout s'explique ? me lança-t-elle, de plus en plus rouge. Ashley est venue à New York pour retrouver l'Araignée. On ne sait pas pourquoi. Mais elle savait que c'était en train de se produire. La transformation. Elle savait que le diable venait enfin la chercher.

— Elle le *croyait*, mais c'était dans sa tête.

— Alors comment expliques-tu que la femme de chambre du Waldorf ait vu l'empreinte du diable sur son œil ? Comment est-ce qu'Ashley a pu envoûter Morgan Devold pour qu'il l'aide à s'échapper de Briarwood ? Peter, chez Klavierhaus, nous a dit que sa manière de bouger était irréelle. Même l'anecdote du serpent à sonnette que nous a racontée Hopper le confirme. Et le couple qui vivait au Peak avant Cordova ?

— Des aristocrates anglais excentriques, je t'en trouve des milliers. Ces gens-là se marient entre cousins. Ce sont des consanguins.

— Comment expliques-tu ce qui est arrivé à Olivia ?

— Elle a eu une attaque. Ça arrive tous les jours. »

Elle soupira. « Qu'est-ce qu'il te faut comme preuve pour que tu puisses *envisager* que ce soit vrai ?

— Il n'y aura jamais la preuve tangible que des gens *se vendent* au diable.

— Tu n'en sais rien.

— Je te rappelle qu'on est à New York. Si des gens avaient découvert que le culte du diable était *efficace*, tous les petits requins un peu ambitieux de Wall Street le pratiqueraient dans leurs studios. »

Elle me fusilla du regard. « Tu es *débile*.

— Du jour au lendemain, je suis débile ?

— Pas du jour au lendemain. Ça fait déjà un *petit bout de temps*.

— Parce que je ne crois pas aux pouvoirs d'une cérémonie à la noix organisée par une bande de bouseux ? Parce que je pose des questions ? Que je veux des preuves ?

— Tu crois tout savoir. Mais tu ne sais rien. Tu as la vie et les gens sous les yeux, mais tu les prends de haut et tu fais des blagues, tout ça pour dissimuler ta peur. Si tu étais un élève de maternelle et qu'un instituteur te donnait un pastel pour que tu te dessines, tu te dessinerais *grand comme ça* ! »

Elle indiqua un millimètre entre son pouce et son index.

« Et *toi*, du haut de tes *dix-neuf ans*, tu sais tout. À Saint Cloud, près de Kissimmee, mademoiselle a tout compris. C'est vrai, je devrais peut-être m'installer avec Moe et Bill le Vieux Crasseux, et cette perruche – qui au passage n'a pas de pouvoirs magiques, à moins que tu considères le fait de chier toute la journée comme de la *magie* !

— Tu ne saurais même pas reconnaître la magie si elle te donnait un coup de pied au cul.

— La réponse est simple », intervint Hopper.

Je me tournai vers lui. « Quoi ?

— Il faut qu'on aille au Peak. »

Il dit cela calmement, en avalant la fumée de sa cigarette.

« Qu'est-ce que vous avez à vous engueuler ? C'est absurde. On ne *sait pas* où s'arrêtent les croyances des gens et où commence le réel. Est-ce qu'il y a une différence, même ? En revanche, il y a trois choses dont on est sûrs.

— Lesquelles ? demanda Nora.

— Primo, Ash recherchait l'Araignée, ce qui confirme au moins une partie de ce que nous a raconté Marlowe Hughes. Ash ne voulait pas qu'il s'en tire comme ça, pas s'il était responsable du sortilège du diable. Et si Hughes a dit *une* chose vraie, le reste devrait au moins être pris en *considération*. Deuzio, si Cordova est impliqué dans ces rituels de magie noire, qu'ils soient réels ou non, Ash s'est fait embringuer là-dedans à cause de lui. Et ça me donne envie de le tuer. Tertio, s'il y a du vrai là-dedans, les gens vont vouloir savoir. Pour moi, ça ne change rien. Ce qui m'intéresse, c'est Ash, et rien d'autre. Si elle m'a envoyé ce singe, à mon avis c'est qu'elle voulait que je découvre la vérité sur sa famille. C'était sa façon de se confier à moi, de même qu'elle savait à propos d'Orlando. »

Il avait raison, bien sûr. D'une certaine manière, je savais depuis le début où tout ça nous mènerait : au Peak, une fois de plus.

« On trouvera un moyen d'y entrer, reprit Hopper. Toutes les preuves qu'on y découvrira, toute la vérité qu'on apprendra sur les Cordova, monstrueuse ou pas, on décidera de ce qu'on en fait ensemble, tous les trois. On votera et ce sera réglé. »

Il me lorgna avec une méfiance non dissimulée et recracha brusquement la fumée.

« Mais d'abord, on retrouve l'Araignée », répondis-je.

89

Le lendemain, nous avions l'intention de nous présenter au magasin d'antiquités d'Hugo Villarde, La Porte Cassée, à l'ouverture, sur le coup de 16 heures.

Mais dans l'agitation de la semaine passée, j'avais oublié un détail crucial : *Santa Barbara*. J'avais la garde de ma fille pendant le long week-end. Cynthia me téléphona de bonne heure pour m'annoncer que la nouvelle nounou – une certaine Staci Dillon – passerait prendre Sam à l'école à 15 h 15 et l'amènerait directement chez moi. Elle lui avait donné un double de mes clés, donc il n'y avait pas de problème ; je me figurais qu'elle pourrait entrer et attendre ici, avec Sam, le temps que je rentre du magasin d'antiquités.

Or la matinée passa, puis le début de l'après-midi, et je n'avais toujours aucune nouvelle de cette nounou. Je l'appelais toutes les demi-heures en me demandant *comment* mon ex avait pu faire confiance à une femme dont le prénom se terminait par un *i. Elle aurait tout aussi bien pu engager quelqu'un qui s'appelait Ibiza ou Tequila*. Finalement, à 14 h 30, Staci me répondit. Elle avait eu un contretemps – son fils de dix-sept ans avait eu un accident de voiture sur la Bruckner Expressway. Il était indemne, mais elle sortait tout juste d'un hôpital du Bronx et avait une heure de retard. Elle ne pourrait pas être chez moi avant 17 heures. Je lui expliquai que je pouvais aller chercher Sam à l'école. Cela signifiait, néanmoins, que j'allais devoir emmener ma fille avec nous à La Porte Cassée – perspective pour le moins déplaisante.

« Appelle Cynthia, me dit Nora. Elle a peut-être une nounou de secours.

— Je ne peux pas faire ça. Elle est sur le point de prendre l'avion.

« — Et un service de nounous en urgence ? fit Hopper, assis sur l'accoudoir du canapé.

— Je ne peux pas envoyer une inconnue chercher Sam.

— Hopper et moi, on peut aller au magasin tout seuls, fit Nora.

— Et je reste chez moi ? »

Elle fit oui de la tête. Je n'eus pas grand mal à comprendre ce qui motivait sa proposition ; elle me battait froid après la discussion houleuse que nous avions eue, la veille, au sujet de ce qui était vrai et de ce qui ne l'était pas.

« Emmène-la avec nous, dit Hopper. Et si ça se corse, vous repartez. »

Je ne dis rien et réfléchis. Je sentais bien que nous touchions du doigt quelque chose. Si je confiais une tâche aussi cruciale à Hopper et Nora, la piste risquait de se cramer définitivement. Villarde, se sentant menacé, pourrait nous filer entre les pattes. D'un autre côté, exposer Sam au moindre danger était inconcevable.

« Tu ferais mieux de te décider rapidement, me dit Hopper. On doit y aller. »

90

Il n'y avait ni vitrine digne de ce nom, ni enseigne, mais une porte de garage fermée dont la peinture rouge s'écaillait.

De longues volutes de vigne vierge morte s'accrochaient à la façade en brique, comme des bouts de cheveux laissés sur le carrelage après une douche. Les étages supérieurs étaient délabrés, et les fenêtres, cassées ou tapissées de planches. L'immeuble avait sans doute eu son heure de gloire – des colonnes corinthiennes raffinées encadraient le garage et une série de vitraux jaune et bleu ornait le rez-de-chaussée –, mais il était à présent entièrement incrusté de saleté et défraîchi, comme si, après avoir été enterré des années, il venait d'être exhumé quelques jours plus tôt.

À la recherche d'un interphone, je m'approchai de l'une des portes et fus étonné de voir le nom, *sous mes yeux* – VILLARDE –, soigneusement écrit au stylo noir, à côté d'une sonnette du premier étage.

« Il doit habiter au-dessus de la boutique », chuchota Hopper en levant les yeux.

Seules les fenêtres du premier étage, hautes et étroites, étaient intactes. Malgré la saleté des vitres, je réussis à apercevoir de grands rideaux jaunes et une petite plante verte dans un pot de terre cuite.

« Scott. » Sam me tirait par la main. « *Scott.*

— Oui, ma chérie.

— C'est qui, lui ? »

Elle désignait Hopper.

« Je t'ai dit, lapin. C'est Hopper. »

Elle plissa les yeux vers moi. « C'est ton ami ?

— Oui. »

Elle réfléchit, très sérieuse, en tordant sa bouche d'un côté. Puis elle fronça les sourcils et avisa Nora, qui essayait d'ouvrir l'autre porte.

« Fermée à clé », dit-elle en plaçant sa main en visière pour regarder par la fenêtre.

Sam portait son uniforme de Spence – chemisier blanc, robe à carreaux verts et bleus –, auquel Cynthia avait naturellement ajouté sa petite touche Merchant Ivory : manteau noir à manches bouffantes, barrette en velours dans ses anglaises, souliers de cuir verni noir. Dès l'instant où nous étions passés la prendre, Sam s'était montrée timide et méfiante – à l'égard de Hopper, en particulier. Elle n'arrêtait pas de se tortiller, aussi : elle traînait des pieds, sautait sur mon bras, balançait sa tête *très en arrière* pour me demander quelque chose – autant de signes qui montraient qu'elle était en pleine descente de *sucre* et avait besoin de manger un morceau.

« C'est tout sombre à l'intérieur, dit Nora, toujours collée contre la fenêtre.

— Quelle heure est-il ? » demandai-je.

Hopper consulta son portable. « 16 h 10.

— On revient dans un quart d'heure. »

Nous partîmes vers l'ouest, jusqu'à Lexington Avenue, et entrâmes

472

dans le East Harlem Café. J'achetai à Sam une barre de céréales, tout en lui expliquant une fois de plus que nous étions en excursion et qu'après cela nous irions acheter des sundaes au caramel chez Serendipity 3. Elle m'écouta à peine et fit semblant de grignoter sa barre de céréales, médusée qu'elle était par *Hopper*. Je ne compris le pourquoi de cette fascination que lorsqu'il fit la queue pour commander un autre café.

« Tu veux voir comment je saute de là à là ? » lui demanda Sam, le doigt pointé vers le sol.

Hopper me jeta un coup d'œil perplexe. « Euh, oui... Bien sûr. »

Sam se prépara. Les deux pieds joints au bord d'un des carreaux orange, elle attendit que Hopper la regarde attentivement, puis bondit, et retomba juste devant le présentoir de mugs.

« Impressionnant, commenta Hopper.

— Tu veux me voir sauter de là à là et jusqu'à *là* ?

— Mais certainement. »

Elle prit une longue inspiration, retint son souffle – comme si elle allait plonger en apnée – et exécuta des bonds de grenouille dans l'autre direction. Elle s'arrêta et se retourna vers Hopper.

« Incroyable », dit ce dernier.

Sam chassa les cheveux qui la gênaient et recommença à bondir.

Au pire, je pouvais attendre avec elle dehors. C'était une rue très passante, avec des arbres, du soleil et un flux ininterrompu de voitures. Même si l'Araignée était un déséquilibré, il ne pourrait rien faire *à cette heure-là* – pas au grand jour.

Dix minutes plus tard, nous retournâmes à La Porte Cassée. Rien ne semblait avoir changé. La porte du garage était toujours fermée et les fenêtres, sombres.

Hopper voulut ouvrir l'étroite porte en bois. Il actionna la poignée. Cette fois, elle *s'ouvrit*. Je lui emboîtai le pas.

C'était une grande salle obscure, tellement remplie d'antiquités entassées – des chaises sur des tables, elles-mêmes sur des roues de charrettes – que se frayer un passage dans le magasin était une gageure. La porte ne s'ouvrait même pas jusqu'au bout, et l'entrée était encombrée par un bassin incrusté de crottes d'oiseaux, un cadran solaire rouillé, des malles de voyage défoncées, et, posés *là-dessus*, un poste de radio datant d'Eisenhower, des lampes en cuivre équipées d'abat-jour jaunis, ainsi que des piles de vieux journaux.

Hopper et Nora se faufilèrent à travers la porte entrouverte et disparurent à l'intérieur. Je me baissai pour prendre Sam dans mes bras.

« Non, protesta-t-elle. Je suis trop lourde.

— Il y en a pour une petite minute, ma chérie. »

Les yeux tout ronds, je lui fis signe de se taire – surjouant l'idée qu'il s'agissait d'un jeu fabuleux – et nous entrâmes.

Au plafond, des néons émettaient une lumière bleuâtre et sale. Hopper et Nora étaient loin devant nous ; ils n'avaient aucun mal à emprunter en file indienne ce qui semblait être le seul passage possible – un étroit défilé au milieu du fatras. La salle était immense, elle s'étirait en profondeur sur tout le pâté d'immeubles, bien que la lumière n'atteignît pas les parties les plus éloignées du magasin, qui se vautraient dans une pénombre sale. Il y avait des tables et des garde-robes, une valise cassée avec écrit dessus : « COMBINAISON AMIANTE », des pipes à la Sherlock Holmes, une carafe contenant un *cobra* enroulé en l'état, une bouteille rouge dont l'étiquette indiquait : « LIQUIDE D'EMBAUMEMENT CHAMPION ». Des bandes dessinées s'accumulaient comme les formations rocheuses rouges en Arizona. Je retenais mon souffle à cause de l'odeur pestilentielle qui régnait – à mi-chemin entre les boules de naphtaline et l'haleine chargée d'un vieillard.

Je devais agir avec prudence, car le magasin semblait *piégé*, comme s'il espérait nous voir heurter un objet par mégarde, pour pouvoir s'effondrer et nous réclamer deux cent mille dollars en dommages et intérêts.

Après nous être faufilés entre une machine à coudre, un petit train ancien, une chaise de Quaker en bois sur laquelle trônait ce qui ressemblait à un chien empaillé tout raide, Sam et moi arrivâmes dans une partie du magasin remplie d'équipements médicaux anciens.

Je fis passer ma fille de l'autre côté pour qu'elle ne voie pas le spectacle : des lits d'hôpital pour nourrissons, avec des matelas grisâtres, des bassines abîmées qui avaient dû contenir des sangsues, des garrots en caoutchouc, des fioles jaunes sales, des pompes et des seringues, une caisse en bois renfermant des pinces en argent de toutes tailles. Contre le mur du fond, des tiroirs en fer-blanc cabossés. Des centaines de flacons à médicaments marron – chacun marqué d'une étiquette blanche, mais trop éloignés pour que je puisse les déchiffrer – jonchaient une table en inox aux côtés de laquelle pendaient des lanières en cuir usé. *Pour sangler quelqu'un pendant une lobotomie.* Je jetai un coup d'œil inquiet sur Sam. Par bonheur, elle regardait fixement dans la direction opposée, vers Hopper.

Ce dernier s'avançait vers le fond du magasin, où, sur une longue table en bois, étaient posés des papiers et une ancienne caisse enregistreuse.

« Bonjour ! lança-t-il d'une voix forte. Y a quelqu'un ? »

À l'autre bout du magasin, Nora paraissait captivée. Cela n'avait rien de surprenant. Ce lieu correspondait parfaitement à *ses* goûts – surtout les tenues *vintage* suspendues le long du mur comme des épouvantails : de vieilles robes marron des années quarante, des robes-bustiers roses à froufrous portées lors de quelque bal de fin d'études dans les années cinquante. S'arrêtant devant un porte-chapeaux, elle souleva délicatement un feutre violet – avec une plume noire fragile collée sur le côté –, leva le menton et posa le chapeau sur sa tête, puis escalada les tas d'objets pour atteindre un miroir taché calé contre une roue de charrette noire.

« *Y a quelqu'un ?* » insista Hopper.

L'air intrigué, il décrocha ce qui s'apparentait à une *authentique* baïonnette, dont la pointe était rouillée et émoussée.

« Je ne veux plus que tu me portes. » Sam ruait comme un poulain.

« Il *faut*. Cet endroit est magique. »

Elle regarda autour d'elle. « Qu'est-ce qui est magique ?

— *Cet endroit.* »

Toujours en suivant Hopper, je contournai un tambour africain visiblement fait de peau humaine salée et séchée.

Soudain, je heurtai le pied d'une table en bois ; elle s'écroula en son centre. Un ensemble de passe-partout ternis, d'ornements de coffre à voiture en chrome et un lustre en cristal sale commencèrent à dégringoler, déchaînant une tonitruante cascade de gouttes en cristal, de chaînes et de centaines de clés métalliques. Serrant Sam contre moi – elle avait plaqué son visage sur mon épaule –, je parvins d'une main à attraper le lustre et, avec mon genou, à redresser les pieds de la table.

Hopper claqua des doigts.

Il me montra le mur du fond, qui comportait une lucarne crasseuse et une étroite porte en verre dépoli.

Une *ombre humaine* venait de bouger *juste* derrière la porte. Mais, comme sentant que nous l'avions aperçue, elle *s'immobilisa*.

Ce devait être un homme – tête allongée, épaules larges.

« Y a quelqu'un ? » répéta Hopper.

Après une brève hésitation, la porte s'ouvrit et un homme passa sa tête. Il faisait trop sombre pour voir son visage, mais il avait une impressionnante chevelure blond-orange.

« Je suis *désolé*. Je ne vous ai pas entendus entrer. »

La voix était à la fois rauque et grêle – c'était très curieux. Après une brève inspiration, l'homme s'avança et referma derrière lui. Pourtant, face à nous, il resta *exactement* à sa place, un bras dans le dos, la main sans doute posée sur la poignée, comme s'il comptait s'enfuir dans quelques secondes.

C'était forcément lui. L'Araignée.

Il était massif – il mesurait presque deux mètres –, imposant et musclé. Il était tout en noir, à la notable exception d'un col romain blanc.

« En quoi puis-je vous aider ? » Sa phrase sortit d'un coup, suivie par un silence, un peu comme si les mots s'étaient amassés dans sa bouche, tels des cailloux dans un drain, avant de soudain jaillir, lui donnant cette cadence étrange, discordante. « Vous cherchez quelque chose en particulier ?

— Oui, répondit Hopper en s'avançant vers lui. Hugo Villarde. »

L'homme se pétrifia.

« Je *vois*. »

Pendant au moins trente secondes, il n'ajouta rien, ne bougea pas le moindre muscle. Toutefois, même de là où j'étais, assez loin derrière Hopper et Nora, je voyais que ses épaules montaient et descendaient.

Il avait peur.

« N'essayez pas de partir en courant, dit Hopper en s'avançant vers lui. On sait qui vous êtes. On veut juste discuter. »

En un geste de soumission, l'homme baissa la tête. Ses cheveux – d'une couleur de bronze irréelle – attrapèrent la lumière.

« Vous êtes de la police, je présume ? »

Personne ne répondit. Je fus pour le moins surpris par sa question. Je tenais un *enfant* dans mes bras, tout de même.

Peut-être ne m'avait-il pas vu. Il regardait par terre.

« Je... Je savais que vous viendriez *un jour*. Vous avez tout découvert là-bas, c'est ça ? Enfin, ça *ressort*. »

Il susurra cela avec une *peur* manifeste – toujours de cette voix étrangement féminine et basse.

« Il y en avait combien ? dit-il.

— Combien de *quoi* ? » répondis-je en m'approchant de lui.

Il releva la tête et nota ma présence.

Il se tourna d'abord vers Nora, puis vers Hopper, et comprit qu'il avait mal apprécié la situation : nous n'étions *pas* des policiers. Et même s'il ne *fit* rien de spécial, je me rendis compte que, dès lors, ses épaules se relâchèrent et sa tête se redressa de quelques centimètres, comme s'il cessait de se dégonfler ou de se dérober.

Lorsqu'il finit par poser de nouveau ses yeux sur moi, je fus aussitôt gagné par une sensation de malaise. Pour moi, il ne faisait aucun doute que cet homme était en réalité un personnage beaucoup *plus sombre*, comme s'il retrouvait peu à peu une assurance folle et que cela le faisait légèrement *enfler*, renaître dans toute sa noirceur.

Qu'avait dit Marlowe Hughes, déjà ?

Le prêtre, voyez-vous – il était toujours là, à traîner dans les parages, à attendre en silence près de la clôture, comme une ombre. Onctueux, omniprésent.

Bien que son visage demeurât immobile, ses yeux – du moins ce que je pouvais en voir – s'intéressaient beaucoup à Sam.

Il fallait que j'éloigne ma fille de ce type. *Tout de suite.*

91

Je la ramenai dans l'étroit passage qui conduisait à l'avant du magasin. Je devais la mettre en lieu sûr, mais pas trop loin non plus, pour que je puisse garder un œil sur elle. Au bout d'une dizaine de mètres, je vis un large fauteuil en velours prune dont le siège était usé jusqu'à la corde. À côté, il y avait une table avec un tas de revues et un cheval en plastique jaune. Rien de dangereux.

« Noooooon, gémit Sam après que je l'eus installée sur le fauteuil. Je ne veux pas !

— Chérie, il faut que tu attendes ici.

— C'est un endroit *magique*. »

Elle leva les yeux vers moi ; elle avait la mine déconfite, chiffonnée. Elle était au bord des larmes.

« Plus maintenant, chérie. C'est un endroit *rigolo*. »

Elle secoua la tête et agrippa ma jambe, la tête contre mon genou. Je ramassai le cheval.

« Nom d'un petit bonhomme. Tu sais qui c'est ? »

Le front toujours collé à ma cuisse, elle recula son cou de quelques centimètres pour regarder obliquement le jouet.

« C'est Silver. *Incroyable*. Il a mille ans, et si tu es gentille avec lui il te révélera ses secrets. Écoute, je suis *là-bas*. Ne touche à rien. Je reviens tout de suite. Après, on ira manger des sundaes géants, d'accord ? »

Le cheval dut l'intriguer – il avait l'air de remonter aux années quarante, sa selle et ses rênes étaient peints – car elle s'en empara et, la mine maussade, le retourna entre ses petites mains.

Malheureusement, ils avaient tous écouté notre petite discussion : Nora et Hopper avec appréhension, Hugo Villarde avec ce que je crus être un petit *sourire*. Pourtant, lorsque je m'approchai de lui, il baissa tout de suite la tête, comme s'il détestait être regardé droit dans les yeux.

Je me plaçai entre Sam et lui, afin qu'il ne l'ait pas dans son champ de vision. « Plus que quelques minutes et j'emmène ma fille loin d'ici », me dis-je.

« Commençons par Ashley Cordova, attaqua Hopper. Comment la connaissez-vous ? »

Aucune réponse.

« Pour quelle raison vous recherchait-elle ?

— Elle me recherchait ? Elle me *pourchassait*, vous voulez dire.

— *Pourquoi ?* »

Il fit quelques pas prudents et se baissa pour s'emparer d'un tabouret métallique caché sous une table. Il le tira lentement à lui sur le sol en ciment – avec un bruit de crissement, de *raclement*, qui sembla lui plaire – puis en fit le tour et s'assit sur le *bord*, face à nous. Il cala le talon de sa botte – une santiag noire avec des surpiqûres blanches sophistiquées – sur l'échelon du haut.

Il resta ainsi, à nous scruter, tel un vieux cygne musclé, jadis majestueux, aujourd'hui à peine vivant, et d'une grâce troublante malgré sa masse. Maintenant qu'il était un peu mieux éclairé, je vis que son visage était creusé de rides profondes, même si, sur son côté droit, sa peau était cloquée et balafrée des yeux jusqu'au cou. *Marlowe Hughes nous avait donc sans doute dit la vérité.* Ces cicatrices devaient être des séquelles de cette fameuse nuit où Ashley avait, semblait-il, brûlé vif l'Araignée.

« Que faisiez-vous au trentième étage du Waldorf Towers ? » demandai-je.

Il eut l'air surpris.

« Je... J'avais rendez-vous avec quelqu'un.

— Qui ça ? voulut savoir Hopper.

— *Mon Irréel Déformé*, répondit-il avec un sourire. C'est comme ça qu'il se faisait appeler. On s'est rencontrés sur Internet.

— Qui payait qui ? » demanda Hopper sans prendre de gants.

Villarde inclina la tête, résigné. « C'est *moi* qui le payais.

— Que s'est-il passé ? dis-je.

— J'ai suivi ses consignes à la lettre. J'ai réservé la chambre. Sous mon *vrai* nom. Je me suis entièrement déshabillé, jusqu'à n'être qu'en peignoir. Et quand j'ai entendu les trois coups à la porte, j'ai ouvert. Je m'attendais à découvrir un magnifique *garçon.* »

Il s'interrompit. « Certainement pas cette *chose*.

— Ashley, vous voulez dire ? »

Nos regards se croisèrent. La simple mention de son nom semblait le révulser.

« Elle vous a piégé », dis-je.

Il acquiesça. « Je n'ai jamais été aussi horrifié de ma vie. Je l'ai poussée et j'ai couru dans le couloir en hurlant, jusqu'à l'ascenseur. Je tremblais, j'avais des *convulsions* à cause du choc. Je suis sorti dans la rue, en peignoir. Pas de clés. Pas de portefeuille. J'avais laissé des milliers de dollars dans la chambre. Mais il fallait que je parte. C'était une question de vie ou de mort. »

À entendre sa voix voilée et mielleuse, on aurait pu croire qu'on avait en face de nous une *gamine* nerveuse de quinze ans et non un grand gaillard proche des soixante-dix ans. Je n'arrivais pas à m'habituer à ce décalage entre sa voix enjouée et son apparence physique. D'ailleurs, plus il parlait, plus cela m'effrayait.

Il y avait chez lui autre chose de *bizarre*.

D'abord, j'avais été surpris de le voir tirer un tabouret et s'asseoir pour *bavarder* avec nous sans la moindre gêne ou réticence. Marlowe Hughes – je pouvais comprendre *son* envie de parler, elle la star déchue, recluse et oubliée, tellement désireuse de capter l'attention d'un public fasciné. Mais cette créature ? Pourquoi nous dire la vérité aussi facilement ? *Il voulait forcément obtenir quelque chose de nous.*

Mal à l'aise, je jetai un coup d'œil vers Sam. Elle avait posé le cheval sur la table et l'étudiait de près.

« Où est-ce que vous avez revu Ashley ? demandai-je en me retournant vers Villarde. Dans le club ? *Oubliette ?* »

Villarde fut visiblement médusé d'entendre ce nom-là. Il se tortilla sur le tabouret, enfonça sa tête dans ses épaules, les rabaissa, puis s'immobilisa.

« Bigre. Je vois que vous avez *bien* travaillé. C'est exact.

— Comment savait-elle que vous seriez là-bas ? demanda Hopper.

— Je pense qu'elle a dû trouver ma carte de membre dans le portefeuille que j'avais laissé dans la chambre du Waldorf en partant. Au verso, il y a un numéro de téléphone privé à composer pour organiser sa propre captivité. J'ai découvert par la suite qu'Ashley avait téléphoné et s'était débrouillée pour venir en prétendant que je l'avais invitée. »

Il s'arrêta un instant. Il respira lourdement, émettant un bruit sensuel, écœurant.

« Je... J'étais dans ma cellule, avec mon geôlier, quand elle a surgi de l'obscurité. C'était comme si elle sortait des murs en pierre. J'ai hurlé. Je me suis enfui. J'ai prévenu la sécurité. Ils se sont lancés à sa poursuite, jusqu'à la plage, en bas des falaises. Toute une équipe d'agents. Mais ils sont rentrés bredouilles. Ils disaient que ses traces de pas *s'arrêtaient net*, comme si elle s'était envolée. Ou alors comme si elle avait marché dans la mer et s'était noyée. » Il baissa la tête et regarda ses genoux. « Le lendemain, toujours aucune trace d'elle. Mais je savais que ce n'était qu'une question de temps. Elle allait revenir.

— Et elle est revenue ? demandai-je.

— Oh, que *oui*. Plutôt deux fois qu'une.

— Où ça ?

— *Ici même*. »

Il tendit le bras pour désigner son propre magasin. « Je faisais l'inventaire, au fond, quand tout à coup je me suis aperçu que la lumière avait entièrement disparu du magasin, comme si le soleil s'était caché derrière un nuage. Inquiet, j'ai levé les yeux. *Et elle était là.* »

Il pointa un doigt vers l'avant-boutique, où la lumière du jour était filtrée par les vitraux et la porte entrebâillée.

« Elle ne m'avait pas encore vu. Alors je me suis accroupi et j'ai rampé par terre, à quatre pattes, en essayant d'être le plus silencieux possible. Je suis arrivé dans un coin et je me suis caché. »

Il montra sur sa droite, tout au fond, une immense garde-robe en bois.

« J'entendais chacun de ses pas. Elle se rapprochait toujours plus de ma cachette. Comme si c'était le diable qui venait me chercher. Il y a eu un long silence. Je l'ai entendue poser la main sur la poignée de la porte. Très lentement, elle s'est ouverte. Et là, j'ai compris que c'était fini. Que j'allais me retrouver face à ma propre mort. »

Il se tut et tressaillit.

Essayant de faire fi du dégoût qui m'envahissait peu à peu, je me retournai pour voir ce que Sam fabriquait. Par bonheur, le cheval et elle étaient devenus les meilleurs amis du monde. Elle lui murmurait à l'oreille quelque chose de la plus haute importance.

« Pourquoi vous poursuivait-elle ? » demanda soudain Hopper.

Villarde se contenta de baisser la tête avec un air contrit.

« Vous travailliez avec les habitants de Crowthorpe Falls ? demanda doucement Nora en faisant un pas vers lui. Vous les avez aidés à s'introduire sur la propriété du Peak ?

— En effet », dit Villarde. Il lui adressa un sourire timide, reconnaissant de sa gentillesse.

« Comment est-ce que ça se passait, au juste ? demandai-je. Vous aviez fait un pacte avec eux ?

— En effet, reconnut-il, penaud.

— Avec *qui* ? »

Il secoua la tête. « Je ne l'ai jamais su. Ils étaient si nombreux. Je... Je venais juste de m'installer à Crowthorpe. J'ai rencontré Stanislas pour la première fois, plutôt par hasard, au petit super-marché du coin. Sa femme l'avait envoyé lui acheter des gants de jardinage. Il m'a demandé ce que je pensais des modèles exposés. "Laquelle de ces paires de gants est faite pour une reine des fées ?" C'est la première chose qu'il m'ait dite. Entre nous, ç'a été le coup de foudre. Quand des hommes se désirent l'un l'autre, ils entrent en collision comme deux boulets de démolition. Ils assouvissent leurs pulsions sur le moment, comme si la fin du monde était imminente. Nous avons commencé à nous revoir au village et, au bout d'un mois, il m'a invité dans sa propriété. Il m'a donné ma propre suite dans la tour, tout en acajou et rideaux de damas rouges. La plus belle chambre qu'il m'ait jamais été donné de voir. Plusieurs semaines après, j'étais au village, en train de déjeuner dans une cafétéria, quand un homme barbu, en salopette, s'est assis juste en face de moi, un cure-dents à la bouche. Il m'a demandé si j'étais intéressé par un arrangement profitable pour toutes les parties. À l'époque, je n'avais pas d'argent. Je me suis dit que si j'installais une relation de confiance avec les gens du coin, ça m'aiderait à asseoir mon ministère.

— Pourtant, *officiellement*, vous n'êtes pas prêtre, dis-je.

— J'ai fait deux ans de séminaire. Mais en effet j'ai abandonné en cours de route.

— Ce qui ne vous empêche pas de porter l'habit. Ce n'est pas sacrilège ? »

Il se contenta d'un petit sourire timide. Il se frottait doucement les mains.

« Pourquoi avez-vous lâché le séminaire ? demanda Nora.

— Je n'avais pas ce qu'il fallait pour réussir au sein de l'Église catholique.

— C'est drôle, dis-je, j'ai remarqué que les *ordures* réussissent avec une facilité déconcertante dans les hautes sphères de l'épiscopat. »

Villarde ne répondit pas ; je me retournai pour voir Sam. Elle était en train de faire danser le cheval en plastique sur la table.

« Donc quel était cet *arrangement profitable pour toutes les parties* ? voulut savoir Hopper.

— Je devais les aider à avoir accès à la propriété. C'était simple. Tout ce que j'avais à faire, c'était découper une portion de la clôture en fil de fer, au sud du domaine, ce qui leur permettrait d'y entrer en canoë, par un petit ruisseau qui rejoignait un des lacs de la propriété. On m'a demandé aussi d'ouvrir les tunnels.

— Les tunnels ? dis-je.

— Sous le Peak, il existe tout un labyrinthe de passages souterrains. Ils sont là depuis la construction de la maison. Ils permettaient aux domestiques de se déplacer facilement tout en se protégeant des intempéries. Stanislas ignorait leur existence quand il a acheté le domaine. Les Anglais qui vivaient là avant lui les avaient bouchés, et l'agent immobilier n'était pas du tout au courant. Cet inconnu, le barbu, m'a donc demandé de bien vouloir les *déboucher*. C'était assez facile, ça m'a pris à peine quelques nuits. Ils avaient été grossièrement obstrués avec des bouts de bois et des clous. Des fragments de poèmes et des vers curieux avaient été griffonnés à l'envers sur les briques, comme si le type qui avait creusé était totalement fou. L'autre chose qu'on m'a demandé de faire a été d'ouvrir le portail de l'entrée. Chaque mercredi soir à minuit, j'empruntais le tunnel qui conduisait à l'entrée de la propriété – environ trois kilomètres – et je déverrouillais le portail.

Ensuite, je rentrais me coucher. Tout simplement. Les tunnels sont vastes, disposés en toile d'araignée. Il y a un point central d'où l'on peut voir les différents passages partir vers d'autres coins secrets de la propriété. Je ne les connaissais pas tous. J'ai toujours emprunté celui qui menait au portail. C'était le seul que j'osais prendre. Et c'était *tout*. Bien sûr, en faisant ça, j'ai trahi Cordova. Mais pour être très honnête, je ne voyais pas où était le mal. La propriété était immense. Pourquoi ne pas laisser ces pauvres villageois, qui n'avaient rien, disposer du terrain pour leurs rituels païens, si ça les rendait heureux ?

— Vous participiez à ces rituels ? demanda Hopper.

— Bien sûr que non, fit Villarde d'un air outré.

— Mais Cordova, lui, oui », dis-je sans ménagement.

Villarde ferma les yeux pendant quelques secondes, comme s'il souffrait.

« Le soir où il a découvert les tunnels, il a surpris une femme seule en train de courir dans l'un d'eux pour s'en aller rejoindre leur site. Stanislas l'a suivie, avec la ferme intention de leur passer un savon. Au lieu de ça, je ne sais pas comment, il s'est retrouvé mêlé à leurs affaires. » Villarde eut un petit sourire. « "Il peut se trouver pour chacun un appât auquel il doit mordre." »

— En quoi consistaient ces rituels ?

— Je l'ignore. Stanislas refusait de me le dire.

— Mais quelle était la nature de votre relation avec Stanislas, au juste ? »

Ma question l'intimida. « Nous avions... un lien.

— C'est ce que *vous* dites, marmonna Hopper. C'est drôle comme ce genre de relations peuvent être à sens unique. »

Villarde se hérissa. « *Moi*, je n'ai rien fait à Cordova. C'était *lui*, le vampire. Il vous donnait l'impression qu'il vous aimait, que vous étiez pour lui l'être le plus cher au monde. Et pendant ce temps-là il vous vidait de votre sang, aspirait toute la vie qui était en vous. Vous passiez une heure avec lui, et vous n'étiez plus qu'une carcasse. Vous perdiez toute conscience de vous-même, toute dimension personnelle, comme s'il n'y avait plus aucune différence entre vous et la chaise sur laquelle vous étiez assis. *Lui*, de son côté, en ressortait ragaillardi, bien sûr, revigoré pour une semaine. Il écrivait, il filmait, *insatiable, follement vivant*. L'art, le langage, la nourriture, les hommes, les femmes – tout ça devait lui être constamment servi sur un plateau, comme à une bête affamée qui pouvait à peine tenir dans des limites humaines. Son appétit était sans fin. »

Il lâcha tout cela avec beaucoup de feu dans la voix et s'apprêtait à poursuivre sur sa lancée lorsque, soudain, il se ravisa et se tut.

« Combien de temps avez-vous vécu chez Cordova au Peak ? demandai-je.

— Pas longtemps. Notre amitié s'est ternie après la mort de sa première femme. Genevra. Elle était très jalouse de notre relation. J'ai jugé préférable de partir. J'ai voyagé à l'étranger. Mais quand vous fuyez une personne, vous avez beau aller *à l'autre bout* du monde, elle vous poursuit d'aussi près que les étoiles. En fait, l'emprise qu'elle a sur vous est encore plus *forte*. Je suis parti quinze ans. Quand je suis retourné à Crowthorpe, je suis allé au Peak et j'ai demandé à Stanislas si je pouvais habiter de nouveau chez lui. Je pensais qu'on pourrait tout reprendre à zéro, vivre comme avant la mort de sa première femme. Mais il en avait une *nouvelle*, Astrid, ainsi qu'une enfant magnifique. Ashley. Et un nouveau *film* qu'il était en train de tirer du néant pour en faire une créature folle. Il y avait beaucoup de monde qui habitait là-bas, des écrivains, des artistes, des savants. Et pourtant, au bout d'un mois, il *m'a* pris à part et m'a dit que je devais penser à mon avenir, à l'endroit où j'allais installer l'église dont j'avais toujours rêvé. Et ce serait loin de *lui*. *"Il est temps de laisser la vigne vierge prendre le dessus"*, aimait-il à dire. Ce qui signifiait que ça ne servait à rien de garder certaines pièces de la maison bien rangées et bien éclairées alors qu'il n'avait aucune intention d'y remettre les pieds. Il vivait comme ça. Il était *lui-même* cette grande maison abandonnée à la nature, où les arbres crevaient les plafonds, où les plantes poussaient à travers le sol. J'ai compris le message. Il m'avait fait le coup tellement souvent. Il me congédiait. Me donnait l'ordre de *disparaître*. Un fondu au noir. Stanislas allait toujours de l'avant, il se battait, il aimait, il courait vers le prochain inconnu mystérieux, la prochaine île, la prochaine mer. Et derrière lui, il ne laissait que des ruines. Mais il ne se retournait jamais pour les *voir*. Il ne regardait jamais *derrière lui*. J'ai été profondément meurtri. Il était à la fois le plus doux et le plus barbare des hommes. Il passait d'un extrême à l'autre sans prévenir, quand bon lui semblait. Avec lui, vous aviez le sentiment de suivre une lumière sublime et étincelante qui vous attirait jusque dans les bois. Dès que vous étiez perdu, incapable de retrouver votre chemin, la lumière se tournait méchamment vers vous, vous mettait à nu, vous aveuglait, vous brûlait. Je ne pouvais plus me détacher. Je ne m'étais pas détaché de Stanislas pendant quinze ans. *Je ne sais pas pourquoi cet enfoiré pensait que je le ferais à ce moment-là.* »

Il dit cela avec mépris, en postillonnant, sans pouvoir se maîtriser, puis se tut tout aussi brusquement. Pour se ressaisir, il prit une longue inspiration.

Je ne pouvais m'empêcher de le regarder. Marlowe Hughes l'avait qualifié d'*onctueux* – étrange choix de mot. Mais il ressemblait *en effet* à un filet d'huile coulant d'un tuyau descellé et s'égouttant sans un bruit, sans relâche, sur le sol. Avec le temps, la tache qu'il y laissait, d'abord à peine visible, devenait énorme, répugnante.

Et malgré toute son auto-compassion pathétique, je sentais en lui une vraie, une très profonde blessure, qui ne s'était jamais guérie.

« Peu de temps après avoir été congédié, reprit Villarde, je me suis glissé dans la chambre de sa petite fille en pleine nuit. C'était d'une *facilité déconcertante*. C'est *paradoxal*, vraiment, qu'il n'ait rien fait pour protéger sa création la plus chère à ses yeux – lui, *Cordova*, qui nous rappelait sans cesse de *craindre* notre propre ombre, qu'il n'y avait rien de plus effrayant au monde. » Il sourit. « Elle n'a pas pris peur quand je l'ai réveillée. Elle s'est redressée sur son lit, s'est frotté les yeux et m'a demandé si j'avais fait un cauchemar. *Bel euphémisme.* Je lui ai dit qu'il était arrivé une chose terrible. J'avais besoin de son aide. Je lui ai raconté que son père avait été enlevé par des trolls et qu'il fallait qu'on aille au cœur de la forêt la plus sombre pour le sauver. Je l'ai sortie du lit sans ménagement, en lui disant de se taire, sinon les trolls viendraient chercher sa mère et son frère pour les tuer. Elle n'a pas prononcé un seul mot. Je l'ai emmenée directement au sous-sol et on est descendus dans les tunnels. Je n'ai même pas pris la peine de lui faire mettre ses petits souliers ou de lui donner un manteau. Mais Ashley n'avait pas peur. Oh, que *non*. Elle était la fille de Cordova, après tout. Cinq ans, mais déjà tellement *déterminée*, tellement dénuée de la moindre peur. Je me rappelle encore le bruit de ses pieds nus, leur douceur et leur *propreté*, pendant qu'elle marchait sur la terre sale à mes côtés. Et la manière dont ma lampe torche touchait le bas de sa chemise de nuit blanche, la *chauffant* à mesure qu'on avançait dans le passage souterrain. C'était comme une veine noire qui n'arrêtait pas de sinuer devant nous. Une fois arrivés au point central, elle m'a dit qu'elle s'était fait mal au pied. Elle saignait. Elle avait dû marcher sur un clou. Mais je l'ai entraînée jusqu'au bout de l'étroit tunnel qui nous mènerait jusqu'à la clairière. Et au *carrefour*. Je n'y étais encore jamais allé. Je n'avais jamais *osé*. »

Villarde secoua la tête. Il avait les mains jointes et les doigts entrelacés, comme s'il priait. Je me retournai vers Sam. Elle avait posé le cheval sur la pile de magazines et bavardait tranquillement avec lui en caressant sa crinière. *Plus que quelques minutes à tenir.*

« Pour finir, reprit Villarde, presque inaudible, au moment où je commençais à me dire qu'on était descendus non pas vers les bois, mais au centre de la Terre, on est arrivés au bout du tunnel. Il n'y avait qu'un mur et une échelle métallique. Je suis monté en premier et j'ai ouvert la trappe. Elle donnait sur une partie très dense de la forêt. Sur ma droite, au loin, derrière ce qui avait l'air d'être un pont au-dessus d'un torrent, je les ai *vus*. Ils étaient tout un groupe. Et un feu de joie. Une lumière orange, comme un stroboscope, sur leurs tenues noires. Mais le *bruit* qu'ils faisaient ne ressemblait à rien de ce que j'avais entendu. Comme des animaux, mais d'une espèce inconnue. Un mélange de chèvre, de cochon et d'homme, *tout à la fois*. J'étais pétrifié. Je ne pouvais plus avancer. J'ai attrapé Ashley brusquement pour la faire monter sur l'échelle. Elle pleurait de douleur. Je l'ai soulevée hors du trou et je lui ai expliqué que c'était sa seule chance d'empêcher son père de brûler en enfer. Je lui ai montré le feu et je lui ai dit que son père était *là*, à l'autre bout du pont. Elle n'avait qu'à courir vers lui, aussi vite que ses petits pieds le lui permettaient, et elle le sauverait. Elle m'écoutait avec une telle sagesse dans ses yeux... Ces yeux gris qui étaient vraiment *ceux de son père*. C'était comme si elle savait ce que je faisais, comme si elle comprenait parfaitement. »

Il s'interrompit pour reprendre son souffle. « Je n'ai pas pu la regarder faire. Je n'ai pas osé. Je suis redescendu, j'ai remis la trappe et je l'ai verrouillée pour qu'Ashley ne puisse pas revenir. Puis j'ai repris le tunnel en courant. À peine deux minutes plus tard, j'ai entendu un *cri* atroce. J'ai reconnu la voix : c'était la sienne. Celle de mon grand amour. *Cordova*. On aurait dit qu'il se faisait massacrer, que ses chiens qu'il aimait tant le déchiquetaient, lui arrachaient les bras et les jambes. C'était son *amour* qui l'anéantissait. Je ne me suis pas arrêté. J'ai repris le tunnel jusqu'à la maison et suis retourné me coucher dans ma chambre. Je me suis caché sous les draps toute la nuit, effaré par l'horreur de ce que j'avais fait. J'ai attendu qu'il me retrouve. Je savais qu'il n'hésiterait pas à me tuer pour se venger. Et pourtant... Je me trompais. Le jour s'est levé. Il faisait *beau*. Le ciel était bleu, les nuages ressemblaient à de la barbe à papa, comme si rien ne s'était passé. Comme si tout ça n'avait été qu'un rêve. »

Villarde reprit péniblement son souffle, posa son autre pied sur l'échelon supérieur du tabouret, mit ses bras entre ses deux cuisses et voûta les épaules, presque pour se renfermer en lui-même.

« La transformation qui a commencé à s'opérer... »

Il s'interrompit de nouveau, l'air de ne toujours pas y croire.

« Avant, voyez-vous, je n'y avais jamais *cru*. *Jamais*. Mais là, c'était plus fort que moi. Il n'y avait pas d'autre explication possible. Stanislas était dévasté. Cependant, il n'avait aucune idée du rôle que j'avais joué dans cette affaire. Ashley, curieusement, ne lui a rien dit. Et pourtant, quand je me retrouvais dans la même pièce que cette petite fille, je la voyais qui m'observait. Je savais qu'elle repensait à cette fameuse nuit et à ce que je lui avais fait. Mais Stanislas, ne se doutant de rien, voulait désespérément que je reste. Il avait besoin de moi parce qu'il voulait s'accrocher à Dieu. *Dieu...* Mais si, vous savez, ce cousin éloigné et ennuyeux auquel personne ne s'intéresse – pas un coup de fil, pas une lettre – jusqu'au jour où on a besoin d'un grand *service*. »

Il sourit.

« Je me suis rendu indispensable. Et pendant les dix années qui ont suivi, j'ai vécu avec la famille. J'ai donné ma vie à Stanislas. Je lui ai enseigné la théologie catholique. Je l'ai aidé à étudier les textes et à prier, pour son propre salut mais surtout pour celui d'Ashley, qui lentement, mais sûrement, devenait *terrible*. J'ai suggéré l'intervention d'un exorciste. Mais d'un autre côté, on n'avait *pas* affaire à un cas de possession, si ? Non. C'était une *promesse*. Un marché. Après m'être documenté sur les pactes légendaires passés avec le diable dans l'Histoire, j'ai découvert une solution envisageable. Il fallait que Stanislas trouve un autre enfant qui se substituerait à Ashley. Un *échange en bonne et due forme*. Une âme pure contre une autre. Ashley pourrait ainsi être délivrée. Et j'avais lu que si on tentait une telle chose, un simple *transfert de dette*, il n'était pas nécessaire de faire du mal à l'autre enfant. Il fallait un vêtement ou un objet ayant *exclusivement appartenu* à ce nouvel enfant. J'en ai parlé à Cordova sur un coup de tête, en réalité, sans penser qu'il tenterait l'opération. Malgré tous ses défauts, il *adorait* les enfants. Mais il a commencé à quitter le Peak en pleine nuit. Il demandait à son chauffeur de le conduire dans diverses écoles de la région. Là, il errait sur les terrains de jeux, sur les terrains de sport ou dans les couloirs, à la recherche d'un petit objet perdu par un enfant. Quand il rentrait avec son butin de petits maillots et de petites chaussures, de soldats en plastique et d'ours en peluche, il les fourrait dans un sac, les emportait jusqu'au carrefour et essayait d'échanger Ashley. Chaque soir, chaque semaine. J'étais le seul au courant. Mais ça ne marchait pas. *Rien ne marchait.* »

J'étais trop éberlué pour intervenir. C'était exactement ce que mon interlocuteur anonyme, John, m'avait décrit quelques années plus tôt.

Tout était donc vrai. Je n'avais pas été victime d'un traquenard. Il m'avait dit la vérité.

En m'apercevant que je n'avais *pas été dupé*, la joie que je ressentis me donna presque le tournis. « Il y a quelque chose qu'il fait aux enfants », m'avait dit John. Et c'était vrai. Si Cordova allait faire des tours dans ces écoles en pleine nuit, c'était pour se servir des enfants, les échanger, sauver l'âme d'Ashley en condamnant la leur.

« Tout ça parce qu'il ne trouvait personne qui puisse rivaliser avec Ashley, continua Villarde. Le diable s'était vu promettre un enfant d'une perfection, d'une intelligence, d'une perspicacité et d'une beauté telles qu'il était impossible de trouver un substitut à Ashley. Autant chercher l'ersatz d'un archange. Pourtant, Stanislas n'en démordait pas. Il essayait, échouait, essayait encore. Il était prêt à tout pour la sauver. Peu importe le sentiment de culpabilité et l'horreur que cela lui laisserait. Il savait qu'il était condamné. Mais pas *elle*. »

Villarde déglutit lentement, la tête baissée, le souffle court. « Quelques mois après lui avoir proposé cet *échange*, une nuit, je me suis réveillé pris de douleurs insupportables. Mon lit était en train de brûler. *J'étais* en train de brûler. Ainsi que mon habit de prêtre dans l'armoire et les rideaux de ma chambre. Ils étaient en flammes, ils se tortillaient comme s'ils étaient vivants. J'ai hurlé, je m'agitais dans tous les sens. J'ai essayé de sortir de la chambre pour trouver de *l'eau*, mais Ashley bloquait la porte. Sa main gauche était en *feu* – et pourtant elle n'avait pas mal. Elle avait un regard dément. Un regard *triomphant*. C'est la dernière chose dont je me souviens. Quand je suis revenu à moi, je me trouvais dans un hôpital. J'ai appris qu'on m'avait déposé anonymement aux urgences d'Albany. Je ne savais ni qui m'avait emmené, ni comment, mais j'avais des brûlures au troisième degré sur 80 % du corps. J'ai eu droit à des transfusions sanguines, à des greffes de peau, et, au bout de plusieurs mois, quand j'ai enfin obtenu l'autorisation de quitter l'hôpital, je savais que je ne retournerais jamais au Peak. Cette *chose* qu'elle était en train de devenir voulait ma mort. Elle me *contrôlait*. Je ne pouvais plus les sauver. En revanche, je pouvais encore *me* sauver. Alors j'ai disparu. Et il ne s'est rien passé pendant huit ans, jusqu'à ce qu'elle me retrouve. C'était il y a quelques semaines. »

Tout ce que nous avait dit Marlowe était donc vrai. Villarde était bien l'homme brûlé dans la voiture d'Astrid, et Ashley avait été expédiée à Six Silver Lakes à cause de ce qu'elle avait fait.

« Quand nous sommes arrivés, pourquoi avez-vous pensé que nous étions de la police ? demanda Nora.

— Je me suis dit que... Je me suis dit que vous aviez trouvé des preuves là-bas, dans la propriété.

— Des preuves de *quoi* ? dis-je.

— Des agissements de Cordova. Pour essayer de sauver sa fille. Quand les vêtements et les jouets se sont révélés inefficaces, j'ai cru... Non, j'ai *redouté* que, en désespoir de cause, il se soit mis à se servir d'enfants en chair et en os. Je pense qu'il doit y en avoir quelque part là-bas. Enterrés. À moins qu'il les ait tous brûlés, incinérés dans les fourneaux et réduits en cendres. »

Il ferma les yeux, horrifié. « "Je te montrerai la peur dans une poignée de poussière" », murmura-t-il.

Face à ces accusations, je restai bouche bée.

Le magasin entier, et tout ce qu'il contenait, sembla se pétrifier, révulsé par ces propos, et s'assombrir, s'enfoncer dans l'obscurité, retenir son souffle. J'étais sous le choc de ce seul mot : *brûlés*. Il me fit repenser à une chose que j'avais notée, à l'époque, et que Nelson Garcia, le voisin de Cordova à Crowthorpe Falls, m'avait dite. *Maintenant, ils mettent le feu à toutes leurs ordures,* m'avait-il dit. *On peut sentir l'odeur quand il fait très chaud la nuit. Ça brûle. Et parfois, quand le vent souffle du sud-est, je peux même voir la fumée.*

« Que vous a-t-elle fait ? » demanda soudain Hopper.

Villarde leva les yeux vers lui ; il était mal à l'aise.

« Quand elle a ouvert l'armoire et vous a trouvé tapi dans un coin, *qu'est-ce qu'elle a fait* ? Vous êtes toujours *en vie*, n'est-ce pas ? Vous portez toujours cette tenue sacrilège. Que vous a fait Ashley qui vous foutait tellement la trouille ? »

Villarde se contenta de baisser la tête.

« Vous ne pouvez même pas le *dire*, c'est ça ? »

Villarde ouvrit la bouche, mais aucun son n'en sortit. Puis il hoqueta, un bruit de suffocation bizarre qui m'inspira un dégoût profond. Il était, indéniablement, un des êtres les plus pitoyables qu'il m'eût été donné de voir.

« Elle m'a mis debout, susurra-t-il. Et ensuite elle…
— *Elle a quoi ?* hurla Hopper.
— Elle… »
Villarde pleurait. « Il n'y a rien de plus *terrifiant*, vraiment…
— *QUOI ?*
— Elle m'a dit qu'elle… me pardonnait. »
Les mots étaient si fragiles, si inattendus, qu'aucun d'entre nous ne réagit.

Villarde était figé sur son tabouret, la tête entre les épaules, comme s'il attendait un châtiment divin, que Dieu, voire le diable, le raye de la carte du monde. J'allais rompre le silence lorsqu'il redressa brusquement la tête et me fixa *droit dans les yeux.*

Un regard si pénétrant que j'en fus *ébloui.*

Ses yeux étaient complètement secs.

L'espace de quelques secondes, je me dis que je m'étais mépris sur son désespoir et sa haine de soi, car son visage vieilli et buriné montrait une excitation indéniable. Ses yeux pétillaient.

Le silence était trop lourd.

Il n'y avait aucun murmure, rien derrière moi. Je me retournai d'un coup.

La chaise de Sam était *vide.*

« *Samantha !* »

Je me précipitai dans l'étroit passage, renversant des piles de magazines et une canne en bois qui tomba bruyamment. Le cœur battant, je regardai partout, parmi les porte-chapeaux et les petites lampes, les rocking-chairs et les vieilles radios. Mais *nulle trace de Sam.*

« *Samantha !* »

Soudain, j'entendis une sorte de bruissement.

Je fus soulagé de voir Sam pointer sa tête au milieu des objets. Elle s'était cachée sous une table de salle à manger recouverte d'animaux empaillés : des têtes d'élans avec leurs bois, des lynx, des lézards, des crânes de singes. Elle serrait le cheval en plastique contre elle.

« *Samantha !* Viens ici *tout de suite !* »

Elle cligna des yeux, inquiète, et avança sagement vers moi. Tout à coup, un *crissement* sonore se fit entendre.

À côté d'elle, un lampadaire en bois Art déco équipé d'un large abat-jour en cristal tremblait et basculait en avant, ivre, *vivant*.

« Sam ! Ne bouge pas ! »

J'enjambai une malle de voyage et une pile de bandes dessinées, faisant tomber au passage un squelette d'oiseau placé sous un dôme de verre, mais je savais qu'il était trop tard.

Sam trébucha, tomba en avant, et le lampadaire s'écrasa juste devant elle ; l'abat-jour en cristal se brisa quelques secondes avant qu'elle ne pousse des cris perçants. J'escaladai une civière à roulettes, écartai des globes et des poupées pour la retrouver, *ma Sam, ma Sam chérie*, à peine conscient du chaos qui se déchaînait derrière moi, des hurlements, des bruits de pas s'échappant du magasin.

92

Les néons de l'hôpital baignaient d'une lumière blanche le visage de Cynthia, le rendaient pâle et brouillé. Elle me regardait comme si elle était sous l'eau.

« Le médecin dit qu'elle aura des bleus et les yeux au beurre noir pendant six semaines. Et le menton un peu gonflé.

— Et les points de suture ? demandai-je.

— Quatre sur la main, là où ils ont retiré les bouts de verre. Mais ça va cicatriser. »

La gorge nouée, je portai mon regard vide vers le fond du couloir, où Sam était allongée derrière des rideaux.

Bruce était à son chevet. Malgré les rideaux tirés, je pouvais entrevoir Sam. Bien au chaud sous une montagne de couvertures bleues, le visage enflé et rouge, elle avait un petit carré de pansement blanc collé sur le menton. L'urgentiste de l'hôpital se tenait debout à ses côtés et discutait avec Bruce.

Le médecin se sentait plus à l'aise avec *lui*. Je ne pouvais pas lui en vouloir. Quand j'étais arrivé en courant et en criant *à l'aide*, avec Sam en larmes dans mes bras, les infirmières avaient sans doute imaginé le pire – que je lui avais fait du mal.

Et c'était le cas. Même rassuré sur son sort, j'étais toujours taraudé par l'idée, épouvantable, que j'étais responsable, que c'était moi qui l'avais emmenée dans ce magasin de malheur. Encore plus terrible était ma conviction, de plus en plus établie, que Villarde avait tout manigancé. Je ne savais pas *comment* et je ne *comprenais* pas, mais j'avais l'intuition qu'il s'était assis et nous avait raconté son histoire à seule fin de mieux nous endormir, tout en cherchant le meilleur moyen de faire du mal à Samantha. Je me demandais s'il avait fait cela pour nous déconcentrer et préparer sa fuite, car au milieu du chaos provoqué par la chute de Samantha, Villarde s'était précipité hors du magasin. Hopper s'était lancé à sa poursuite mais, une fois arrivé sur la 3ᵉ Avenue, notre faux prêtre avait disparu.

Voyant mon agitation, le personnel des urgences avait compris que je ne disais pas toute la vérité et avait donc été rassuré par l'arrivée de Cynthia et de Bruce. J'avais appelé mon ex dans le taxi ; quelques minutes avant de décoller de l'aéroport de Teterboro, dans le New Jersey, leur jet privé avait regagné le terminal. Elle était arrivée moins d'une heure et demie plus tard, et une infirmière m'avait gentiment accompagné dans le couloir.

Ou bien est-ce que je me trompais sur toute la ligne ? Était-ce un simple accident ? Il se pouvait que, après avoir été happé par le récit de Villarde et l'horreur de ce qu'il avait infligé à Ashley, je n'aie plus les idées tout à fait claires.

« Elle était en train de jouer, dis-je à Cynthia. Elle a trébuché sur le fil électrique.

— Peu importe. »

Elle dit cela sur un ton monocorde. Je la dévisageai, décontenancé, mais il n'y avait rien à voir. Son visage était vidé de toute émotion au point que ça en devenait stupéfiant, comme si une pièce dans laquelle j'avais vécu toute ma vie se retrouvait soudain sans meubles, dépouillée, débarrassée de ses objets, démantelée, vidée avec une telle lenteur que je n'en avais jamais rien remarqué.

Elle secoua la tête. Ses yeux humides étaient d'un vert électrique. « Les médecins m'ont dit que tu étais arrivé en criant à propos de quelqu'un qui lui avait fait du mal ? Un *prêtre* ? Tu as perdu la tête ou quoi ? »

Je ne savais pas quoi répondre.

« Le droit de visite, c'est terminé.

— Je comprends.

— Non. Je vais aller voir le juge pour que ce soit officiel. Tu ne la verras plus. *Plus jamais.*

— Cynthia...

— *Ne. T'approche. Pas.* »

Elle dit cela avec une telle colère qu'une infirmière qui venait de nous croiser me jeta un regard méfiant.

Cynthia lissa son chemisier, repartit vers les rideaux et se retourna.

« J'allais oublier. » Elle chercha dans la poche de sa veste. « L'in-firmière a trouvé *ça* dans la poche du manteau de Sam. »

Elle me tendit une petite figurine. Je la pris.

C'était une sorte de serpent noir, en bois. Après un moment de stupeur, je m'aperçus que je l'avais déjà vu quelque part : c'était la même figurine qui avait appartenu à l'enfant sourd, au 83, Henry Street.

Il l'avait fait tomber dans l'escalier. Je l'avais ramassée et je la lui avais rendue.

Et maintenant, c'était Sam qui l'avait.

« Tu penses vraiment que c'est un jouet qui convient à ta petite fille de cinq ans ? J'ai *hâte* de le montrer au juge. »

Les bruits de l'hôpital, les interphones, les déclics et les sonne-ries de téléphone, les couinements d'une civière, les pas sur le sol – tout devint assourdissant puis, presque aussi instantanément, *silencieux.*

Une fois de plus, je ressentis toute la puissance de cette grande vague noire qui s'élevait au-dessus de moi. Elle montait *encore*, toujours plus forte.

Bruce avait écarté le rideau. Je pus voir Sam en train de regar-der un médecin et sa petite main bandée posée sur les couvertures, pareille à une mitaine égarée.

Je me retournai et me mis à courir dans le couloir.

« *Reviens ici !* hurla Cynthia dans mon dos. Je veux le garder ! »

Je dépassai un vieux monsieur couché sur une civière, les yeux au plafond, et un médecin en blouse blanche. Je poussai les portes de la salle d'attente. Hopper et Nora, assis au-dessous de l'écran de la télévision, levèrent la tête.

« *Scott ?* » lança Nora.

Sans m'arrêter, je fonçai à travers la porte à tambour et me retrouvai de nouveau dans la nuit.

93

J'arrivai devant le magasin Enchantements cinq minutes après l'heure de fermeture.

La porte était close, mais quelques clients déambulaient encore à l'intérieur.

Je tapai bruyamment contre la vitrine. Une femme surgit de derrière la caisse.

« C'est fermé !

— Il faut que je voie Cleopatra ! *C'est une urgence !* »

Avec un air contrarié, elle se dirigea vers la porte et l'ouvrit.

« *Désolée*, mec, mais… »

Je me ruai à l'intérieur et passai devant les quelques clients présents pour me rendre directement au comptoir du fond.

« *Elle est là ?* »

Un jeune blond vaguement punk, assis sur le tabouret, me regarda, affolé. Je le croisai sans m'arrêter et écartai le rideau de velours noir.

« Oh ! Vous n'avez pas le droit ! »

J'entrai et trouvai Cleo assise à la table ronde, en train de discuter avec un jeune couple.

« C'est une urgence. J'ai besoin de votre aide.

— Il a foncé comme une furie », dit le jeune blond, se dépêchant de me rattraper.

Cleo ne semblait en rien dérangée par mon irruption.

« C'est bon, fit-elle. On a presque terminé. »

Les deux amoureux se levèrent aussitôt, ramassèrent les sachets en plastique remplis d'herbes sur la table et, nerveusement, me croisèrent – *en gardant une distance de sécurité* – pour suivre le jeune blond derrière les rideaux de velours. Je me retrouvais seul avec Cleo.

De ma poche de manteau, je sortis la figurine. Je la trouvai étrangement lourde, plus qu'avant.

« Ma fille avait ça dans sa poche. Qu'est-ce que c'est que ce truc ? »

Cleo se leva et s'avança. Elle portait une blouse paysanne blanche brodée, un jean, ses Doc Martens rouges ; ses mains et ses poignets portaient toujours les mêmes bracelets et bagues en argent. Elle examina le serpent sans trop s'en approcher puis fit demi-tour. Elle se dirigea vers les étagères encombrées, tout au fond, et revint avec une paire de gants en latex.

Après les avoir enfilés d'un coup sec, elle prit délicatement le serpent – comme s'il s'agissait d'un dangereux explosif – et le déposa sur la table.

« Vous *venez* de trouver ça ?

— Oui. »

Je tirai à moi une chaise en métal pliante et m'assis face à Cleo. « Mais je l'ai déjà vu. Un autre enfant que j'ai croisé récemment l'avait. »

Elle retourna le serpent entre ses mains puis l'agita, à l'affût d'un éventuel bruit.

Sous la forte lumière rouge qui tombait du plafond, je constatai que le bois était méticuleusement sculpté ; chaque écaille, chaque nageoire, chaque croc était poli et affûté. Les lèvres retroussées et la langue tirée donnaient à l'animal un air méchant, lubrique.

« Est-ce qu'il a pu servir à marquer quelqu'un ? demandai-je. Lui infliger une sorte de, je ne sais pas… de marque du *diable* ? Avez-vous entendu parler d'une chose qu'on appelle *la huella del mal* ? L'empreinte du diable ? »

Cleo ne sembla pas m'entendre. Elle reposa le serpent au centre de la table. Elle se pencha en avant, très concentrée, l'attrapa par la queue – qui s'enroulait tout autour du corps – et le fit glisser lentement, dans le sens contraire des aiguilles d'une montre. Elle répéta le geste trois fois. Le seul bruit que l'on entendait, désagréable, était celui de la figurine qui *frottait* le bois.

Soudain, Cleo éloigna sa main comme si elle s'était brûlée, et le serpent retomba sur un côté.

« Qu'est-ce qu'il y a ? demandai-je.

— Vous n'avez pas vu ? s'exclama-t-elle, visiblement déconcertée.

— Non. *Quoi donc ?* »

Prenant une longue inspiration, Cleo tendit de nouveau le bras et attrapa la queue.

« Regardez l'ombre », dit-elle à voix basse.

J'étais tellement surchargé d'adrénaline que j'avais du mal à me concentrer sur le mouvement qu'elle exerçait.

Et puis je compris ce qu'elle voulait dire.

L'ombre – *résolument noire* sur la table – ne suivait pas l'objet. Au contraire, elle s'arrêtait net, comme bloquée par une présence invisible et vibrante de tension, puis s'allongeait, *s'étirant loin derrière la figurine* avant de se remettre vite en place et de se mouvoir normalement. Médusé, je clignai des yeux et me penchai, persuadé que mes yeux me jouaient un tour. Mais quelques secondes plus tard, le phénomène se reproduisit.

Et une troisième fois.

Cleo changea de direction et déplaça la figurine dans le sens des aiguilles d'une montre ; cette fois, l'ombre se comporta normalement.

« Comment est-ce possible ?

— Je ne sais pas, dit-elle en posant le serpent. Je vous répète que je ne suis pas experte en magie noire. Je n'ai encore jamais vu ça.

— Mais vous avez *lu* des choses là-dessus. Pendant votre long apprentissage de la sorcellerie. »

Elle me regarda. « Je ne peux pas vous aider. Vous allez devoir consulter un vrai spécialiste de la magie noire.

— Je ne *connais* pas de vrai spécialiste de la magie noire. Je ne connais que *vous*. Alors *vous* allez vous creuser les méninges, même si pour ça on doit rester assis ici deux heures. »

Je me levai. La chaise tomba à la renverse derrière moi avec un grand bruit et je me précipitai vers le fond de la pièce. Les comptoirs étaient en désordre – il y avait là des bougies consumées, des cendriers, des bouts de papier sur lesquels étaient griffonnées des recettes de sortilèges, des calepins usés, des sachets en plastique remplis de poudres et où il était marqué « OUI » et « NON », des bocaux de cendre noire. Les étagères étaient remplies jusqu'au plafond de vieux textes moisis.

Le livre de la magie sacrée d'Abramelin le Mage. 777 et autres écrits cabalistiques d'Aleister Crowley.

Cleo était à côté de moi. « Calmez-vous. »

Le mauvais œil. Le livre de Tobit. Tout sur Nostradamus. De l'étagère du haut, je sortis l'*Encyclopédie des sortilèges populaires du XIXe siècle.* Des livres de poche noirs tombèrent en même temps. La couverture montrait un pentacle rouge.

« Vous allez *aggraver* la situation, dit Cleo. Sur un esprit instable, la magie noire agit comme de l'uranium enrichi près d'un détonateur. »

J'ouvris l'encyclopédie et parcourus le sommaire.

« Il y aurait *peut-être* une autre solution, dit Cleo. Mais ce n'est pas gagné. »

Je la regardai. « Qu'est-ce que vous attendez ? »

Elle consulta sa montre à contrecœur, poussa un soupir et se déplaça jusqu'au fond, où se trouvaient un petit évier, des piles de carnets et un panneau d'affichage posé sur le comptoir et tapissé de papiers. Elle souleva les pages, à la recherche de *quelque chose*, remuant des cartes du Pays des Sorcières, en Pennsylvanie, dessinées à la main, un fascicule de la Crystal Science League, la frise chronologique de John le Conquérant, des photos d'employés du magasin, le *Code de déontologie du magicien.* Elle examina de près un petit bout de papier punaisé sous une carte postale qui montrait un homme à l'air démoniaque et, tout en se saisissant du téléphone sans fil sur le comptoir, l'approcha de ses yeux.

Je la rejoignis.

C'était une petite annonce, arrachée à un journal, entourée au stylo rouge. Elle indiquait : « UNIQUEMENT POUR LES CAS LES PLUS DÉSESPÉRÉS ». Suivait un numéro de téléphone, dont le préfixe régional était le 504.

« C'est *ça*, votre expert ? Vous plaisantez ?

— J'ai dit que ce n'était pas gagné », répliqua sèchement Cleo. Elle était en train de composer le numéro de téléphone.

Je pris l'annonce. Au verso, un titre à moitié déchiré : « LES INONDATIONS SE CALMENT », et au-dessus : *The Lafourche Gazette*. Daté du 8 novembre 1983.

« Pas de réponse, dit Cleo.

— Essayez encore. »

Avec un soupir, elle appuya sur la touche *rappel automatique*. Au bout de trois autres tentatives, elle secoua la tête.

« Je suis désolée. Je ne sais même pas à quoi *correspond* ce numéro. Ce journal traîne là depuis des siècles. Personne ne sait comment il a atterri ici. Revenez demain et on essaiera… »

Je m'emparai du téléphone et appuyai sur *rappel automatique*. Je faisais les cent pas, mon cœur battait plus fort à chaque sonnerie dans le vide.

« Ça ne peut pas se terminer comme ça, me disais-je. Avec ma fille menacée par un enfer que j'ai involontairement déchaîné sur elle. » Pendant que je me répétais cela, je réalisai avec écœurement que Cordova avait dû entonner la même rengaine en apprenant qu'Ashley avait franchi le pont du diable.

Cette vérité que je traquais devenait peu à peu la mienne.

Soudain, la sonnerie s'interrompit. Il y eut un *déclic* à l'autre bout du fil.

Je crus un instant que la ligne était coupée, mais j'entendis comme un souffle *rauque*.

« Allô ? » Il y avait beaucoup de friture sur la ligne. « Vous êtes là ?

— Qui est à l'appareil ? »

La voix se réduisait à un halètement préhistorique. Était-ce un homme, une femme, une *bête* ? Je n'en avais pas la moindre idée.

Cleo, sourcils froncés, m'arracha des mains le téléphone.

« Allô ? »

Elle s'éclaircit la gorge. Ses yeux s'écarquillèrent.

« Oui. Ici Cleopatra, de la boutique Enchantements, à New York. J'espère que je ne vous dérange pas à cette heure tardive. On a affaire à un cas désespéré. »

Elle se tut. Visiblement, elle se faisait passer un savon. Mais elle finit par me sourire, soulagée, et se dépêcha de retourner à la table.

« Je comprends. Oui, madame. Merci. Si vous voulez aller surveiller votre casserole, j'attendrai. » Cleo prit une longue inspiration, les yeux rivés sur la figurine noire. Au bout d'une minute, d'une voix neutre et clinique, elle résuma succinctement la situation.

« Et l'ombre inversée est totalement anormale », ajouta-t-elle. Elle écouta. Elle avait la mine sombre.

Une dizaine de minutes plus tard, elle colla sa main sur le récepteur.

« Allez à l'étagère, me glissa-t-elle. Voyez si vous pouvez mettre la main sur un livre qui s'appelle *Symboles animaux et minéraux de l'alchimie noire*. Il doit être tout en haut. » Elle écouta un moment, le front plissé. « Une couverture verte. »

Je courus vers le fond. Il me fallut une petite minute pour le trouver : un épais volume écrit par C. T. Jaybird Fellows. Je le sortis et le rapportai à la table.

« Pour qu'elle puisse nous aider, il faut d'abord qu'on identifie l'animal », murmura Cleo.

J'ouvris le livre, passai en revue les pages moisies, les dessins d'animaux décolorés, la typo désuète et défraîchie.

Dragon. Cœur. Foie. Cerf.

« Je comprends. » Cleo scrutait la figurine. « Des nageoires, une queue avec une petite ventouse au bout. Quelque chose entre le serpent et le poisson. »

Cochon. Chèvre. Tigre. Ver.

« Cherchez *léviathan* », me dit Cleo, tout excitée.

Chouette. Pilier. Pin. Léviathan.

L'image en couleur qui figurait sur la page consacrée au léviathan était quasiment identique à la figurine. La même grimace, la même langue tirée.

« C'est bien ça ! annonça joyeusement Cleo à son interlocutrice, en faisant glisser le livre vers elle et en étudiant le texte. Je vous le lis à voix haute ? » Elle s'éclaircit la gorge. « "Le léviathan est un serpent marin primordial et l'un des Ducs de l'Enfer, lut-elle. Pour Dante, cette créature était l'incarnation du mal absolu. Saint

Thomas d'Aquin en faisait l'un des sept péchés mortels, *l'envie* – le désir monstrueux de ce que l'on ne possède pas. Au Moyen-Orient, il représente le chaos. Dans le satanisme, il est un démon des enfers, qui peut être manipulé par la sorcière ou le sorcier et lâché dans le monde naturel à des fins destructrices." »

Elle s'interrompit et écouta.

« Je vais lui demander. » Elle me regarda. « Combien d'enfants avez-vous vus avec ça ?

— Deux.

— Est-ce qu'ils ont un *lien* entre eux ? Est-ce qu'ils fréquentent la même école, ont un centre d'intérêt commun ? Sont-ils plus ou moins liés par le sang ? Quelque chose dans le genre ? »

J'étais incapable de répondre. Mon cerveau était en ébullition. Je venais en effet de repenser à la maison de Morgan Devold et à sa fille, avec sa chemise de nuit aux cerises, qui m'avait suivi sur la pointe des pieds dans l'allée. Elle tenait quelque chose dans son poing fermé, un petit objet noir. *C'était cette figurine.*

« Non, dis-je. Ils sont *trois*. Trois enfants.

— Qu'ont-ils en commun ? »

Je me frottai les yeux. J'essayais de me calmer, de *réfléchir*.

« Ils ont entre quatre et six ans. Ils ont été en contact avec une certaine femme. Celle qui a déposé le sortilège de mort sur nos chaussures. Ashley. » Je ne pensais alors qu'à la fille de Devold et au petit garçon sourd de Henry Street. Mais la conclusion logique de ma propre phrase me sauta aux yeux : *cela voulait dire que Sam avait rencontré Ashley.*

Or, c'était impossible.

Cynthia ne laissait jamais Sam parler à des inconnus. Pourtant, Ashley m'avait retrouvé au Reservoir. Elle pouvait donc avoir retrouvé ma fille sans grande difficulté.

« Comment se comportent-ils ? demanda Cleo. Des attitudes étranges ? Des murmures ? Des spasmes ou des tics ? Des propensions à la transe ? Des propos sur la mort ou la violence ? »

J'étais incapable de lui répondre. Face à l'horreur de ce que j'avais fait sans le vouloir, j'avais l'impression que la pièce s'effondrait sur ma tête.

J'avais conduit les Cordova jusqu'à Sam.

502

C'est un ver solitaire qui a mangé sa propre queue. Il est sans fin.
Tout ce qu'il fera, c'est s'enrouler autour de ton cœur et le vider de
son sang en le serrant.

« Oui ? » insista Cleo.

Pourquoi n'avais-je pas pris mes jambes à mon cou à la première
occasion ?

« Excusez-moi, mais on a une *véritable spécialiste de la magie*
noire au bout du fil, maugréa-t-elle en posant sa main sur le combiné. On l'a dérangée pendant qu'elle était en train d'éviscérer une
couleuvre tachetée pour préparer un sort d'intranquillité. *Et on*
dirait vraiment qu'elle est à deux doigts de passer l'arme à gauche.
Si j'étais vous, je me *concentrerais. Comment se comportaient les*
enfants ?

— Je n'ai pas vu ma fille avec la figurine. C'est mon ex-femme
qui l'a découverte dans la poche de son manteau. Mais elle avait
l'air normale.

— Et les autres ?

— Un des enfants était sourd. Il était très malheureux quand
il l'a fait tomber. Il a failli piquer une crise de nerfs, mais il s'est
calmé dès que je lui ai rendu le serpent.

— Imprégnation irrépressible, murmura aussitôt Cleo dans
le téléphone avant de me jeter un coup d'œil. Et le troisième
enfant ? »

La fille de Devold.

« Je n'étais pas avec elle.

— Vous n'avez rien remarqué d'inhabituel ? »

Je repensai à cette soirée, au jardin dans la pénombre, jonché
de jouets oubliés, aux arbres tremblants, au chien qui aboyait au
loin, au bébé qui pleurait.

« Sa poupée préférée a été retrouvée, décomposée, dans une
piscine pour enfants. »

Cleo fut très étonnée. « Une *poupée ?*

— Elle avait disparu depuis quelques semaines. Ils la cherchaient partout.

— *Et ?*

— Son père l'a récupérée dans l'eau et l'a redonnée à sa fille.

La poupée avait un air *diabolique*, avec les yeux qui manquaient et des touffes de cheveux arrachées. »

Avec un geste d'impatience, Cleo me fit signe de poursuivre. « Qu'est-ce qui s'est passé quand il la lui a redonnée ?

— Elle était très fâchée. Elle pleurait. Mais plus tard, elle m'a rattrapé sur la route en tenant la poupée dans ses bras et a voulu *me* donner la figurine.

— Preuve évidente d'une poupée envoûtée », lâcha Cleo, surexcitée, dans le combiné, après avoir relayé l'anecdote. Elle écouta pendant une bonne minute.

« Très bien. Je vais essayer. »

Elle se leva, courut au fond de la pièce et griffonna quelque chose sur un bout de papier jaune. « Je le lui dirai. Merci beaucoup. »

Elle raccrocha. Sans un mot, le visage concentré au point d'en être sombre, elle s'accroupit et fouilla dans les placards. Elle en sortit des livres, des bougies et du papier journal roulé en boule. Elle revint avec une paire de pinces pour câblages, un bol rouge, une bougie d'inversion noir et blanc – du même genre que celles qu'elle nous avait données lors de notre dernière visite – et une pince à épiler.

Méticuleusement, elle posa tous ces objets sur la table, tel un médecin se préparant à une opération en urgence.

« On a affaire à de la magie sur poupée, me dit-elle sans émotion avant d'allumer la bougie.

— Qu'est-ce que c'est ?

— Les effigies. Les poupées vaudou piquées d'épingles. C'est une poupée que l'on relie par la magie à une personne, afin de contrôler son comportement. C'est assez courant. Ce léviathan était relié par la magie empathique à chaque enfant, ce qui explique que le petit garçon n'ait pas voulu le lâcher. Et on va bientôt comprendre pourquoi. »

Elle s'assit raidement, ferma les yeux et marmonna quelque chose. Elle prit la figurine et plaça la tête entre les pinces. Pendant que son autre main recouvrait le corps du serpent, elle serra les pinces, *fort*. Rien ne bougea. Le visage de Cleo commença à devenir tout rouge. Plus elle serrait, plus ses bracelets s'agitaient autour de ses bras ; elle grimaçait, comme de douleur, et grinçait des dents.

Soudain, un *gros bruit de ventouse* se fit entendre. Quelque chose vola devant mon visage, heurta le mur et tomba bruyamment sur le sol.

Juste à côté de mes pieds, il y avait une petite pierre noire enroulée dans du fil de cuivre.

« N'y touchez pas ! » s'écria Cleo.

Une forte odeur de soufre envahit la pièce. Contrairement à ce que je croyais, la figurine n'était pas un morceau de bois robuste, mais une fine carapace. Avec la pince à épiler, Cleo en vida soigneusement l'intérieur – un liquide brun doré, des fragments de cheveux et de la boue – dans le bol.

Conscient que tout cela avait été destiné à Sam, j'en eus la nausée. Quelle n'avait pas été mon arrogance de croire qu'Ashley représentait un bon moyen pour atteindre Cordova, me venger, retrouver ma vie d'antan, sans me rendre compte que j'avais moi-même *un axe fragile. Sam. Il avait réussi à retourner mon propre plan contre moi.* C'était comme s'il avait eu accès à mon cerveau. *Ça ne s'arrêterait jamais.*

« Est-ce que ma fille est ensorcelée ? »

Cleo souffla la bougie.

« Qu'est-ce qu'on fait ? insistai-je. Dites-moi.

— *Rien*, répondit-elle sans émotion.

— Rien ?

— Cette figurine contient *un sort de protection*. Elle n'est pas malveillante. C'est même tout le contraire. »

Elle sourit en voyant mon air interloqué. Elle se leva et alla chercher au fond un des volumes de *Hoodoo – Envoûtements – Sorcellerie – Racines*. Elle s'assit et feuilleta l'index.

« "Huile de domination", lut-elle après avoir trouvé la bonne page. "Huile de commandement, acore odorant, un morceau d'obsidienne", qui est du verre volcanique entouré de fil de cuivre – c'est ce qui est tombé par terre. » Elle me jeta un regard sévère. « C'est un mur de protection fondu. » Elle s'empara du bol et en touilla le contenu. « Le léviathan a été utilisé pour repousser les forces maléfiques qui ont essayé de s'en prendre à l'enfant. Le sort qui se trouve à l'intérieur a protégé celui qui le portait sur lui. Tout enfant ayant reçu ce jouet devait jouer exclusivement avec lui le temps d'action du sort. Soit environ cent un jours. Afin de ne pas compromettre son efficacité, tout autre jouet profondément aimé doit être confisqué et caché. L'idéal est de le submerger dans l'eau, loin des regards. C'était *là* le premier signe d'une domination par l'intermédiaire de la magie des poupées. Cette personne – *Ashley* – a sans doute volé la poupée et l'a cachée dans la piscine pour ne pas altérer l'effet de la figurine sur l'enfant. Mais quand la poupée est revenue entre les mains de la fillette, elle a retrouvé son jouet préféré et ne pouvait plus jouer avec le léviathan. La protection était rompue. » Elle fronça les sourcils. « Il n'y a qu'un détail un peu *bizarre* dont m'a parlé la sorcière.

— Quoi donc ?

— En magie, on combat avec des armes *comparables*. Donc en utilisant le léviathan, symbole de l'envie – *tu ne convoiteras pas le bien d'autrui* –, Ashley semblait penser que ces trois enfants seraient l'objet d'envie et de convoitise. Pourquoi, à votre avis ? »

Je ne pus que la regarder fixement, incrédule.

L'échange. Un simple transfert de dette. Ashley savait que son père, Cordova, et son frère, Theo, se lanceraient à ses trousses après son évasion de Briarwood. Ayant croisé les enfants sur sa route pendant qu'elle traquait l'Araignée, elle avait dû craindre que Cordova veuille se servir d'eux, échanger une âme contre une autre, en une ultime tentative pour sauver la vie de fille. *C'est ce qui a creusé le fossé entre Ashley et sa famille*, nous avait expliqué Marlowe. *Car, quand ses parents ont fini par lui expliquer leur projet, Ashley voulait s'en remettre à la fatalité. Cordova, lui, cherchait toujours une issue. Il l'a fait jusqu'à la fin.*

« Ma fille… ? parvins-je à demander d'une voix éraillée.

— Elle va probablement s'en sortir.

— *Probablement ?* Vous n'en êtes pas sûre ? »

Cleo me regarda dans les yeux. « Une tornade frappe une maison et tue le propriétaire. C'est une tragédie. Ensuite, vous apprenez qu'un *tueur en série* vivait dans cette maison : le même événement devient un miracle. La vérité sur ce qui nous arrive en ce bas monde ne cesse d'évoluer. Toujours. Ça ne s'arrête jamais. Parfois même après la mort. » Elle se redressa, s'empara du petit bout de papier jaune sur lequel elle avait écrit et me le tendit. « C'est à cette adresse que vous enverrez votre règlement à la sorcière. La somme qui vous paraîtra la plus juste. Elle préfère en liquide. »

C'était l'adresse d'une boîte postale à Larose, en Louisiane.

« Combien je vous dois ? »

Elle fit non de la tête. « Rentrez chez vous. »

Je baissai les yeux vers le léviathan décapité, chaviré sur la table. On aurait *vraiment* dit qu'il avait pris une teinte noire légèrement plus claire, qu'il avait commencé à se faner, comme une fleur arrachée à sa tige – mais c'était peut-être un tour de mon imagination. J'étais entré dans cette pièce avec la certitude de pouvoir distinguer le factuel du fictif. Désormais, je n'étais plus très sûr de faire la différence.

Je me levai en faisant crisser la chaise.

« Merci », dis-je à Cleo.

Elle hocha la tête et, sous son regard qui ne me lâchait pas, je repassai derrière le rideau noir.

Les clients étaient tous partis. Les lampes avaient été éteintes, de sorte que le parquet rayé était inondé d'une lumière orange, celle qui provenait de la rue. Derrière la caisse, deux employés attendaient, en train de discuter à voix basse, l'air inquiet. Ils se turent à l'instant où je les croisai et me dirigeai vers la porte.

« Vous arrivez d'où, comme ça ? » me demanda la femme.

Elle était grassouillette et avait un aimable visage rond. Elle était déjà derrière la réception la veille au soir, quand son mari avait pris notre réservation.

« De Saratoga, répondis-je.

— Ça va, ce n'est pas *trop* loin. Vous êtes venus ici pour pagayer ? »

Elle avait dû remarquer le canoë attaché sur la galerie de ma voiture.

« Il va faire froid les prochains jours, alors pensez à bien vous couvrir.

— Et la clé supplémentaire ?

— *Oui.* Vous êtes dans la chambre... ?

— Dix-neuf. »

Elle décrocha la clé et me la remit. « Vous avez besoin de cartes ou de renseignements ?

— Non, merci. »

Je ramassai le sac en plastique à mes pieds.

« Notre restaurant sert à dîner jusqu'à 23 heures. Tout est fait maison. On a une tarte aux pommes, vous m'en direz des nouvelles.

— Merci pour le conseil. »

Je sortis par la porte vitrée. Au moment où la sonnette retentit derrière moi, je me retournai et vis que le visage de la femme avait perdu toute trace de sympathie. Elle me scrutait par-dessus ses lunettes à double foyer.

Je la saluai d'un geste de la main et m'engageai dans la travée couverte.

La veille au soir, après avoir examiné tous les motels installés le long de la NY Route 3 entre les villes de Fine et de Moody, dans les Adirondacks, j'avais choisi l'Evening View Motel & Restaurant pour sa discrétion. Situé à Childwold, à soixante kilomètres au nord de Crowthorpe Falls, il offrait sa triste silhouette au bord de la route : vingt chambres lugubres, chacune pauvrement dotée d'une fenêtre sale et d'une porte marron. L'établissement était réputé pour sa nourriture, et le parking était rempli de voitures immatriculées du Michigan jusqu'au Vermont. De l'autre côté de la route s'étendait un camping bondé – « GREEN MEADOWS, LE LIEU LE PLUS SYMPA DES NORTH WOODS », indiquait le panneau en bois. Aussi m'étais-je dit que l'Evening View voyait défiler suffisamment de monde pour que les propriétaires ne s'intéressent à aucun client *en particulier*.

Sur ce coup-là, je m'étais allègrement planté. La femme m'avait reluqué comme si elle savait déjà que, d'ici quelques jours, elle allait devoir me désigner derrière une vitre sans tain chez les flics.

Plus loin, j'observai le parking. Il s'était vidé après le déjeuner ; il ne restait que quelques voitures. Rien de suspect. Personne ne regardait. Un homme chauve sortit d'une berline blanche en s'étirant et en bâillant, puis se dirigea vers la réception du motel.

Je m'arrêtai devant la chambre 19 – l'avant-dernière – et frappai un coup à la porte.

Hopper ouvrit. Je me faufilai à l'intérieur.

« Comment ça s'est passé ? » Il referma la porte derrière moi.

« Bien. J'ai dû aller jusqu'à Tupper Lake. » Je lui tendis le sac en plastique. Il en sortit la batterie neuve pour l'appareil photo – ce matin-là, il avait découvert que la sienne ne se chargeait pas, aussi étais-je parti en quête d'une autre. « Il n'y a qu'un seul double de la clé. Qui le veut ?

— Donne-le à Nora. »

Je m'approchai du lit double au fond de la chambre, où était assise Nora, en train de manger une barre de protéines, et lui tendis la clé. Elle me répondit par un sourire triste. Ses yeux s'attardèrent une seconde de trop sur mon visage.

Je savais ce qu'elle pensait, ce que nous pensions *tous*. Et si le plan que nous avions méthodiquement échafaudé au cours des deux dernières semaines était une erreur ?

Nous avions pesé le pour et le contre. Il n'y avait pas d'autre choix. Si j'appelais Sharon Falcone pour lui dire que je soupçonnais que des crimes occultes s'étaient produits au Peak, elle me répondrait ce que je savais déjà : pour obtenir un mandat de perquisition, la police aurait besoin d'éléments tangibles dont je ne disposais pas.

Il y avait *une* chose dont je disposais : je savais comment entrer en douce dans la propriété. L'Araignée affirmait avoir découpé la clôture pour les villageois près d'un ruisseau étroit, dont Marlowe avait précisé qu'il arrivait de Lows Lake.

En examinant les cartes détaillées de la région, je n'avais trouvé aucune trace de ce ruisseau. Il avait fallu que je déniche une carte géologique des Adirondacks remontant à 1953 pour que nous arrivions à l'identifier – un minuscule cours d'eau sans nom qui, à partir de la rive septentrionale du lac, serpentait à travers une épaisse forêt jusqu'au Peak.

En repérant ce ruisseau et en entrant clandestinement dans la propriété une fois la nuit tombée, nous pourrions voir une bonne fois pour toutes ce qui s'y passait – s'il y avait là la preuve, non seulement de pratiques occultes, mais de ce qu'avait laissé entendre l'Araignée : des meurtres d'enfants. L'objectif consistait à recueillir le maximum d'éléments, repartir par où nous étions arrivés avant l'aurore, puis remettre le tout aux autorités.

Ce plan était on ne peut plus risqué – en plus d'être illégal, immoral, contraire à la déontologie, même *la moins exigeante*, du journalisme d'investigation, et parfaitement scandaleux. Il pouvait fort bien nous valoir d'être arrêtés – ou blessés. Pour moi, il pouvait signifier un nouveau palier dans la déchéance professionnelle. J'imaginais déjà les gros titres. *Il remet ça : un journaliste en disgrâce visite illégalement la propriété de Cordova. Le juge demande un examen psychologique approfondi.*

Je m'en étais expliqué auprès de Nora et de Hopper, en insistant lourdement sur le fait que c'était ma décision, une décision personnelle et non professionnelle, et qu'ils avaient tout intérêt à ne pas me suivre. Mais Hopper, aussi déterminé que moi, m'avait répondu d'un air grave : « *J'en suis.* » Comme s'il avait fait ce choix des années plus tôt. Nora non plus n'en démordait pas.

« Je *viens.* »

Et c'est ainsi que nous avions tranché.

Toute la semaine, néanmoins, alors que nous apprenions le plan par cœur et que nous rassemblions des vivres, et même pendant les sept heures de voiture jusqu'aux Adirondacks, à travers un paysage triste et plombé par un ciel gris, sur des routes étouffées par les arbres – la réalité de notre entreprise avait semblé grossir de manière exponentielle. Nous avions commencé à gravir une montagne qui se transformait sous nos pieds en une crête au sommet enneigé, perdu parmi les nuages, près des cieux, nous faisant sans cesse reculer.

Chaque mot que Nora prononçait de sa voix mélodieuse – « Ça vous embête si on s'arrête à la station essence ? Je prendrai du pain grillé avec du sirop d'érable » – me semblait *le dernier* et me faisait regretter de l'avoir ne fût-ce qu'autorisée à nous accompagner.

J'étais préoccupé par le fait que, malgré tout ce que nous avions découvert sur Ashley et son père, je n'avais toujours pas le tableau complet. Cleo m'avait mis en garde : *La vérité sur ce qui nous arrive en ce bas monde ne cesse d'évoluer... Ça ne s'arrête jamais.*

Il se pouvait que le Peak – et Cordova lui-même – soit comme cette boîte chinoise hexagonale que j'avais tenté d'ouvrir chez Beckman, des années auparavant : une chose qui doit rester éternellement fermée, dont le contenu ne doit pas voir la lumière du jour, et ce pour d'excellentes raisons.

Cleo m'avait peut-être juré que le sort du léviathan n'était *pas* malveillant, pour autant je n'en tirais pas grand réconfort. Même si Ashley avait voulu protéger Sam, même si Hopper avait été amoureux d'Ashley, elle n'en restait pas moins une énigme mouvante, et son attitude, ce fameux soir au Reservoir de Central Park, restait indéchiffrable. Le mystère par lequel la figurine s'était retrouvée dans la poche de Sam, l'idée qu'Ashley se soit un jour approchée d'elle, tout cela me réveillait en pleine nuit et m'emplissait d'une angoisse d'autant plus pesante que j'avais conscience de ma culpabilité.

Je l'avais mise en danger. Je ne pouvais m'empêcher de me demander si cet événement ne dévoilait pas ma nature profonde, une image brute aussi infinie et irréfutable que deux miroirs se faisant face, celle de l'homme égoïste et aveugle que j'étais et serais toujours. Mes innombrables coups de téléphone à Cynthia en vue d'obtenir des nouvelles de Sam demeuraient sans réponse.

Enfin se posait la question de l'Araignée et de La Porte Cassée.

Le jour de la chute de Samantha, après avoir quitté Enchantements, j'étais retourné au magasin d'antiquités. La porte était fermée à clé ; il n'y avait aucune lumière aux fenêtres. Nora et Hopper m'y accompagnèrent le lendemain, puis le surlendemain, puis tous les jours. Cachés dans la pénombre du perron sur le trottoir d'en face, nous surveillions l'immeuble en attendant qu'une lumière s'allume derrière une des fenêtres du haut, qu'un rideau s'écarte doucement.

Or l'immeuble était resté impénétrable et silencieux.

Manifestement, Villarde était revenu, avait fait sa valise et s'était volatilisé dans la nuit – peut-être pour toujours. Rien de surprenant à cela : après tout, son passé venait de le rattraper, d'abord avec la visite d'Ashley, puis avec la nôtre. Et pourtant, la façade rouge délabrée de La Porte Cassée, le mystère de l'absence de Villarde et, encore plus glaçant, ce qui était arrivé à Sam dans son magasin – autant de questions laissées en suspens qui me taraudaient, m'épuisaient, comme une fièvre qui ne retombe pas.

Je n'étais même pas certain d'avoir les idées claires. Avec Sam, une ligne jaune avait été franchie. En restant si habilement invisible, en ne nous laissant voir que les ombres déformées qu'il projetait sur les murs, Cordova existait encore principalement dans ma tête – c'est-à-dire la cachette idéale pour n'importe quel ennemi. Ses films eux-mêmes le disaient. La *menace* que l'on sent mais qu'on ne voit pas, nourrie par l'imagination, cette menace-là est éprouvante, écrasante. Elle vous détruit avant même que vous ayez quitté votre chambre, votre lit, avant même que vous ayez ouvert les yeux et respiré.

La figurine du léviathan, avec son ombre tremblante qui glissait sur la table de manière autonome, était la preuve qu'il existait un monde caché derrière celui que j'avais connu toute ma vie, derrière la réalité, dont la science et la logique me garantissaient qu'elle était immuable et ne changeait que dans le cadre précis des lois de la physique. Cette *ombre anormale*, c'était le seuil de l'inconnu. La certitude et la vérité du monde avaient révélé une faille. C'était un minuscule accroc sur le papier peint. Je pouvais le dédaigner et le mettre sur le compte d'un mauvais tour de mon esprit ; ou elle pouvait s'agrandir toujours un peu plus, devenir un trou encore plus gros, encore plus grotesque, et finir par avaler l'ensemble du papier peint – mais pour dévoiler *quel* genre de mur ? Et si ce mur devait être abattu, qu'y avait-il derrière lui ?

Le seul moyen de dissiper ces incertitudes était de les mettre de côté et de me concentrer sur un plan concret.

Hopper avait fini de lacer ses chaussures. Il se releva et tira la fermeture de son blouson. Nora était devant le miroir. Pour une raison mystérieuse, elle se mettait un rouge à lèvres qui aurait mieux convenu à une soirée dans un jazz-club parisien. Après avoir passé un coup de langue sur ses lèvres, elle s'accroupit, remonta son pantalon de treillis et sa combinaison isolante pour ajuster sur sa cheville la fixation du couteau de chasse que je lui avais acheté, la veille, dans un Walmart de Saratoga Springs.

M'assurer qu'elle pourrait se défendre seule – c'était bien la moindre des choses.

« OK, les gars. On répète une dernière fois. »

J'ouvris mon sac à dos et sortis la carte.

Notre *plan* minutieusement préparé était la seule corde à laquelle nous raccrocher.

Pourtant, la question me hantait : en nous agrippant à cette corde dans le noir, n'allions-nous pas découvrir que son extrémité tombait dans le vide ?

*

Afin d'éviter le centre de Crowthorpe Falls, nous rejoignîmes Lows Lake par le chemin le plus long.

C'était un enchevêtrement de petites routes secondaires sinueuses, toutes désertes.

Nous avions loué une voiture – une Jeep noire – car, dans l'impossibilité de savoir qui, à Crowthorpe, était mêlé à ce qui se tramait sur la propriété du Peak, je ne voulais surtout pas attirer l'attention. Nous avions surveillé Perry Street et, bien entendu, toutes les voitures qui avaient roulé derrière nous sur la route du nord. Apparemment, personne ne nous avait suivis.

Depuis cinq ans que je n'étais pas revenu ici, j'avais oublié à quel point la nature était impénétrable, suffocante. Les conifères, les érables et les bouleaux recouvraient entièrement les collines ;

leurs branches massives s'étendaient au-dessus de la route comme pour nous étouffer, masquant la faible lumière du jour. Autour de nous, ce n'était qu'une triste succession de pauvres chalets en bois, d'épiceries, de vidéoclubs en faillite.

« C'est la prochaine à gauche », annonça Nora.

Au bout de quelques mètres, je vis le panneau : « WELLER'S LANDING ».

Je ralentis et tournai à gauche dans le parking. Deux autres véhicules étaient stationnés, un pick-up bleu et un break – sans doute d'autres pagayeurs déjà sur le lac. Roulant au pas, je me garai tout au bout du parking, sur un emplacement éloigné, à moitié dissimulé par un sapin baumier, et coupai le moteur.

« La voie est libre, dit Hopper en se retournant vers la lunette arrière.

— Quelqu'un a-t-il des questions de dernière minute ? »

J'avisai Hopper dans le rétroviseur. Son regard déterminé valait tous les discours du monde. *Désormais, plus rien ne l'arrêterait.*

« Bernstein ? »

Nora était en train de mettre un bonnet noir sur sa tête et de rabattre les cheveux qui dépassaient.

« Oh, flûte. J'ai failli oublier ça. » Elle fouilla dans la poche de son gilet et en tira deux petits paquets en plastique. Elle ouvrit le premier ; il contenait un fin collier en or. Me faisant signe de me pencher, elle défit la chaîne et me le passa autour du cou.

« C'est saint Benoît. »

Le bijou était assez rudimentaire, avec un pendentif à l'effigie d'un personnage christique, maigre et portant tunique.

« Lui, c'est le napalm des saints catholiques, dit-elle en enfilant l'autre autour du cou de Hopper. En cas de problème, appelez saint Benoît, et c'est bon, vous n'avez *besoin* de rien d'autre. Là-haut, il nous protégera.

— Merci, fit Hopper.

— Tu en as un aussi ? demandai-je à Nora.

— Bien *sûr*.

— Dans ce cas, allons-y. »

Nous déchargeâmes la voiture rapidement pour limiter le risque d'être vus. Mais je savais également qu'à cet instant précis la

515

moindre hésitation ne ferait que laisser le doute s'installer, nous submerger comme l'eau dans un canot criblé de trous.

Hopper transporta les pagaies jusqu'à la plate-forme d'embarquement.

Je détachai de la galerie le canoë, qui était de la marque Souris River. Nora s'occupa des gilets de sauvetage et des sacs à dos. Je cachai la clé de la voiture sous une pierre, près du sapin baumier, au cas où nous nous séparerions et où l'un de nous rentrerait avant les autres. Hopper et moi soulevâmes le canoë. Après un ultime regard vers la Jeep, nous traversâmes tous trois le parking.

Une fois le canoë mis à l'eau, Hopper monta à bord, se dirigea vers la proue et installa son sac à dos derrière lui. Nora le suivit, péniblement, ses jumelles au cou. Enfin je pris ma pagaie, balançai mon sac à dos dans le canoë et, au moment de monter, remarquai que mon portable vibrait au fond de ma poche.

Je pensai d'abord ne pas répondre, puis je me dis que ce pouvait être Cynthia. J'ôtai mon gant, ouvris la poche. Le numéro était masqué.

« Allô ?

— *McGrath.* »

Je reconnus la voix. C'était Sharon Falcone.

« Putain, le réseau est *merdique*. On dirait que vous êtes à l'autre bout du monde. Je vous rappelle...

— Non, *non*, lâchai-je, gagné par le pressentiment que quelque chose n'allait pas. Qu'est-ce qui se passe ?

— Rien. Je voulais juste vous tenir au courant. Le tuyau que vous nous avez refilé...

— Quel tuyau ?

— Rapport aux services de protection de l'enfance. »

La propriétaire et son neveu sourd, au 83, Henry Street.

J'avais oublié que j'avais signalé leur cas à Sharon.

« Vous êtes sûr que c'est la bonne adresse ? 83, Henry Street ?

— C'est bien ça.

— Eh bien, ils ont vérifié. Il n'y a pas de certificat d'occupation pour cet immeuble.

— Quoi ?

— Personne n'habite là-bas. Aucun résident dans... »

Brusquement, sa voix fut coupée. Un puissant écho métallique résonna sur la ligne.

« *Allô ?*

— ... illégale... deux fois la semaine dernière...

— *Sharon ?*

— ... jusqu'au cou... »

Sa voix se perdit dans un chaos de sons.

« Allô ?

— ... le truc était en règle. McGrath, vous *m'entendez* ?

— *Oui.* Allô ? »

J'entendis alors un bruit strident à l'autre bout du fil et la ligne coupa.

Je voulus la rappeler – en vain. J'attendis une minute, avec le mince espoir qu'elle réussirait à me joindre. Mais je n'avais plus de réseau. Je rangeai mon portable dans la poche de mon blouson et expliquai à Hopper et à Nora ce que venait de me révéler Sharon.

« Comment ça, vide ? demanda Nora.

— Il n'y a pas de résidents.

— Mais c'est impossible.

— Ah oui ?

— *Non*, fit Hopper. Il s'agit peut-être d'immigrants clandestins. Quand *on* est arrivés, ç'a attiré trop d'attention sur l'immeuble.

— Mais la voisine d'Ashley, rétorqua Nora. Iona. Elle n'était pas clandestine, *elle*. Elle avait un accent bien américain et elle nous a dit qu'elle habitait là depuis un an. Pourquoi serait-elle partie du jour au lendemain ?

— Parce qu'elle ne voulait pas se faire arrêter pour prostitution. »

Nora n'était pas convaincue. « Il y a quelque chose qui cloche. »

Ils se turent. Ils attendaient que j'intervienne. Je considérai la situation pour ce qu'elle était : l'occasion d'abandonner, de tout remettre en question et de rentrer à la maison.

Le ciel était passé du blanc au gris. Autour de nous, la forêt était silencieuse et calme. Je montai à bord du canoë et attrapai la pagaie.

« On en reparlera à notre retour », dis-je.

Il n'y avait pas de ruisseau – uniquement un marécage.

Cela faisait une heure que nous traversions Lows Lake. Hopper et moi avions pagayé, formant un tandem muet. Harassés par des courants fluctuants et un vent froid constant, nous avions croisé des îles désertes couvertes de pins et un arbre fantôme poussant dans l'eau, dont le tronc décharné et les branches maigres s'élançaient vers le ciel tel un Robinson appelant au secours. À présent, après avoir atteint la rive sud, nous cherchions obstinément le fameux cours d'eau secret qui nous conduirait au Peak. Nous étions piégés dans une eau boueuse, hérissée d'herbes et tapissée de grosses algues vertes, qui s'ouvraient en deux sous la coque puis se reconstituaient derrière nous, effaçant toute trace de notre passage.

Le vent se calma – *bizarre*, étant donné sa force encore quelques minutes plus tôt. Des arbres denses nous entouraient de toutes parts, aussi compacts que des hordes de prisonniers abandonnés. Il n'y avait pas le moindre oiseau, pas le moindre bruissement dans les branches, pas le moindre cri. Comme si tous les êtres vivants s'étaient enfuis.

« Ce n'est pas normal », dit Nora en se retournant.

Assis derrière elle, je n'avais pas vu à quel point l'inquiétude la gagnait.

« Montre-moi la carte. »

Elle me la donna, de même que la boussole.

« On devrait rebrousser chemin, dit-elle, les yeux rivés sur les roseaux.

— *Quoi ?* s'écria Hopper, ulcéré.

— On ne peut pas rester coincés ici dans le noir. On ne peut pas dormir ici.

— Qui a parlé de *dormir* ici ?

— On est censés suivre un *ruisseau*. Où est le ruisseau ?

— On se donne encore un peu de temps », dis-je.

Au bout de quelques minutes, nous nous retrouvâmes coincés sur une souche d'arbre noyée. Sans hésiter, Hopper descendit et, dans la vase jusqu'aux cuisses, nous délivra en poussant le canoë.

Une fois remonté à bord, il ne sembla pas remarquer que son jean était couvert de boue et de ces drôles d'algues fluorescentes. Il regardait droit devant lui, l'air décidé, comme s'il était en transe, et donnait des coups de pagaie dans les herbes. J'étais sûr qu'il pensait à Ashley, tant le vide absolu de la nature sauvage semblait inspirer naturellement la peur et les regrets.

Notre progression restait lente. Le marécage baignait dans une odeur de décomposition qui paraissait émaner des algues, de plus en plus épaisses à mesure que nous avancions. Nous étions obligés d'enfoncer les pagaies jusqu'au manche pour faire avancer le canoë ne fût-ce que de dix centimètres à travers la vase et les roseaux jaunes qui formaient autour de nous un couloir étouffant.

Je regardai ma montre. Il était déjà 17 heures passées. Dans moins d'une heure, il ferait nuit. D'après notre plan, nous aurions déjà dû avoir atteint le Peak.

Soudain, Nora poussa un petit cri. La main sur la bouche, elle pointa le doigt vers la gauche.

Un vieux bout de ficelle rouge avait été noué autour d'un des roseaux, et l'autre extrémité pendait dans l'eau. Je compris aussitôt de quoi il s'agissait. Selon les dires de Marlowe, Cordova avait découvert ces ficelles lors de son installation au Peak. Elles l'avaient conduit jusqu'à la clairière où les villageois accomplissaient leurs rituels.

« On est sur la bonne voie », dit Hopper.

Nous poursuivîmes. Tout à coup, le marécage gagna en profondeur et la vase se fit moins épaisse. Surgi de nulle part, un courant apparut, ténu mais bien réel. On n'entendait que le clapotis de l'eau et le froissement de l'herbe sur les flancs du canoë.

« Je vois la clôture », dit Hopper.

En effet – loin devant nous, je pus distinguer le contour sombre de la clôture militaire installée par Cordova, en travers du ruisseau. Elle marquait la frontière sud de sa propriété.

Une fois parvenus à quelques mètres, nous tendîmes les pagaies vers la rive. La clôture ressemblait à celle d'une prison désaffectée : le fil de fer était rouillé, le sommet était entouré de barbelé. Là où l'eau passait, au-dessous, le grillage avait été sectionné sans ménagement – *exactement* comme dans la description de Marlowe.

519

Les moignons de fil de fer avaient été rognés et repliés vers le haut, laissant un trou triangulaire d'environ trente centimètres de large.

« Tu vois des caméras ? » demandai-je.

Nora regarda avec les jumelles et me fit signe que non.

J'ouvris mon sac à dos, sortis l'ampoule fluorescente et descendis pour me diriger vers la clôture. Je repérai tout de suite trois câbles qui couraient, horizontalement, à travers le grillage tordu. Ils étaient distendus et, sur le poteau métallique le plus proche, avaient perdu leur gainage.

Je tapotai le culot métallique de l'ampoule contre les câbles. Au contact des deux premiers, l'ampoule ne s'alluma pas. Mais avec le troisième, le plus proche du sol, elle s'éclaira d'une lumière orange puis s'éteignit.

Malgré les années, *le câble était donc toujours sous tension*. Je m'approchai du ruisseau et suivis le parcours du câble ; il traînait mollement entre les bouts de grillage coupés, pendait par-dessus le sommet de la clôture et continuait de l'autre côté.

« Il y a du courant dans le câble, dis-je en revenant vers eux. Il a soufflé l'ampoule.

— Un système de sécurité mortel, fit Hopper. Sans mauvais jeu de mots.

— Ce n'est pas drôle, dit Nora en me regardant d'un air craintif.

— Le trou est assez large, dis-je. On se couche et on y va chacun à son tour. »

L'autre possibilité consistait à *nager* à travers la brèche – sans le canoë, il était facile de passer sans encombre. Mais se retrouver trempés jusqu'au cou dans une eau dont la température était sur le point de descendre à – 5° serait un handicap majeur et rendrait une fouille systématique de la propriété pour le moins difficile. Passer sous le câble *à l'intérieur* du canoë restait donc encore la meilleure solution, à condition bien sûr de rester plus bas que le rebord du canoë. Celui-ci était certes en fibre de verre, mais il comportait des morceaux d'aluminium le long des parois extérieures. Sans être électricien, je savais que cette partie-là risquait de conduire le courant si le câble la touchait.

« Hopper, dis-je, vas-y en premier. »

Il déplaça son sac à dos au centre du canoë et, allongé dans la coque, croisa les bras.

Nous fîmes l'effort de nous repositionner et dirigeâmes la proue vers l'ouverture lacérée. Sans doute était-ce dû à la lumière déclinante, mais en avançant j'aurais juré que le grillage de la clôture se refermait, *se tortillait* telle une plante sensible aux mouvements.

Une fois arrivés à soixante centimètres de la clôture, nous fûmes tout à coup pris par un courant plus fort et projetés sur le côté. Nous nous écrasâmes contre l'ouverture, et l'impact fit s'abaisser le câble.

« Il va *toucher* le canoë, murmura Nora.

— Garde les bras loin du métal ! » lui ordonnai-je.

Elle leva sa pagaie au moment où je plongeais la mienne, forçant le passage de la proue ; le grillage râcla le canoë. Nous avançâmes encore de quelques dizaines de centimètres. Je m'aperçus que le câble se baissait de nouveau, comme s'il s'agissait d'un *piège*. Avant même que je puisse réagir, le câble toucha le rebord du canoë. Je m'attendis à voir une explosion électrique.

Or, rien ne se produisit.

Je poussai ma pagaie dans l'eau pour maintenir le canoë face au courant, nous propulsant sur une vingtaine de centimètres supplémentaires. Hopper était de l'autre côté, le câble était juste devant Nora et le grillage frottait contre le canoë.

« C'est bon pour toi », dis-je.

Hopper se redressa. Nora fit glisser la rame vers lui et s'avança pour se mettre en position fœtale.

« Si je me fais électrocuter et que c'est fini pour moi, je veux juste vous dire que je vous aime tous les deux et que j'ai vécu la plus belle période de ma vie avec vous.

— Ton heure n'a pas *encore* sonné, Bernstein. »

Nous avançâmes. On n'entendait que le bruit de l'eau et le frottement des câbles qui protestaient, tordus par le canoë. Soudain, nous heurtâmes un objet sous l'eau et le câble plongea, giflant les flancs du canoë. J'aurais juré avoir entendu une petite décharge électrique, mais le câble se releva aussitôt, nous passâmes, et ce fut mon tour.

Je m'allongeai dans la coque. Autour de moi, l'eau grondait.

« Tes dernières paroles ? demanda Hopper.

— Essaie de ne pas me tuer. »

Le canoë avança. Le câble fin touchait les bords à quelques centimètres de mon nez. Il passa au-dessus de ma tête et disparut.

« On y *est* », murmura Hopper.

Une fois redressé, je regardai derrière nous, tout étonné de constater que la clôture s'éloignait déjà rapidement. Le courant s'était renforcé, et l'eau s'accumulait, comme emballée par la perspective de nous acheminer vers... quoi ? *Mais cette clôture n'en était pas vraiment une. C'était un piège.* Peut-être Marlowe ne nous avait-elle pas parlé de cet accès secret si innocemment, mais pour planter une *graine* dans nos têtes, afin que nous essayions d'entrer par là. *Dans quel but ?* Nous faire carboniser par ce câble ? Ou nous faire entrer tranquillement dans la propriété de Cordova pour mieux nous y piéger ?

*

Pendant que nous pagayions, la nuit tomba sur nous comme une grande vague noire.

Jusqu'à présent, la forêt avait été d'un calme troublant. Maintenant, des bruits se faisaient entendre partout. Des branches craquaient. Des feuilles bruissaient. Des arbres tremblaient – comme si tous les animaux sauvages cachés la journée se réveillaient et sortaient de leurs tanières.

Mes yeux renoncèrent à distinguer autre chose que la silhouette de Hopper à la proue et les épaules voûtées de Nora devant moi. Non sans inquiétude, je repensai à la sensation d'étouffement qu'Olivia Endicott avait connue lors de son séjour au Peak. Je me demandai si je ne l'éprouvais pas *à mon tour* : une vague impression de désorientation, de détachement, de *noyade*. Je me dis que ce n'était dû qu'à l'adrénaline et à la nervosité, mais je sentis à ce moment-là, très nettement, une lourdeur indéniable, comme si, après avoir respiré tout cet air humide, celui-ci se répandait à travers mon corps, engourdissait mes membres, paralysait mes pensées.

Hopper désigna quelque chose devant lui. Au bout de ce tunnel d'arbres noirs, je vis une surface miroitante.

Le Graves Pond – le lac où s'était noyée Genevra, la première femme de Cordova.

Nous y arrivâmes moins d'une minute plus tard. Nous nous dirigeâmes vers la rive et écoutâmes. Nora décrocha ses jumelles en hochant la tête, et nous tournâmes à droite, en silence, longeant le bord sous le couvert des branches.

Loin sur notre gauche, du côté opposé, apparut un embarcadère en bois.

Il avait l'air abandonné. Sur le côté était fixée une échelle en bois grossière qui descendait dans l'eau. Quelques marches menaient à un chemin de pierre qui serpentait sur une colline escarpée aux contours de plus en plus nets.

Soudain, Hopper et Nora sursautèrent.

Et *je* vis à mon tour ce qui se profilait, ce qui se découpait lentement au sommet de cette colline, tel un soleil noir.

*

Le Peak.

Sous le clair de lune, le manoir trônait, imposant, tellement sombre que, tout autour, la nuit en devenait grise. La majesté qui s'en dégageait semblait sortir tout droit d'une campagne européenne, un monde disparu, tout en carrioles tirées par des chevaux et en éclairage à la bougie. Des toits à pignons pointus transperçaient le ciel. Je discernai un élégant pavillon d'entrée, une colonnade dans l'allée principale, trois niveaux de fenêtres plongées dans le noir – et l'ensemble noyé d'ombres, comme si elles étaient le mortier même de la maison. À vrai dire, celle-ci semblait défier les lois de la physique, l'inexorable glissement des constructions les plus grandioses des hommes vers la déchéance et la ruine, et vouloir dominer crânement le sommet de cette colline pendant plusieurs siècles encore.

Entre le Graves Pond et le manoir s'étendait une pelouse d'herbes folles, d'un seul tenant. Il n'y avait aucun signe de vie, aucun mouvement. L'endroit me paraissait abandonné depuis longtemps.

Nous tendîmes les pagaies vers la rive. Le canoë accosta dans la boue. Nous descendîmes et enfilâmes nos sacs à dos. Hopper et moi tirâmes le canoë sur la rive, jusque parmi les arbres, et le laissâmes derrière un tronc affaissé, avant de le recouvrir de branchages et de feuilles mortes. Nora planta un bâton dans la boue en guise de repère, pour pouvoir retrouver notre embarcation plus tard. Ensuite, nous prîmes le temps de nous regarder les uns les autres. Hopper avait l'air ragaillardi ; l'obscurité rendait son visage plus dur. Nora, elle, montrait un visage d'une *neutralité* déconcertante. Je lui serrai l'épaule pour la rassurer ; elle se contenta de tripoter la fermeture éclair de son blouson et de la remonter jusqu'au menton.

« Rappelez-vous le plan de secours, dis-je à voix basse. S'il arrive quoi que ce soit, on se retrouve ici. »

Après un hochement de tête collectif, nous nous attelâmes à la tâche. L'objectif était de s'occuper d'abord de la maison, de voir si on pouvait y entrer, et, de là, retrouver la clairière où avaient lieu les rituels. Nous marchâmes vers le nord, sans nous éloigner du périmètre du lac, puis, en file indienne, remontâmes une butte escarpée à travers les bois, en direction de la maison. Toujours cachés au milieu des arbres, nous atteignîmes le sommet, qui surplombait l'aile orientale du Peak.

De près, et bien que la demeure eût des airs de palais, je pus voir à quel point sa façade était abîmée et la pierre fissurée, décolorée. Je découvris des détails raffinés sur les frontons et aux angles, de la ferronnerie et des motifs sculptés tout le long du toit. Ce qui à première vue s'apparentait à des oiseaux en train de nicher était en réalité des gargouilles, en forme de corbeaux, juchées sur des rebords de fenêtre et au-dessus des portes. Il y avait au rez-de-chaussée un solarium sous un dôme de verre, qui débouchait sur une loggia à colonnes, tellement plongée dans l'obscurité qu'on aurait cru qu'une vapeur noire s'était échappée de la maison et avait fermenté.

Partant des marches de la terrasse, un chemin de pierre sinuait à travers les hautes herbes, jusqu'à une énorme haie de troènes négligés à l'arrière de la maison, et allait se perdre au-delà. D'après les photos aériennes, je savais qu'il conduisait aux immenses jardins de la propriété, qu'on voyait notamment dans *Respirer avec les rois*. Un coup d'œil sur Google Earth m'avait permis de découvrir que quelques vestiges de cet ouvrage sophistiqué y subsistaient encore – quelques allées dallées et des sculptures –, bien que l'essentiel eût été recouvert par la végétation sauvage.

« Je vais voir s'il y a quelqu'un dedans, dit Hopper.

— Quoi ? *Non.* On attend ici. »

Avant que je puisse l'arrêter, il s'élança sur la pelouse et redescendit la colline d'un pas nonchalant. Arrivé devant les marches de la terrasse, il se baissa et les gravit, puis disparut.

Ma stupeur face à ce qu'il venait de faire se transforma vite en colère noire. J'aurais dû *anticiper* son imprudence, savoir qu'il n'obéirait qu'à ses impulsions. J'étais bien décidé à le ramener par la peau du cou lorsque, soudain, je dus m'arrêter sur place.

Un chien était en train d'aboyer. Il avait l'air *proche*.

Nora se tourna vers moi, horrifiée. Je levai la main. Nous avions envisagé cette possibilité et acheté des vêtements censés masquer nos odeurs aux animaux.

Le chien aboya de nouveau, furieux, insistant.

Là-dessus, une petite *lumière* apparut derrière une fenêtre à pignons sous le toit. Bien que voilée par un rideau épais, elle était très nette.

Il y avait *quelqu'un* dans la maison.

Le chien se tut lorsqu'une soudaine rafale de vent balaya les arbres. Hopper s'était volatilisé. Il devait sans doute se cacher quelque part sur la terrasse, en attendant une occasion de rebrousser chemin. Mais j'entendis alors le bruit sourd, reconnaissable entre tous, d'une *lourde porte* que l'on entrouvrait, suivi par des pas rapides et le tintement d'un *collier de chien*.

J'ouvris le sac à dos de Nora, farfouillai parmi les vêtements et retrouvai la bombe de gaz lacrymogène. Je la mis dans ses mains au moment même où un énorme chien, aboyant furieusement, bondit par la porte principale de la maison.

On aurait dit un croisement entre un barzoï et un coyote : une peau galeuse tachée de blanc et de gris, une longue queue recourbée.

Il s'arrêta brusquement et, les oreilles dressées, poussa un nouvel aboiement tout en regardant en bas de la colline herbeuse, vers le Graves Pond.

Un deuxième chien apparut, celui-là plus gros et tout noir. Il courut autour de la maison dans notre direction, puis s'immobilisa à une vingtaine de mètres de la terrasse où était caché Hopper. Il grognait, l'air très menaçant. Sur ce, la truffe au sol, il remonta la colline vers nous, en zigzaguant dans les herbes.

« Retourne au canoë et attends-moi là-bas », murmurai-je.

Nora hésita.

« Vas-y. »

Morte de trouille, elle s'élança entre deux aboiements. Quant à moi, je courus dans l'autre direction, vers la pelouse. Je dévalai la pente, longeai la terrasse et pris l'allée en pierre pour foncer tout droit vers les troènes. Je jetai un coup d'œil derrière moi et vis ce que je m'attendais à voir : les deux chiens me poursuivaient, labourant les herbes hautes.

Je trouvai une ouverture dans le mur végétal et me frayai aveuglément un passage à travers les troènes avant d'emprunter un chemin dallé de pierres blanches et tapissé de mauvaises herbes.

Les chiens semblaient proches de moi ; leurs pattes griffaient les pierres.

Je courais dans ce qui devait être un labyrinthe : de hautes parois de troènes, des fontaines marbrées de lichen et des plantes accrochées à des treilles. Je distinguai quelques statues effritées – une femme sans tête, un torse d'homme nu enlacé par un serpent. Des arbustes colossaux – sans doute taillés, autrefois – s'élevaient autour de moi, mais leurs formes animales s'étaient estompées depuis belle lurette.

Je descendis quelques marches et me réfugiai dans une petite alcôve où se trouvaient une fontaine tarie et un portail en fer forgé.

Je m'arrêtai pour tendre l'oreille.

Les chiens semblaient s'être multipliés et arriver de toutes les directions.

Je rampai jusqu'au portail en fer forgé.

Tout à coup, un chien bondit de l'autre côté en montrant les crocs. Je m'éloignai, m'attendant à tout moment à sentir ses mâchoires se refermer sur mon bras ; mais seuls des gémissements frustrés jaillirent derrière moi. Je me retournai encore et vis aussitôt, à l'autre bout du passage, un autre chien sauter dans ma direction.

Je me baissai. Je repérai alors une brèche dans la haie. Je m'y engouffrai et débouchai sur un jardin à découvert qui comportait en son centre une grande piscine recouverte d'une bâche en plastique.

Je courus jusqu'au coin le plus éloigné de la piscine, m'accroupis, ôtai mes gants et attrapai les cordelettes en nylon.

J'entendais les chiens geindre pendant qu'ils cherchaient une entrée. Je réussis à défaire quelques nœuds, soulevai la bâche et faillis m'étouffer en voyant ce qu'il y avait dessous.

*

Une eau noire et putride.

J'enlevai mon sac à dos, plongeai mes pieds et, serrant les dents, m'immergeai jusqu'au cou dans l'eau glacée. Mes vêtements en furent aussitôt imbibés. Je repris mon sac à dos – en faisant de mon mieux pour le maintenir au sec, bien qu'il n'y eût qu'environ trente centimètres entre la bâche et la surface de l'eau. Je sortis l'appareil photo de la poche avant, remis le coin de la bâche en place et, dans l'obscurité soudaine, m'éloignai.

J'entendis immédiatement l'insidieux *tintement*. Les chiens m'avaient trouvé. Ils aboyaient, ils couraient tout autour de la piscine en poussant des jappements plaintifs, et leurs griffes grattaient les dalles.

Alors que le froid commençait à m'engourdir, je cherchai le plus discrètement possible mon chemin le long du périmètre de la piscine, m'agrippant aux carreaux cassés et gluants de vase.

Je ne détachais pas mes yeux du rai de lumière qui perçait entre la bâche et le bord de la piscine. Mon pied gauche heurta soudain quelque chose au-dessous de moi. *Un cerf noyé ?* J'avais atteint le coin suivant ; au moment où je voulus tourner, une vaguelette clapota un peu *trop* fort. Je m'arrêtai, pétrifié.

J'entendis des bruits de pas, lourds. *Quelqu'un était en train d'approcher*, de marcher sur une allée pavée et d'entrer dans le jardin.

« *Qu'est-ce qui se passe, mes petits ?* » C'était la voix grave d'un homme.

Les chiens gémissaient et continuaient de courir autour de la piscine. L'homme était de plus en plus proche. Il finit par s'arrêter. *Cordova ?*

Soudain, le puissant faisceau d'une lampe torche dansa sur la bâche, ce qui déclencha en moi un spasme affolé. Le cercle doré glissait lentement vers le coin où je m'étais réfugié.

Le dos plaqué contre la paroi, j'essayais de ne pas bouger.

J'entendis des pas plus rapides, le bruissement de la bâche que l'on enroulait.

La lampe torche transperça l'eau, éclaira des feuilles et des branches noires, ainsi que plusieurs formes désincarnées – des grenouilles, peut-être des écureuils – qui gisaient au fond de la piscine.

Le faisceau s'arrêta à quelques centimètres de mon sac à dos. Je posai l'appareil photo sur le rebord du bassin, sous la bâche, pris une grande bouffée d'air et plongeai doucement jusqu'au fond de la piscine, avec mon sac. Rouvrant les yeux malgré la sensation de piqûre, je regardai le rayon lumineux passer au-dessus de ma tête.

J'attendis. Même si j'avais l'impression que mes poumons allaient exploser, j'essayais de rester calme. *Quelques minutes plus tôt*, Nora, Hopper et moi allions bien. Comment la situation avait-elle pu dégénérer aussi vite ?

Le faisceau plana au-dessus de moi pendant quelques secondes encore et finit par s'éloigner vers un autre coin de la piscine. Je remontai à la surface. Je n'avais plus d'air dans les poumons.

Tout à coup, un cri perçant déchira la nuit. Un cri de femme. *Nora ?*

Les chiens se mirent à aboyer méchamment et à trépigner. La lampe torche s'éloigna. J'entendis de l'agitation, puis des pas sur les dalles.

Bientôt, il n'y eut plus que le silence autour de moi. *Ils étaient partis.*

J'attrapai mon appareil photo puis, avec le pied, me propulsai vers l'ouverture. Mais, une fois arrivé au coin, je vis que la bâche avait été de nouveau attachée. Surmontant mon affolement – mon cerveau m'envoyait l'image de mon cadavre en train de flotter là avec les autres débris –, je tendis la main. Mes doigts tâtonnèrent sous le plastique.

Les cordelettes avaient été renouées.

Je posai l'appareil photo sur le rebord, pris mon sac à dos, fouillai dans la poche avant, retrouvai mon couteau de poche, l'ouvris avec mes dents et, le tenant fébrilement entre mes doigts gelés, commençai à couper les cordelettes.

Je réussis à en sectionner quelques-unes. Je hissai d'abord mon sac à dos, puis remontai sur le rebord de la piscine. Un vent glacé me fouetta le visage. Je levai la tête et constatai avec soulagement que j'étais seul.

Je me remis debout à grand-peine, sac à dos sur l'épaule. Je repris l'appareil photo et traversai le jardin en titubant, vers la brèche en ogive dans la haie ; à chaque pas que je faisais, une eau saumâtre ruisselait de mes chaussures.

J'espérais que Nora allait bien et que Hopper était avec elle. Je pensais les retrouver devant le canoë et échafauder avec eux un autre plan.

Les chiens – et l'homme à la lampe torche – avaient dû partir assez loin, car la nuit était de nouveau parfaitement paisible.

Je m'éloignai et me retrouvai sur un autre chemin de pierre, sans doute la bordure ouest du jardin. Sur ma droite, derrière une pelouse d'herbes hautes, se déployait une forêt de pins denses, immenses et noirs ; à ma gauche, au-delà d'une étendue de verdure enchevêtrée, la maison trônait de toute sa hauteur sur la colline.

Elle était toujours dans le noir.

Après avoir traversé la pelouse, je regagnai le couvert de la forêt et suivis l'orée des arbres vers le sud, pour retrouver la colline qui dominait Graves Pond. En dépit du froid humide qui me transperçait jusqu'à la moelle, je voulus courir. Mais mes jambes ne réagissaient plus. Trébuchant sur les branches et les souches, je coupai vers l'est à la première ouverture sur ma gauche – un plan d'eau qui miroitait derrière les arbres. Au bout de quelques minutes, j'avais atteint l'embouchure du cours d'eau par laquelle nous avions rejoint le lac. Je traversai le ruisseau, dans l'eau et la boue jusqu'aux cuisses, et remontai aussi vite que possible sur le rivage.

J'arrivai sur la rive occidentale, en crapahutant au bord de l'eau, et vis, soulagé autant qu'*étonné*, le bâton que Nora avait planté dans la boue.

« *Nora* », dis-je avant d'entrer dans les bois.

Lorsque je retrouvai le tronc derrière lequel nous avions laissé le canoë, je fus pétrifié.

Les branchages et les feuilles mortes avaient été poussés sur le côté.

Et le canoë n'était plus là.

*

Je regardai autour de moi. Les arbres semblaient m'enfermer dans une prison infinie.

Je rebroussai chemin jusqu'au bord du lac et observai la surface éclairée par la lune.

Il n'y avait personne.

Hopper et Nora s'étaient sans doute fait capturer. Ou ils étaient repartis, me laissant seul. Ou encore ils avaient été poursuivis, s'étaient enfuis et avaient prévu de revenir une fois le danger écarté. Ou enfin quelqu'un d'autre avait découvert le canoë et l'avait confisqué – quelqu'un qui m'attendait, qui *m'épiait*.

Je tendis l'oreille, à l'affût de bruits de pas, mais n'entendis rien.

Je ne pouvais pas rester là. Et je ne pouvais pas me servir de ma lampe torche : je risquais d'être repéré. Je longeai donc le bord du lac et repris la direction que nous avions tous trois suivie au départ.

Un chien aboya.

Il semblait se trouver à des kilomètres de distance. J'accélérai quand même le pas et remontai la colline en ligne droite ; au fond de mes tripes, je sentais vaciller la dernière lueur de chaleur en moi, comme si elle était à deux doigts de s'éteindre.

Je m'arrêtai et regardai à droite. Au loin, derrière les arbres, il y avait une sorte de construction d'où émanait une légère lumière bleue dans l'obscurité. Je me dirigeai vers elle.

530

C'était un gigantesque entrepôt, avec un toit plat, sans fenêtres apparentes. Je tournai au premier angle et tombai sur une porte en acier ; une chaîne rouillée, fermée par un cadenas, passait en boucle à travers les poignées. Par terre, je trouvai rapidement une pierre assez grosse et la fracassai contre le cadenas plusieurs fois, jusqu'à ce qu'il se brise. Au point où j'en étais, je me moquais bien de savoir si la planète entière m'entendait.

Je fis tomber la chaîne, ouvris la porte et m'engouffrai à l'intérieur.

Le clair de lune qui arrivait dans mon dos éclairait un mur avec des poutres, un sol en béton et, face à moi, le dos d'un canapé en cuir, une couverture soigneusement repliée sur le dossier. Lorsque la porte métallique se referma avec un bruit *sourd* derrière moi, le noir complet reprit le dessus.

J'enlevai mon sac à dos, délaçai mes chaussures, me mis en caleçon et, manquant trébucher sur une marche surélevée, m'affalai sur le canapé. Je cherchai à tâtons la couverture et m'en couvris. Je me pelotonnai là, tremblant de tous mes membres, avec l'envie de voir mon cerveau se décongeler. Après un moment d'engourdissement complet, je me rendis compte que ce que je désirais *vraiment*, c'était *dormir*. J'en déduisis que j'étais victime d'une légère hypothermie. Mais je chassai tout de suite cette idée de ma tête.

Le sommeil te tuera. C'est la drogue que le corps nous administre avant de fermer boutique.

Plusieurs minutes s'écoulèrent. J'ignorais combien, au juste, puisque je ne pouvais même pas bouger mon bras et regarder ma montre. Mes pensées n'arrêtaient pas de me glisser entre les doigts, minuscules bouées dégonflées que j'essayais d'attraper pour surnager. Je m'imaginais assis sur mon lit, chez moi, Perry Street, les yeux au plafond. Je me demandais si nous avions eu un accident de voiture sur la route de Weller's Landing, et si c'était à cela que ressemblait le fait d'être inconscient, détaché du monde, suspendu entre la vie et la mort, la Terre et l'inconnu.

Peut-être étais-je encore dans cette piscine saumâtre.

Peut-être n'en étais-je jamais ressorti.

Cependant, au bout d'un moment, je m'aperçus que mes yeux

s'étaient adaptés à l'obscurité. Je regardai un journal ouvert posé sur une table basse devant moi.

Le *Doverville Sentinel*.

« LA POLICE ENQUÊTE SUR LA MORT DES PETITS GARÇONS. »

*

Je n'en revenais pas. J'étais assis dans un modeste salon meublé. Il y avait un gros tapis blanc sur du parquet, des sièges modernes, des rideaux aux fenêtres et une cheminée en brique.

J'étais déjà venu ici.

J'étais déjà entré dans *cette* pièce.

Près d'une toute petite kitchenette, trois photos étaient encadrées sur le mur du fond. Un lampadaire avec un abat-jour couleur crème était posé à côté du canapé. Je tendis la main et allumai.

Une lumière pâle se diffusa dans la pièce.

Un fauteuil en osier était installé près de la porte, avec un pardessus à chevrons posé sur son dossier. À ma droite, sur une petite table, trônait la statue en bronze Art déco d'une femme maintenant une boule de cristal en équilibre sur sa tête. Emily, versant des larmes de terreur, attrape cette statue pour se défendre avant de courir au fond du couloir et de se cacher dans l'armoire d'une chambre. Ce canapé où je me trouvais, Emily *était assise dessus* dans la première scène du film, en train de lire un journal qui parlait du dernier meurtre d'enfant en date, lorsque Brad entrait et posait son manteau et sa mallette sur le siège près de la porte.

Je levai les yeux. En guise de plafond, il y avait des échafaudages dressés à une douzaine de mètres au-dessus de moi. Tout en haut, des éclairages avaient été fixés, dont certains braqués vers moi.

Un décor de film.

C'était le salon de Brad et Emily Jackson, dans *Les poucettes* – « une histoire terrible sur le soupçon, la paranoïa, le couple et l'insondabilité de l'âme humaine », selon Beckman.

Brad, un beau professeur de civilisation médiévale dans une petite université de gauche au fin fond du Vermont, vient d'épouser Emily, une jeune femme à l'imagination débridée. Elle s'inquiète d'une série de meurtres non élucidés de petits garçons

– tous âgés de huit ans – commis dans la région et commence à soupçonner son mari. D'ailleurs, *Les poucettes* se termine sans conclusion définitive quant à la culpabilité de Brad. J'avais, *moi*, le sentiment qu'il était l'assassin, même si Internet, et sans doute les Blackboards, regorgeaient d'arguments contre cette thèse. Beckman consacrait un chapitre entier sur le film dans son livre *Le masque américain*. Le chapitre 11 s'intitulait : « Une histoire de mallette ». Il y écrivait que la vérité, qui délivrera Emily *et* le spectateur, se trouve dans la vieille mallette en cuir Samsonite de Brad, que ce dernier range soigneusement dans un coffre-fort aux côtés de ses poucettes – l'instrument de torture médiéval – chaque soir quand il rentre de l'université.

La mallette de Brad hante le film à un point tel – Emily ne pense qu'à cela, elle cherche désespérément à la dérober, à faire sauter les verrous et à découvrir ce que son mari cache à l'intérieur – qu'elle en devient l'un des personnages principaux, apparaissant plus souvent que Brad lui-même. Et ni Emily ni le spectateur n'auront l'occasion de voir ce qui se trouve à l'intérieur, technique narrative reprise par Tarantino dans *Pulp Fiction* quinze ans plus tard.

Dans le dénouement du film, lors de la confrontation entre Emily et Brad – Emily est persuadée qu'elle doit se défendre face à un psychopathe, Brad que sa femme est devenue folle –, la mallette tombe par inadvertance entre le mur et le lit. Elle reste là, oubliée, dans cette petite maison du Vermont qui demeurera inhabitée pendant une durée indéterminée – Emily, orpheline, étant envoyée dans un asile et Brad étant *mort*.

Le dernier plan des *Poucettes* montre la mallette : un lent travelling qui sort de sous le lit, emprunte le couloir, franchit la porte d'entrée, croise les policiers, pénètre dans la forêt et fond au noir.

Je quittai le canapé – mes jambes avaient retrouvé un peu de leur vigueur – et traversai la pièce jusqu'à la cheminée.

Je m'approchai des étagères. *Les poucettes*, je m'en souvenais, avait été tourné en 1978, et les vieux livres de poche dataient bel et bien de cette époque : *À la recherche de M. Goodbar*, *Salem*, *Le duel des Gémeaux*. Idem pour le papier peint géométrique marron et jaune moutarde, les meubles laqués, le plafonnier orange accroché à côté de la porte d'entrée, la kitchenette au carrelage orange et la vieille machine à gaufres GE sur le plan de travail.

Il émanait de cet endroit une impression de temps figé, comme si la vie s'était arrêtée en plein milieu d'une conversation. Personne ne semblait avoir mis les pieds ici depuis des décennies.

Par la porte, j'empruntai le couloir étroit et sombre. J'avançai à tâtons, ouvris deux fausses portes – elles donnaient sur l'entrepôt. En revanche, la dernière, tout au fond, débouchait sur une autre pièce.

C'était la chambre des Jackson. Je marchai jusqu'à l'armoire et fis coulisser la porte. La garde-robe d'Emily était rangée là : des chemises de nuit, un jean à pattes d'éph', une paire de sandales à plate-forme et des bottes. Je passai à l'autre extrémité de l'armoire, qui contenait les vêtements de Brad – des pantalons de laine, des vestes en tweed.

Je pris un pantalon de velours côtelé marron dans le casier du haut, ainsi qu'une chemise en polyester jaune, et je les enfilai *rapidement*, car je ne voulais même pas *tenter* de réfléchir au fait que je portais la tenue années soixante-dix de Brad Jackson, que j'étais en train d'explorer, *littéralement*, les *Poucettes*.

Le pantalon était trop court de quelques centimètres, mais il m'allait quand même. Ainsi donc, contrairement à la plupart des grands acteurs hollywoodiens, Ray Quinn Jr., qui jouait Brad Jackson, n'était pas un nabot. Je sortis un pull rouge beaucoup trop serré aux manches, trouvai une paire de chaussettes en laine dans le meuble à tiroirs, sur lequel était posé un tourne-disque portatif Philips et, dessus, le *Payback* de James Brown. Après avoir mis le tout, j'étais sur le point de regagner le salon pour me remettre en ordre de marche lorsque je m'arrêtai devant la porte.

J'eus une vision soudaine de Wolfgang Beckman me hurlant dessus, les yeux exorbités : « Tu es entré par *hasard* dans la maison du Vermont de Brad et Emily Jackson, et l'idée ne t'a pas effleuré de chercher la *mallette* sous le lit ? Pour moi, tu es mort. »

Allant au bout de cette hallucination, je me baissai et jetai un coup d'œil sous le lit.

Comme il faisait trop sombre pour voir quoi que ce soit, je me relevai, allumai la lampe de chevet et écartai le lit du mur pour avoir une meilleure visibilité.

J'entendis aussitôt un bruit sourd. *La mallette était là.*

Je la regardai, incrédule.

La célèbre mallette Samsonite beige.

Elle était calée entre le mur et l'autre table de chevet, dans le coin. J'étais sous le choc, et pourtant... Que disait Emily dans le film, déjà ? « Partout où ira la mallette, Brad suivra. » Je me surpris à regarder derrière moi, vers l'encadrement de la porte vide, en me demandant si je n'allais pas voir l'ombre déformée de Brad sur le mur du couloir.

J'attrapai la mallette par la poignée – elle était étonnamment lourde – et la posai sur le lit.

Je voulus ouvrir les serrures. *Fermées.* Je m'aperçus alors que je *connaissais* le code. Emily, dans le film, fait des efforts surhumains pour le découvrir. C'était la date du sac de Rome, le coup de grâce porté à l'Empire romain, le début du haut Moyen Âge.

410.

Je fis tourner les molettes. Les verrous s'ouvrirent.

Je soulevai le couvercle.

La mallette était remplie de papiers. Je les parcourus et sortis un numéro de *Time* daté du 31 juillet 1978, avec « Le bébé éprouvette » en couverture. Dessous, une pile de dissertations d'étudiant parsemées de commentaires à la main. « Marcie, votre argument selon lequel le haut Moyen Âge a été une étape naturelle dans l'Histoire est très bon, mais vous devez approfondir. »

Lorsque je vis ce qui se trouvait sous cette pile, je fus saisi d'effroi.

Soigneusement repliée dans un coin, il y avait une chemise canadienne de garçon.

Je la soulevai, pris de dégoût à mesure que les manches rigides et aplaties se dépliaient sous mes yeux, comme mues par une volonté fragile.

Le devant de la chemise était durci et couvert de grosses taches brunes.

Elle semblait horriblement *vraie*, cette chemise, comme le vrai témoignage d'un vrai meurtre. Le tissu lui-même paraissait fatigué, comme si des résidus d'une violence inimaginable l'avaient imbibé et s'étaient desséchés.

Ça faisait beaucoup d'efforts pour un accessoire qui n'apparaît jamais dans le film. Je me rappelais les tailleurs blancs massacrés que j'avais trouvés dans l'armoire de Marlowe. *J'ai accédé aux parties les plus enfouies, les plus tourmentées de ma personnalité,* avait-elle dit, *des parties que je redoutais d'ouvrir parce que j'avais peur de ne plus jamais pouvoir les refermer.*

Et si les films de Cordova étaient vrais ? Les moments de terreur à l'écran, de vrais moments de terreur, et les meurtres, de vrais meurtres ? *Était-ce possible ?*

Cela pouvait expliquer la célébrité de Cordova – rien n'émouvait autant les gens, rien ne les captivait autant que la vérité. Cela expliquait aussi pourquoi personne, parmi tous ceux qui avaient travaillé avec Cordova, n'évoquait cette expérience. Peut-être étaient-ils complices – et révéler les horreurs commises pendant le tournage ne ferait que les incriminer à leur tour. Il se pouvait qu'à la fin du tournage Cordova ait disposé d'éléments concernant chacun de ses acteurs, des éléments qui lui garantissaient leur silence. Je repensai à une remarque d'Olivia Endicott qui sur le coup m'avait paru assez étrange – à propos de l'interrogatoire qu'il lui avait fait subir quand elle était venue le voir pour un éventuel rôle dans *Les poucettes* : *J'ai commencé à soupçonner que le but caché de toutes ces questions était moins de me connaître ou de voir si je convenais pour le rôle que de savoir si j'étais quelqu'un d'isolé, de savoir qui verrait la différence si je disparaissais ou si je changeais.*

À n'en pas douter, Cordova cherchait des gens manipulables. Il était obsédé par l'idée de capter le réel ; il avait forcé son fils, Theo, à apparaître dans *Attendez-moi ici* plutôt que de l'envoyer aux urgences afin qu'on lui soigne ses doigts sectionnés. Je savais également par les Blackboards – et Peg Martin – qu'il employait comme techniciens des immigrés clandestins, une troupe complice d'hommes et de femmes qui ne raconteraient jamais ce qu'ils avaient vu.

J'étais dans tous mes états. L'hypothèse collait parfaitement avec tout ce que j'avais appris sur le personnage en retraçant les derniers pas de sa fille.

Cordova mettait de toute évidence un soin extraordinaire à trouver ses comédiens, tous venus d'horizons différents, certains dépourvus de la moindre expérience. Il les amenait ici pour les faire vivre dans son monde isolé, les y enfermait, les privait de tout contact avec l'extérieur. Qui pouvait accepter un tel marché et remettre sa vie entre les mains d'un seul homme ?

Hopper avait posé la question à Marlowe. Mais était-ce vraiment nécessaire ? Des millions de gens traversaient leur existence comme des zombies, mourant d'envie de ressentir quelque chose, de se sentir vivants. Être choisi par Cordova pour jouer dans l'un de ses films était une occasion *unique*, non seulement d'atteindre la gloire ou la célébrité, mais de se débarrasser de son ancienne personnalité comme d'un vêtement usé.

Que leur faisait endurer Cordova, au juste ? Tout ce que leurs personnages enduraient ? Dans ce cas, ses films de nuit n'étaient plus des œuvres de fiction, mais des documentaires, des horreurs filmées.

Il était encore plus dépravé que je ne le pensais. Un fou complet. *Le diable en personne.* Peut-être ne l'avait-il pas toujours été, mais c'était bien ce qu'il était devenu à force de vivre ici. Et si ses films étaient vrais, il était permis de penser qu'il pouvait faire du mal à de vrais enfants pour sauver Ashley.

Je fouillai parmi les autres documents rangés dans la mallette. Il n'y avait que des exposés et des notes, ainsi qu'une lettre dactylographiée envoyée par Simon & Schuster le 13 janvier 1978. « Cher M. Jackson, je suis au regret de vous dire que votre roman, *Meurtre dans la barbacane*, n'a pas sa place dans notre catalogue actuel d'œuvres de fiction. » Je me souvenais que Brad avait un coffre qu'il gardait toujours fermé ; il se trouvait dans son bureau, qui semblait absent de ce décor. Il y avait bien une porte dans la chambre. Dans le film, elle donnait sur une salle de bains. Lorsque je l'ouvris, cependant, je ne vis que le mur noir du studio.

Je refermai la mallette, la remis à sa célèbre place, sous le lit, puis roulai la chemise ensanglantée de l'enfant et la fourrai dans la poche arrière de mon pantalon. Comme je ne voulais pas la perdre, le mieux était encore de la garder sur moi. J'éteignis la lampe et regagnai le couloir.

Parmi mes vêtements détrempés et jetés près du canapé, je cherchai mon appareil photo dans le blouson. J'avais eu, Dieu merci, la bonne idée de le maintenir au sec ; il marchait encore, contrairement à mon portable et à ma lampe torche, tous deux cassés. Je pris quelques clichés du salon et de la kitchenette – entièrement remplie de nourriture typique des années soixante-dix : du fromage Velveeta (toujours comestible au bout de trente ans), du Dr Pepper, des tranches de bacon de la marque Swift –, puis me déplaçai jusqu'à la limite du salon pour regarder dehors.

Grâce à la lampe, je pus constater que les studios s'étendaient loin devant moi. Après le canapé, un mur d'échafaudages en acier étayait quelque chose – *sans doute un autre décor* – construit à l'autre extrémité.

Passé un moment de stupeur, je me rendis compte que j'avais encore des frissons. Comme mon blouson était trempé, après avoir lacé mes chaussures je m'avançai vers la porte d'entrée, attrapai sur le siège le pardessus à chevrons de Brad Jackson et l'enfilai – une fois de plus sans laisser mon cerveau envisager l'absurdité d'un tel geste, celui de porter le manteau d'un probable psychopathe.

Avec un peu d'espoir, ce n'était pas contagieux.

Je consultai ma montre. Elle s'était arrêtée après mon passage dans la piscine. Elle indiquait en effet 19 h 58. Impossible. Il était forcément plus tard.

Sur ces entrefaites, mon sac à dos sur l'épaule, je quittai *Les poucettes* et suivis l'échafaudage pour voir ce qu'il y avait d'autre dans ces immenses studios, quels autres mondes nés du cerveau toxique de Cordova je pouvais fouiller, tel un archéologue à la recherche d'ossements.

*

Quand il fit trop sombre pour y voir quoi que ce soit, je pris une photo et l'étudiai sur l'écran de l'appareil.

Un énorme oiseau rouge avait été grossièrement peint à la

bombe sur le mur en béton à ma gauche. Je l'avais déjà repéré dans des articles sur Cordova. *C'était le symbole dont ses fans se servaient pour invoquer sa présence, un message anonyme pour lui dire de revenir.* Je continuai, contournai l'extrémité de l'échafaudage et pénétrai dans ce qui ressemblait à une vaste pièce. Je discernai vaguement devant moi une immense montagne jonchée de rochers. Je pris une autre photo et compris que c'était en réalité une montagne *d'ordures*, et les rochers, des barils d'essence corrodés qui surgissaient comme autant de champignons géants.

Je voulus traverser cette zone, mais heurtai aussitôt un panneau en bois.

DÉCHARGE DE MILFORD GREENS
ENTRÉE INTERDITE
DANGER

J'étais dans *La douleur*.

Leigh, l'héroïne du film, réservée, timide – réceptionniste chez un concessionnaire automobile le jour, étudiante le soir –, accepte d'espionner le mari de sa meilleure amie – un Allemand prénommé Axel – et non seulement tombe amoureuse de lui, mais se mêle dangereusement à ses louches activités.

Le premier soir, elle suit sa Mercury Grand Marquis marron dans toute la ville et finit par se retrouver, aux aurores, ici même, à la décharge de Milford Greens. Leigh regarde Axel garer sa voiture et traverser à pied la décharge, tandis que des mouettes survolent les déchets en poussant des cris stridents.

Axel tient un petit sac dont la couleur est reconnaissable entre toutes : le fameux bleu œuf de merle de chez *Tiffany* – le grand joaillier. Fascinée, Leigh le suit à pas de loup ; ses cheveux s'ébouriffent, son vilain chemisier sort de sa jupe. Elle monte à bord d'un ancien corbillard pour mieux espionner l'homme qui gravit la colline et entre dans un car scolaire renversé. Après avoir sorti un sachet en papier de derrière le volant, Axel le remplace par le sac Tiffany. Leigh attend qu'il soit reparti en voiture puis, trébuchant et tombant parmi les déchets, se rend *elle-même* jusqu'au car scolaire. Elle sort le sac Tiffany et trouve à l'intérieur une petite *boîte à bijoux* Tiffany

– de celles que l'on utilise en général pour les bagues de fiançailles. Leigh est sur le point de l'ouvrir lorsque, remarquant qu'une voiture noire arrive sur le parking de la décharge, elle perd l'équilibre, glisse et, par une vitre ouverte, fait tomber la boîte Tiffany bleue à l'intérieur du car abandonné. Elle essaie de la retrouver. Quelques minutes plus tard, le voyou connu seulement sous le nom de Y passe récupérer le sac Tiffany. Il ne lui faut pas longtemps pour découvrir que ce dernier est vide. Pendant ce temps, Leigh se cache dans le car. Et c'est à cet instant que *La douleur*, de simple suspense voyeuriste, se transforme en un fascinant cauchemar avec *erreur sur la personne*.

La décharge n'avait pas *l'odeur* du danger. L'air était chargé d'une humidité moisie, comme une cave souterraine fermée depuis des années, avec une légère odeur d'essence en arrière-plan. Je m'arrêtai pour regarder derrière moi et vis avec surprise que je me retrouvais à l'extérieur. D'immenses écrans installés le long de l'échafaudage donnaient l'impression d'un grand ciel ouvert. Des nuages fantomatiques avaient été peints, même si, au moins six mètres plus haut, les écrans laissaient place au studio plongé dans le noir. L'effet produit était très déconcertant ; il semblait souligner la nature intrinsèquement bornée de la perception humaine. *Si seulement tu regardais un peu plus loin, McGrath, tu verrais que tout ça débouche sur... le néant.*

Je ne l'avais pas encore remarqué mais, au bout de la partie où j'étais entré, il y avait un petit parking en gravier entouré d'arbustes et une voiture garée sous un lampadaire éteint. Avec un frisson désagréable, je m'aperçus que c'était la Chevrolet Citation de Leigh, bleue et carrée, tout droit sortie des années quatre-vingt. On aurait dit qu'elle attendait son retour.

Peut-être n'était-elle jamais revenue. Peut-être Leigh n'avait-elle jamais quitté cet entrepôt – ni le Peak. Je ne me rappelais plus si j'avais entendu reparler de l'actrice dans un quelconque autre film.

Je me retournai et scrutai au loin la forme indistincte au sommet de la montagne d'ordures. Tandis que je m'en approchais péniblement, je vis qu'il s'agissait du car scolaire renversé, celui-là même où Leigh était prise au piège. Dans les dernières minutes de *La douleur*, elle s'y retrouve enfermée par les gangsters, bâillonnée et ligotée. Même si elle se débat courageusement, bien décidée à libérer ses mains à l'aide d'une pointe métallique qui sort d'un siège éventré, son sort reste un mystère. Pendant qu'elle se tortille et gémit, le film s'arrête sur un fondu au noir – bien qu'on entende ses cris tout au long du générique de fin, à peine couverts par la chanson *Posse in Effect*, des Beastie Boys.

La pente était plus raide que je ne le pensais. Je commençai à trébucher et à glisser au milieu des sacs en plastique, des pneus crevés, des matelas et des télévisions cassées. Au bout de quelques mètres, je m'aperçus non seulement que la pente devenait de plus en plus verticale, mais que mes mouvements eux-mêmes faisaient bouger les ordures sous mes pieds. Je les sentais qui se déplaçaient sans arrêt et, au bout de quelques minutes, c'était la *montagne tout entière* qui bougeait. J'eus beau m'immobiliser, je me sentis tomber en arrière, presque enseveli sous une avalanche de conserves rouillées et de sacs-poubelle. Je réussis à me redresser, me dépêtrai d'une combinaison Hazmat, et me laissai glisser vers l'extérieur du décor, cependant que la montagne continuait de se disloquer, y compris le car scolaire. *Il était impossible de monter tout en haut.* Je me frayai un chemin jusqu'au rideau de ciel bleu, soulevai le tissu et traversai l'échafaudage. Pendant ce temps, la décharge poursuivait sa dégringolade derrière moi. J'en avais marre de *La douleur*. Tout plutôt que mourir enterré vivant dans les ordures de Cordova.

Je me remis debout et empruntai le couloir sombre. Devant moi, tout au fond – j'avais l'impression que c'était à un *kilomètre* –, je vis une ouverture avec une lumière rouge pâle. J'espérais que c'était la sortie.

*

Je m'arrêtais de temps en temps pour tendre l'oreille, mais je n'entendais que le vent qui gémissait au-dessus du toit des studios. Plus j'avançais, plus cette lumière rouge était résolument, *obstinément* lointaine. Je ne pus m'empêcher de me demander si je n'étais pas victime d'une hallucination, ou si le sol en béton de l'entrepôt n'était pas qu'une sorte de tapis roulant sur lequel je faisais du surplace. À un moment, chose étrange, je sentis une odeur d'*eau salée*, une odeur forte, mêlée à des relents d'algue et de sable. Ce devait être un autre décor de film, construit derrière l'échafaudage qui se dressait sur ma gauche, trop haut pour que je puisse voir quoi que ce soit.

La lumière rouge se rapprochait. Soudain, je fus pris d'une curiosité irrépressible. De quoi s'agissait-il ? Du grand pavillon de banlieue prétentieux où vit Marlowe Hughes dans *L'enfant de l'amour* ? Du bordel où Annie va chercher son père dans *La nuit tous les oiseaux sont noirs* ? Du wagon-discothèque d'Archer dans *L'héritage* ?

Je tournai au coin.

J'avais devant moi la serre d'*Attendez-moi ici*.

Comment Beckman me l'avait-il décrite ? « S'il y a un décor qui exprime à la perfection les idées malsaines d'un psychopathe, *ce n'est pas* le Bates Motel, mais bien la serre de la famille Reinhart, avec ses dômes de verre moisi et de métal corrodé, ses plantes tropicales qui poussent à l'intérieur telles des pensées insidieuses devenues folles, le petit chemin de sable qui serpente à travers la végétation comme le dernier vestige de l'humanité disparaissant à l'horizon. »

La serre était une structure rectangulaire, couronnée de dômes, toute en vitres et en inox vert clair, fidèle reproduction des serres royales de Laeken à Bruxelles. Isolée, elle était tranquillement installée dans une épaisse forêt de pins – tel était l'effet donné par les autres écrans fixés autour du décor. La lumière rouge provenait de l'intérieur de la serre. Là-dessus, je me souvins – *évidemment* – du film.

C'étaient les lampes horticoles rouges.

J'attendis un peu, le temps de m'assurer que j'étais bien seul, et posai le pied sur la pelouse. L'herbe argentée crissait sous mes pieds. Je baissai les yeux, troublé, tant cette herbe semblait vraie, et même mouillée par la rosée du matin. Je me penchai pour la toucher. C'était du *plastique*, et la *rosée* était en fait de la peinture brillante iridescente déposée sur chaque brin d'herbe.

J'arrivai au chemin de pierre, que je suivis jusqu'à la porte en acier de la serre – celle de *derrière*, si mes souvenirs étaient bons. À cause de la saleté et des décennies de condensation, le verre était devenu opaque. Des ombres de feuilles noires se pressaient contre les vitres comme les mains ou les visages d'une foule prise au piège et cherchant désespérément à sortir.

J'actionnai la poignée métallique – remarquant au passage qu'elle avait la forme d'un élégant quoique *assez sinistre* R, comme Reinhart – et poussai la porte.

*

Un souffle d'humidité brûlante m'explosa au visage.

Il devait faire au moins 35° là-dedans.

Une allée d'un sable blanc immaculé partait de la porte avant d'être ensevelie, au bout de quelques mètres, par des plantes qui poussaient dans toutes les directions. Suspendus au plafond, des barils verts éclairés, rangée après rangée, de lumières bleues et rouges, donnaient à la serre des airs de gigantesque four réglé sur le *gril*.

Dans *Attendez-moi ici*, Popcorn, le jardinier muet qui a toujours travaillé au service des Reinhart – suspect principal dans les meurtres de Leadville, plus tard innocenté –, s'occupait amoureusement de ces plantes. En regardant autour de moi, je découvris, non sans inquiétude, qu'elles avaient *exactement* la même allure que dans le film. J'attrapai une feuille noire géante et luisante à côté de mon épaule et en caressai la surface pour voir si elle était vraie. Elle l'était.

Attendez-moi ici avait été tourné en 1992. Les ampoules de ces lampes n'avaient pas pu durer vingt ans.

Quelqu'un devait venir ici régulièrement pour s'occuper des plantes.

Un frisson me parcourut l'échine, mais j'entrai d'un pas décidé et refermai la porte en essayant de la maintenir entrebâillée pour laisser s'échapper un peu de la chaleur.

Je n'étais pas *enchanté* par la perspective de me retrouver coincé dans cette serre, rôti vivant par ces lampes. Pourtant, alors même que j'avais placé le butoir en caoutchouc, enterré sous le sable juste devant la lourde porte en fer, celle-ci n'arrêtait pas de *se refermer* dans mon dos ; j'abandonnai et la laissai claquer. Je m'assurai qu'elle pouvait encore s'ouvrir, puis empruntai l'allée en écartant les feuillages.

On aurait dit la forêt amazonienne. Des tiges aussi solides et enroulées que des tuyaux, chargées de fleurs tubulaires blanches, des arbres qui mesuraient au moins deux mètres cinquante de haut, des branches hérissées de chardons, des fleurs noires en forme d'étoiles, des bourgeons portant de petites baies rouges – ils s'accrochaient tous à mon visage, à mes bras, tels des essaims d'orphelins cherchant désespérément de l'aide, un contact humain. Leurs parfums étaient puissants, aussi doux que du chèvrefeuille, mais dès que je les humais, l'odeur devenait terreuse, écœurante. Avec mes trois couches de vêtements en laine appartenant à Brad Jackson, parfaits pour un rude hiver dans le *Vermont*, je transpirais déjà abondamment. Mais je faisais de mon mieux pour ignorer la chaleur. Je longeai un massif d'arbres verts lestés de fleurs tombantes jaunes aussi grosses que mes mains. Elles touchaient mon visage, me rentraient dans le nez, dans la bouche, et leur pollen était âcre, acidulé.

Je crachai, ce qui ne m'empêcha pas d'avoir un arrière-goût amer. Au bout de quelques mètres, j'aperçus avec soulagement un élément familier : *le bassin aux carpes.*

Tout en pierre, il formait un cercle parfait, rempli à ras bord d'une eau noire. Dans *Attendez-moi ici*, des nénuphars géants d'Amazonie flottaient à sa surface. *Et quand l'agent Fox, des forces spéciales, manquait y mourir noyé, la tête maintenue sous l'eau par l'assassin, il s'agrippait aux nénuphars de toutes ses forces, mais ceux-ci ne faisaient que se dissoudre dans ses mains.*

À présent, le bassin ne contenait plus de plantes, et la surface noire était si lisse, si étale, qu'on aurait dit du *plastique*. Pourtant, en me frayant un chemin parmi les feuillages pour rejoindre la margelle en pierre, je vis que cette eau était tout ce qu'il y a de réelle. Pour en avoir le cœur net, j'y plongeai un doigt. Des rides circulaires troublèrent paresseusement le reflet des lumières rouges et de l'imposant dôme mi-verre, mi-métal.

Je partais du principe que, vingt ans après le tournage du film, il ne devait plus y avoir de carpes. *Or pas du tout* – dans l'eau trouble, j'aperçus un éclair orange et blanc. Il disparut aussi vite qu'il était apparu.

Quelqu'un devait venir ici régulièrement pour nourrir les poissons.

Dans le film, Popcorn leur donnait à manger des Cracker Jacks, qu'il sortait d'un paquet rangé dans la poche avant de sa salopette Levi's sale. C'était devenu un détail célèbre.

Peut-être le faisait-il *encore*.

Peut-être le pauvre bougre travaillait-il ici, vivait-il ici.

L'idée m'incita à me retourner. Mes yeux sondèrent les feuillages enroulés, en quête d'un signe de ce vieux jardinier au visage noir ridé et luisant, au sourire émaillé d'une dent en or. « La magnifique serre des Reinhart, c'est le sanctuaire sacré de Popcorn, me rappelais-je avoir entendu Beckman psalmodier devant ses étudiants, un soir. C'est son refuge face au ridicule – le seul endroit au monde où il n'a pas peur. »

Je mis un petit moment à recalibrer mon esprit, à m'assurer que j'étais seul et que tout ce que je trouverais en ce lieu n'était qu'une histoire sortie du cerveau de Cordova. Je n'étais pas, je n'avais jamais été dans *Attendez-moi ici* – et pourtant, en me faisant cette réflexion, je me rendis compte que le simple fait de devoir me persuader d'une telle chose était, en soi, terrifiant.

Avais-je déjà perdu la boule ? Pas encore.

Je m'épongeai le visage et fis le tour du bassin, les yeux rivés sur la végétation baignée de lumière rouge.

Au bout de quelques minutes, je trouvai ce que je cherchais : *la remise de Popcorn.*

La vieille porte en bois bleue était entrouverte. Dessus, le même panneau, cloué de travers : « PRIVÉ INTERDIT D'ENTRER ». Je la poussai doucement.

Popcorn n'était pas là.

L'endroit, guère plus grand qu'une penderie, était rempli d'étagères méticuleusement arrangées, avec des petits compartiments qui contenaient des sachets de graines, des plateaux en plastique, des pots en terre cuite, des sacs de paillis et d'engrais. Juste devant moi, faisant face aux parois vitrées de la serre – trop sales pour que je puisse voir à travers –, trônaient un bureau et un tabouret haut, où l'on trouvait toujours Popcorn en train de fumer ses cigares, de lire ses bandes dessinées et d'écouter les Beatles. Une petite cage métallique – une sorte de piège à ratons laveurs – était posée sur le bureau, à côté d'une bande dessinée jaunie, intitulée *Mikey's Friend*, et d'un cigare à moitié consumé dans un cendrier.

J'entrai et saisis le cigare. Il sentait *encore* la fumée.

Près du bureau, cloué au mur, figurait un vieux panneau de liège tapissé de consignes maladroitement rédigées concernant le terreau et les plantes, ainsi qu'une carte postale abîmée montrant des masures colorées sur pilotis, au bord d'une baie sombre.

Je détachai la carte et la retournai. Il n'y avait pas d'adresse, seulement trois mots griffonnés au verso.

Bientôt tu viendras.

Je reposai la carte postale et me tournai. Divers outils de jardinage avaient été suspendus aux murs à l'aide de vieux crochets : des faucilles, des faux autrichiennes, des scies à élaguer, des haches de toutes tailles. Je m'approchai pour mieux les étudier – *de la même manière que l'agent Fox les avait étudiés.*

Dans *Attendez-moi ici*, les corps des onze adolescents tués à Leadville sont mutilés de telle sorte qu'ils donnent l'impression d'avoir été victimes d'accidents survenus dans une vieille usine à papier – brûlures dues à des substances chimiques, explosions de chaudière, rouleaux industriels. Mais il y a une *autre* constante : ces lycéens ont tous été tués d'un coup dans le ventricule gauche du cœur, asséné au moyen d'une paire de cisailles à haies dont les lames mesurent précisément vingt-quatre centimètres.

L'agent Fox fouille la remise en pleine nuit afin d'examiner les outils de jardinage de Popcorn – chaque scie, chaque cisaille à tôle, chaque sécateur – et de trouver une lame correspondant à ces dimensions précises. Il en revient bredouille. Car les cisailles à haies *n'étaient pas* cachées dans la remise, comme il le pensait.

Où diable se trouvaient-elles donc ?

Mes yeux me piquaient, et j'étais en nage, bouilli vivant comme un homard. La chaleur était telle que je pouvais à peine réfléchir, à peine me remémorer cette scène cruciale à la fin du film, quand Popcorn retrouve par hasard les cisailles enterrées dans un de ses parterres de fleurs tant adorés.

Me souvenant que les cisailles étaient maculées de sang séché, je repensai à la tête du pauvre jardinier quand il tombe dessus en voulant planter une nouvelle série de graines aux noms bizarres. Il a l'air absolument horrifié.

Jouait-il la comédie ?

Était-ce moi qui rêvais ou est-ce qu'il faisait *de plus en plus* chaud dans cette serre ?

Je me délestai de mon sac à dos, ôtai le pardessus à chevrons de Brad Jackson, puis le pull, et les posai sur la cage métallique. Je décrochai du mur une binette et ressortis de la remise pour faire le tour du bassin aux carpes.

Dans le film, Popcorn était le seul à connaître la vérité sur les meurtres. « Parfois, seul l'homme silencieux est capable d'avoir une vue d'ensemble. » C'était une phrase de Beckman. Ou d'un personnage du film ?

Il fallait que je mette la main sur ces cisailles.

Je foulai le parterre de fleurs, au milieu de plantes devenues tellement touffues que je ne voyais plus le sol.

Après avoir remarqué dans la terre une petite étiquette blanche portant une inscription, je me baissai.

« TIRE-LARMES », était-il écrit.

Je m'avançai de quelques mètres et en repérai une autre.

« CERISES DU DIABLE ».

Il y avait une multitude d'étiquettes identiques disposées sous les feuilles.

« TUE-LOUP BLEU », « POINTES DE LANGUE », « VIOLETTE DU SORCIER », « HERBE AUX FOUS ».

Ce dernier nom me disait quelque chose. Retroussant mes manches, je ratissai le sol avec la binette et sentis aussitôt quelque chose de dur dans la terre meuble. Je me penchai et distinguai un objet brillant.

C'était une boussole en laiton dont le verre était cassé.

C'était celle de Popcorn. C'est un sujet de moquerie tout au long du film. Les villageois raillent en effet la manière dont Popcorn la sort constamment de sa salopette et la regarde de très près, comme pour s'assurer qu'il est sur la bonne voie pendant son très important voyage autour du monde, la blague étant que le pauvre bonhomme, natif de Leadville, n'a jamais mis le pied en dehors de son village.

547

Je mis la boussole dans ma poche et enfonçai la binette plus profondément ; la lame heurta quelque chose.

Je m'accroupis pour étudier l'objet. C'était un carton à moitié décomposé, trempé et ramolli. Je pus tout de même déchiffrer les lettres inscrites dessus.

Cracker Jacks.

J'écartai le carton et, au mépris du malaise qui m'envahissait, continuai obstinément de creuser la terre. Là-dessus, je sentis autre chose, quelque chose de massif. Je me penchai.

Il y avait une chose enterrée là.

Malgré une montée de nausée – ce devait être la chaleur écrasante, et ces lumières rouges à cause desquelles chaque plante, chaque fleur, *et jusqu'à mes propres mains*, paraissaient ensanglantées –, je plantai la binette à la verticale. Elle découpa quelques racines. Accroupi, j'arrachai brutalement plusieurs plantes ; des feuilles et des branches tremblèrent devant mon visage, comme pour protester.

Je la sentais de mes propres mains, cette chose cachée, enfouie sous la terre, *dure* au toucher.

Une chose de la taille d'un homme. Popcorn ?

C'était absurde. À la fin du film, Popcorn est mis hors de cause, *sauvé*. Il connaît le secret de l'assassin, et si quelqu'un peut garder un secret, c'est bien un muet. *Qu'est-ce qui était enterré là-dessous ?* Pourquoi sa boussole et son paquet de Cracker Jacks – les deux objets dont le jardinier ne se séparait jamais – étaient-ils cachés ici ? L'assassin avait-il décidé de le supprimer ? Cordova l'avait-il décidé ?

Alors que mon cerveau s'enflammait, parvint à mes oreilles, venu de très loin, *un bruit sourd. On aurait dit une porte qui claquait.* Je me remis tout de suite debout.

J'entendis des gens marcher – deux, peut-être *trois* personnes, dont les pas résonnaient dans toute la serre et se déplaçaient rapidement. Sans doute étaient-elles en train d'emprunter ces étroits couloirs qui séparaient les décors des films.

Je n'étais plus seul. Je préférai ignorer cette réalité pendant quelques secondes et fouiller à mains nues le parterre de fleurs, comme un forcené.

Je voulais simplement voir ce qui était enterré là. Je déracinai les plantes, les jetai sur le côté, et creusai un tunnel dans la terre jusqu'à ce que mes doigts touchent *quelque chose.*

On aurait dit un tissu en jean. *La salopette de Popcorn.*

Je cherchai fébrilement l'appareil photo dans ma poche puis m'aperçus que, comme un *imbécile*, je l'avais laissé dans le pardessus de Brad.

Pour exhumer ce qui gisait là-dessous, il me fallait retourner l'ensemble du parterre de fleurs.

Je m'arrêtai un instant, l'oreille à l'affût.

Les pas se faisaient de plus en plus sonores. Les gens devaient savoir où j'étais.

J'allais devoir repasser plus tard.

À toute vitesse, je ressortis des feuillages et refis le tour du bassin aux carpes pour regagner la remise. J'attrapai le manteau de Brad, le mis et pris mon sac à dos sur l'épaule. Après m'être faufilé parmi les plantes, je regagnai la porte de derrière.

*

Je l'ouvris à peine et avisai la pelouse déserte. Je sortis en courant, pris une grande bouffée d'air frais, soulagé d'avoir quitté cette épouvantable lumière rouge et cette *chaleur* tropicale, puis fonçai vers l'obscurité fraîche des studios.

Je dus m'arrêter net. Tout l'entrepôt résonnait de pas qui semblaient venir du passage par lequel j'avais fait irruption dans *Attendez-moi ici.*

Je repartis dans la direction opposée, le long d'un chemin en pierre qui, du décor, conduisait à une grande plage déserte, des dunes de sable blanc hérissées d'herbes sous-marines. Au loin, une maison de plage tout en angles s'élevait haut dans le ciel, perchée sur des pilotis.

C'était la maison de Kay Glass dans *Un moindre mal.*

Je courus sur le sable pour la rejoindre et, au-delà, vers l'océan éclairé par la lune. J'avais l'intuition que *ce* décor me ramènerait aux Jackson et me permettrait, avec un peu de chance, de *décamper.*

Soudain, loin devant, je vis une silhouette sombre tenant une lampe torche foncer vers moi sur les dunes.

Je fis aussitôt demi-tour, ressortis précipitamment et, m'engouffrant dans la *première* ouverture venue, me retrouvai en train de courir au milieu d'une rue déserte.

C'était la rue principale d'une petite ville fantôme que je ne reconnus pas, même si je *voyais* assez bien, grâce aux illuminations de Noël rouge et vert qui clignotaient au-dessus de la chaussée.

Je longeai des vitrines de magasins plongées dans la pénombre.

SILVER DOLLAR SALOON.

SUNSHINE GROCERY.

PASTIME GENTLEMAN'S CLUB. RÉSERVÉ AUX MEMBRES.

J'entendis alors quelqu'un courir derrière moi. Je bondis sur le trottoir, devant un cinéma, poussai la porte et, après des étals de bonbons et de boissons gazeuses, pris un couloir étroit où étaient accrochées des affiches pour *Distorsion*, séance à 11 h 30, et *La traque des rouges* à midi.

J'ouvris la première porte. Dieu soit loué, elle me *ramenait* dans l'entrepôt. Je heurtai une surface dure – un mur de béton. Je me ruai le long de ce mur et, regardant derrière moi, vis que la lampe torche était de nouveau là, tandis qu'une autre fonçait droit sur moi. J'attrapai les barreaux d'un échafaudage et commençai à grimper. Parvenu à trois ou quatre mètres de hauteur, j'atteignis une plate-forme en bois sur laquelle je me hissai tant bien que mal.

« *Tu as vu quelque chose ?* dit une voix masculine en bas.

— Il est parti de l'autre côté. »

J'attendis de longues minutes, le temps que les faisceaux lumineux s'éloignent, pour me relever prudemment. La plate-forme était solide ; elle soutenait des lampes en tungstène braquées à la verticale vers une sorte d'intérieur en pierre. À environ un mètre vingt devant moi, il y avait un pilier sur lequel était accroché une bannière indiquant – j'eus du mal à déchiffrer les mots : « AGITER LES EAUX ». C'était l'église du père Jinley dans *La fenêtre brisée*. Juste au-dessous de moi, des vitraux sur tout le mur et un rebord de sept centimètres. Je me baissai, me laissai atterrir sur le rebord et, prononçant un Ave Maria silencieux, sautai au-dessus du vide avec *l'espoir* de rattraper le pilier et de me laisser glisser en bas.

Je ratai mon coup. Je tendis le bras et, pour freiner ma chute, me raccrochai à une sorte de panneau en bois fixé au mur. Ce dernier se détacha en faisant tomber bruyamment des carreaux autour de moi. Pendant que le panneau glissait sur les pierres, je m'écrasai par terre.

Merde. En me relevant, je vis une lampe torche avancer dans le passage en ogive face à moi, éclairant un plafond voûté, et des statues dans des alcôves. Je m'éloignai sans attendre parmi les rangées de sièges, vers le portail arrière, et repérai le confessionnal tout au fond, dans un coin. La simple vue de ce confessionnal me glaça les sangs, mais j'ouvris tout de même la porte sculptée – elle émit un petit couinement – et montai à l'intérieur.

Avec mon sac sur le dos, l'espace était exigu. Il y régnait une obscurité totale.

Je m'accroupis par terre et attendis.

Quelques secondes plus tard, j'entendis quelqu'un entrer dans l'église et *s'arrêter* – à n'en pas douter pour inspecter le malheureux tableau des hymnes que j'avais arraché du mur.

J'attendis. Mon cœur battait la chamade. Soudain, une odeur fétide parvint à mes narines. *Du vomi ? De la pisse ?* Les pas reprirent de plus belle ; la lampe torche approchait lentement ; elle éclaira la porte du confessionnal, dont je vis qu'elle était en bois, avec des vignes et des fleurs sculptées. Je reconnus ce motif et n'en crus pas mes yeux, maintenant que je me retrouvais derrière cette porte, *exactement* comme le père Jinley – bien que pour des raisons un peu différentes.

La première scène du film avait été tournée *ici même*, au moment où Jinley accomplit ses tout premiers devoirs de confesseur. Frais émoulu du séminaire, il pense, avec l'optimisme arrogant de la jeunesse et de l'inexpérience, pouvoir ramener les dépravés sur le chemin de la vertu. Après avoir attendu plus d'une heure sans que ne se présente le moindre pénitent, voilà qu'une mystérieuse silhouette entre enfin de l'autre côté et, avec un *bruit sourd inquiétant*, s'installe sur le siège.

Le souvenir de cette scène me fit tendre négligemment le cou pour regarder de plus près cette fenêtre située à quelques centimètres au-dessus de ma tête et dont l'écran grillagé sombre garantissait un anonymat total.

Cet inconnu, comme le prêtre s'en rend rapidement compte, connaît son secret le plus noir, à savoir qu'il a un jour laissé sa fille naturelle âgée de trois ans sur le toit d'un immeuble de Brooklyn, l'a regardée vaciller sur le rebord pendant qu'elle pourchassait les pigeons, puis perdre l'équilibre et s'écraser sur le trottoir, tout en bas – sans intervenir. Il avait ses raisons, naturellement – il croyait que sa fille était le diable incarné. Mais qui l'a épié cet après-midi-là, qui *est* cette mystérieuse personne installée derrière l'écran du confessionnal, et qui jure, en un murmure entendu, qu'elle *le brisera et le fera renoncer à Dieu* ? Jinley attendra la fin du film pour en découvrir l'identité, une identité encore plus terrifiante que son propre secret.

Je m'aperçus que les bruits de pas semblaient s'éloigner dans un autre passage ; la faible lumière avait disparu.

Je me relevai de quelques centimètres et m'assis sur le siège en bois juste derrière moi, l'oreille tendue. Visiblement, j'étais seul. Le père Jinley s'était-il assis *de ce côté-ci* du confessionnal ou de l'autre ? Étais-je du côté du bien ou du mal ? *Et d'où venait cette horrible odeur ?* Je me penchai en avant et regardai à travers l'écran, dont les ouvertures grillagées avaient la forme de petites croix.

Je fus pétrifié d'horreur. *Quelqu'un était là.*

Il y avait un homme assis de l'autre côté.

Je n'en croyais pas mes yeux. Pourtant j'entendais une respiration, un tissu lourd que l'on remuait. Sur ce – comme conscient qu'il était observé –, il tourna lentement la tête vers moi.

Je pouvais à peine distinguer les traits de son visage, dissimulé par une grande capuche sombre.

Les instants suivants s'enchaînèrent à une telle vitesse que j'avais à peine conscience de ce que je faisais : je bondis hors du confessionnal, traversai le transept, dépassai l'entrée du bureau de Jinley et poussai une porte qui, si ma mémoire ne me jouait pas de tours, donnait sur une crypte souterraine. Il faisait trop noir pour que j'y voie clair. Je tendis le bras, m'attendant à toucher la pierre froide du mur, et je compris que je me retrouvais dans les studios.

J'entendis des coups, puis un chœur de néons qui gémissait au-dessus de ma tête. *La lumière arrivait.* Tout à coup, je fus à moitié ébloui par une lumière vive. J'avançai à tâtons, sentis une poignée de porte, la tirai vers moi et me glissai dans une autre pièce glacée.

Mais ce n'était pas une pièce.

Sous mes pieds craquaient de vraies feuilles mortes. Un vrai vent me fouettait le visage. Et, levant les yeux, j'aurais juré qu'une vraie lune brillait dans le ciel.

*

Je refusais de croire que j'avais réussi à m'échapper des studios. Pourtant, après avoir couru sur quelques mètres, je me retournai et vis l'entrepôt tranquillement installé au milieu de la forêt. Il paraissait inoffensif, blafard et neutre – aucune trace des cercles de l'enfer qu'il renfermait.

Par bonheur, j'avais retrouvé la dure et froide réalité. Je dévalai une fois de plus la colline vers le Graves Pond. Les deux bons-hommes n'avaient pas dû s'apercevoir de ma fuite, car personne ne me suivait. *Qui étaient-ils donc ? Et qu'avais-je vu de l'autre côté du confessionnal ?*

Je regardai ma montre, oubliant qu'elle était cassée : *19 h 58.*

Je fouillai mes poches pour dresser un rapide inventaire de ce que j'avais – *la chemise ensanglantée de l'enfant et la boussole de Popcorn.* Elles étaient toujours là, de même que mon couteau de poche. En revanche, mon appareil photo avait disparu. Bien que fourré tout au fond de la poche, il avait dû tomber quand j'avais remis le manteau. Furieux de mon étourderie, réprimant un besoin d'aller le récupérer, je me mis à courir. Le vent me sif-flait dans les oreilles, comme une punition, et la lune m'éclairait la voie.

Un chien aboya. On aurait dit un de ceux qui m'avaient pour-chassé, mais son cri était plus étouffé, plus muselé. Je ne me fis pas d'illusions pour autant : sans doute que d'ici peu de temps il serait à son tour détaché.

Une fois arrivé au Graves Pond, je rampai jusqu'au bord de l'eau sans quitter des yeux la surface miroitante derrière les feuillages. Il n'y avait toujours aucun signe ni de Hopper, ni de Nora, ni du canoë – ni de personne. Hopper et Nora... Je m'aperçus, avec étonnement, que ces deux noms me revenaient comme de très loin, des tréfonds du passé. *Combien de temps avais-je passé dans ces studios ? Des années ?* Était-ce une sorte de trou de ver ? Une dimension hors du temps ? Je n'avais pensé ni à eux, ni à ce qui leur était arrivé, ni à l'endroit où ils avaient pu disparaître. Seul Cordova avait guidé mes actes. Ces décors étaient des narcotiques ; ils gouvernaient mon cerveau à un point tel que je n'avais pu penser à rien d'autre.

Ils avaient dû partir chercher de l'aide. Ils étaient dans le canoë, sains et saufs, et rebroussaient chemin. Il fallait absolument que je m'en convainque pour ne pas m'inquiéter et pouvoir échafauder un autre plan. Mais, en mon for intérieur, je savais que Hopper n'abandonnerait pas Ashley aussi facilement. Nora non plus. Ils devaient donc être quelque part, ici, en train d'errer et de tourner désespérément en rond.

En scrutant la rive opposée et la colline plongée dans la nuit noire, je vis une autre lampe torche en train de se déplacer sur la crête. La personne semblait dévaler le chemin qui conduisait à l'embarcadère en bois. Quelque chose galopait dans l'herbe. *Sans doute un des chiens.*

Je quittai le bord du lac et partis vers l'est au pas de course. J'arrivais à me diriger grâce à ce que je savais de la position du lac. Aller à l'est, c'était non seulement le chemin le plus rapide pour atteindre les limites de la propriété et la route la plus proche, la Route 112, mais le meilleur moyen de trouver de l'aide. Mes priorités avaient changé. Si Nora et Hopper étaient piégés quelque part dans la maison, voire blessés – *ou pire encore –*, cela devenait une question de vie ou de mort.

Pendant que je réfléchissais à tout cela en courant, j'avais sans m'en rendre compte sorti de ma poche la boussole de Popcorn ; je la serrais maintenant comme un bien précieux, *un dernier espoir*. Et quelle ne fut pas ma surprise de constater que, malgré la façade en verre brisée, l'aiguille indiquait le nord.

Je fis un tour complet sur moi-même pour en avoir le cœur net. *Aucun problème.*

La boussole marchait.

Je poursuivis sur ma lancée, regardant de temps en temps la boussole pour être sûr que je suivais la bonne direction – *exactement comme le vieux Popcorn* au grand amusement des villageois. *Quand aurais-je une nouvelle occasion de retourner dans cette serre ? J'avais renoncé trop vite.* Pour peu qu'il fût vraiment enterré là-bas, Popcorn resterait un secret enseveli à six pieds sous terre. Malgré ma tête en ébullition, je me forçai à poursuivre ma course. La forêt semblait défiler en boucle, comme la toile de fond synthétique, dans les vieux films, devant laquelle les personnages bavardent et conduisent sans jamais regarder la route. *Ces arbres, étaient-ils vrais ?* Chaque tronc de chaque sapin était allongé et nu, identique aux autres, *à tous les autres.*

Sur ce, en regardant à gauche, je le revis – l'entrepôt.

Je m'arrêtai aussitôt, cloué sur place.

J'avais décrit un cercle complet.

La boussole de Popcorn m'avait joué des tours et délibérément égaré. Mais non... En faisant quelques pas vers la construction massive, je m'aperçus que celle-ci était cylindrique. Il s'agissait d'un silo, dont la surface extérieure était peinte en jaune.

Je fis demi-tour et courus encore plus vite.

Au bout d'un quart d'heure, je croisai une route goudronnée. *Ce devait être la partie inférieure de l'allée du Peak.* J'étais donc sur la *bonne* voie. Rassuré, je m'en détournai et restai sous le couvert de la forêt, mais en suivant la même direction. Quelques minutes plus tard, je pus distinguer, loin devant, la vague forme noire de la clôture militaire.

Je me dépêchai de la rejoindre, soulagé comme jamais.

Il n'y avait pas de fils électriques visibles. Je tentai ma chance : je fis glisser mes mains sur le grillage rouillé, m'attendant à recevoir un coup de jus.

Or je ne sentis rien.

Je m'agrippai au grillage et commençai à l'escalader. J'étais arrivé à un mètre quatre-vingts au-dessus du sol lorsque je remarquai, très loin sur ma droite, deux toits qui trouaient la voûte des arbres, chacun surmonté d'une pointe noircie.

Les tours du portail du Peak.

Je les reconnus sans mal : je m'étais arrêté devant en voiture, bien des années auparavant. À l'époque, cherchant désespérément à entrer, j'étais descendu et j'avais photographié le portail. *Maintenant, je cherchais désespérément à sortir.* Je repensai à ce que nous avait dit l'Araignée : il avait emprunté le tunnel souterrain qui reliait la maison à l'une des tours de garde pour aider les habitants de Crowthorpe à pénétrer dans la propriété.

Si l'Araignée avait dit vrai, cela signifiait que l'accès à ce labyrinthe de tunnels sous le Peak se trouvait *là, à quelques mètres, à portée de main.* Je pouvais le voir de mes propres yeux.

Après avoir hésité une fraction de seconde, je redescendis de la clôture et *retournai vers le Peak,* malgré mon cerveau qui me hurlait de ne pas le faire. J'atterris dans les herbes hautes, longeai la clôture et me dirigeai tout droit vers les deux maisonnettes qui encadraient le portail en fer forgé.

La première ne possédait pas d'entrée. La seconde comportait une étroite porte noire surmontée d'une vitre. Il n'y avait pas de lumière à l'intérieur, pas de caméra en évidence ; la peinture s'écaillait et la vitre était trop sale pour que je puisse voir à travers.

Je voulais seulement jeter un coup d'œil sur l'entrée des tunnels, histoire de corroborer le récit de Villarde – *après quoi je me tirerais de là.*

La porte étant fermée à clé, je cassai la vitre avec une pierre, ouvris de l'intérieur et m'introduisis. J'avais devant moi une pièce minuscule : une fenêtre qui donnait sur l'accès au portail, une table, un vieil ordinateur et un fauteuil de bureau couvert de poussière. Le sol était entièrement nu, à l'exception d'un petit tapis noir dans un coin.

Je m'en approchai et l'écartai.

Et voilà : une petite trappe en bois. Je fis glisser sur le côté les barres en métal, saisis les anneaux et soulevai la trappe. Je plongeai mes yeux dans l'abîme noir.

Des marches en ciment étroites s'enfonçaient abruptement vers le bas. J'en descendis quelques-unes et m'accroupis pour avoir un aperçu.

Le tunnel qui s'étirait devant moi était *noir*. Seules quelques dizaines de centimètres d'un mur en brique rouge étaient visibles, mais il disparaissait dans une obscurité tellement épaisse qu'on aurait cru cette partie du monde inachevée – une des extrémités de la Terre, au-delà de laquelle régnait non seulement la nuit, mais *l'espace intersidéral*.

En voyant cela, ma tête m'ordonna de *me tirer de là tout de suite*, de refermer la trappe et d'escalader la clôture pendant qu'il était encore temps.

Mais de *quoi* disposais-je concernant Cordova ? Que savais-je vraiment ?

J'essayai de rassembler les quelques éléments tangibles qui me restaient. J'avais dans ma poche des objets certes *susceptibles* de l'incriminer, mais qui pouvaient fort bien n'avoir aucune pertinence d'un point de vue juridique. J'avais des récits, des témoignages visuels, des dépositions, la vérité de la mort d'Ashley. Mais était-ce suffisant pour enterrer son père ? Je lui avais à peine donné un coup de harpon, à ma baleine blanche à moi. Il pourrait continuer tranquillement avec sa magie noire et ses horreurs filmées. Ashley morte, il n'avait plus besoin d'un quelconque échange. Mais avait-il cessé ? Qu'avais-je vu de mes propres yeux ?

Pendant que je méditais sur tout cela, les parois en brique délabrées du tunnel semblaient se resserrer imperceptiblement autour de moi.

Vers quoi, *au juste*, voulais-je retourner sain et sauf ?

Un appartement vide. Personne ne m'attendrait quand je retrouverais Perry Street. La vie continuerait comme avant. *Je* continuerais comme avant. Rien que d'y penser me paraissait tout à coup insupportable.

Mais qu'est-ce que j'attendais, nom de Dieu ? Combien de fois dans sa vie a-t-on la vérité devant soi ? Car elle était bel et bien là, au-delà de cette obscurité totale. Même si je ne la voyais pas, elle m'attendait quelque part.

Oserais-je ? Je descendis encore trois marches. Il faisait un froid glacial. J'ôtai mon sac à dos, cherchai ma lampe torche dans la poche et essayai de l'allumer. Elle ne marchait toujours pas. Je sortis alors un sachet hermétique qui contenait une boîte d'allumettes, remis mon sac à dos et en craquai une.

La petite flamme orange trembla devant moi.

Je faillis éclater de rire. L'obscurité avait à peine reculé. La brique rouge était en piteux état, le plafond était bas et couvert de moisi. On aurait dit un minuscule passage vers l'enfer. Je regardai ma montre.

19 h 58. J'avançais à la vitesse de l'éclair.

Je remontai les marches et abaissai la trappe, qui se referma avec un irrévocable bruit sourd. *Venais-je de clouer mon propre cercueil ?*

*

Mon allumette s'éteignit brusquement. J'en allumai une autre et commençai à marcher.

Une fois celle-ci éteinte, j'avançai dans le noir aussi vite que possible. Il y avait cent allumettes dans la boîte. Il fallait que je les rationne. Je me souvenais que, à en croire l'Araignée, trois kilomètres séparaient le portail de la maison. *Si je marchais à une vitesse de six kilomètres à l'heure, je serais donc à mi-chemin d'ici un quart d'heure.* J'attendis que mes yeux s'adaptent mais, au bout d'un moment, je m'aperçus que le liquide noir tourbillonnant que je regardais *était* ma vision déjà adaptée.

Mes pas faisaient office de métronome pour ma respiration.

Hormis cela, le bruit de mes chaussures de randonnée foulant le sol poisseux, il n'y avait aucun autre son, uniquement une forte pression – celle de se sentir *enfermé*, comme si ce tunnel se déployait sous une étendue d'eau.

Au bout de quelques instants, n'arrivant plus à supporter l'obscurité et ne sachant plus trop si j'avançais ou non, je m'arrêtai pour craquer une autre allumette.

Le passage exigu s'était resserré autour de moi. Il mesurait moins d'un mètre vingt de large et s'étendait de façon identique dans les deux directions. Voir cette lueur frêle, je m'en rendis compte, était infiniment plus dérangeant que de s'enfoncer dans le noir complet. *Je pouvais tout aussi bien plonger la tête dedans jusqu'au fond. Mais surtout, ne pas arrêter de nager.* Lorsque l'allumette se fut consumée, je la jetai par terre et continuai d'avancer en faisant glisser ma main sur les briques effritées, ma main qui maintenait relié au monde, au *réel*, car l'obscurité était telle qu'elle en devenait physique, pareille à un épais rideau noir. Elle me renversait cul par-dessus tête, me faisait me demander si je n'étais pas noyé dans une eau noire, si je n'avais pas oublié le moyen de retrouver l'air et la lumière. Ici, la gravité semblait bien fragile.

Mon pied buta sur quelque chose. Je fus aussitôt saisi d'une peur irrationnelle. *C'était un corps, un membre sectionné.* Je marchai dessus une deuxième fois. Au bruit, ça ressemblait à un drap.

J'allumai fébrilement une autre allumette.

Par terre traînait un morceau de soie rouge poussiéreux.

Je le ramassai. C'était une robe de femme – rouge cranberry, démodée – avec des manches longues et une ceinture en plastique noir. Presque tous les boutons manquaient. J'examinai le col et entraperçus l'étiquette violet clair de l'éternelle costumière de Cordova – *Larkin* – quelques secondes avant que l'allumette ne s'éteigne.

J'ouvris mon sac à dos pour y fourrer la robe, le refermai et repris ma progression. Au bout d'un moment, je craignis d'avoir, par inadvertance, fait demi-tour et d'être en train de regagner le portail. Mais je ne m'arrêtai pas. *J'étais simplement désorienté par l'obscurité.* Comme l'autorité d'un homme seul et ses certitudes quant à sa place dans le monde étaient fragiles ! Un quart d'heure à ce rythme-là, et même Einstein aurait commencé à avoir des doutes sur les lois de la physique, à se demander qui il était, où il était, s'il était mort ou vivant.

Mon pied heurta *encore* quelque chose, un objet dur qui glissa bruyamment sur le sol. Je pensai à un bout de bois.

Non. C'était un os. Je craquai une autre allumette.

Il s'agissait en fait d'une *chaussure de femme*, en cuir noir, avec un talon carré éraflé, pleine de poussière.

Je regardai ma montre sans réfléchir : *19 h 58.*

Je me relevai, tenant l'allumette devant moi.

Le spectacle était un calque du précédent – un corridor en brique ratatiné qui disparaissait à l'infini dans les deux directions. Comme si je n'avais pas bougé d'un pouce.

Je repris ma marche en essayant de rester calme. *Que faisait cette robe ici ? Une femme avait-elle tenté de s'enfuir ?* À l'instar de la chemise ensanglantée que j'avais dans ma poche, cette robe semblait marquée par la violence. Mourir ici, seul, dans le froid, n'être plus jamais retrouvé, plus jamais aimé. Sam penserait que je l'avais abandonnée. Je voulus chasser ces idées noires, fixer mon attention sur quelque chose de joyeux, mais ce lieu, si sombre, si glacial, étouffait en l'espace de quelques secondes toute tentative de légèreté.

Je sentis quelque chose sous mes pieds.

Des cailloux.

Je m'arrêtai. Il y en avait beaucoup – durs et ronds – qui roulaient sous ma chaussure. *Des dents d'enfants ? Des molaires, disséminées là comme des miettes de pain ?*

Je réussis à craquer une autre allumette.

Ce n'étaient pas des dents, mais les boutons rouges en plastique de la robe.

Je me baissai pour les regarder de près. À quelques mètres de là, le long du mur, je vis l'autre chaussure noire. Je ramassai une poignée de boutons, les rangeai dans la poche du pardessus de Brad et me redressai.

C'était *exactement* la même vision – un tunnel sombre qui courait devant et derrière moi, interminable. J'étais sur un tapis roulant, je faisais du surplace. Je me retrouvais piégé dans une quatrième dimension, le purgatoire, où il n'y avait ni temps ni progression, uniquement un flottement inerte.

Je m'aperçus que l'allumette était en train de me brûler les doigts.

Je la lâchai et repris mon avancée, plus vite. Je sentais mon esprit qui flanchait, comme sur une corde raide, à deux doigts de perdre l'équilibre. Grâce à une nouvelle allumette, je pus constater non sans soulagement qu'il y avait, à quelques mètres de moi, une rupture dans le tunnel. Dans ma hâte, l'allumette s'éteignit.

J'accélérai le pas. Lorsque je sentis le mur s'ouvrir sur ma droite, je grattai une autre allumette.

Je me trouvais dans une petite alcôve circulaire. D'autres bouches de tunnels se présentaient à moi, apparemment dans toutes les directions. J'en fis le tour et découvris, au-dessus de chaque ouverture, des mots griffonnés sommairement à la peinture blanche.

PORTAIL. MAISON. LAC. ÉCURIES. ATELIER. GUET. TROPHY. PINCOYA NEGRA. CIMETIÈRE. MME PEABODY. LABORATOIRE. LE Z. CARREFOUR.

Pincoya Negra ? Laboratoire ? Le Z ? Je me souvenais que, d'après l'Araignée, de ce point névralgique partaient d'autres passages secrets menant à d'autres parties cachées de la propriété. Je brandis une allumette vers le mot peint juste au-dessus de ma tête.

Carrefour.

C'était par ce terme que l'Araignée désignait la clairière où il avait emmené Ashley.

Des planches clouées à la va-vite, qui jadis bloquaient le passage, avaient été démontées à coups de hache. *C'était ce que Villarde avait fait pour les villageois.* Ne restaient que des morceaux de bois fracassés et des clous tordus, dont certains jonchaient le sol.

Ce passage-là était plus rudimentaire que les autres. Il mesurait à peine quatre-vingt-dix centimètres de large et semblait avoir été creusé à même le granit ; les murs en étaient rendus luisants par de l'eau qui s'infiltrait. Je fis un pas et vis que d'autres mots avaient été écrits sur la roche, avec la même peinture blanche. Encore plus loin, c'étaient des dessins de bonshommes allumettes, avec de grands nez et des bouches béantes.

Je m'avançai pour lire quelques lignes. *Si vs allez plu loin laissez tout votre amour ICI par terre. ATTENTION : vs quitterez ce chemin ni animal, ni végétale ni minéral. Dites adieu à votre agneau. Puisse Dieu vs aider*

L'allumette vacilla avant de s'éteindre.

J'en craquai une autre et me forçai à faire un pas de plus, en tenant la flamme devant moi. Elle s'éteignit aussitôt, lorsqu'un vent glacé souffla sur mon visage, gonfla et faiblit prestement. Sur ce, j'entendis un *crépitement* dans mes oreilles, tellement assourdissant et proche que je me précipitai vers l'alcôve en trébuchant sur le sol irrégulier, et laissai tomber ma boîte d'allumettes.

Merde. Le cœur battant, je m'agenouillai pour la chercher à tâtons par terre.

Elle avait disparu.

Il y avait une présence autour de moi, derrière moi, jouant avec moi.

J'essayai de ne pas céder à la panique.

Calme-toi, McGrath. La boîte était forcément quelque part.

Ma main gauche toucha quelque chose. *Les allumettes.* Je les ramassai. Mais de manière aussi étrange qu'incompréhensible, la boîte avait été projetée loin derrière moi, contre le mur d'en face, entre deux entrées de tunnels. *C'était comme l'ombre du léviathan. Elle se mouvait toute seule.*

Je me remis debout, balayant cette idée de mon cerveau, craquai une allumette et reculai vers l'entrée.

Carrefour. Le tunnel tournait brusquement à gauche avant de disparaître.

J'avançai d'un pas ; à présent, la flamme se consumait tranquillement. Pour la beauté du geste, je sortis la boussole de ma poche, curieux de voir dans quelle direction j'allais.

Je n'en crus pas mes yeux.

L'aiguille rouge était devenue folle ; elle tournait dans le sens contraire des aiguilles d'une montre.

Je secouai la boussole, mais l'aiguille n'arrêtait pas de faire le tour du cadran.

C'en était trop pour mon cerveau. Je remis la boussole dans la poche du pardessus de Brad Jackson et, essayant d'oublier l'existence même de cet objet, je m'élançai dans le tunnel.

*

Je ne savais pas combien de temps j'avais marché.

J'avais l'impression très nette de ne pas être seul.

C'était une sensation glaçante, celle de côtoyer une présence *vivante*, d'être à deux doigts de lui rentrer dedans tête la première. Et pourtant, lorsque je tendis la flamme tremblante devant moi,

562

m'attendant à découvrir un visage, *des yeux d'animal* – il n'y avait que le noir complet, omniprésent.

La voix insidieuse de l'Araignée commença à creuser son trou dans ma tête, plus forte à chaque pas que je faisais, comme si ce jour-là, dans son magasin, il nous avait révélé non pas son secret, mais l'avenir, cette errance, *mon errance. Je me rappelle encore le bruit de ses pieds nus, leur douceur et leur* propreté, *pendant qu'elle marchait sur la terre sale à mes côtés.* Était-ce cela que j'entendais, que je sentais près de moi ? Ashley ?

Je continuai de marcher, l'oreille à l'affût, mais je n'entendais que mes chaussures qui traînaient par terre.

Finalement, la voix de l'Araignée disparut et mon cerveau se vida, un tableau noir sale, souillé de pensées à moitié effacées.

Ashley avait foulé ce sol.

Cordova aussi. Il avait emprunté ce passage chaque fois qu'il avait voulu échanger un nouvel enfant avec le diable. Pour sauver sa fille à tout prix.

Mêlée à celles de la moisissure épaisse et de la boue, je sentis une forte odeur de *métal.* À un moment donné, j'entendis un *grondement* lointain, comme si, au-dessus de ma tête, des animaux se ruaient à travers la propriété, *prenaient la fuite, terrorisés.* Je touchai les pierres glissantes ; un filet d'eau tiède ruissela sur mes doigts. Les murs semblaient vibrer. Des cailloux se détachèrent du plafond et tombèrent. Puis le bruit cessa, et le tunnel retrouva son silence ; je me demandais si tout cela n'était pas le fruit de mon angoisse, en quête d'une forme d'épanchement.

Je me remis en route. J'avais la sensation que mon cerveau était devenu trop petit pour mon crâne, qu'il fondait presque. Je m'aperçus avec effarement que je transpirais, comme si j'étais de nouveau dans la serre, comme si je n'en étais jamais parti, n'en avais jamais quitté les lumières sanglantes. Pourtant je tremblais, j'étais parcouru de frissons, et la petite flamme que je tenais me montrait ce que je connaissais déjà : le tunnel noir qui se déroulait devant moi sans interruption.

À l'instant précis où je m'y résignai, où je compris que je pourrais bien mourir à force d'errer dans ce tunnel, j'en vis le bout.

Devant moi, à quelques mètres, une échelle métallique rouillée et gauchie montait jusqu'au plafond.

Je m'arrêtai pour tendre l'oreille. Je n'entendis que les gémissements du vent. J'empoignai les barreaux de l'échelle et me hissai ; mes bras et mes jambes me paraissaient curieusement faibles et mous, comme remplis de sable. Une fois en haut, je sentis une autre trappe en bois au-dessus de ma tête, en apparence identique à celle par laquelle j'étais descendu, sous la guérite du portail. Je m'appuyai sur les montants de l'échelle, donnai un coup d'épaule et ouvris la trappe.

Autour de moi, une épaisse forêt de bouleaux. Le *monde* entier m'apparaissait avec une précision clinique. Je pouvais distinguer chaque feuille, chaque branche, chaque pierre, chaque brin d'herbe, éclairés par un clair de lune verdoyant. Ce devait être un effet de mon immersion prolongée dans le noir complet, comme si mes yeux, fous de joie de voir à nouveau, se surpassaient.

Je sortis par la trappe.

*

J'empruntai un chemin sillonné d'ornières et remarquai, accrochée à une haute branche, une ficelle rouge qui dansait dans le vent.

Quelques mètres plus loin, je vis un pont. *Le pont du diable.*

À cette simple évocation, mes poumons se vidèrent.

Il n'y avait personne. J'étais seul. Le vent hurlait furieusement et soufflait dans les basques de mon manteau avec une telle force qu'on aurait dit qu'une foule s'y agrippait.

Le pont, voûté, était d'une pierre gris foncé. Sa construction semblait soignée, comme si chaque moellon avait été posé par un maître artisan. La structure délicatement incurvée montait puis descendait au-dessus d'un ravin profond où je découvris, d'un peu plus près, une rivière impétueuse, glacée et noire. Je m'aperçus que l'eau ne coulait pas librement, mais se heurtait à des rochers avant de les recouvrir comme une nappe de goudron. Pourtant, c'était bien le bruit d'une rivière ordinaire qui parvenait à mes oreilles.

Ou alors était-ce le vent ?

Le pont était long ; il se terminait au milieu d'un autre bosquet. *Ashley l'avait parcouru de bout en bout. Elle avait été le premier être humain à le franchir.*

Je posai le pied sur les premières pierres. Je n'avais rien à craindre. La malédiction avait pris fin. *Le diable avait obtenu ce qu'il voulait. Ashley.* Néanmoins, je me surpris à faire volte-face pour observer les arbres squelettiques derrière moi et m'assurer qu'il n'y avait personne, que Sam ne m'avait pas suivi, pensant que *j'avais* été enlevé par des trolls.

À mi-chemin, je fus pris d'un vertige violent. J'avais l'impression que le pont s'élevait imperceptiblement sous mes pieds : en effet, mon regard portait très loin au-dessus des cimes d'une immense forêt qui s'étendait sur des kilomètres à la ronde, aussi secouée par le vent qu'une mer déchaînée. Un toit hérissé de flèches noires déchirait la canopée, *à une distance infinie.*

Un vertige nauséeux s'empara soudain de moi. Je dus tourner la tête et fixer mes yeux sur l'extrémité du pont, en face de moi.

Il y avait quelque chose là-bas.

Je sentis mon corps s'engourdir. La chose n'était qu'à moitié humaine. Quant à *l'autre* moitié, je n'aurais su dire. La créature était grande, entre deux mètres et deux mètres cinquante, avec des bras maigres et une large figure ronde aux traits si grossiers qu'on aurait dit de l'écorce. Je distinguai ses yeux, rouges et ronds, pareils à deux flammes dans la poussière, et une bouche en épines.

Je devais être victime d'une hallucination. Ou bien je dormais, plongé dans le coma. *Mort.*

Qu'est-ce qui m'arrivait, nom de Dieu ? Que la santé mentale était une chose fragile !

J'attendais que mes yeux me disent qu'il s'agissait d'une illusion, d'un mauvais tour joué par les bouleaux et les ombres qui tombaient sur le pont, comme séparées des objets qui les avaient formées. En voulant attraper mon couteau de poche, je me rendis compte que je tenais la boussole de Popcorn.

Comment s'était-elle encore retrouvée dans ma main ? L'aiguille rouge avait cessé de tournicoter ; elle était désormais dirigée droit devant.

Le vent fut pris d'un nouvel accès de fureur retentissante. Je plissai les yeux et constatai que *cette chose*, de l'autre côté du pont, n'était pas une illusion d'optique. Elle était toujours là, mais commençait à s'en aller furtivement ; ses membres osseux tournèrent sur eux-mêmes, presque emportés par un courant invisible, puis disparurent au milieu des arbres.

Tire-toi de là, cria une voix dans ma tête. Je finis de redescendre le pont, glissai sur les feuilles qui tapissaient les pierres et, à l'aveugle, pris un sentier qui débouchait sur une clairière circulaire.

Elle était déserte.

Cette étrange vision, quelle qu'elle fût, devait forcément se cacher quelque part. *C'était là qu'ils accomplissaient leurs rituels, là que Cordova était devenu l'un des leurs.* Je fis un pas en avant. Le mouvement me déséquilibra au point que je tombai par terre, les yeux tournés vers le ciel nocturne, un ciel tellement pur qu'on aurait cru qu'un liquide noir avait été versé entre les arbres. *Qu'est-ce qui m'arrivait ?* Mes bras et mes jambes étaient en train de fondre.

Je me forçai à me redresser. Je n'étais pas assis sur de la terre ordinaire, mais sur une fine poudre noire rendue scintillante par les minéraux ; à quelques mètres de moi se trouvait une bûche carbonisée. En la touchant, je fus stupéfait de voir que, bien qu'elle ressemblât aux vestiges d'un feu de camp ordinaire, elle était lourde comme du fer. J'étais incapable de la soulever.

Un bout de tissu blanc déchiré était coincé dessous. *Il semblait avoir été arraché à une blouse d'enfant.*

Je réussis à le dégager, mais un coup de vent me le souffla des mains et l'envoya à l'autre bout de la clairière comme une feuille égarée. Il disparut parmi les arbres. Je voulus le retrouver. Lorsque je vis où il s'était posé, et ce qui l'avait happé, je ne pus que regarder, pétrifié d'horreur.

C'était une fosse remplie d'affaires d'enfants.

Elles étaient parfaitement visibles à quatre ou cinq mètres en contrebas : des petits chaussons et des tee-shirts, des poupées, des petits trains, des maillots et des tennis, tous décomposés et détrempés, certains tout noirs, comme s'ils avaient été carbonisés. C'est là que Cordova avait tout jeté – les objets dérobés, ses tentatives d'échange. Tout m'apparaissait avec une clarté qui me brûlait les yeux – sa folie, son désespoir, sa volonté de laisser chaque recoin de son âme se noircir afin que sa fille puisse survivre.

Je me rendis compte, consterné, que j'étais allongé face contre terre.

Depuis combien de temps étais-je couché là ? Des heures ? Des jours ?

Je levai la tête ; mes tempes cognaient. La terre sombre et les arbres grêles tanguaient, comme ivres, en s'éloignant de moi.

Je n'étais pas seul.

Plus loin, tout autour de moi, se tenaient des silhouettes vêtues de longues robes noires ; silencieuses, dissimulées par l'obscurité, on aurait cru qu'elles émergeaient des ombres elles-mêmes. Soudain, l'une d'elles, portant une grande cape noire à cagoule, surgit entre les arbres, suivie d'une autre. Et d'une autre encore.

Elles avançaient vers moi. Je réussis à me remettre debout.

« Restez où vous êtes, dis-je. N'approchez pas. »

Était-ce moi qui criais ? La voix semblait venir de très loin. Je cherchai fébrilement mon couteau de poche. Il avait disparu.

Ce n'était pas normal, la vitesse avec laquelle les silhouettes se déplaçaient, ces visages invisibles sous les cagoules noires. Je sentis alors des mains m'agripper. Elles me tiraient en arrière.

Il y avait le ciel étoilé, puis un sac sur ma tête, et des odeurs de terre, de sueur. Mon manteau à chevrons – *non, non, c'était mon sac à dos* – me fut enlevé de force, mes bras tirés comme si on voulait les arracher. J'entendis le hurlement terrifiant d'un homme. Les cris ne cessaient pas, et lorsque je me sentis soulevé en l'air, je me rendis compte que c'étaient mes propres cris.

*

En rouvrant les yeux, je ne vis rien d'autre qu'un *papillon de nuit*. Il était petit et d'un blanc pâle dans la pénombre. Il avait l'air blessé. Une des ailes ne se repliait plus sur son dos. À quelques centimètres de mon nez, il essayait d'escalader un mur sombre ; il remontait sur le bois et n'arrêtait pas de tomber, de remonter, de retomber. Puis, frottant ses ailes, il se dirigea vers moi. Il avait une tête velue et des pattes marron ; ses antennes s'agitaient, manifestement effrayées. Sentant que j'étais une créature aussi vivante que volumineuse, il s'éloigna de moi et retourna sur le mur.

Il faisait froid. La température était descendue au-dessous de 0°. Mes mains étaient engourdies.

Où diable étais-je ? Je volais. Le courant d'air sur mon visage, c'était le vent qui me fouettait pendant que je faisais des embardées pour éviter un paquet de nuages noirs. Des particules atmosphériques, de la glace, de la poussière et des flocons de neige saupoudraient ma figure. Une note stridente résonnait dans mes oreilles, un son très douloureux, pareil à une longue aiguille en train de piquer mon cerveau.

Je voulus m'asseoir, mais ma tête heurta quelque chose.

Je levai la main. C'était un mur en bois lisse.

J'étais *à l'intérieur* de quelque chose, une capsule en train de tourner sur elle-même, rendue vibrante par la vitesse. *Mais ce n'était qu'un rêve.* Je surmontai ma peur. J'étendis mes deux jambes – je portais toujours mes chaussures de randonnée ; elles touchèrent un autre mur, des deux côtés. Cette boîte dans laquelle je me trouvais, cette navette spatiale, était exiguë, mais elle mesurait une petite cinquantaine de centimètres de plus que moi.

J'ouvris lentement les yeux. Il n'y avait rien à voir, comme si je flottais très loin au-dessus de la Terre, entre l'atmosphère et le vide intersidéral. Le bruit dans mes oreilles s'arrêta.

Je n'avais rien à craindre : j'allais finir par me réveiller. C'était à ça que servaient les rêves : le réveil, le soulagement immense, le choc en constatant que l'esprit a pu être si facilement dupé, les draps emmêlés, le rayon de soleil à travers la fenêtre. Du coup, *pourquoi se presser ?* Si tout cela était le fruit de mes peurs et désirs inconscients, pourquoi ne pas rester là un peu plus longtemps, voler dans l'espace, explorer ce rêve, le fouiller de fond en comble, comprendre ses règles et ses lois, et ce qui m'avait fait tellement peur.

J'écartai les bras pour toucher les côtés.

Ah. La même chose qu'en bas et au-dessus. Le cercueil. Je suis dans mon cercueil.

J'ouvris les yeux. Je me rendis compte avec horreur que *ce n'était pas* un rêve.

Je ne pouvais pas me réveiller. *J'étais* réveillé.

Le papillon de nuit blanc – il avait quand même réussi à atteindre le plafond et décrivait maintenant des cercles, comme si lui aussi comprenait qu'il était pris au piège, qu'il n'avait nulle part où aller.

Je me mis à crier, à taper sur les murs avec mes poings, à ruer, à donner des coups de pied.

J'avais l'impression de hurler dans un trou creusé sous la terre.

Oh, mon Dieu, non. Ce n'était pas possible. Ce ne pouvait pas être vrai.

Soudain, je compris. Tout était *fait* pour que je sache où j'étais. Que *je voie*. L'air frais me maintiendrait en vie durant plusieurs jours, *voire plusieurs semaines*, et pendant ce temps je me débattrais et lutterais contre l'inexorable, afin de réfléchir lucidement à tout ce à quoi j'allais être arraché.

Lorsque je voulus me rappeler où j'étais quelques instants plus tôt, mon cerveau se bloqua. J'avais l'impression d'avoir parcouru des kilomètres, que mes bras avaient ramé à travers tout un océan. Peut-être que je rêvais, *du coup*, car les rêves contenaient tellement de strates, tellement de faux départs et d'interminables fins que je ne pouvais trouver ni le moindre appui, ni la moindre prise où accrocher mes doigts.

Je tendis les bras pour apprécier l'espace autour de moi.

Curieux. Le cercueil semblait posséder plus de quatre côtés. Je réussis à me retourner sur le dos, en me servant des talons de mes chaussures pour faire un tour entier sur moi-même et compter, au passage, les parois. Cependant, je n'avais aucun repère et, une fois que j'eus compté *douze* côtés, j'étais convaincu d'avoir effectué plus d'une rotation.

Je me baissai pour atteindre mon pied droit, dénouai les lacets de ma chaussure et l'enlevai. Je me remis sur le ventre, m'approchai d'une des parois, à la recherche d'un coin, et laissai ma chaussure en guise de repère, avant de glisser sur le sol dans le sens contraire des aiguilles d'une montre, en comptant.

Un. Deux.

Et ainsi de suite, animal captif inspectant les limites de sa cage.

Trois. Quatre. Cinq. Six.

Ma main toucha de nouveau la chaussure. *Six côtés.*

Un hexagone.

Une fois de plus, l'horreur me saisit. Elle avait même un visage, et des pattes, énorme créature avec une peau en caoutchouc noir, une épine dorsale maigre ; elle était perchée juste à côté de moi, attendant que je perde tout espoir pour me dévorer. Je me débattis et ruai dans tous les sens, me cognant la tête plusieurs fois, hurlant à l'aide – *quelqu'un, n'importe qui.* Au bout d'un moment, n'ayant reçu aucune réponse, et avec ce bruit strident qui était revenu faire des ricochets dans mon crâne telle une balle de fusil trop lente pour pouvoir ressortir, je ne pus que me recoucher, haletant, dans mon cercueil à six faces.

Les yeux clos, je laissai la peur m'envahir. Je devais m'en imprégner, l'accepter, la boire jusqu'à la lie, la laisser me recouvrir comme de la boue, pour qu'elle n'ait plus rien d'extraordinaire, de monstrueux – *et que je puisse réfléchir.*

Des images défilaient dans ma tête. Sam était là, en train de jouer à la marelle sur un sol quadrillé. Le Peak apparut aussi, sombre et imposant au sommet de sa colline d'herbes hautes, et puis je me vis, en pardessus, courant sur un pont pendant que des silhouettes m'enveloppaient, me noyaient, comme un brouillard sombre.

C'étaient elles qui avaient dû me jeter ici, dans mon *oubliette.* Pourquoi n'arrivais-je pas à me le rappeler ? Mes souvenirs avaient dû être piratés, bidouillés, tronçonnés, car il n'y avait plus rien dans mon passé proche – rien du tout.

Mais qui disait *entrée* disait forcément *sortie.*

Je rouvris les yeux et me rendis compte que, en donnant des coups dans tous les sens, j'avais par mégarde chassé du plafond le papillon de nuit. Il s'était réfugié dans un coin ; une fois encore, il agitait ses ailes et essayait de remonter la paroi.

Prenant soin de ne pas l'écraser, je réussis à remettre ma chaussure, puis, sur le dos, commençai à déplacer mon corps comme l'aiguille des minutes d'une montre. Tous les trente centimètres, je donnais un coup de pied dans les parois. Et je ne m'arrêtai pas. Les bruits de mes coups étaient étrangement étouffés et mon désespoir était tel qu'il semblait suinter de mes coudes et de mes pieds.

Lorsque j'entendis le cinquième panneau craquer, je donnai un deuxième coup dedans. Le bois céda en plein milieu. Je regardai mes pieds, le cœur battant.

J'avais face à moi, béant, un trou rectangulaire gris.

Sans attendre, je me contorsionnai pour regarder à travers la brèche. L'euphorie céda tout de suite la place à l'effroi.

Il n'y avait nulle part où aller – rien qu'un *autre* panneau en bois, à soixante centimètres.

Une autre boîte, apparemment.

Je passai ma tête à travers l'ouverture. Il y avait un peu plus de lumière et d'espace, mais le précédent cercueil en occupait la majeure partie, puisqu'il trônait en son centre. Là non plus, je ne pouvais pas m'asseoir ; le plafond n'était plus haut que de quelques centimètres. Je me hissai sur le ventre le long de la bordure extérieure et, une fois sorti du trou, je sus que j'avais eu raison : je me retrouvais dans une autre boîte hexagonale.

Qu'est-ce que c'était que ce truc ? Un enfer de cercueils élaboré à la manière des poupées russes, les uns dans les autres, et ainsi de suite, éternellement ? Ou était-ce un jeu psychologique établi à partir d'une gravure d'Escher ? Une scène d'un film de Cordova ? J'avais beau me repasser chaque scène de chaque film, je savais que jamais je n'avais vu une chose pareille.

Si j'avais réussi à m'extirper du premier cercueil, je pouvais m'extirper du deuxième. Le dos calé contre le premier hexagone et les pieds positionnés sur les parois extérieures, je donnai des coups sur chaque panneau, comme la première fois, en faisant tout le tour.

Je le fis une fois, puis deux, puis *trois*. Pas un seul panneau ne céda.

J'examinai le premier cercueil et vis, malgré la faible lumière, qu'il s'agissait d'un bois lisse et que les panneaux latéraux étaient peints en noir. Cette vision raviva soudain un souvenir enfoui au plus profond des cellules chamboulées de mon cerveau.

Et là, ça me revint : l'endroit exact où j'avais vu ça.

Ce fut un tel choc que je me sentis me détacher du peu de réalité auquel je m'étais raccroché, et tomber à la renverse dans un espace froid et sombre.

« Voilà, avait dit Beckman. Le seuil mystérieux qui sépare le réel de la fiction... Car chacun de nous possède sa propre boîte, une chambre noire où se loge ce qui nous a transpercé le cœur. Elle contient ce pour quoi l'on agit, ce que l'on *désire*, ce pour quoi l'on *blesse* tout ce qui nous entoure. Et si cette boîte venait à être ouverte, *rien* ne serait libéré pour autant. Car l'impénétrable prison à la serrure impossible, c'est notre propre tête. »

Une boîte similaire à celle-ci reposait en ce moment même sur la table basse de Beckman, dans son salon, à côté d'un tas de vieux journaux et d'un plateau à thé. C'était la célèbre boîte qui appartenait à l'assassin dans *Attendez-moi ici*, écrin précieux qui contenait la chose qui l'avait détruit, enfant, et qui n'avait jamais été ouverte. Beckman m'avait surpris en train de vouloir en forcer la serrure. Et quelques semaines plus tôt, quand j'étais allé chez lui, je l'avais tenue dans mes mains, je l'avais agitée, amusé d'entendre les mêmes étranges bruits sourds à l'intérieur, me demandant ce que ça pouvait bien être.

Ces bruits, c'était moi. C'étaient mes propres os. Ce que j'avais voulu voir à l'intérieur, j'étais à présent enfermé dedans.

Je m'entendis gémir face à l'ironie de la situation. Je sentis des larmes se former dans mes yeux et ruisseler sur mes joues. C'était une fin trop cruelle, un châtiment, du Cordova pur sucre. L'homme me montrait qu'il valait mieux ne pas aborder certains mystères, que leur vérité profonde *était* l'inconnu. Vouloir les ouvrir de force et éclairer ce qu'ils renfermaient, c'était se détruire soi-même.

Soudain mû par une colère folle, je me mis à frapper toutes les parois qui m'entouraient, sans m'arrêter, tel un reptile essayant d'éclore. Je poussai mon dos contre le plafond. Celui-ci se fissura et, après un ultime coup d'épaule, céda. Je l'escaladai et me retrouvai sur la surface. Ébloui par la lumière toujours plus puissante, je vis que j'étais enfermé dans un troisième hexagone noir. *Combien de temps cela allait-il durer ? Combien de cages encore ?* Je cognai chaque panneau jusqu'à ce qu'ils cèdent tous, les uns après les autres. Je n'arrêtais pas de m'échapper, de ramper à travers des parois effondrées ; une boîte donnait sur une autre, je tâtonnais une fois en avant, une fois en arrière, une fois vers le haut, une fois vers le bas, parfois désorienté au point que je devais m'asseoir, laisser mes bras et mes jambes se poser par terre, chercher d'où venait la gravité, pour comprendre où étaient le haut et le bas.

Je ne savais plus combien de boîtes j'avais transpercées – j'aurais parié sur plusieurs dizaines, chacune plus lumineuse que la précédente – lorsque soudain, après que j'eus appuyé sur un plafond, le sol se déroba.

Une lumière vive. *Je tombais, tombais comme une pierre...*

Je réussis à attraper le bord de la boîte quelques secondes avant qu'elle ne s'éloigne, en m'agrippant désespérément, tandis que le panneau que je venais d'abattre s'écrasait au sol.

Je regardai vers le bas, ébloui.

Peut-être était-ce dû à ma vision altérée et à mes yeux désormais incapables de saisir de grandes profondeurs ou de vastes espaces, mais j'avais l'impression d'être suspendu au sommet d'un gratte-ciel, à *un kilomètre* au-dessus du bitume.

Une lumière vive se déversait de quelque part, à travers une fenêtre que je ne voyais pas. Je tendis le cou et constatai que je me trouvais à l'intérieur d'une grande tour métallique, en train de pendouiller d'un trou, tel un *bout de fil coupé*, au fond d'une grande structure en bois apparemment suspendue au plafond.

Il n'y avait rien d'autre qu'une *échelle en métal* qui partait du sol, remontait la paroi en acier et disparaissait au-dessus de cette boîte.

Il fallait que je monte là-haut. Je ne pouvais pas faire le tour par l'extérieur. *La seule manière de sortir était d'y retourner.* Je me remis sur mes coudes, ce qui fit dangereusement tanguer l'ensemble de la structure. Les câbles ou cordes qui la maintenaient en l'air poussèrent quelques *couinements* fort peu rassurants, comme si tout était tenu, littéralement, par un fil – comme si *j'étais* tenu par un fil.

Je parvins à me hisser de nouveau dans la boîte puis, essayant de procéder avec délicatesse pour ne pas faire tomber la structure, je rampai à travers chaque trou que j'avais fait dans chaque hexagone. De devoir *retourner* dans ces boîtes dont je venais de me libérer – l'idée m'écœurait. D'ailleurs, mon cerveau protestait, et la lumière autour de moi s'estompait, comme si avec elle s'en allaient tous mes espoirs de fuite. De survie.

Je passai plusieurs heures à chercher une autre issue, à abattre les autres panneaux dans les autres hexagones, à essayer de trouver les parois qui me conduiraient au sommet – à cette échelle.

Mais j'avais beau cogner de toutes mes forces, rien ne cédait.

Je ne pouvais m'empêcher de penser que, dans ma frénésie destructrice, dans ma rage brutale, j'avais anéanti, par inadvertance, la *bonne* issue, la *seule* issue, et qu'il ne me restait plus qu'à attendre l'inévitable.

Le temps s'était mué en un liquide laiteux sur lequel je me laissais flotter, ballotter, poussé loin de cette boîte par son courant paisible.

Je m'aperçus alors que j'étais couché sur mon flanc droit, en train de regarder par le trou que j'avais fait dans le tout premier cercueil. Un bruit d'ailes attira soudain mon attention et m'arracha à un rêve.

Le papillon de nuit.

Je l'avais oublié. Je ressentis un immense soulagement en voyant l'insecte, en comprenant que je n'étais pas seul. Il rampait sur le plafond puis tombait, se redressait calmement et s'attaquait de nouveau à l'ascension d'une des parois. Je me penchai et le fis doucement monter sur ma main. Les antennes à l'affût, il commença à marcher en tous sens, à explorer les limites de sa nouvelle cage, qui était bien sûr la paume de ma main.

Ainsi donc, j'allais mourir ici. *J'allais quitter ma petite existence.*

Je n'en avais pas fait grand usage. Ma vie était un costume que je n'avais mis que pour les grandes occasions. La plupart du temps, je l'avais gardée au fond de mon placard, oubliant jusqu'à sa présence. On était censés mourir quand les coutures ne tenaient plus qu'à un fil, quand les coudes et les genoux étaient tachés d'herbe et de boue, les épaulettes abîmées par les étreintes, les pluies torrentielles et le soleil de plomb, le tissu élimé, les boutons arrachés.

Sam apparut dans mes pensées.

Elle le fit comme à son habitude, s'approchant de moi à pas de loup, avec ses pieds nus et sa figure sage, en train de me toiser avec son nez froncé. *Que penserait-elle lorsque Cynthia lui annoncerait ma disparition ?* Je deviendrais un mystère auquel il lui reviendrait de donner vie. Je deviendrais un héros, un explorateur disparu en cherchant un trésor caché sous la mer, plus courageux que je ne l'avais été dans la vraie vie. Ou alors *non* – je serais une grotte dans son cœur, une grotte qu'elle consoliderait avec des briques et qu'elle tapisserait de papier peint, devant laquelle elle accrocherait des tableaux et des plantes en pot, afin que nul ne soupçonne l'existence même de cette pièce humide et creuse.

J'entendais Beckman, comme s'il était soudain là, en train de regarder d'un air méfiant les parois qui m'entouraient, puis de vider le verre de vodka qu'il tenait à la main. *Ne t'avais-je pas prévenu, McGrath, que vouloir capturer Cordova revenait à essayer de piéger des ombres dans un bocal ? Tu voulais la vérité. La voilà. Ce sont des boîtes à l'intérieur d'autres boîtes. Comment as-tu pu croire que tu pourrais un jour le comprendre ? Croire que ses questions appelaient des réponses ?*

Et que m'avait-il lancé le jour où il m'avait vu forcer la serrure de la boîte hexagonale ? « Traître ! » « Philistin ! » Mais, avant de me claquer la porte au nez, il avait dit *autre chose.*

« Tu n'as même pas vu par où elle s'ouvrait. »

C'était bien le signe que je ne comprenais *pas* tout, que je n'avais pas une vue d'ensemble, que j'étais aveugle à quelque chose, que l'issue n'était pas l'issue.

Que je me trompais.

Je remarquai que le papillon de nuit avait réussi à voler malgré son aile abîmée. Il rampait de nouveau sur le plafond de la première boîte. Je passai ma tête à l'intérieur et le regardai décrire des cercles. Tout à coup, activant ses antennes et ses pattes, il s'arrêta, se glissa à travers un trou dans le bois et disparut.

Je fis courir mes mains le long du plafond pour trouver l'endroit par lequel le papillon s'était échappé, une ouverture de la taille d'un grain de riz. Mes doigts sentirent autre chose : *une bosse.* Dans l'espoir de trouver un vague outil, je cherchai à tâtons dans mes propres vêtements ; ils me semblaient curieusement étrangers et détachés de moi, comme si je faisais les poches *d'un autre homme*, évanoui ou mort. Mais le seul objet un peu solide que je trouvai fut une sorte de pendentif autour de mon cou.

C'était le collier à l'effigie de saint Benoît que Nora m'avait donné. Je l'arrachai de mon cou et, coinçant la partie métallique dans la fissure, la fis tourner. Après en avoir fait tout le tour, je vis qu'il s'agissait d'une sorte de porte circulaire. Je réussis à soulever le bois de quelques centimètres, soit assez pour faire passer mes doigts dessous. La porte, un panneau rond, me resta dans les mains et tomba.

J'avais devant moi une canalisation noire totalement privée de lumière, sans rien de visible au bout. Je fis glisser mes deux mains le long des parois métalliques lisses et, sans le vouloir, frôlai le papillon de nuit.

Il atterrit sur ma joue.

Je roulai sur le côté, récupérai l'insecte dans ma main puis, prenant garde de ne pas le blesser, le logeai dans la poche intérieure de mon manteau, où j'espérais qu'il resterait en vie, indemne. Ensuite, je me hissai à l'intérieur de la canalisation. Elle était très étroite, horriblement étroite, au point que j'avais la sensation d'être coincé dans une vieille conduite d'aération. Aucun échelon sur lequel grimper, rien où accrocher mes mains. Tout ce que je pouvais faire, c'était remonter à l'aveugle en me collant aux parois le plus fort possible et en m'appuyant sur les semelles de mes chaussures. Au bout de quelques mètres, je tombai sur un mur.

Je le poussai. Il céda facilement. Je donnai un grand coup dedans et fus soudain ébloui par une forte lumière.

L'échelle métallique était juste au-dessus de ma tête, chevillée au plafond.

Je me hissai sur l'hexagone en bois et regardai autour de moi. *La boîte sur laquelle je me trouvais était une réplique parfaite de la boîte que possédait Beckman.* La lumière arrivait par d'étroites lucarnes au plafond, mais je ne voyais ni arbres, ni ciel – uniquement une lumière blanche. Je n'aurais su dire si elle était artificielle ou naturelle.

Je fis un pas de plus. Soudain, il y eut une secousse et un *claquement* sec.

Je levai la main et agrippai l'échelon de l'échelle au moment précis où la boîte hexagonale se déroba sous mes pieds ; un instant suspendue par un bout de ficelle, elle finit par se détacher et tomba – une boîte noire en train de tournoyer dans le vide. Il y eut un bruit de succion, suivi d'une explosion, au moment où les boîtes s'effondrèrent sur le sol.

Je n'attendis pas et je ne regardai pas en bas. Je passai d'un échelon à l'autre, en direction de ce mur devant moi où l'échelle descendait. En me déplaçant, je fus surpris de remarquer que le petit papillon blanc avait réussi à s'échapper de ma poche intérieure. À présent, il avançait sur mon bras, juste au-dessus du poignet de ma chemise, puis sur ma montre.

Il n'était encore que 19 h 58.

Une fois le mur de la tour atteint, j'entamai ma descente. Les barreaux métalliques glissaient dans mes mains et sous mes chaussures. Sur ces entrefaites, je m'aperçus avec angoisse que malgré ma progression le sol, jonché de bois fracassé, ne se rapprochait pas d'un pouce. Je n'allais jamais y arriver, jamais sentir la terre ferme sous mes pieds, jamais me réveiller.

Soudain, je n'étais plus sur une échelle métallique.

J'étais en train de courir comme un dératé dans un autre tunnel sombre ; il ressemblait en tous points à celui qui menait au carrefour. *L'avais-je donc arpenté pendant des jours puis, n'arrivant jamais au bout, m'étais-je simplement couché par terre avant de m'endormir ?*

Ou bien étais-je allongé, inconscient, sur le canapé du salon des *Poucettes* ?

Brusquement, je tombai sur un mur équipé d'une échelle et, tout en haut, d'une trappe en bois. Je grimpai, me juchai sur les montants et ouvris la trappe.

J'étais dans une usine désaffectée. Autour de moi, des machines énormes aux lames rouillées, des tas de troncs débités, des gravats. Je m'empressai de sortir, puis fonçai au milieu des copeaux et de la poussière de bois, vers la petite porte...

Mais que se passait-il ? Je me retrouvai dehors, courant à travers un champ dont les herbes m'arrivaient à la taille, sur une ancienne voie ferrée. Alors que je longeais un vieux fourgon délabré sur lequel quelqu'un avait peint à la bombe un nouvel oiseau rouge, je me rendis compte, sidéré, que j'avais couru tout ce temps les yeux fermés.

Je les ouvris.

*

Ils furent aussitôt violemment écrasés par un soleil aveuglant.

« Je crois qu'il est *mort*.

— Eh, monsieur ! Vous m'entendez ? »

Quelque chose de pointu piqua mon épaule.

« Oh, mon Dieu. Ne le touche pas. Il est plein d'asticots.

— Ce n'est pas un asticot, c'est un papillon de nuit. »

J'ouvris la bouche pour dire quelque chose, mais rien n'en sortit. J'avais l'impression que ma gorge avait été brûlée. Je recouvrai lentement la vue. J'étais couché sur le flanc dans un fossé boueux. Deux adolescents, un garçon et une fille, étaient au-dessus de moi, en train de m'observer. Le garçon semblait avoir testé mes réactions à l'aide d'une longue branche. Derrière eux, un break bleu était garé sur le bas-côté de la route.

« Vous voulez qu'on appelle une ambulance ? » demanda la fille.

Je me redressai. Ma tête cognait. Je me regardai et dressai un vague état des lieux. Je portais un épais pardessus, un pantalon de velours côtelé, des chaussures de randonnée, des chaussettes écossaises, le tout maculé d'une boue séchée noire. Ma main droite, couverte de terre, serrait un objet. Mes doigts étaient totalement paralysés, comme si les os en avaient été brisés ; leur chair gonflée était raide, ils refusèrent de défaire leur étreinte autour de ce qu'ils serraient avec détermination, à savoir une boussole en laiton dont la vitre était brisée.

Et j'étais vivant.

94

« Tu as disparu pendant trois jours », dit Nora.

Je ne pus que la regarder sans pouvoir parler.

Je m'étais égaré dans la propriété trois jours durant. Comment était-ce possible ?

Et le fait d'être à présent tous les trois *ensemble*, vivants, indemnes, blottis au fond d'un restaurant campagnard nommé Dixie's Diner, avait également quelque chose de bizarre. Les quatre dernières heures s'étaient écoulées dans un tel brouillard que je m'étais demandé s'il n'y avait pas un décalage d'une minute entre les événements et le moment où mon cerveau les percevait.

Après m'être difficilement remis debout dans le fossé, j'avais réussi à convaincre les deux jeunes de *ne pas* prévenir la police et de me raccompagner à l'Evening View Motel, à Childwold. Ils avaient semblé *ravis* de me rendre ce service, pensant sans doute que je ferais la une des nouvelles locales et qu'eux seraient les témoins vedettes. Sur la route, ils m'apprirent qu'ils participaient à un programme de nettoyage pour leur lycée et qu'ils m'avaient vu en ramassant les déchets au bord de la route.

« On croyait que vous étiez mort, me dit le garçon.

— Quel jour est-on ? parvins-je à demander.

— Samedi », répondit la fille en jetant un coup d'œil stupéfait vers son camarade.

Samedi ? Nom de Dieu. Nous étions arrivés au Peak un mercredi soir.

Ils m'avaient retrouvé au bord de la Mount Arab Road, près de la Route 3 et de Tupper Lake. Je savais, pour avoir étudié mille cartes de la région, qu'elle était située à vingt-deux kilomètres de Lows Lake et à une trentaine du Peak. *Avais-je donc couru dans la forêt avant de m'évanouir ? Ou quelqu'un m'avait-il déposé en voiture ici comme un paquet d'ordures sur le bas-côté ?*

Je n'en avais aucune idée. Mes souvenirs semblaient avoir été passés au pilon, déchiquetés, écrabouillés et jetés en vrac dans ma tête.

Lorsque les adolescents me demandèrent ce qui m'était arrivé, je réussis tout de même à leur raconter un bobard, comme quoi j'avais trop bu la veille, lors d'un enterrement de vie de garçon, et que j'avais perdu mes amis. Néanmoins, à mesure que nous roulions, mes interrogations sur le lieu où je m'étais réveillé et sur ce qui avait bien pu se passer se muèrent vite en une paranoïa quant à ma *situation présente*, y compris ces deux jeunes qui m'avaient retrouvé par hasard. Il y avait quelque chose chez eux d'un peu trop *caricatural* – entre le signe *peace and love* dessiné à l'encre bleue sur le bras du garçon, les pieds nus de la fille posés sur la boîte à gants, ses ongles peints en jaune, et la manière dont son camarade monta le volume de l'autoradio en entendant *Tangled Up in Blue*, de Dylan. On aurait dit des personnages sortis d'un nouveau film de Cordova. Assis à l'arrière, inquiet, les yeux rivés sur l'objet en forme de feuille de cannabis qui pendait au rétroviseur, je sentis mon cœur battre plus vite.

Il fallut que nous déboulions sur le parking de l'Evening View pour que je me persuade pleinement que j'étais *peut-être enfin délivré* du Peak. Je remerciai les deux adolescents, descendis et attendis qu'ils aient fait demi-tour sur la route pour remonter vers la chambre n° 19.

Pendant quelques secondes, je me contentai de regarder fixement la porte, me demandant ce que j'allais trouver de l'autre côté.

Une chambre vide, dans l'état où nous l'avions laissée ? Ou bien tomberais-je sur un inconnu qui prétendrait y séjourner depuis des semaines, sans aucune trace ni de Hopper, ni de Nora ? Ou alors serais-je accueilli par un de ces personnages vêtus d'une cape noire et le cauchemar recommencerait-il ?

Je frappai. Il y eut un long silence.

Là-dessus, la porte, bloquée par une chaîne intérieure, s'entrouvrit – quelqu'un regardait. Elle se referma, la chaîne glissa et Nora se jeta dans mes bras. Hopper apparut aussitôt derrière elle. Il nous fit rapidement entrer, non sans jeter un petit coup d'œil méfiant vers le parking, et referma la porte à clé.

La première chose que nous décidâmes de faire fut de quitter la chambre, de monter dans la voiture et de nous tirer de là. Nora était très agitée ; je vis des éraflures terribles sur ses joues. Elle répétait sans arrêt : « Qu'est-ce qui t'est arrivé ? On pensait qu'ils

582

t'avaient *eu*. On *pensait*... » Hopper, lui, répétait simplement qu'on avait intérêt à décarrer tout de suite et qu'on aurait tout le temps de discuter plus tard ; pour toute explication, il nous dit qu'il avait remarqué la présence d'une Pontiac marron toute cabossée sur le parking.

« C'est forcément *eux*, marmonna-t-il avant de remonter la fermeture de son sweat-shirt à capuche gris et de ramasser sa gourde sur le lit. Les vitres sont fumées. On dirait qu'elle débarque des années soixante-dix. Et *en plus*, il lui manque un phare. »

Tandis que je les regardais tournicoter, ranger à la hâte les affaires, les trousses de toilette et la nourriture dans leurs sacs à dos, je me rappelai que je n'avais plus le mien.

Où l'avais-je laissé ? Les silhouettes me l'avaient pris.

Sonné, je me plantai devant le miroir accroché à côté d'un des lits et constatai que je portais encore le manteau à chevrons de Brad Jackson. Son poids était dû non seulement à l'humidité et à la boue, mais à ses poches remplies *d'objets*, dont l'un que je ne me rappelais même pas, en le sortant avec répugnance, avoir *vu*, et encore moins avoir *emporté*.

C'est alors que je vis ma *tête*. Je comprenais la mine effrayée des deux adolescents, et même les regards inquiets échangés par Nora et Hopper.

J'avais l'air complètement *fou*. Il n'y avait pas d'autre mot.

Dans la salle de bains, je me débarrassai de la boue séchée et regardai la matière épaisse tourbillonner dans le drain du lavabo.

Nous quittâmes le motel en vitesse. Hopper s'installa au volant.

Ils avaient récupéré la Jeep, mais pas le canoë. Je comptais leur demander des explications, mais je me sentis brusquement si fatigué que je n'en eus même pas la force. Hopper roulait comme s'il était suivi ; les yeux accrochés au rétroviseur, il prenait des routes désertes où défilaient les pins, les érables et les champs déserts. Nora, assise à côté de lui, morose, gardait les mains croisées sur ses genoux.

« Tu vois la Pontiac ? » murmura-t-elle.

Il fit signe que non.

Au bout d'environ trois heures de route, Nora pointa le doigt vers une ferme toute blanche juchée sur le côté de la route :

« Dixie's Diner. Tout est maison, tout est très bon ! » Le parking était noir de monde. Ce n'est qu'à cet instant-*là* que je me dis que j'allais peut-être retrouver la vie normale. Mon bras droit, plein de fourmis, montrait des signes de vie. Mes doigts bougeaient de nouveau, bien que la paume de ma main, celle avec laquelle je tenais la boussole, fût très gonflée. L'horreur du Peak semblait sécher sur moi, comme une eau noire dans laquelle j'avais nagé et qui s'évaporait de ma peau, n'y laissant qu'une mince pellicule.

Nous entrâmes dans le restaurant l'un après l'autre. À la serveuse, Hopper demanda la table du fond.

« Qu'est-ce que tu t'es fait aux *bras* ? » me demanda Nora avant de s'asseoir.

Je ne voyais pas de quoi elle parlait. J'avais retiré mon manteau, retroussé mes manches, et je vis que mes bras étaient en effet couverts d'horribles plaques. Tandis que nous nous installions, elle me dit : « Ça fait trois jours qu'on t'attend.

— *Bon Dieu*, intervint Hopper. Laisse-le *manger*. »

Nous commandâmes. D'après leurs récits décousus, je compris que pendant les trois jours de ma disparition, hormis quelques recherches le long des routes autour du Peak, ils avaient été trop paranoïaques et trop inquiets de mon sort pour quitter le motel. Ils n'étaient pas repartis du Peak ensemble. Nora avait été la première à en revenir : elle avait regagné la chambre du motel à 5 heures du matin, la nuit même de notre équipée. Hopper, lui, était revenu à 18 heures, le jeudi soir, à bord de la Jeep.

« Je pensais que j'allais devoir prévenir les flics, expliqua Nora. Sans savoir quoi leur *dire*. "On est entrés illégalement sur la propriété, et maintenant mes complices sont retenus en otage." J'ai eu le numéro de ta copine policière, Sharon Falcone. Elle n'a pas décroché.

— Est-ce que je peux vous proposer un dessert ? demanda la serveuse, soudain devant notre table.

— Je vais prendre une part de tarte aux pommes, répondis-je d'une voix éraillée.

— Autre chose ? »

Nora et Hopper me regardaient, stupéfaits. *Moi-même* j'étais stupéfait. C'était la première fois que j'arrivais à m'exprimer avec une voix à peu près normale.

Ils commandèrent de la tarte et des cafés. Après s'être montrée nerveuse et bavarde pendant le repas, Nora sombra dans le silence et toucha les éraflures sur ses joues, comme pour vérifier qu'elles étaient toujours là. Hopper semblait perdu dans ses pensées. De toute évidence, ces deux-là n'étaient pas bouleversés seulement par *mes* trois jours de disparition. Ils avaient vécu de drôles d'expériences là-haut.

En regardant autour de moi, je remarquai *aussi*, non sans un certain trouble, que le Dixie's Diner, si bruyant et enjoué encore quelques *minutes* plus tôt, s'était vidé de ses clients.

Ne restaient plus que nous trois et, penché sur le comptoir, un vieillard vêtu d'une chemise en laine à carreaux verts et noirs, aussi ratatiné et maigre que la canne posée à ses côtés. C'était comme si les échos de ce que nous allions nous raconter au sujet du Peak planaient déjà dans l'air, sortaient de nos bouches, assombrissaient l'atmosphère, et que toute âme innocente, tout être insouciant, ne pouvait s'empêcher de sentir que l'heure était venue de partir.

« Commençons par le canoë », dis-je.

95

« On ne sait pas ce qu'il est devenu, répondit Nora. On pense qu'ils l'ont pris.

— Qui ça, *ils* ?

— Les gens qui habitent là-bas. »

Elle jeta un coup d'œil hésitant vers Hopper. Lequel n'ajouta rien ; manifestement mécontent, il se contenta d'enrouler son index autour de l'anse de son mug.

« Je t'avais demandé de m'attendre au bord du lac, dis-je à Nora.

— C'est ce que je *voulais* faire. Mais quand j'ai redescendu la colline, je me suis emmêlé les pinceaux et je suis allée beaucoup trop au nord. Alors j'ai rebroussé chemin en direction du canoë et, derrière moi, quelqu'un m'a attrapée par l'épaule. J'ai crié et je l'ai aspergé de gaz lacrymo, puis je suis partie *en courant*.

— Tu as pu voir sa tête ? »

Ce cri que j'avais entendu, c'était donc Nora.

Elle fit signe que non. « Il avait une lampe torche. Il m'a *éblouie* avec. J'ai couru sans m'arrêter jusqu'à ce que je me rende compte qu'il n'y avait plus personne derrière moi. Au bout d'une heure, je suis arrivée devant le chemin de terre qui traverse les bois. Je l'ai pris, en espérant qu'il me ferait sortir de la propriété et me permettrait d'aller chercher de l'aide. »

Elle s'arrêta soudain et regarda de nouveau Hopper avec un air d'appréhension.

« Est-ce que le chemin t'a conduite hors de la propriété ? »

Elle secoua la tête.

« Mais *où*, alors ? insistai-je face à son silence.

— Je me suis retrouvée sur un parking en béton. Il y avait un vieux camion garé. Et au centre, de gigantesques *boîtiers* métalliques. Cinq, en rang. Au *début*, j'ai cru que c'était une centrale électrique qui servait à alimenter la propriété. Ou alors des *pièges* pour capturer les bêtes sauvages. Ils avaient l'air cruels. Là-dessus, j'ai senti une odeur de fumée. Je me suis approchée et, en braquant ma lampe torche vers les boîtiers, j'ai vu que chacun comportait une porte rouillée et une cheminée. Tout autour, il y avait une poudre gris clair répandue par terre. Il a fallu que je marche dessus pour comprendre que c'était de la *cendre*. Ces boîtiers étaient donc des incinérateurs. Et ils avaient été utilisés récemment, parce qu'ils dégageaient encore de la chaleur. »

Des incinérateurs.

Le mot me fit aussitôt repenser aux tunnels qui partaient de l'alcôve souterraine, à ces passages noircis, aux inscriptions rudimentaires faites à la peinture blanche au-dessus des entrées. J'avais du mal à y croire et j'ignorais comment, mais je me rappelais tous les noms, comme s'ils étaient le refrain d'une berceuse que je chantais enfant, dont les paroles auraient été gravées dans ma tête.

Portail. Maison. Lac. Écuries. Atelier. Guet. Trophy. Pincoya Negra. Cimetière. Mme Peabody. Laboratoire. Le Z. Carrefour.

Nora fronça les sourcils. « Je me suis souvenue du voisin que

586

tu avais interrogé, dans son mobil-home. Nelson Garcia. Celui qui t'avait raconté que les Cordova brûlaient toutes leurs ordures. Du coup, je suis allée vers un des incinérateurs et j'ai ouvert la porte. Je n'ai vu que des murs noirs et des tas de cendres. L'odeur était atroce. Chimique, mais *douceâtre*. J'ai ouvert les autres portes et j'ai ratissé les cendres à l'aide d'une branche d'arbre pour voir s'il ne restait pas quelque chose. Or il n'y avait rien. Pas un cheveu. J'ai commencé à examiner le sol pour chercher une preuve de ce qu'ils mettaient tant d'ardeur à vouloir détruire. Il a fallu que j'inspecte le camion pour trouver enfin quelque chose.

— Quoi donc ?

— Un tube en verre dont on se sert pour prélever le sang, chez le médecin. Il était coincé le long du côté, sur la plate-forme arrière. Il semblait vide, mais il y avait une toute petite étiquette rose, avec le symbole *danger*. Ils doivent utiliser le camion pour transporter les déchets médicaux ou toxiques du Peak et les faire brûler dans ces fours. Le tube a sans doute dû tomber là par accident. »

Elle reprit son souffle. « Je me suis donc demandé si toute la zone n'était pas contaminée. J'ai commencé à me sentir mal et je suis partie en courant. » Elle regarda la table. « J'avais l'impression d'être suivie mais, quand je me retournais, je ne voyais personne. Lorsque je suis arrivée devant la clôture, je n'ai même pas réfléchi et je l'ai escaladée. Je me fichais de mourir, de me faire électrocuter ou de me couper partout. J'ai franchi les barbelés et je n'ai rien senti *du tout*. Je voulais seulement *partir*. Et rien ne pouvait m'arrêter.

— Comment es-tu retournée au motel ?

— Je suis tombée sur une route goudronnée – il devait être 4 heures du matin. Un break rouge est arrivé, conduit par une petite vieille. Elle m'a proposé de me déposer quelque part. J'étais pétrifiée. Je me disais qu'elle faisait forcément partie des villageois. Elle *ressemblait* même à une sorcière, avec sa blouse verte et toutes ses bagues aux doigts. Mais j'étais épuisée, et comme elle avait l'air toute frêle, je suis montée. Elle m'a ramenée au motel et m'a dit : "Prends bien soin de toi, ma petite." Et puis voilà. Il ne s'est rien passé. Je me suis traînée jusqu'à la chambre et j'ai dormi treize heures. »

Je regardai fixement Nora. J'avais beau sentir les signes avant-coureurs d'un nouveau mal de tête, je m'efforçai de me concentrer, de réfléchir. *Un tube en verre pour prélever du sang ? Des déchets médicaux ?* Pourquoi Cordova aurait-il disposé de tout cet équipement ? Pour s'en servir dans un film ?

L'évocation de Nelson Garcia me rappela cet autre incident dont il m'avait parlé, quand le coursier d'UPS avait par erreur livré chez lui du matériel médical destiné au Peak. Rien de ce que nous avions appris au fil de notre enquête, aucune des personnes que nous avions interrogées, n'évoquait quoi que ce soit étayant les soupçons de Garcia selon lesquels il y avait une personne blessée ou malade au Peak – jusqu'aux propos de Nora, jusqu'à ces incinérateurs qu'elle venait de décrire.

Hopper l'avait écoutée avec une sorte de détachement agacé. De temps en temps, il lui avait jeté un regard noir en entendant tel ou tel détail – le mot *incinérateurs*, le tube en verre avec l'étiquette *danger*.

« Et toi ? lui demandai-je. Comment ça s'est passé ?

— Hopper est entré dans la maison, lâcha Nora, enthousiaste. Il a trouvé la *chambre* d'Ashley...

— Je ne suis pas tout à fait sûr que ce soit sa chambre, rectifia Hopper.

— Mais... Évidemment, que tu en es sûr. »

Manifestement surprise par les soudaines réticences de Hopper, elle se pencha vers moi. « Il a retrouvé des lettres qu'il lui avait écrites et auxquelles elle n'avait jamais répondu. Elles étaient gardées à l'abri, bien rangées, juste à côté de son lit. Elles avaient l'air d'avoir été lues cent mille fois. Et il y avait des photos d'eux ensemble sur son bureau. Ensuite, il a trouvé sa salle de musique...

— *Je ne sais pas* si c'était sa salle de musique...

— Mais tu as retrouvé un morceau qu'elle avait composé, sur le piano. Ça s'appelait *Patte-de-Tigre*.

— *Patte-de-Tigre* ? demandai-je, intrigué.

— Le totem de Hopper à Six Silver Lakes. »

Hopper était livide. « Je ne sais *pas* ce que j'ai trouvé là-bas, d'accord ? Je ne sais pas.

— Comment es-tu entré dans la maison ?

— Je suis monté sur le toit. J'ai trouvé une fenêtre qui n'était pas verrouillée.

— À quoi est-ce que ça ressemblait, à l'intérieur ? L'air abandonné ?

— Non. C'était... *beau*. »

Il balaya ses cheveux devant ses yeux et sembla peu enclin à poursuivre puis, voyant que j'attendais impatiemment la suite, il poussa un soupir. « C'était un château. Gigantesque. Glauquissime. Des murs en acajou. Des tapisseries avec des licornes. Des têtes d'ours qui grognent. Des tableaux qui montraient des inondations, le chaos, des gens qui souffrent. Des fauteuils en bois aussi grands que des trônes. Des épées de chevaliers accrochées aux murs et un lustre en fer avec des bougies blanches couvertes de cire. D'un autre côté, on ne peut *pas* dire que j'aie eu le temps de *flâner*. Quelqu'un a fait rentrer les chiens. Du coup, j'ai trouvé un escalier de service, je suis allé au sous-sol et je me suis accroupi dans la première pièce qui n'était pas fermée à clé. Je suis resté caché là-dedans pendant trois heures.

— La pièce était *remplie de meubles de classement*, ajouta Nora.

— Des meubles de classement ? demandai-je. Qui contenaient quoi ?

— Des portraits d'acteurs. Des *millions* de photos et de CV, avec des notes très bizarres au dos. »

Elle attendit que Hopper me l'explique. Une fois de plus, il parut exaspéré par sa candeur.

« Quel genre de notes ? insistai-je devant leur silence.

— Des détails personnels, répondit Hopper.

— Du genre ?

— Leur passé. Leurs phobies. Leurs secrets.

— Sans doute des acteurs auxquels Cordova avait pensé pour certains rôles, dit Nora. Ça m'a rappelé l'audition qu'Olivia Endicott nous a racontée. Vous vous souvenez qu'il lui avait posé de drôles de questions très intimes ? »

Elle regarda Hopper. « Et celle dont tu m'as parlé ? Une certaine Shell Baker ?

— Sa photo avait l'air de remonter aux années soixante-dix, dit-il. Quelqu'un avait noté derrière : "Pas de famille, sauf un frère dans la marine, déteste les chats, diabétique, n'aime pas être seule, sexuellement inexpérimentée." Une autre disait quelque chose comme : "Grandi dans le Texas, accident de voiture à cinq ans, l'a laissée dans un corset pendant un an, timidité maladive."

— Tu as emporté quelque chose avec toi ? »

Hopper sembla ne pas apprécier ma question. « Pour quoi faire ?

— Pour garder des preuves ?

— *Non.* J'ai tout rangé et je me suis barré.

— Ensuite, fit Nora, Hopper a trouvé une salle de *torture.*

— Ce n'était pas une salle de torture, corrigea-t-il, furieux, avant de me regarder. Simplement, une autre pièce au sous-sol contenait des brancards en bois et des planches, des brides métalliques, des objets anciens dont je ne connaissais même pas la moitié. Je suis ressorti et je suis remonté discrètement au deuxième étage. J'ai alors trouvé ce que je pense être l'ancienne chambre d'Ashley. En l'inspectant, j'ai fait tomber une lampe. Ça n'a pas dû être très discret parce que j'ai entendu quelqu'un monter. Je me suis planqué dans une armoire pendant que cette personne, une femme à mon avis, faisait le tour de la chambre. Elle a redressé la lampe et elle est *partie.* Sauf qu'elle m'a enfermé *à l'intérieur.* Je ne pouvais plus ouvrir. Je voulais dévisser la poignée, mais j'ai entendu un des chiens devant la porte. Il devait savoir que j'étais là. Pourtant, il n'aboyait pas. Il y avait d'immenses baies vitrées dans la chambre, qui donnaient sur la colline et le Graves Pond. Et la chute était raide. Je suis donc resté là toute la nuit, en silence, à attendre que le chien s'en aille. Vers 5 heures du matin, quelqu'un a sifflé et le chien est descendu en courant. J'ai dévissé la poignée et j'ai réussi à sortir de la maison sans croiser personne. J'ai foncé vers le canoë. Naturellement, il n'était plus là. Alors j'ai suivi le ruisseau par lequel on était arrivés. J'ai quand même réussi à me perdre. Je me suis retrouvé au milieu d'un marécage, dans la vase jusqu'au torse. J'ai croisé un groupe de campeurs qui me regardaient comme si j'étais le monstre du Loch Ness. Ils m'ont dit que j'étais dans une partie qui s'appelait la Réserve naturelle de Hitchins Pond, à l'est de Lows Lake. J'ai fini par retrouver la Jeep aux alentours de 18 heures.

— Tu as vu des traces de la famille Cordova dans la maison ? demandai-je.

— Non. L'étage du haut était celui où la famille avait ses chambres. Personne n'a dormi là de toute la nuit. Je crois que les gens avec les chiens étaient des gardiens. Même si je n'en ai vu aucun de près.

— Tu n'es entré dans aucune autre pièce du sous-sol ?

— Non. Elles étaient toutes fermées à clé.

— Et en haut ? Quelque chose d'inhabituel ? »

Il acquiesça, la mine grave. « À l'arrière de la maison, j'ai découvert une partie séparée. Une tour. En haut d'un escalier en colimaçon, il y avait une suite. Elle était, pour une bonne moitié, toute récente. Des lattes en bois flambant neuves au sol. On voyait où l'ancien et le neuf se rejoignaient. Je me suis demandé si ce n'avait pas été reconstruit après un incendie. Peut-être que c'était l'ancienne chambre de l'Araignée. Pourtant, il n'y avait rien à l'intérieur. Pas une photo, pas le moindre *col romain*. Rien.

— Et cette Pontiac que tu as vue sur le parking de l'Evening View ?

— À mon avis, c'est un des gardiens. Comme j'ai dû laisser la poignée de porte de la chambre d'Ashley dévissée, ils savent que quelqu'un y est entré.

— Tu penses qu'elle y a séjourné dans les jours qui ont précédé sa mort ?

— Oui, reconnut-il à voix basse. Je ne saurais pas l'expliquer, mais... »

Un sourire éclaira son visage, puis disparut. « Elle planait toujours dans l'air. »

Fuyant mon regard, il but une gorgée de café.

« Maintenant, à ton tour », me dit Nora, tout excitée.

96

Que m'était-il arrivé ? Le savais-je seulement ?

Je leur racontai tout ce dont je me souvenais, depuis les chiens qui m'avaient pourchassé jusqu'à mon retour au motel. Je n'avais pas spécialement envie d'entrer dans les détails – Nora avait l'air effarée et Hopper, un peu furieux, aussi me demandais-je si une telle franchise de ma part s'imposait. Mais chaque mot que je prononçais semblait entraîner le suivant, jusqu'à ce que tout le chaos et l'horreur de ce que j'avais vécu remontent à la surface.

Lorsque j'eus terminé mon récit, mes deux acolytes restèrent silencieux pendant un petit moment. Ils étaient sans voix. Et moi, soulagé. Je crois que, de toute ma carrière de journaliste, jamais je n'ai eu autant besoin de raconter à quelqu'un exactement ce qui s'était passé, comme si, ce faisant, je pouvais enfin quitter cet endroit, m'extirper une bonne fois pour toutes de ces tunnels et de ces ombres.

« Comment ça, tu as retrouvé dans les poches du manteau de Brad un objet que tu ne te rappelles pas avoir pris ? » me demanda Nora.

Avant de répondre, je regardai autour de nous pour vérifier que la serveuse était dans la cuisine. Nous étions désormais seuls. Même le vieil homme au comptoir se traînait à présent vers la porte en s'appuyant lourdement sur sa canne.

Le manteau crotté de Brad Jackson était replié sur la chaise à côté de moi.

Je le pris et vidai les poches, méticuleusement. Je posai tous les objets sur la table. *La boussole de Popcorn. La chemise d'enfant ensanglantée.* Sous les néons, ils avaient quelque chose de saugrenu, d'incongru – les vestiges d'un cauchemar.

« *Ceux-là*, je me rappelle les avoir pris, dis-je. Mais pas *ça*. »

Je fouillai dans la poche et en sortis le dernier objet, tout au fond. C'étaient des ossements à trois articulations, usés et sales, d'une longueur d'environ quinze centimètres.

« Qu'est-ce que c'est que *ça* ? demanda Nora.

— Pour moi, ça ressemble à un morceau de pied d'enfant. Mais je ne sais pas.

— D'où ça vient ?

— J'imagine que j'ai dû tomber dessus quelque part et le prendre avec moi en me disant que ça servirait de preuve. Mais je ne m'en souviens plus du tout. »

Nora leva ses yeux inquiets vers moi. « Tu ne sais pas si ces gens t'ont *fait* quelque chose, ou...

— Non.

— Et la façon dont tu t'es retrouvé dans cet hexagone ? »

Je fis signe que non.

« Il est évident que tu as été drogué », dit Hopper.

Nora se mordillait la lèvre avec un air anxieux. « Bon, qu'est-ce qu'on fait, maintenant ?

— On va faire analyser tout ça, répondis-je. Et voir si c'est du sang humain sur la chemise, et des os humains. Si c'est le cas, il faut qu'on découvre à qui ils appartiennent. Est-ce que les soupçons de l'Araignée étaient fondés ? Est-ce qu'il y a quelque part une mère qui attend des nouvelles de son enfant disparu ? Je ne peux pas prouver que tout ce que j'ai vu là-haut était vrai, mais *en revanche* je peux prouver que Cordova croyait au sortilège. Jusqu'où est-il allé dans ses tentatives pour sauver Ashley ? Ce type a toujours mélangé la fiction et le réel. Son art et sa vie ne sont qu'une seule et même chose.

— Ce n'est pas ce qu'on avait décidé, grommela Hopper. Avant de nous lancer, on avait fait un marché : on devait décider *tous les trois* de ce qu'on ferait des renseignements recueillis. Pas seulement *toi*.

— Mais on ne sait pas encore ce dont on dispose.

— Qu'est-ce que tu espères gagner avec tout ça ? me dit-il avec un regard accusateur. Ton nom en *grosses lettres* ? La gloire d'avoir mis à poil le grand Cordova, histoire de le traîner fièrement en laisse devant tout le monde et de jubiler en dévoilant sa véritable nature ? Et de montrer qu'il n'était pas *si génial* qu'on le dit ? Tu crois que c'est ce qu'aurait souhaité Ashley ?

— Je ne sais pas ce qu'elle aurait souhaité.

— Il ne s'agit pas de tirer le gros lot. Il s'agit de la *vie* d'Ashley. Je ne te laisserai pas la transformer en une sordide histoire de caniveau.

— Personne ne dit que...

— On *sait* ce qu'elle a enduré, poursuivit-il avec colère. On sait dans quelle maison de fous elle a grandi, quel genre de famille elle a eue. Comment elle a mené sa vie. On sait pourquoi elle est montée en haut de cette cage d'escalier toute seule, en pleine nuit, avant de *se jeter* dans le vide. C'était pour en *finir* avec ça. *On le sait.* Tu as même vu le fossé rempli de chaussures et de gants. Alors quand est-ce que ce sera assez ? Qu'est-ce qu'il te faut encore comme *vérité* à *avaler* avant que tu te sentes *rassasié,* bordel ? »

Il repoussa violemment son assiette et fit tomber sa fourchette, puis quitta le restaurant en claquant la porte.

« Il a vu quelque chose là-bas, me confia Nora. J'ignore quoi. Il ne le dira sans doute jamais à personne. »

La pluie s'était mise à tomber. Hopper remonta la fermeture éclair de son blouson ; les yeux par terre, le dos voûté, il s'éloigna de la vitrine et disparut.

« Je ne sais pas ce qu'il cherchait, reprit-elle, et je ne sais pas ce qu'il voulait. Mais en tout cas il l'a trouvé. »

97

Le trajet du retour à New York fut tendu et, pour l'essentiel, silencieux. Je fis un crochet par River Rentals Inc., à Pine Lake, pour rembourser l'intégralité du canoë, en expliquant au jeune à dreadlocks, derrière son guichet, qu'il s'était cassé.

« *Sérieux ?* Qu'est-ce qui s'est passé ? »

Je ne pus que lui tendre ma carte de crédit. *Mieux valait qu'il ne sache pas – vraiment.*

Nous retrouvâmes l'autoroute et Nora, sur le siège passager, s'endormit tout de suite. Je pensais que Hopper l'imiterait mais, chaque fois que je jetais un coup d'œil dans le rétroviseur, je le voyais qui regardait par la vitre, indéchiffrable, en train de penser, sans doute, au Peak.

Nora avait parfaitement raison. Hopper avait reconnu avoir passé la nuit dans la chambre d'Ashley, et il était évident, pour moi, qu'il y avait vu ou rencontré quelque chose qui avait modifié son regard sur leur histoire commune. Ça l'avait délivré, d'une certaine manière. Et il avait laissé s'envoler cette histoire d'amour, ce bel oiseau qu'il avait gardé jusque-là dans une cage. Comment avait-il supporté de se planter chaque jour dehors, face au vent et à la pluie, pour contempler l'océan, en attendant un signe d'Ashley, sans jamais perdre espoir ? Au Peak, peut-être s'était-elle enfin manifestée, tel un navire ne se rapprochant ni ne s'éloignant, mais voguant simplement sur cette ligne parfaite entre la terre et le ciel, assez longtemps pour qu'il sache qu'elle l'avait aimé et que ce qu'ils avaient connu était vrai, avant de disparaître de l'horizon, sans doute à jamais.

Je comprenais très bien sa colère à mon égard *et* sa volonté de protéger Ashley. J'avais même prévu que, plus loin nous irions dans l'enquête, plus la vérité autour de la famille Cordova serait dérangeante, et que Hopper et moi finirions par nous disputer. Mais pour moi, tout laisser *en plan*, *ne pas aller* jusqu'au bout, était inenvisageable.

Quelques heures plus tard, alors que le soleil se couchait, nous retrouvions Manhattan, ses vieux immeubles, ses piétons et ses nids-de-poule. Hopper me demanda de le déposer devant chez lui, Ludlow Street ; ce furent les seuls mots qu'il prononça de tout le trajet.

Il descendit de la Jeep, sac à dos sur l'épaule.

« À bientôt, les gars, dit-il sèchement avant de claquer la portière.

— *Attends !* »

Nora sortit à la hâte et jeta ses bras autour de son cou pour l'enlacer sur le trottoir. Il lui caressa affectueusement la joue, et monta les marches du perron. Lorsqu'elle se rassit, je fus surpris de voir qu'elle pleurait.

« Eh, *Bernstein*. Qu'est-ce qui se passe ?

— Tu ne comprends pas, dit-elle en s'essuyant les yeux. On ne va plus jamais le revoir.

— Quoi ? Arrête de dire n'importe quoi. »

Elle secoua la tête. Elle n'était pas de mon avis. Elle tourna la tête pour regarder Hopper disparaître à l'intérieur de l'immeuble.

Sa phrase me décontenança, pour dire le moins, persuadé que j'étais que ce ne pouvait pas être vrai. Les choses ne pouvaient pas se terminer comme ça, ici, alors que tant de questions demeuraient en suspens. Et je repensai à l'appartement de Hopper, à ses murs nus, à son sac du Dakota du Sud et aux paroles de *Ramble*

On. Avait-il trouvé toutes les réponses qu'il cherchait et en avait-il fini avec nous – tout simplement ?

Je ne savais pas *quoi* dire, car Nora avait le cœur brisé. Elle pleura en silence pendant tout le trajet hors du Lower East Side, sur Houston Street, jusqu'au cœur de West Village. J'aurais voulu la réconforter, mais j'étais trop lessivé pour faire autre chose que me concentrer sur la simple tâche consistant à rendre la Jeep à l'agence Hertz.

Autour de nous, c'était l'explosion d'un samedi soir torride dans le Village. Sur le chemin de Perry Street, alors que nous louvoyions parmi la foule compacte et les coups de klaxon des voitures, Nora ne décrocha pas la mâchoire. Lorsque nous retrouvâmes mon appartement, je lui demandai si elle voulait dîner ; elle ne répondit même pas et disparut en haut, dans la chambre de Sam.

Mon bureau avait l'air solennel, inviolé. En sondant la nuit, je regrettai que Septimus ne fût pas sur le rebord de la fenêtre pour me saluer. J'aurais pu me satisfaire de sa compagnie ; c'était peut-être une *perruche*, mais une perruche *raisonnable*. Or nous l'avions confié à un refuge. Il n'y avait rien, ni personne.

J'essayai d'appeler Cynthia – j'avais une envie folle d'entendre la voix grave de Sam, de savoir qu'elle allait bien. Elle ne décrocha pas. Je lui laissai un message. Puis je montai en haut, pris une douche, rangeai tout ce que j'avais rapporté du Peak dans mon coffre et me mis au lit. J'avais posé le manteau de Brad Jackson sur un cintre accroché à la porte de mon armoire. Il paraissait étrangement mou, étrangement inerte. *Étais-je allé assez loin ? Avais-je vu assez du Peak pour en saisir la nature profonde ?*

98

Je me réveillai suffoquant. Je me levai d'un bond, m'attendant à me cogner la tête au plafond d'un autre hexagone. Puis je me rendis compte que j'étais chez moi. Nora était assise au bord de mon lit. « Bordel ! Tu m'as fait peur.

— Je suis désolée.

— Tout va bien ? »

Je me redressai, calé sur les oreillers. J'étais soulagé de voir qu'elle ne pleurait plus. « Tu es triste à cause de ce qui s'est passé ? Je suis sûr que tu te trompes au sujet de Hopper.

— Non. *Oui.* C'est juste que...

— Quoi ?

— Quand on cherchait la trace d'Ashley avant, elle était *vivante.* Maintenant, je sens bien qu'elle n'est plus là. Et quand Hopper nous a dit au revoir, ça m'a rappelé Terra Hermosa. Là-bas, les séparations font mal parce qu'elles sont *brutales.* Par exemple, un jour, Amelia, qui adore les fleurs, est dans la salle à manger avec son masque à oxygène, en train de commander le plateau de fruits. Et le lendemain ? Elle est *nulle part.* Tout ce que ces gens laissent derrière eux, c'est un souvenir, en guise d'hommage, qui varie selon le couloir où ils ont vécu. Par exemple, si tu vivais au *rez-de-chaussée,* on installait un chevalet avec une photo de toi en verre feuilleté, en train de sourire et de tricoter avec tes lunettes autour du cou. Mais si tu étais au *troisième,* on mettait un livre d'or à faire signer, avec des fleurs et un poème de deuil trouvé sur Internet. *Point final.* Au bout de deux semaines, tout est emporté en bas, la photo et le livre d'or, et c'est comme si tu n'avais jamais existé. Je *déteste* ça.

— *Moi aussi,* je déteste ça.

— C'est injuste.

— Tu as raison. Mais en même temps, c'est le jeu. C'est ce qui rend la vie formidable. Le fait qu'elle se termine sans qu'on le veuille. C'est la fin qui lui donne son sens. Et puisqu'on en *parle,* est-ce que tu peux me promettre de me zigouiller le jour où j'aurai quatre-vingt-dix ans et que je ne sortirai plus sans mon masque à oxygène ? Prends une journée de congé, balance-nous, moi et mon fauteuil, par-dessus le George Washington Bridge, et on n'en parle plus. Marché conclu ? »

Ma requête sembla la faire sourire. « Marché conclu.

— On devrait vraiment rajouter ça, le jour du mariage. "Promets-tu de m'aimer, de m'honorer, de m'obéir et aussi de me tuer quand je ne pourrai plus tenir debout dans la douche ?"

— Je t'aime vraiment, Scott. »

Sa phrase sortit d'un seul coup. Je fus tellement pris au dépourvu que je n'étais pas sûr d'avoir bien entendu. Mais dans le noir Nora s'avança vers moi, m'embrassa sur la bouche, puis se rassit en m'observant attentivement, comme si elle venait d'ajouter un ingrédient essentiel à une nouvelle expérience scientifique.

« Pourquoi tu as fait ça ?

— Je te l'ai déjà dit. Je t'aime. Et pas comme ami ou comme patron. Le véritable amour. Je le sais depuis vingt-quatre heures.

— Dit comme ça, ça ressemble à un mal de ventre qui va passer.

— Je suis sérieuse. »

Elle se rua vers moi et s'assit en tailleur sur mes jambes. Avant que je puisse réagir, elle se pencha et me décocha un nouveau baiser, me tenant fermement la tête des deux côtés. J'étais presque trop fatigué pour résister, mais je réussis tout de même à attraper ses épaules et à la repousser.

« Retourne te coucher.

— Tu ne me trouves pas belle ?

— Tu es sublime. »

Elle était à quelques centimètres de mon visage et me scrutait de ses yeux *plissés*, comme si j'étais une partie du globe qu'elle n'avait encore jamais étudiée de près, un océan couvert de chapelets d'îles sans nom.

« Qu'est-ce qui ne va pas, alors ?

— Que je sache, Woodward et Bernstein ne sont jamais allés aussi loin. Eh bien, je préfère qu'on fasse comme eux.

— C'est une *blague* ?

— Tu as la vie devant toi. Tu es *jeune*, et moi je suis... un vieux vélo. »

Je ne savais pas du tout d'où m'était venue cette métaphore malheureuse – j'étais peut-être à moitié endormi –, mais j'eus soudain une vision très désagréable de moi-même en vélo à dix vitesses en train de rouiller dans une décharge, sans roue avant, avec de la mousse sortant de la selle crevée.

« C'est faux. Tu es *incroyable*.

— C'est *toi* qui es incroyable.

— Eh bien, deux personnes qui pensent ça devraient en ce moment même être ensemble et ne pas réfléchir. »

598

Elle s'installa juste à côté de moi, tout heureuse, comme si nous étions sous une petite tente de camping. Je sentais son corps maigre et léger, et lorsqu'elle se roula sur moi, ses cheveux et une odeur de savon tombèrent autour de ma tête.

« Nora. S'il te plaît. Va te *coucher*. » Je la repoussai, un peu plus fermement cette fois. « Moi aussi, je t'aime, repris-je. Tu le *sais* très bien – mais pas *comme ça*. »

Je me rendais compte de la médiocrité de mes phrases – soudain, j'étais un gamin dans le couloir de l'école, devant son casier, sur le point d'aller à son cours de *maths*. Mais il en allait parfois ainsi : le langage, quand on avait vraiment besoin de lui, se réduisait en bouillie dans la bouche. Quand il fallait dire les choses vraies.

« Pourquoi est-ce que tu crois que je ne suis pas capable de comprendre mes propres sentiments ?

— L'expérience. J'ai quarante-trois ans. Peut-être même quarante-quatre.

— Dans le temps, les gens vivaient jusqu'à trente ans. Du coup, j'aurais été une *vieille*.

— Et moi j'aurais été mort.

— Pourquoi est-ce qu'il faut toujours que tu plaisantes ? Tu ne peux pas te *laisser aller* ? »

Je ne répondis pas. Je tendis la main et attendis qu'elle la prenne.

« Tu sais que je serai toujours là pour t'encourager, dis-je. Tu es une femme forte. Et tu vas *continuer* à l'être pendant un long moment. Pendant des *années*. Je ne ferais que te ralentir.

— Mais peut-être que j'ai *envie* d'aller moins vite. Pourquoi est-ce que les gens s'éloignent tout le temps les uns des autres ? »

Elle était de nouveau au bord des larmes. Elle délivra sa main de la mienne. « Hopper a raison. Tu n'es attaché à personne. Tu n'aimes que toi. »

Elle attendit que je la contredise, mais je ne le fis pas. Peut-être était-ce dû aux trois jours que je venais de passer. J'étais exténué, je n'exerçais plus aucun contrôle sur ma vie, je ne pouvais que la regarder, dans toute sa beauté sanglante, pendant qu'elle se tordait et se cabrait sous mes yeux.

« Tu vas tout foutre en l'air. Hopper a raison. Tu ne t'intéresses pas à moi. *Ni à Ashley.* Elle ne compte pas pour toi. Même *aujourd'hui.* Tout ce qui t'intéresse, c'est la traque. »

Elle se dégagea du lit et traversa la chambre comme une comète blanche.

« Nora ! »

Mais elle était déjà partie.

99

Mon réveil sonna à 7 heures. Une demi-heure plus tard, j'étais dans la rue.

Je pris la ligne 1, qui remonte tout le West Side, jusque chez Barney Greengrass – le célèbre *deli* juif vieux d'un siècle –, et arrivai pour l'ouverture. Puis, sac de bagels et de saumon en mains, je pris la ligne M jusqu'à son terminus, Metropolitan Avenue, à Middle Village, dans le Queens. Si je devais passer à l'improviste chez Sharon Falcone un dimanche matin, je ne pouvais le faire que les bras chargés de cadeaux ; or Sharon avait un faible pour les bagels aux graines de pavot, le saumon fumé et une spécialité yiddish nommée le *schmaltz herring*, du poisson fumé qui, à mes papilles, ressemblait davantage à du cuir en croûte de sel. Pour Sharon, c'était le paradis.

Elle habitait une maison qui avait tout d'une photo d'identité judiciaire : la forme carrée, la brique rouge, l'air épuisé, la sobriété. Plus de dix ans auparavant, alors que nous travaillions sur la même affaire, je l'avais déposée chez elle, un soir – son père venait de mourir, lui léguant la maison –, et j'avais discrètement noté son adresse, au cas où j'aurais besoin de mettre la main sur elle un jour.

Je sonnai à la porte. Pas de réponse. Je m'assis donc sur le perron tapissé de feuilles et attendis, tout en me demandant si elle n'était pas déjà dans le métro ou si elle n'avait pas déménagé. Je remarquai alors la gamelle vide du chien et la balle de tennis pelée sous le seul et unique buisson du jardin. Au bout d'un quart d'heure, je la vis qui marchait d'un pas pressé sur le trottoir. Elle avait son blouson North Face marron et tenait deux grands cafés. En bonne Sharon Falcone qu'elle était, elle ne fut pas surprise de me voir.

« Si vous vendez des bibles, j'en ai déjà douze, me dit-elle en montant les marches du perron devant moi.

— Non, je démarche pour une autre église très puissante. Barney Greengrass. »

Par chance, elle ne put s'empêcher de regarder avec curiosité le sac en plastique dans mes mains. Néanmoins elle ne dit rien et, posant habilement un gobelet de café sur l'autre, tira la moustiquaire, ouvrit la porte et fila à l'intérieur à la vitesse d'une taupe en train de creuser. Elle était, de toute évidence, furieuse de me voir débarquer chez elle. Malgré tout, elle ne claqua pas la porte et ne la ferma pas à clé.

« Il y a une fille qui m'a laissé un message sur le répondeur l'autre jour. Elle disait que vous étiez en danger de mort. » Sharon était en train d'ôter son blouson et de le suspendre à un clou.

« Ça doit être mon assistante, Nora. Elle a tendance à *exagérer*, parfois...

— Je ne comprends pas *pourquoi* elle a pensé que ça pouvait être autre chose qu'une *excellente* nouvelle.

— Je suis désolé, dis-je derrière la moustiquaire, tandis que Sharon disparaissait rapidement dans un couloir. Je suis désolé de venir jusqu'ici. Mais j'ai besoin de vos conseils et je ne vous dérangerais pas si je ne pensais pas que ça pouvait vous intéresser au plus haut point. Écoutez-moi et ensuite *virez*-moi. Et pour ce qui nous concerne, on ne s'est jamais rencontrés. »

Mon discours fit sans doute mouche car à peine une minute plus tard Sharon m'accompagnait jusqu'à sa salle à manger, ou peut-être son salon. *Qu'importe* : la pièce était vide, à l'exception d'un tapis jaune, d'une table pliante instable, de deux chaises et d'un panier, dans un coin, couvert de poils de chien.

J'ouvris mes poches et en sortis deux sacs en plastique : l'un contenait la chemise d'enfant tachée de sang, et l'autre, les ossements. Naturellement, je ne lui révélai pas où je les avais trouvés. Mais à voir la colère froide sur son visage, Sharon avait sa petite idée. Dès qu'elle vit la chemise sur la table, pourtant, son attitude changea. Je compris alors que je n'étais ni à côté de la plaque, ni fou, car même si cette chemise qui réussissait à prendre *Sharon Falcone* au dépourvu n'était qu'un *accessoire* de cinéma, en tout cas il était *réaliste*. Sans lâcher des yeux la chemise, elle posa ses deux cafés – manifestement, ils étaient pour elle – et l'observa à travers le plastique. Elle l'étudia comme au microscope, concentrée, parfaitement immobile.

« C'est du sang ? demandai-je.

— Difficile à dire. Si *c'est* le cas, c'est une vieille tache. Au moins dix ans. La chemise a dû être conservée dans un endroit sec, sinon les fibres du coton se seraient abîmées. Ou alors il y a un composant inorganique dans la chemise. Mais on *dirait* quand même du sang, à cause de la raideur. Une autre substance n'aurait pas rendu le tissu aussi rigide.

— Et les ossements ? »

Elle les sortit du sac en plastique et les soupesa.

« Aucune idée. Il faudrait que je les confie à un spécialiste.

— Est-ce que ça pourrait provenir d'un pied d'enfant ?

— Le pied humain est long et étroit, et le poids en est principalement supporté par le talon. Le pied non humain est plus large, et le poids dans les orteils. Mais plus les os sont jeunes, plus les choses se compliquent, puisqu'ils ne sont pas entièrement développés. Les côtes d'enfants peuvent ressembler à celles d'un petit animal, même au niveau macrostructurel. D'ailleurs, les os crâniens des enfants ressemblent souvent à des carapaces de tortue. »

Sans rien ajouter, elle mit le sac de côté, prit un de ses deux cafés et but une gorgée en me regardant de près.

« Au fait, il y a quelques têtes qui tombent à cause de ce suicide qui vous intéresse tant. »

Elle voulait parler d'Ashley. « Quelles têtes ?

— Vous vous souvenez de l'avocat qui voulait empêcher l'autopsie au prétexte que la religion juive s'oppose à la profanation d'un corps, tout le tralala. Figurez-vous que le légiste peut passer outre. Et il comptait bien le faire. Sauf que le corps d'Ashley a disparu en pleine nuit. Ce qui explique également pourquoi certaines photos manquaient à l'appel. Quelqu'un a été soudoyé.

— Les photos ? dis-je, sans comprendre.

— Mais oui, je vous en avais parlé. Dans le dossier d'Ashley, il manquait certains clichés du corps. Ils ont disparu. Il y a en ce moment une chasse aux sorcières dans la police pour essayer de comprendre de quoi il retourne. C'est un bordel sans nom. Et je suis sûre qu'ils vont revenir bredouilles. Ce genre de traces ont tendance à s'effacer avant même qu'elles soient laissées. La famille de cette fille a énormément de pouvoir. »

Je me rappelai alors que Sharon m'avait en effet parlé des photos manquantes – celles du torse d'Ashley, vu de face et de dos.

« Notre discussion au téléphone l'autre jour, dis-je au bout d'un moment, à propos des services de protection de l'enfance. La liaison n'était pas idéale...

— Il n'y a pas de certificat d'occupation pour cet immeuble. Aucun signe d'une quelconque présence.

— On sait à qui appartient l'immeuble ?

— Il était au nom d'une société immobilière. Un truc chinois. Je l'ai quelque part dans mes notes. Je vous le donnerai par téléphone. *Et* je vais étudier *calmement* tout ça » – elle souleva les sacs en plastique de la table et me lança un regard pénétrant – « même si, en théorie, je *devrais* vous coller une prune pour emmerdement maximal. Il va falloir un mois pour les analyser, *au moins*. Le labo est débordé. Ne revenez plus jamais ici. Vous avez une sale tronche, au passage. »

Elle se glissa hors de la pièce, sacs en main.

« Merci, dis-je dans son dos.

— Et faites-moi le plaisir de consulter pour votre main droite ! s'écria-t-elle depuis les profondeurs de sa maison. Vous avez un truc enfoncé dedans, et ça va vite se transformer en staphylocoque. »

Il fallut que je baisse les yeux pour comprendre de quoi elle parlait. Sharon avait parfaitement raison. Ma main était devenue encore plus gonflée, plus rouge. Ce que j'avais *pris* pour de la terre incrustée sur ma paume semblait plutôt être une écharde profondément plantée dans mon pouce. En voyant ça, j'eus un soudain accès de paranoïa. *Est-ce que ces gens habillés de capes noires m'avaient marqué ? M'avaient-ils frappé d'un autre sort ?*

Était-ce une pointe trempée dans du poison ? Un clou rouillé por-
teur du tétanos ?

Je devais rentrer chez moi. « Comment je peux vous remercier ? » lançai-je une minute plus tard, lorsque je m'aperçus que
Sharon, désormais préoccupée par autre chose, ne reviendrait pas
dans le salon. « Est-ce que je peux vous acheter un nouveau berger
allemand, un yacht, une île dans le Pacifique Sud ?

— Vous pouvez surtout vous en aller de chez moi », cria-t-elle
quelque part.

100

De retour à Manhattan, je m'arrêtai aux urgences de la 13ᵉ Rue.
La salle d'attente était bondée et je dus patienter au moins trois
heures avant de voir un médecin. Je lui expliquai que je rentrais
tout juste d'un camping.

« Je vois ça », dit-il sur un ton badin en tirant le rideau. C'était
un jeune homme qui parlait vite, plein d'entrain et d'une énergie surcaféinée, avec un bout de scotch collé dans le dos de sa
blouse blanche. « Vous avez une *dermatite de contact*. Vous avez
beaucoup marché dans la nature ? On dirait que vous avez touché
quelque chose auquel vous êtes allergique. »

J'allais préciser que j'avais séjourné dans les Adirondacks
lorsque je me rendis compte que ce n'était pas tout à fait vrai. Et
la piscine, alors ? Un animal s'était peut-être décomposé dans cette
eau pendant des mois. *Et la serre de la famille Reinhart ?*

« Quel genre de plantes dans la serre ? demanda le médecin
après que je lui eus succinctement raconté une partie de cet épisode.

— Il y en avait une qui s'appelait "herbe aux fous". Les autres,
je ne m'en souviens pas.

— Herbe aux fous », répéta le médecin, la tête inclinée. *Et ça
ne vous a pas donné l'envie de partir de là en hurlant ?* semblait-il
penser.

« Je me suis aussi pris autre chose. Une vilaine écharde. »

Je la lui montrai. Quelques minutes plus tard, une infirmière me nettoyait la main avec de l'eau et un antiseptique local, tandis que le médecin, à l'aide d'un scalpel et d'une longue pince à épiler, m'entaillait la paume. Du pus blanc suinta lorsqu'il se saisit d'un corps fiché sous la peau et l'extirpa.

En voyant de quoi il s'agissait, je fus trop médusé pour dire quoi que ce soit, ce qui n'empêcha pas le médecin de déposer l'objet sur la table en inox à côté de nous.

« J'ai l'impression que vous avez fait un sacré camping, dit-il avec un sourire. La prochaine fois, essayez peut-être la plage. »

C'était une épine noire, arrachée à quelque plante, même si, au premier coup d'œil, je pensai à un ongle pointu et tordu, recourbé et long de cinq centimètres.

101

Le temps de rentrer chez moi, il était 16 heures passées. J'avais hâte de revoir Nora, de lui raconter ma discussion avec Sharon et de lui montrer la pointe noire que je venais de faire extraire de ma main. Ensuite, on allait pouvoir se remettre au travail. Mais dès que j'entrai dans l'appartement, j'entendis un curieux bruit en haut.

Je me précipitai dans la chambre de Sam. On aurait dit que l'armoire de Moe Gulazar – et peut-être Moe lui-même – s'était fracassée sur la moquette. Des leggings dorés à strass, une étole en vison (galeuse), des chemisiers de soie et des cravates à rayures étaient répandus partout. Nora, vêtue d'un jodhpur noir et d'une chemise de smoking aux manches retroussées, était en train de faire ses affaires. Je remarquai que Jésus et Judy Garland n'étaient plus accrochés au mur.

« Qu'est-ce qui se passe ? »

Elle me jeta un coup d'œil par-dessus son épaule et continua de plier un mini-short violet qu'elle rangea au fond d'un de ses sacs Duane Reade.

« Je m'en vais.

— Quoi ?

— Je m'en *vais*. J'ai trouvé une sous-location incroyable.

— *Quand ça ?*

— À l'instant. Pour moi, l'affaire, c'est terminé.

— Alors. *D'abord*, à New York, on ne trouve pas de sous-locations incroyables *à l'instant*. Ça met des mois. Des années, parfois.

— Pas avec moi.

— Et d'où sort cette sous-location géniale ? De l'archange Gabriel ?

— Craigslist.

— D'accord. Alors laisse-moi t'expliquer une chose. Les gens qui utilisent Craigslist ont tendance à être soit des putes, soit des assassins, soit des masseuses avec finition.

— Je suis déjà allée voir sur place.

— Quand ?

— Ce matin. C'est une grande chambre dans une maison d'East Village avec une baie vitrée. Une lumière *de folie*. Tout ce que je dois faire, c'est payer cinq cents dollars chaque mois et partager la salle de bains avec une vieille hippie vraiment sympa. »

Je pris une longue inspiration. « Je vais te dire ce que j'en pense, des vieilles hippies sympas d'East Village. Elles sont toutes givrées. Elles lisent le tarot et mangent du soja. Parfois, elles mangent le tarot et lisent du soja. La plupart n'ont jamais quitté le quartier depuis l'époque Nixon et possèdent sous leurs ongles de pieds une flore végétale parfaitement identifiable. Pour le coup, tu peux me croire.

— Je viens de déjeuner avec elle. Elle est ultragentille.

— *Ultragentille ?*

— Elle fait pousser des tomates bio, acquiesça Nora.

— Avec les carcasses de ses trente chats en guise d'engrais.

— Elle a été l'assistante d'Avedon pendant trente ans.

— Elles disent toutes la même chose.

— Elle a eu une liaison avec Axl Rose. Il a même écrit une chanson sur elle.

— Sans doute *Welcome to the Jungle*.

— Je ne comprends pas *pourquoi* tu flippes. Ça va être *sympa*. »

Ça va être sympa. J'avais l'impression qu'on tirait un tapis sous mes pieds et que je me retrouvais pieds nus sur le parquet.

« C'est à cause de cette nuit », dis-je.

Elle se contenta de lever le menton, d'attraper l'annuaire de son lycée et de le feuilleter en fronçant exagérément les sourcils.

« Tu es fâchée parce que je me suis comporté en gentleman ? Parce que j'ai *respecté* les limites de notre relation de travail ? »

Elle referma le livre d'un coup sec et le rangea dans son sac. « Non.

— Non ?

— *Non*. Je pars à cause des auditions pour *Hamlette* au Flea Theater.

— Les auditions pour *Hamlette* au Flea Theater. »

Elle hocha la tête avec un air triomphant. « Ils inversent le sexe de tous les rôles, si bien que les femmes ont enfin quelque chose d'intéressant à se mettre sous la dent. Comme je vais passer l'audition, je vais devoir répéter mes monologues jour et nuit. Et ça te rendrait dingue parce que tu détestes mon jeu.

— Ce n'est pas vrai. Je suis devenu assez fan de ton jeu. »

Elle était en train de replier un vieux cardigan gris avec, sur l'épaule, une broche en strass, un oiseau en plein vol, et un énorme trou au coude gauche, comme une bouche en train de hurler muettement.

« *Toi-même*, hier soir, tu m'as dit que je devais avancer et que tu m'encouragerais toujours. Donc c'est ce que je *fais*.

— Mais pourquoi est-ce que tu écoutes mes conseils ?

— Je t'avais *dit* que ce serait temporaire. Que ça durerait jusqu'à ce qu'on découvre la vérité sur Ashley. Et *c'est le cas*. Maintenant, j'ai de l'argent, en plus. »

J'avais en effet payé Nora avant notre expédition au Peak, notamment une prime assez coquette que je commençais à regretter.

« Sans compter que tu vas être occupé à faire de la pub et à gagner de l'argent sur le dos d'Ashley, comme l'a dit Hopper. »

Je laissai la remarque voler à côté de moi comme une grenade explosant à quelques centimètres de mon visage. Nora n'arrêtait pas de tourner dans la chambre tel un insecte aux dix mille yeux, repliant, empaquetant, rangeant toutes ses affaires.

« L'enquête n'est pas terminée, dis-je. Tu t'en vas avant le coup de sifflet final, alors qu'il reste deux minutes à jouer. »

Elle me fusilla du regard. « Tu n'as toujours pas *compris*.

— Qu'est-ce que je n'ai pas *compris* ? Je suis vraiment curieux de savoir.

— Tu ne vois pas que si Cordova avait vraiment fait du mal à quelqu'un, Ashley ne l'aurait jamais laissé faire. Je lui fais confiance pour ça. Et Hopper aussi. Visiblement, tu ne fais confiance à personne. Tiens, je te rends ton manteau. »

Elle avait brutalement décroché d'un cintre de l'armoire le manteau noir de Cynthia et l'avait jeté sur le lit. Il traînait par terre. Je le lui avais passé quelques semaines auparavant pour qu'elle ait quelque chose sans plumes à se mettre chez Olivia Endicott. Elle l'avait adoré et m'avait dit, avec une joie non dissimulée, que ça lui donnait le sentiment d'être *une Française* – allez savoir pourquoi.

« Je te l'ai offert », dis-je.

Elle l'enfila, s'approcha du miroir Big Bird de Sam et passa un temps infini à enrouler une écharpe vert vif autour de son cou. Elle attrapa ensuite un feutre noir perché sur la colonne de lit et le posa délicatement sur sa tête, telle une reine déchue se couronnant elle-même. Je la suivis en bas, quelque peu subjugué. Elle posa ses sacs et entra dans mon bureau. Elle avait récupéré Septimus au refuge. Elle s'accroupit à côté de sa cage.

« Quand Grand-mère Eli m'a offert Septimus, elle m'a laissé des consignes. On doit le donner à quelqu'un qui en a besoin. Ça fait partie de sa magie. On est censé savoir quand vient le bon moment pour le donner, et c'est quand ça fait le plus mal. Je veux qu'il soit à toi.

— Je ne veux pas d'un oiseau.

— Mais tu as *besoin* d'un oiseau. »

Elle ouvrit la porte de la cage et l'oiseau bleu voleta sur sa paume. Elle susurra quelque chose à son oreille invisible, le reposa sur son perchoir et s'en alla dans le couloir en passant devant moi. Elle s'arrêta seulement sur le perron d'en bas.

« Je t'accompagne. Je veux parler à ta hippie. Et m'assurer qu'elle n'appartenait pas à l'Armée de libération symbionaise...

— Non. Je gère.

— Donc c'est *fini* ? Je ne te reverrai plus jamais ? »

Elle plissa son nez comme si j'avais dit une énormité. « Mais *bien sûr* que si, tu me reverras. » Elle se jucha sur la pointe des pieds et me prit dans ses bras. Cette fille donnait les plus belles étreintes du monde – avec ses bras maigres qui enserraient votre cou comme des attaches autobloquantes et ses genoux cagneux qui cognaient les vôtres. On aurait cru qu'elle essayait d'emporter avec elle une impression indélébile de vous, pour toujours.

Elle ramassa ses sacs et descendit les marches.

J'attendis qu'elle ait tourné au coin de la rue pour la suivre. Je savais qu'elle me tuerait si elle me voyait mais, heureusement, les trottoirs étaient bondés de passants en train de faire leurs courses ; aussi fus-je en mesure de rester discret et de la suivre jusque dans le métro, où elle prit la ligne 1, changea pour la ligne L, puis la 6, et sortit à Astor Place.

Au moment de quitter la station noire de monde, je la perdis de vue. Je regardai partout, commençai même à m'affoler, inquiet que ce fût *terminé*, de ne plus jamais avoir de nouvelles d'elle, de ne pas savoir si elle était saine et sauve – Bernstein, la précieuse pièce en or glissant entre mes doigts tremblants et disparaissant parmi les millions de New-Yorkais.

Là-dessus, elle réapparut. Elle avait traversé Saint Marks Place et marchait, comme toujours en roulant des fesses, devant la pizzeria et les stands de magazines. Je la suivis dans la 9e Rue Est et arrivai devant un petit jardin triangulaire, au croisement avec la 10e Rue. Elle monta rapidement les marches d'un immeuble en grès décati. Je me cachai derrière un porche.

Nora posa ses sacs et appuya sur la sonnette.

Pendant ma filature, j'avais envisagé les divers scénarios de sauvetage – défoncer la porte d'entrée, dégager à coups de pied les neuf chats, le raton laveur et quarante ans de *Village Voice*, foncer devant les junkies en train de se galocher sur le canapé et le poster psychédélique pour le *Human Be-In*, enfin monter jusqu'à la chambre de Nora au dernier étage : paradis des rats, odeur de vieille éponge. Assise au bord d'un futon, elle aurait bondi sur ses pieds et se serait jetée dans mes bras.

Woodward ? J'ai fait une grosse erreur.

Et pourtant... Bien que l'immeuble fût assurément vieillot – climatiseurs rouillés, fenêtres ornées de plantes mortes –, je remarquai au rez-de-chaussée et au premier étage qu'il y avait non pas une baie vitrée, mais deux, et elles semblaient *bel et bien* laisser passer *une lumière de folie*.

Mais personne n'avait ouvert la porte. Nora appuya sur la sonnette une deuxième fois.

Faites qu'il n'y ait personne à la maison. Faites que la hippie super-sympa ait dû repartir en urgence voir sa famille à Woodstock. Ou, si quelqu'un ouvrait, que ce soit un auteur-compositeur à moitié nu avec sur le torse un tatouage « BIENVENUE DANS L'ARC-EN-CIEL ». *Faites que je la sauve une dernière fois.*

La porte s'ouvrit. Une grosse femme aux cheveux frisés gris apparut, vêtue d'un tablier rayé maculé par la terre d'une jardinière de fleurs ou par de l'argile de poterie. Elle était *forcément* branchée tarot et soja, mais peut-être m'étais-je trompé sur tout le reste. Nora dit quelque chose et la femme sourit ; elle prit un des sacs Duane Reade et elles disparurent à l'intérieur. La porte se referma.

J'attendis que de la musique se fasse entendre ou qu'une lumière s'allume. Or rien ne se produisit. Il n'y avait plus rien, hormis une petite brise qui s'engouffra dans la rue, poussant devant elle quelques feuilles mortes égarées et les déchets piégés dans le caniveau.

Je rentrai chez moi à pied.

102

J'avais jugé plus sage de prendre quelques jours pour me remettre du Peak et me vider la tête avant d'organiser mes idées et de boucler l'enquête. Une fois de plus, j'avais l'impression tenace d'avoir nagé des kilomètres dans une eau noire ; mon corps était encore lourd et mon esprit, maculé de boue.

Pourtant, la vraie vie me rappelait à son bon souvenir. J'avais des factures impayées, des messages sur mon répondeur, des mails vieux d'un mois que je n'avais pas pris la peine de lire, dont certains envoyés par des amis qui, en guise de sujet, mettaient : « Je suis inquiet », ou « Ça va ? » et « Qu'est-ce que tu fous ? ». Je répondis à tous – j'avais acheté un nouvel ordinateur portable HP une semaine avant ma virée au Peak –, mais cette simple tâche me sembla aussi absurde qu'énervante.

Je commençais à me rendre compte, avec une sorte de fascination morbide, que je n'avais pas tout à fait *quitté* le Peak – pas entièrement. Car dès que je me couchais, toutes lumières éteintes, il me suffisait de fermer les yeux pour être de nouveau transporté là-bas. Cette propriété, peut-être représentait-elle un moment vers lequel, désormais, je retournerais sans cesse, comme d'autres retrouvent en rêve les danses ou les champs de bataille de leur enfance dorée, les week-ends au bord d'un lac avec une fille en bikini rouge. Mi-éveillé, mi-rêveur, je regagnais ce domaine, arpentais ses jardins obscurs et ses statues brisées, revoyais les chiens, les lampes torches aveuglantes tenues par des ombres. Je reprenais les tunnels, à la recherche non pas de preuves accablant Cordova, mais d'une part cruciale de moi-même que j'avais malencontreusement oubliée là-bas – comme un bras, ou mon âme.

Et cette *peur* que j'avais ressentie, cette confusion mentale, semblait être une drogue dont j'étais devenu dépendant, car évoluer dans le monde quotidien – regarder CNN, lire le *Times*, marcher jusqu'à Sant Ambroeus et boire un café au bar – m'épuisait, me déprimait. Peut-être souffrais-je du même mal que cet homme qui, après avoir navigué autour du monde et retrouvé la terre ferme, sa maison, sa femme et ses enfants, comprenait que la permanence d'un *foyer* qui s'offrait à lui comme une plaine aride était mille fois plus terrifiante que n'importe quelle tempête, que toutes les vagues de dix mètres.

Pourquoi pensais-je que je m'en tirerais, que je serais capable d'absorber le Peak comme s'il s'agissait d'un voyage en Égypte ou des onze jours que j'avais passés dans une prison de Mitú – une expérience harassante qu'il fallait digérer et surmonter ? Mais pas *ça*. Non, le Peak et la vérité autour de ce qu'avait fait Cordova me restaient toujours dans le ventre, bien *vivants*, intacts, en train de bouger, de saliver, de me rendre de plus en plus malade, peut-être même de me tuer.

Cette agitation était d'autant plus pénible que j'étais seul. Il n'y avait plus personne. Nora avait raison. Pour elle comme pour Hopper, l'affaire était classée. J'appelai ce dernier deux fois ; il ne répondit pas. Je ne comprenais pas qu'ils puissent en avoir fini avec cette histoire, avec moi, et décréter que tout s'arrêtait là. Ne voulaient-ils donc pas savoir si c'étaient de véritables os humains que j'avais trouvés là-bas ? S'il n'y avait pas eu d'autres enfants maltraités au cours des folles tentatives de Cordova pour sauver Ashley ? N'étaient-ils pas curieux de connaître la réponse à l'autre question en suspens – où était Cordova ?

Je tirais toutes sortes de conclusions douloureuses : ils m'avaient montré leur vrai visage ; ils étaient jeunes et superficiels ; c'était un symptôme des problèmes de la jeunesse actuelle ; nourris à l'Internet, ils passaient d'une fixette à l'autre avec la facilité d'un clic de souris. Mais pour dire la vérité, ils me manquaient. Et j'étais furieux d'en être affecté.

Cela me fit repenser à la phrase qu'avait prononcée Cleo lorsqu'elle avait découvert le sortilège de mort sur les semelles de nos chaussures.

Il vous arrache à vos meilleurs amis, vous isole, vous dresse contre le reste du monde, si bien que vous êtes repoussé à la marge, à la périphérie de la vie. Il vous rendra fou, ce qui, par bien des aspects, est encore pire que de mourir.

Sur le moment, je ne l'avais pas prise au sérieux. Maintenant, je ne pouvais m'empêcher de noter à quel point ses propos se révélaient justes, l'isolement et les amitiés brisées, le sentiment d'être repoussé vers les marges de la vie.

À moins que ce fût simplement *Cordova*. Peut-être était-il comme un virus : contagieux, destructeur, mutant sans cesse pour que l'on ne comprenne jamais vraiment ce à quoi l'on a affaire, parasitant en silence votre ADN. Même ceux qui s'y exposaient un temps infime contractaient une fascination et une peur qui se répliquaient au point d'envahir leur vie.

Il n'y avait aucun remède. Ne restait plus qu'à apprendre à vivre avec.

Après avoir erré chez moi trois jours pendant lesquels, gavé d'antibiotiques et de stéroïdes pour ma main et mes rougeurs, j'évitai soigneusement le carton rempli des vestiges de mes recherches sur Cordova, je compris qu'essayer de me détendre m'était si pénible que je n'avais guère d'autre choix que d'accepter l'opacité de la situation.

Le mercredi soir, à 23 heures, je hélai un taxi et demandai au chauffeur de m'emmener au 83, Henry Street. Falcone, ce n'était pas une surprise, avait dit vrai. Lorsque, descendu du taxi, je contemplai l'immeuble vétuste niché près du pont de Manhattan, il me sembla que ses occupants avaient vidé les lieux. Même si je vis les rideaux roses froissés au quatrième étage, toutes les fenêtres étaient sombres. Je voulus ouvrir la porte d'entrée. Elle était fermée, bien entendu ; et pourtant, en regardant par la petite fenêtre, je remarquai que les noms avaient été retirés des boîtes aux lettres.

Je m'en allai vers Market Street. Au deuxième carrefour, je passai devant le salon de coiffure Hao, où, quelques semaines plus tôt, j'avais collé l'avis de recherche d'Ashley sur la vitrine. À mon grand étonnement, il était toujours là, jauni par le soleil.

Ashley n'était guère plus qu'un visage spectral, et les mots « AVEZ-VOUS VU CETTE JEUNE FEMME ? » étaient à peine lisibles. Voyant cela, j'eus l'impression désagréable que le temps pressait – ou peut-être qu'il passait, tout simplement.

Hopper et Nora avaient disparu. Ashley aussi.

PARKING | CORDOVA | FILMS | FÉROCE | NON CENSURÉ | INCONNUS | MONTEZ À BORD

THE NATURAL HUNTSMAN

AMERICAN HUNTING NEWS

Vol. 102   No. 1223   MAY 2007

UNE CÉLÈBRE CHASSEUSE DISPARAÎT AU NÉPAL

RACHEL DEMPSEY, QUARANTE ET UN ANS, EST PORTÉE DISPARUE

DOLPA, Népal. Cela fait un mois qu'une chasseuse américaine a disparu dans la réserve de chasse de Dhorpatan, à l'ouest du Népal. Les autorités cherchent à obtenir des renseignements sur ses derniers déplacements.

Rachel Dempsey, âgée de quarante et un ans, originaire de Woonsocket, Rhode Island, s'était rendue au Népal le 30 mars pour chasser dix jours durant le mouton bleu et le sanglier. Elle a été vue la dernière fois par un sherpa au cours de l'expédition, le 2 avril, lorsqu'elle a brusquement quitté le campement aux premières heures du jour. Son matériel de camping et sa radio ont été retrouvés à plusieurs kilomètres de là, mais aucune trace de Rachel Dempsey.

Le 11 avril, son téléphone satellite a été allumé à Santiago, au Chili, et un appel téléphonique de onze secondes a été passé vers la ville portuaire de Puerto Montt. Aucune activité ultérieure n'a été enregistrée.

Rachel Dempsey était une chasseuse chevronnée, réputée pour sa capacité à traquer les cibles les plus mouvantes en terrain difficile et en altitude. En 2005, avec un score de cent treize points attribué par le SCI, elle avait été finaliste du prix Carlo Caldesi pour son trophée, un markhor du Cachemire tué au Pakistan.

Rachel Dempsey s'était initiée à la chasse sur le tard, après avoir mené une brillante carrière d'actrice. Elle avait joué dans le film policier *Doutes raisonnables* et

DEMPSEY AVEC LE TROPHÉE D'UN MOUFLON MARCO POLO LORS D'UN VOYAGE AU TADJIKISTAN EN 2005

incarné Leigh dans le thriller culte *La douleur*.

Elle mesure un mètre soixante-quinze, a des cheveux châtain clair coupés au carré, ainsi qu'une tache de naissance de la taille d'une pièce de monnaie sur l'omoplate gauche. Elle a été vue la dernière fois vêtue d'un blouson en Gore-Tex blanc, d'un pantalon coupe-vent gris et d'un bonnet en fourrure ; elle porte également des lunettes, un couteau à dépecer et une carabine Winchester Short Magnum de calibre .300.

Toute personne disposant de renseignements est priée de contacter la police de Woonsocket ou les EXPÉDITIONS SAFARI BONGO DANEMARK à l'adresse suivante : mads@expeditionsafaribongo.dk.

Blackboards – Résultats de recherche

PARKING | CORDOVA | FILMS | FÉROCE | NON CENSURÉ | INCONNUS | MONTEZ À BORD

RÉSULTATS DE LA RECHERCHE POUR « POPCORN »   *Résultat 5 233 sur 14 392*

POSTÉ PAR Arguments Étayés   15/5/1996 2 h 26

Dans *Attendez-moi ici*, Popcorn était joué par un Cubain du
nom de Fernando Ponti. Au début de l'année, dans l'espoir de
rencontrer Cordova, je suis parti de chez moi, à Cologne,
en Allemagne, pour me rendre à Crowthorpe Falls. Six jours
plus tard, bredouille, je suis tombé sur un homme qui errait
dans le village. C'était Popcorn. Je l'ai suivi. Lorsqu'il
a remarqué ma présence, il s'est engouffré dans le magasin
de machines à laver Trophy, au bout de la grand-rue. J'y
suis entré à mon tour quelques secondes plus tard - dans ce
magasin, on pouvait également louer des costumes. Mais il
avait disparu. Je me suis dit que Popcorn avait filé par la
porte de derrière. Là, je me suis rendu compte que cette porte
ouvrait sur une longue allée. Il n'y avait aucune trace de lui
et nulle part où se cacher dans le magasin. Comme s'il s'était
évaporé dans la nature.

SUITE >>

103

J'avais tenté cent fois de joindre Cynthia pour avoir des nouvelles de Sam ; elle ne me répondait toujours pas. Son silence me rendait fou, mais je pressentais qu'il signifiait que Sam allait bien ; s'il arrivait quelque chose de vraiment grave, elle me téléphonerait. Du moins le pensais-je.

Comme me l'avait expliqué Sharon Falcone, j'allais devoir patienter au moins un mois avant de savoir si les ossements que j'avais découverts au Peak étaient humains. En attendant, j'avais quelques pistes importantes à suivre.

Je me connectai aux Blackboards pour y glaner des renseignements sur le sort de Rachel Dempsey et de Fernando Ponti, les acteurs qui avaient incarné Leigh et Popcorn dans les films de Cordova. Après vérification, je fus étonné d'apprendre que *The Natural Huntsman* – une revue pour chasseurs aussi macho qu'hostile au contrôle des armes – disait vrai sur Rachel Dempsey.

Elle avait joué Leigh dans *La douleur* à l'âge de vingt ans, puis s'était volatilisée au Népal le 2 avril 2007. Il y avait deux articles sur sa disparition dans le journal de sa ville, mais aucun développement ultérieur ni mention d'un mari ou d'enfants. En revanche, je découvris, grâce à Internet, l'existence d'une Marion Dempsey résidant à Woonsocket – la sœur ou la mère de Rachel, espérais-je. J'appelai les renseignements, obtins un numéro de téléphone et, après plusieurs sonneries interminables, une femme exaspérée décrocha en se présentant comme « l'infirmière de Mme Dempsey ». Je lui demandai si cette dernière avait une fille nommée Rachel. Elle me répondit : « Mme Dempsey ne s'intéresse plus à ça », ce que je pris pour un oui, et raccrocha.

Fernando Ponti, le vieux Cubain charismatique qui avait incarné Popcorn, avait quant à lui été vu à Crowthorpe Falls par trois personnes différentes, à trois occasions différentes, entre octobre 1994 (un an après la sortie d'*Attendez-moi ici*) et août 1999. Quand je m'étais retrouvé dans la serre, j'avais eu la très nette impression que Popcorn était *encore là*, à s'occuper de ses plantes et de ses poissons, et ces trois témoignages oculaires semblaient confirmer mon intuition.

N'était-il donc jamais parti ? Avait-il aimé son séjour au Peak – ou avait-il subi un lavage de cerveau – au point de décider d'y rester en tant que Popcorn, préférant son personnage à la vraie vie ? Était-il aujourd'hui mort, à jamais enterré dans ses jardins imaginaires ? Je ne trouvai aucune trace de la famille de Ponti, ni d'un passé autre que ses origines *cubaines* – dont seuls les Blackboards faisaient mention. Néanmoins, je fus encore plus surpris par le post qui racontait sa disparition dans le magasin de machines à laver Trophy, aux abords de Crowthorpe Falls.

Au Peak, j'avais vu le mot *Trophy* griffonné au-dessus d'une des entrées des passages souterrains.

Ce tunnel conduisait-il autrefois au *magasin de machines à laver Trophy*, reliant clandestinement le Peak à Crowthorpe Falls ? Le nom était trop précis pour relever de la simple coïncidence. Et cela expliquait comment Popcorn avait pu s'évaporer en une fraction de seconde. Il s'était enfui par une trappe dissimulée dans le magasin et était rentré chez lui grâce à ce passage secret.

Sur les Blackboards, je fis des recherches sur plusieurs autres acteurs, ceux qui, ayant décroché des rôles importants, avaient sans doute résidé au Peak pendant les tournages. Je ne découvris qu'une seule *véritable* constante : après avoir travaillé avec Cordova, ils avaient tous entamé une nouvelle période de leur vie, qui les envoyait généralement à l'autre bout du monde.

Jamais la personne ne restait la même, ne reprenait sa vie d'avant, ne revenait là où elle avait commencé.

Rachel Dempsey, qui avait donc joué Leigh, était une chasseuse de renommée mondiale, ce qui, à bien y regarder, était parfaitement logique ; en quittant le Peak après avoir incarné la naïve et vulnérable Leigh, bâillonnée et ligotée dans le fameux bus renversé, elle semblait être passée de proie à prédatrice. La rumeur voulait aussi que Lulu Swallow, la femme qui jouait Emily Jackson dans *Les poucettes*, se soit installée dans une partie reculée de la Nouvelle-Écosse et se soit mise à écrire des livres pour enfants aux thèmes extrêmement sombres – la série de l'orpheline Lucy Straye – sous le nom de plume d'E. Q. Nightingale. L'homme élégant qui incarnait Axel dans *La douleur* – le mystérieux mari de Diane, dont Leigh tombe amoureuse à mesure qu'elle le suit – s'était inscrit dans une école vétérinaire avant de devenir un grand spécialiste des chevaux pur-sang ; ce fut d'ailleurs lui qui euthanasia Eight Belles au derby du Kentucky en 2008. L'acteur qui jouait Brad Jackson – d'origine anglaise – était soi-disant parti en Thaïlande, où il fut aperçu par un cordoviste en 2002, dans le quartier chaud de *Soi Cowboy*, avec une adolescente à l'arrière de son scooter.

Ces gens s'étaient disséminés aux quatre vents comme des cendres jetées en l'air, tout autour du globe – l'un partant même à Tristan da Cunha, dans l'Atlantique Sud. Il m'était difficile de savoir si, en refaisant leur vie, ils avaient fui quelque chose. Avaient-ils découvert la vérité sur Cordova, vu l'homme de près et pris leurs jambes à leur cou, terrifiés ? Ou était-ce le contraire – avaient-ils été libérés ? Avaient-ils, comme on disait sur les Blackboards, *tué l'agneau*, pour s'affranchir de toute contrainte ? Après avoir travaillé avec Cordova, s'étaient-ils sentis capables de mener l'existence débridée dont ils rêvaient et avaient-ils décidé de la vivre à fond ?

Je n'avais aucun moyen de savoir s'ils étaient mus par la peur ou par leur désir de liberté. Peut-être, aussi, qu'il n'en était rien et qu'ils avaient été envoyés par Cordova aux quatre coins de la planète, en disciples dévoués, pour exécuter ses ordres, accomplir Dieu sait quelle mission.

Quelles qu'aient été leurs motivations, je me demandais s'ils avaient ressenti la même chose que moi – la fatigue, les cauchemars, ce sentiment de dislocation, cette impression d'avoir débordé de la vie ordinaire et de ne plus pouvoir rentrer dedans.

J'étais en train d'explorer cela, de chercher dans les Blackboards, et sans rire, « effets secondaires de Cordova » et « symptômes connus », lorsque je fus brutalement éjecté du site.

J'eus beau débrancher plusieurs fois mon ordinateur portable, reconfigurer les paramètres, obtenir une nouvelle adresse IP et essayer un autre nom d'utilisateur, je me retrouvais toujours sur la même page de sortie. Avais-je été exclu, expulsé – ou *démasqué* ?

PARKING | CORDOVA | FILMS | FÉROCE | NON CENSURÉ | INCONNUS | MONTEZ À BORD

QUI QUE VOUS SOYEZ,
VOUS N'AVEZ RIEN À FAIRE ICI.

SORTEZ.

ENTREZ >

Je décidai alors de m'intéresser aux plantes que j'avais vues dans la serre des Reinhart. Le médecin urgentiste avait conclu son examen en me disant que j'avais été en contact avec une variété puissamment toxique et qu'il serait utile de savoir laquelle, au cas où mes rougeurs ne guériraient pas. Elles *guérissaient*, pourtant ; elles avaient pratiquement disparu dans les vingt-quatre heures ayant suivi la prise des stéroïdes. Néanmoins, une recherche sur l'*herbe aux fous* suffit à me plonger dans un désarroi complet.

Ce terme était un des nombreux noms du *Datura stramonium*, ou herbe Jimson, plante tellement vénéneuse qu'une seule tasse de son infusion pouvait tuer un adulte. D'après Wikipédia, en avaler le jus ou les graines provoquait « une incapacité à distinguer la réalité du fantasme, des délires, des hallucinations, des comportements bizarres et parfois violents, une *mydriase* sévère » – une dilatation des pupilles – « engendrant une *photophobie* douloureuse et susceptible de durer plusieurs jours ». Cette plante donnait aux êtres humains le pressentiment de leur mort imminente et transformait des personnes normales en « idiots congénitaux ».

Il se pouvait que, sous la chaleur des éclairages, suant comme un porc, je me sois saupoudré de pollen et que, sans le vouloir, j'en aie ingéré.

Je vérifiai tous les autres noms dont je me souvenais : *pointes de langue, cerises de la mort, tue-loup bleu, tire-larmes*. Nulle part je ne trouvai trace des pointes de langue ou des tire-larmes, mais le tue-loup bleu était l'*aconit* – une des plantes les plus mortelles au monde. Elle pouvait être « absorbée par la peau, provoquant des convulsions et, en moins d'une heure, une mort lente et atroce similaire à celle causée par la strychnine ». Les cerises de la mort, c'était la *belladone*, tout aussi mortelle, et connue pour ses incroyables propriétés hallucinogènes, capables de transformer les espoirs et les désirs de ses victimes en une réalité démente.

Je ne m'en étais pas rendu compte, mais, en me promenant dans cette serre, j'aurais tout aussi bien pu visiter une usine de traitement de déchets nucléaires victime d'une *petite fuite* dans un réacteur ou nager aveuglément au milieu de grands requins blancs. Que je ne sois pas *mort*, que je ne sois pas tombé inanimé quelque part sur la propriété ou au fond d'un ravin, ou même que je n'aie pas sauté du pont du diable en me croyant capable de voler – cela relevait du miracle. Au-delà de la question évidente de ma sécurité, cela remettait en cause tout ce que j'avais vu et vécu là-bas. Ayant franchi le seuil de cette serre, je ne pouvais plus me fier au moindre souvenir.

Avais-je *vraiment vu* cette créature semi-humaine ? M'étais-je vraiment retrouvé enfermé dans ces boîtes hexagonales ? Avais-je vu cette fosse profondément creusée dans la terre, ou mon espoir de trouver des preuves tangibles l'avait-il créée de toutes pièces ? Ces gens vêtus de capes noires qui m'avaient assailli – dont celui assis dans le confessionnal – étaient-ils réels ? Ou une simple expression de ma peur sous l'effet de la drogue ?

Je ne pouvais rien prouver, ni dans un sens ni dans l'autre. *Aurais-je fumé une pipe de crack que le résultat n'eût pas été différent.* C'était pour le moins exaspérant.

Dégoûté, vaguement furieux de ne pas avoir été plus prudent, je décidai de reporter mon attention sur quelque chose de concret, quelque chose d'*incontestablement réel* – la recherche de personnes disparues dans les Adirondacks.

Quelques heures plus tard, grâce à la base de données du Centre national des enfants disparus et exploités, je disposais d'une liste d'individus ayant disparu dans un rayon de quatre cent cinquante kilomètres autour du Peak entre 1976 – l'année où Cordova s'y était installé – et aujourd'hui.

Il y avait une augmentation très nette du nombre de personnes disparues *après* 1992, soit l'année du sortilège, celle où Ashley avait franchi le pont du diable.

Un petit garçon avait également disparu à Rome, New York (à cent quatre-vingt-trois kilomètres du Peak), le 19 mai 1978, l'année où *Les poucettes* avait été tourné sur la propriété. Dans le film, les quatre enfants assassinés avaient entre six et neuf ans. C'était une piste fragile, mais si Falcone me rappelait pour me confirmer qu'il s'agissait *bien* de sang humain, le petit Brian Burton constituait un point de départ intéressant. Il avait six ans quand sa mère, serveuse au Yoder Motel & Restaurant, se gara un jour sur le trottoir et fonça dans le restaurant pour récupérer un chèque, laissant son fils seul sur la banquette arrière. Elle avait fermé les portières mais laissé les vitres arrière entrouvertes. Lorsqu'elle était ressortie du restaurant moins de dix minutes plus tard, la voiture était ouverte et son fils, envolé. Personne ne l'avait revu depuis.

S. McGrath

Liste des personnes disparues dans un rayon de 450 km autour du Peak et de Crowthorpe Falls, NY

entre 1976 et aujourd'hui

NOM	ÂGE	STATUT	DERNIÈRE APPARITION
Kate Gonzalez	28	Fugue inquiétante	8/8/1977
Brian Burton	6	Enlèvement hors famille	19/5/1978
Madonna Clyde	15	Fugue inquiétante	3/12/1981
Lacey Robertson	17	Fugue inquiétante	1/10/1990
Kevin Tsui	9	Enlèvement famille	21/11/1997
Vincent Giovanelli	24	Disparition	30/9/2000
Laura Belle Helmsley	15	Fugue	13/3/2001
Valerie Lorraine-Luca	3	Enlèvement	3/6/2004
Sophie Hecta	8	Disparition inquiétante	13/3/2005
Vanessa Mills	52	Disparition	16/7/2005
Kurt Sullivan	9	Disparition inquiétante	13/9/2009
Jessica Ann Carr	5	Enlèvement hors famille	13/8/2011

Après « Sortilège du diable »

Environ au moment du tournage des Poucettes au Peak ?

Chronologie Ashley Cordova

Naissance :	30/12/1986
Incident pont du diable :	Courant 1992

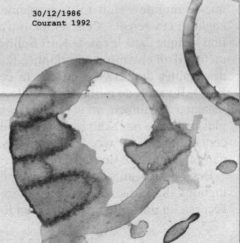

Les autres cas étaient tout aussi obsédants – par leurs détails symboliques et les derniers contacts avec les victimes : le collier à médaillon de Sophie Hecta, le dessin au pastel d'un poisson noir, exécuté par Jessica Carr et retrouvé sur son lit lorsque ses parents constatèrent sa disparition. Malheureusement (et *sans surprise*, étant donné que Cordova savait sans doute comment effacer ses traces), rien ne reliait clairement ces affaires au réalisateur – aucune référence à ses films, aucun témoignage autour d'un personnage mystérieux affublé de lunettes noires qui lui mangeaient les yeux.

Rien. Sauf un indice ténu.

Le casier de Laura Helmsley avait été fouillé une semaine avant qu'elle ne disparaisse. Elle avait signalé le vol de son journal intime auprès de la direction de son école. Cela me rappelait un peu les incidents que John, mon interlocuteur anonyme, m'avait décrits. Cordova avait-il volé le journal de la jeune fille en espérant qu'elle pourrait être échangée contre Ashley ? Selon la police, Laura s'était simplement enfuie avec son petit ami, plus âgé qu'elle. Ils avaient été filmés par une caméra dans un *drive* de White Castle, deux jours après sa disparition.

Mais aucune nouvelle d'elle depuis plus de dix ans.

Avant que j'en apprenne davantage sur les plantes hallucinogènes, j'aurais pu croire en l'existence d'une *autre* possibilité, à savoir que le monde s'était tout simplement ouvert en deux et avait englouti ces gens-là. Cela semblait d'ailleurs être la seule explication logique dans le cas de Kurt Sullivan, qui avait disparu à trente mètres d'un chemin de randonnée facile dans la réserve naturelle des Plaines de la rivière Moose (à cent cinquante kilomètres du Peak). Il venait de quitter sa famille et de prendre un virage pour regagner le campement et enfiler des chaussettes plus longues – et plus personne ne l'avait revu. Malgré des recherches mobilisant six cents hommes, et avec l'aide de l'U.S. Air Force, le sort du jeune garçon était resté un mystère entier.

Des ombres autonomes, des sortilèges de mort et des malédictions du diable, des rivières noires et des créatures ayant de l'écorce en guise de peau, un monde troué de fissures invisibles dans lesquelles n'importe qui, à n'importe quel moment, pouvait tomber – j'aurais pu l'envisager après ce qui m'était arrivé au Peak. L'enquête sur Cordova ne m'avait-elle pas orienté vers les abords d'une telle réalité, un monde infiniment mystérieux, peuplé de questions sans réponses ? Cordova pouvait fort bien être un fou et avoir irrémédiablement détruit les frontières entre fantasme et réalité, dans sa vie comme dans ses films. Mais n'avait-il pas su acquérir un pouvoir, quel qu'il fût ? N'était-ce pas la vérité ? Ne l'avais-je pas vu de mes propres yeux ?

Je ne savais plus à quel saint me vouer. Il n'était pas absurde de penser que j'avais simplement été en contact prolongé avec l'*herbe aux fous*. Et de toute façon, pourquoi Cordova – ou Popcorn – faisait-il pousser dans cette serre suffisamment de plantes toxiques pour dévaster une armée entière ?

Plus je lisais de fiches de personnes disparues, plus ces énigmes semblaient se défaire en des milliers de fils. Ce qui ne m'empêcha pas de noter les détails, les vagues pistes recensées par les journaux locaux et les blogs. Puis, la tête lourde, je m'arrachai à l'ordinateur et décidai d'aller faire un tour chez Klavierhaus.

Si, à en croire Hopper, Ashley avait fréquenté le magasin quand elle était petite, je voulais m'entretenir avec quelqu'un qui l'avait connue à cette époque-là. Le directeur auquel nous avions parlé, Peter Schmid, pouvait peut-être m'aider.

À mon arrivée là-bas, j'eus la stupeur d'apprendre qu'il était arrivé une chose *bizarre* – ou plutôt non : pas bizarre *du tout*, au vu des recherches qui m'avaient occupé ces trois derniers jours.

Peter Schmid était parti.

104

« Comment ça ?
— Il a démissionné, me répondit le jeune homme à la caisse.
— *Quand ça ?*
— Il y a deux semaines.
— Et où est-il parti ?

— Aucune idée. Ça s'est passé très vite. M. Reisinger, notre propriétaire, était *furax*, parce qu'on se retrouve maintenant en sous-effectif. Moi, je suis juste stagiaire. Mais Peter avait quelques problèmes, du coup...

— Vous avez son numéro de téléphone ? »

Il retrouva le numéro. Je le composai en quittant le magasin ; le piano Fazioli sur lequel Ashley avait joué était toujours en vitrine.

Je m'arrêtai sur le trottoir, incrédule. Un message m'annonçait que le numéro était désactivé.

Je ne savais pas ce que cela voulait dire, hormis que quelque chose n'allait pas.

Je hélai un taxi. Quelques minutes plus tard, j'entrai dans le hall du Campanile – l'immeuble de Marlowe Hughes. Je reconnus le portier au visage grassouillet : c'était le deuxième, celui qui était de service le jour où j'avais pris contact avec Harold.

« Je cherche Harold, dis-je en m'approchant de lui.

— Il ne travaille plus ici. Il s'est trouvé un boulot sur la 5e Avenue. Un immeuble de rupins grand standing...

— *Quel immeuble ?* J'ai besoin de connaître l'adresse.

— Il ne m'a pas dit.

— Il faut que je monte voir Marlowe. »

Je lui tendis ma carte de visite. « Je suis un ami d'Olivia Endicott.

— *Marlowe ?*

— Marlowe Hughes. Appartement 1102. »

Il avait l'air gêné. « Oui, c'est-à-dire que Mlle Hughes n'est pas vraiment... *chez elle.*

— Où est-elle ?

— Je ne peux pas entrer dans les détails. »

De plus en plus inquiet, je lui donnai un billet de cent dollars, qu'il empocha avec joie.

« Ils l'ont envoyée en cure, dit-il. Elle a eu un problème. Mais tout va bien.

— Vous pouvez quand même me laisser entrer dans son appartement ?

— Désolé. *Non.* Personne n'est monté là-haut depuis...

— Je sais qu'Olivia est à l'étranger, mais appelez son assistante. Elle donnera son feu vert. »

Malgré son air méfiant, il attendit patiemment que je retrouve le numéro.

« Oui, bonjour, dit-il après que j'eus composé le numéro. Le Campanile à l'appareil. J'ai devant moi un monsieur. » Il regarda attentivement ma carte de visite. « *Scott McGrath.* » Il expliqua la situation et se tut.

Là-dessus, son visage jusqu'ici aimable se rembrunit brusquement. Il me regarda, visiblement étonné, puis raccrocha sans un mot. Il se leva, fit le tour de son bureau et tendit le bras pour me faire signe de regagner la porte.

« Je vais vous demander de quitter les lieux, monsieur.

— Dites-moi simplement ce qu'elle a répondu.

— Si vous continuez de harceler les résidents de l'immeuble, j'appelle les flics. Vous n'avez aucun lien avec Olivia Endicott. »

Dehors, je me retournai, sidéré. Mais le portier se tenait debout devant la porte, bien campé sur ses jambes, et me fusillait du regard.

Je m'éloignai rapidement. Au coin de la rue, j'appelai moi-même l'assistante d'Olivia. Elle décrocha tout de suite.

« Scott McGrath à l'appareil. Qu'est-ce qui se passe, au juste ?

— Je vous demande pardon, monsieur ? Je ne sais pas de quoi vous parlez...

— Arrêtez vos conneries. Qu'est-ce que vous venez de raconter au portier ? »

Elle ne répondit pas, visiblement occupée à se demander si elle devait feindre l'ignorance ou non. Puis, d'une voix froide et sèche, elle dit : « Mme du Pont aimerait que vous ne la contactiez plus, ni elle, ni aucun membre de sa famille.

— Mme du Pont et moi-même travaillons ensemble.

— Plus maintenant. Elle ne veut plus avoir aucun lien avec vos activités. »

Je raccrochai, furieux, et appelai l'entreprise qui gérait le Campanile pour obtenir le numéro de téléphone du domicile de Harold.

La ligne avait été désactivée.

105

Je retournai chez moi et essayai de contacter, l'un après l'autre, tous les témoins que nous avions rencontrés au cours de l'enquête.

Iona, *l'animatrice pour enterrements de vie de garçon* qui nous avait révélé qu'Ashley était allée à Oubliette – je fis le numéro indiqué sur sa carte de visite et appris, par un message pré-enregistré, que sa boîte vocale était *pleine*.

Quatre jours plus tard, je retentai : toujours la même chose.

Je voulus joindre Morgan Devold. Je n'avais plus la page arrachée à l'annuaire – elle avait disparu lors du cambriolage de mon bureau. Mais je retrouvai son numéro en demandant Livingston Manor, New York, auprès des renseignements.

La ligne était toujours occupée. Je rappelai toutes les heures pendant *six heures*. Occupé.

Après avoir appris, par le directeur adjoint du personnel de chambre du Waldorf Towers, que Guadalupe Sanchez ne travaillait plus pour l'hôtel, je décidai de retrouver la jeune infirmière aux cheveux couleur fraise qui s'était jetée devant notre voiture à Briarwood. Je me souvenais qu'elle s'appelait Genevieve Wilson – Morgan Devold avait cité son nom.

« Genevieve Wilson a été élève-infirmière dans notre administration centrale pendant trois mois, m'expliqua un responsable du département de l'infirmerie.

— Puis-je lui parler ?

— Son contrat s'est achevé le 3 novembre. »

Soit plus de trois semaines auparavant.

« Est-ce qu'il y a un numéro auquel je peux la joindre ? Une adresse ?

— Je ne peux pas vous les donner. »

Était-ce *moi* qui avais un problème ? *Avais-je perdu la boule ?* Les premiers symptômes de la démence étaient un étonnement quasi constant face aux événements, doublé d'une méfiance à l'égard du monde entier, des simples quidams jusqu'à la famille, en passant par les amis. J'avais les deux symptômes puissance mille. *Mais comment aurait-il pu en être autrement ?* Tous les témoins, tous les inconnus qui avaient croisé la route d'Ashley s'étaient volatilisés. Ils avaient disparu en silence, comme un brouillard que je n'avais pas vu se dissiper jusqu'à ce qu'il ne soit plus là. C'était exactement ce qui était arrivé à mon interlocuteur anonyme, John, des années plus tôt.

Ou avais-je faux sur toute la ligne ? Tous ces gens avaient-ils pris la poudre d'escampette et disparu à l'autre bout du monde – à l'instar de Rachel Dempsey et de tant d'autres acteurs ayant travaillé et vécu avec Cordova – parce qu'ils fuyaient quelque chose ? Avaient-ils peur de lui parce qu'ils m'avaient parlé de sa fille ? Mes notes ayant été volées, je n'avais aucune trace de ce qu'ils m'avaient raconté. Leur témoignage n'existait plus que dans ma tête – et dans celles de Nora et de Hopper.

Mais même eux n'étaient plus là.

Tout cela n'existait donc plus que *dans ma tête.*

Craignant soudain que mes deux acolytes aient disparu de la même manière que les autres, je les appelai en leur demandant de me rappeler. Je téléphonai ensuite à Cynthia. Comme, en dépit du bon sens, j'avais peur que ma fille ait disparu à son tour, je voulais absolument entendre sa voix. Je tombai sur le répondeur. Je laissai un message lapidaire, enfilai mon manteau et quittai l'appartement.

106

Dans le jour déclinant, l'allée menant chez Morgan Devold semblait si différente de ce qu'elle était le soir où nous étions venus avec Nora et Hopper que j'eus du mal à reconnaître les lieux. Je me garai sur le côté, coupai le moteur et descendis.

Je sentis immédiatement une odeur de *fumée.*

Remontant l'allée, je vis que des brindilles un peu plus longues avaient été tordues en arrière et cassées en deux, *comme si un gros camion était passé par là.* L'odeur de brûlé se faisait de plus en plus forte ; parvenu en haut, je m'arrêtai pour observer la pelouse devant moi.

La maison décatie de Morgan Devold avait entièrement brûlé.

Je m'approchai, étourdi, choqué. Les deux voitures avaient disparu. Il ne restait plus qu'un climatiseur carbonisé et une moitié de balançoire cassée.

L'incendie devait remonter à la semaine précédente, peut-être même avant, et n'avait apparemment rien d'accidentel. Je parcourus les décombres de la maison, à la recherche d'indices, mais les seuls objets identifiables que je trouvai étaient une baignoire en céramique noircie, la base brûlée d'un fauteuil inclinable La-Z-Boy et le bras d'une poupée qui transperçait les cendres. Je me demandai si ce bras était celui de Baby, la poupée que Morgan avait repêchée dans la piscine gonflable. Je traversai sans attendre la pelouse vers le coin le plus éloigné du jardin.

La piscine était exactement au même endroit que la dernière fois, toujours partiellement gonflée, mais retournée. Je la redressai et découvris au fond, bien distincte des feuilles incrustées, une grosse tache noire.

C'était sans doute là qu'Ashley avait caché la poupée, de manière que le sort du léviathan puisse agir. C'était un spectacle curieusement émouvant – comme si cette marque noire représentait l'ultime confirmation que ce que nous avions appris de sa vie et de sa mort était bien vrai.

Qui avait incendié cette maison ? Morgan et sa famille se trouvaient-ils à l'intérieur à ce moment-là ou étaient-ils partis depuis belle lurette, comme tous ceux qui avaient croisé Ashley ?

Je passai une demi-heure à errer parmi les décombres, en quête de réponses ; j'étais à la fois incrédule et furieux. J'avais le sentiment que cette ruine brûlée *n'était pas simplement* la maison de Devold, mais mon enquête elle-même. Car tout était parti, envolé en fumée, et moi, le dernier homme, arrivé trop tard, je cherchais une vérité enfouie, désormais disparue.

En redescendant vers ma voiture, je repérai un petit objet blanc dans les herbes hautes.

C'était un mégot de cigarette.

Il y en avait quatre, pour être exact. J'en ramassai un et lus l'étrange et minuscule nom de la marque imprimé près du filtre.

Je récupérai les trois autres et, le cerveau en ébullition, courus dans l'allée.

Murad.

107

Vêtu d'un pantalon de velours côtelé noir et d'une chemise en laine à carreaux bleue, Beckman parlait devant un amphithéâtre bourré à craquer. Il y avait là, au bas mot, trois cents étudiants qui buvaient ses moindres paroles.

« Le film maintient une tension *atroce* jusqu'aux dernières minutes, disait-il, quand Mills apprend ce que contient le colis livré par FedEx – la *tête coupée* de sa femme. Le film se termine par un pur suspense et on se demande quel va être le destin de ce pauvre inspecteur, auparavant si intrépide, si sûr de lui, qui se retrouve maintenant confronté aux horreurs qu'il traquait. Il a l'occasion de se transformer lui-même en une horreur. Mills sera-t-il *massacré* ou *sauvé* ? Pour connaître la réponse, il faut prendre en compte le contexte moral de cette histoire, tout ce qui s'est passé avant. S'en sort-il vivant ? »

Non sans emphase, Beckman tourna sur ses talons, brandit la télécommande – tel un sorcier sa baguette magique –, et un extrait de film apparut sur l'écran géant installé derrière lui. C'étaient les dernières minutes de *Seven*, avec Morgan Freeman et Brad Pitt dans les rôles de Somerset et de Mills, et Kevin Spacey dans celui de John Doe, à l'arrière d'une voiture de police.

Je toquai une deuxième fois à la vitre. Cette fois, Beckman m'entendit. Il sursauta, de toute évidence stupéfait de me voir, jeta un coup d'œil vers ses étudiants et s'approcha.

« McGrath, qu'est-ce que tu *fous* ? murmura-t-il en entrouvrant la porte.

— Il faut que je te parle.

— Tu ne vois pas que je suis occupé ?

— C'est une urgence. »

Derrière les lunettes, ses yeux foncés clignèrent. Il regarda par-dessus son épaule. Ses étudiants étaient captivés par l'extrait de film ; il sortit dans le couloir et ferma doucement la porte derrière lui.

« Qu'est-ce que c'est que ce *bordel*... Tu *sais* que je déteste être interrompu pendant que je donne un cours. *L'inspiration créatrice*, ça te dit *vaguement* quelque chose ?

— J'ai besoin de connaître les noms de tes chats.

— Je te demande pardon ?

— Tes *chats*, tes *putains de chats*. Comment s'appellent-ils ? »

Une étudiante nous croisa et se retourna en me jaugeant, méfiante.

« Mes putains de *chats* ? répéta Beckman, le regard noir. C'est pour ça que je ne t'ai jamais apprécié, McGrath. Non seulement tu es grossier et emmerdant, mais mes *chats*, que tu as rencontrés quinze ou *seize* fois, tu ne te souviens même pas de leurs noms, comme si tu leur étais supérieur. » Il était sur le point de me pourrir encore un peu plus, mais dut voir que j'étais dans un état de nerfs impossible, car il baissa un peu plus ses lunettes sur son nez.

« Leurs noms *complets* ou leurs surnoms ?

— Leurs noms complets. Commence par celui dont tu m'as parlé l'autre jour. Un truc avec les cigarettes turques Murad. »

Beckman s'éclaircit la gorge. « Cigarettes Murad. Boris le Fils du Cambrioleur. Pontiac Borgne. Le Plan du Voyeur. Je-Ne-Sais-Pas. Steak Tartare. » Il se massa les sourcils. « Ça fait combien ?

— Six. »

Je les notai sur un bout de papier.

« Le Roi Cruel. Phil Lumen. Et, *last but not least*, l'Ombre. Voilà. *Amuse-toi bien.* » Il me lança un *olé* de matador et repartit vers la porte.

« Tout ça, c'est *quoi* ? Des caractéristiques de Cordova ? »

Il soupira. « McGrath... Je te l'ai déjà *expliqué* cent mille fois...

— Comment ça marche, au juste ? Où est-ce qu'on les retrouve ? »

Il ferma les yeux. « Dans chaque histoire qu'invente Cordova, systématiquement tu as au moins une ou deux, parfois cinq, de ces caractéristiques – des signatures, si tu préfères – qui débarquent *sans être invitées*, comme des vieux cousins éloignés pour le réveillon de Noël. Naturellement, ils sèment la pagaille. » Les yeux plissés, il me regardait griffonner. « Mais *pourquoi* cette question ? »

Je retrouvai dans ma poche les mégots de cigarettes. Avec une mine soucieuse, Beckman en prit un, l'examina puis, ayant sans doute lu le nom de la marque près du filtre, me jeta un regard inquiet.

« Nom de *Zeus*, où est-ce que tu as trouvé...

— À la campagne. Sur le site d'une maison incendiée.

— Mais ces cigarettes *n'existent pas*, sauf dans un film de Cordova.

— Je suis dedans.

— Pardon ?

— Je pense être *dans* un film de Cordova. Un de ses récits. Et ce n'est pas terminé.

— Qu'est-ce que tu *racontes* ?

— Il m'a piégé. *Cordova*. Et peut-être Ashley, aussi. Je ne sais ni *pourquoi*, ni *comment*. Tout ce que je sais, c'est que j'ai essayé de comprendre les circonstances de la mort d'Ashley et que toutes les personnes à qui j'ai parlé, tous les gens qui l'ont croisée, ont disparu. Ce type avait une tendance à jouer avec le réel, à manipuler ses acteurs, à les pousser à bout. Maintenant, il le fait avec moi. »

Beckman avait la bouche grande ouverte et les yeux écarquillés. On aurait cru qu'il était dans un état d'absence, incapable de réagir.

« Parle-moi simplement des cigarettes. »

Il prit une longue inspiration. « McGrath, c'est vraiment mauvais signe.

— Tu pourrais être un peu plus *précis* ?

— Je ne t'avais pas *dit* de lui foutre la p...

— *Les cigarettes !* »

Il essaya de se ressaisir. « Si tu es le premier personnage à apparaître dans la scène *après* que les cigarettes Murad ont été fumées, ça veut dire que tu es marqué, McGrath. Tu es foutu. Tu es condamné.

— Mais il y a bien *une issue*...

— Non, m'interrompit Beckman, sourcil levé. Tu *as* une petite chance de *survie* si tu réussis à *croire* aveuglément, mais c'est comme bondir du toit d'un gratte-ciel jusqu'à un autre. La plupart du temps, tu t'écrases sur le trottoir, soit mort, soit piégé à jamais dans un enfer poisseux, en train de te débattre dans ton cocon comme Leigh à la fin de *La douleur*. »

Je notai tout ça. « Et Boris le Fils du Cambrioleur ?

— C'est le cascadeur attitré de Cordova depuis le début. Son nom entier est Boris Dragomirov. C'est un Russe, tout petit mais costaud. Son père était un voyou célèbre en Russie, plus connu sous le nom de *l'Œil noir*. Il a réussi à s'échapper de tous les goulags et il a enseigné toutes ses techniques à son fils unique, *Boris*. Cordova a engagé Boris sur chacun de ses films. Il faisait tout le sale boulot, les arnaques, les coups, les cambriolages, les accidents de voiture, les plongeons dans le vide. Son plus grand rôle reste celui du maître-chanteur dans *La fenêtre brisée*, quand il apparaît derrière l'écran du confessionnal et flanque une trouille bleue à Jinley. Il court aussi vite qu'une Maserati turbocompressée et peut s'échapper de *n'importe où, n'importe quand*. »

Il me fallut une seconde pour comprendre où je l'avais rencontré.

« Je lui ai couru après, dis-je. Je lui ai parlé.

— Tu as *parlé* à Boris le Fils du Cambrioleur ? »

Je lui expliquai rapidement qu'il était entré par effraction chez moi, avait traversé en trombe West Side Highway jusqu'aux quais et s'était déguisé en vieil homosexuel dragueur avant de se volatiliser.

« McGrath, comment est-ce que tu as pu ne pas voir ? Il t'a fait le coup du Vieillard Lubrique ! Une de ses arnaques les plus célèbres.

— Et Pontiac Borgne ? »

Beckman, l'air songeur, croisa ses mains. « Il y a toujours une Pontiac de couleur sombre, noire, bleue ou marron foncé, avec un seul phare. Tout objet ou toute personne que ce phare éclaire de son faisceau cyclopéen sera anéanti. »

Je m'en souvins aussitôt : Hopper disait avoir vu une Pontiac sur le parking du motel Evening View, pendant qu'ils attendaient mon retour du Peak. Je notai cela aussi, sous le regard curieux de Beckman.

« *Tu as vu la Pontiac Borgne ?* Ne me dis *pas* que tu t'es retrouvé devant son *ph*...

— Pas moi. Quelqu'un d'autre l'a vue. Et le Plan du Voyeur ? »

Il cligna des yeux, manifestement exaspéré. « C'est le plan qui est la marque de fabrique de Cordova. Un peu comme quand Tarantino filme *de l'intérieur du coffre*. Le Plan du Voyeur est un long plan unique sur quelqu'un qui ne sait pas qu'il est observé de près. Il est toujours encadré par un rideau tiré, des stores vénitiens, la vitre arrière sale d'une voiture ou une porte entrouverte. »

J'eus beau réfléchir, cela n'éclairait en rien ce que j'avais pu connaître au cours de mon enquête.

« Et Je-Ne-Sais-Pas ? poursuivis-je.

— Lui, c'est l'homme de main, le sbire, le *double*, le larbin. Il apparaît là où son patron n'apparaît pas, exécute servilement ses ordres sans broncher et exerce une influence noire et pernicieuse sur le monde. L'expression vient de la Bible, bien entendu. Luc, chapitre 23 : "Père, pardonne-leur car ils ne savent pas ce qu'ils font." »

Je dus me creuser la tête quelques instants avant de comprendre. C'était tellement évident que je faillis éclater de rire. Je griffonnai son nom.

« Theo Cordova ? fit Beckman, lisant par-dessus mon épaule. Qu'est-ce qu'il vient faire là-dedans ?

— Il m'a suivi.

— Le fils de Cordova ? Mais comment est-ce que tu sais que c'était lui ?

— Il lui manque trois doigts à la main gauche. »

Beckman était médusé. « C'est vrai, oui. Theo a toujours été un jeune homme étrange et silencieux. Harcelé par son père, fou d'amour pour une femme plus âgée que lui pendant des années. »

Je continuai de noter. « Et *Steak Tartare* ? »

Beckman se pourlécha les babines. « Dans tous les films de Cordova, quelqu'un, souvent un figurant, mange de la viande crue finement hachée. Eh bien… La personne qui apparaît à l'écran sur un plan moyen ou un gros plan *après* ce repas cru sera *malfaisante*. Elle est secrètement devenue – en général hors de l'écran – un vendu, une putain, un *transfuge*, un déserteur, et ne peut plus être *digne de confiance*. C'est une manière pour Cordova de nous rappeler quel cannibale sommeille toujours en nous, de nous dire que nous sommes tous, en fin de compte, des bêtes voraces qui satisfaisons nos désirs les plus ignobles le moment venu. Il paraît que c'est son plat préféré. »

Je ne me souvenais pas d'avoir vu quelqu'un en manger. Je mis un point d'interrogation.

« Le Roi Cruel ?

— Le Roi Cruel, répéta Beckman avec solennité, en se raclant la gorge. C'est le méchant. Un personnage universellement terrifiant, à la fois dans les légendes et dans la vraie vie. De l'extérieur, il peut apparaître répugnant ou parfaitement inoffensif. En général, c'est quelqu'un qui a beaucoup de pouvoir. Plus le Roi Diabolique sera intelligent et calculateur, plus la tempête qu'il déchaînera sera violente et gratifiante. »

Pour le coup, c'était facile. *Cordova.*

« Phil Lumen ? »

Beckman acquiesça. « Un simple détail. L'entreprise Phil Lumen est celle qui produit tous les éclairages des films de Cordova. Les ampoules, les flashes, les phares, les stroboscopes, les lampes à lave et les réverbères – tous sont fabriqués par la société Phil Lumen, ce qui en latin signifie *"amour de la lumière"*. Parfois, le nom est prononcé dans l'interphone d'un aéroport ou d'un magasin. "À l'attention de M. Phil Lumen. Veuillez vous rendre au guichet United Airlines, terminal B." »

Je n'avais pas souvenir d'avoir entendu cela quelque part – d'un autre côté, je ne l'aurais pas remarqué.

« L'Ombre ? »

Beckman observa un silence et afficha un sourire triste. « C'est mon préféré. L'Ombre, c'est ce que les gens poursuivent pendant tout le film. Ou sinon c'est elle qui traque le héros, qui le harcèle. C'est une force puissante qui ensorcelle autant qu'elle tourmente, qui peut conduire au paradis comme en enfer. C'est le vide qui est éternellement en toi, jamais comblé. C'est tout ce que tu ne peux pas toucher, ce à quoi tu ne peux pas te raccrocher, tellement éphémère et douloureux que tu étouffes. Tu peux peut-être même l'apercevoir quelques secondes avant qu'elle disparaisse. Et pourtant l'image restera en toi. Tu ne l'oublieras jamais tant que tu vivras. C'est ce qui te terrifie et, paradoxalement, ce que tu recherches. On n'est rien sans nos ombres. Elles donnent un sens à notre monde qui, sans elles, serait blême et aveuglant. Elles nous permettent de voir ce qui est devant nous. Et cependant elles nous hantent jusqu'à notre mort. »

C'était Ashley. Beckman venait de décrire ma rencontre avec elle au Reservoir. Après m'avoir regardé noter le nom d'Ashley, ses petits yeux noirs brillants se posèrent sur mon visage.

« Quoi d'autre ? demandai-je.

— Comment ça, *quoi* d'autre ?

— La psychologie de Cordova. Ses histoires. »

Au bout d'un moment, Beckman haussa les épaules et prit un air mélancolique. « Ces constantes qui peuplent le cerveau de Cordova, c'est tout ce que j'ai réussi à trouver jusqu'à présent. Le reste, comme on dit, c'est... non pas de *l'histoire,* je n'ai jamais aimé cette expression, mais une *révolution.* Un soulèvement permanent. Une conversion. Une rotation. Oh... Mon Dieu. » Il se redressa brusquement, traversé par une idée. « Une chose, McGrath.

— Quoi ?

— Souvent, à un moment *donné* du récit, le héros de Cordova rencontre un personnage qui est la vie et la mort elles-mêmes. Il ou elle se trouvera à l'intersection des deux, au commencement de l'une, à la fin de l'autre. »

Après une brève inspiration, il pointa le doigt vers moi. « Ce sera un leurre, un substitut, afin que *le vrai* puisse être libre. C'est le personnage favori de Cordova. Il est toujours là quand le cerveau de Cordova est à l'œuvre. Quoi qu'il arrive. Tu comprends ? »

Je n'étais pas sûr de comprendre, mais je notai quand même.

« Et concernant ses fins ?

— Ses fins ? demanda Beckman, déconcerté.

— Comment est-ce que *tout ça se termine* ? »

Il se gratta nerveusement le menton, trop troublé pour poursuivre.

« Tu le sais aussi bien que moi, McGrath. Ses fins sont des secousses sismiques pour l'âme. Des derniers plans qui t'empêchent de dormir et te laissent avec des questions *des jours durant,* des mois, des années, toute ta vie. Avec *Cordova,* on ne *sait jamais.* Ses fins peuvent être pleines d'espoir et de promesse, comme le petit bourgeon vert d'une fleur nouvelle. Ou au contraire des champs de bataille ravagés, carbonisés, jonchés de jambes arrachées et de langues coupées. »

Tout en prenant des notes, je sentis une peur insidieuse m'envahir. Je repliai la feuille de papier et la rangeai dans ma poche.

« Merci », dis-je à Beckman. Il semblait soudain d'une humeur trop méditative pour parler. « Je t'expliquerai quand j'aurai plus de temps, ajoutai-je avant de repartir dans le couloir.

— McGrath ! »

Je m'arrêtai et me retournai. Beckman me regardait fixement.

« Un dernier conseil, au cas où cette situation aussi extraordinaire qu'*enviable* qui est la tienne se révèle *vraie* – si tu te retrouves plongé jusqu'au cou dans une histoire de Cordova. »

Je ne le quittai pas des yeux.

« Sois le *gentil*, dit-il.

— Comment savoir si je suis le gentil ? »

Il tendit son index vers moi en hochant la tête. « Excellente question. Tu ne peux pas le savoir. La plupart des méchants pensent être gentils. Il y a quelques indices, pourtant. Tu seras malheureux. Tu seras détesté. Tu tâtonneras dans le noir, seul et perdu. Tu ne comprendras presque rien à la véritable nature des choses avant la *toute dernière minute* ; c'est seulement à cet instant-là que tu auras l'énergie et la folie pour aller jusqu'au bout du bout. Mais surtout – et c'est *essentiel* –, tu agiras sans penser à toi. Tu seras motivé par quelque chose qui n'a *rien* à voir avec l'ego. Tu le feras par sens de la justice. Par miséricorde. Par amour. Toutes ces grandes vertus héroïques que seuls les êtres bons ont la force de porter sur leurs épaules. Et tu *écouteras*. »

Il passa de nouveau sa langue sur ses lèvres et plissa le front.

« *Si* tu es le gentil, *peut-être* que tu survivras, McGrath. Mais évidemment, avec Cordova, rien n'est jamais sûr.

— Je comprends.

— Bonne chance à toi. »

Il fit demi-tour rapidement et, sans un regard en arrière, rentra dans la salle de classe.

638

108

Les onze jours suivants, je surveillai de près la maison de la 71ᵉ Rue Est, celle où Hopper s'était introduit. Le soir, je retournais chez moi et dormais d'un sommeil agité, bien entendu. Tous les matins, je plaçais discrètement un petit fil sous la porte d'entrée, fixé par un microscopique bout de pâte adhésive, histoire de voir si quelqu'un visitait mon appartement en mon absence.

Or le fil ne bougea pas d'un pouce.

À ce moment-là, la seule vérité qui me semblât acceptable était que j'avais été joliment piégé, et ce, j'en étais persuadé, dès l'apparition d'Ashley ce fameux soir au Reservoir. Mais quant à savoir pourquoi et comment ce piège m'avait été tendu, si les témoins que nous avions retrouvés avaient dit la vérité ou non sur le comportement d'Ashley, où étaient le *vrai* et le *faux* – je n'avais plus aucune certitude. Une chose pouvait-elle être vraie quand tout ce qui en attestait l'existence avait disparu ? Quand elle n'existait que dans notre tête, au même titre que les rêves ?

Cordova, qui dans sa vie et dans son œuvre avait mêlé fantasme et réalité, semblait vouloir m'en mettre plein la vue, à mon grand désarroi, en me soumettant à un entrelacement de vérité et de fiction. Peut-être était-ce une manière de me montrer non seulement qu'il m'était supérieur – qu'on ne pouvait pas le démasquer comme ça, que je ne l'attraperais jamais –, mais que, dans certains cas, la vérité sur une famille ou la vie d'un être *est* le fantasme, et que seul le simple d'esprit cherche désespérément à séparer l'un de l'autre.

Peu de temps après avoir interrompu le cours de Beckman, j'avais eu Hopper et Nora au téléphone, à quelques heures d'écart. Ils s'inquiétaient de mon sort. Ils n'avaient donc *pas* disparu, comme tous les autres, mais souhaitaient simplement mener leur propre vie. Nora travaillait sur le monologue d'ouverture d'Al Pacino dans *Glengarry*, qu'elle comptait déclamer lors de son audition pour *Hamlette*, au Flea Theater. Ma conversation avec Hopper, quoique courtoise, fut laborieuse ; en plus d'être sans cesse interrompus par ses doubles appels, il ne m'avait pas tout à fait pardonné ma décision de continuer à chercher la vérité sur Ashley. Tous deux me demandèrent si je travaillais encore sur le dossier, mais ma réponse ne semblait guère les intéresser. Je sentais bien qu'Ashley faisait désormais partie de leur passé, comme une magnifique fin de journée dont ils voulaient garder le souvenir, mais sous une certaine lumière mélancolique, avec une certaine musique entêtante, une version qu'ils n'avaient pas envie de voir ternie par une autre image. À aucun des deux je ne parlai de la disparition de tous les témoins, des cigarettes Murad, de toutes les marques de fabrique de Cordova qui semblaient s'être invitées dans l'enquête.

Néanmoins, il y avait *une* personne, essentielle, qui était *exactement* là où je l'avais trouvée.

Je retournai chez Enchantements et, sans me faire annoncer, franchis le rideau noir qui cachait la salle du fond. Je m'attendais à voir quelqu'un d'autre assis à la table ronde, quelqu'un qui m'apprendrait que Cleo était partie pour les bayous de la Louisiane.

Mais quelle ne fut pas ma stupeur – et mon soulagement – de constater que Cleo était toujours là. Elle fut surprise de me voir. Après quelques échanges un peu malaisés sur la pluie et le beau temps, dont une question de ma part pour savoir si elle connaissait Cordova (« Le réalisateur ? Non », répondit-elle, visiblement déconcertée) ou si elle aimait le steak tartare (« Je suis végétalienne », dit-elle sans sourciller), et un coup d'œil à l'ampoule rouge du plafonnier pour vérifier si, par hasard, elle avait été fabriquée par la société Phil Lumen (non, c'était GE), je la remerciai et repartis aussi sec. Mon cerveau me rejouait sans cesse notre dernière rencontre, quand elle m'avait montré comment la queue du léviathan bougeait toute seule.

Ça, ç'avait été vrai.

On ne pouvait pas mettre ça sur le compte d'une ingestion d'herbe aux fous. C'était la preuve que la magie noire existait bel et bien, que des brèches obscures et invisibles lézardaient notre univers quotidien.

Après avoir médité sur le sujet pendant plusieurs jours, je reçus enfin le coup de fil que j'attendais.

« McGrath ? Sharon Falcone à l'appareil. »

Entendre sa voix me rendit nerveux. Quelque chose me disait

que je n'allais pas apprécier ce qu'elle me raconterait au sujet de la chemise tachée et des ossements que je lui avais confiés.

« On a pu jeter un coup d'œil sur ce que vous m'avez donné.

— *Et ?*

— Il n'y a rien du tout. »

Elle s'interrompit, comme consciente que la nouvelle me troublerait.

« Il n'y a pas de sang, ni animal ni autre, sur l'échantillon. Ils ont trouvé de minuscules traces de glucose, de maltose, et quelques oligosaccharides.

— Qu'est-ce que c'est ?

— Du sirop de maïs. Ç'a pu être un soda, une boisson en cannette ou en bouteille qui s'est renversée sur la chemise. Le fait qu'elle soit restée enterrée des années explique sans doute la rigidité du tissu. Mais l'échantillon est tellement dégradé que c'est difficile à déterminer.

— Il n'y a *aucune probabilité* que ce soit du sang humain ?

— Aucune. »

Je fermai les yeux. *Du sirop de maïs.*

« Et les os ?

— Ils appartiennent à la famille des *ursidés*. Sans doute à l'espèce *Ursus americanus*.

— Autrement dit ?

— Un ours brun. C'est probablement une patte d'ourson. »

Un ours brun.

« Vous avez besoin de prendre des vacances, me dit Sharon. Mettez-vous au vert deux ou trois semaines. La ville, parfois, ça rend dingue. Comme dans toutes les histoires d'amour toxiques, il faut faire une pause avant de se coltiner encore plus de souffrances et de peines de cœur. »

Je n'avais rien à répondre. C'était impossible. *J'étais sûr de moi,* sûr d'avoir vu tous ces décors de films, sûr qu'ils avaient été le théâtre de véritables atrocités. Ça ne pouvait pas se terminer comme ça.

« Vous êtes là ? demanda Sharon.

— Pardon de vous avoir dérangée avec tout ça », parvins-je à dire.

Elle se racla la gorge. « Vous devez tourner la page. *Croyez-moi*, je comprends à quel point ce genre de trucs rend fou et qu'il n'y a rien de plus important que de trouver la porte dissimulée qui conduira au bunker souterrain où se cache la vérité, derrière des barreaux. Mais parfois la vérité n'est tout simplement pas là. Même si vous la sentez, même si vous l'entendez. Ou alors il n'y a *plus* d'accès. L'herbe a repoussé dessus. Les pierres se sont déplacées. Le puits s'est effondré sur lui-même. Il n'y a plus aucun moyen d'y *arriver*, même avec toute la dynamite du monde. Donc vous laissez tomber. Et vous passez à autre chose. »

Pendant qu'elle disait cela, un téléphone se mit à biper à côté d'elle. Elle n'y prêta pas attention.

« Le côté obscur de la vie arrive toujours à nous retrouver, *quoi qu'il arrive*. Alors arrêtez de courir après.

— Merci, Sharon. Merci pour tout.

— Pas de quoi. Bon, faites-moi le plaisir d'aller à la plage, de vous trouver une petite amie, de *bronzer*, d'accord ?

— Promis.

— Prenez soin de vous.

— Vous aussi. »

Elle raccrocha. *Une patte d'ours brun.*

Je vaquai à mes affaires toute la journée. J'essayais de ne pas ruminer cette terrible déception, je me disais que je devais l'accepter, que Hopper et Nora avaient raison. J'étais arrivé au bout du chemin. Et j'étais tombé sur un cul-de-sac. *Rien ne venait prouver le moindre crime.*

Mais je m'aperçus qu'il *restait* encore une dernière pierre à retourner. Il restait *une personne* susceptible d'éclairer ma lanterne, de m'expliquer de l'intérieur le sens de toute cette histoire – et cette personne, c'était l'éternelle assistante de Cordova, Inez Gallo.

Je n'avais qu'à guetter son retour à la maison de la 71e Rue. Je patienterais le temps qu'il faudrait. Et le jour où cette femme *finirait* par ressurgir – demain ou dans trois ans –, je serais prêt.

109

Je dus attendre le douzième jour de ma surveillance. Un peu après 17 heures, alors que je revenais d'un *deli* de Lexington Avenue, je vis, à quelques dizaines de mètres devant moi, une toute petite femme en manteau noir marcher d'un pas pressé sur le trottoir.

C'était Inez Gallo. Je la reconnus tout de suite : le dos voûté, les cheveux gris négligemment coupés court, la démarche résolue, tel un minuscule taureau prêt à charger. Comme si elle ne voulait pas être vue, elle se dépêcha de monter les marches du perron et disparut à l'intérieur.

Je patientai encore quelques minutes. La rue restant déserte, j'empoignai la grille en fer forgé qui couvrait toute la largeur de la fenêtre du rez-de-chaussée et commençai à grimper. Je devais prendre Gallo au dépourvu, et je me rappelais comment Hopper avait procédé : il avait coincé ses pieds entre les barreaux, puis posé son pied droit sur la lanterne ancienne fixée au-dessus de la porte d'entrée. Attrapant la rambarde qui courait au-dessus de ma tête, au premier étage, je réussis à me hisser, passai ma jambe droite par-dessus, escaladai et m'écroulai sur le balcon couvert de feuilles. Je me dirigeai vers la fenêtre à droite, celle dont Ashley avait désactivé l'alarme.

Gallo avait dû allumer plusieurs lampes dans le hall d'entrée, en bas, car j'aperçus de la lumière par la porte ouverte en face, ce qui me permettait de voir l'intérieur. C'était une élégante bibliothèque, en lambris, et dont tous les meubles étaient recouverts de draps blancs. Il n'y avait personne.

Je sortis ma carte de crédit, l'introduisis sous la fenêtre à guillotine, soulevai celle-ci juste assez pour pouvoir passer mes doigts, la fis coulisser et entrai.

Le soir où il s'y était introduit, Hopper nous avait dit que la maison semblait s'être figée dans le temps. Tous les objets se trouvaient exactement là où il les avait vus pour la dernière fois, sept ans plus tôt – le jour où Ashley et lui devaient partir pour le Brésil et où elle lui avait posé un lapin. *Les mêmes draps jetés en hâte sur les meubles*, avait-il dit. *La même partition de Chopin sur le piano d'Ashley.* Tout était à présent méticuleusement recouvert et mis à sa place ; lorsque je soulevai le drap sur l'énorme Steinway, placé dans le coin près des bibliothèques, la partition n'était plus là. J'avais le sentiment que quelqu'un – Inez Gallo, peut-être – avait rangé la maison avec plus de soin, sans doute après le passage de Hopper. Ou que la famille le lui avait demandé après la découverte du corps d'Ashley.

Il y avait un fauteuil face à l'entrée de la pièce, laquelle donnait sur le palier éclairé et un escalier en colimaçon. Je m'y assis. Au bout de quelques minutes, j'entendis des pas monter rapidement dans l'escalier.

Soudain, je la vis – Inez Gallo, vêtue d'un large pantalon de laine gris et d'un chemisier blanc. Elle traversa le palier pour continuer dans l'escalier.

« *Madame Gallo.* »

Elle s'arrêta net, stupéfaite. Elle fit aussitôt demi-tour, en me regardant, même si elle ne devait pas distinguer grand-chose de plus que ma silhouette.

« À moins que vous ne préfériez que je vous appelle *le Coyote* ? »

Elle se rua furieusement vers la porte, fit glisser sa main sur le mur pour trouver l'interrupteur, et tout à coup une faible lumière dorée, celle du plafonnier, éclaira la pièce.

Elle me jaugea avec assez de mépris pour que je comprenne qu'elle savait parfaitement qui j'étais.

« Excusez ma visite inopinée.

— Vous autres, vous ne comprenez décidément *rien*. J'espère que vous aimez dormir en prison. »

Sa voix, profonde et caverneuse, aurait mieux convenu à un camionneur ou à un videur de deux mètres qu'à une femme aussi petite, bien que massive. Elle mesurait à peine un mètre cinquante mais elle était bâtie comme un parpaing. Elle entra dans la bibliothèque, saisit un téléphone sans fil sur le bureau et composa un numéro.

« Je ne ferais pas ça, si j'étais vous.

— *Ah oui ?*

— C'est un curieux surnom, *Coyote*. Personnellement, je préfère-

644

rais qu'on m'affuble d'un sobriquet un peu moins *compromettant*. *Trafic d'êtres humains en vue d'un travail forcé ?* J'ai un ami, aux services de l'immigration, qui me dit qu'il y avait dans le temps un sacré business dans votre ville natale. *Puebla*, c'est bien ça ? Apparemment, une mystérieuse femme débarquait une fois par an dans un minibus vide et repartait avec plein de *monde* dedans – des gens entassés derrière comme des sardines. J'ai discuté avec certains d'entre eux. Ils m'ont fourni une description *très précise* de la femme qui conduisait. La peine encourue se situe entre trois et sept ans de prison par crime. Combien de films ont-ils faits là-haut ? *Dix ?* Ça nous fait donc entre trente et soixante-dix ans. Après le Peak, je pense que la prison fédérale représentera un sacré choc culturel. »

Tout en disant cela, j'observai le visage d'Inez Gallo. Dès que j'eus prononcé l'expression « trafic d'êtres humains », je sus que j'avais tapé en plein dans le mille.

Et *heureusement* – parce que je bluffais : je ne connaissais personne aux services de l'immigration et je n'avais pas le moindre témoin sous le coude. Ces derniers jours, j'avais relu mes notes griffonnées à la hâte et essayé de dégotter quelque chose, n'importe quoi, susceptible d'être retourné contre Gallo. Et je revenais toujours à son surnom, tel que me l'avaient indiqué Peg Martin et Marlowe Hughes : *le Coyote*. Un *coyote* était certes un chien sauvage de la prairie, mais le terme désignait aussi, en argot, quelqu'un qui faisait passer des immigrants clandestins à la frontière américano-mexicaine. Ça pouvait aller des petites organisations familiales à celles financées par les milliards des cartels de la drogue.

Peg Martin m'avait bien expliqué que les techniciens, sur le film, employaient ce surnom-là. Je m'étais donc demandé si c'était parce que Gallo avait été leur coyote. Ajoutez à *cela* le fait qu'elle était née au Mexique et les propos de Marlowe selon lesquels Gallo faisait le sale boulot pour Cordova, il ne m'en fallait guère plus pour en déduire que c'était elle qui avait convoyé tous les clandestins jusqu'au Peak. L'arrangement devait être le suivant : ils travaillaient comme techniciens sur le tournage pendant trois mois, assistant à un certain nombre de choses effarantes, puis, après avoir été suffisamment menacés pour qu'ils se taisent, ils étaient libres de repartir. Je prenais, de toute évidence, un pari risqué, et je ne m'attendais pas à ce qu'il paie – jusqu'à ce que je voie le visage de Gallo blêmir en une fraction de seconde.

Elle avait beaucoup changé depuis sa photo de mariage, où l'on voyait une adolescente au regard vif – et même depuis la fois où elle était allée chercher l'Oscar de Cordova pour *Les poucettes*. On aurait dit que toutes ces années passées au service du réalisateur, et à ses côtés, lui avaient pincé les lèvres, l'avaient statufiée, avaient rendu ses cheveux gris plus filasse et plus raides, son front plus pesant. Plus rien en elle ne semblait léger ou insouciant. Mais peut-être était-ce le lot de ceux qui choisissent de rester en orbite autour d'une planète dont la masse les éclipse.

Elle n'avait pas bougé le moindre muscle et me regardait fixement. Elle posa le téléphone.

« Qu'est-ce que vous voulez, monsieur McGrath ?

— Avoir une discussion franche avec vous.

— Nous n'avons rien à nous dire.

— Je ne suis *pas de cet avis*. On pourrait commencer par la mort d'Ashley Cordova à l'âge de vingt-quatre ans. Ensuite, j'ai un autre problème : toutes les personnes à qui j'ai parlé d'Ashley ont disparu, y compris un homme dont la maison a été réduite en cendres. Si vous discutez avec moi, peut-être que mon ami des services de l'immigration *laissera de côté* vos combines esclavagistes. »

Malgré son air furieux, elle se contenta de se mordiller la lèvre et d'aller au bar, dans le coin de la pièce, pour se servir un verre.

« Si ça, c'était de *l'esclavage*, marmonna-t-elle, dans ce cas des *millions* de gens crèveraient d'envie d'être esclaves. Ils vivaient comme des *rois*.

— Ils ne pouvaient pas partir. Concrètement, ils étaient prisonniers.

— C'était comme ça qu'ils *payaient* le passage de la frontière – tous étaient d'accord. Il n'y avait ni contrainte, ni mensonge. À la fin du tournage, on avait même du mal à les faire partir. Ils voulaient rester avec nous.

646

— Comme des enfants refusant de quitter Disneyland. Très *touchant*. »

Elle plissa les yeux. « Qu'est-ce que vous espérez obtenir ?

— La vérité.

— *La vérité*. »

Elle se fendit d'un sourire narquois, aussi fugace que l'étincelle d'un briquet usé, puis son visage se fit grave. Je voyais bien qu'elle était profondément ébranlée par mon apparition – de *cela*, j'étais certain – et qu'elle semblait chercher la meilleure manière de régler le problème, le moyen le plus rapide pour se débarrasser de moi. Elle dut décider de jouer le jeu, du moins *pour l'instant*, car elle pencha la tête sur le côté et afficha un sourire crispé.

« Je peux vous offrir une boisson ?

— Tant qu'elle n'est pas coupée à l'arsenic. »

Elle me servit un verre de la même bouteille de Jameson qu'elle venait d'utiliser et se dépêcha de venir me le tendre.

Lorsqu'elle s'assit sur le canapé voisin, je remarquai qu'elle avait bel et bien une petite roue tatouée au dos de sa main gauche – exactement comme je l'avais lu sur les Blackboards. Pour l'auteur anonyme du post, c'était la preuve que Cordova et Gallo étaient en réalité la même personne. En observant son profil austère, je me demandai si c'était possible, si j'avais en face de moi Cordova *lui-même*. Mais il y avait quelque chose chez cette femme, dans son port de policier enrobé, dans son regard virevoltant, si soumis et si insatisfait – comme si l'éternel objet de son attention n'était pas là, mais quelque part dans les coulisses.

Non, cette femme n'était assurément *pas* Cordova. J'en étais certain. Et elle cherchait à gagner du temps.

« Avant de demander à voir la machinerie, monsieur McGrath, dit-elle en me toisant, soyez sûr que ce *soit* ce que vous vouliez *voir*. Les manivelles, les cordes et les supports métalliques. La rouille et les grosses chaînes. Les lumières laborieusement fixées au plafond. C'est une réalité différente de ce que l'on voit à l'écran. Et beaucoup moins enthousiasmante. »

Elle pencha la tête, comme traversée par une nouvelle idée ; elle me scruta et sourit faiblement.

« C'est drôle. Jamais je n'aurais cru que *vous* ne pigeriez pas. Vous ne l'avez *vraiment* jamais vu ?

— Vu quoi ?

— Vous avez forcément remarqué des *signes*, ici et là. Des indices...

— Des indices de *quoi* ? »

Tout à coup, je sentais que je n'avais plus la maîtrise de la situation, qu'Inez Gallo s'était *ressaisie* – ou que je ne l'avais en réalité jamais prise à la gorge.

Elle haussa un sourcil. « Vous n'avez jamais compris ?

— Compris *quoi* ?

— Qu'Ashley était *malade*.

— À cause du sortilège du diable. »

Elle gloussa. « Je peux vous garantir, et avec moi une *armée* de médecins et de spécialistes venus du monde entier, qu'Ashley n'a jamais été victime d'un *sortilège du diable*. Ou d'un quelconque autre sortilège. Elle avait un *cancer*. Une leucémie aiguë lymphoblastique. Elle a traîné ça toute sa vie. »

Je la regardai, abasourdi.

Mon premier réflexe fut de lui rétorquer que je lisais clair dans son jeu, qu'elle me faisait avaler un énième mensonge afin que je la croie. C'était une affirmation ridicule et je savais que c'était faux.

C'était impossible.

Mais presque tout de suite, je me demandai si j'étais passé à côté de quelque chose – *et Hopper aussi* –, si cette maladie bien réelle ne l'avait pas accompagnée depuis le début, écrite sur le sable, et si nous n'avions pas forcé notre regard à porter au loin, vers la mer, sans jamais baisser les yeux devant nous.

« Appelez le centre Sloan-Kettering si vous ne me croyez pas, ajouta Gallo sur un ton agressif. Essayez de *graisser la patte* à un employé des archives et il vous dira. Ashley y a séjourné à *trois reprises*, sous le nom de Goncourt, le nom de jeune fille de sa mère. La première fois quand elle avait cinq ans, la deuxième quand elle en avait quatorze et la dernière à dix-sept ans, alors qu'elle était à l'université du Texas, à Houston. »

Elle me lança un regard triomphant. « Vous *verrez* que je dis la *vérité*. »

Je ne répondis pas, tout occupé à dérouler la chronologie dans ma tête. Ashley n'avait que cinq ans quand elle avait franchi le pont du diable et s'était laissé envoûter. À quatorze ans, elle avait brusquement renoncé à sa carrière de pianiste, et à dix-sept ans... Je n'en revenais pas : à dix-sept ans, Ashley avait téléphoné à Hopper en pleurant. *Elle était désespérée*, nous avait-il raconté. *Elle ne pouvait plus vivre avec ses parents, elle voulait partir quelque part où ils ne pourraient pas la retrouver.* Avait-elle voulu fuir sa maladie ?

« Ce n'est pas votre faute, reprit Gallo sans émotion, comme si elle lisait dans mes pensées. Toutes ces absurdités folles auxquelles vous vous êtes mis à croire, les sortilèges et Satan, le croque-mitaine... *Franchement*, d'un homme mûr comme vous, d'un *journaliste aguerri*, j'aurais attendu qu'il fasse preuve d'un peu plus de scepticisme. Mais ne vous flagellez pas. Ashley était une jeune fille très charismatique. Vous seriez *surpris* de voir ce qu'elle a réussi à mettre dans la tête des gens. Elle était vraiment douée pour faire croire l'impossible. À *son père*, par exemple. Ces *deux*-là avaient le don de vous prendre par la main et de vous regarder droit dans les yeux pour que vous les suiviez dans les méandres de l'absurde et de l'invraisemblable et que vous vous y installiez définitivement, en vrai converti. Je suis *bien* placée pour le savoir : je l'ai *fait*. Pendant quarante-six ans. J'ai tout abandonné. Mon mari, mes enfants. Mais maintenant que c'est terminé, j'y vois plus clair. Sans doute parce que je ne suis pas comme eux. Je n'ai aucun mal à faire la différence entre le vœu pieux et la réalité. Je vis dans le monde réel. Et *vous* aussi. »

Elle dit cela avec virulence, avec colère même, en croisant les bras.

« Sa maladie a dévasté la famille. Pour les jeunes enfants, le pronostic de la leucémie aiguë lymphoblastique est bon. Après le premier traitement, la plupart connaissent des rémissions qui durent toute la vie. Avec Ashley, ça n'a pas été le cas. Chaque fois qu'on pensait qu'elle était tirée d'affaire, qu'elle aurait enfin la possibilité de vivre sans les piqûres et les stéroïdes, sans les ponctions lombaires et les greffes de moelle, quelques années passaient, elle faisait des examens et les médecins nous annonçaient une fois encore la terrible nouvelle. Matilde était revenue.

— Matilde ?

— C'était comme ça qu'Ashley appelait sa maladie. Un surnom, comme les autres enfants en donnent à leurs amis imaginaires. Ce qui vous donne une idée de la manière dont son cerveau fonctionnait. Un jour, elle avait cinq ans, pendant qu'elle mangeait ses céréales dans la cuisine, elle a annoncé à sa mère, sur un ton joyeux, qu'elle avait une nouvelle amie. *Qui ça ?* lui a demandé Astrid. *Matilde*, a-t-elle répondu. Matilde. C'était un drôle de nom. Personne ne savait d'où ça sortait. *Matilde va me tuer*, a dit Ashley. Tout le monde a été surpris, mais en même temps elle *était* la fille de son père. *Extrême.* Douée – on pourrait même dire *frappée* – de l'imagination la plus fertile qui soit. Le lendemain, Ashley a eu une forte fièvre. Ses bras et son dos se sont couverts de petits boutons rouges. Astrid l'a emmenée à l'hôpital et les médecins nous ont annoncé l'horrible nouvelle.

— Mais *Matilde*, ce n'était pas censé être le titre du prochain film de Cordova ? Un film qui n'est jamais sorti. »

Gallo confirma d'un signe de tête. « Il voulait écrire là-dessus. Mais il n'a pas réussi. Écrire sur une chose aussi déchirante, c'est comme regarder le soleil en face, chaque jour. On a beau essayer, on ne peut pas y arriver. On en devient forcément aveugle. » Elle soupira. « Il ne voulait pas travailler à un autre film, il voulait seulement sauver sa fille. C'est atroce, pour un père ou une mère, de perdre un enfant. Mais c'est encore pire de le voir souffrir, jour après jour, osciller interminablement entre la vie et la mort, vivre une vie de mort. Pourtant, on ne lâche rien, on continue de se battre, parce qu'on rêve qu'un jour ce sera fini. La vie est si cruelle, parfois... Elle vous donne juste assez d'espoir pour continuer, comme on donnerait un petit verre d'eau et une tranche de pain à quelqu'un sur le point de crever de faim. »

Elle s'interrompit pour boire une gorgée. « Ashley a pris la décision de n'en parler à personne en dehors de la famille, reprit Gallo. Contre l'avis de ses médecins. Mais elle n'en démordait pas. Elle ne voulait pas qu'on ait pitié d'elle. Elle disait – elle n'avait que six ans à l'époque – que ça lui ferait beaucoup plus mal d'être ménagée et traitée comme un papillon fragile à l'aile froissée que d'être frappée par Matilde. Nous avons tous passé un pacte avec elle et promis de ne jamais le dire à personne. Et quand Ashley n'était pas assez vaillante pour aller à la découverte du monde et vivre sa vie, son père se débrouillait pour faire venir *à elle* les gens les plus fascinants, les plus scandaleux qui soient. Entre ses séjours à l'hôpital, quatre, parfois cinq fois par semaine, elle suivait des cours au Peak, et la maison devenait un décor, un hôtel, une *pension* secrète, cachée, peuplée jour et nuit de philosophes, d'acteurs, d'artistes et de savants qui enseignaient tous à Ashley l'art de vivre, de penser et de rêver. Ils l'enseignaient à nous tous, en vérité. »

Je repensai aussitôt à ce pique-nique qu'avait décrit Peg Martin. Ashley avait alors six ans. Ce devait être à l'époque où elle terminait son traitement – *si tant est* que Gallo dît la vérité.

Ashley m'a prise par la main et m'a conduite dans un coin désert du lac. Il y avait là un saule pleureur et de hautes herbes, et l'eau était vert émeraude. Elle m'a demandé si je voyais les deux trolls.

« Astrid faisait venir à la maison un pianiste de concert de la Juilliard School trois fois par semaine afin qu'il donne des cours à Ashley. Les médecins nous avaient prévenus que certains des médicaments très puissants utilisés pendant son traitement auraient sans doute des effets à long terme sur son système nerveux, affaibliraient ses facultés motrices et sa dextérité, et lui rendraient la pratique du piano *difficile*, sinon *impossible*. Ses mains et ses doigts pouvaient se paralyser et avoir une sensibilité décuplée. Elle risquait d'avoir des étourdissements. Or, chez Ashley, les médicaments ont eu l'effet *inverse*. Elle arrivait à jouer à une vitesse stupéfiante. Sa mémoire et sa capacité à jouer les œuvres les plus compliquées sont devenues colossales, surhumaines. C'était devant son piano qu'elle revivait, qu'elle échappait à la mort, qu'elle parcourait les continents, les montagnes et les océans. Elle était en rémission lorsqu'elle a décroché la première place au concours international Tchaïkovski, à Moscou. Mais trois ans plus tard, quand elle en avait quatorze, le verdict est encore tombé. *Matilde* était de *retour*. Ashley était forte, mais il ne lui serait plus possible, concrètement, de voyager pour ses concerts *tout en* subissant un nouveau traitement. Elle devait renoncer à sa carrière. Ce qu'elle a fait. »

Gallo se tut.

J'étais tourneboulé par la symétrie de l'équation à laquelle j'étais soudain confronté : la magie d'un côté, la science de l'autre, un mythe terrible et une réalité acceptable. Cordova avait tout fait pour sauver sa fille, comme n'importe quel père. Mais la sauver de quoi ? D'un sortilège diabolique ou d'un cancer en phase terminale ? Et le génie d'Ashley au piano était-il dû à sa traversée du pont du diable ou fallait-il y voir une conséquence de la chimiothérapie qu'elle avait subie enfant ?

Je me rappelai la description d'Ashley en concert par Beckman. *Elle avait une conscience des ténèbres dans leur forme la plus extrême.* Mais d'où lui venait cette conscience ? D'avoir regardé le diable droit dans les yeux en sachant qu'il lui prendrait son âme, ou d'avoir surmonté les épreuves d'une maladie interminable en se demandant si la mort l'attendait au tournant ?

Les explications formaient les deux faces d'une même médaille, et celle qui avait ma préférence révélait quelque chose de fondamental sur ma personnalité. Avant d'enquêter sur Ashley, sans hésitation j'aurais cru, à l'instar de la plupart des gens, à la face logique, rationnelle, exacte. Mais à présent, et c'était un choc pour moi, comme un homme qui tout à coup ne se reconnaît plus, l'autre face, la face impossible, illogique, *démente*, avait toujours une emprise très forte sur moi.

Je ne voulais pas croire, je ne voulais pas accepter qu'Ashley – à laquelle tous les témoignages attribuaient une personnalité si forte – ait pu être terrassée par la vraie vie. Je voulais entendre une autre explication à sa mort, quelque chose de plus original, de plus sombre, de plus sanglant, de plus fou – *un sortilège diabolique.*

« Les choses se sont compliquées quand Ashley a entamé son *deuxième* traitement, reprit Gallo sur un ton grave. Elle avait toujours eu une forte personnalité. Aussi forte que celle de son père. Et ils ont commencé à se chamailler sans arrêt, à se faire la *guerre*, en réalité. Les médecins nous ont prévenus que les stéroïdes que prenait Ashley pouvaient engendrer une certaine susceptibilité – des explosions de colère, de violence, même. Personne ne pouvait plus les contrôler, ni l'un, ni l'autre. Pas Astrid. Pas moi. C'était comme vivre avec deux dragons, et nous, pauvres colibris, on se réfugiait dans les placards ou sous les escaliers en espérant ne pas prendre une balle perdue.

— Pourquoi se disputaient-ils ? »

Elle leva un sourcil. « Je ne sais pas si vous connaissez un peu le *tempérament* des *génies*. Il faut savoir que ces gens-là ont des appétits hors du commun. Quand vous vous engagez auprès d'eux, vous devez l'accepter, sinon vous risquez de souffrir jusqu'au bout. Pour survivre à ces personnages, vous devez tout le temps vous plier et vous tordre, comme un petit fil de cuivre. Vous adapter. Votre forme change constamment. Il y avait toujours d'autres femmes. *D'autres hommes.* D'autres *tout*. Astrid l'acceptait. Mais Ashley, une fois en âge de comprendre, a jugé cela inacceptable – comme une forme de gloutonnerie, un manque d'intégrité, une trahison complète de la famille. Un des anciens amants de son père est arrivé au village et s'est réinstallé au Peak. Cet homme, Ashley *ne l'aimait pas*. Un soir, alors que je n'étais pas là, elle est allée dans la chambre de cet homme et, pendant qu'il dormait, a mis le feu à son lit. Astrid, voulant étouffer le scandale, l'a emmené en voiture en pleine nuit, alors qu'il hurlait de douleur. Sur la route, elle a eu un accident. Theo l'a sauvé avant l'arrivée de l'ambulance et a réussi à le déposer aux urgences sans se faire repérer. Mais le vœu d'Ashley avait été exaucé. L'homme a disparu. » Inez Gallo me regarda. « J'imagine que vous connaissez déjà cette histoire. »

Je confirmai d'un hochement de menton. « Cet homme, c'était Hugo Villarde. L'Araignée. Un faux prêtre.

— C'est *moi* qui ai suggéré d'envoyer Ashley dans un camp pour jeunes.

— Six Silver Lakes, dis-je.

— L'endroit était réputé. Lorsque nous avons appris qu'une mort accidentelle avait eu lieu là-bas, la noyade d'un garçon pendant une tempête, vous pouvez imaginer dans quel état nous étions. Pourtant, quand je suis allée chercher Ashley, elle était... *différente*. »

Elle haussa les épaules et afficha un air un peu cynique. « Elle avait rencontré un *garçon*. Le garçon le plus solitaire du monde, disait-elle. Elle le décrivait comme une belle feuille d'érable rouge qui était prématurément tombée de son arbre, qui volait sous le vent et la pluie, voguait dans les gouttières et à travers les champs, absolument seule, sans être reliée à rien. Pour Ashley, il y avait quelque chose de fondamentalement *bon* chez ce garçon. Peu de temps après, elle a retrouvé sa trace et ils ont entamé une correspondance. J'ignore ce qu'ils se disaient ou s'écrivaient, mais elle avait retrouvé le goût de vivre. Son père était soulagé. Tout le monde était soulagé. Ashley voulait partir du Peak, fréquenter des gens normaux, mener une vie normale. Son père lui a donc acheté cette maison. »

Elle s'interrompit et promena un regard désabusé sur la pièce, comme si elle se rappelait à quel point ce lieu avait été chaleureux et animé, rempli de voix et de musique, avant d'être enseveli sous ces draps blancs, telle une civilisation disparue.

« On sentait que c'était le début de quelque chose. On l'a inscrite à l'école ici. Je priais pour qu'il se remette au travail.

— Et tourne un autre film. »

Gallo acquiesça et vida son verre.

« Le pronostic du cancer empire après plusieurs rechutes. Les chances d'une survie longue s'amenuisent. Le corps s'est rempli de substances toxiques, il se détruit de l'intérieur. Cette année-là, Ashley devait faire un check-up au début du mois de mai. Mais elle n'a pas voulu y aller. Parce qu'elle connaissait la vérité, naturellement. Comme toujours. Ses médecins ont préconisé un programme expérimental à Houston, un traitement incluant des essais cliniques. Juste après, Astrid a découvert, cachée dans la chambre d'Ashley, une valise déjà préparée. Et deux billets sans retour pour le *Brésil*. Quand sa mère lui a demandé une explication, Ashley a répondu qu'elle partait avec Hopper et que personne ne pourrait l'en empêcher. Elle ne voulait pas subir de traitement. Mais sa vie était en jeu. Elle était encore adolescente. Ce garçon qu'elle disait être l'amour de sa vie, un petit délinquant... aucun de nous ne prenait cette histoire au sérieux. Qui *aime* vraiment à cet âge-là ?

— Roméo et Juliette.

— *Et* Hopper et Ashley. Elle a eu une dispute épouvantable avec son père. Il l'a poussée dans la voiture, a fermé les portières et lui a dit qu'elle irait à Houston, que ça lui plaise ou non. Elle pouvait annoncer la vérité à ce garçon, *ou pas*. Ashley a choisi de ne pas le faire. Elle disait qu'aimer quelqu'un qui est en train de mourir est une torture. Elle préférait encore qu'il la haïsse, car cette haine permettrait de tourner la page, d'oublier, de surmonter – au lieu d'être consumé par le chagrin et d'attendre quelque chose qui ne viendrait jamais. Et que cet amour profond puisse se transformer en autre chose, de la pitié ou du dégoût – cela, Ashley ne pouvait pas le supporter. Elle a donc coupé tous les ponts avec lui. Et elle est allée à Houston. Là-bas, elle a failli mourir, mais plus à cause de son cœur brisé que de sa maladie. »

Le profil dur de Gallo s'adoucit un peu.

« Et l'état de santé d'Ashley s'est amélioré ? demandai-je au bout d'un moment.

— Oui. Elle est allée à Amherst. Elle a dû en repartir au début du deuxième semestre, à cause des nausées et de la fatigue. Mais après s'être reposée au Peak, elle a pu reprendre sa deuxième année. Et elle allait bien. Elle a eu son diplôme. Là-dessus, il y a six mois, ç'a recommencé.

— *Matilde.* »

Gallo hocha la tête, songeuse, les yeux rivés sur la table basse. Je n'arrêtais pas de réfléchir à deux choses qu'elle m'avait dites. D'abord, le fait qu'Ashley ait abandonné sa première année à Amherst. L'article de *Vanity Fair* en avait parlé. En le lisant, je m'étais interrogé sur la raison de ce départ mystérieux. Je venais d'avoir l'explication.

Ensuite, la chronologie des événements.

« Combien de temps Ashley a-t-elle été soignée à l'université du Texas ? demandai-je.

— Huit mois. Pourquoi ?

— Après ça, elle est retournée au Peak ? »

Gallo hocha lentement la tête, intriguée. « Elle a suivi son traitement d'entretien à New York. Pourquoi ?

— Est-ce que la famille a commandé des appareils médicaux pour elle ? Un fauteuil roulant ? Ou du matériel fabriqué par une entreprise nommée Century Scientific ?

— J'ai tout acheté pour elle. Le Peak est devenu aussi équipé que la clinique Mayo. Tout pour le confort d'Ashley, pour qu'elle ne soit pas dérangée outre mesure. Elle avait des infirmières qui s'occupaient d'elle jour et nuit.

— Et les ordures sont brûlées la nuit ?

— Crowthorpe Falls est toujours truffé de cordovistes. Pour eux, c'est La Mecque. Ils viennent des quatre coins du monde en espérant apercevoir leur maître. Or, la dernière chose qu'il souhaitait, c'était qu'un admirateur fouille dans ses poubelles, découvre une ordonnance prouvant la maladie d'Ashley et aille ensuite en parler sur Internet. Il fallait la protéger. Même si, au bout du compte, la protection n'est qu'une prison de plus. »

Tout prenait son sens. Les incinérateurs que Nora avait vus au Peak, le tube de verre où il était inscrit « dangereux », la livraison d'UPS chez Nelson Garcia en décembre 2004 – tout s'expliquait par la maladie d'Ashley. Mais mon enthousiasme face à ces dernières énigmes élucidées laissa presque aussitôt place à autre chose, à une impression de vide, voire de tristesse.

J'étais *déçu*. C'était toujours un peu le cas quand j'arrivais à la fin d'une enquête et que, regardant autour de moi, je me rendais compte que je n'avais plus de recoins sombres à explorer.

Cette fois, c'était différent. Ce sentiment de désolation me venait de ce que je m'apercevais que tous les *kirin* étaient morts. Ils n'avaient jamais existé. J'avais beau ne pas m'y résigner et rêver d'un monde fabuleux pour Ashley, d'une autre réalité tumultueuse défiant la raison, peuplée de trolls et de diables, d'ombres qui agissaient en toute autonomie, d'une magie noire aussi puissante que la bombe H, malgré tout je savais qu'Inez Gallo disait la vérité.

Et sa vérité détruisait tout sur son passage, ratiboisait la jungle magique et sombre dans laquelle je m'étais égaré en suivant les traces d'Ashley, m'indiquait que je marchais en fait sur un terrain plat et sec, inondé de lumière, mais aride.

110

« Avec vous, tout a commencé quand elle est retombée malade »,
lâcha Gallo avec un mépris non dissimulé.

Je vidai mon verre. Le whisky brûlant coula dans ma gorge.

« Comment ça ? »

Elle se tourna vers moi, manifestement exaspérée. « Je vous
ai *dit*. Ashley était une jeune fille charismatique. À cause de son
enfance originale, de sa vie solitaire au Peak et de *sa maladie*, elle
avait du mal à faire la différence entre les histoires inventées et la
vraie vie. Quand elle avait dix ans, Astrid a commis l'erreur d'inviter un sorcier haïtien à séjourner chez eux pendant quatre mois,
pour *s'amuser*. Elle ne s'est pas rendu compte que cela allait définitivement chambouler l'imagination d'Ashley, comme quelqu'un
qui se met à gambader sur une plage et vient déranger les flamants
roses qui y couvent tranquillement. Du jour au lendemain, la tête
d'Ashley a commencé à tanguer dans tous les sens : des plumes
roses partout, des battements d'ailes, des cris stridents. Elle s'est
mise à croire à tout ça. Au vaudou. À la sorcellerie. » Gallo secoua
la tête. « J'ai découvert qu'elle avait disposé des sorts pour moi
dans *ma* chambre. Des protections contre le démon, disait-elle.
Elle était persuadée d'avoir été marquée par le mal, que le diable
était responsable de sa maladie. C'était terrible. Et *illusoire*. Ashley
était effrayée à l'idée de se trouver à proximité de gens qu'elle
aimait, car elle pensait qu'elle leur ferait du tort. Elle affirmait
que cette noirceur qui grandissait en elle parce que son... je ne
sais même pas quel terme employer... parce que son *âme* était
peu à peu contrôlée par le diable, que ça la rendait dangereuse.
Mortelle. C'était absurde, évidemment. »

Elle poussa un soupir. « Il y a six mois, quand on a appris
qu'elle était de nouveau malade, son état mental est devenu *particulièrement* fragile. Par moments, elle ne savait plus ni où elle
était, ni *qui* elle était. On ne pouvait pas lui en vouloir, après tout
ce qu'elle avait enduré dans son enfance, ces face-à-face avec la
mort, sans cesse. Elle nous a clairement dit qu'elle ne voulait plus
aller à l'hôpital et se retrouver clouée au lit, reliée à des tubes et

à des écrans, abrutie de morphine. Mais Astrid n'a pas voulu s'y résigner. Elle a emmené Ashley, contre son gré, dans une clinique, en espérant que ça la ramènerait sur le chemin de la raison et qu'elle accepterait un nouveau traitement.

— Briarwood Hall ? »

Gallo confirma. « Comme vous le savez, elle s'est échappée grâce à un demeuré de la sécurité qui n'en pouvait plus. Ashley était passée maître dans l'art de la manipulation, surtout avec les hommes. Devant elle, ils fondaient, ils transpiraient, ils ne tenaient plus debout, comme une bande de thés glacés idiots. Elle s'est volatilisée. Pour nous tous, ç'a été horrible. On ne savait pas du tout où elle était partie. Theo et Boris l'ont cherchée partout, mais elle était rusée. Elle savait comment rester invisible. Par la suite, on a découvert qu'elle avait habité dans un taudis de Lower East Side.

— Au 83, Henry Street.

— Astrid était rongée d'inquiétude. À ce moment-là, Ashley était déjà très malade. Astrid voulait qu'elle meure chez elle, entourée des siens. Pourtant, on avait quelques pistes. Pas un jour ne passait sans qu'Ashley ne pense à ce garçon. *Hopper*. Malgré les années, elle avait gardé sa trace. Elle savait qu'il avait eu quelques démêlés avec la justice et qu'il foutait sa vie en l'air. On s'est dit qu'elle essaierait de le retrouver. L'autre option, bien entendu, c'était *vous*.

— Moi ?

— Elle s'intéressait à vous depuis le jour où son *père* vous avait puni pour avoir fourré le nez dans ses affaires. À sa manière. En combattant le feu par le feu.

— *Puni ?* C'est le terme qu'il employait ? »

Un air de défi passa sur son visage. Mais Gallo ne répondit pas.

« C'était un traquenard ? Qui était l'homme qui m'a contacté, alors ? Le fameux *John*. »

Elle haussa les épaules. « Quelqu'un payé pour vous induire en erreur.

— Mais tout ce qu'il m'a raconté... Les visites de Cordova dans les écoles, en pleine nuit...

— Une magnifique *supercherie*. Et juste assez croustillante pour que vous fonciez tête baissée et vous retrouviez pendu par votre propre hybris. J'imagine que la leçon a dû être douloureuse, monsieur McGrath, mais un artiste comme *lui* n'a besoin que d'une chose essentielle pour fonctionner. Et il fera n'importe quoi pour la préserver.

— Et quelle est cette chose ?

— *L'opacité.* Je sais que c'est difficile à comprendre *de nos jours*, mais le véritable artiste a besoin d'opacité pour créer. C'est d'elle qu'il tient son pouvoir. Son invisibilité. Moins le monde en sait sur lui, sur ses faits et gestes, ses origines, ses méthodes secrètes, plus il est *fort*. Plus le monde avale d'inanités à son sujet, plus son art se réduit et se dessèche jusqu'à devenir un chamallow tout ratatiné, qu'on mange au *petit déjeuner* dans un petit bol avec du lait. Vous pensiez vraiment *qu'il s'y résoudrait* ? »

En disant cela, son admiration toujours vivace pour Cordova réinvestit sa voix, l'envoya en l'air, très haut, lui fit faire des cabrioles, avec des rubans rouges dans tous les sens – cette voix si neutre, pourtant, qui jusque-là traînait par terre comme un tas inerte. J'avais également noté que jamais, durant toute la conversation, Inez Gallo n'avait *prononcé* le nom *Cordova*. Pas une seule fois : elle ne disait que « il » ou « le père d'Ashley ».

Ce devait être sa superstition intime. Ou peut-être qu'elle refusait de profaner ce nom, comme s'il était synonyme de *Dieu*.

Pendant qu'elle se levait pour marcher vers le bar et en revenait avec la bouteille de whisky pour remplir nos verres sans aucune délicatesse, je repensai à ce qu'elle venait de me raconter. S'il n'y avait pas de sortilège diabolique, Cordova n'avait aucune raison de vouloir à tout prix un échange, ni de se rendre dans des écoles en pleine nuit. Pas plus qu'il n'existait de fosses remplies d'affaires d'enfants. *Avais-je donc été victime d'hallucinations du début jusqu'à la fin, à cause de l'herbe aux fous ?*

« Pour avoir une idée de la force qui animait Ashley, reprit Gallo en se rasseyant sur le canapé, la main serrée autour de son verre, vous devez comprendre qu'elle était la fille de son père. Le conte préféré de la famille était *Le nain Tracassin*. Ils étaient vraiment comme *ça* : des créatures fantastiques qui transformaient la boue du quotidien en or. Seule la mort les arrêtera. C'est ainsi qu'Ashley a transformé sa maladie en un sortilège diabolique.

— Mais elle n'était pas la seule à le croire. Marlowe Hughes et Hugo Villarde en étaient également convaincus. »

Elle ricana. « Marlowe Hughes est une toxicomane. Elle serait prête à vous croire si vous lui expliquiez que le ciel est entièrement composé de pois rose fuchsia. *Surtout* si vous le lui dites dans une lettre d'admirateur. Elle a passé du temps avec Ashley. Elle s'est laissé embarquer dans ses histoires. Et Villarde ? Après ce que *lui* a fait Ashley ? Il a complètement perdu la tête, le pauvre. Il la prenait pour la femme du diable et tremblait devant une mouche. »

Je repensai à la manière dont Villarde nous avait raconté, toute honte bue, comment il avait rampé à quatre pattes dans son magasin pour se cacher d'Ashley et était resté tapi au fond d'un placard comme un enfant terrorisé.

« Et les méthodes de travail de Cordova ? demandai-je. Les horreurs à l'écran... Elles sont *vraies*, n'est-ce pas ? Les acteurs ne jouaient pas, chez lui. »

Elle me jaugea avec un regard provocateur. « Rien qu'ils n'aient pas demandé.

— J'ai entendu plusieurs tueurs en série dire la même chose.

— Tous les gens qui venaient au Peak *savaient* pertinemment ce qui les attendait. Ils *mouraient* d'envie de travailler pour lui. Mais si vous me demandez s'il a un jour franchi la ligne jaune de la folie pure et s'est jeté tête baissée dans l'enfer, je vous réponds que non. Il connaissait ses limites.

— Quelles sont-elles, au juste ? »

Elle plissa les yeux. « Il n'a jamais tué personne. Il aime la vie. Mais croyez ce que vous voulez. Vous ne trouverez jamais aucune preuve. »

Vous ne trouverez jamais aucune preuve. C'était une drôle de phrase, presque un aveu – *presque*. Me revint aussitôt en tête la petite chemise fripée du garçon, tachée non pas de sang, mais de sirop de maïs, à en croire Falcone. Que je le veuille ou non, les propos de Gallo venaient étayer les conclusions que cette dernière m'avait transmises.

« Pourquoi tous ceux avec qui j'ai parlé d'Ashley ont-ils disparu ?

— Je m'en suis occupée, dit Inez avec une certaine fierté.

— C'est-à-dire ? Ils sont tous enterrés au fond d'une tombe anonyme ? »

Elle ne releva pas et se redressa raidement. « Je me suis également occupée des photos du corps d'Ashley, et du corps lui-même – avant qu'elle ne se fasse tronçonner devant des inconnus comme un rat de laboratoire. J'ai donné à tous ces gens une belle somme d'argent et je les ai envoyés voir ailleurs.

— Comment saviez-vous que je rencontrais telle ou telle personne ? »

Elle eut l'air surprise. « Mais enfin, vos *propres notes*, monsieur McGrath. Vous vous souvenez certainement du cambriolage de votre appartement. Elles m'ont été très utiles pour remplir les blancs. »

Bien sûr : le cambriolage.

« On était *désespérés*, reprit-elle. On ne savait pas où Ashley était allée, ce qu'elle avait fait entre sa fuite de Briarwood et sa mort dans l'entrepôt. Hormis une seule chose : elle était venue *ici* un soir, par effraction, et avait pris de l'argent dans un coffre. Je me disais que *vous* en sauriez plus sur la question. Briarwood nous avait informés que vous étiez allé fourrer votre nez là-bas. On vous a donc cambriolé pour apprendre ce que vous saviez.

— Est-ce que j'ai une chance de récupérer mon ordinateur portable ?

— Ç'a été une entreprise coûteuse, après sa mort, de nous débarrasser de tous les témoins. Mais tout ça est en accord avec la promesse que nous lui avions faite, celle de ne jamais laisser personne connaître la vérité. C'est ce qu'*elle* voulait. L'histoire d'Ashley restera désormais là où elle le souhaitait, là où, au fond de son cœur, elle pensait qu'elle avait toujours été – au-delà de la raison, entre ciel et terre, en suspens, beaucoup plus près du mythe que de la vie ordinaire, cette vie où *nous autres*, y compris *vous*, monsieur McGrath, devons rester.

— Là où chantent les sirènes », ajoutai-je, me remémorant le poème de Prufrock. Comme l'avait expliqué Hopper, s'il y avait bien *une* chose que la famille avait toujours cherchée, pour laquelle elle s'était toujours battue, c'étaient les sirènes – les abîmes les plus fascinants, les plus périlleux de l'existence. *Le lieu où il y*

661

avait du danger, de la beauté et de la lumière. Uniquement l'instant présent. *Ashley disait que c'était la seule manière de vivre.*

Je remarquai qu'Inez Gallo me fixait du regard, bouche bée, apparemment sidérée que je connaisse ce détail intime. Elle préféra cependant ne pas s'étendre sur la question et prit une gorgée de whisky.

« Marlowe Hughes a fait une overdose, dis-je. Vous y êtes pour quelque chose ?

— J'ai demandé à son dealer de lui faire une petite *frayeur*. Je ne m'attendais pas à ce qu'il l'envoie frôler les anges.

— Tant de compassion de votre part, c'est bouleversant. »

Elle me foudroya du regard. « C'était la meilleure chose qui puisse lui arriver. Ça l'a fait sortir de son appartement. En ce moment même, elle est installée dans une suite avec vue sur l'océan au Promises, à Malibu, en train de s'attaquer à la très casse-gueule première étape de tous les programmes de désintoxication.

— Et à Olivia Endicott, qu'avez-vous dit ?

— Rien, répondit-elle avec un haussement d'épaules. Elle est à l'étranger. En revanche, *j'ai* parlé à son assistante. Je lui ai versé une petite fortune pour qu'elle vous fuie comme la peste et qu'elle ne transmette aucun de vos messages à sa patronne.

— Et Morgan Devold ? Pourquoi sa maison a-t-elle brûlé ?

— Il avait besoin de l'argent des assurances. Il était dans une mauvaise passe, deux gamins, pas de boulot. Quand je lui ai expliqué qui j'étais et que je voulais lui tendre *une main secourable*, il s'est montré plus qu'intéressé. Si vous vous approchez encore de lui, il jurera ne vous avoir jamais vus, ni vous ni Ashley, de sa vie. »

Elle releva le menton, satisfaite. « Tout le monde peut s'acheter, monsieur McGrath. Même vous.

— Vous vous trompez. Il y a des gens qui ne se vendent pas. Qui a incendié la maison ?

— Theo et Boris. Boris est un très vieil ami de la famille.

— Lequel des deux fume des cigarettes Murad ? »

Ma question sembla l'agacer au plus haut point. « Theo. C'était la marque préférée de son père. »

Une fois de plus, elle choisit de dire « son père » plutôt que « Cordova ». Elle faisait un long détour pour éviter une portion dangereuse de la route.

« Il y a des années de ça, continua-t-elle, il a épuisé tous les stocks mondiaux. De *Murad*. La marque existe bon an mal an depuis les années trente. Elle est très rare. Mais il a acheté les derniers paquets, y compris au collectionneur de tabac le plus obscur à l'autre bout de la planète. Il adorait cette odeur de caramel, l'emballage magnifique, *et* le fait que c'était le seul souvenir qui lui restait de son vrai père, un Espagnol qu'il n'avait jamais revu depuis ses trois ans. Surtout, il aimait la manière dont elles *se consument*. Ça ne ressemble à rien d'autre. Il y a des centaines de plans sur ces cigarettes dans ses films. La fumée monte en volutes, comme si elle était vivante. "Comme des serpents blancs qui luttent pour rester libres", m'a-t-il dit un jour. »

L'œil pétillant et levé vers le plafond, la bouche tordue par l'enthousiasme, elle était animée d'une ferveur étrange et débridée. Soudain, se rappelant *ma* présence, elle se tut quelques secondes.

« Mais je ne vois pas en quoi ces *détails* vous intéressent, reprit-elle, agacée.

— C'est là qu'est le diable. Vous n'étiez pas au courant ? »

Elle me regarda avec mépris. « Vous avez passé votre vie entière à creuser au fond de la *mine*, monsieur McGrath. Il serait peut-être temps de remonter à la surface et de rentrer chez vous avec le peu de charbon que vous avez réussi à ramasser.

— Et *aller voir ailleurs*. Comme les autres. »

Elle haussa les épaules, imperturbable. « Faites ce que vous voulez de ce que je vous ai raconté. Naturellement, personne n'est plus là pour étayer votre version des faits. Vous êtes de nouveau seul avec vos théories délirantes. »

En observant cette femme, je ne pouvais m'empêcher d'admirer sa méticulosité pleine de suffisance, la façon dont elle avait réussi à se débarrasser de tous les témoins, l'un après l'autre.

« Qu'est devenue la mère d'Ashley ? Astrid ?

— Elle est partie. Quelque part en Europe. Maintenant que son enfant est *mort*, rien ne la retient ici. Trop de mauvais souvenirs.

— Mais ces souvenirs ne vous dérangent pas, vous. »

663

Elle sourit. « Mes souvenirs sont tout ce qu'il me reste. Et quand je disparaîtrai, ils disparaîtront avec moi. »

Je fronçai les sourcils. Tout à coup, je me mis à douter de tout ce qu'elle me racontait. Je fus frappé par quelque chose. Peut-être s'agissait-il du dernier souffle de la *magie* – des *kirins* et des diables, des pouvoirs surnaturels d'une femme hors du commun – avant d'aller reposer en paix.

« Mais je suis allé au Peak, dis-je. Je suis entré et...

— *Vraiment ?* me coupa Gallo, tout excitée. Qu'avez-vous trouvé ? »

Sa réaction était déroutante, pour dire le moins. Elle avait l'air enthousiasmée par mon aveu.

« Une clairière parfaitement circulaire où rien ne pousse, répondis-je. Un labyrinthe de passages souterrains. Des studios. Des décors en parfait état. Tout est noir et recouvert d'herbes. J'ai franchi le pont du diable. Et j'ai vu... »

Gallo buvait mes paroles. Elle attendait la suite avec une telle gourmandise que je me tus, intrigué.

« Qui vit là-bas ? dis-je. Qui sont les gardiens avec les chiens ? »

Elle secoua la tête. « Aucune idée.

— *Quoi ?* Vous... Vous ne travaillez plus avec la famille ?

— Vous ne comprenez vraiment rien. Le Peak a été abandonné aux fans.

— Quoi ?

— Les cordovistes. Désormais, l'endroit leur appartient. Ils en ont pris le contrôle. Plusieurs d'entre eux squattent là-bas toute l'année. C'est aujourd'hui un parc d'attraction dangereux, confié gratuitement à ses admirateurs les plus dévoués. Aller là-bas est devenu un rite de passage secret, une expédition culte. Se promener dans l'œuvre ou s'y faire engloutir. Ils peuvent se battre pour cette propriété, s'en occuper, la gérer comme bon leur semble. *Il* n'y a pas mis les pieds depuis des années. Pour lui, c'est fini. Son œuvre est accomplie. »

Je me demandai si ce pouvait être vrai – les hommes qui m'avaient traqué, les chiens, les oiseaux rouges peints à la bombe. J'avais donc été terrorisé par des *fans* ? La nouvelle à peine digérée, je n'eus d'autre choix que d'attraper l'autre perche qu'elle venait de me tendre.

« Où est-il ?

— Je me demandais quand vous finiriez par me poser la question. »

Elle se détourna et fixa son regard quelque part devant nous, avec l'expression d'un camionneur scrutant une route perdue qui serpente interminablement.

Je repensai soudain à ce journaliste sud-africain ivre que j'avais croisé bien des années plus tôt et qui m'avait dit que certaines histoires étaient infectées, pareilles à des vers solitaires. *Un ver solitaire qui a mangé sa propre queue. Ça ne sert à rien d'aller le chercher. Parce qu'il est sans fin. Tout ce qu'il fera, c'est s'enrouler autour de ton cœur et le vider de son sang en le serrant.*

Pour la première fois, Inez Gallo m'adressa un sourire chaleureux. Je compris à cet instant que je m'étais trompé. Parce qu'elle était *là*. La fin. La queue.

Je l'avais enfin trouvée.

111

Je fus stupéfait de voir qu'il n'y avait aucune barrière de sécurité.

Je m'attendais à quelque chose de minable. *Comment imaginer le contraire ?* Un endroit où des hommes et des femmes étaient relégués pour y tourner en rond jusqu'à ce que mort s'ensuive – un endroit comme Terra Hermosa. Pour cette raison précise, j'avais pensé appeler Nora et lui demander de m'accompagner. Puis, pressentant qu'elle déclinerait, j'avais laissé tomber. Mais après avoir quitté l'autoroute et emprunté la belle allée goudronnée qui menait à une série de panneaux couleur crème et de bâtiments en crépi aux toits de tuiles rouges, je constatai que la maison de retraite Enderlin Estates faisait de son mieux pour ressembler à une hacienda espagnole plongée dans une très longue sieste. Il y avait des plantations, des patios, des oiseaux qui gazouillaient, un chemin de pierre tortueux qui montait joliment vers l'entrée principale, nichée derrière un portail en fer forgé.

Je relus le bout de papier sur lequel j'avais noté l'adresse indiquée par Gallo.

Enderlin Estates. Appartement 210.

J'entrai dans le hall désert, pris l'ascenseur jusqu'au premier étage et tombai sur une infirmière rousse derrière le bureau de la réception.

« Je cherche l'appartement 210.

— Dernière porte au bout du couloir. »

Je pris le couloir moquetté et croisai une jeune infirmière en train d'aider une vieille dame équipée d'un déambulateur. La porte 210 était fermée. Le nom de l'occupant – le superbement banal *Bill Smith* – était inscrit sur une toute petite plaque bleue à côté de la porte.

Je frappai. N'obtenant aucune réponse, j'actionnai la poignée. La porte ouvrait sur un vaste salon, chichement meublé, très lumineux. Il y avait sur la gauche une chambre avec un lit simple, une commode et une table de chevet – aucune autre décoration, à l'exception d'une lampe et d'une petite vierge en prière. Pas de photos, pas d'objets personnels. Gallo, à n'en pas douter, l'avait fait exprès, afin de garantir un anonymat complet ou, pour reprendre ses termes, afin qu'il n'y ait plus de mauvais souvenirs. « *Ce qu'il lui faut maintenant, c'est de la sérénité* », m'avait-elle dit sur le ton de la mise en garde.

« Vous cherchez Bill ? » demanda une voix enjouée derrière moi.

Je me retournai. Une infirmière se tenait dans l'encadrement de la porte.

« Je viens juste de l'emmener dans le grand salon. »

Elle m'expliqua comment m'y rendre. Je repris l'ascenseur et retrouvai, en bas, le hall d'entrée. Derrière la liste des programmes d'activités et une affiche pour la soirée cinéma – *Bogart et Bacall de nouveau réunis !* –, par une double porte en bois j'entrai dans un solarium un peu vieillot, entouré de parois vitrées. La salle était lumineuse et gaie, avec des palmiers et des fleurs en pot, des sièges en osier blancs, un sol de pierre grise. On entendait une discrète musique classique, des notes de piano, couler d'une vieille chaîne hi-fi posée à côté d'une bibliothèque remplie de livres de poche.

Il y avait un monde fou. Des vieillards, bougeant comme s'ils étaient sous l'eau, les cheveux tels des filets de nuages, étaient assis à des tables couvertes de puzzles et d'échiquiers. Il y avait quelques infirmières parmi eux, qui lisaient doucement ; l'une était en train d'épingler un œillet rose à la boutonnière d'un vieux monsieur.

Mais mon regard fut attiré par un autre homme.

Il était assis seul, à l'autre bout de la salle, dans un coin, dos à moi. Il faisait face aux fenêtres et regardait dehors. Malgré son fauteuil roulant, son vieux pull gris et ses chaussures pour le troisième âge, il émanait de lui quelque chose de solide, d'étrangement immobile.

Je m'avançai vers lui.

Rien n'indiquait qu'il avait remarqué ma présence. Pour tout dire, il semblait ne rien remarquer autour de lui. Son regard – débarrassé de ces lunettes noires rondes qu'il était censé avoir portées toute sa vie – restait fixé sur les fenêtres, derrière lesquelles une grande pelouse entourée de bosquets se déployait comme un lac vide à la surface vert doré et frappé par le soleil de l'après-midi. L'homme avait une belle chevelure blanche, qui ne montrait aucun signe de dégarnissement, et un ventre respectable, plus imposant, voire menaçant, que gros – comme si, tel un dieu grec aux humeurs et aux appétits explosifs, il avait avalé un rocher qui ne l'avait pas tué, mais brutalement cloué au sol. Bien calé au fond de son fauteuil, il laissait ses mains – de grosses mains d'ouvrier – pendre mollement au-dessus des accoudoirs, à la manière d'un roi épuisé sur son trône. Son visage ne ressemblait pas à ce que je m'étais figuré : moins sûr de lui, un peu plus affaissé et fruste.

Pourtant, c'était lui, cela ne faisait aucun doute.

Cordova.

Je pouvais même voir le tatouage estompé sur sa main gauche, la roue, exactement comme chez Inez Gallo. Son regard ne quittait pas la pelouse, telle une ancre qu'on aurait jetée là. C'était comme s'il imaginait quelque chose, le dernier plan d'un film qu'il n'avait jamais tourné, ou une scène dont il avait rêvé toute sa vie. Peut-être se voyait-il lui-même traversant l'herbe avec le soleil dans le dos, le visage au vent. Peut-être pensait-il à sa famille, à Ashley, où qu'elle fût, partout où elle était.

Gallo m'avait prévenu : il serait perdu dans son monde.

« Un ou deux jours après qu'Ashley a appris qu'elle était de nouveau malade, m'avait-elle dit, il est allé se coucher tôt. Il se levait toujours à 4 heures du matin, pour travailler, pour vivre. Or, ce jour-là, il n'est pas descendu. Inquiète, je suis montée. Je l'ai trouvé sur son lit, assis, calé contre ses oreillers, comme si un fantôme était venu en pleine nuit pour lui parler. Il avait les yeux grands ouverts et le regard vide. Il était en catatonie – comme une télévision *allumée*, mais une seule chaîne et de la neige à l'écran. » Gallo m'avait ensuite tout expliqué dans les moindres détails : ses médecins, persuadés qu'il avait été terrassé par une attaque, l'avaient transféré dans un établissement médicalisé pour personnes âgées à Westchester – Enderlin Estates, aux abords de Dobbs Ferry – et avaient décidé de l'y installer sous le nom de Bill Smith, afin qu'il ne soit ni traqué ni pourchassé et puisse vivre ses derniers jours en paix.

Je lui avais répondu que c'était une coïncidence incroyable, cette présence de la mort, ces deux êtres pleins de vie confrontés à une fin brutale – d'abord Ashley, aujourd'hui Cordova. Certes, il n'était pas mort, mais vu l'existence qu'il avait menée, il *l'était* – inerte, l'esprit définitivement enfermé dans son corps, peut-être même déjà envolé.

« Ce n'est pas une *coïncidence*, avait-elle rétorqué, presque offensée par le mot. Il en avait *terminé*, vous ne comprenez pas ? Les êtres qui ont accompli ce qu'ils voulaient accomplir, ceux qui ont trouvé des réponses aux quelques grandes questions de l'existence – non pas *toutes* les réponses, mais *quelques-unes* –, finissent leur vie quand ils le décident. Ils sont prêts. Et lui *l'était*. Il a vécu exactement comme il l'avait souhaité – une existence débridée, *folle* – et il est prêt pour la *suivante*. Il a vidé jusqu'à la dernière goutte de vie en lui, ne laissant qu'un paquet de nerfs et d'os desséchés. Aussi sûr que je connais mon nom, je sais qu'il mourra dans quelques mois. »

J'avais trouvé Gallo étonnamment pragmatique et froide pour une femme qui venait de perdre sa raison de vivre, le soleil de ses jours. Mais elle avait relevé la tête, et j'avais vu des larmes dans ses yeux – elles attendaient que je m'en aille pour couler tranquillement sur ses joues creuses. Sans un mot, elle m'avait raccompagné en bas, jusqu'à la porte, et avait tendu la main avec un brusque : « *À bientôt* », dont nous savions elle et moi qu'il était mensonger.

Je *n'aimais pas* spécialement Inez Gallo, et elle ne s'était pas tout à fait *entichée* de moi, mais nous en étions arrivés à une sorte d'accord tacite, établi sur une parcelle de terrain commun pour le moins surprenante : elle et moi étions des spectateurs emportés par la tempête qui avait pour nom Cordova.

Et maintenant je l'avais devant moi, à moins de cinquante centimètres.

Et c'était un vieillard frêle.

Je n'avais donc affronté personne. Les crimes et les horreurs que j'avais mis sur le dos de Cordova, tout cela, désormais, me paraissait risible : chaque fois que j'avais eu la certitude qu'il me manipulait, il était *ici même – sans doute tranquillement assis comme ça, face à ces mêmes fenêtres.*

Le choc était retentissant.

Même dans cet état, il avait le dernier mot.

Une étrange émotion me serra brusquement la gorge. Ça aurait tout aussi bien pu être un rire qu'un sanglot. Car en le regardant je compris qu'en réalité c'était moi que je regardais, l'homme que j'étais devenu bien plus tôt et bien plus vite que je ne l'aurais cru. La vie était un train de marchandises qui ne s'arrêtait qu'une seule fois, pendant que nos êtres chers défilaient derrière les vitres dans un magma de couleurs et de lumières. Impossible de s'y accrocher, impossible de ralentir.

À côté de lui, il régnait un tel calme, une telle solitude, que j'aurais juré entendre sa respiration, le moindre souffle qu'il empruntait au monde avant de le lui rendre. Ce n'étaient pas les poumons d'un homme ordinaire, mais le sifflement ténu d'une rafale de vent quand elle décroche les pierres d'une falaise au bord de la mer. Le cœur soulevé par une nouvelle montée d'émotion, je me demandai ce que diable j'allais lui *dire* après toute cette aventure, après tout ce que j'avais fait – et encore, si j'avais le cran de dire quelque chose.

Ou peut-être, tel un enfant qui découvre enfin le squelette reconstitué d'un dangereux dinosaure dont il a rêvé et dont il a relu la description sous sa couette pendant des jours et des nuits, allais-je simplement tendre la main et toucher son épaule en me demandant si, par ce contact, je pouvais sentir à quoi il avait ressemblé vivant, dans sa jeunesse, parcourant la terre, quand il n'était pas un squelette muet, mais une force de la nature, un spectacle magnifique.

Pour finir, je me contentai de tirer une chaise et de m'asseoir à côté de lui.

Et ensemble, pendant ce qui me parut durer des heures, nous ne fîmes que contempler cette pelouse déserte qui semblait renfermer, par ses limites claires et son vert immaculé, l'espace vierge où entasser nos souvenirs et nos questions, dresser l'inventaire de ce que nous avions jadis aimé, puis laissé partir. Lorsque je réentendis la musique, un air de piano, pâle et triste copie de ce qu'aurait joué Ashley, je m'aperçus que tout ce que je dirais à cet homme serait : « Merci. »

Je le lui dis. Puis je me levai et m'en allai sans un regard en arrière.

112

Que dire des semaines qui suivirent ?

Marlowe Hughes l'avait parfaitement résumé : « Quand vous finissiez par retrouver la vraie vie après un tournage avec Cordova, vous aviez l'impression que toutes les couleurs avaient gagné en intensité dans votre regard. Les rouges étaient plus rouges, et *les noirs, plus noirs*. Vous ressentiez les choses profondément, comme si votre cœur lui-même était devenu gigantesque, tendre et gonflé. Vous faisiez des *rêves* – et *quels rêves* ! »

Après avoir quitté Enderlin Estates, je rentrai chez moi, tirai les rideaux et dormis vingt heures d'un sommeil aussi profond et inébranlable que la mort. Le lendemain, je me réveillai à la tombée du soir. Des ombres zébraient le plafond et, dehors, la lumière déclinante faisait rougir la rue avec l'élégance d'un souvenir.

Cette vieille chienne fidèle qu'était mon ancienne vie me reprenait entre ses griffes.

Je fus stupéfait d'apprendre qu'on était en décembre. Je passai quelques soirées dans des dîners avec des amis ; la plupart pensaient que j'étais parti en voyage, loin. Je ne les contredis pas. D'une certaine façon, c'était le cas.

« Tu as l'air *en forme* », me dirent certains d'entre eux, même si quelques regards appuyés semblaient m'indiquer que ce n'était pas tout à fait vrai, qu'il y avait quelque chose de changé en moi, quelque chose qu'ils jugeaient préférable de ne pas aborder. Je me demandais, à moitié pour rire, si ce n'était pas un reliquat du sort du diable – si, bien que *fictif*, on ne se remettait jamais vraiment *d'y avoir cru*. Peut-être certaines pièces reculées de mon cerveau avaient-elles été saccagées – les portes défoncées, les lampes cassées, les bureaux renversés, les rideaux réduits à danser bizarrement devant les fenêtres ouvertes –, des pièces définitivement condamnées et laissées en désordre.

Mais j'étais bien content d'avoir de la compagnie, les amis, les discussions légères à peine commencées, déjà oubliées. Je jouais le jeu de bon cœur, je riais, je commandais du vin, du canard et des desserts, les gens me tapaient dans le dos et me disaient qu'ils étaient contents de me revoir, que j'étais parti trop longtemps. Parfois, je me glissais hors des conversations sans être vu et je les observais en me demandant si je ne m'étais pas trompé de table, de vie. Je ressentais à la fois une certaine sérénité, le soulagement d'avoir terminé mon enquête, et un vague regret, presque une envie sourde d'y retourner, de retrouver quelque chose que je n'arrivais pas à saisir – une femme dont je n'avais pas compris, jusqu'à sa disparition, qu'elle m'avait envoûté.

Les visages plissés par le rire, les serveuses désagréables aux bras maigres, les silhouettes sombres qui marchaient vite sur le trottoir, pressées d'arriver quelque part, les voix proches remplies d'ombre, les taxis, les mendiants et la fille ivre en train de hurler comme un oiseau blessé – tout était nimbé d'une chaleur et d'une beauté triste que je n'avais jamais remarquées.

Peut-être était-ce parce que j'avais atteint le bout du bout et compris que cette histoire terrible, folle et magnifique s'était conclue de la seule manière *possible* en ce bas monde – des êtres mortels faisant des choses mortelles, un père et sa fille confrontés à leur trépas.

Car ce que m'avait raconté Gallo était incontestable : j'avais téléphoné à l'institut Sloan-Kettering en me faisant passer pour l'agent d'assurance d'un département des ressources humaines mal organisé. Après avoir énoncé quelques demi-vérités à trois directeurs de service différents et donné le numéro de sécurité sociale d'Ashley, récupéré sur son avis de disparition – un des rares documents qui me restaient –, trois personnes différentes me le confirmèrent, deux jours différents : Ashley Goncourt avait été soignée au service de cancérologie en 1992, 1993, 2001, 2002, enfin en 2003, en collaboration avec l'université du Texas à Houston. Exactement comme me l'avait dit Inez Gallo.

Le soir, je rentrais chez moi en marchant sur les trottoirs défoncés, le long des immeubles en grès silencieux, aux fenêtres éclairées, pleins de vie. Les verres qui tintaient, une soudaine rafale de rires dans la rue au moment où s'ouvrait la porte d'un bar – ces bruits semblaient me suivre plus longtemps que par le passé.

Je n'étais pas retourné au Reservoir depuis ma rencontre avec Ashley. Après avoir appris l'existence de sa maladie, je m'y aventurai de nouveau.

Il n'y avait aucune trace de sa présence – ni à la surface de l'eau, ni dans la lumière verte du réverbère, ni dans le vent mordant, ni dans les ombres qui se projetaient à mes pieds. Pendant que je courais, tour après tour, je ne pouvais penser à rien d'autre qu'au jour où elle était allée dans l'entrepôt, à la solitude de cet ultime voyage, en haut des marches, jusqu'au bord de la cage de l'ascenseur, c'est-à-dire au bord de sa propre vie, les yeux braqués en bas. *Le soir où je l'avais vue ici, elle était en train de mourir.* D'où sa démarche si particulière. Elle était faible, *dans un état psychologique fragile*, à en croire Inez Gallo.

Malgré tout, j'étais tracassé. J'en étais arrivé à croire qu'Ashley avait voulu me retrouver pour me dire quelque chose – quelque chose de crucial et de vrai –, mais que les circonstances l'avaient empêchée de m'approcher directement. À présent, même cela s'expliquait : Gallo avait parlé de la peur qu'avait Ashley de nuire à tous ceux qu'elle approchait, une peur qui pouvait très bien être née quand elle avait appris ce qui était arrivé à Olivia Endicott et à Larry, le tatoueur, après qu'elle les eut rencontrés.

C'était forcément pour ça qu'elle avait gardé ses distances avec moi.

D'après tous les récits que j'avais entendus, Ashley défendait la vérité. Elle était l'antithèse de la faiblesse. Même dans sa traque de l'Araignée, elle n'avait eu pour but que de lui accorder son pardon. Accepter maintenant que c'étaient des illusions qui l'avaient amenée ici, pour transformer sa paille en or, en reine de la manipulation, pour citer Gallo, paraissait *bizarre*.

Qu'avait-elle voulu me faire savoir ?

J'avais fait tellement de tours autour du lac que je ne les comptais même plus. Après quoi, les poumons en feu, épuisé, je pris la 86e Rue Est jusqu'au métro et montai dans la rame, exactement comme le soir de notre rencontre.

En observant le quai sous la lumière crue des néons, je me demandai si je pouvais faire surgir, par la *seule force de ma volonté*, ses chaussures, son manteau rouge et noir – si elle pouvait venir une dernière fois, afin que je voie son visage et que je déchiffre enfin la vérité qui se cachait en elle.

Or, il n'y avait personne.

Même l'affiche pour le film de science-fiction et l'homme énucléé à coups de feutre noir n'étaient plus là, remplacés par une autre affiche, celle-là pour une comédie romantique avec Cameron Diaz.

« Elle n'a rien compris », indiquait le bandeau.

Je devais peut-être en prendre de la graine.

113

Quelques jours plus tard, sous le regard paisible de Septimus, je réunis toutes mes recherches sur Cordova – du moins ce qu'il en *restait* –, les remis dans le carton, et rangeai le carton dans le placard.

J'apportai une montagne de linge sale au pressing, y compris le pardessus à chevrons de Brad Jackson. Puis, en voyant sur le comptoir ce pauvre manteau écrasé sous la pile de mes chemises, je me fis soudain la réflexion, paranoïaque, que c'était la dernière preuve, mon dernier lien avec la folie du Peak. Et s'il devait être nettoyé, repassé à la vapeur, enveloppé dans du plastique avec un bout de papier sur les épaules indiquant : « Ici, le client est roi ! », ce seraient mes souvenirs qui s'en iraient avec lui. Je le ressortis donc. De retour chez moi, je le rangeai au fond du placard, derrière le manteau rouge d'Ashley, puis refermai la porte.

Je voulais voir Sam. Je voulais entendre sa voix, la sentir se suspendre lourdement à mon bras et me regarder en plissant les yeux. Mais Cynthia ne m'avait jamais répondu. Je me demandais si son silence signifiait qu'elle préparait avec ses avocats une demande en vue de réaménager la garde, comme elle m'en avait menacé aux urgences. Finalement, mon vieil avocat me téléphona pour m'annoncer la nouvelle.

« Ils ont fixé une date au tribunal. Elle veut restreindre votre droit de visite.

— Tout ce qu'elle voudra. »

Ma réponse sembla le sidérer, comme n'importe quel simple geste de bienveillance sidère *toujours* les avocats.

« Mais vous risquez de ne plus jamais revoir votre fille.

— Je veux que Sam soit heureuse et protégée. On en reste là. »

Ce qui ne m'empêcha pas d'aller l'épier en secret, un après-midi de la fin décembre rendu gris par le froid. Des flocons de neige géants erraient dans l'air, perdus, oubliant de tomber. Comme je ne voulais pas que Sam me voie, je restai caché derrière des voitures garées et un camion de livraison FreshDirect pour regarder les portes noires de son école s'ouvrir, puis les enfants emmitouflés dans leurs manteaux se déverser sur le trottoir. À ma grande surprise, Cynthia l'attendait. Après lui avoir fait enfiler des mitaines noires, elle l'emmena.

Sam portait un manteau bleu tout neuf. Elle avait les cheveux plus longs que dans mon souvenir, serrés par une queue-de-cheval sous un bonnet de velours noir. Elle paraissait plus mûre, aussi, et racontait à Cynthia tel détail de sa journée avec un air très sérieux. J'étais bouleversé. Parce que soudain je voyais comment les choses se passeraient : la vie de Sam défilerait toujours comme une série de diapos que je visionnerais grâce à un vieux projecteur, dans le noir, par bonds en avant stupéfiants – mais sans jamais voir la pellicule entière.

D'un autre côté, elle était heureuse. Ça se voyait. Elle était parfaite.

Lorsqu'elles traversèrent la rue, je ne pus distinguer que leurs manteaux bleu et noir. Un flot de taxis et de bus jaunes envahit la 5ᵉ Avenue, puis mère et fille disparurent de mon champ de vision.

114

Je reçus le mail le 4 janvier : Nora m'invitait à ses débuts new-yorkais, en l'occurrence *Hamlette*, la production transgenre en off du off de Broadway montée par le Flea Theater. Elle avait réussi son audition et tiré ce qui, pour n'importe quel acteur de New York, représentait le gros lot : un *rôle rémunéré*. Certes, elle n'était que *Bernarda*, une des deux gardes du château d'Elseneur (inspirée de Bernardo) qui apparaissait seulement dans la première scène du premier acte, et elle n'était payée que trente dollars par représentation. *Mais quand même.*

« Je suis une vraie actrice, maintenant », m'écrivait-elle.

La première eut lieu dans un petit théâtre. Dès que les lumières s'éteignirent et que le lourd rideau noir fut bruyamment tiré, je vis Nora sous la lumière bleue, avec deux longues nattes blondes, en train de monter jusqu'au sommet d'une tour branlante en contreplaqué. Elle était étonnamment bonne et instillait à toutes ses répliques cette candeur innocente et comique que je lui avais si souvent connue. Quand elle rencontrait le fantôme de la mère d'Hamlette (qui, par un étrange choix de costume, était affublée d'un porte-jarretelles et d'une combinaison-culotte blanche, ce qui lui donnait l'air d'un spectre drogué, surgi non pas du purgatoire, mais du Crazy Horse de Las Vegas), qu'elle trébuchait et titubait en arrière, déclarant naïvement : « Il est ici ! » et « Il allait parler quand le coq a chanté », le public éclatait d'un rire enthousiaste.

Il n'y avait pas d'entracte. Une fois la pièce terminée – après qu'Ophélio se fut suicidé en avalant trop de Xanax, Hamlette trouvait le courage de dézinguer sa vipère de belle-mère, *et*, enfin, Fortinbrassa et son armée de copines arrivaient en retard, comme de juste, à Elseneur, vêtues de minijupes en nylon tout droit sorties d'Holiday on Ice –, je ne quittai pas mon siège.

Lorsque le théâtre fut vide, je vis avec surprise qu'une autre personne était restée.

Hopper. Évidemment.

Il était assis au dernier rang, tout au fond. Il avait dû se glisser dans la salle après l'extinction des lumières.

« McGrath. »

Comme moi, il avait apporté un bouquet à Nora – des roses rouges. Il s'était fait couper les cheveux. Et bien qu'il eût toujours son manteau en laine gris et ses Converse, il avait mis une chemise blanche qu'il semblait ne pas avoir ramassée sur le sol de son appartement. Et sous ses yeux, les cernes s'étaient estompés.

« Comment tu vas ? » demandai-je.

Il sourit. « Pas mal.

— Tu as *l'air*. Tu as arrêté de fumer ?

— Pas encore. »

Il voulut ajouter quelque chose mais son regard se porta derrière moi. Je me retournai et vis Nora sortir par le rideau. Je fus soulagé de constater qu'elle portait toujours ses tenues de vieux travesti – des leggings noirs, une des chemises de smoking violettes de Moe –, bref qu'elle n'avait pas changé. Car New York pouvait avoir cet effet-là sur vous en un rien de temps : elle vous embellissait, vous récurait, vous lustrait et vous polissait pour vous transformer en quelque chose qui présentait *bien*, mais comme tout le monde.

Nora nous serra très fort dans ses bras et dit au revoir aux membres de sa troupe.

« Salut, Riley ! Tu as été *fabuleuse* ce soir ! » (Riley, une jolie blonde peroxydée, avait joué Hamlette et prononcé « Être ou ne pas être » avec autant de sérieux que si elle s'était posé la question : « Envoyer un SMS ou ne pas envoyer un SMS. ») « Drew, tu as oublié ton chapeau sur la table aux accessoires. »

Radieuse, gonflée à bloc par l'énergie de la scène, Nora enfila son manteau et nous proposa d'aller manger un morceau. Sur le trottoir, elle enlaça ses bras dans les nôtres : Dorothy avait retrouvé l'Épouvantail et l'Homme de Fer-Blanc.

« Comment ça va, Woodward ? Tu m'as *manqué*. Ah ! Avant toute chose, comment va Septimus ?

— Immortel, comme toujours.

— Vous m'avez tous les deux apporté des *fleurs* ? Vous êtes devenus galants tout à coup ? »

Nous allâmes à l'Odeon, une brasserie française de West Broadway qui fermait tard. Nous nous entassâmes sur une banquette. Nora observa nos visages comme si c'étaient des journaux étrangers sur lesquels elle avait enfin mis la main, avec les dernières nouvelles du pays.

« Vous avez tous les deux l'air *en forme. Oh.* » Elle ôta un de ses gants pour montrer la face intérieure de son poignet droit. Dessus, deux mots formaient un petit tatouage.

Oserai-je ?

« Pour ne jamais oublier Ashley. » Elle se mordilla la lèvre inférieure et jeta un regard nerveux à Hopper. « Ça ne t'embête pas, si ? »

Il fit signe que non. « Ashley aurait adoré.

— Je suis allée le faire chez L'Envol du Dragon. Mais le type avec qui on avait discuté, Tommy... Il est reparti pour Vancouver. Donc c'est un *autre* qui m'a tatouée. Ça m'a fait un mal *de chien*. Mais ça valait le coup. »

J'avais complètement oublié Tommy, le tatoueur. *Ainsi donc, lui aussi avait été prié par Gallo d'aller voir ailleurs.*

Nora interpréta mon regard étonné comme un reproche. « Je savais que tu n'aimerais pas. Mais il est tout *petit*. En plus, je peux le masquer avec du fond de teint. Et avant mon mariage, je peux toujours l'effacer au laser.

— Quel mariage ? demandai-je.

— *Un jour. Si* je me marie. Mais dis, Woodward, tu m'accompagneras à l'autel ? Je me faisais la réflexion que je n'avais personne pour le faire.

— *Oui.* À condition que ça se passe dans vingt ans. »

Pour finir, nous restâmes ensemble jusqu'à 5 heures du matin, de plus en plus ivres et bruyants, abandonnant l'Odeon pour quelque *speakeasy*, dans un Lavomatic de Chinatown où Hopper avait ses entrées ; puis un *after* dans une boîte où une copine de Nora, Maxine, était serveuse ; enfin, un bar sur Essex Street où nous jouâmes au billard et prîmes contrôle du juke-box – pour y mettre *Love Will Tear Us Apart*, de Joy Division (« C'est notre hymne », dit Nora pendant que Hopper, montrant un vrai talent de danseur, la faisait tournoyer dans la salle). Ils me racontèrent leur vie depuis deux mois que nous avions cessé de chercher ensemble la vérité sur Ashley – et sur Cordova.

Nora se consacrait pleinement à sa conquête du off du off de Broadway. Elle trouvait le temps de passer des auditions repérées dans la revue *Backstage* tout en travaillant à plein temps chez Healthy Bakes. (Healthy Bakes, création de Josephine, la propriétaire hippie de Nora, était une très appétissante boutique d'East Village qui proposait des cupcakes végétaliens, macrobiotiques, sans sucre et sans gluten.) Nora nous montra les derniers portraits de son book, où on la voyait en train de reluquer l'objectif par-dessus son épaule avec ses cheveux lissés qui tombaient en cascade. *Nora Edge Halliday*, était-il écrit en lettres cursives. Si la photo avait eu une voix, ça aurait été un murmure rauque, avec un fort accent britannique, dans *Masterpiece Theatre*.

« Le Edge est *vraiment* nécessaire ? lui demandai-je. Nora Halliday suffit largement.

— Le Edge apporte quelque chose de plus sérieux », dit Hopper.

Nora leva le menton. « Tu es en minorité, Woodward. Comme d'habitude. »

Elle se pencha au-dessus du billard et, très concentrée, tira la bille blanche. Trois billes unies finirent par tomber dans les poches opposées. Apparemment, Terra Hermosa possédait une salle de billard dont Nora ne m'avait jamais parlé.

« Je me donne dix ans pour essayer de percer, reprit-elle avant de faire le tour de la table et de préparer son dernier coup. Ensuite, je me barre pendant qu'il est *encore temps*. Je m'achèterai une ferme avec des collines et des ânes. J'aurai des enfants. Vous viendrez

678

tous les deux me voir. On pourrait organiser des retrouvailles. Où qu'on soit dans le monde, on se retrouverait le même jour.

— L'idée me plaît, dit Hopper.

— J'ai un petit ami qui s'appelle Jasper, ajouta Nora.

— *Jasper ?* m'exclamai-je. Avec un nom pareil, il doit se faire des mèches, non ?

— C'est quelqu'un de formidable. Il te plairait beaucoup.

— Quel âge ?

— Vingt-deux ans.

— Mais vingt-deux ans *vieux* ? »

Elle acquiesça et regarda ailleurs, soudain timide, puis contourna la table pour se cacher de moi.

Hopper, quant à lui, était sur le point de quitter New York lorsqu'il avait reçu le mail de Nora ; il avait repoussé son départ d'une semaine pour avoir cette ultime occasion de nous revoir. Il avait lâché son appartement. Il partait pour l'Amérique du Sud.

« L'Amérique du *Sud* ? s'écria Nora, comme s'il avait annoncé son départ pour la Lune.

— Oui. Je vais retrouver ma mère. »

Comme toujours, il préféra ne pas s'étendre sur ce voyage intrigant. Mais je me souvenais d'une chose qu'il avait dite à propos de sa mère, le jour où nous avions discuté pour la première fois chez lui, à savoir qu'elle participait à une curieuse mission d'évangélisation.

Nora, rongeant son pouce, se jucha sur le coin du billard.

« Et après ça, qu'est-ce que tu vas faire ? demanda-t-elle.

— Après ça… »

Il sourit. « Quelque chose de vraiment bien. »

Nous commandâmes des verres de tequila Patrón et dansâmes au son du juke-box – ma *vieille musique ancienne*, comme disait Nora, les Doors, Harry Nilsson et son *Everybody's Talkin'*, *Beyond Belief* d'Elvis Costello, le tout entrecoupé des choix branchés de Hopper, comme *Real Love*, de Beach House, et *Skin of the Night*, de M83.

À chaque instant, je sentais Ashley parmi nous, l'invisible quatrième membre de notre petite bande. Sans avoir besoin de prononcer son nom, nous pensions tous à elle. De toute évidence, aux yeux de Nora et de Hopper, la question de sa vie et de sa mort était réglée. Ils croyaient en elle sans le moindre doute, sans la moindre remise en question. Elle leur avait rendu le monde acceptable, voire meilleur. *Ils croyaient encore au mythe*, me disais-je, *celui du sortilège diabolique. Ils vivaient encore dans un monde féérique – où Ashley était non pas une jeune femme rongée par le cancer, mais un ange exterminateur, et Cordova, non pas un vieillard catatonique dans une maison de retraite, mais un roi cruel ayant fui vers l'inconnu.* Toute leur vie, ils auraient cette réalité magique vers laquelle se tourner quand leurs clés de voiture traverseraient inexplicablement la pièce, quand ils liraient des articles sur des enfants disparus sans laisser de traces, quand quelqu'un leur briserait le cœur sans raison valable.

« Mais bien sûr, se diraient-ils. C'est la magie. »

J'avais l'impression que nous avions fait la guerre ensemble. Au cœur de la jungle, seul, j'avais fait confiance à ces deux inconnus. Ils m'avaient soutenu comme seuls des camarades peuvent le faire. Et une fois la guerre terminée, dans ce qui ressemblait plus à un match nul entre deux adversaires épuisés qu'à une victoire, chacun était reparti de son côté. Mais nous étions à jamais liés par cette histoire, par le simple fait qu'ils avaient vu ma part brute et moi la leur, comme personne ne l'avait fait et ne le ferait sans doute jamais, pas même les amis proches et les parents.

Entre les rires, les blagues et la musique, un long silence s'installa entre nous. Nous étions assis côte à côte sur un banc de bois, au-dessous d'une cible à fléchettes et d'une enseigne lumineuse Coors Light. L'occasion me parut être bonne pour leur dire la vérité.

Je regardai le profil de Hopper, sa tête relevée contre le mur, et les boucles blondes de Nora collées sur ses joues roses. Les mots hurlaient dans ma tête.

Vous ne pouvez pas savoir tout ce qu'elle nous a caché. C'était le triomphe ultime de la vie sur la mort – ne jamais rien concéder à la maladie, ne jamais cesser de vivre.

L'idée me vint soudain que, contrairement à ce qu'Inez Gallo avait voulu me faire avaler, Ashley ne s'était peut-être pas fait tant d'illusions à la fin de sa vie. Peut-être, même, faisant preuve d'un sens aigu des êtres et d'un cœur que Gallo elle-même ne pouvait lui enlever, avait-elle souhaité cet instant et prévu que, grâce à sa mort, Hopper, Nora et moi nous rencontrerions. *Voilà pourquoi elle avait choisi l'entrepôt. Elle savait que j'irais y chercher des indices et que j'y croiserais Hopper, lui-même intrigué par l'adresse d'expéditeur au dos de l'enveloppe. Sinon, pourquoi aurait-elle laissé son manteau à Nora ?*

Je m'aperçus que l'occasion m'était passée sous le nez. Hopper se souleva du banc et traversa le bar pour aller mettre une autre chanson dans le juke-box devenu muet. Et Nora fit un tour aux toilettes.

Je ne bougeai pas. *C'était donc fini.*

Je leur dirais la vérité un jour. Mais ce soir ils pouvaient encore croire au mythe.

Quelques heures plus tard, le bar ferma. Les lumières aveuglantes vinrent effacer le mirage de l'éternité. Il était temps de partir. J'étais ivre mort. Dehors, sur le trottoir, je les serrai dans mes bras en déclarant à la ville déserte – New York était *enfin* assoupie et à court de mots – qu'ils étaient les deux êtres les plus beaux que j'aie jamais rencontrés.

« On est une famille ! hurlai-je en direction des immeubles, d'une voix qui fut à moitié engloutie par la rue vide.

— On a compris, Aretha ! plaisanta Hopper.

— Mais c'est *vrai*, dit Nora. Et on le sera toujours.

— Avec vous deux ? Ce monde n'a aucune inquiétude à avoir ! Vous m'entendez ? »

Nora, hilare, passa son bras autour de mon cou et essaya de me décrocher du poteau téléphonique que j'enlaçais à la manière de Gene Kelly dans *Chantons sous la pluie.*

« Tu es bourré, dit-elle.

— Bien sûr que je suis bourré.

— Il est temps de rentrer chez toi.

— Woodward ne rentre *jamais* chez lui. »

Et nous repartîmes, l'un derrière l'autre, en silence, conscients que la séparation arriverait d'ici quelques minutes, que nous n'allions peut-être plus nous voir avant longtemps.

Nous hélâmes un taxi. C'était comme ça qu'on faisait à New

York au petit jour : on montait dans une voiture jaune crasseuse, derrière un chauffeur sans visage qui nous déposait chacun son tour, relativement indemnes, dans nos rues calmes. Cette soirée serait rangée quelque part puis ressortie un jour et époussetée, remémorée comme un des meilleurs moments passés ensemble. Nous nous entassâmes dans le taxi, Nora au milieu, les roses déjà fanées couchées sur ses genoux. Hopper dormait chez un ami qui habitait Delancey Street.

« Ici », dit-il au chauffeur en toquant à la vitre.

Le taxi s'arrêta. Hopper se tourna vers moi et me tendit la main.

« Continue de chercher les sirènes », me dit-il d'une voix éraillée. Il baissa la tête afin que je ne voie pas les larmes dans ses yeux. « Continue de te battre pour elles. »

Je hochai la tête et le serrai dans mes bras de toutes mes forces. Il embrassa ensuite doucement Nora sur le front et descendit. Au lieu d'entrer tout de suite dans l'immeuble, il s'attarda sur le trottoir et nous regarda partir, silhouette sombre que le réverbère baignait d'une lumière orange. Nora et moi le regardions par la lunette arrière – l'image mouvante sur laquelle nous devions fixer nos yeux, sans les cligner, sans respirer, car d'ici quelques secondes elle ne serait plus qu'un souvenir.

Il leva la main gauche vers nous, en un geste à la fois d'hommage et de salut. Le taxi tourna au carrefour.

« Maintenant, dis-je au chauffeur, Stuyvesant Street, au croisement avec la 10e Rue Est. Près de Saint Marks. »

Nora me regarda avec des yeux tout ronds.

« Tu m'as donné ton adresse, lui expliquai-je.

— Mais non ! se récria-t-elle. J'ai fait exprès de *ne pas* te la donner.

— Et pourtant *si*, Bernstein. Tu commences à perdre la boule, avec l'âge. »

Elle soupira, les bras croisés. « Tu m'as espionnée.

— Non.

— Si. Ça se voit.

— Je t'en prie. J'ai *autre* chose à faire que m'inquiéter pour les Bernstein. »

Elle faisait la tête mais, lorsque le taxi s'arrêta devant l'immeuble, elle ne bougea pas d'un pouce. Elle gardait les yeux fixés devant elle.

« Tu ne m'oublieras pas ? susurra-t-elle.

— Ce serait physiquement impossible.

— Tu promets ?

— Tu devrais vraiment penser à porter un panneau "ATTENTION FRAGILE". Tu vas finir par tomber amoureuse de cette bonne femme, que tu le veuilles ou non.

— Ça va *aller* pour toi ? »

Elle me regardait, sincèrement inquiète.

« Mais bien sûr. Et pour toi aussi. »

Elle acquiesça, comme pour s'en convaincre elle-même, puis, soudain, sourit. Repensait-elle à une vieille blague que j'avais faite et qu'elle ne trouvait drôle que maintenant ? Elle se pencha et m'embrassa sur la joue. Là-dessus, comme si un charme allait se rompre, elle descendit du taxi en claquant la portière et remonta le perron avec son sac à main lourd comme du plomb et ses bras chargés de roses.

Elle ouvrit la serrure, entra et fit lentement demi-tour. Ses cheveux étaient dorés par une lumière derrière elle.

Elle sourit une dernière fois. La porte se referma et la rue retrouva son silence.

« Voilà », murmurai-je, plus à moi-même qu'au chauffeur. Je me retournai, me calai au fond de la banquette, le visage éclairé par une lumière jaune pâle, et nous partîmes.

115

C'était un coup de bol. Mais après tout, la vie *est* un coup de bol.

Il se produisit quelques jours après ma soirée avec Hopper et Nora, alors que je me remettais tout juste de ma gueule de bois. J'étais en train de nettoyer mon bureau. J'avais laissé Septimus sortir de sa cage, histoire qu'il fasse un peu d'exercice. En écartant le canapé du mur, je remarquai par terre les trois bougies d'inversion noir et blanc que nous avait données Cleo.

Je les avais complètement oubliées. Elles avaient dû tomber là le jour du cambriolage.

Nous les avions à peine fait brûler, préoccupés que nous étions par le reste. *Mais pourquoi ne pas aller jusqu'au bout de la manœuvre ?* Je les posai donc sur une assiette et les allumai. Quelques heures plus tard, tandis que j'étais assis sur le canapé avec un whisky et le *Wall Street Journal*, je levai les yeux et constatai que les bougies s'étaient consumées, ne laissant plus qu'un trait de cire blanche : d'abord la première, puis la deuxième, comme si elles réclamaient mon attention pleine et entière. Avant de s'éteindre, les mèches brûlèrent d'une flamme orange. La troisième résista. La flamme vacillait, comme si elle refusait de céder, de mourir. Elle finit tout de même par succomber.

J'entendis mon portable sonner.

« Allô ? » dis-je sans même regarder le numéro. Mon comptable était censé me rappeler pour m'informer que mes économies ne tenaient plus qu'à un fil et que je devais soit postuler pour un nouveau poste d'enseignant, soit envisager une autre enquête, rémunératrice cette fois.

« Scott ? C'est Cynthia. »

Je fus immédiatement saisi d'effroi. « Sam va bien ?

— Oui. Elle est en pleine forme. Enfin, non, d'ailleurs. C'est faux. » Elle inspira lourdement. « Tu as deux secondes ?

— Qu'est-ce qui se passe ? »

Elle avait l'air bouleversée. « Je suis désolée. De ne pas t'avoir répondu. Je pensais que c'était la meilleure chose à faire. Mais elle est inconsolable. Scott ici, Scott là. *Elle pleure* sans arrêt. Je n'en peux plus. » Elle-même semblait au bord des larmes. « Est-ce que tu pourrais passer un peu de temps avec elle samedi ?

— Samedi, ça me va. »

Elle renifla. « Elle pourrait peut-être dormir chez toi.

— Avec plaisir.

— Bien. Au fait, comment tu vas ?

— *Maintenant*, ça va très bien. Et toi ?

— Bien. »

Elle rit doucement. « Donc à samedi, d'accord ? Jeannie est rentrée. Elle s'est remise de sa mononucléose.

— À samedi. »

Je raccrochai. J'étais incapable de détacher mes yeux des trois bougies.

Elles étaient en train de fumer, plutôt innocemment. Trois longs filaments gris montaient vers le plafond en dansant.

116

C'est avec le sentiment très net qu'un miracle s'était produit que, le samedi, je trouvai Sam devant ma porte, accompagnée de Jeannie.

C'était une belle journée d'hiver, avec toute la pétulance et l'énergie de l'adolescence, le ciel bleu, le soleil aveuglant, la neige de deux jours qui crissait comme du sucre glace sous nos chaussures. Je sortis le grand jeu : des pancakes au citron et à la ricotta chez Sarabeth's ; une expédition au magasin de jouets FAO Schwarz, où Sam tomba sous le charme d'un éléphant d'Afrique à taille réelle et à mille deux cents dollars, issu de la collection Safari (« les poils ont été méticuleusement taillés à la main par des artisans chevronnés », précisait l'étiquette), que Jeannie, en nounou professionnelle, m'empêcha promptement d'acheter. Nous la perdîmes après une glace au Plaza : en pleine descente après son shoot de sucre, elle préféra esquiver le clou de la journée – la patinoire Wollman à Central Park – et nous retrouver chez moi.

« *Je vous en supplie, faites attention* », me dit-elle avec un regard sévère et entendu, juste avant de s'engouffrer dans un taxi.

Le périple se déroula sans encombre. Il n'y eut qu'une seule manœuvre difficile : faire entrer le pied gauche de Sam dans son patin : ç'avait l'air de coincer à hauteur de la cheville. Sam grimaça de douleur, aussi retirai-je le patin pour l'ouvrir au maximum, en faisant mine de fournir un effort intense, comme si je briguais le titre de Mister Univers – ça la rendit hilare –, et nous nous élançâmes sur la glace, père et fille, main dans la main. La patinoire était remplie de touristes – ils étaient trop surexcités pour être des locaux. Mais une fois engloutis par la foule, nous avions l'impression de nager dans un océan de bonheur. Ce n'étaient que parkas bigarrées, rires et sifflements des patins sur la glace, le tout à l'ombre des grands buildings de Central Park South et de la 5ᵉ Avenue.

C'est au moment où nous marchions sur le trottoir de la 5ᵉ Avenue qu'arriva la bonne nouvelle. Ma fille me dévoila le nom de sa meilleure amie : Delphine. Du haut de ses six ans, cette gamine née à Paris semblait déjà *au-delà du chic*.

« Delphine arrive à l'école en limousine, me fit remarquer Sam.

— Tant mieux pour elle. Et *toi*, comment est-ce que tu vas à l'école ?

— Maman m'accompagne. »

Dieu soit loué, Bruce gardait donc sa Bentley sous sa housse. Je me dis que j'allais devoir garder un œil sur cette chère petite *Delphine*. Elle m'avait l'air bien partie pour escalader les fenêtres des chambres dans très peu de temps.

Sam voulut me montrer ses tout nouveaux protège-tibias ainsi que ses crampons de foot et elle venait d'apprendre la différence entre Fahrenheit et Celsius. Elle aimait aussi beaucoup sa nouvelle prof de sport, une certaine Lucy, heureuse épouse de M. Lucas, qui enseignait les sciences de la terre. Elle aborda tous ces sujets sur un ton calme et définitif, me les expliquant, à moi le joyeux sous-fifre inculte, avec toute l'autorité d'un grand patron. Elle cita aussi plusieurs noms propres – une certaine *Clara*, un chien (ou un petit garçon très malheureux) nommé *Maestro*, *M. Frank*, et quelque chose qui s'appelait le *Cercle des Histoires Invraisemblables* –, comme si je savais très bien de quoi ou de qui il s'agissait. Et j'étais ému, car cela voulait dire que, dans son esprit, il n'y avait pas un moment où *je n'étais pas* avec elle et que je voyais toujours ce qu'elle voyait.

Après avoir croisé et salué deux teckels, Sam déclara qu'elle était prête à rentrer à la maison. Dans le taxi, je lui demandai si elle avait passé une bonne journée. Elle fit signe que oui.

« Et dis-moi, chérie ? »

Elle était en train de bâiller.

« Tu te souviens du jouet que Maman avait trouvé dans la poche de ton manteau ? »

Sam trouva la question suffisamment déconcertante pour me regarder dans les yeux.

« Tu sais, le... serpent noir ? précisai-je sur un ton aussi désinvolte que possible.

— Le dragon qui a mis Maman très en colère ?

— Voilà ! Le *dragon* qui a mis Maman très en colère. Où est-ce que tu l'avais trouvé ?

— Ashley. »

Je fis de mon mieux pour paraître détaché. « Et où est-ce que tu as rencontré Ashley ?

— Au terrain de jeux, avec Jeannie. »

Au terrain de jeux, avec Jeannie. « Quand ça ?

— Il y a longtemps. »

Elle bâilla encore. Elle avait les yeux tellement fatigués que c'en était drôle.

« Tu lui as parlé ?

— Non. Elle était trop loin.

— Loin comment ?

— Elle était dans une voiture et j'étais sur la balançoire.

— Mais comment a-t-elle fait pour te donner le dragon ?

— Elle l'a laissé. »

Sam dit cela sur le ton d'un professeur exaspéré, comme si la chose avait déjà été expliquée mille fois.

« Quand ça ? Le lendemain ? »

Elle acquiesça vaguement.

« D'accord. Tu es la meilleure experte en personnalités que je connaisse et j'accorde une grande valeur à tes jugements. Qu'est-ce que tu as pensé d'elle ? D'Ashley ? »

En entendant le nom, elle eut un léger sourire. Mais ses yeux se fermaient.

« C'était une magicienne... murmura-t-elle.

— Quoi ? Sam ? »

Elle s'était endormie. Elle avait sa tête blottie dans mes bras et les mains sur ses cuisses, comme si elle tenait un bouquet de violettes invisible. Une fois arrivés à Perry Street, je la couchai en haut afin qu'elle puisse dormir. Mais Jeannie la réveilla à 19 heures pour lui faire mettre son pyjama nuages. Nous regardâmes *Nemo*. Je lui fis une omelette aux blancs d'œuf. Lorsque Jeannie monta pour ôter ses lentilles, sans doute le prétexte pour passer un coup de fil à son petit ami, Sam s'assit à la table de la cuisine et dîna tranquillement.

J'y vis l'occasion de l'interroger plus longuement sur Ashley, de comprendre comment diable elle l'avait rencontrée. Mais lorsque je m'assis à côté d'elle, elle me regarda, en mâchant lentement, la bouche fermée, l'air de me dire qu'elle savait très bien ce que j'allais lui demander et qu'elle trouvait malheureux que je n'aie toujours pas compris. Elle avala sa bouchée, posa sa fourchette, prit ma main droite en la caressant comme s'il s'agissait d'un lapin esseulé dans une animalerie, puis se saisit de son verre de lait.

Je m'aperçus alors – *évidemment* – que Sam m'avait tout dit.

117

C'était une magicienne.

Au moment de lui dire au revoir, le lendemain, je serrai Sam fort dans mes bras et déposai un baiser d'abord sur sa joue, puis sur sa tête brûlante.

« Je t'aime plus que… Plus que quoi, déjà ? lui demandai-je.

— Le soleil et la lune *réunis*. »

J'enlaçai Cynthia. Elle ne s'y attendait pas.

« Tu es magnifique, lui glissai-je à l'oreille. Tu l'as toujours été. Excuse-moi de ne te l'avoir jamais dit. »

Elle me regarda, sidérée, tandis que je quittais le hall et souriais aux deux portiers qui nous avaient effrontément écoutés.

« Vous avez bien entendu ? *Cette femme est magnifique.* »

À peine rentré chez moi, je ressortis mon vieux carton fatigué et étalai par terre les quelques papiers qu'il contenait.

Qu'avais-je appris quand je m'étais retrouvé coincé dans cette boîte hexagonale – qu'avais-je appris de moi-même ? *Tu n'as même pas vu par où elle s'ouvrait.* C'était pour me signifier que je ne comprenais *pas* tout, que je n'avais pas une vue d'ensemble.

Peut-être me trompais-je encore sur toute la ligne. Peut-être ne voyais-je toujours pas quelque chose que même Sam avait vu. Et Nora. Et Hopper.

Tous trois croyaient en Ashley. Pas moi.

Et si je me mettais à croire aussi aveuglément que Hopper, Nora... et Sam ? Était-ce de l'aveuglement de leur part, ou voyaient-ils ce que je ne voyais pas ? Et si je balançais par-dessus bord la raison et le bon sens, les laissais disparaître en silence derrière moi, et commençais à croire en la sorcellerie, en la magie noire, en Ashley ? Brûler les bougies d'inversion m'avait permis de récupérer Sam. Certes, on pouvait arguer que le coup de téléphone de Cynthia, quelques secondes après leur extinction, ne relevait que de la pure coïncidence. Mais si ce n'était pas le cas ? Peut-être était-ce la magie noire qui relevait la tête, qui insistait pour montrer qu'elle existait.

Et si j'acceptais simplement que la vérité derrière toute cette enquête n'était *pas* du côté d'Inez Gallo, mais d'Ashley ? Et si cette dernière n'avait pas du tout été victime d'une fragilité psychologique ? La réalité de sa maladie ne prouvait rien. Pourquoi le cancer n'aurait-il pas été un énième symptôme du sortilège diabolique, comme Ashley le croyait elle-même ? Certes, je n'avais pas recueilli beaucoup d'indices au Peak – la chemise tachée de petit garçon et les ossements animaux –, mais cela ne disculpait pas Cordova de ce que j'avais soupçonné, à savoir qu'il s'adonnait à la magie noire avec les villageois, que ses œuvres n'étaient pas des fictions, mais des horreurs bien réelles, et filmées, qu'il s'était servi d'enfants pour délivrer sa fille du sortilège et qu'il avait même fait du mal à l'un d'entre eux, comme l'avait suggéré l'Araignée.

Gallo ne reculera devant rien pour le protéger. J'avais lu cette phrase sur les Blackboards. Pourtant, chose curieuse, elle avait décidé de *ne pas* le protéger contre moi. Elle m'avait directement conduit jusqu'à lui.

L'avait-elle *vraiment* fait ?

Beckman m'avait prévenu : je rencontrerais peut-être un personnage installé au croisement entre la vie et la mort. *Ce sera un leurre, un substitut, afin que* le vrai *puisse être libre. C'est le personnage favori de Cordova. Il est toujours là quand le cerveau de Cordova est à l'œuvre. Quoi qu'il arrive.* Ce personnage pouvait fort bien être l'homme dans la maison de retraite, l'inconnu à côté duquel je m'étais assis.

Bill Smith.

Il aurait pu être n'importe qui – n'importe qui d'un peu charpenté et lourd, juste assez sénile et silencieux pour ne pas se rendre compte qu'il se faisait passer pour Cordova. La roue tatouée n'était pas une preuve irréfutable. Elle pouvait avoir été dessinée – et même tatouée – en pleine nuit par Gallo sur la main de cet homme, en l'absence des infirmières. Enderlin Estates n'était pas un établissement sécurisé et rien n'aurait pu empêcher Gallo de faire ce qu'elle voulait au premier vieillard venu pour le transformer en doublure crédible de son maître – *et par conséquent laisser sa liberté au vrai.*

Elle avait voulu le délivrer.

Peut-être Inez Gallo était-elle le bourreau stipendié de Cordova, celle qui réglait son compte à quiconque s'approchait trop de lui ou en savait trop sur lui. Peut-être qu'elle avait attendu que j'arrive en hurlant sur cette ultime plate-forme en bois, et que sa mission avait consisté à me mettre le sac sur la tête, puis le nœud autour du cou, avant de me soulever brutalement et de me renvoyer sans ménagement vers *la réalité*, où elle était si convaincue que je resterais à ma place.

« Je vis dans le monde réel, m'avait-elle asséné, impassible. Et *vous* aussi. »

Elle avait dit cela comme un ordre, une consigne. Elle me donnait des instructions, persuadée que je les suivrais de bon gré, parce que j'étais réaliste, sceptique, pragmatique. Pourtant, j'avais décelé un soupçon de virulence dans sa manière de prononcer « le monde réel », comme s'il s'agissait de la plus horrible des condamnations à perpétuité.

L'histoire d'Ashley restera désormais là où elle le souhaitait, là où, au fond de son cœur, elle pensait qu'elle avait toujours été – au-delà de la raison, entre ciel et terre, en suspens, beaucoup plus près du mythe que de la vie ordinaire, cette vie où nous autres, *y compris* vous, *monsieur McGrath, devons rester.*

Là où chantent les sirènes, avais-je marmonné.

Les sirènes. Gallo avait été agacée par ce mot. Et s'il la dérangeait, cela ne signifiait qu'une chose : il était, à son goût, trop proche du vrai Cordova.

Il me fallut toute une nuit, et la journée suivante, et encore une nuit, pour faire le lien. Je ne dormis pas. Je n'en avais pas besoin. Je retranscris les notes qu'on m'avait volées, reprenant en détail tous les témoignages de ceux qui avaient croisé Ashley, tout ce que j'avais vu au Peak, tous les propos que j'avais entendus au sujet de Cordova.

Et je me rendis compte que, depuis le début, tout était là, sous mes yeux.

Portail. Maison. Lac. Écuries. Atelier. Guet. Trophy. Pincoya Negra. Cimetière. Mme Peabody. Laboratoire. Le Z. Carrefour.

Le mot avait été griffonné au-dessus d'une des treize ouvertures dans les passages souterrains du Peak.

Pincoya. C'était une sorte de sirène.

« Lascive et sensuelle, indiquait l'article de Wikipédia, d'une beauté incomparable avec ses longs cheveux blonds, elle surgit des profondeurs de la mer. Elle donne la richesse ou la pauvreté la plus effroyable, et tous les mortels de la terre ferme vivent au gré de ses caprices. » La créature avait été repérée sur un seul point du globe, et nulle part ailleurs : à Chiloé, une île perdue au large de l'Amérique du Sud.

La Pincoya n'était qu'une des innombrables créatures mythiques qui peuplaient l'île et ses côtes, nimbées d'un manteau de brouillard et de pluie onze mois sur douze. C'était un lieu désolé et inhospitalier, un des coins les plus reculés de la terre, une île héritière d'une longue tradition de sorcellerie.

Je repensai soudain à une chose que m'avait dite Cleo, dans son magasin, la première fois que nous étions allés la voir, pendant qu'elle examinait les substances que nous lui avions données, vestiges du sortilège de l'Os Noir d'Ashley.

Je vois du sable noir ici, et des algues, aussi, nous avait-elle expliqué. *Elle a dû trouver ça dans un endroit exotique.*

Concernant cette île, Chiloé, les renseignements étaient rares. Mais en parcourant le blog d'un randonneur espagnol, je découvris un autre élément intéressant.

Puerto Montt.

C'était la dernière ville sur la terre ferme avant que le Chili ne s'émiette en plusieurs centaines d'îles, comme un biscuit. Le randonneur avait quitté Puerto Montt pour une autre petite ville, Pargua, et, de là, avait pris le ferry jusqu'à Chiloé. On ne pouvait accéder à l'île que par bateau, hormis quelques pistes d'atterrissage rudimentaires.

Je savais que j'avais récemment lu quelque chose à propos de Puerto Montt. Au bout d'une heure de recherches, je trouvai la réponse : dans *The Natural Huntsman*, l'article sur la disparition de Rachel Dempsey au Népal – celle qui avait joué Leigh dans *La douleur* – repris par les Blackboards. Bien qu'elle n'eût donné aucun signe de vie après s'être volatilisée lors d'une partie de chasse, neuf jours plus tard son téléphone satellite avait été allumé à Santiago du Chili, et elle avait appelé brièvement un numéro à Puerto Montt.

Comme j'avais retranscrit mon entretien avec Peg Martin au Washington Square Park, je me rappelais que, selon elle, Theo Cordova entretenait une liaison avec une femme de dix ans plus âgée que lui, nommée Rachel, qui avait tourné dans un des films de son père.

Je comparai les dates et vis que, au printemps 1993, l'année où Peg Martin avait participé au fameux pique-nique, Rachel Dempsey avait vingt-sept ans, et Theo, lui, seulement seize. Soit onze ans d'écart.

Ça pouvait coller. Rachel et Theo avaient donc été ensemble, apparemment. Mais qu'avait voulu faire Rachel Dempsey, au juste, avec cette expédition de chasse au Népal ? Disparaître de la surface de la Terre ? S'évanouir dans la nature pour ressurgir quelque part sur cette île et… *quoi* ? Retrouver au paradis son amant, Theo ? Qu'y avait-il sur cette île ?

Les maisons y étaient construites selon une architecture originale. Nommées *palafitos*, c'étaient de modestes masures dressées sur des pilotis et peintes dans des roses, des bleus et des rouges intenses ; on aurait dit des insectes aquatiques aux longues pattes pullulant le long d'un littoral qui, loin de ressembler à un paradis tropical, était heurté et gris, avec des rochers tranchants et une eau noire qui suintait sur la plage.

J'avais déjà vu ces maisons sur pilotis.

C'était quand je m'étais retrouvé sur le décor d'*Attendez-moi ici*, dans la serre des Reinhart, à l'intérieur de la remise de Popcorn. J'avais remarqué une carte postale punaisée à un panneau en liège – avec les mêmes maisons sur pilotis. Par bonheur, j'avais eu le réflexe de détacher la carte et de lire ce qui était écrit au verso. Trois petits mots.

Bientôt tu viendras.

Il y avait encore autre chose : les églises de Chiloé étaient uniques au monde, fruit d'un croisement entre la culture jésuite européenne et les traditions locales des indigènes. Elles étaient austères, recouvertes de bardeaux, comme des écailles de dragon, et les clochers étaient surmontés d'une croix hérissée d'épines. Comme les *palafitos*, elles étaient peintes dans des couleurs vives, bien que cette bigarrure évoquât, plus que la joie, le rictus sinistre d'un visage de clown.

J'en avais vu une quelque part, aussi. Je me replongeai aussitôt dans mes papiers et finis par retrouver ce que je cherchais.

Dans l'article de *Vanity Fair*, la camarade d'Ashley à l'université racontait que, quand celle-ci était partie du jour au lendemain sans un mot, elle n'avait laissé que *trois polaroids*, qui avaient glissé derrière sa commode. Les photos accompagnaient l'article – souvenirs de l'existence perdue d'Ashley, hublots sur son univers. Mais j'y avais à peine prêté attention.

En regardant maintenant la première, je fus sonné.

On y voyait une petite église triste. Ce n'était pas exactement le même modèle, mais l'architecture était identique à celle des autres églises de l'île.

Le deuxième polaroid montrait un rocher noir massif sur une plage au-dessus de laquelle tournoyaient des mouettes. Le rocher comportait un curieux trou en son centre, comme si Dieu y avait planté son pouce, créant un vide malicieux dans le monde. Cet endroit ne m'évoquait rien.

En revanche, sur la *troisième* photo, il y avait une volée de cygnes à cou noir, dont l'un portait un petit sur son dos. *Les cygnes à cou noir*, appris-je grâce à Wikipédia, constituaient l'espèce de cygne dominante en Amérique du Sud. Mais ils ne pondaient et ne couvaient que dans certaines régions très précises, dont la Zona Sur du Chili, où se trouvait Chiloé.

Ashley avait très bien pu s'y rendre. C'était là qu'elle semblait avoir pris ces photos.

J'étudiai la photo satellite sur Google Earth. Plusieurs parties de l'île principale, la *Isla Grande*, et presque toutes les plus petites îles qui l'entouraient, constellant l'océan bleu, étaient masquées par des nuages argentés.

Tous ces éléments m'avaient-ils silencieusement conduit là-bas ?

Gallo avait tellement insisté pour me maintenir dans le *monde réel, la vie ordinaire,* et s'assurer que je cesserais de traquer Cordova – mais où ?

Plusieurs voix bourdonnaient dans ma tête pour me mettre en garde ; une des plus retentissantes était celle du vieux journaliste alcoolique que j'avais rencontré dans un bar de Nairobi. Affalé devant son verre, avec sa veste militaire sale et son treillis, il m'avait rappelé le destin des trois journalistes qui avaient travaillé sur cette affaire maudite, l'affaire sans fin, le ver solitaire.

L'un était devenu fou. Un autre avait abandonné son enquête pour se pendre, une semaine plus tard, dans une chambre d'hôtel de Mombasa. Le troisième avait tout bonnement disparu dans la nature, laissant derrière lui sa famille et un poste en or au sein d'un journal italien.

« Elle est infectée, avait bredouillé l'homme. *Cette histoire.* Ça existe, tu sais. »

Je me calai au fond de mon fauteuil, songeur. Je constatai avec étonnement que Septimus avait décidé de voler comme jamais je ne l'avais vu faire jusqu'à présent. Tel un ivrogne, il s'écrasait contre le plafond, les fenêtres ou l'affiche du *Samouraï*, et faisait cogner ses ailes sur la vitre, tout excité – ou peut-être inquiet de ce que je m'apprêtais à faire, de l'endroit où je comptais me rendre ?

Car je réalisais, à présent, que le destin de ces trois journalistes ressemblait à celui des acteurs qui avaient travaillé aux côtés de Cordova, ceux qui, une fois partis du Peak, n'avaient jamais retrouvé leur vie antérieure, mais s'étaient disséminés aux confins du monde sans qu'on n'entende plus jamais parler d'eux, insaisissables, invisibles, hors d'atteinte.

N'était-ce pas ce qui était en train de m'arriver ?

Je suivais leurs traces, je m'exilais vers les confins du monde. Fuyais-je quelque chose ou avais-je été délivré ?

Je ne pouvais pas le savoir tant que je n'aurais pas vu ce qu'il y avait là-bas, pour peu qu'il y eût quelque chose.

118

Quatre jours plus tard, je pris un avion pour Santiago, au Chili, puis un autre pour Puerto Montt.

Dans l'aéroport El Tepual, je me dirigeai vers la zone des bagages au milieu des enfants, des familles qui s'embrassaient, des panneaux RENSEIGNEMENTS ou Europcar. Je retrouvai mon sac militaire sur le tapis roulant, seul, comme s'il m'attendait là depuis des mois.

Je pris un taxi jusqu'à la gare routière et montai à bord du premier car en partance pour Pargua. Il était bondé. La moitié des sièges étaient occupés par des garçons turbulents en chaussettes montantes, un groupe de chanteurs de madrigaux emmené par un chef d'orchestre au visage en sueur et qui avait l'air au bord de la démission. Une vieille femme s'installa à côté de moi en me jetant un regard méfiant ; mais une fois qu'elle se fut endormie, sa tête se mit à rebondir doucement contre mon épaule, pareille à une bouée sur une mer démontée. Notre car, un vieux tacot avec des arcs-en-ciel sales peints sur les côtés, cahota à travers quelques rues, entre chalets de style bavarois et cafés animés, puis pénétra dans la campagne.

Le ferry pour Chiloé partait toutes les vingt minutes. Le trajet coûtait un dollar. Au moment où il s'élança sur la mer clapoteuse, je me retrouvai au milieu d'un groupe de touristes bruyants qui occupaient tout le pont supérieur. Une Italienne essayait d'écarter ses cheveux de son visage pendant que son petit ami la photographiait. Remarquant ma présence, il me demanda par gestes, avec un grand sourire, si je pouvais prendre une photo d'eux ensemble. Après leur avoir rendu ce service, je ne pus m'empêcher de me demander si, un jour, quelqu'un se lancerait à la recherche de ce couple et lui montrerait ma photo comme moi j'avais montré celle d'Ashley.

Vous reconnaissez cet homme ? Vous a-t-il parlé ? Comment était-il habillé ? Quelle était son attitude ? Vous a-t-il paru bizarre ?

Debout près du bastingage, je pouvais voir l'île au loin devant moi qui se dévoilait comme une femme émergeant de derrière un rideau, lentement, tranquillement : des collines vert foncé, une brume blanche sur la côte, des miroitements de lumière au milieu de la végétation, des poteaux téléphoniques aux câbles emmêlés, une plage sans charme. Pendant une minute, un grand oiseau noir et blanc, une sorte de pétrel tempête, vola tout près de moi, à côté du ferry ; il plongea, remonta, poussa un cri strident avant de se laisser porter par une rafale, puis disparut dans le ciel.

Nous débarquâmes à Chacao, un village endormi qui avait cet air abandonné des lieux que les hommes ne cessent de quitter. De là, avec bon nombre des passagers du ferry, je montai dans un autre car, direction Castro, la plus grande ville de l'île, où je pris une chambre à l'hôtel Unicornio Azul. On ne pouvait pas le rater : un bâtiment rose vif dans une rue grise et mouillée. J'avais lu que c'était un établissement chaleureux, apprécié des habitants et des touristes sans argent, réputé pour sa bonne nourriture et l'anglophonie des propriétaires. Ma chambre était tapissée d'un papier peint bleu ; le lit était *à peine* plus grand que l'énorme annuaire de Santiago posé sur la table de chevet. Je pris une douche debout, à côté de la cuvette des toilettes (la salle de bains était aussi spacieuse qu'une cabine téléphonique), puis, rasé de frais, descendis dans la salle à manger. Je commandai un *pisco sour*, dont la serveuse m'expliqua que c'était la boisson locale ; lorsqu'elle s'attarda pour savoir si j'étais australien, je sortis l'article de *Vanity Fair* et lui demandai si, par le plus grand des hasards, elle reconnaissait les lieux sur les photos.

Ma question suscita en elle une grande perplexité.

Une minute plus tard, deux autres clients, ainsi que le barman hollandais, étaient autour de ma table, en train de faire des commentaires sur les polaroids – et sans doute sur *moi* – en espagnol. Aucun d'entre eux ne reconnut la petite église, mais un des villageois – un petit homme sombre et irritable qui, à la demande pressante de la serveuse, se traîna péniblement jusqu'à nous, laissant comprendre qu'il se déplaçait plus vite dans l'eau – disait avoir vu ce rocher noir troué quelque part sur la côte, au sud de Quicaví, quand il était petit. (Cet homme, il faut le noter, devait avoir un peu moins de quatre-vingts ans.)

« Quicaví ? Et comment est-ce que je peux aller là-bas ? » demandai-je.

Il se contenta de tendre le menton avec une grimace, comme si je venais de l'insulter, et regagna d'un pas lourd sa table.

La serveuse se pencha vers moi, l'air désolée. « Nous les *Chilotes*, les gens d'ici, nous sommes *muy superticiosos* à propos de Quicaví. C'est au nord. À environ une heure de route.

— Pourquoi êtes-vous superstitieux ?

— C'est là que l'homme arrive.

— Quel homme ? »

Elle écarquilla les yeux ; visiblement, elle ne savait pas quoi me répondre. Elle s'éloigna aussitôt. « N'y allez pas la nuit, c'est tout », me dit-elle par-dessus son épaule.

Le barman hollandais me proposa de louer une voiture à un de ses amis, au bout de la rue, histoire d'arriver à Quicaví avant la nuit – *avant la nuit* semblait être la consigne essentielle –, ce qui explique pourquoi, moins d'une heure plus tard, au volant d'un 4 × 4 Suzuki Samurai vert des années quatre-vingt, je suivais une route sinueuse sans accotements juste assez large pour laisser passer deux véhicules. J'avais sur moi mon passeport, tout mon argent, à la fois en dollars et en pesos chiliens, mon portable, un cran d'arrêt et la boussole de Popcorn.

En chemin, pendant que je consultais la carte et la boussole, qui m'indiquait que je roulais vers le nord-est, l'île sembla secouer sa torpeur. Il y avait des collines ondulantes et des chevaux qui galopaient seuls dans les champs – je croisai une procession de chèvres en liberté et deux jeunes garçons escortant un mouton. Je n'arrêtais pas de repenser à ma chambre de l'Unicorno Azul comme à une photo de scène de crime fraîchement prise et imprimée sur mon cerveau : mon sac militaire ouvert sur le lit, les vêtements jetés à la hâte dedans, l'itinéraire d'Expedia dans la poche intérieure, la brosse à dents rouge au bord du lavabo, le tube de Colgate déformé par ma main et, pour finir, le miroir crasseux qui avait été le dernier à voir mon visage. Je me demandai soudain si je n'aurais pas dû laisser une note, quelque chose pour Sam, un petit indice – *au cas où*. Je lui avais confié Septimus, promettant à Cynthia que je ne partirais que quelques semaines, afin que Sam sache que je rentrerais.

Et je comptais bien rentrer.

La Suzuki commença à se plaindre de certaines collines. Lorsque nous en affrontâmes une particulièrement raide – le bitume de la route avait depuis longtemps renoncé et laissé place à la terre et aux cailloux –, j'enclenchai les quatre roues motrices, pied au plancher. Le moteur ne s'en remit pas. Je réussis à garer la voiture sur le côté et poursuivis à pied.

Comme par magie noire, un garçon dans un camion me croisa, fit marche arrière et me proposa de m'emmener. Il ne parlait pas un mot d'anglais ; la radio passait une chanson de Rod Stewart. Au moment d'atteindre ce qui devait être Quicaví, une étroite route en pente bordée çà et là de maisons sombres – elles étaient toutes inclinées vers le bas de la colline, comme si elles voulaient à tout prix toucher l'océan, visible au fond –, le garçon me déposa et continua.

La nuit *commençait* à tomber, accompagnée par un petit crachin. Je pris à droite une autre route qui me conduisit au centre de Quicaví. La ville n'avait rien de particulièrement sinistre ; des cafés proposaient l'Internet gratuit et des Pepsi, un gros cochon broutait de l'herbe devant une épicerie. Pourtant, à 18 h 10, tous les magasins avaient éteint leurs lumières et les portes étaient barrées de panneaux indiquant « CERRADO ». Il n'y avait d'ouverts, apparemment, qu'un restaurant, le Café Romeo, où quelques personnes étaient attablées, et une cahute tout au bout de la plage, une sorte de cantine dont le toit très raide était illuminé.

Pour y arriver, je marchai sur le sable caillouteux et noir, léché paresseusement par la mer. Je m'aperçus avec surprise que j'étais tout seul. Dans ma tête, je reparcourus les quarante dernières heures écoulées et remarquai que, entre l'aéroport JFK à 5 heures du matin l'avant-veille et *maintenant*, le nombre de gens présents autour de moi n'avait cessé de décroître – comme si, arrivé au milieu d'une fête qui battait son plein, je me rendais compte qu'il ne restait plus que moi.

Devant la cahute, je levai les yeux vers le panneau délavé qui surmontait la porte noire et m'arrêtai net, stupéfait.

La Pincoya Negra. La sirène noire. Le même nom que j'avais vu au-dessus d'une des entrées, dans les galeries sous le Peak. *Si j'avais emprunté ce tunnel, me serais-je retrouvé ici ?*

« *Quiere barquito ?* »

Je me retournai. Loin derrière moi, un veil homme décharné se tenait au bord de la mer, à côté d'un pieu planté dans le sable auquel étaient attachés trois rafiots. Il n'y avait personne d'autre. Il avança dans ma direction ; je vis qu'il avait un sourire doux, qu'il lui manquait quelques dents, qu'il portait un pantalon plein de cambouis relevé aux genoux et que son crâne hâlé était hérissé de mèches grises, comme si un morceau de brouillard s'y était accroché.

Je dépliai l'article de *Vanity Fair* et lui montrai les polaroids.

L'homme hocha la tête ; manifestement, il reconnut l'église. Il prononça une phrase que je ne compris pas, quelque chose comme : « *Buta Chauques. Isla Buta Chauques.* » Lorsqu'il vit le rocher troué, il se fendit d'un grand sourire.

« *Sí, sí, sí. La trampa de sirena.* »

Il répéta la phrase avec une excitation qui déformait ses lèvres gercées. Je procédai à une traduction sommaire : *le piège aux sirènes ?* Le piège *des* sirènes ? Perplexe, je ne pus qu'acquiescer. Y voyant un feu vert de ma part, il sourit encore et retourna vers ses bateaux. Il détacha le plus gros des trois et commença à le tirer vers la mer.

« Non ! lui lançai-je. Vous m'avez mal compris ! »

Mais il le traînait avec une force étonnante, par la proue. L'hélice creusait le sable, comme si elle résistait.

« Hé ! Laissez tomber ! *Mañana !* »

L'homme semblait ne m'avoir pas entendu. Dans l'eau jusqu'aux genoux, il était penché au-dessus de son bateau et tirait sur la cordelette du hors-bord.

Je me tus et l'observai quelques instants. Puis je me retournai et regardai dans la direction d'où j'étais venu.

Il y avait quelques lumières au bout de la route. Elles étaient chaudes et douces. Tout à coup je me sentis nostalgique, comme si, juste derrière ces maisons plongées dans l'obscurité, j'allais retrouver Perry Street, ma vie d'avant, tout ce qui m'était connu et familier, tout ce que j'aimais, si tant est que j'aie l'envie d'y retourner. Pourtant, malgré leur proximité, elles semblaient aussi s'éloigner, autant de pièces chaleureuses que j'avais déjà traversées mais dont les portes avaient disparu.

Le vieil homme avait réussi à démarrer. Une épaisse fumée s'échappait du hors-bord, accompagnée d'un grondement sourd transperçant le vent qui sifflait sur les toits des magasins derrière moi.

Je m'approchai du bateau et montai à bord. La coque était remplie de trois centimètres d'eau, mais le vieux n'en avait cure. Après s'être installé à côté du moteur, il sortit une casquette bleue de sa poche de chemise, la vissa sur sa tête jusqu'aux oreilles et, avec un hochement de menton plein de fierté, commença à s'éloigner du rivage.

Nous n'avions pas navigué deux minutes que je vis surgir sur ma gauche, pareilles à des baleines géantes, une série d'îles verdoyantes apparemment désertes. Je pensais que nous allions accoster l'une d'entre elles, mais mon pilote les longea l'une après l'autre jusqu'à ce qu'il n'y ait plus rien devant nous : pas la moindre terre en vue, rien – sinon l'océan noir agité et le ciel, tout aussi vide.

« *Encore combien de temps ?* » m'écriai-je en me tournant vers lui.

Il se contenta de lever sa main velue et bredouilla quelques mots aussitôt emportés par le vent, qui chargeait sa chemise grise sale d'un courant électrique, dévoilant un corps aussi ratatiné qu'un vieil arbre.

Peut-être était-ce Charon, le nocher du Styx, transportant les âmes qui venaient de trépasser vers le séjour des morts.

Je me retournai et regardai droit devant moi, tiraillé entre l'impression que quelque chose était sur le point d'apparaître et la crainte que plus rien n'apparaisse jamais. Nous avançâmes pendant une durée indéterminée. J'étais incapable de décrocher mes mains des rebords du bateau pour consulter ma montre ou la boussole. Les vagues se faisaient violentes et j'étais trempé par les embruns chaque fois qu'elles se brisaient contre le bateau. Peu à peu, je commençai à accepter l'idée que nous continuerions ainsi indéfiniment, jusqu'à ce qu'il n'y ait plus d'essence ; à ce moment-là, le moteur se râclerait la gorge, tel un chanteur d'opéra épuisé quittant la scène, et je me retournerais pour constater que même le vieil homme avait disparu.

Mais lorsque je finis par me retourner, il était toujours là. Portant son regard sur notre gauche, il se dirigeait à présent vers une autre imposante île vert sombre qui grossissait à l'horizon. Celle-là comportait une plage étroite, bordée par des feuillages et, au-delà, d'immenses falaises qui s'élevaient de la mer, pareilles à des épaules musculeuses. L'homme afficha un grand sourire, comme s'il avait reconnu un vieil ami. Une fois parvenu à une vingtaine de mètres du rivage, il coupa brusquement le moteur et sembla attendre quelque chose de moi pendant que le bateau tanguait. Sans se départir de son sourire, il tendit vers l'eau un doigt noir d'huile ; je compris que c'était à moi de *sauter*.

Je secouai la tête. « Quoi ? »

Il se contenta d'agiter son doigt vers la mer. Je lui fis signe, avec le bras, qu'il pouvait toujours *rêver*. À cet instant précis, une énorme vague s'abattit sur nous. Avant même que je puisse réagir, je fus brutalement jeté par-dessus bord.

J'étais en train d'être roulé par les vagues glacées. Je réussis tout de même à ressortir la tête, pantelant, la bouche remplie d'eau de mer ; lorsque mes pieds touchèrent le fond, je me rendis compte que l'eau n'était pas profonde. Une fois sur le rivage, je m'efforçai de rester debout mais dus me plier en deux pour tousser. Là-dessus, je me retournai, épouvanté. Je n'avais ni payé le vieil homme, ni discuté avec lui des modalités du *retour*.

Il avait déjà redémarré et faisait demi-tour.

« Hé ! lui criai-je, mais le vent étouffa ma voix. *Attendez !* Revenez ! »

Il ne réagit pas, ou ne m'entendit pas. Les épaules voûtées face au vent, il fonçait déjà, le moteur à fond, et, au bout de quelques minutes, ne fut plus qu'une tache noire sur la mer.

Je regardai autour de moi. Il restait encore juste assez de lumière pour voir, au bout de la plage, à l'endroit où le sable se rétrécissait, comme violemment repoussé par les falaises, un gigantesque rocher. Il comportait un trou.

Le piège des sirènes.

Stupéfait, je m'en approchai. Assez vite, je m'aperçus qu'une immense nuée de mouettes, dont les cris se noyaient dans l'océan, avait envahi non seulement le pourtour du rocher, mais l'essentiel du rivage, pour se faire un festin parmi les pierres. La pluie se mit à tomber de plus en plus fort. Je m'éloignai et trouvai refuge sous la végétation, le long de la plage.

À quelques mètres de là, je repérai un bout de bois qui sortait du sable.

Une série de planches avaient été posées sur un chemin boueux qui s'enfonçait dans la forêt. Je regardai la boussole : l'aiguille pointait résolument vers l'est. Je posai un pied sur les planches ; sous mon poids, la boue déborda. En suivant le sentier, je fus immédiatement saisi à la gorge par un air lourd, humide, compact, et par autre chose, aussi – une bouffée d'angoisse, la sensation de glisser, d'être happé dans un trou duquel je ne pourrais pas ressortir et duquel il ne valait mieux pas que j'essaie de ressortir. Des branches tordues s'enroulaient les unes aux autres et formaient un réseau tellement serré qu'il ne restait de la pluie que le bruit, comme une foule en train de murmurer au-dessus de ma tête. Je me mis à marcher plus vite, puis à trottiner, puis à courir ; je trébuchais sur les planches irrégulières qui, parfois, se cassaient en deux, me projetant dans la boue jusqu'aux genoux. Je ne m'arrêtai pas. Autour de moi, des fougères et des fleurs, d'épaisses racines d'arbres qui s'élevaient de part et d'autre du sentier, comme pour s'échapper. Pour seule compagnie, je n'avais qu'un oiseau ; il me poursuivait, l'air de vouloir me lancer un dernier avertissement. Après avoir voleté et gazouillé au milieu des fourrés, il fonça vers moi, frôla ma joue avec ses ailes noires et poussa un cri strident avant de repartir dans l'obscurité. Comme pour me dissuader, le sentier se transformait en une pente de plus en plus raide. Mais je ne m'arrêtai pas et montai à une telle vitesse qu'au bout d'un moment je ne sentais plus le sol sous mes pieds.

Il y avait devant moi une maison. Nichée au milieu des arbres, elle ressemblait à beaucoup d'autres que j'avais vues sur la grande île, délabrée, couverte de bardeaux, avec un volet abîmé qui pendait à une fenêtre. Tout en essayant de reprendre mon souffle, je me traînai jusqu'au porche, posai la main sur la poignée rouillée et ouvris la porte.

L'intérieur était désert – des meubles en bois austères, la pénombre, un vieux ventilateur en train de tournoyer au plafond.

Une grande peinture à l'huile était accrochée au mur qui me faisait face, le portrait d'un homme dont le visage déformé et blafard semblait se fondre dans un arrière-plan noir. Je franchis le seuil de la porte et m'arrêtai aussitôt : mon regard avait été attiré par un mouvement au fond de la pièce. Là, près d'un mur percé de fenêtres sombres, je vis deux fauteuils de style Mission, en bois et en cuir, semblables à des trônes. Sur une petite table installée à côté de l'un d'eux, une *cigarette* se consumait – une *Murad*, à n'en pas douter – et laissait s'échapper des volutes de fumée blanche.

En m'approchant, je repérai une paire de lunettes en métal repliées, aux verres ronds et noirs. Juste à côté, une bouteille de Macallan – *mon whisky*, remarquai-je, soufflé – et deux verres vides.

Je me retournai. J'avais la sensation d'être observé.

Il était là, imposante silhouette sombre dans l'encadrement de la porte.

Cordova.

À cet instant, mille choses me vinrent à l'esprit. Les chasseurs regardent leur proie dans les yeux et que voient-ils ? Je n'avais jamais pensé le retrouver un jour, et, si je le retrouvais, je ne m'étais jamais demandé si j'aurais envie de le tuer, de le condamner ou de pleurer. Peut-être m'apitoierais-je sur lui, vaincu par l'enfant vulnérable qui est en chacun de nous. Mais j'avais le sentiment qu'il m'attendait, que nous ne ferions rien de plus que nous asseoir sur ces fauteuils vides, un père avec un autre père, et tandis que, autour de nous, la pluie tomberait et la fumée s'épaississirait, diffusant un nouveau sortilège hypnotisant, il me raconterait. Dans son récit qui durerait sans doute des jours et des jours, il y aurait une noirceur inimaginable, des filets de sang des cris, des oiseaux rouge vif, mais aussi d'incroyables lueurs d'espoir, de la même manière que le soleil, en une fraction de seconde, peut illuminer la mer la plus sombre. J'en apprendrais plus que je ne l'aurais jamais imaginé sur ce dont les gens sont capables pour ressentir les choses plus intensément, et j'entendrais le rire de Sam dans celui d'Ashley.

Je ne savais ni comment se terminerait son récit, ni ce que je découvrirais à la fin. Contemplerais-je les décombres et y verrais-je l'histoire d'un personnage maléfique ou d'une grâce déchue ? Ou me reconnaîtrais-je dans tout ce qu'il avait tenté pour sauver sa fille, dans son insatiable besoin d'étirer la vie jusqu'à son point limite, au risque de la casser ?

Curieusement, je sentais que, dès qu'il aurait fini de raconter, il trouverait le moyen de disparaître plus vite qu'une rafale de vent sur un champ. Je me réveillerais quelque part, loin de là, en me demandant si j'avais rêvé, s'il avait vraiment été là, dans cette petite maison silencieuse au bout du monde.

La seule chose que je savais, lorsque je m'avançai vers lui, c'était qu'il allait s'asseoir à côté de moi et qu'il me dirait sa vérité.

Et je l'écouterais.

Nº255   29 DECEMBRE 1977 $1.90   UK 75p

Rolling Stone

STANISLAS CORDOVA
Au bord du gouffre, aller et retour
Par R.S. Miles

LE PROJECT MKULTRA
Les expériences secrètes de la CIA pour contrôler les cerveaux
Par Susannah Steinberg

APPLE II
Le premier ordinateur personnel du monde changera-t-il notre mode de vie ?
Par George R. Harvey

UN LIEU NOMMÉ LE STUDIO 54
Par Matthew Nash

CORDOVA

AU BORD DU GOUFFRE, ALLER ET RETOUR

PAR R.S. MILES

Que cette rencontre ait lieu est en soi un miracle. Je plaidais depuis des années pour que Cordova fasse la couverture de *Rolling Stone*. Chaque fois que nous envoyions l'invitation, nous n'avions aucune nouvelle. Puis, un jour, nous est arrivé un message de son assistante, Inez Gallo : « M. Cordova souhaiterait que l'interview se fasse dans quatre jours au Ritz-Carlton. »

J'avais donc le maître en personne assis devant moi dans la suite présidentielle. Il attendait que je lui pose une question. Il était grand, il portait un pardessus noir et des lunettes noires rondes qui donnaient l'impression inquiétante que sa tête était creusée de deux trous.

Qu'est-ce qui vous inspire ?

SC : Le souffle d'une femme sur mon épaule, le soleil qui se lève sur une montagne enneigée aussi rose qu'une rose, mon fils.

Tous les articles que j'ai pu lire sur votre œuvre donnent de vous l'image d'un excentrique exigeant, d'un dictateur féroce, voire d'un sadique. Dans sa critique de *Quelque part dans une pièce vide*, le *Times* disait que la fin – quand on ne sait pas si le héros s'en sortira vivant – prouve que vous avez une vision tellement effrayante de l'humanité que votre enfance a dû forcément ressembler à un film d'horreur. Quelle fut-elle ?

SC : J'ai été élevé par une mère seule, dans le Bronx. On était pauvres. Je séchais souvent les cours pour prendre le métro jusqu'au centre, où je m'asseyais dans les cafés, aux arrêts de bus et dans les boîtes de strip-tease. C'est à cette époque que j'ai appris que l'esprit humain est un lieu obscur et envahi par les mauvaises herbes. La société essaie de tondre la pelouse et de tailler les plantes, mais, tous autant que nous sommes, c'est la jungle qui nous guette. Et c'est la jungle qui m'intéresse.

Dès qu'il s'agit de raconter ce que jouer dans un de vos films signifie, il se forme autour de vous un champ de force impénétrable. Pourquoi ?

SC : Est-ce qu'un couple marié peut expliquer ce qui se passe une fois que les

Au bord du gouffre ? Ça paraît un peu dangereux.

SC : L'effroi est une chose aussi essentielle à notre vie que l'amour. Il plonge au plus profond de notre être et nous révèle ce que nous sommes. Allons-nous reculer et nous cacher les yeux ? Ou aurons-nous la force de marcher jusqu'au précipice et de regarder en bas ? Voulons-nous savoir ce qui s'y cache ou, au contraire, vivre dans l'illusion sans lumière où ce monde commercial veut tant nous enfermer, comme des chenilles aveugles dans un éternel cocon ? Allons-nous nous recroqueviller, les yeux clos, et mourir ? Ou nous frayer un chemin vers la sortie pour nous envoler ?

« L'ESPRIT HUMAIN EST UN LIEU OBSCUR ET ENVAHI PAR LES MAUVAISES HERBES »

invités sont partis, la table débarrassée, la porte de la chambre fermée et les lumières éteintes ? Ce qui arrive chez les gens que j'ai choisis pour raconter une histoire reste entre eux et moi. Ils s'adonnent entièrement au travail, car ils savent que je ferai attention, que je les emmènerai, parfois contre leur gré, au bord du gouffre. À eux de décider si, une fois qu'ils y seront arrivés, ils veulent fermer les yeux et partir en courant – ou continuer de regarder.

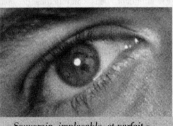

« Souverain, implacable, et parfait »

Quel est le plan que vous préférez parmi tous vos films ?

SC : Le zoom sur l'œil dans *Silhouettes*. En fait, c'est mon œil que l'on voit. C'est un plan souverain, implacable, et parfait.

Que regrettez-vous ?

SC : Que l'on puisse détruire les êtres que l'on aime.

Pourquoi vos films portent-ils sur des thèmes si dérangeants ?

SC : Vous devez marcher quelque temps du côté ombragé de la rue pour pouvoir sentir le soleil toucher vos épaules.

Il y a quelques mois, votre femme, Genevra, s'est noyée sur votre propriété.

SC : Oui.

13

En quoi cette terrible tragédie vous a-t-elle affecté ?

SC : Je ne peux décrire cela que par une image – un cheval de course qui a une patte avant cassée mais s'efforce de tenir debout. Il finit par comprendre que rien ne pourra changer, qu'il devra rester au sol et souffrir de ce qu'il a fait. Il a couru trop vite, il n'a rien préservé, n'a épargné aucune force pour plus tard, pour le chemin du retour. C'est le prix à payer pour ce genre d'existence. Nos vies sont des fleurs qui éclosent magnifiquement, puis disparaissent.

Mes films ne sont que des histoires. Mais nous n'avons que ça. Les histoires qu'on raconte aux autres et celles qu'on se raconte. Quand vous parlez avec les personnes âgées, les hommes et les femmes qui arrivent au terme de leur existence, vous voyez que c'est ça qui reste, alors que le corps se désintègre. Nos histoires. Nos enfants décideront de continuer de les raconter ou non.

Quelle est la suite pour vous – dans votre vie, dans votre travail, dans vos amours ?

SC : Je vais faire un petit tour dehors, si ça ne vous embête pas.

L'unique photo publicitaire publiée autour du tournage de Treblinka

rien. Je suis resté assis, à relire mes notes, et j'ai décidé de l'interroger plus longuement sur sa fascination pour les jungles de l'esprit – et de lui demander qui il était, au juste. Au bout d'un quart d'heure, j'ai pris l'ascenseur et je suis descendu dans le hall ; je l'ai cherché au restaurant, parmi la foule dans la rue, mais il avait disparu comme une ombre effacée par la lumière du jour.

Mes coups de téléphone répétés à son assistante n'ont rien donné. Pas plus que l'envoi de cette interview une semaine avant la parution. Avais-je dit quelque chose de blessant ? Pourquoi s'était-il enfui ?

Pour l'heure, cet homme demeure un mystère – jusqu'à son prochain film, sa prochaine interview, une apparition en exclusivité à *60 Minutes* ou au *Mike Douglas Show*. En attendant, nous continuerons de nous interroger. Peut-être que certains d'entre nous trouverons par hasard ce mystérieux bord du gouffre dont il parle, lèverons les yeux et regarderons. Est-ce l'enfer ou le paradis qu'ils verront ? Peut-être simplement la vie, dans son spectacle infini.

Où que soit cet endroit, Cordova s'y trouve.

> # « NOS VIES SONT DES FLEURS QUI ÉCLOSENT MAGNIFIQUEMENT, PUIS DISPARAISSENT »

Je vous en prie.

J'ai éteint l'enregistreur, j'ai aperçu Cordova filer rapidement par la porte – et puis plus

REMERCIEMENTS

Intérieur nuit n'aurait pas été possible sans les conseils et le soutien d'un groupe de gens exceptionnels.

Binky Urban : tu es encore meilleur en vrai qu'en légende. Merci pour ta sagesse, ton amitié, ton cœur immense, et merci de me dire les choses telles qu'elles sont. Un grand merci à l'équipe d'ICM, la meilleure dans son domaine : Margaret Southard, Molly Atlas, Daisy Meyrick, Karolina Sutton, Rachel Clements et Ron Bernstein.

Kate Medina : ton intelligence d'éditrice et ta passion pour l'histoire d'Ashley ont sans cesse stimulé l'écrivain que je suis en poussant ce livre vers des hauteurs et des profondeurs nouvelles. Merci de m'avoir donné le courage de marcher toujours plus loin dans ces couloirs sombres (et merci pour Alexander McQueen).

Lindsey Schwoeri : ta relecture aussi serrée que perspicace de mon premier jet m'a emmenée dans une tout autre direction ; grâce à toi, j'ai ouvert des portes nouvelles et inattendues. Merci de mes les avoir montrées, sans quoi je n'aurais jamais soupçonné leur existence.

Anna Pitoniak : ton enthousiasme et tes propositions inventives ont été pour moi une bouffée d'air pur. Faisant preuve d'une d'assurance digne de Ginger Rogers, tu as su brillamment jongler avec tous les éléments disparates qu'il a fallu pour composer ce livre. Merci de n'avoir jamais flanché.

À ma *dream team* de Random House, qui a travaillé pour moi jour et nuit avec tant de passion et de courage :

Gina Centrello, merci d'être mon ardente avocate.

Sally Marvin et Karen Fink : merci pour votre dévouement et vos idées originales, et merci d'être aussi adorables.

Mille mercis à Debbie Aroff pour avoir trouvé toutes ces manières de mêler l'univers d'*Intérieur nuit* au monde réel. Merci aussi à Maggie Oberrender pour ses contributions en coulisses.

Paolo Pepe, Barbara Bachman et Simon M. Sullivan : je vous suis infiniment reconnaissante d'avoir voulu emmener la conception graphique du livre dans une nouvelle direction. Vous avez concocté un objet merveilleux que Cordova lui-même approuverait.

Un grand merci à mon équipe numérique et aux prophètes de la technologie que sont Ken Wohlrob et Matt Schwartz – vous m'aidez à repousser les limites et à réinventer les champs du possible.

Laura Goldin – merci d'avoir pris du temps sur ton agenda surchargé pour me défendre.

Merci à Richard Elman, Benjamin Dreyer et Lisa Feuer, qui ont permis que la fabrication de ce livre se fasse en temps et en heure, et même en avance.

Merci à Amy Broser, fabuleuse relectrice, et un énorme merci à Loren Noveck, dont les pouvoirs de déduction, que n'aurait pas reniés un Sherlock Holmes, se sont révélés aussi phénoménaux qu'inappréciables (tu pourrais travailler pour la CIA).

Merci à Jocasta Hamilton et à toute l'équipe de Hutchinson, à Londres, pour leurs encouragements, leur enthousiasme, et merci à House of Wolf.

L'univers de Cordova n'aurait jamais été imprégné d'une telle vitalité sombre sans l'inimitable Tristan Woods-Scawen, dont l'enthousiasme, la créativité débridée et la magnifique direction artistique concernant les illustrations ont transcendé les fuseaux horaires et plus que répondu à nos attentes. Sans toi, Cordova ne serait jamais sorti de l'ombre. Je suis redevable à l'ensemble des visionnaires qui travaillent chez Kennedy Monk : Stuart Monk, Bruce Kennedy, Jolyon Meldrum, Steven Harrison, Colin Taylor, Charlotte Kelly et Michelle Thomas. Ç'a été un plaisir de travailler avec vous.

Merci à mes formidables personnages, dont les visages susurrent des questions et les regards enflamment l'esprit : Sophie Blackbrough, Seb Castang, Verona Edo, Samantha Englebrecht et Steven Harrison. Je n'aurais jamais pu réunir un casting aussi fascinant si je vous avais moi-même inventés.

Merci au photographe, Paul Archer, qui, à partir d'éléments de preuve, a fait de l'art. Toute ma gratitude à Lucy Flower, David Wadlow et Lisa Jahovic, grâce à la minutie desquels chaque photo paraît opportune, puissante et vraie.

Plusieurs experts médicaux ont eu la bonté de prendre sur leurs journées bien remplies pour répondre à mes questions : Lawrence Levin, M. D., un des médecins les plus attentionnés et les plus perspicaces de New York, et Leonard H. Wexler. M. D., par le travail incroyable qu'il effectue auprès des enfants, m'a beaucoup appris et m'a donné une leçon d'humilité.

Un immense merci à mon assistant et bras droit, Seth D. Rabinowitz. Tu es mon fidèle confident et complice.

Merci à ma chère famille, à mes chers amis et aux autres compagnons qui ont contribué à ce livre de mille et une manières : James Rosow, Robert Strent, Nicole Caruso, Adam Weber (tes vingt-deux heures d'enfermement au poste central de Brooklyn valaient la peine pour *The Tombs*), Nic Caiano, Noriel Abdon, Josh Thomas, Elke Pessl et Don Marvel.

Je serai éternellement reconnaissante à Anne, ma merveilleuse mère et première lectrice, qui m'enseigne que le véritable accomplissement est de laisser amour et lumière dans son sillage. Il arrive si souvent que tu comprennes avant moi ce que j'essaie de dire.

Pour finir, je veux remercier ma défunte grand-mère, Ruth, qui a vécu dans la grâce. Sa phrase préférée était celle-ci : « Le jour ne sera pas levé aussi tôt que moi / pour tenter la belle aventure de demain. »

Continuons de vivre ainsi.

CRÉDITS PHOTOGRAPHIQUES

Composition Nord Compo
Achevé d'imprimer
sur Timson
par Normandie Roto Impression s.a.s.
61250 Lonrai en juin 2015
Dépôt légal : juin 2015
Numéro d'imprimeur : 1502353

ISBN 978-2-07-014476-1/Imprimé en France

264224